SV

# Siegfried Kracauer
# Werke

Herausgegeben von Inka Mülder-Bach
und Ingrid Belke

Band 5

Essay, Feuilletons, Rezensionen

# Siegfried Kracauer
# Essays, Feuilletons, Rezensionen

Band 5.4
1932-1965

Herausgegeben von
Inka Mülder-Bach

Unter Mitarbeit von
Sabine Biehl, Andrea Erwig, Vera Bachmann
und Stephanie Manske

Suhrkamp

Herausgegeben mit freundlicher Unterstützung
der Deutschen Forschungsgemeinschaft

Bibliografische Information der Deutschen Nationalbibliothek
Die Deutsche Nationalbibliothek verzeichnet diese Publikation
in der Deutschen Nationalbibliografie;
detaillierte bibliografische Daten sind im Internet
über http://dnb.d-nb.de abrufbar.


Satz und Druck: Memminger MedienCentrum AG
Printed in Germany
Erste Auflage 2011
ISBN 978-3-518-58335-7 (Ln.)
ISBN 978-3-518-58345-6 (Kt.)

1 2 3 4 5 6 – 16 15 14 13 12 11

# Inhaltsübersicht

# 1932

## 622. »Er ist ein guter Junge«

### Berliner Betrachtung

Das Stadtbild Berlins hat sich allmählich verändert, man merkt jetzt an allen Ecken und Enden die Krise. Auch Fremde, die es noch vor einem halben Jahr nicht wahrhaben wollten, daß das Berliner Oberflächenleben von dem Elend stark in Mitleidenschaft gezogen worden sei,[1] spüren heute auf den ersten Blick seine Verwandlung. Nicht nur die Großwohnungen sind geräumt, auch die Lokale füllen sich an den Werktagen nicht mehr recht. Das ehemalige Café Bauer Unter den Linden[2] ist seit einiger Zeit geschlossen. Die Straßen sind mit Bettlern übersät, ein ganzer Wald von Bettlern, der nur schwer passierbar ist, dringt in die Stadt ein und bedeckt den Asphalt. Studenten und besser gekleidete ältere Herren klingeln an den Haustüren, verkaufen Schnürsenkel und Streichhölzer oder bitten auch nur um eine Gabe. Und abends herrscht in Straßenzügen, die früher bis in die Nacht hinein belebt waren, eine merkwürdige, aufreizende Ruhe. Die Menschen verlaufen sich rasch, sie bleiben zu Hause oder stecken sonstwo. Es ist, als verkröchen sie sich wie Tiere, um allein zu sein mit der Not.

Hat sich das ganze Leben unserem wirklichen Zustand angepaßt? Teilweise ist es nicht nachgefolgt, sondern behauptet sich blind weiter fort. Reste vergangener Daseinsformen ragen, den Ereignissen zum Trotz, in unseren preisgegebenen Alltag hinein. Jetzt wäre es an der Zeit, sie zu durchschauen und zu erkennen, wieviel Gespenstisches sich noch immer an unsere Fersen heftet.

In einem bekannten Berliner Hotel fand jüngst die Schlußveranstaltung eines Tanzturniers statt, das von einem hiesigen Tanzklub arrangiert worden war. Durch Zufall in die Hotelhalle verschlagen, wurde ich Zeuge des festlichen Trubels. Die Herren im Frack, wartend, schwatzend und rauchend; die Damen im Hermelin oder Persianer und darunter die großen Abendtoiletten; Pokale und andere Ehrengaben auf einem Galatisch, der mitten im Reiseverkehr der Diele stand; hinter weit geöffneten Türen die Spiegelreflexe und die gläserbeladenen Tische, an denen sich nach und nach die Gäste versammelten; dann Tanzmusik, Bruchstücke von Ansprachen, Beifall, Klirren, Lachen und jenes unbestimmte Gesumme, das fortgesetzte Ballgespräche erzeugen – es war ein Gesellschaftsbild, wie es strahlender nicht sein könnte. Ich beabsichtige nun keineswegs, in jener Art von Schwarzweiß-Malerei, die sich bei den Autoren sozialer Romane besonderer Beliebtheit erfreut, Szenen dieses höheren Glanzes zu schildern, sondern möchte nur eine bestimmte Erfahrung festhalten, die das herrschaftliche Ereignis mir aufdrängte. Wer einmal die Gelegenheit gehabt hat, alte Filme zu betrachten, dem wird schwerlich entgangen sein, wie verschollen sie wirken.[3] Vor allem die gesellschaftlichen Vorgänge, um die sie sich eifrig bemühten, sind längst aus der Zeit zurückgetreten und haben nichts mehr mit uns zu schaffen. Bleiche Hemdbrüste und erstarrte Gebärden: ein einziger Modergeruch. So und nicht anders erschien mir auch diese Gesellschaft. Sie tauchte aus den Grüften auf wie ein Phantom, das zur Unzeit durch unser Leben geistert. Das waren nicht Menschen aus Fleisch und Blut, die in ihrer Pracht dahinwallten; das war die menschenlose Pracht selber, die hier umging, die Pracht vergangener Jahre, die sich nicht abwerfen lassen wollte. Die Herren hatten Filmgesichter, die Damen lächelten konventionell. Wären sie Marionetten im Glaskasten oder Schaufensterpuppen gewesen, so hätte der Auftritt noch Leben geatmet; aber wahrhaftig, sie lebten und glichen eben darum einem ungreifbaren Spuk. Erst auf der Straße draußen kam das Heute wieder zurück. Ein paar Taxichauffeure schimpften über die schlechten Zeiten, und zwei Hamburger Zimmerleute preßten durch ihr furchterregendes Äußeres den Passanten Almosen ab.

Vor kurzem sagte mir ein Franzose, den ich durch Berlin führte: »Ihr seid arm zwischen Palästen; wir haben unser Auskommen in armen Behausungen.« Diese Antithese, übertrieben wie alle solche Formulierungen, wurde bei der Betrachtung des riesigen Warenhauses in Neukölln geprägt, das eine Verkörperung wilhelminischen Geistes ist.[4] Ein Gemisch aus Kathedrale und Festung, steigt der viereckige Bauklotz pathetisch empor, klingt in zwei Türme aus, die abends wie Fanale über der Stadt leuchten, und was wird darin verkauft? Bedarfsartikel für kleine Leute und Proletarier. Schon in der Kaiserzeit hat es so angefangen. Ich denke an die Marmortreppen der Mietshäuser, die hinter den Haustüren unmittelbar ansetzen und vor aller Augen so steil und herrisch himmelan streben, als führten sie statt in Berliner Zimmer in den Himmel selber hinein. Man hat den Kurfürstendammbauten die Stuckornamente abgeschlagen,[5] aber die Großmannssucht ist auch in der Republik geblieben. Ihr entstammen die vielen Fassadenarchitekturen, mit denen Berlin seit Jahren gefüllt wird: Hochhäuser, Bürohäuser usw., die alle nicht die geringste Beziehung zu menschlichen Dingen mehr unterhalten. So einfach sie sind, sie bringen es dennoch fertig, den Eindruck überlebensgroßer Monumentalität zu erwecken. Vermutlich rührt er daher, daß diese Gebäude sich so unüberlegt und rücksichtslos entfalten, als gäbe es niemals Wirtschaftskrisen, sondern immer nur Prosperität. Die horizontalen Glas- und Mauerbänder, aus denen sie gewöhnlich bestehen, wickeln sich wie laufende Bänder ab, die ununterbrochen Nahrung haben, und preisen rein durch ihr Dasein den Segen endloser Rationalisierung. Wir haben den Segen kennengelernt, aber die Häuser, die ich hier meine, wissen nichts von unseren Leiden, von unsrer Begrenztheit. Man hat das Herz in sie einzumauern vergessen. Leer und fühllos streichen ihre Fassaden hin, so abstrakt wie manche Betriebe und Organisationen, die dahinter untergebracht sind. Immer länger, immer höher ist ihre Parole. Inzwischen hat sich herausgestellt, daß es nicht länger so geht. Dennoch dauern diese Gebäude ungerührt fort, Zeichen einer Gesinnung, die sich nicht ungestraft von den menschlichen Proportionen losgesagt hat. Wir sind arm geworden zwischen ihnen, und sie bekümmern sich nicht darum. Wer genauer hinblickt, wird indessen bemerken, daß sie, kaum aufgerichtet, schon abzunehmen beginnen. Sie enthüllen ihre Unwirklichkeit vor der Zeit, sie offenbaren heute bereits ihren erschreckenden Mangel an Inhalt. Während andere, gefülltere Architekturen langsam veralten und dann das Aussehen ehrwürdiger Ruinen erlangen, behaupten sie sich nur kraft physikalischer Gesetze und starren wie hohle Kartonbauten in die Großstadtluft. Die üblichen Gespenster kommen aus der Vergangenheit herauf; ihr gespenstisches Los ist es: nicht in die Vergangenheit eingehen zu können.

Das sind nur Beispiele für Restbestände, die unter uns wesen. Gerade Berlin ist ihrer voll, denn es hat seit langem ohne viel Skrupeln [sic] gelebt. Die Provinz ist auch darum der Hauptstadt oft genug gram. Nicht ganz zu Recht, wie mich dünkt, da ein mit schonungsloser Offenheit geführter Existenzkampf immer noch besser ist als einer, der unter der Maske des Wohlanstands genauso grausam vonstatten geht ...
Nun hat der Taumel einstweilen ein Ende. Großartige Bankportale sehen so traurig drein wie eine verlassene Schöne, Fabriktore sind geschlossen, und ein Skandal nach dem andern füllt die Spalten der reichshauptstädtischen Presse. Der Schein hört auf, der Bodensatz steigt in die Höhe, die Wirklichkeit zeigt sich nackt. Sie ist häßlich, hart, klein. Und übrig bleibt nur, sich in sie zu schicken.
Ist das ein Anlaß zur Klage? Es könnte eine Chance sein, wenn wir damit wieder auf Grund stießen, wenn wir nicht mehr über unsere Verhältnisse und auf viel zu großem Fuß lebten, sondern das Leben den Verhältnissen anzupassen versuchten. Ich kann nur schwer ausdrücken, was ich meine, aber vielleicht ist es trotz unserer abgegriffenen Sprache möglich, mich verständlich zu machen. Gewiß ist die Not, in der wir uns heute befinden, zu einem guten Teil die Folge wirtschaftlicher und politischer Entwicklung[en], an denen wir selber keine Schuld tragen. Aber sie ist auch die Folge einer bestimmten Haltung, die sich bei uns, wer weiß, durch welche Umstände, hat einbürgern können. Wie diese Haltung sich in den bereits angedeuteten gespenstischen Phänomenen sichtbar darstellt, so tritt sie im Sklarek-Prozeß[6] und in anderen Prozessen unverhüllt an den Tag. Sie führt zum Karrieristentum, zur Absage an zwischenmenschliche Verständigung, zur Erfolgsanbeterei und zu Betäubungsorgien; sie ist unmenschlich, mit einem Wort. Nachdem das durch sie bewirkte Unheil hie und da offenbar geworden ist, gälte es, sie zu liquidieren und mit den Zuständen auf menschliche Weise fertig zu werden. Auf menschliche Weise: meine Verlegenheit, sie zu kennzeichnen, ist nicht gering.
In einer jener Berliner Abendgesellschaften, die Prominente auf allen Gebieten zu vereinigen pflegen, unterhielt ich mich jüngst mit einer älteren Dame, der Frau eines angesehenen und ernsten, aber wenig erfolgreichen Schriftstellers, der ebenfalls anwesend war. Wir sprachen über den Grund seiner Erfolglosigkeit, die natürlich heute gleichbedeutend

mit materiellen Schwierigkeiten und Ablehnungen ist. Die Dame meinte nun, daß der eigentliche Grund in der Unabhängigkeit des Charakters und einem gewissen Substanzreichtum liege. »Substanz stößt ab«, sagte sie völlig unverbittert und streifte mit einem Blick die Gesellschaft. Das war gewiß in eigener Sache gesprochen, aber doch ein stichhaltiges Argument; denn es duldet keinen Zweifel, daß die Träger der Haltung, die viel zu lange triumphiert hat, substanzfeindlich sind. Einige Exemplare von ihnen waren in der Gesellschaft selber vorhanden, und es geht ihnen gar nicht schlecht. Dann sah die Dame zu ihrem Mann hin, der sich in einer Gruppe lebhaft unterhielt, und sagte mit einem freundlichen, keineswegs resignierten Lächeln: »Sehen Sie, wie er da sitzt und ohne jedes Mißtrauen redet. Er ist ein guter Junge! Und ich liebe ihn um seiner Erfolglosigkeit willen, liebe ihn gerade so, wie er ist.«
Vielleicht vermittelt dieser Ausspruch, der sich mir tief eingeprägt hat, eine Ahnung von der menschlichen Weise, an die ich hier denke. Jedenfalls hebt er die Unmenschlichkeit radikal aus den Angeln, in welcher Gestalt sie sich auch unter uns zeige. Und richtete sich das Leben nach ihm ein: das Elend wäre tragbar, die Armut erhielte Größe, und wir hätten endlich ein Fundament.
(FZ vom 1. 1. 1932)

1 Siehe »Unter der Oberfläche«, Nr. 576.
2 Das im Wiener Kaffeehausstil eingerichtete Berliner Café Bauer wurde 1877 von Mathias Bauer an der Ecke Unter den Linden/Friedrichstraße in einem nach Entwürfen von Wilhelm Böckmann und Hermann Ende umgebauten Gebäude eröffnet; es wurde 1924 an die Deutsche Gaststätten AG verkauft, renoviert und unter dem Namen Café Unter den Linden neu eröffnet; im Zweiten Weltkrieg wurde das Haus zerstört.
3 Siehe hierzu u. a. Kracauers Artikel »An der Grenze des Gestern. Zur Berliner Film- und Photoschau«, *Werke*, Bd. 6.3, Nr. 690.
4 Gemeint ist das Karstadt-Warenhaus am Herrmannplatz; siehe hierzu Nr. 472, Anm. 1.
5 Siehe Nr. 703.
6 Siehe Nr. 601 und 664.

## 623. Ein Stück Friedrichstraße

Gegen Mittag in der südlichen Friedrichstraße. Obwohl sich die Straße vom Belle-Alliance-Platz aus mit seinen verrußten, viel zu klein geratenen mythologischen Gruppen[1] schnurgerade bis zum Bahnhof Friedrichstraße hinzieht, spürt man doch in diesem Teil ihre Akkuratesse nur wenig. Sie ist hier eher verschlampt und steckt voller kleiner, ärmlicher Lädchen, die einen durchaus provisorischen Eindruck machen. Er rührt zweifellos auch daher, daß manche Hausbesitzer ihre Ladenräume einfach kurzfristig vermieten, um sie nicht ganz leer stehen zu lassen. Zwischen den vorübergehend aufgeschlagenen Geschäften und den seßhaften herrscht freilich kein großer Unterschied. Heute ist nichts mehr niet- und nagelfest, und zahlreiche Ausverkäufe gelten der endgültigen Räumung.

Ein vergängliches Gewimmel, dessen powere Bestandteile sich erst nach und nach dem Passanten einprägen. Wahrscheinlich hängt mit der Tatsache, daß diese Gegend die Wahlheimat der Filmbranche ist, die erstaunliche Häufigkeit photographischer Geschäfte zusammen. Sie behaupten allerdings nicht allein das Feld, sondern müssen immer wieder die Nachbarschaft von Rundfunklädchen erdulden. Vermutlich erklärt sich ihre Anwesenheit daraus, daß Auge und Ohr einander verschwistert sind. Wie volkstümlich das Radio schon ist, beweisen die schwierigen technischen Beschreibungen, die neben den schwarzen oder braunen Kästen im Schaufenster liegen. Junge Burschen überfliegen die Texte mit einem fachmännischen Verständnis, das sie den politischen Ereignissen offenbar nicht entgegenbringen. Sonst wäre die Politik bei uns anders, und die Lautsprecher überwögen nicht so. In ihrer Nähe befinden sich einige Geschäftchen, die mit sicherem Instinkt aus irgendeiner Passage hervorgekrochen zu sein scheinen. Sie sind schmal und tief und verbergen sich hinter einem langwallenden Gewand aus Ansichtspostkartenstreifen, das aber nur dazu dient, auf ihre Blößen nachdrücklich aufmerksam zu machen. Denn mitten unter den Straßenperspektiven Berlins zeigen sich schon in der Auslage Bilder, die das Liebesleben betreffen, und ein Schild lädt die Freunde »sexualwissenschaftlicher Werke« höflich zum Betreten des Inneren ein. Wo die Gedanken sich der Liebe zuwenden, sind Friseurläden gemeinhin nicht weit. Die Wachspuppen, mit denen sie prangen, wirken, der Lage entsprechend, längst nicht so vornehm wie ihre Schwestern am Kurfürstendamm, tragen jedoch immerhin ausgedehnte Frisuren nach der vorletzten Mode. Zum Glück bleiben sich die Schlager überall gleich, in welchem Stadtviertel man sie auch trällert. Der aus dem Charell-Film: DER KONGRESS TANZT hat sich anscheinend besonders stark ausgebreitet. »Das gibt's nur einmal – das kommt nie wieder«: so preist ein Zigarrengeschäft eine preiswerte Zigarre an, und es ist, als höre man die Harvey selber diese gefühlselige Strophe singen.[2] Im Film kommt der Vers leider immer wieder.[3] Die betreffende Zigarre mag in einem der vielen Cafés ringsum erfreulich munden. Eines dieser Beisels, das außerordentlich herabgekommen aussieht, hat sich die Bezeichnung: »Bürgerliches Café« zugelegt; was hoffentlich keine Anspielung sein soll. Andere weisen auf ihre Kojen hin und erregen damit sexualwissenschaftliche Vorstellungen, die vermutlich dem Besuch förderlich sind. Seiner Steigerung dienen mitunter auch eigene Attraktionen, zu denen etwa der ungarische Eisenkönig[4] gehört. Den Photographien nach zu schließen, biegt er Eisenstangen im Nu und ist überhaupt einer jener starken Männer, die man hierzulande so innig ersehnt.

Es ist Mittag, die Läden wirren sich ineinander, und der Lärm der Autos und Omnibusse reißt nicht ab. Mit einem Male ertönt auf der Straße Musik. Zwischen Ansichtskarten, Zigarren und Frisuren steigen Lieder empor, die vielleicht zum Wald oder zu abgelegenen Hinterhöfen passen, aber nicht hierher in dieses geschäftliche Zentrum. Sie werden von Geigen und Gitarren begleitet und behaupten sich so unbekümmert, als sei niemand außer ihnen vorhanden. Die Spielenden könnten Studenten sein; jedenfalls sind sie ordentlich gekleidet und haben unverarbeitete Gesichter,[5] deren rosige Farbe allerdings mehr die Folge der Kälte als guter Ernährung ist. Wie verschlagene Fremdlinge stehen sie auf der südlichen Friedrichstraße und musizieren von Treue, Heimat und Glauben – lauter schmachtende Volksmelodien, zu denen Dorflinden rauschen sollten, aber nicht Lastfuhrwerke und Taxis. Um den kleinen Trupp herum harren zufällige Passanten: Arbeiter, Frauen mit Körben, Zillekinder[6] und unbestimmbare Männer. Sie regen sich nicht, sie lauschen wie angewurzelt den Liedern und starren immerzu auf die spielende Schar. Es ist, als fühlten sie sich in eine sonntägliche Landpartie hinein-

versetzt. Während sie draußen wandern oder auf der Wiese liegen, kommen ihnen dieselben jungen Menschen entgegen, die jetzt hier singen. Vergessen sind die Läden und Sorgen, die Natur mit ihren Wandervögeln ist mitten in die Stadt eingerückt ...
Der Gesang bricht ab, und eine Stille folgt, in der auch das Getöse des Wagenverkehrs erlischt. Niemand weicht von der Stelle, das Pflaster duftet wie Gras. Mitten im Schweigen bröckelt einer aus der Gruppe und geht mit vorgehaltenem Hut herum. Durch diese Bewegung wird aber der Zauber sofort zerstört. Die Autobusse fahren weiter, die Wachspuppen tauchen aus der Versenkung auf, die Ansichtskarten kehren wieder ins Leben zurück. Stumm und ohne etwas zu geben, verziehen sich die Passanten. Ihr kurzer Traum ist zerronnen.[7]
(FZ vom 14. 1. 1932)

1 Der am südlichen Endpunkt der Friedrichstraße als »Rondell« angelegte Platz wurde 1815 nach der Schacht bei Waterloo in »Belle-Alliance-Platz« umbenannt (seit 1946 Mehringplatz). Neben der 1843 in Gemeinschaftsarbeit von Baurat Christian Cantian und dem Bildhauer Christian Daniel Rauch errichteten Friedenssäule wurden 1876 für den Platz vier allegorische Marmorgruppen von den Bildhauern Ferdinand August Fischer, Julius Franz und Heinrich Walger angefertigt, die die Siegermächte (England, Hannover, Niederlande, Preußen) symbolisieren sollten. Die Marmorgruppen wurden im Zweiten Weltkrieg zerstört.
2 Im Typoskript (KN): »[...] als höre man die Harvey diese verführerische Strophe immer noch einmal singen.« Der Schlager »Das gibt's nur einmal« wurde von Robert Gilbert und Werner Richard Heymann für den Film DER KONGRESS TANZT (Erik Charell. DE 1931; siehe *Werke*, Bd. 6.2, Nr. 622) komponiert, in dem Lilian Harvey (1906-1968) an der Seite von Willy Fritsch (siehe Nr. 678, Anm. 1) die weibliche Hauptrolle spielte.
3 Im Typoskript: »Im Film selber wiederholt sie den Vers leider zu oft.«
4 Gemeint ist der aus Polen (nicht aus Ungarn) stammende jüdische Artist Siegmund Zische Breitbart (d. i. Sische Chajim ben Jizchak Halevi; 1893-1925), der in den zwanziger Jahren als »stärkster Mann der Welt« und »Eisenmann« bekannt wurde. Seine berühmteste Nummer war »Der lebende Steinbruch«, in der er Eisenketten mit den Zähnen zerbiß.
5 Im Typoskript: »anständig gekleidet und haben nette Gesichter«.
6 Zu Heinrich Zille siehe Nr. 414, Anm. 4.
7 Im Typoskript: »Ihr kurzer Traum ist zerronnen, und das Elend erscheint ihnen nur um so größer.«

# 624. Seelenruhig

In den Detektivromanen, die ich lese, treten mitunter Mordinstrumente auf, deren Konstruktion äußerst geistreich ist. So entsinne ich mich eines Verbrechens, das mit Hilfe eines Blasrohres begangen wurde, aus dem der Mörder eine vergiftete Nadel auf sein Opfer schoß. Vermutlich wäre die Untat nie entdeckt worden, wenn nicht ein besonders fähiger Detektiv eingegriffen hätte.[1] Aber zum Glück sind solche Detektive in den Detektivromanen immer zur Stelle, und das jeweilige Verbrechen wird überhaupt nur darum möglichst geschickt inszeniert, damit sie ihren Scharfsinn in ein helles Licht setzen können. Von einer sehr raffiniert ausgedachten Waffe las ich erst kürzlich in folgendem Zusammenhang: Ein Mann dringt in das Laboratorium eines Erfinders ein und reißt dessen Pistole an sich, um ihn zu töten. Der Erfinder – er ist der edle Held des betreffenden Romans – bleibt stillvergnügt sitzen und warnt seinen Gegner davor, den beabsichtigten Gebrauch von der Pistole zu machen. Der richtet ungeachtet der Warnung die Waffe auf den Erfinder, drückt ab und – erschießt sich selber. Die Pistole entlud sich nämlich nicht wie andere ihresgleichen nach vorne, sondern nach rückwärts. Ich füge nur noch hinzu, daß der Erfinder in aller Heimlichkeit auch für eine kinematographische Aufnahme des Vorgangs gesorgt hatte, mit der er später sonnenklar seine Unschuld bewies …

Bei der Lektüre dieser Romane habe ich allerdings bisher nie die Möglichkeit ins Auge gefaßt, daß ihre Angaben der Wirklichkeit unseres Lebens entsprächen. Im Gegenteil, ich hielt sie für Erzeugnisse einer mehr oder weniger strotzenden Kolportage-Phantasie und ließ mich desto lieber von ihnen spannen, je ungebrochener ich der Überzeugung war, daß sie um der Spannung willen die Wahrscheinlichkeit opferten. Und jene merkwürdigen Waffen schienen mir nur märchenhafte Requisiten zu sein, die im Interesse blendender Effekte den Mördern oder Detektiven in die Hände gedrückt worden waren.

Nun stellt sich leider heraus, daß ich in einem Irrtum befangen gewesen bin. Es gibt diese Waffen, und sie existieren nicht allein in den Detektivromanen, sondern führen eine Alltagsexistenz, die schlechterdings unbezweifelbar ist. In einem Schaufenster des Berliner Zentrums hängt ein

Taschenbleistift, der so harmlos aussieht wie andere Bleistifte auch. Ein schöner schwarzer Bleistift, mit einer Spitze zum Herausschrauben und einer Klammer, die der Befestigung in der Rocktasche dient. Niemand merkt ihm an, daß er nur ein unfrommer Trug ist, und doch wird er zu gefährlicheren Zwecken als zum Schreiben benutzt.

Er ist ein Betäubungsinstrument und nennt sich *»der schießende Bleistift«*. Die neben ihm befindliche Gebrauchsanweisung verrät, daß er Tränengaspatronen enthält, mit denen man einen Angreifer ein paar Minuten lang kampfunfähig machen kann. Man braucht nur auf ein Knöpfchen zu drücken, und gleich zischt das Tränengas aus der Hülse hervor. In der Tat ist ein unauffälliges Knöpfchen am Bleistiftlauf angebracht, dem ich freilich nie die Funktion zugetraut hätte, die es in Wahrheit erfüllt. Es erweckt viel eher den Eindruck, als bewirke es den Nachschub neuen Graphits. Nachdem die Gebrauchsanweisung das Verfahren beschrieben hat, kommt sie auf die Vorteile dieser Verteidigungsmethode zu sprechen und stellt enthusiastisch fest: »Mit dem schießenden Bleistift bewaffnet, kann die brave Geschäftsfrau seelenruhig auch den unheimlichsten Kunden hinter dem Ladentisch bedienen.«

*Seelenruhig* – ich sehe die brave Geschäftsfrau mutterseelenruhig allein im Laden und auf der Theke in Reichweite den schießenden Bleistift. Es will Abend werden, und sie fertigt noch einen letzten Kunden ab. Sein Äußeres ist furchterregend, aber sie fürchtet sich nicht im geringsten, sondern nimmt wie im Spiel den Bleistift zur Hand. Kaum macht der Kunde die erwartete verdächtige Bewegung, so sinkt er auch schon betäubt nieder. Die brave Geschäftsfrau alarmiert dann seelenruhig die Polizei, die in dem Kunden einen lang gesuchten Kunden entdeckt. Das alles hat der schießende Bleistift getan.

So wenig er die Ausgeburt eines Detektivromanschreibers ist, ebensowenig schwelgt die Gebrauchsanweisung in erfundenen Szenen. Ihr Text enthüllt vielmehr drastisch die Zeit, in der wir das Vergnügen haben zu leben. Mit einer Selbstverständlichkeit, die erschüttert, setzt er voraus, daß heute die unheimlichen Kunden unter uns umgehen und ein schießender Bleistift nicht minder notwendig ist als das Brot oder der Schlaf. Jedermann sein eigener Tränengaserzeuger, sagt dieser Text, denn überall kann ein Angreifer lauern, gegen den wir chemisch gerüstet sein müssen. Die Straßenschlachten, Überfälle und Einbrüche sind zur Alltäg-

lichkeit geworden, die Detektivromane spielen mitten in der normalen Wirklichkeit. Empfänden wir noch das Außerordentliche dieses Zustandes! Aber wir haben uns bereits so an ihn gewöhnt wie an die Ernährung im Krieg. Und vielleicht meint die Gebrauchsanweisung nicht zu Unrecht, daß wir sofort seelenruhig sein werden, wenn wir nur im Besitz schießender Bleistifte sind.
Ein Bedenken kann ich allerdings dabei nicht unterdrücken. Es ist anzunehmen, daß sich auch die Kunden dieser Bleistifte versichern, und dann werden die braven Geschäftsfrauen wieder das Nachsehen haben. Eine Garantie für Seelenruhe gibt es jedenfalls nicht.
(FZ vom 22. 1. 1932)

1 Gemeint ist der Detektiv Arsène Lupin in Maurice Leblancs Roman *L'aiguille creuse* (1909); zu Kracauers Rezension siehe Nr. 261.

## 625. Kinder-Kunst

Im Lichthof des *Kunstgewerbemuseums* sind zur Zeit die Ergebnisse des *Zeichen- und Werkunterrichts* an einigen Berliner *höheren Schulen* zu besichtigen.[1] Auffällig ist, daß sich unter den vielen Schwarzweißblättern und Aquarellen, deren Urheber im hoffnungsvollen Alter zwischen 10 und 20 Jahren stehen, nur vereinzelte Arbeiten finden, die unmittelbar nach der Natur skizziert zu sein scheinen. Nicht so, als ob sie ungegenständlich wären; aber sie sind auch keine Nachbildungen. Wenn ich an meinen eigenen Zeichenunterricht vor dem Krieg zurückdenke – wir gingen, was damals als großer Fortschritt erachtet wurde, mit dem Feldstühlchen, dem Skizzenblock und dem Farbenkasten ins Freie hinaus und schufen dann angesichts eines malerischen Häusergewinkels, einer Baumgruppe oder eines Kirchturms möglichst wirklichkeitstreue Gebilde. Die Verkürzungen mußten stimmen, die Schatten genau konturiert sein, und wer gar Laubwipfel plastisch herausbrachte, galt schon beinahe als Künstler. Es waren richtige Beutezüge, die wir mit dem Lehrer gemeinsam unternahmen. Und die Naturfragmente, die wir auf ihnen nach und nach eroberten, verwahrten wir sorgfältig in unseren Mappen wie in Herbarien.

Sehe ich recht, so hat man sich inzwischen auch im Zeichenunterricht von der Anpassung an die Gegebenheiten immer mehr emanzipiert. Gewiß, die Stoffe sind zum Teil die alten geblieben, und es fehlt nicht an Stilleben, Brücken, Häfen und zoologischen Gärten. Ja, die Inventaraufnahmen sind sogar ausgedehnter als früher, begreifen sie doch außer der unbelebten Natur Porträts und Menschengruppen mit ein. Aber der Akzent ist gründlich verändert. Er ruht jetzt weniger auf der exakten Beobachtung irgendwelcher Vorlagen als auf dem *freien Hantieren* mit dem optischen Material. Statt daß das Anschauungsvermögen des Kindes von vornherein in bestimmte Bahnen gelenkt wird, erhält es, dem allgemeinen Wandel der pädagogischen Einstellung entsprechend, hinreichend Spielraum zur ungestörten Selbstentfaltung. Die Eigenkomposition überwiegt daher bei weitem den zufälligen Bildausschnitt, und Phantasie-Montagen behaupten sich vor den Nachahmungen der Objekte. So tauchen Henri-Rousseau-Landschaften[2] auf, zusammengestellte Gegenstände wirken wie ornamentale Arrangements, und das Figürliche trägt fast durchweg einen formelhaften Charakter, der nicht vom Urbild entlehnt ist. Oft wird die Dingwelt um beliebiger Raumkombinationen willen ganz preisgegeben oder sinkt doch zum Anlaß eigenwilliger Erfindungen herab. Landkarten und Städtepläne gehen in Dekorationen über, und durch manche Entwürfe schimmern die ursprünglichen Motive nur noch undeutlich durch.

Es ist zweifellos besser, die kindliche Phantasie zu selbständigem Wachstum zu ermutigen, als sie künstlich zu biegen und pressen. Allerdings sind dieser neuen Unterrichtsmethode Grenzen gezogen, deren man sich gerade in der Ausstellung bewußt wird. Denn das gezeigte Bildmaterial verrät unzweideutig, daß die Pädagogen den jugendlichen Schaffensdrang nicht nur um seiner selbst [willen] gewähren lassen, sondern ihn auch darum begünstigen, weil es ihnen an einer verbindlichen Haltung gebricht. Hätten die Erwachsenen eine Lehre, nach der sie zu lehren vermöchten, so zögen sie es vermutlich vor, die Kinder behutsam zu leiten, statt ihnen das Feld mehr oder weniger zu räumen. Aber aus der *Not der Erwachsenen* wird heute unversehens die Tugend der Kinder. Man begnügt sich nicht damit, sie als Geschöpfe zu begreifen, die sich auf einer bestimmten Stufe der Entwicklung befinden, behandelt sie vielmehr als Gleichberechtigte, deren Leistungen angeblich dieselbe Gültigkeit haben wie ausgereifte. Ich übertreibe mit Absicht, um eine gegenwärtig herrschende Erziehungstendenz zu kennzeichnen, die ihren Grund nicht zuletzt in der *Verwirrung der Maßstäbe* hat. Die Folgen dieser Tendenz sind auch auf dem Gebiete des Zeichenunterrichtes bedenklich. Zwar, man erhält dank der Willfährigkeit den kindlichen Manifestationen gegenüber ausgezeichnete Einblicke in die Verfassung des frühen Bewußtseins, Einblicke, die unter allen Umständen aufschlußreich sind. So geht zum Beispiel aus zahlreichen Blättern hervor, wie sehr das Kind der Fähigkeit zur perspektivischen Betrachtung enträt und im scharf abgesetzten Nebeneinander der Dinge lebt. Aber das Ziel des Unterrichts ist ja weniger die Mehrung unserer Erkenntnisse als der Erkenntnisfortschritt des Kindes. Ich will keineswegs behaupten, daß er ausbliebe; indessen er tritt auch nicht spürbar an den Tag. Von einigen jugendlichen Talenten abgesehen, die, wie es recht und billig ist, bewährte Vorbilder nachempfinden, hält sich die Mehrzahl der Arbeiten dauernd innerhalb der Schranken der kindlichen Vorstellungswelt, die doch nach und nach gesprengt werden sollten. Es fehlt der Richtungssinn, und die Jugendlichkeit wird über Gebühr konserviert. Das springt nur darum nicht gleich in die Augen, weil heute manche Künstler selber auf die kindliche Sehweise zurückgreifen. Aber sie tun es bewußt, und sicher hat ihr Regressus in die Infantilität dieselbe Ursache wie jene betonte Pflege des primitiven kindlichen Wesens, die seinen Übergang zu reiferen Daseinsformen nicht eben fördert. Die Überschätzung der Jugend ist das Zeichen des Mangels an einem Wohin.

Erfreulich ist die folgerichtige Ausdehnung des Unterrichts nach allen möglichen Seiten. Man regt die Kinder zu Plakaten an, läßt die Mädchen der Oberstufe Kostüme, Kissen und Decken entwerfen und veranlaßt *Kollektivarbeiten*, die sich auf Wandbilder, Segelboote, Puppen erstrekken. Ganz reizend ist ein Marionettentheater geraten. Daß diese Arbeiten teilweise nach schlechtem Kunstgewerbe schmecken, verschlägt nicht sonderlich viel. Wichtiger ist, daß ihre Herstellung dem Basteltrieb Genüge tut, Materialkenntnisse vermittelt und den Gemeinschaftssinn schult.

(FZ vom 24. 1. 1932)

1 Das Berliner Kunstgewerbemuseum wurde 1868 unter dem Namen »Deutsches-Gewerbemuseum zu Berlin« eröffnet. 1881 erhielt es in dem von Martin Gropius und Heino Schmieden entworfenen Martin-Gropius-Bau ein eigenes Gebäude. Das Museum zeigte umfangreiche Spezialsammlungen von Goldschmiedekunst, Keramik, Glas und Textilien und bot einen Überblick über die Geschichte der Einrichtungskunst vom späten Mittelalter bis zur Gegenwart. Die Ausstellung »Ergebnisse des neuen Zeichen-und Werkunterrichts an höheren Schulen« wurde im März 1932 im Lichthof des Martin-Gropius-Baus gezeigt.
2 Zu dem französischen Maler Henri Rousseau siehe Nr. 414, Anm. 5.

## 626. Literarische Kollektion

Rez.: Gerhart Pohl, *Vormarsch ins XX. Jahrhundert*. Zerfall und Neubau der europäischen Gesellschaft im Spiegel der Literatur. Leipzig: W. R. Lindner 1932.

*Gerhart Pohl*, der langjährige Herausgeber der leider eingegangenen Zeitschrift: *Neue Bücherschau*[1] hat unter dem Titel: *»Vormarsch ins XX. Jahrhundert«* eine Reihe von Aufsätzen gesammelt, die den Beziehungen zwischen Literatur und Gesellschaft gelten. Sie beginnen bei Balzac, nehmen Naturalismus und Expressionismus mit und untersuchen dann die heutige literarische Situation. Es ist entschieden ein Wagnis gewesen, diese Prosastücke in Buchform zu bringen. Man merkt ihnen an, daß sie in der Hauptsache für den Tag geschrieben sind, und die Verbindung, in der sie zueinander stehen, ist locker genug. So gut ich verstehen kann, daß man das Produkt seiner Arbeit nicht gerne in Zeitungen und Zeitschriften untergehen lassen will: den einzelnen Artikeln selber geschieht beinahe ein Unrecht, wenn man ihnen die Würde von Essays oder Buchkapiteln verleiht. Denn ihre Bestimmung ist nicht, dauernde Wirkungen zu entfalten, sondern die Auseinandersetzung mit der Aktualität im aktuellen Interesse. Nun aber stellen sie rein durch die Art ihres Erscheinens Ansprüche, die sie vermutlich gar nicht zu erfüllen trachteten, und begeben sich gewissermaßen freiwillig in eine schiefe Situation. Ehe ein Schriftsteller seine auseinanderliegenden Arbeiten sammelt, sollte er erst genau prüfen, ob sie ihre alte Schlagkraft bewahren, wenn sie in geschlossener Phalanx marschieren. Trotz dieses Bedenkens gegen die Sammlung finde ich, daß sie um bestimmter Züge willen Beachtung verdient. Ein-

mal begnügt sich Pohl nicht wie andere sozialistische Literaturbetrachter damit, die Werke nur von außen her zu beurteilen, sondern treibt nach Möglichkeit immanente Analyse. Er scheidet Hamsun von seinen Nachbetern,[2] geht behutsam auf Kerr[3] ein und entlarvt durch Sprachkritik die Hohlheit mancher Erzeugnisse. Zum andern kennzeichnet ihn ein erfreulicher Mangel an doktrinärem Wesen. So wirft er die Frage auf, ob ein radikaler Schriftsteller der kommunistischen Partei beitreten solle, und beantwortet sie dahin, daß die Unabhängigkeit von der Partei vorzuziehen sei.[4] Diese und andere Alternativen mögen zu einfach gestellt sein, aber die Lösungen verraten durchweg eine echt aufgeschlossene Haltung. Ihr Vorhandensein erregt den Wunsch, daß Pohl sie später in einem wirklich durchgeformten Buch dokumentiere.
(FZ vom 31. 1. 1932, Literaturblatt)

1 Die 1919 von Hans Theodor Joel gegründete Zeitschrift *Die Neue Bücherschau* wurde von 1920 bis 1929 von Gerhart Pohl herausgegeben und erschien jährlich in sechs Heften. Sie bemühte sich besonders um die Förderung junger Schriftsteller und um die Verbreitung zeitgenössischer Literatur. Siehe auch Nr. 444 und 449.
2 Siehe Gerhart Pohl, »Natur und Zivilisation«. In: *Vormarsch*, S. 56-66.
3 Siehe Pohl, »Auf seliger Suche nach ›Neuzeit‹ – Alfred Kerr, Tonsetzer eines Weltempfindens«. In: Ebd., S. 76-81.
4 Siehe Pohl, »Literatur / Politik / Partei«. In: Ebd., S. 118-124.

## 627. Grüne Woche

Wieder einmal ist die *»Grüne Woche«*[1] in die Ausstellungshallen am Kaiserdamm eingezogen; obwohl es noch gar nicht grün bei uns ist, sondern grau, regnerisch, kalt. Dennoch bin ich mir ganz grün in ihr vorgekommen, da ich nicht das geringste von den Schwimmpumpen, den Vorteilen des stählernen Ackerwagens und den Siegen der Magermilch verstehe. Dieser schmerzlich empfundenen Unkenntnis wegen verzichte ich auch von vornherein auf den Versuch einer fachmännischen Betrachtung, begnüge mich vielmehr mit der Wiedergabe einiger Eindrücke, die zweifellos ebenso nebensächlich wie unnütz sind.
Da ist zum Beispiel der Wald. Nicht der Wald im allgemeinen, sondern

der deutsche. Wie ahnungslos man ihn gewöhnlich durchwandelt, begreift man erst hier, in der grünen Wochenschau. Sie zeigt nämlich, wozu seine deutschen Bäume taugen und was aus ihnen alles hergestellt werden kann. Wahrhaftig, der Wald enthält mehr als die Poesie, die unsere Volkslieder besingen: er ist von einer unvergleichlichen Zweckmäßigkeit. Ich rede nicht einmal von den Eisenbahnschwellen, die den deutschen Waldstämmen entstammen, ich erwähne nur die große Försterdienstwohnung, die mitten im Hallenraum aufgebaut ist, so hoch da droben. In ihrer unmittelbaren Nähe wachsen aus dem fruchtbaren Bretterboden ein paar Tannenbäume empor, die ebenfalls den Wald andeuten sollen, der das Ziel und der Ursprung dieses wundervollen Holzhauses ist. Wald, überall Wald – wir sind von ihm völlig umgeben und sitzen sogar auf ihm, wofern wir nicht Stahlstühle benutzen. Aber wer dächte in den Möbelkojen dieses Waldreviers noch an Stahl? Es versteht sich von selber, daß sie mit lauter Tischen und Schränken aus Holz gefüllt sind, innenarchitektonisch gemaserten Stücken, die in nichts mehr an ihre landschaftliche Herkunft erinnern. Diese Möbel haben die große Chance, aus irgendeinem plausiblen Grund in jeder Ausstellung auftauchen zu können. Sie waren in der Bauausstellung[2] zu sehen, weil sie zum Bauen gehören; sie hatten sich teilweise in der Büroausstellung[3] eingefunden, weil Büros wohnlich sein müssen, und sie lassen sich jetzt neuerdings besichtigen, weil der grüne Wald ihre Geburtsstätte war.
Außer ihnen gibt es noch zahlreiche andere Erzeugnisse deutscher Nation: Autos, Leinen, Süßwasserfische, Benzin. »Deutsche Baumwollstoffe sehen Dich an!«, heißt es ausdrücklich auf einem Plakat, das mit mehreren seinesgleichen die Aufgabe hat, für den Konsum deutscher Waren Propaganda zu machen. Im Dienst dieser Sache steht auch ein Schülerwettbewerb, dessen Ergebnis zum mindesten beweist, daß schon in manchem jungen Menschen ein tüchtiger Werbefachmann steckt. Oder er kann doch leicht in ihn hineingesteckt werden. Viele Zeichnungen schrecken wirkungsvoll vom Kauf der Auslandswaren ab und tragen Überschriften wie: »Eßt deutsches Obst« oder »Deutsches Brot macht Wangen rot«. So ist es, und ich wünschte nur, daß jeder von uns Geld genug hätte, um sich sämtliche angepriesenen Waren in Hülle und Fülle zu kaufen.
Überhaupt spielt die Kunst in der Grünen Woche eine erstaunliche Rol-

le. Photos und Ölgemälde schildern die Freuden des Waidwerks und spiegeln den Zauber der Landwirtschaft wider. In langer Reihe ziehen sie sich an den Wänden entlang, regelrecht gemalte Bilder, auf denen Kühe von der untergehenden Sonne bestrahlt werden und Hirsche in der Waldeseinsamkeit äsen. Bald wird der Jäger sie jagen und schießen, aber er hat dann wenigstens ein Bild von ihnen und ihre Geweihe. In einer Sonderschau sind eine Menge schöner Geweihe vereint, deren einige Ehrenpreise erhalten haben. Der erste besteht in einem Hindenburg-Porträt und ist für den besten deutschen Hirsch aus freier Wildbahn zuerteilt worden. Ich sehe schon die Geweihe und die Gehörne über den Waldmöbeln hängen und bin davon überzeugt, daß sie sich mit den Ölbildern gut vertragen. Diese erwecken übrigens in ihrer Mehrzahl den Anschein, als stammten sie aus früheren Jahrhunderten und aus den Niederlanden. Ihre Ackerschollen sind ein wenig verschollen und ihre Windmühlen in eine holländische Tunke getaucht. Aber auch die Natur ändert sich ja nur allmählich.
Zum Glück bringt sie immer noch in ihrer verschwenderischen Güte Haustiere aller Art hervor, die für den Nähr- und Wehrstand von Nutzen sind. Während der Grünen Woche gibt sich ihre Elite ein Stelldichein: ausgewählte Kaninchen, die das Entzücken der Kinder sind, und herrliche Rosse, die auf Reit- und Fahrturnieren vielerlei Künste entfalten. Sie werden von Stallmeistern in prächtigen Uniformen behütet und galoppieren immer wieder über die Sandflächen der riesigen Halle. Die Peitschen knallen, die Trompeten blasen, die Wimpel stehen bunt in der Luft, und in der Mitte liegt ein gemalter, hellgrüner Rasen. Lebenslustiger noch ist allerdings eine andere Halle, die so ungebärdig dröhnt und lärmt, daß man sie schon von weitem vernimmt. Erst in der Nähe kommt man dahinter, daß sich das Hallen der Halle aus einem unaufhörlichen Gekrähe und Geschnatter zusammensetzt. Die Enten, Hühner und Hähne geben keinen Augenblick Ruhe, es ist, als würden in einem fort deutsche Eier gelegt. Ich weiß nicht, warum sie so aufgeregt sind; es sei denn aus Freude darüber, vor ihrem jähen Tod noch einmal in der Grünen Woche beisammen zu sein. So schön es auch draußen in den Höfen, Feldern und Wäldern sein mag, ein gelegentlicher Besuch der Reichshauptstadt hat doch seine Annehmlichkeit. Um so mehr, als jetzt gerade die Hotelpreise gesenkt worden sind.
(FZ vom 4. 2. 1932)

1 Die siebte Grüne Woche, von der Kracauer in diesem Artikel berichtete, fand vom 30. 1. bis zum 7. 2. 1932 in Berlin statt; zur Grünen Woche siehe auch Nr. 538, dort auch Anm. 1.
2 Zur Bauausstellung 1931 siehe Nr. 557, 558 und 566.
3 Siehe Nr. 587.

## 628. Luftschlößchen[1]

In einem Warenhaus, Abteilung Kinderspielzeug, steht hinter einer Theke ein Verkäufer, der mit einem besonders präparierten Seifenpulver wundervolle *Seifenblasen* hervorbringt. Der Mann ist ein Seifenblasenspezialist, ein Künstler in seinem Fach. Er bläst zum Beispiel aus seinem Rohr auf die Glasplatte des Ladentisches eine große, luftige Halbkugel, die er mit mehreren kleineren Kugelfragmenten umbaut.[2] Das Ganze gleicht einem durchsichtigen Pudding, der aus einer stereometrisch abgezirkelten[3] Kuchenform herausgehoben zu sein scheint. Oder ein anderes Kunststück: dem Rohr entfahren Bälle, die jeden Augenblick zu vergehen drohen, aber sich dann doch wider Erwarten im Schwebezustand erhalten und sogar an der Jacke abprallen, ohne beschädigt zu werden. Wie ein Rastelli[4] läßt der Mann eines der Bällchen an sich entlanggleiten und wirft es schließlich mit einem leichten Schwung in die Luft zurück, aus der er es herbeigelockt hatte. Am Ende übertrifft er sich selber. Er erzeugt eine Reihe von Halbkugeln, die wie chinesisches Elfenbeinschnitzwerk konzentrisch ineinanderstecken. Sie schimmern in allen Regenbogenfarben, und wie sie unabhängig voneinander bestehen, so platzen sie auch zu verschiedenen Zeiten. Den Anfang macht die äußerste Hülle, die zuerst geboren worden war. In der kalten Luft, erklärt der Mann, halten die Bällchen und Kugeln noch viel länger. Und zum Preis von 20 Pfg.[5] für Seife und Rohr kann jedermann mühelos seine eigenen Blasen produzieren.

Der Verkäufer, in dessen Nähe Bäh-Lämmchen weiden, Puppen faulenzen und Geduldspiele ihre Zeit geduldig erwarten, ist von einem Publikum umringt, das unverwandt auf die flüchtigen Schöpfungen starrt. Es setzt sich aus Schulkindern, einem Eisenbahner, einer Arbeiterfrau und

ein paar anderen Leuten zusammen, denen es sicher auch nicht rosig geht.[6] Am sachlichsten sind noch die Schulkinder, die es heute weniger mit überflüssigem Zeitvertreib[7] als mit Autos und Flugzeugen halten und sich sofort[8] auf die Beine machen, nachdem sie ihre technischen Kenntnisse genügend erweitert haben. Die unaufgeklärteren Erwachsenen dagegen sind von den nichtigen Gaukeleien so fasziniert, daß sie aufzubrechen versäumen und lang über den Schluß der Vorführung hinaus bleiben. Wie die Geduldsspiele räkeln sie sich herum.
Es ist die Schönheit ohne Zweck, die sie fesselt. Sie haben zweifellos Sorgen ums liebe Brot, sind vielleicht zum Teil arbeitslos oder fürchten doch, abgebaut zu werden. Jedenfalls kreist ihr Denken ersichtlich dauernd um die Frage, wie sie sich durchschlagen können, ein ganz und gar zweckbedingtes Denken, das an der Kette liegen muß und nicht ausschweifen darf. Und hier – hier segeln Bällchen frei durch den Warenhaushimmel, hier regen sich auf einen Hauch hin zarte bunte Erscheinungen, die keinen anderen Zweck haben, als da zu sein und zu schimmern. Gewiß bringen sie keinen Nutzen, aber dies gerade: daß sie so vollkommen unnützlich sind, zwingt die Leute dazu, bewundernd stillzustehen und ihr Los zu vergessen. Ihre Augen glänzen, ohne daß sie es wissen, wie die Irisfarben des Kugelkonglomerats. Sie sehen durch eine Lücke im Bretterzaun in eine ganz andere Welt, die das genaue Gegenteil der eigenen ist, in eine der Qual enthobene Welt, deren Formen sich offenbar ungebunden entfalten.
Kommt sie aber auch beinahe aus dem Nichts, so ist sie doch keineswegs für nichts, und ihre reine Zwecklosigkeit entsteht um greifbarer Zwecke willen. Nicht nur, daß diese Seifenblasenfiguren ebenso eine Ware sind wie die Bäh-Lämmchen oder Trikotagen, sie dienen einer Bestimmung, die schwerer wiegt, als sie selber sich geben. Ihre Bestimmung ist: Luftschlößchen zu sein, die das Publikum so betören, daß es sich willig in sie hineinzaubern läßt. Auch sonst werden ihm, in den Filmen etwa, zahlreiche Luftschlösser zum Kauf angeboten, die es für seine irdische Unterkunft gewissermaßen entschädigen sollen. Aber die aus dem Seifenschaum hervorgegangenen sind die reinsten, weil sie die luftigsten sind, weil sie in unvergleichlicher Weise ein Dasein vortäuschen, das wie sie hell und glücklich ist. Eben daraus leitet sich ihr Gebrauchswert ab, der sie zu Warenhausartikeln stempelt; ja, ich wage die Behauptung, daß sie

an Zweckmäßigkeit Hemden und Strümpfe weit überbieten. Denn indem sie die Leute durch die Illusion einer besseren Welt sozusagen gefangen setzen,[9] ermöglichen sie das Fortbestehen der schlechteren. Und wehen sie auch hauchartig über Waren hin, die viel gewinnbringender als sie sind, so wohnt ihnen doch die merkwürdige Fähigkeit inne, das Fundament verstärken zu helfen, auf dem das ganze Warenhaus selber ruht. Fast hat es den Anschein, als ob der Verkäufer die hohe Mission ahne, mit der er betraut ist. Ernst und streng bläst er ins Rohr, dem die Gebilde entsteigen, die unwirklich sind wie Märchen und zugleich ein festeres Bindematerial als Kitt.

Die Verführungskraft, die sie ausüben, wird durch den Preis gebrochen, den sie kosten. Niemand kauft Seife und Rohr. 20 Pfennige: das ist nahezu ein U-Bahnbillett, und wir leben in einer Krise.

(FZ vom 7. 2. 1932)

1 Im Typoskript (KN) lautet der Titel dieses Feuilletons »Seifenblasen«.
2 Im Typoskript: »die er mit mehreren kleineren kugelförmigen Gebilden umgibt.«
3 Im Typoskript: »stereometrisch genau abgezirkelten«.
4 Zu Enrico Rastelli siehe Nr. 235, Anm. 2.
5 Im Typoskript: »Und für 20 Pfennige«.
6 Im Typoskript folgt hier der Satz: »Sie versäumen über dem Anblick der Seifenblasen ihre Geschäfte, sie können sich von den nichtigen Erscheinungen gar nicht mehr trennen.«
7 Im Typoskript: »zauberischem Zeitvertreib«.
8 Im Typoskript: »sich denn sofort«.
9 Im Typoskript: »durch die Illusion einer besseren Welt verzaubern«.

## 629. Max Scheler und der Pazifismus

Rez.: Max Scheler, *Die Idee des Friedens und der Pazifismus*. Berlin: Der Neue Geist 1931.

Das dem Nachlaß *Max Schelers* entstammende Bändchen: *»Die Idee des Friedens und der Pazifismus«* ist die Fixierung eines Vortrags, den der verstorbene Philosoph[1] im Januar 1927 im *Reichswehrministerium* gehalten hat.[2] Um die Bedeutung der Schrift zu ermessen, muß man sich vergegenwärtigen, daß Europa damals im Zeichen der Locarno-Politik[3] stand. Ihre allzu gläubigen Anhänger vor einer Enttäuschung zu bewah-

ren, darin erblickte wohl Scheler zur Zeit der Abfassung dieses Vortrags eine seiner Hauptaufgaben.
Er wendet sich in ihm ebensosehr gegen den »Gesinnungsmilitarismus« wie gegen alle Arten pazifistischer Betätigung, die den Frieden durch Willensmethoden, Einrichtungen und Techniken heute herbeiführen zu können glauben. Beides im Interesse einer Verwirklichung der Idee des Friedens. Der Gesinnungsmilitarismus, das heißt jener Militarismus, der den Krieg an sich bejaht, spricht ihr den positiven Wert ab und hält es noch nicht einmal für menschenmöglich, sie zu realisieren. Ihm gegenüber stellt Scheler mit Recht fest, daß die Friedensidee durch ihre bisherige Unwirksamkeit keineswegs desavouiert werde und sämtliche von gesinnungsmilitaristischer Seite zur Verteidigung des Kriegs mobilgemachten Argumente nicht beweiskräftig seien. Ihre Abfertigung ist ein besonderes Verdienst der Schrift. Sie weist bündig nach, daß der Heroismus weder der höchste Wert ist noch allein oder auch nur vorwiegend im Krieg Gelegenheit zur Entfaltung erhält; widerlegt nicht minder schlagend die Behauptung, daß der moderne Krieg die Völker ertüchtige; enthüllt die Irrigkeit des Glaubens, nach dem die Kriege ein für allemal als Schöpfer der Kultur und höherer nationaler Einheiten zu gelten haben, und erledigt schließlich die törichte Meinung, daß der Krieg auf der »menschlichen Natur« beruhe. Überlegungen, die in die gerade heute sehr beherzigenswerte Mahnung ausklingen, daß es notwendig sei, *»aus der Denkart des deutschen Volkes, insbesondere seiner gebildeten, führenden Oberschichten, alle Elemente zu entfernen, die dem Kriege und den dem Kriege dienenden Institutionen (Heer) einen mehr als historisch relativen (also absoluten) Wert, respektive dem Heere eine mehr als instrumentale Bedeutung zuschreiben ...«*
Erkennt nun Scheler, gegen Spengler polemisierend,[4] auch an, daß die Menschheitsgeschichte sich mit großer Wahrscheinlichkeit in der Richtung auf den »Ewigen Frieden«[5] hin entwickelt habe und weiter entwickle, so leugnet er doch radikal, daß die Friedensidee in absehbarer Zukunft verwirklicht werden könne. Dieselbe Haltung, die ihn dazu treibt, den »instrumentalen Militarismus« zu befürworten (eine Denkart also, »die den Wert des Krieges und der militärischen Formen nicht ›an sich‹, sondern als realpolitisches ›Instrument‹ für politische Zwecke in begrenzten Zeitläufen der Geschichte bejaht«), nötigt ihn zur Verwer-

fung der verschiedenen pazifistischen Methoden. Er bringt dem heroischen Pazifismus der Quäker Achtung entgegen, bezeichnet ihn aber als irrig und undurchführbar; sagt dem ökonomisch-liberalen Pazifismus nach, daß er den Primat der Politik verkenne, die im Herrschafts- und Machttrieb gegründet sei; zeiht den juristischen oder Rechts-Pazifismus einer Überschätzung der Durchschlagskraft des reinen Vernunftprinzips und analysiert den aus dem Rechtsgedanken hervorgegangenen Völkerbund mit dem Ergebnis, daß er ein unzureichendes Friedensinstrument sei. Das Mißtrauen gegen die pazifistische Praxis verhilft Scheler zu manchen wertvollen soziologischen Einsichten. So legt er sich Rechenschaft ab über die Bedingtheit der kirchlichen Friedenspolitik und brandmarkt schon frühzeitig die Unzuverlässigkeit des großbürgerlichen konservativen Pazifismus, der ja in der Tat nur eine Episode gewesen ist. Ihr verdankt wahrscheinlich, wie ich hinzufügen möchte, der Remarque-Roman[6] seinen Welterfolg. Im Vergleich mit allen diesen ziemlich schlüssigen Argumentationen fallen die Einwände, die Scheler gegen den kommunistischen Pazifismus macht, durch ihre Magerkeit auf.

Wo der Denker selber steht, ist äußerst schwer zu bestimmen. Am ehesten läßt er sich als ein realpolitischer Betrachter kennzeichnen, der mit säkularisierten katholischen Begriffen arbeitet und ungeachtet seiner Vorurteilslosigkeit noch der bürgerlichen Welt angehört. Er räumt dem Triebleben einen breiten Raum ein oder nimmt es doch überall hin mit, scheint den Gedanken der Erbsünde nicht ganz abgestreift zu haben und kalkuliert Umstände und Faktoren so umfassend ein wie nur einer, der sie alle von einem außerhalb sämtlicher Relationen gelegenen Punkte aus übersieht. Dies aber: daß Scheler einen innerweltlichen und zugleich außerweltlichen Standort behaupten möchte, eine Position also, die durchaus der Eindeutigkeit enträt, verleiht auch seinen Formulierungen eine gewisse Unverbindlichkeit. Sie entspringen weder dem im Absoluten verankerten Glauben, noch sind sie der Niederschlag einer fest umrissenen politischen Richtung. Täusche ich mich nicht, so erklärt sich aus diesem ihrem Mangel an Halt, wie überhaupt aus der Tatsache, daß sie die Überblendungen von mindestens zwei verschiedenen Perspektiven sind, ihr widerspruchsvolles, nicht recht greifbares Wesen. Wenn man mit Scheler voraussetzt, daß keine der pazifistischen Aktionen ihr

Ziel erreichen kann, bleibt die von ihm ebenfalls angenommene Heraufkunft des »Ewigen Friedens« unfaßlich. Beide Aussagen werden nur dadurch zur selben Zeit ermöglicht, daß er das Spiel: »Wechselt eure Plätze« spielt und das eine Mal als Metaphysiker, das andre Mal als ein in der Immanenz verharrender Politiker spricht.

Trotz dieser Verwirrung der Maßstäbe, deren Folge es ist, daß Erkenntnisse verschiedener Dimensionen unfruchtbare Verbindungen miteinander eingehen müssen, enthält doch die Schrift einen bestimmten Gedankenzug, den Scheler heute, lebte er noch, aus pädagogischen und politischen Gründen vermutlich viel stärker herausgearbeitet hätte. Ich meine jene Gedanken, die gegen die politische Romantik gerichtet sind und den unbedingten Primat des Logos betonen. Warnt Scheler etwa auch davor, dem Völkerbund eine übertriebene Bedeutung beizumessen, so schreibt er ihm doch immerhin die relative zu, den innereuropäischen Frieden pflegen zu können. An der betreffenden Stelle heißt es: »*Zu falschem, verbittertem Nationalismus und zu einem überlebten Gewaltstandpunkt, der natürlich vom deutschen Standpunkt aus die ganze Locarnopolitik verwerfen muß, gelangt man, besonders bei uns Deutschen, um so leichter, je (verkehrt) ›idealistischer‹ man denkt über den Gang der Geschichte überhaupt.*« Aus der gleichen Gesinnung heraus fordert er, der Reichswehr zugekehrt: »... *Wirklichkeitsnähe und prinzipielle Einordnung der noch so jungen neuen Heeresorganisation in den neuen Staat und seine inneren weltgeschichtlichen Notwendigkeiten* ...« und nicht zuletzt den resoluten Bruch »*mit romantischen Kriegsideologien, die weder vor einem kritischen klaren Gewissen noch vor einem durch Vernunft, d.h. Philosophie und Wissenschaft, erleuchteten Verstand bestehen können.*« – Die deutsche Jugend sollte diese Vermächtnisschrift eines der bedeutendsten Denker, die Deutschland in der Gegenwart hervorgebracht hat, lesen und wieder lesen.

(FZ vom 7. 2. 1932)

1 Zu Kracauers Nachruf siehe Nr. 398.

2 Nach den Erläuterungen von Maria Scheler (siehe »Bemerkungen zu den Manuskripten, Zu: Politik und Moral und die Idee des ewigen Friedens«. In: Max Scheler, *Gesammelte Werke.* Bd 13: *Schriften aus dem Nachlaß.* Hrsg. von Maria Scheler. Bern und München: Francke 1963, S. 253) trat Reichswehrminister Geßler 1926 mit der Bitte an Scheler heran, »ihm durch eine Reihe von Vorträgen im Reichsministerium zu helfen, eine Brücke zu schlagen über die sich stetig erweiternde Kluft zwischen den beiden unheilvoll getrenn-

ten Lagern innerhalb der jungen Reichswehr, vor allem innerhalb des führenden jungen Offizierskorps.«
3 Siehe Nr. 446, Anm. 14.
4 Zur Diskussion um Spengler siehe Nr. 11, Anm. 3.
5 Scheler bzw. Kracauer zitieren damit Immanuel Kants philosophischen Entwurf »Zum ewigen Frieden« (1795).
6 Siehe Nr. 520, Anm. 1.

## 630. Stellen-Angebote

In dieser Zeit, in der Millionen von Arbeitskräften freigesetzt sind, dürfen die *Stellenangebote* in den Zeitungen ein besonderes Interesse für sich in Anspruch nehmen. Wird überhaupt etwas angeboten? Ja, es wird; vor allem in den Sonntagsausgaben der Blätter. Da heute zahllose Menschen auch am Werktag feiern, müßten sich übrigens die Angebote meinem Ermessen nach gar nicht mehr auf die Sonntagsausgaben konzentrieren. Ich setze voraus, daß die betreffenden Spalten in der Hauptsache von den Stellungsuchenden gelesen werden, für die sie vermutlich eine ungleich spannendere Lektüre sind als Feuilleton oder Politik. Aber auch die Liebhaber des Unterhaltungsteiles, überhaupt alle jene, denen das Studium von Inseraten noch kein Brotstudium bedeutet, sollten dieser Rubrik einige Aufmerksamkeit widmen. Denn sie gibt den einen oder anderen nützlichen Einblick in die gegenwärtige Struktur unseres Wirtschaftslebens, das sich ja bekanntlich nicht nach einem Plan entwikkelt, sondern den wie immer eingeschränkten Gesetzen der freien Konkurrenz unterliegt. Um seine jeweiligen Geheimnisse zu entschleiern, ist man also nicht zuletzt auf indirekte Methoden, auf Indizien der verschiedensten Art angewiesen. Und zu ihnen gehören zweifellos auch die Stellenangebote.

Sie lassen darauf schließen, daß heute vorwiegend Kräfte gesucht werden, die »in der Lage sind, zielbewußt die vielseitigen Absatzmöglichkeiten zu erschöpfen ...« Das jedenfalls ist die an einen Verkaufs-Leiter gestellte Anforderung, der für »die Schaffung eines leistungsfähigen

Vertreterstabes und zum Aufbau der bestehenden Verkaufs-Organisation« gesucht wird. Auch sonst sind Verkaufs-Leiter vielfach erfragt. Zigarettenfabriken, Textilfabriken, Möbelfabriken usw.: sie alle sehen sich vor die Notwendigkeit gestellt, ihren Absatz zu intensivieren, und halten Ausschau nach organisatorisch begabten Kräften, die das Produkt wirklich an den Käufer heranbringen können.
Allgemeiner gesprochen: die Art der Stellenangebote beweist, daß jetzt nicht mehr die Rationalisierung der Produktion, sondern die der *Verteilung* im Mittelpunkt steht. Durch die Krise sind Produktion und Konsum in gleicher Weise begrenzt worden. Es gilt also heute nicht so sehr, mehr zu produzieren, als für die Waren Käufer zu finden. Die *Distribution der Waren* ist das eigentliche Problem der Krisenperiode, und wie die Stellenangebote zeigen, zielen die Hauptanstrengungen von Industrie und Handel gegenwärtig darauf ab, dieses Problem möglichst rationell zu bewältigen.
Es wird im wesentlichen nach zwei Methoden angegriffen. Die eine, die amerikanischen Vorbildern folgt, erstrebt die völlige *Mechanisierung* des Verkaufs. Er soll vereinfacht werden und durch Ausschaltung aller unnötigen Zwischenglieder zustande kommen. Eine Tendenz, die zur Bildung der *Einheitspreis-Geschäfte*[1] führt. Nichts kennzeichnender für sie als das Inserat einer Textilfirma, die einen Einheitspreis-Fachmann zur Umwandlung ihres Unternehmens in ein Einheitspreis-Geschäft anzustellen wünscht. Auf den stärkeren Zug der Rationalisierung deuten überhaupt die gar nicht seltenen Angebote hin, in denen zum Beispiel ein Organisator für die Einrichtung irgendwelcher Kettenläden oder eine geeignete Kraft für die Umstellung der gesamten Verkaufs-Organisation verlangt wird.
Die andere, zur Zeit anscheinend häufiger benutzte Methode zur Intensivierung des Absatzes ist die der *individuellen Werbung*. Die Schwierigkeiten, das Publikum in Konsumenten zu verwandeln, sind so groß, daß man die allgemeine Propaganda offenbar in steigendem Maße durch persönliche Überredung ergänzen zu müssen glaubt. Der Konsument kommt nicht mehr von selber zur Ware; also muß diese den Konsumenten herauskitzeln. Sie kann aber um so leichter in der Richtung auf die Kunden zu in Marsch gesetzt werden, als heute eine riesige Reservearmee zur Bearbeitung des Publikums in Bereitschaft steht. Und da die

Ware Arbeitskraft eben ihrer Überschüssigkeit wegen für billiges Geld zu haben ist, liegt es besonders nahe, sie im Verteilungsprozeß anzusetzen. Vor allem der verarmte *Mittelstand* erhält, nach den Stellenangeboten zu urteilen, die Gelegenheit, sich haupt- oder nebenberuflich bei der Warendistribution zu betätigen; freilich in der Regel auf eigenes Risiko. Mag auch früher schon das *Vertretergewerbe* hinreichend ausgebildet gewesen sein, so hat es doch neuerdings, täusche ich mich nicht, im Verhältnis zum verringerten Umsatz einen ziemlichen Aufschwung genommen. Jedenfalls überwiegen Inserate, die Vertreter begehren. Sie werden gesucht für den Vertrieb von Wäsche beiderlei Geschlechts, von Silberbarren, die als Vermögensanlage dienen können, von Radio- und Friseurartikeln, von einer Autopolitur und einem Wochenblatt, von Metallwaren, Beleuchtungskörpern, Kurzwaren, allerlei Markenartikeln, Ewigen Streichhölzern und Stoffen. Die Vertreter müssen die Waren durch die feinsten Kanäle bis zum Kunden vortreiben, und oft ist sogar ausdrücklich bemerkt, daß auf den Besuch von privater Kundschaft, Hotels, Restaurants und Mittagstischen Wert gelegt wird. Daneben sind zahlreiche Posten für Verkäufer und Reisende (besonders aus der Konfektions- und Schuhbranche) ausgeschrieben. Die Besetzung dieser Stellen kommt natürlich gleichfalls der restlosen Erfassung aller Kunden zugute.
Der Intensivierung der Käuferwerbung dient ersichtlich auch die auffällige Nachfrage nach einem anderen Metier. Ich meine das des *Dekorateurs*. Fenster- und Ladendekorateure werden von Kaufhäusern, Warenhäusern und Einheitspreis-Geschäften immer wieder gesucht. Verlangt ist, daß sie eigene Ideen haben und die betreffenden Waren »geschmackvoll und zugkräftig« zur Schau stellen können. Durch alle Mittel sinnlicher Verführungskunst sollen die Passanten zu Konsumenten, die Unschlüssigen zu Tatmenschen umgeformt werden.

Außer dieser Verschiebung des Akzents von der Produktion auf die Distribution ergibt sich beinahe von selber, daß gerade jene Kategorien von Arbeitskräften auf Lager bleiben, die in den Zeiten der überstürzten Betriebsrationalisierung besonders erfragt waren. Um von den Arbeitern ganz abzusehen: ein Teil des damals großgezüchteten Büropersonals, das man mehr und mehr zur Serienware zu mechanisieren suchte, kann heute vermodern. Dafür sind jetzt die individuelleren Kräfte Trumpf, die das Produkt an den Mann zu bringen verstehen; Trumpf wenigstens insoweit, als die beschränkte Warenzirkulation überhaupt noch Stellenangebote hervorruft. Man könnte froh darüber sein, daß der Zwang zur intensiven Bearbeitung des Publikumackers sozusagen wieder *Persönlichkeiten* entbindet, handelte es sich bei ihnen auch nur wirklich um solche. Aber in Wahrheit bezeichnet der früher gebräuchliche Ausdruck Verkaufskanone ihre Tätigkeit genauer als der Ausdruck Persönlichkeit. Was dieses Wort besagt, geht aus einem Stellengesuch hervor, in dem ein Bewerber erklärt, daß er mehrere Sprachen beherrsche, Auslandserfahrungen, Vermögen, nützliche Kenntnisse und Allgemeinwissen besitze, ferner gediegen, zuverlässig, konzilianten Wesens, »mit einem Worte, eine Persönlichkeit« sei. Danach hätten Proletarier wenig Aussicht, eine zu werden. Natürlich verwenden die Stellenangebote den Begriff Persönlichkeit nicht so oft wie die Stellengesuche, weil seine freiwillige Anerkennung zu große Erwartungen hinsichtlich des Gehalts in den Bewerbern erweckte. Dennoch kommt es hie und da einmal vor, und zwar gewöhnlich in Verbindung mit Adjektiven wie »erfolgreich« und »repräsentabel«. Immerhin, mögen die Tugenden, die gegenwärtig hoch im Kurs stehen, auch nicht gerade die Tugenden der echten Persönlichkeit sein, so ist doch die sonderbare Tatsache zu vermerken, daß der Mensch, insofern er ein bloßer Markenartikel ist, dank der Krise einstweilen ausgespielt hat. Leider zu seinem Nachteil.

In den höheren Sphären, die für die Massen nie in Betracht kommen, hat das Angebot selbstverständlich nicht ganz aufgehört. Manchmal ist eine Direktionsstelle ausgeschrieben, und immer wieder wollen Chefs unterstützt werden. Und für die Höhen wie für die Niederungen gilt dies: daß ein gewisser *Bedarf an Spezialisten* stets vorliegt. Oben benötigt man etwa öfters juristisch gebildete Kräfte zur Bearbeitung der Steuerangelegenheiten und für das Mahn-, Klage- und Beitreibungswesen oder auch Vergleichs-Spezialisten. Diese Sonderberufe sind die Früchte der Wirtschaftskrise und fallen nicht weit vom Stamm der Notverordnungen.[2] Auch bilanzsichere Buchhalter und Bürochefs haben gelegentlich eine Chance. Was weiter unterhalb liegt, kann allerdings augenblicklich nur durch ein Wunder gerettet werden. Zum Glück geschieht es wie durch ein Wunder bisweilen, daß ein sprachkundiger Korrespondent oder eine perfekte Stenotypistin die Anwartschaft auf eine Stellung in irgendeiner Spezialbranche erhalten. Für manche Mädchen sorgt sogar die Natur. Sie brauchen gar keine hervorragenden Kenntnisse zu haben, sondern nur Puttengröße oder Hüfte 96. Dann können sie Mannequins werden und dabei blühen wie die Lilien auf dem Felde.

Zum Unterscheid von den Stellenangeboten vor mehreren Jahren enthalten die heutigen kaum noch eine Vorschrift über die *Altersgrenze*.[3] Wenn es auch manchmal heißt, daß ein Vollkaufmann bis 30 oder ein branchekundiger Verkäufer bis 25 gesucht wird, so tritt doch die Sehnsucht nach der Jugend im allgemeinen spürbar zurück. Man ist abgestumpft gegen die Reize jugendlicher Unschuld, man verlangt nicht einmal selten Herren mittleren Alters. Vielleicht folgt die Gleichgültigkeit gegen das blühende Leben aus der Erkenntnis, daß einige Erfahrung dazu gehört, um die Waren auf so und so vielen schwierigen Wegen und Umwegen zum Kunden zu transportieren. Der Distributionsprozeß erfordert Persönlichkeiten, und Persönlichkeiten müssen über eine gewisse Reife verfügen. Noch inniger hängt allerdings vermutlich die Vernachlässigung des Alters mit der des *Tarifrechts* zusammen, das faktisch wo nicht ganz, so doch teilweise außer Kraft zu treten beginnt.[4] Es ist nur in Ordnung, daß sich auch diese Veränderung in den Stellenangeboten deutlich ausprägt.
(FZ vom 12. 2. 1932)

1 In den sich 1927/28 etablierenden Einheitspreisgeschäften oder »Kettenläden« wurden Massenwaren zu niedrigen und vereinheitlichten Preisen angeboten; sie wurden ab 1933 mit Restriktionen belegt und sukzessive verboten.

2 Im Rahmen ihrer Spar- und Deflationspolitik erließ die Regierung Brüning 1930 und 1931 nach Art. 48, Abs. 2, der Verfassung vier Notverordnungen zur »Behebung finanzieller, wirtschaftlicher und sozialer Notstände« (Juli 1930) bzw. zur »Sicherung von Wirtschaft und Finanzen« (Juni, Oktober und Dezember 1931), die u. a. Steuererhöhungen sowie allgemeine Lohn-, Miet-, Zins- und Preissenkungen umfaßten. Zu den Notverordnungen siehe auch Nr. 530, Anm. 1 und 2, sowie Nr. 679, Anm. 6.

3 Siehe dazu in Kracauers Angestellten-Studie das Kapitel »Ach wie bald ...« (*Werke*, Bd. 1, S. 247-255).

4 Die Notverordnungen Brünings tasteten zwar die Grundsätze des kollektiven Arbeitsrechts und die Tarifverträge als solche nicht an, griffen aber u. a. durch die schematische Herabsetzung von Tariflöhnen und die Verlängerung von Vertragslaufzeiten in das Tarif-

wesen ein. Die Regierung Papen räumte dann mit einer Verordnung vom 5. 9. 1932 dem einzelnen Arbeitgeber bei Erfüllung gewisser Anforderungen das Recht ein, den Tariflohn zu unterschreiten.

# 631. Edgar Wallace †

Mit *Edgar Wallace*, der im Alter von 56 Jahren in Hollywood gestorben ist,[1] geht einer der populärsten Schriftsteller der Welt dahin. In allen Ländern und Eisenbahnzügen wurden seine Romane gelesen, in vielen Theatern seine Stücke gespielt. Man wußte, daß er Unsummen verdiente, und erzählte sich Schauergeschichten, die ihm selber Ehre gemacht hätten, über seine unheimliche Produktivität. Wenn ich zum Beispiel in meiner Leihbibliothek den Mangel an Detektivromanen beklagte, wurde ich regelmäßig mit dem Hinweis auf einen neuen Wallace getröstet. Und dann kam wirklich eines Tages wieder ein Band, auf dessen Umschlag links unten eine endlose Zigarettenspitze prangte, die seinem Gesicht entfuhr. Er sah gewitzt und ein wenig grobschlächtig aus und war berühmt wie Odol.
Ungefähr 150 Romane soll er geschrieben haben; um von den anderen Sachen, den Dramatisierungen und Verfilmungen,[2] zu schweigen. Eigentlich war er also kein Schriftsteller, sondern ein Großunternehmen, das Bücher am laufenden Band produzierte. (Außerdem nannte er noch einen Rennstall sein eigen.) Daß er bei solchen Arbeitsmethoden Typenfabrikate herstellen mußte, ließ sich schlechterdings nicht vermeiden. Eines von ihnen war seine *Afrika*-Romanserie,[3] in der ein Amtmann Sanders und ein Leutnant Bones die Hauptrollen spielen. Diese spannenden Geschichten, die zuletzt den englischen Imperialismus verherrlichen, schmecken wie blutiges Roastbeef, enthalten ein kräftiges Lokalkolorit und erinnern von fern an Kipling.[4]
Bekannter geworden sind die Detektivromane, die in ihrer Mehrzahl ebenfalls aus typischen Motiven und Elementen bestehen. Die Konstruktionselemente werden etwas anders zusammengesetzt, und sofort ändert sich der Titel des Buchs. Das soll kein Vorwurf sein; denn bei gut eingeführten Massenartikeln wäre ein ständiger Wechsel der Schablo-

nen geradezu eine Fehlspekulation. Zu den immer wiederkehrenden Zügen gehört unter anderem die Beziehung zwischen dem Detektiv und einem Mädchen. Das Mädchen taucht gewöhnlich unter verdächtigen Umständen in einem üblen Milieu auf, aber der Detektiv entlarvt seine Unschuld und heiratet es dann. Zarte Liebe erblüht in Mordhäusern, und den Schurken ereilt das gerechte Geschick. Auch Verbrecherbanden hat Wallace schon früh rasch zusammengezimmert und am Schluß in alle Winde zerstreut. In Scotland Yard muß er wie zu Hause gewesen sein.

Obwohl er für die Todesstrafe und die Prügelstrafe eingetreten ist, verrät die aus seinem Betrieb hervorgegangene Unterhaltung stellenweise doch eine Art von sozialem Gewissen. Ich denke an das Romanschema: *»Die drei Gerechten«*,[5] das später verschiedentlich angewandt worden ist. Die Helden dieser Serie sind Männer, deren Ehrgeiz es ist, einen längeren Arm zu haben als das Gesetz. Sie züchtigen, auf skrupellose Weise allerdings, Verbrecher, die ihrer Strafe entgangen sind, und machen es ihnen unmöglich, sich länger ihres Reichtums und ihrer Würden zu erfreuen. Auch in den erst jüngst erschienenen Bänden: *»Der Brigant«* und *»Der Preller«*[6] hetzt Wallace reichgewordenen Gaunern Nachtengel auf die Fersen. Entlassene und verarmte Offiziere erblicken ihre Aufgabe darin, das Amt der Justiz auf eigene Faust auszuüben und den Satz zu bewahrheiten, daß unrecht Gut nicht gedeihe. Indem sie aber die Erpresser erpressen, erzielen sie so hohe Einnahmen, daß ihnen der moralische Gewinn leider unter den Händen entgleitet.

Wallace ist tot, und viele werden fortan unverrichteter Dinge aus den Leihbibliotheken und den Bahnhofsbuchhandlungen abziehen müssen. Es lebe Wallace!

(FZ vom 13. 2. 1932)

1 Edgar Wallace (geb. 1. 4. 1875) starb am 10. 2. 1932.

2 Wallace' bekannter Kriminalroman *The Gaunt Stranger* (1925; dt.: *Der Hexer*. Übers. von Rita Matthias. Leipzig: W. Goldmann 1927) wurde 1926 mit großem Erfolg u. d. T. *The Ringer* auf die Bühne gebracht. Bei der ersten Verfilmung seines Romans *The Squeaker* (1927; dt.: *Der Zinker*. Übers. von Rita Matthias. Leipzig: W. Goldmann 1928) nach dem von ihm verfaßten Drehbuch führte Wallace selbst Regie (THE SQUEAKER. UK 1930). Zu Kracauers Rezension des Films MARK OF THE FROG (Arch B. Heath. US 1928) nach Wallace' Roman *The Fellowship of the Frog* (1925; dt.: *Der Frosch mit der Maske*. Übers. von Alma Johanna Koenig. Wien: Rikola 1928) siehe *Werke*, Bd. 6.2, Nr. 528.

3 Wallace' zwölfbändige Serie von Afrika-Romanen begann 1911 mit *Sanders Of The River* (dt.: *Sanders vom Strom*. Übers. von Richard Küas. Leipzig: W. Goldmann 1929) und endete 1928 mit dem Roman *Again Sanders* (dt.: *Am großen Strom*. Übers. von Ravi Ravendro. Leipzig: W. Goldmann 1931).
4 Zu Kipling siehe Nr. 389.
5 Edgar Wallace, *The Three Just Men* (1926; dt.: *Die drei Gerechten*. Übers. von Richard Küas. Leipzig: W. Goldmann 1927).
6 Zu Kracauers Besprechung der beiden Bücher siehe Nr. 605.

## 632. Der »operierende« Schriftsteller

### Zu Tretjakows Buch: »Feld-Herren«

Rez.: Sergej Tretjakov, *Feld-Herren*. Der Kampf um eine Kollektiv-Wirtschaft. Übers. von Rudolf Selke. Berlin: Malik 1931.

Vor noch nicht einem Jahr hielt *Sergej Tretjakow* im Rahmen einer Veranstaltung der Berliner »Internationalen Bühne« einen Vortrag über den *neuen Typus des Schriftstellers*.[1] Er sprach zu einem aus Kommunisten und Nichtkommunisten bestehenden Publikum, und der Zweck der ganzen Zusammenkunft war ersichtlich die Aufklärung der zahlreich anwesenden bürgerlichen Intellektuellen. Aber sei es nun, daß Tretjakow die deutsche Situation nicht kannte, sei es, daß man ihn falsch unterrichtet hatte: die polemischen Ausfälle, die er gegen die deutsche Literatur und ihre Grundlagen unternahm, verrieten eine solche Ahnungslosigkeit, daß ich selber zum Beispiel mich damals genötigt fühlte, in unserem Feuilleton wider seine noch dazu überheblich vorgetragenen Angriffe Stellung zu nehmen (vergl. meinen Artikel: »Instruktionsstunde in Literatur« in der Reichsausgabe vom 26. April 1931).[2] Nicht im Interesse des Fortbestands jener schlecht epigonalen, süßlichen und politisch durch und durch fragwürdigen Literatur, die heute, in den Zeiten der Kulturreaktion, wieder den deutschen Markt zu beherrschen beginnt, sondern gerade um ihrer Änderung willen. Denn nichts erschwert solche Änderungen mehr als eine bornierte Attacke, die ihr Ziel verfehlt und dadurch den Gegner nur noch verstockter macht.

Inzwischen ist, in einer von Rudolf Selke anscheinend präzis besorgten Übersetzung, Tretjakows Buch: *»Feld-Herren«*[3] erschienen, das den *Kampf um eine Kollektiv-Wirtschaft* behandelt. Es demonstriert unter anderem, was uns sein Autor seinerzeit in Berlin nicht zu entwickeln vermochte: den neuen Typus des Schriftstellers. Er ist gewiß nicht, wie die extrem linke Tretjakow-Gruppe, keineswegs im Einklang mit der offiziellen Parteimeinung, behauptet, der einzige Schriftstellertypus, der heute Gültigkeit zu beanspruchen hätte; aber er ist darum doch von einer außerordentlichen Wichtigkeit und verdiente auch in Deutschland öffentlich diskutiert zu werden.

Zum Unterschied vom »informierenden« Schriftstellertypus nennt ihn Tretjakow den *»operierenden«*. Seine Mission ist: nicht zu berichten, sondern zu kämpfen; nicht den Zuschauer zu spielen, sondern aktiv einzugreifen. Am besten bestimmt ihn Tretjakow selber durch die Angaben, die er über seine eigene Tätigkeit macht. Als 1928, in der Epoche der totalen Kollektivisierung der Landwirtschaft, die Parole: »Schriftsteller in die Kolchose!«[4] ausgegeben wurde, fuhr er nach der Kommune: »Kommunistischer Leuchtturm«[5] und nahm dort während zweier längerer Aufenthalte folgende Arbeiten in Angriff: Einberufung von Massenmeetings; Sammlung von Geldern für die Anzahlung auf Traktoren; Überredung von Einzelbauern zum Eintritt in die Kolchose; Inspektion von Lesehütten; Schaffung von Wandzeitungen und Leitung der Kolchos-Zeitung; Berichterstattung an Moskauer Zeitungen; Einführung von Radio und Wanderkinos usw. Kurzum, dieser Schriftsteller neuen Stils ist ein Praktiker. Einer, der sich an irgendeiner Stelle in den Produktionsprozeß mit eingliedert, statt ihn nur von fern zu betrachten, und die in ihm gemachten Erfahrungen nicht zu Kunstwerken verdichtet (die hier gewissermaßen als privater Konsum angesehen werden), sie vielmehr in Gestalt von Kritik, Aufmunterung und organisatorischen Vorschlägen wieder dem Produktionsprozeß zuführt. Das Buch von Tretjakow soll in der Tat von Einfluß auf die weitere Durchbildung der Kollektiv-Wirtschaften gewesen sein.

Die Einseitigkeit, mit der dieser Schriftsteller verfährt, ist vielleicht beschränkt, hat aber unter allen Umständen einen hohen Gebrauchswert. Auch für die Entwicklung des Schrifttums in *Deutschland*. Denn obwohl die Anschauungen Tretjakows schon deshalb keine unmittelbare

Anwendung auf unsere Verhältnisse dulden, weil wir uns ja nicht im Stadium des sozialistischen Aufbaus befinden, lassen sie sich doch zur kritischen Auseinandersetzung mit verschiedenen literarischen Äußerungsformen benutzen, die bei uns heimisch sind. Vor allem mit der Form der *Reportage*. Ihren Methoden sind die Tretjakows dadurch überlegen, daß sie den Stoff nicht von irgendeinem mehr oder weniger subjektiv bedingten Gesichtspunkt aus vorführen, sondern ihn verwandeln, indem sie ihn darbieten. Nun sind bei uns schriftstellerische Operationen nach Art dieses russischen Beispiels im Augenblick nicht gut möglich; aber immerhin könnten die Bemühungen Tretjakows manche unserer Literaten dazu anregen, ihr *Verhältnis zur Praxis* einmal genau zu durchdenken. Es ist aus Gründen der Weltanschauung und der Haltung in den meisten Fällen ein Mißverhältnis. Man beschreibt die Realität, statt ihren Konstruktionsfehlern auf die Spur zu kommen; man weicht ins Ästhetische aus und versaumt dabei, die aufs Handeln gerichteten Kräfte zu mobilisieren; man treibt Metaphysik, wo man in die Ökonomie hineinsteigen sollte usw. Immer dieselbe Geschichte. Tretjakows Buch vermag viele Schreibende wenigstens darauf aufmerksam zu machen, was unter der bitter notwendigen Verschmelzung von Theorie und Praxis wirklich zu verstehen sei.
Nicht mitzuvollziehen ist allerdings der reichlich *primitive Kampf*, den der russische Autor gegen die *Kunst* führt. Er verwirft auch die zulässige und richtige, er schüttet das Kind mit dem Bad aus. Auf dem Flug von Moskau zur Kolchose ertappt er sich etwa dabei, wie er nach der Väter Brauch »künstlerische Bilder« assoziiert, die er abscheulich findet, weil sie rein das subjektive Gefühl des Landschaftskonsumenten ausdrücken. Die von oben gesehene buntscheckige Fläche erinnert ihn an eine Flikkendecke, oder der »Pfad mitten durch ein blaugepflügtes Feld ist wie ein Sprung in einer Schiefertafel«. Fort damit, sagt er zu sich selber empört. Aber leider rächt sich die eben zitierte Poesie, die mir übrigens keineswegs die echte zu sein scheint, an ihrem bärbeißigen Verächter. Denn sie läßt sich den Hinauswurf einfach nicht gefallen, sondern schleicht sich durch die Hintertür schelmisch wieder herein und erobert sich doch noch ein Plätzchen. So vergleicht einmal Tretjakow, lange nachdem er allen nichtsnutzigen Bildern den Garaus gemacht zu haben glaubt, die Rippen eines hageren Reiters mit Klaviertasten und stellt ein

anderesmal, weniger treffend, fest, daß einige Männer »in das Gewimmel der Weiber wie in ein schreckliches Eisloch« sprangen. Wenn das keine Poesie sein soll! Der einzige Milderungsgrund für ihre hier unerwünschte Existenz ist, daß sie unserem Bilderstürmer offenbar unbewußt kommt.

Die Heraushebung dieses Widerspruchs erfolgt zu dem einzigen Zweck, um eine falsche Ideologie zu korrigieren, und ist keineswegs als ein Einwand gegen die Sprache Tretjakows gemeint. Eine vorzügliche, schnittige Sprache, die ihren Gegenstand scharf trifft. Und welch einen Gegenstand! Dargestellt ist in dem Buch nichts Geringeres als eine Phase aus dem ungeheuren Umwälzungsprozeß, der sich in Rußland seit über einem Jahrzehnt vollzieht. Die *Kollektivisierung der Bauern und der landwirtschaftlichen Betriebe*: dieser Vorgang, der zugleich ein Kampf gegen die bisherige Natur des Menschen ist, wird von einem aktiven Kombattanten so deutlich vergegenwärtigt, daß man ihn durch alle Etappen hindurch mitverfolgen kann. Um so mehr, als Tretjakow den Lesern keinen blauen Dunst vormacht, sondern dank seiner Tätigkeit an der Front die Angelpunkte des Prozesses genau kennt und mit kritischen Analysen nicht spart. Er legt wiederholt den Finger auf die Schwächen der Bürokratie, erörtert, ohne zu beschönigen, die gewaltigen Schwierigkeiten, die der Versuch zur Aufhebung des bäuerlichen Familienegoismus bereitet, und gibt sich nicht der geringsten Illusion darüber hin, daß dieser private Egoismus einem kaum minder bedenklichen Kollektivegoismus weicht, den es ebenfalls auszurotten gelte. Sowenig ich dazu imstande bin, die Auskünfte des Buches zu kontrollieren, so bestimmt kann ich doch versichern, daß es ein eingreifender und methodologisch lehrreicher *Operationsbericht* ist, der sich sehr zu seinem Vorteil von sämtlichen Impressionen der Systemgegner und der schlachtenbummelnden Konvertiten unterscheidet.[6]

(FZ vom 17. 2. 1932)

1 Siehe Nr. 554, dort auch Anm. 3.

2 Siehe Nr. 554.

3 Russ. Orig.: *Prikazyvaem zemle*. Moskau: Federacija 1931.

4 Die Parole »Schriftsteller in die Kolchose« wurde, wie Tretjakov in *Feld-Herren* ausführt, 1928 von der Kommunistischen Partei ausgegeben. Als flankierende Maßnahme des ersten Fünfjahresplanes (siehe Nr. 473, Anm. 2) sollten auch Kunstschaffende zur Kollektivierung und Effektivierung der landwirtschaftlichen Produktion beitragen.

5 Die Kolchos-Kommune »Kommunistischer Leuchtturm« bei Stawropol, auf der Tretjakov 1928/29 tätig war, wurde 1920 gegründet.
6 Zu Tretjakov siehe auch Nr. 645.

## 633. Revolutionäre Bildmontage

Vier Künstler: Albrecht, Fuhrmann, Lex und Nilgreen,[1] haben eine Ausstellung *»Revolutionäre Bildmontage«* veranstaltet, deren Bestimmung es nach dem Katalog ist, »als Waffe im Klassenkampf zu wirken«.[2] Ihre Aufmachung entspricht jedenfalls diesem Ziel. Sie wird im Treppenhaus und einem Flur des Klubhauses »Graphischer Block« gezeigt,[3] in dem offenbar irgendwelche Parteibüros untergebracht sind, und alle Leute, die diese Büros aufsuchen, müssen an ihr vorbei. Um den Kontakt zwischen ihr und den Betrachtern noch enger zu gestalten, fordern die Aussteller ferner die Kritik der »werktätigen Öffentlichkeit« durch *Fragebogen* heraus, in denen unter anderem gefragt wird, ob die Ausstellung gefalle oder mißfalle, ob man sie für richtig halte, was an ihr etwa zu ändern sei usw.

Diese Vorkehrungen mögen als äußerlich erscheinen, gehören aber faktisch schon zum Gehalt der Veranstaltung. Da es ihre Absicht ist, zur Veränderung des Alltags beizutragen, begibt sie sich in den Alltag hinein; da sie den Grundsatz kollektiver Arbeit anerkennt, nötigt sie, durchaus folgerichtig, die Beschauer, an die sie sich wendet, zur Diskussion. Andere Kunstbegriffe, andere Methoden. Die bisherige Malerei kommt den Menschen nicht auf ihrem Weg zur Fabrik oder zum Büro entgegen, sondern lädt sie in abgeschiedene Räume ein, die weitab von der Heerstraße liegen. Und dann überläßt sie das Publikum sich selber, ohne eine Plattform herzustellen, auf der das von ihm Empfundene und das von den Künstlern Gewollte sich wechselseitig kontrollierte. So muß es auch sein. Denn einmal ist das meiste, was uns als Kunst dargeboten wird, noch immer ein Produkt idealistischer Weltanschauung, und zum anderen kann sich natürlich die Ware Kunst nicht den Gesetzen entziehen, die den allgemeinen Warenaustausch regeln.

Die Aussteller kommen nach ihrer eigenen Erklärung vom *Konstruktivismus* her und sehen es als ihre Aufgabe an, diesen, den sie als »bürgerliche Richtung der Kunst« kennzeichnen, in die proletarisch-revolutionäre Kunst überzuführen. Von ihrem Bemühen soll die Ausstellung zeugen. Sie enthält in der Tat eine Reihe von Arbeiten, die konstruktivistische Elemente zu Darstellungen revolutionierenden Inhalts zu verwenden suchen. Ein Blatt zum Beispiel, das den Titel *»Klassenjustiz«*[4] trägt, zeigt einen schematisierenden Gefängnishof, in den eine Göttin der Gerechtigkeit hineingesetzt ist, deren Erscheinung aus einem mit Börsenkursen bedruckten Zeitungsfetzen besteht. Andere Blätter veranschaulichen ähnliche Erkenntnisse. So wird gegen den Krieg durch eine Bildmontage amputierter Glieder gekämpft und gegen die heutige Produktionsweise durch ein Blatt, auf dem eine von einer behandschuhten Hand gehaltene Stoppuhr mit einer Kombination aus Arbeiterfäusten und Maschinenteilen zusammenmontiert ist. Ich darf mich mit diesen Angaben um so eher begnügen, als die Mehrzahl der Themen nach demselben Prinzip behandelt wird. Daß die ihm entspringenden Werke einen Zug zur Allegorie haben, geht besonders deutlich aus einer großen Arbeit hervor, die in rein allegorischer Weise den gesamten Kapitalismus (bekannte Herstellerfirmen, Institutionen usw.) in einem Panzerturm unterbringt, dessen Kanonenrohre streikende Arbeitermassen bedrohen. Ein paar Blätter unterscheiden sich von den übrigen dadurch, daß sie auf die direkte Aktion verzichten und sich mit der Wiedergabe des durchrationalisierten Arbeitsprozesses begnügen. Sie vergegenwärtigen mit Hilfe fein gezogener Konstruktionslinien das Ineinandergreifen von Uhren, Kranen, Hängebrücken, Straßen, Arbeitern, Hochbahnen usw.

Die letzte Frage des Fragebogens lautet: »Wieweit ist der dialektische Übergang vom Konstruktivismus zur proletarischen Kunst von den Künstlern ... bereits gelöst worden?« Ohne ihre Beantwortung durch zuständigere Besucher vorwegnehmen zu wollen, möchte ich doch mit einigen Bemerkungen an sie anknüpfen. Der Versuch, eine Kunstübung, die einmal als fortschrittlich galt, nicht einfach beiseite zu stoßen, sondern sie für die eigenen Zwecke gewissermaßen auszurauben, ist unter allen Umständen richtig und fruchtbar. Das konstruktivistische Verfahren war eine Kapitulation der Erlebniskunst vor der unpersönlichen Technik. Es entthronte das in seiner Zufälligkeit durchschaute Ich und unterwarf es einer Schöpferkraft, die ihm objektiver und maßgebender schien als die des anarchischen Individuums. Alle konstruktivistischen Werke sind bewußt ausdrucksfeindlich und zerstückeln das Ich, um mit seinen Teilen wie mit Kleinholz die Maschinen einzuheizen, die sie verherrlichen. Die vier Aussteller nun heben das vom Konstruktivismus Begonnene im bekannten Hegelschen Doppelsinne auf. Sie vernichten zunächst die konstruktivistische These, die der Technik gibt, was ihr nicht zukommt, indem sie durch ihre Arbeiten den Nachweis erbringen, daß die heutige Handhabung dieser Technik die gleichen anarchischen Zustände heraufbeschwört wie das um ihretwillen vom Konstruktivisten getilgte selbstherrliche Ich. Aber sie lehnen darum den Konstruktivismus doch nicht völlig ab, sondern betrachten ihn als eine Stufe, die man benutzen muß, und holen das Benutzbare zu sich herüber. Der Abbau der fiktiven Persönlichkeit, die Anerkennung der Technik als solcher usw. – alle diese brauchbaren konstruktivistischen Elemente werden aus dem schlechten Milieu wegtransportiert, in dem sie verkamen, und einem Bedeutungswandel unterzogen. Das ist ökonomisch gedacht und dialektisch gehandelt.

Die Art, in der die Künstler sich der betreffenden Elemente neu bedienen, ist im großen und ganzen stimmig. Zum mindesten in *theoretischer* Hinsicht. Das Netz der Konstruktionslinien versandet nicht länger im Kunstgewerbe, erhält vielmehr die beabsichtigte klassenkämpferische Funktion; die Technik wird der Gesellschaft zugeordnet und hat damit aufgehört, Selbstzweck zu sein; die Uhren weisen auf eine bestimmte Stunde hin, statt grundlos zu schlagen. Manche Arbeiten sind weniger durchsichtig, ja sogar abwegig, aber die meisten sind doch, was sie alle sein wollen: auf den Stand der sozialistischen Lehre gebrachte Montagen, die den Konstruktivismus liquidieren und retten.

Mehr allerdings nicht. Ohne daß ich einen Mangel an Begabung mit in Rechnung bringen möchte, bin ich festzustellen genötigt, daß das Gros der Blätter – sei es aus Gründen der konstruktivistischen Herkunft, sei es infolge des selbstgewählten Zieles – von geringer Durchschlagskraft ist. Diese Arbeiten beschränken sich darauf, dem Werktätigen Erkenntnisse zu vermitteln, die ihm auch auf andere Weise zugeführt werden;

während es ihre Aufgabe sein sollte, die gemeinten Erkenntnisse nicht nur zu wiederholen, sondern sie so zu montieren, daß die Gestalt der Bildmontage sich sinnfällig einprägt. Dann erst nämlich hätten die Blätter wirklich den vollen Gebrauchswert, den sie in der vorliegenden Form noch nicht haben, weil sie in Erkenntnisse einmünden, statt diese zugrunde zu legen. Es fehlt ihnen etwas, das man als den *Überschuß über die theoretische Erkenntnis* bezeichnen kann; ich meine jenen Überschuß, der sie aus (an sich unnötigen) Erkenntnis-Illustrationen zu notwendigen optischen Verkörperungen von Erkenntnissen machte. Damit ist nicht ihr Wert als Übungen, wohl aber ihre Wirkung bezweifelt. Ich glaube beinahe mit Bestimmtheit annehmen zu dürfen, daß auch die Besucher, auf die es ankommt, durch die Ausstellung nicht eigentlich aktiviert werden, sondern in ihr nur das bereits von ihnen begrifflich Gewußte vorfinden und nicht eine neue herausfordernde Form des Gewußten. Die vier Künstler haben den Konstruktivismus zu Montagen sozialistischer Erkenntnisse verwandt; ihr nächstes Ziel müßte sein: diese Erkenntnisse kunstgemäß zu montieren.
(FZ vom 24. 2. 1932)

1 Der Graphiker und Maler Emil (häufiger: Ernst) Oskar Albrecht (1895-1953), der vor allem als Porträtist (u. a. von Siegfried Jacobsohn und Anna Seghers) bekannt wurde, schloß sich 1921 dem Sturm-Kreis um Herwarth Walden an und trat 1925 der Künstlergruppe Die Abstrakten (Internationale Vereinigung der Expressionisten, Futuristen, Kubisten und Konstruktivisten e.V) bei, die sich 1932 unter dem Namen »Die Zeitgemäßen« neu formierte und an die Assoziation revolutionärer bildender Künstler Deutschlands (ARBKD) anschloß. Auch die anderen an der Ausstellung beteiligten Künstler waren Mitglieder dieser Gruppen: der Maler und Graphiker Paul Fuhrmann (1893-1952), zu dessen bekanntesten Werken *Der Zeitgeist* (1927), *Die Politischen* (1931, siehe auch Anm. 4) und *Kriegsgewinnler* (1932) gehören, die Photographin Alice Lex-Nerlinger (1893-1975), die sich vor allem durch Photomontagen wie *Arbeiten, Arbeiten, Arbeiten* (1928) und *Er vervielfältigt* (1929) einen Namen machte, und der Maler und Graphiker Nilgreen (d.i. Oskar Nerlinger; 1893-1969), der Ehemann von Lex-Nerlinger, der die Künstlergruppe Die Abstrakten ab 1924 leitete. Nach dem Zweiten Weltkrieg gab Nerlinger gemeinsam mit Karl Hofer die Zeitschrift *Bildende Kunst* (1947-1949) heraus und war zunächst an der Berliner Hochschule für Bildende Kunst, nach seiner Übersiedlung nach Ost-Berlin an der Kunsthochschule Berlin-Weißensee tätig. Zu seinen bekanntesten Werken zählen *An die Arbeit* (1930) und *Inbesitznahme der Fabriken* (1947).

2 Die Ausstellung »Revolutionäre Bildmontage« wurde vom ARBKD veranstaltet und fand im Clubhaus des Graphischen Blocks (siehe Anm. 3) in der Enckestraße statt. Siehe auch das *Faltblatt zur Ausstellung: Künstler im Klassenkampf*. 4. Ausstellung: Revolutionäre Bildmontage. Albrecht, Fuhrmann, Lex, Nilgreen. Berlin, Februar 1932.

3 Der Graphische Block war eine von 1919 bis 1933 bestehende Vereinigung von Industrieorganisationen des graphischen Gewerbes, zu der u. a. der Verband der deutschen Buchdrucker und der Verband der Buchbinder und Papierverarbeiter Deutschlands gehörten. Ab 1919 gab er die Zeitschrift *Graphischer Block* heraus.
4 Die Collage *Klassenjustiz* (1931), die auch u. d. T. *Die Politischen* bekannt ist, stammt von Paul Fuhrmann.

## 634. Ein soziologisches Experiment?

### Zu Bert Brechts Versuch: »Der Dreigroschenprozeß«

Rez.: Bertolt Brecht, *Versuche 8-10*. Die Dreigroschenoper. Der Dreigroschenfilm. Der Dreigroschenprozeß. Berlin: G. Kiepenheuer 1932.

*Bert Brecht* bringt unter dem Titel: *»Versuche 8-10«* einen neuen Band heraus, der den Text der *»Dreigroschenoper«* nebst Anmerkungen, den seinerzeit nicht verwandten Entwurf zur Verfilmung der *»Dreigroschenoper«* und die Abhandlung: *»Der Dreigroschenprozeß«* enthält.[1] Ich gehe hier nur auf diese Abhandlung ein. Sie nennt sich ein »soziologisches Experiment« und behauptet, eine *neue kritische Methode* zu sein, die mehr als andere, bisher gebrauchte Methoden dazu tauge, um »der ständig funktionierenden Wirklichkeit, der immerfort rechtsprechenden Justiz, der öffentliche Meinung ausdrückenden oder erzeugenden Presse, der unaufhörlich und unhinderbar Kunst produzierenden Industrie ihre Vorstellungen abzulisten ...«
Ehe ich mich der Diskussion der Vorstellungen zuwende, die Brecht den genannten Mächten ablistet, untersuche ich zunächst, was es mit dieser neuen kritischen Methode des »soziologischen Experimentes« auf sich hat. Brecht berichtet selber, wie er zu seinem Experiment kam. Er fing den *»Dreigroschenoper«*-Prozeß (vergl. mein Referat: »Der Prozeß um die Dreigroschenoper« in der Nummer vom 9. November 1930)[2] in der Absicht an, Recht zu suchen, und faßte ihn erst später als eine Veranstaltung auf, die dazu dienen konnte, das Spiel der gesellschaftlichen Kräfte, das Ineinander der verschiedensten Vorstellungen sichtbar zu machen. »Aus einem den Akt einleitenden puren Reagieren auf eine unerträgliche

Ungerechtigkeit wird ein planmäßiges Vorgehen, welches eine allgemeinere Ungerechtigkeit zum Gegenstand wählt ...«
Diese Verwandlung eines naiv begonnenen Prozesses in ein bewußtes Experiment wäre außerordentlich nützlich, wenn das Experiment auf eine sonst nicht zu erreichende Weise gewisse gesellschaftliche Zustände und die durch sie bedingten Vorstellungen erschlösse. Zeitigt es aber nur Ergebnisse, die auch ohne Prozeßführung und mit anderen Hilfsmitteln zu gewinnen sind, so ist es zum mindesten überflüssig. Es *ist* überflüssig, wie die Abhandlung beweist. Denn was tut Brecht in ihr? Er betrachtet keineswegs allein die Vorstellungen, die aus Anlaß des Experiments (eben des Prozesses) zutage gefördert worden sind, sondern wertet auch solche Vorstellungen aus, die mit dem Prozeß nicht das geringste zu schaffen haben. So analysiert er im Interesse einer bestimmten Erkenntnis eine seinen Prozeß nicht betreffende Reichsgerichtsentscheidung;[3] so beschäftigt er sich angelegentlich mit einem Artikel von mir, der dem *»Dreigroschenoper«*-Prozeß ganz fernsteht,[4] statt sich allenfalls um mein oben erwähntes Referat zu kümmern, das ihn behandelt. Ich komme darauf noch zurück. Nun bedarf es auch zur Darbietung jener Vorstellungen und Ideologien, die Brecht seiner Prozeßaffäre wirklich entnimmt, durchaus nicht der Aktion des Prozesses selber; sie alle hätten sich vielmehr aus der vor dem *»Dreigroschenoper«*-Prozeß gegebenen Realität ziehen lassen und sind aus ihr faktisch zum überwiegenden Teil bereits gezogen worden. In Wahrheit ist also das sogenannte soziologische Experiment *gar kein soziologisches Experiment*. Ich will natürlich nicht bestreiten, daß Brecht persönlich den Prozeß nötig hatte, um die und die Vorstellungen überhaupt erst einmal zu sichten. Aber das ist sein privates Pech, das uns gleichgültig sein kann. Es ist nur dann nicht mehr gleichgültig, wenn er aus diesem Pech sofort eine neue kritische Methode macht.
Zu rechtfertigen sucht Brecht das Experiment des Prozesses nicht zuletzt durch die Erwägung, daß man den Kapitalismus dauernd versagen lassen müsse. Nichts sei bedenklicher als die Passivität vieler linker Schriftsteller, die sich bei der theoretischen Anerkennung des Klassenkampfes beruhigten. Statt in solcher Untätigkeit zu versinken, solle man vielmehr nach dem von ihm gegebenen Beispiel »soziologische Experimente in jedem Umfang organisieren ...« Ich glaube nicht, daß ein mate-

rialistischer Dialektiker Brecht hierin Recht gäbe. Denn um ganz davon abzusehen, daß der *»Dreigroschenoper«*-Prozeß als Experiment tatsächlich bedeutungsarm ist: die Wirklichkeit ist, vor allem im gegenwärtigen Stadium, schon so provozierend, daß man sie nicht erst noch durch »Experimente« zu provozieren braucht. Im Gegenteil, diese »soziologischen Experimente«, wie Brecht sie gar zu organisieren vorschlägt, schädigen ihrer Überflüssigkeit wegen eher die Aktionen, die in dem von ihm bejahten Interesse des Klassenkampfes als notwendig zu erachten sind. Nicht nur ihrer Überflüssigkeit wegen, sondern auch darum, weil sie einer *individualistischen* Haltung entspringen. Sie tragen einen eigenwilligen, fast privatsportlichen Charakter im Vergleich mit den durch die jeweilige Situation selber heraufgezwungenen Unternehmungen, die wahrhaftig nicht den Ehrgeiz haben, Experimente im Sinne Brechts zu sein.

Zu den *Vorstellungen*, die Brecht seiner Aussage gemäß experimentell der Wirklichkeit abgelistet hat und nun verwirft, gehören auch diese beiden: »Der Film braucht die Kunst« und: »Man kann den Publikumsgeschmack verbessern«. Er legt ihrer Diskussion Zitate aus einem Artikel von mir zugrunde, den ich vor einem knappen Jahr unter dem Titel: »Asta Nielsen und die Filmbranche« in unserem Feuilleton veröffentlichte. Daß er durch die Benutzung eines dem *»Dreigroschenoper«*-Prozesse nicht gewidmeten Artikels den Experimentalcharakter dieses Prozesses selber aufhebt, sagte ich schon. Hinzuzufügen ist hier: daß er meinen Artikel falsch benutzt. Erkläre ich auch in ihm, und zwar in Beziehung auf Asta Nielsen, die seit Jahren von der Filmbranche ausrangiert worden ist, daß die Filmhersteller mindestens dazu imstande sein müßten, den Nutzwert der Kunst einzukalkulieren, so mute ich ihnen doch nie und nimmer zu, daß sie den Publikumsgeschmack verbessern könnten oder sollten. Ich behaupte vielmehr in dem Artikel und gerade an der zitierten Stelle, daß die Filmbranche sich noch nicht einmal in den Publikumsbedürfnissen auskenne und folglich kommerziell untüchtig sei – eine Behauptung, die sich nachträglich durchaus bestätigt hat (vergl. meinen Artikel: »Schluß mit dem Klamauk!« in der Reichsausgabe vom 10. Jan. 1932).[5] Brecht hat es aber nicht für nötig gehalten, dem Artikel diese Behauptung abzulisten, die er allein enthält, sondern projiziert[6] mit geringer List eine andere in ihn hinein, die vorher gar nicht in ihm enthalten war; eben die: »Man kann den Publikumsgeschmack verbessern«. Dadurch, daß er sie überdies zwischen Anführungszeichen setzt, sucht er den Lesern noch dazu vorzuspiegeln, sie sei dem[7] nachfolgenden Zitat wörtlich entnommen. So machen es Taschenspieler auf dem Markt.

Zur Sache selbst ist zu bemerken: die Polemik Brechts gegen die beiden Vorstellungen: »Der Film braucht die Kunst« und: »Man kann den Publikumsgeschmack verbessern« erfolgt von seinem radikalen Kunstbegriff aus, der die Kunst als »Genußmittel« verneint und Kunst überhaupt nur insofern gelten läßt, als sie (im Dienst des Klassenkampfes) die gesellschaftliche Wirklichkeit gibt. Dieser Kunstbegriff ist zweifellos eine nützliche Kampfwaffe gegen das bürgerliche Bewußtsein: aber Brecht verwendet ihn polemisch in einer Weise, die seinen Nutzen zum großen Teil wieder zerstört. Wozu nämlich verwendet er ihn? Zur totalen Brüskierung der heutigen (Kunst-)Situation, statt zum Aufweis derjenigen Elemente in ihr, die bereits auf die neu zu schaffende Situation hindeuten. Als entstehe diese neue Situation fix und fertig aus dem Nichts, als sei sie nicht vielmehr in der alten schon angelegt? Wäre Brecht der materialistische Dialektiker, der er sein will, so dürfte er die Vorstellung: »Der Film braucht die Kunst« nicht einfach damit erledigen, daß er resümiert: »Es ist nicht richtig, daß der Film die Kunst braucht, es sei denn, man schafft eine neue Vorstellung Kunst«. Denn eine solche Aussage schüttet, durchaus *undialektisch*, das Kind mit dem Bade aus, indem sie auch die zur Aneignung oder Verwandlung fähigen Kunstelemente liquidieren möchte. Das aber ist ein unfruchtbares Verhalten. Tatsächlich sind sogar unter den jetzigen Verhältnissen im Verkehr mit der Filmapparatur manche Kunstdinge entstanden – ich denke nicht nur an Chaplin –,[8] die sich zur Veränderung der Zustände sehr gut verwerten lassen und unter allen Umständen vom Film gebraucht werden; genau so, wie es Architekturleistungen gibt, die ihren Schöpfern mit Recht eine Berufung nach Sowjetrußland eingetragen haben.[9] Die gleiche Sabotage verübt Brecht, wenn er der aus der Luft gegriffenen und willkürlich in meinen Artikel hineinphantasierten Vorstellung: »Man kann den Publikumsgeschmack verbessern« entgegenhält: »... man kann den Publikumsgeschmack des Publikums nicht durch bessere Filme, sondern nur durch eine Änderung seiner Verhältnisse ändern.« Gewiß wird der Publikumsgeschmack nur durch eine Änderung der Verhältnisse des Publikums grundlegend geändert, aber die Voraussetzung dieser Änderung ist ein bereits in Änderung befindlicher Publikumsgeschmack, dem fraglos auch jene soeben von mir als verwertbar bezeichnete Filmdinge zugeordnet sind. – Ich stelle zusammenfassend fest, daß Brecht hier wie anderswo die Situation nicht analysiert, sondern *nur gegen sie agiert*. Die Analyse einer Situation hilft diese verändern; eine solche Blague ruft keine Veränderungen hervor.

Immerhin zeugt die Schrift von der angestrengten Bemühung eines hochbegabten Autors um die materialistische Dialektik und sollte darum gerade unter den Literaten Interessenten finden. Brecht gibt nicht nur die erworbenen Kenntnisse in scharfen, ersichtlich von den Marxschen Antithesen beeinflußten Formulierungen wieder, er wendet sie auch manchmal erfolgreich an. So legt er auf eine instruktive Art den beim Verschleiß von Kunstprodukten eintretenden Abbau des Begriffs der Persönlichkeit dar, der doch die betreffenden Produkte angeblich entstammen, oder macht darauf aufmerksam, wie unzertrennlich veraltete Ideologien mit neuen derselben Klasse verknüpft sind. Kurzum, die Schrift ist im großen und ganzen das Zeichen des Übergangs von der hergebrachten Denkweise zu einer richtigeren. Da sie spürbar noch aus dem Prozeß des Lernens hervorgeht, schlägt in ihr natürlich überall die Natur, d.h. die *idealistische Herkunft*, durch. Unter anderem lehnt Brecht die landläufige Vorstellung, daß die Kunst den Film nicht brauche, mit der Begründung ab, daß kein Teil der Kunst von dieser neuen Übermittlungsmöglichkeit unberührt bleibe, ja, daß die Literatur zur Erfüllung ihrer gesellschaftlichen Aufgaben direkt auf die Benutzung des Films angewiesen sei. »Die Umgestaltung durch die Zeit läßt nichts unberührt, sondern erfaßt immer das Ganze.« Das stimmt im Prinzip, aber auch nur im Prinzip, und ist insofern eine idealistische Aussage. Der materialistische Dialektiker, der nicht wie der Idealist immer gleich aufs Ganze geht, interessierte sich vermutlich mehr für die Umgestaltung der zunächst im revolutionären Interesse dringend umzugestaltenden Teile (ohne darum das Ganze aus den Augen zu verlieren). Auch die *totalen* Umschwünge, die Brecht durchgängig vollzieht, sind typisch idealistisch. Er brüskiert total, er stützt seinen Vorschlag des »soziologischen Experiments« auf die Behauptung, daß nur das »beteiligte, mittätige Subjekt« zu »erkennen« vermöge. Eine romantische Leidenschaft fürs Konkrete, die nicht viel anderes als invertierter Idealismus ist. Doch diese Züge sind möglicherweise Übergangssymptome und tun als solche der Schrift keinen Abbruch. Ungleich schlimmer wird sie (außer durch ihre törichte Maskierung zum »soziologischen Experiment« und den Zitatschmuggel) durch das *unmethodische und unwissenschaftliche* Verfahren Brechts belastet, das einem beinahe die Hoffnung raubt, daß es sich hier wirklich um einen Übergang handle. Was soll man z. B. dazu sagen, daß Brecht gegen Ende seiner der Vorstellung: »Man kann den Publikumsgeschmack verbessern« gewidmeten Betrachtung von sich aus die Notwendigkeit einer genaueren Erforschung des Publikumsgeschmacks anerkennt und dabei vergißt oder unterschlägt, daß zwei Seiten vorher, nämlich in dem an den Anfang dieser Betrachtung gestellten Abschnitt aus meinem Artikel, gerade die Ahnungslosigkeit gerügt wird, mit der alle am Publikumsgeschmack Interessierten ihn, den Publikumsgeschmack, traktieren? Leider begnügt sich Brecht nicht einmal damit, fahrlässig zu zitieren, sondern zitiert in der Regel, entgegen dem wissenschaftlichen Usus, die Vorgänger und Mitstrebenden überhaupt nicht. Ein Beispiel für viele. An einer Stelle schreibt er, anscheinend von »unsern Metaphysikern im Feuilletonteil«: »Sie denken nicht daran, den gesellschaftlichen Nutzen der Sentimentalität zu untersuchen, würden sie es wollen, so fehlten ihnen die Denkmethoden und das nötige Wissen«. Diese aufs Geratewohl ausgesprochene Beschuldigung verrät nur das eine: daß Brecht es unterlassen hat, sich mit der einschlägigen Literatur in und außerhalb des Feuilletonteils zu befassen. Georg Lukács etwa macht in seinem Buch: *»Geschichte und Klassenbewußtsein«* eine Bemerkung, die für das Verständnis des gesellschaftlichen Nutzwertes der Sentimentalität sehr aufschlußreich ist (vergl. Fußnote auf Seite 150);[10] ferner finden sich über den gleichen Gegenstand nicht zu übersehende Äußerungen im Buch von Bela Balázs: *»Der Geist des Films«* (vergl. Seite 199)[11] und in einigen meiner eigenen Arbeiten (z. B. in der Aufsatzserie: »Film und Gesellschaft«).[12] Brecht hat das alles offenbar nicht gelesen. Da es ihm selber also am nötigen Wissen fehlt, wäre er mindestens zur Vorsicht bei seinen Anwürfen und Entdeckungen verpflichtet gewesen. Sein Verfahren kompromittiert nicht zuletzt die von ihm mitgeteilten Gehalte. Denn es ist, mild ausgedrückt, extrem individualistisch und bekundet einen erstaunlichen *Mangel an Solidarität*; während die Gehalte antiindividualistisch sind und sich auf Solidarität ausrichten.

Ein Wort noch über den Begriff des »soziologischen Experiments«. In der Tat läßt sich, anders als Brecht es meint, von soziologischen Experimenten sprechen; jedoch nur in *übertragenem* Sinn. Die gesellschaftliche Wirklichkeit produziert andauernd Ereignisfolgen, die zur Erkenntnis der Struktur der Wirklichkeit ausgewertet werden können wie irgendein echtes Experiment. Eine unerläßliche Voraussetzung der Auswertungsmöglichkeit dieser als Experimente aufzufassenden Ereignisfolgen ist aber die: daß sie sich *ohne Eingreifen des Bewußtseins* vollziehen. Denn inszenierte man sie nach dem Vorschlag Brechts bewußt und planmäßig, so wäre damit schon die Entwicklung der Wirklichkeit gestört, die es zu erkennen gilt. Man muß sich davor hüten, eine falsche Analogie zwischen solchen Quasi-Experimenten und den echten Experimenten herzustellen. Beide sind nur dann auf einen Nenner zu bringen, wenn bei jenen die Kontrolle der Bedingungen fortfällt, die bei diesen gefordert ist. Aus dem einfachen Grunde, weil hier, im Falle des echten Experiments, das Resultat eines künstlich angesetzten Prozesses erfragt wird, dort aber, im Falle des Quasi-Experiments, das eines »natürlichen« gesellschaftlichen Ablaufs. Als ein Beispiel für ein derartiges Quasi-Experiment mag irgendein Erfolgsbuch angesehen werden. Es enthält eine bestimmte Mischung von Elementen, die den Bedürfnissen gewisser Leserschichten entgegenkommt und daher diese Bedürfnisse zu erschließen gestattet. In unserer Literaturblatt-Serie: »Wie erklären sich große Bucherfolge?«[13] hat denn auch eine kleine Autorengruppe verschiedene Erfolgsbücher als soziologische Experimente in übertragenem Sinn behandelt, d.h. ihre Mischungen analysiert und aus ihnen die ideologische Struktur der Konsumenten abgeleitet. Das Material der gesellschaftlichen Wirklichkeit zu echten Experimenten zu benutzen, wird erst im Stadium der Planwirtschaft möglich und sinnvoll sein.
(FZ vom 28. 2. 1932)

1 Siehe Bertolt Brecht, »Die Dreigroschenoper«. In: Ders., *Versuche 8-10*, S. 150-233; Brecht, »Anmerkungen zur Dreigroschenoper«. In: Ebd., S. 234-243; beide wieder in:

Ders., *Werke*. Große Kommentierte Berliner und Frankfurter Ausgabe (in 30 Bänden). Hrsg. von Werner Hecht, Jan Knopf, Werner Mittenzwei und Klaus-Detlef Müller. Berlin, Weimar und Frankfurt a. M.: Aufbau und Suhrkamp 1988-2000 (im folgenden zitiert als GBA). Bd. 2: *Stücke 2*. Bearbeitet von Jürgen Schebera. 1988, S. 229-308. Brecht, »Die Beule. Ein Dreigroschenfilm«. In: Ders., *Versuche*, S. 244-255; wieder in: GBA, Bd. 19: *Prosa 4*. Geschichten, Filmgeschichten, Drehbücher. 1919-1939. Bearbeitet von Brigitte Bergheim unter Mitarbeit von Michael Duchardt, Ute Liebig und Jan Knopf. 1997, S. 307-320; Brecht, »Der Dreigroschenprozeß. (Ein soziologisches Experiment)«. In: *Versuche*, S. 255-306; wieder in: GBA, Bd. 21: *Schriften 1*. Bearbeitet von Werner Hecht unter Mitarbeit von Marianne Conrad, Sigmar Gerund und Benno Slupianek. 1992, S. 448-514.

2 Siehe *Werke*, Bd. 6.2, Nr. 623 und Nr. 634. In dem *Dreigroschenoper*-Prozeß, der im Oktober und November 1930 am Berliner Landgericht I stattfand, ging es um die Autorenrechte an der Verfilmung der *Dreigroschenoper*. Am 21. 5. 1930 hatte die Nero-Film AG mit dem Verlag Felix Bloch Erben einen Vertrag über die Verfilmung abgeschlossen, der Brecht und dem Komponisten Kurt Weill ein besonderes Recht bei der Mitarbeit am Drehbuch zusicherte. Am 18. 8. erklärte die Filmgesellschaft, daß Brecht den Vertrag einseitig gebrochen habe, und begann im September mit den Dreharbeiten, obwohl kein von den Autoren genehmigtes Drehbuch vorlag. Daraufhin klagten Brecht und Weill auf Einstellung der Dreharbeiten sowie auf Verbot der Fertigstellung und Distribution des Films. Am 4. 11. 1930 wies das Gericht Brechts Klage mit der Begründung ab, daß er seinen vertraglichen Verpflichtungen nicht nachgekommen sei; der Klage Weills wurde dagegen stattgegeben. Brecht legte Berufung ein und schloß ebenso wie Weill einen außergerichtlichen Vergleich, der die Fertigstellung und Distribution des DREIGROSCHENOPER-Films (Georg Wilhelm Pabst. DE 1930/31) ermöglichte. Zu Kracauers Besprechung des Films siehe *Werke*, Bd. 6.2, Nr. 636.

3 In der von Brecht referierten Entscheidung ging es um die 1923 vor dem Berliner Land- und Kammergericht verhandelte Frage, ob der Verfilmungsvertrag dem Verfasser des Filmmanuskripts einen Anspruch gegen den Filmhersteller auf Herstellung und Vertrieb des Films gewähren muß.

4 Es handelt sich um Kracauers Artikel »Asta Nielsen und die Filmbranche«, siehe *Werke*, Bd. 6.2, Nr. 644.

5 Siehe *Werke*, Bd. 6.3, Nr. 670.

6 Korrektur d. Hrsg; im FZ-Druck: »praktiziert«.

7 Korrektur d. Hrsg; im FZ-Druck: »als sei sie dem«.

8 Siehe u. a. *Werke*, Bd. 6.1, Nr. 186, sowie Bd. 6.2, Nr. 336, 567 und 641.

9 Gemeint ist der Architekt Ernst May, der 1930 einem Ruf der sowjetischen Regierung zur Planung von Stadtregionen nach Rußland folgte. Siehe Nr. 306, dort auch Anm. 1, und Nr. 567.

10 Die Seitenangabe bezieht sich auf die Erstausgabe (Berlin: Malik 1923); vgl. Georg Lukács, *Werke*. Bd. 2.2: *Geschichte und Klassenbewußtsein*. Neuwied und Berlin: H. Luchterhand 1968, S. 316, Anm. 1.

11 Die Seitenangabe bezieht sich auf die Erstausgabe (Halle: W. Knapp 1930); vgl. Béla Balázs, *Der Geist des Films*. Frankfurt a. M.: Suhrkamp 2001, S. 154f. Zu Kracauers Rezension des Buches siehe *Werke*, Bd. 6.2, Nr. 621.

12 Siehe *Werke*, Bd. 6.1, Nr. 219.

13 Siehe Nr. 542, dort auch Anm. 1, Nr. 555 und Nr. 573.

# 635. Marseille

Neulich sah ich wieder einmal nach langer Zeit Marseille.[1] Sah es in einem nach Pagnols beliebtem Bühnenstück *»Marius«* hergestellten Film,[2] der von einer unverzeihlichen Langeweile ist. Um von seiner altmodisch beredten Theaterhandlung zu schweigen: er nutzt noch nicht einmal die ihm, dem Film, gegebene Chance aus, uns durch Marseille ein wenig spazierenzuführen. Ein flüchtiger Blick in die Hafengassen, ein paar Erdgeschosse und die üblichen Segelboote – mehr gönnt er uns nicht. Und doch versetzten mich diese lächerlichen Andeutungen mitten hinein in die Stadt, und statt die endlosen Dialoge in Cesars Bar mitanzuhören, schob ich die Perlenschnüre auseinander und ging wie früher oft durch die Straßen. So sehr ist Marseille Gegenwart, daß es nur leise zu winken braucht, und man ist schon ganz dort.

Viele Riviera-Reisende halten sich auf der Durchreise in Marseille ein bis zwei Tage auf, essen aus einer Art von Pflichtgefühl Bouillabaisse (die bei Prunier in Paris noch besser schmeckt) und äußern sich hinterher nicht eben freundlich über den Radau der Stadt, ihren Schmutz und ihre Prostitution. Ich muß gestehen, daß ich dieses Verhalten nie habe begreifen können, ja, ich scheue mich nicht, es leichtfertig und fühllos zu nennen. Denn geht es mit rechten Dingen zu, so bleibt einer einfach in Marseille, auch wenn er hier ursprünglich nur übernachten wollte. Und dann wird er den Radau lieben lernen, den offenbaren Schmutz dem geheimen vorziehen und die unverhüllte Prostitution achtbarer finden als manche überglätteten Zustände der Zivilisation.

Diese Erkenntnisse liegen auf der Straße, die in Marseille die Welt bedeutet. Nur in der Morgendämmerung ist sie es noch nicht. Und wer in der Frühe ankommt – die meisten Expreßzüge aus Genf, Straßburg, Paris fahren vor Tag in die alte, verräucherte Bahnhofshalle ein – und nach dem schlechten guten Wartesaal-Kaffee gleich die prunkvollste aller Marmortreppen hinuntereilt, wird vielleicht enttäuscht sein, daß die sagenhafte Cannebière so kurz und unscheinbar ist. Einige Stunden später aber beginnt sie zu wachsen und zu tosen, und fortan ist sie bis in die Nacht hinein der unübersehbare Treffpunkt sämtlicher Völker der Erde. Vor allem Afrikas und des Orients. Marokkaner in Burnussen, Neger,

Inder, armenische Bärte wallen vorbei, ein Zug ohne Ordnung und Zusammenhang, der so wenig abbricht wie die Geschichten aus Tausendundeiner Nacht. An den bunten Kaffeehaus-Tischchen immer sitzen bleiben zu können, um dieses lebenden Bildes der Anarchie endlich ganz inne zu werden! Es ist eine Erscheinung, die untergehen wird, und zugleich ein Vorglanz künftiger Zeiten.
Vergeblich bemühe ich mich, auch nur die rauschende Cannebière zum Stehen zu bringen. Man muß sie erfahren und ergangen haben, festhalten läßt sie sich nicht. Und so ist es mit Marseille überhaupt. Gewiß, ich könnte den Alten Hafen beschreiben, um dessen Rechtecksfläche die weiße Stadt sich amphitheatralisch aufbaut; könnte im Hafenviertel untertauchen, durch die Bordellgasse streifen und an trüben Rinnsalen entlang, in denen die Kinder ihre Schiffchen treiben lassen, zu einem kleinen Platz emporführen, dessen Bäume so friedlich grünen, als stünden sie in einem abgeschiedenen Dorf; könnte Notre Dame de la Garde von verschiedenen Punkten aus zeigen; Nachmittage in der Jolliette schildern, in einer Trambahn über die Corniche rasseln, bis weit hinaus zur Plage, und dann wieder zurückgleiten durch die Prado-Alleen. Doch das alles wäre längst nicht genug oder schon viel zuviel. Denn wer Marseille nicht kennt, dem helfen auch die Darstellungen des Liebenden nichts. Und wer es kennt – ihm reicht ein mangelhaftes Filmbild dazu aus, um in dieser einzigen Stadt wieder leibhaft zugegen zu sein.
(FZ vom 28. 2. 1932, Reiseblatt)

1 Siehe Nr. 307 und 465 sowie das Schlußkapitel von *Ginster*, *Werke*, Bd. 7, S. 245-256.
2 Der Film MARIUS (Alexander Korda und Marcel Pagnol. FR 1931) basiert auf einem Drehbuch, das Pagnol nach seinem gleichnamigen Drama (Paris: Fasquelle 1931) verfaßte. Er stellt den ersten Teil einer Marseille-Trilogie dar, zu deren beiden folgenden Teilen (FANNY. Marc Allégret. FR 1931; CÉSAR. Marcel Pagnol. FR 1936) Pagnol ebenfalls die Drehbücher nach eigenen dramatischen Vorlagen schrieb. Kracauer rezensierte den dritten Teil der Trilogie u. d. T. »Marseille im Film«, siehe *Werke*, Bd. 6.3, Nr. 719.

# 636. Varieté-Programm von heute

Im Varieté gehen gewisse Veränderungen vor sich. Natürlich produzieren sich dort wie immer in der Hauptsache Artisten, und gerade das Februar-Programm der *Scala* bringt eine ganz große Nummer: den mexikanischen Drahtseilkünstler Con Colleano,[1] der auf dem Seil nicht nur bezaubernd Tango tanzt, sondern sogar den Salto nach vorwärts macht, ohne hinterher seine Position auf der schwankenden Grundlinie preisgeben zu müssen. Aber zwischen den eigentlichen Artisten tauchen neuerdings wieder und wieder Künstler auf, denen es nicht vorbestimmt war, als Varieté-Attraktion zu glänzen. Sie kommen aus den Theatern und Konzertsälen und reihen sich jetzt unter die Jongleure, Akrobaten und Exzentriks ein.

Die Geigerin *Edith Lorand*[2] zum Beispiel beansprucht mit ihrem Kammerorchester einen breiten Raum im augenblicklichen Scala-Programm. Man hat sich angestrengt, dieses Ensemble möglichst varietégerecht aufzuputzen und weder an Scheinwerfern noch an stimmungsvollen Hintergrundspanoramen gespart. Da die Künstlerin unter dem Zwang des Milieus fast lauter Lieblings- und Bravourstückchen zum besten gibt, wäre die Musikwelt, der sie entstammt, kaum zu merken, spielte sie nicht einmal etwas von *Mozart*. Wahrhaftig, sie spielt ein Mozart-Rondo, und das Publikum ist so mäuschenstill wie beim Höhepunkt eines Trapezaktes. Gefahr und Kunst scheinen dies gemeinsam zu haben: daß sie den Menschen den Atem verschlagen.

Im nächsten Monat wird Vera Schwarz[3] Frau Lorand ablösen; mit ausdrücklicher Genehmigung ihrer Intendanz, wie es auf der Vorankündigung heißt. Was geschieht hier? Wahrscheinlich nicht viel anderes, als daß die Kunst nach Brot geht. Die Konzertsäle sind schwer zu füllen, die Theater noch schwerer zu finanzieren, und die Absorptionsfähigkeit des Films ist schließlich nicht unbegrenzt. So wird das Varieté zur Aufnahmestellung mancher Solisten. Und es zieht sie anscheinend nicht ungern zu sich heran. Denn durch die Krise ist es genötigt, die Anreize zu vermehren und unter anderem den Sensationswert auszunützen, den künstlerische Leistungen inmitten artistischer erhalten.

Die Kunst selber verändert sich ebenfalls auf dem Wege vom Konzert-

saalpodium zum Varieté. Sie wird zerschlagen, in Stücke und Stückchen zerhackt. Kann man im Varieté die ganze Haffner-Serenade von Mozart bringen? Die Serenade wäre für eine Nummer zu lang. Also wird nur das Rondo gespielt, das gerade die passende Nummergröße hat. An diesem kleinen Beispiel bestätigt sich wieder einmal, daß wirtschaftliche Wandlungen unweigerlich solche des Bewußtseins hervorrufen. Da die ausübenden Künstler durch die Produktion von Nummern existieren müssen, beginnt die Totalität des Kunstwerks ihre Existenz aufzugeben. Die Kunstwerke sind nicht mehr ihrem ganzen Umfang nach loszuschlagen wie irgendeine Herrenzimmer-Einrichtung, sie gehen nur noch in Teilen ab. Diese Art ihres Ausverkaufs zu beklagen, wäre um so müßiger, als sie genau unserer Situation entspricht, in der faktisch nichts Ganzes gilt. Der Abtransport der Kunstnummern ins Varieté ist kein isolierter Vorgang, sondern die Folge eines durchgreifenden Prozesses.
(FZ vom 1. 3. 1932)

1 Zur Scala siehe Nr. 561, Anm. 1. Der australische [sic] Seiltänzer Con Colleano (d.i. Cornelius Sullivan; 1899-1973), bekannt als »The Wizard of the Wire«, wurde mit seinen Hochseilnummern in den zwanziger und dreißiger Jahren weltberühmt.
2 Die österreichisch-ungarische Violinistin Edith Lorand (1898-1960) machte in den zwanziger und frühen dreißiger Jahren mit zahlreichen Einspielungen vor allem von Virtuosenstücken und Salonmusik Karriere. 1933 kehrte sie aus Deutschland zunächst nach Ungarn zurück und emigrierte 1937 in die USA.
3 Die österreichische Opernsängerin Vera Schwarz (1888-1964), von 1929 bis 1933 Ensemblemitglied des Berliner Metropoltheaters, war Partnerin von Richard Tauber in zahlreichen Lehár-Operetten, u. a. *Paganini* (1926) und *Das Land des Lächelns* (1929). 1938 emigrierte sie über England in die USA, 1948 kehrte sie nach Österreich zurück.

## 637. Baby Lindbergh

Der Kinderraub im Hause Lindbergh[1] scheint zur Zeit die amerikanische Öffentlichkeit mehr zu erregen als der chinesisch-japanische Krieg oder die Wirtschaftskrise. Auch die Berliner Blätter melden ausführlich, was drüben alle Blätter erfüllt. »Warnung vor Polizeihilfe« – »Wichtige Fingerabdrücke gefunden« – »Geheimnisvoller Hinweis« – »Über hunderttausend Beamte helfen ihm« – »Er will 30000 Dollar Lösegeld zah-

len«: so lauten einige Untertitel der täglichen Bulletins. Die wichtigste Tatsache, die sich dem Überfluß dieser Nachrichten entnehmen läßt, ist unstreitig die: daß um der Rettung des entführten Kindes willen, das in einer der Meldungen auch einmal das »populärste Baby der Vereinigten Staaten« heißt, viele private und sämtliche behördlichen Organisationen in Bewegung gesetzt worden sind. Hunderttausend Beamte verfolgen hunderttausend Spuren; die Seelsorger der verschiedensten Konfessionen beten von der Kanzel herab für die Wiederkehr des Kindes; die Amerikanische Legion, die Pfadfinder usw. wollen mit suchen helfen; die Sender und Zeitungen Amerikas geben in einem Aufruf die Diät und die Medizin bekannt, die das augenblicklich erkältete Baby nötig hat.
Dieser Einsatz einer Millionenbevölkerung eines einzelnen Kindes wegen ist, rein für sich betrachtet, jeder Bewunderung wert. Hier gilt das Menschenleben noch etwas, hier ist die Entführung eines winzigen Babys Grund genug, um zahllose Landstraßen abzusperren, den Küstenschutz zu mobilisieren und die Telegraphen spielen zu lassen. Die gesamte Apparatur eines mächtigen Landes im Dienste der Rettung: ich wüßte nicht, wie die Apparate, deren viele sonst den Zweck der Zerstörung haben, nützlicher angewandt werden könnten, und finde, daß der Gebrauch, der in diesem Falle von ihnen gemacht wird, beinahe schon auf das goldene Zeitalter hindeutet, in dem die Maschinen den Menschen untertan sein werden, statt sie nur auszubeuten und zu vergewaltigen.
Allerdings wird dieser Zukunftstraum durch eine statistische Angabe abgestoppt, die wie aus Versehen in einem der Kindesraub-Berichte steckengeblieben ist. Oder richtiger: nicht aus Versehen. Denn der Berichterstatter hat sicher die betreffende Mitteilung nur im Interesse einer planmäßigen Steigerung des Sensationswertes der ganzen Meldung hinzugefügt. Die Angabe lautet, daß in den letzten beiden Jahren *nicht weniger als 2000 Kinder* in Amerika entführt worden seien.
Ich frage: hat man in diesen zweitausend Fällen ebenfalls die Machtmittel der Vereinigten Staaten ihrem vollen Umfang nach aufgeboten, um die notwendige Hilfe zu leisten? Sind zweitausendmal Extrablätter der Zeitungen erschienen? Zweitausendmal hunderttausend Beamte den Verbrechern nachgeschickt worden? Zweitausendmal die Wirkungen von Kanzelgebeten in Kraft getreten? Man hat nichts davon gehört, also wird es auch nicht geschehen sein. Und doch handelte es sich zweitau-

sendmal um dasselbe. Um entführte Babys, die möglicherweise ebenfalls an Erkältung litten und gewiß ihren Eltern so lieb und teuer waren wie das Lindbergh-Baby den seinen.

Die mangelnde Anteilnahme der Öffentlichkeit an den statistisch festgestellten zweitausend Fällen ist schuld daran, daß die Massenaktionen für die Bergung dieses 2001. Kindes einen sehr gemischten Eindruck hinterlassen. Sie gelten weniger irgendeinem in Gefahr geratenen Baby als einem besonderen Vater. Sie sind nicht der Ausdruck eines Solidaritätsbewußtseins, das für alle Mitglieder der Gemeinschaft die gleiche Verantwortung empfindet, sondern eine Huldigung für den Nationalhelden, für einen Auserwählten unter Millionen. Sie beweisen nicht, daß das Menschenleben in Amerika eine hohe Achtung genießt, sie verraten nur die unvorstellbaren Proportionen des mit dem Ozeanflieger getriebenen Kults. Sie mögen einer jener edelmütigen Regungen entspringen, deren jede Nation fähig ist, aber diese Regung regt sich hier im Gefolge von Reichtum und Ruhm.

In den amerikanischen Filmen spielen Kinder eine gewaltige Rolle. Man labt sich an ihrer Süßigkeit wie an Zuckerstangen, man macht sie zum Gegenstand sämtlicher höheren Gefühle. Solange aber diese Gefühle nur bei Gelegenheit exzeptioneller Babys in die Wirklichkeit eingreifen, ist die Wirklichkeit noch starker Veränderungen bedürftig.

(FZ vom 6. 3. 1932)

1 Der einjährige Sohn des US-amerikanischen Piloten Charles Augustus Lindbergh (1902-1974), dem es im Mai 1927 erstmals gelang, den Atlantik in einem Alleinflug und ohne Zwischenlandung von New York nach Paris zu überqueren, wurde am 1. 3. 1932 in New Jersey von Unbekannten entführt und trotz Erfüllung einer Lösegeldforderung im Mai desselben Jahres tot aufgefunden. 1936 wurde Bruno Richard Hauptmann, der bis zum Schluß seine Unschuld beteuert hatte, verurteilt und hingerichtet; Zweifel an seiner Schuld konnten nie ausgeräumt werden.

# 638. Die Unterführung

Dicht beim Bahnhof Charlottenburg zieht sich unter den Gleisen eine schnurgerade Straße hin, die ich oft passiere, weil an ihr jenseits des Bahndamms der Bahnhofseingang liegt.[1] Ich gestehe, daß ich diese Unterführung nie ohne ein Gefühl des Grauens durchmesse. Es könnte von ihrer Konstruktion herrühren, aber ich glaube nicht einmal, daß sie allein das Grauen verursacht; obwohl sie von einer finsteren Strenge ist, der jede Heiterkeit fehlt. Backsteinmauern grenzen die Unterführung ein, verrußte Mauern, die mit zwei Reihen eiserner Stützen zusammen die niedere Decke tragen. Diese Decke besteht aus zahllosen Eisenträgern, die einander in winzigen Abständen folgen und mit unendlich vielen Nietnägeln versehen sind. Zwischen ihnen sitzt eine graue Betonmasse, die nicht minder massiv wirkt wie die Träger selber. In der Dämmerung scheint die Unterführung nicht aufhören zu wollen. Die Mauern zu beiden Seiten dehnen sich bis zum Fluchtpunkt, die eisernen Stützen, die an den Rändern der Fußgängersteige eingerammt sind, vermehren sich und werden bedrohlich, und die Decke senkt sich allmählich immer tiefer herab. Eine klirrende Höllenpassage, ein düsterer Zusammenhang von Backsteinen, Eisen und Beton, der für alle Zeiten gefügt ist.
Viele Menschen eilen durch diese Unterführung. Ich sage eilen, und meine es wörtlich. Denn sei es, daß die Passanten nach Hause oder zum Zug müssen, sei es, daß ihnen das kellerartige Wegstück Unbehagen einflößt: sie blicken nicht nach rechts oder links, sie machen so rasch, als sehnten sie sich danach, wieder an die Oberfläche zu kommen. Trotz ihrer Hast, die genausowenig einladend ist wie das durch die Resonanz verstärkte Gepolter der Lastwagen, haben sich in der Unterführung verschiedene Stammgäste angesiedelt, die hier offenbar Zuflucht vor Kälte und Regen suchen. Zwei eiserne Stützen nahe beim Ausgang umrahmen einen weißgekleideten Bäcker, der Salzbrezeln feilbietet, die niemand kauft. Tiefer im Innern halten sich mehrere Bettler auf, die von der Backsteinmauer, an der sie stehen und kauern, kaum noch zu unterscheiden sind. Alte, längst verwelkte Mauerblümchen, beschäftigen sie sich damit, irgendeinen Schlager zu dudeln, dem nur die Nietnägel lauschen, oder murmelnd auf eine Gabe zu warten.

Was in mir jenes Grauen hervorruft, ist aber auch nicht eigentlich die entsetzliche Unverbundenheit aller der genannten Personen. Ich weiß natürlich, daß sie vorhanden ist. Von den schnellen Passanten hat jeder seine Privatangelegenheiten im Kopf, die ihn daran hindern,[2] auf die Dauerbewohner der Unterführung zu achten. Diese ihrerseits erblicken in den Passanten nur Käufer oder mildtätige Spender. Der weiße Bäcker scheucht die Kinder fort, die sich an seinen Brezeln vergreifen wollen. Der Ziehharmonika-Bettler wärmt sich an seiner Musik. Der murmelnde Bettler verwechselt vielleicht in halbem Irrsinn die Menschen mit Steinen und Stützen. Und ein aus der Mauer gequollenes Mütterchen, das am Boden hockt, starrt mechanisch auf die vorbeiziehenden Hosenbeine, Rocksäume und Schuhe.
Es ist wohl der Gegensatz zwischen dem geschlossenen, unerschütterlichen Konstruktionssystem und dem zerrinnenden menschlichen Durcheinander, der das Grauen erzeugt. Auf der einen Seite die Unterführung: eine vorbedachte, stabile Einheit, in der jeder Nagel, jeder Backstein an seiner Stelle sitzt und dem Ganzen hilft. Auf der anderen Seite die Menschen: auseinandergesprengte Teile und Teilchen, unzusammenhängende Splitter eines Ganzen, das nicht vorhanden ist. Sie können aus Mauern, Trägern und Stützen einen Verband schaffen, aber sie sind unfähig dazu, sich selber zu einer Gesellschaft zu organisieren. Kraß und schrecklich wird durch das vollkommene System toter Stoffe die Unvollkommenheit des lebendigen Chaos enthüllt. Der Bäcker steht unnütz herum, während die Eisenstützen, die ihn umrahmen, eine Funktion haben, und zum Unterschied von den Wänden, die tragen dürfen, sind die Bettler Ballast. Unmenschlich ist aber nicht nur die Planlosigkeit, mit der die Menschen dahintreiben, sondern auch die planmäßige Konstruktion der Passage. Wie sollte es anders sein, da sie von Menschen erbaut ist? Diese Stützen sehen wie Feinde aus, diese Mauern erinnern an Zuchthäuser,[3] und diese Deckenträger summieren sich zu einem einzigen Alpdruck. Ein System, das so undurchdrungen und verlassen ist wie das anarchische Gemisch der Passanten und Bettler.
Immer wieder packt mich dasselbe Grauen, wenn ich durch die Unterführung gehe. Und ich denke mir manchmal wie zum Trost bessere, schönere Konstruktionen aus. Solche, deren Baumaterialien nicht nur aus Eisen und Backsteinen, sondern gewissermaßen auch aus Menschen

bestünden. Dann brauchten sich die Passanten nicht so zu beeilen, und die Musik wäre kein Wink für die Barmherzigkeit.
(FZ vom 11. 3. 1932, wieder in: *Straßen*)

1 Die Unterführungsstraße, die es heute noch gibt, führt westlich vom Bahnhof Charlottenburg unter der Stadtbahn von der Kreuzung Gerwinusstraße/Droysenstraße in die Windscheidstraße.
2 Wortlaut nach dem Wiederabdruck in *Straßen*; im FZ-Druck: »verhindern«.
3 Korrektur d. Hrsg. nach dem Typoskript (KN); im FZ-Druck und in *Straßen* versehentlich: »Zuchthäusler«.

## 639. Am Abend des Wahltags

Da sämtliche aus dem Ausland entsandten Sonderberichterstatter ihren Blättern das hohe Wahlfieber gemeldet hatten, das hier in Berlin herrsche, beschloß ich am Abend des Wahltages,[1] die Temperatur selber zu messen. Die Verpflichtung, sie nachzukontrollieren, lag um so näher, als gerade Bekannte aus München mit dem Gerücht eingetroffen waren, daß es bei Bekanntgabe der Wahlergebnisse leicht zu Unruhen kommen könne.
Vorauszuschicken ist, daß schon der Wahltag ruhig verlief. Der Verkehr vor den verschiedensten, von mir beobachteten Wahllokalen wickelte sich ohne jeden Klamauk ab. Sonntäglich gekleidete Familien kamen und gingen in vollem Frieden durch die friedlichen Straßen, die Plakatträger vor den Wahllokalen unterhielten sich so einträchtig, als seien die von ihnen vertretenen Parteien Hindenburgs, Thälmanns und Hitlers aufs engste miteinander befreundet, und die Schutzleute patrouillierten beschäftigungslos auf und ab. Der ganze Tag war eine einzige schöpferische Pause. Nur auf den Litfaßsäulen tobte der Kampf weiter. Dort klebten rote nationalsozialistische Zettelchen über den Mündern von Thälmann und Duesterberg, um diese beiden gewaltsam am Sprechen zu verhindern. Aber die stumme Geisterschlacht vermochte das Idyll nicht zu stören.
Punkt 18 Uhr legten die Plakatträger wie die Maurer ihre Arbeit und ihre Plakate nieder und verschwanden. Der Abend kam und es war Zeit,

zu Nacht zu essen. Danach mußten bald die ersten Wahlresultate bekanntgegeben werden. Ich fuhr gespannt in die Stadt. Die erste Sensation, die keine war, bot der Wittenbergplatz. Gegenüber dem Kaufhaus des Westens war mitten auf dem Platz eine weiße Projektionsfläche angebracht, vor der aber nur ganz wenige Leute standen. Es lohnte sich nicht, hier zu warten. Vielleicht zeigte sich der Potsdamer Platz aufgeregter? Er lag leer und ausgeräumt da. Über ihn weg fuhr ein Flugzeug, dessen rotglühende Reklameschrift nicht etwa der Wahl, sondern einer Schokoladenfirma galt, und die kleine Menschenansammlung, die sich in einer Platzecke bildete, bestand nur aus Zeitungsträgern, denen wie an gewöhnlichen Sonntagen auch ihre Zeitungen gebracht wurden. Daß diese Montagsblätter in mehreren Ausgaben erschienen, änderte nichts an der nächtlichen Stille. Die Friedrichstraße war nicht belebter als sonst. Keine Gruppen, keine Debatten; ein mäßiges Gewimmel, das sich vermutlich zu amüsieren gedachte. Ich sah in einige Lokale hinein: auch die mit Lautsprecher versehenen hatten noch freie Plätze. Die Linden zogen sich einsam hin. Am Bahnhof Friedrichstraße ein normaler Verkehr.
Im Westen, wohin ich zurückfuhr, der übliche Sonntagsbetrieb, zu meiner Überraschung eher schwächer als an anderen Sonntagen. Das schokoladene Flugzeug kreiste unbeachtet über der Gedächtniskirche. Ein gewöhnlich stark besetztes Café, das ich besuchte, wies zahlreiche Lükken auf. Nach Mitternacht war die Gegend um den Bahnhof Zoo, die auf Menschenmassen eine große Anziehungskraft ausübt, merkwürdig verlassen. Auch der Kurfürstendamm enthielt kaum die hergebrachte Menge von Bummlern. Auf dem Pflaster lagen haufenweise zerknüllte und beschmutzte Papiere, von denen man annehmen durfte, daß sie die Überreste der Wahlpropaganda seien. Statt dessen waren sie schon wieder der Reklame für ein Vergnügungslokal und für irgendeine Schönheitskonkurrenz gewidmet. Es lebt sich schnell in Berlin …
Kurzum, am Wahltag herrschte in Berlin kein Wahlfieber, sondern eine auffällige *Untertemperatur.* Woher sie rührte? Möglicherweise hatten manche durch die Kurfürstendammkrawalle[2] gewitzigte Leute Angst vor Zusammenstößen und mieden darum die Straße. Viel wahrscheinlicher ist allerdings, daß die meisten zu Hause blieben, um im Kreis der Familie die Wahlergebnisse abzuhören. Das *Radio* ist schuld daran, daß die Öffentlichkeit verwaist. Zu einer Zeit, in der die Politik aus den Bür-

gerhäusern auf die Straße gedrungen ist, treibt es während entscheidender Stunden die Menschen von der Straße in die guten Stuben zurück. (FZ vom 15. 3. 1932)

1 Am 13. 3. 1932 fand der erste Wahlgang der Reichspräsidentenwahl statt. Neben dem amtierenden Präsidenten Hindenburg, dessen Wiederwahl von den Parteien BVP, DDP, DVP, Zentrum und auch von der SPD unterstützt wurde, kandidierten Hitler für die NSDAP, der Stahlhelm-Führer Theodor Duesterberg (1875-1950) für die DNVP, Ernst Thälmann (1886-1944) für die KPD sowie einige Kandidaten von Splitterparteien. Im ersten Wahlgang verfehlte Hindenburg mit 49,6 % die erforderliche absolute Mehrheit, gefolgt von Hitler (30,1 %), Thälmann (13,2 %) und Duesterberg (6,8 %). Im zweiten Wahlgang am 10. 4. 1932 wurde Hindenburg mit 53 % der Stimmen wiedergewählt; Hitler erhielt 36,8 %, Thälmann 10,2 % der Stimmen.

2 Am Abend des 12. 9. 1931 kam es in der Nähe des Kurfürstendamms zu gewaltsamen antisemitischen Ausschreitungen, den sogenannten »Kurfürstenkrawallen«. Anläßlich des jüdischen Neujahrsfestes versammelten sich mehrere hundert Nationalsozialisten, griffen für jüdisch gehaltene Passanten an und demolierten das Café Reimann. Die mutmaßlichen Rädelsführer, der Berliner SA-Führer Wolf-Heinrich Graf Helldorf und sein Stabschef Karl Ernst, wurden in der Berufungsverhandlung freigesprochen.

## 640. Frühjahrsproduktion deutscher Verleger

[Anzeige von Neuerscheinungen]

Die neue Produktion unserer Verleger ist von einer Reichhaltigkeit, die nichts zu wünschen übrigläßt. Nur ganz wenige Verlage – so Philipp Reclam jun. – haben darauf verzichtet, im Frühling Blätter und Blüten zu treiben. Das Gros produziert unbeschadet der Krise oder vielleicht gerade ihretwegen weiter. Die Druckmaschinen verlangen Nahrung, und Stockung des Umsatzes wäre der Tod. Auch die Autoren müssen ihre Schriftstellereibetriebe unter allen Umständen aufrechterhalten; viele von ihnen sicher weniger aus innerem Zwang als aus äußeren Gründen. Denn schreiben sie nicht fort und fort, so werden sie brotlos und bauen sich selber ab. Unter der Menge der Angekündigten finden sich zahlreiche Bekannte, die jedes Jahr erscheinen wie das Mädchen aus der Fremde. Aber auch Neulinge mit großen Hoffnungen und schönen Buchtiteln stellen sich wieder ein. Es wäre ein vergebliches Bemühen, die zahlreichen Namen und Themen in irgendeine feste Ordnung pressen zu wollen. Sie schießen regellos in die Höhe, und eine bestimmte Richtung ist nicht zu erkennen. Rechte und linke Standpunkte, Individualismus und Kollektivismus, aktuelle Literatur und sogenannte zeitlose: das alles besteht ungerührt nebeneinander wie in einer Messe. Da in dieses Chaos keine Vernunft zu bringen ist, erscheint es uns am vernünftigsten, bei seiner Betrachtung den Zufall walten zu lassen, der hier herrscht. *Hans Fallada* hat einen Roman, der in Angestelltenkreisen spielt, abgeschlossen.[1] Dieses Buch wird wie das vorige[2] bei Ernst Rowohlt erscheinen, der wieder mit einer Menge von Veröffentlichungen aufwartet. Wir greifen heraus: einen Essayband: *»Beschwerdebuch«* von *Annette Kolb*, dessen einzelne Stücke zum Teil in der *Frankfurter Zeitung* erschienen sind;[3] ein Erinnerungsbuch: *»Concert«* der Dichterin *Else Lasker-Schüler*; *Rudolf Oldens* Hindenburg-Buch[4] und eine Talleyrand-Biographie von *Franz Blei*;[5] einen Band Kurzgeschichten von *Hemingway*,[6] auf den wir uns heute schon freuen; schließlich die Übersetzung des mit dem Goncourt-Preis ausgezeichneten Romans: *»L'ordre«* von *Marc Arland*, der die Nachkriegsgeneration schildert.[7] Übrigens sind diese zuletzt genannten Ausländer nicht die einzigen, die bald dem deutschen Publikum vorgestellt werden. Hinzu kommen unter anderem *Romain Rolland*, dessen Goethe-Essay und Briefwechsel mit Malvida von Meysenbug vor der französischen Ausgabe publiziert werden,[8] und *Martin Luis Guzman* (*»Adler und Schlange«*, ein Epos der mexikanischen Revolution).[9] Alle drei Werke gehören zur Produktion des Verlags J. Engelhorns Nachfolger, der auch den neuen Roman von *Hermynia Zur Mühlen*: *»Das Riesenrad«* veröffentlicht, von dem die Leser der *Frankfurter Zeitung* ein paar Bruchstücke kennen.[10] Von Eindeutschungen ausländischer Werke werden außerdem interessieren: *Trotzki: »Oktoberrevolution«*, die mit Spannung erwartete Fortsetzung des ersten Bandes der russischen Revolutionsgeschichte,[11] die ebenso wie *Liam O'Flahertys: »Lügen über Rußland«*[12] und ein neuer Roman von *John Dos Passos*[13] im S. Fischer Verlag erscheint; ein Novellenkreis: *»Menschen der Südsee«* von *Somerset Maugham* (E. P. Tal);[14] Werke von *Schalom Asch*,[15] *H.[erbert] G. Wells*[16] und *Theodore Dreiser* (Zsolnay Verlag);[17] und ein Buch: *»Teufelsinsel«* der Amerikanerin *Blair Niles*, das die Darstellung eines Sträflingslebens enthält (Drei Masken Verlag).[18]

Wir möchten dahingestellt sein lassen, ob noch zu viel übersetzt wird. Tatsache ist jedenfalls, daß die Versuche zur Einbürgerung fremder Autoren nicht auf Kosten der heimischen erfolgen. Vor allem die Jungen haben dank des schnellen Umschlags der literarischen Moden, der wiederum durch die Produktionsverhältnisse verursacht wird, anhaltend gute Zeiten. Altbewährte literarische Verlage nehmen sich ihrer in der Hoffnung an, daß sie sich eines Tages auszahlen werden. S. Fischer etwa bringt einen Roman: »*Ostwind*« des jungen Schlesiers *August Scholtis* heraus, der in dem Buch auf eine merkwürdige Art die Zustände seiner engeren Heimat gestaltet, veröffentlicht: »*Jugend in Sowjet-Rußland*« von *Klaus Mehnert*, einem auch schon in der *Neuen Rundschau* zu Wort gekommenen Autor,[19] der die Verhältnisse in Rußland aus eigener Erfahrung kennt, und zeigt einen neuen Roman von *Manfred Hausmann* an, der schon beinahe als eingeführte Marke gelten darf.[20] Daß der Verlag Bruno Cassirer, der auch einen Band Goethe-Aufsätze von Ernst Cassirer publiziert,[21] den Roman von *Erik Graf Wickenburg*: »*Farben zu einer Kinderlandschaft*« erworben hat, wird manchem Leser dieser reizenden, bereits in der *Frankfurter Zeitung* größtenteils vorabgedruckten Jugenderinnerungen[22] eine willkommene Mitteilung sein. Zu erwähnen wäre in diesem Zusammenhang noch der Zuchthausroman »*Wasser, Brot und blaue Bohnen*« von *Gustav Regler* (Gustav Kiepenheuer)[23] und *Herbert Schlüters* Roman: »*Die Rückkehr der verlorenen Tochter*« (Transmare Verlag). Um eine problematische Tochter scheint es sich auch in dem Buch: »*Alle Wege führen zu Franz*« von *Käthe Biel* (E. P. Tal) zu handeln. Allerdings wird die Sache kaum so gefährlich sein, da die Verfasserin, eine Hamburgerin, für ihr Manuskript den Literaturpreis des Deutschen Staatsbürgerinnenverbands[24] erhalten hat.

Zählt Klaus Mann zu den Jungen oder den »Alten«? Offenbar hat er den Rubikon überschritten, denn er präsentiert außer einem bei S. Fischer erscheinenden Roman: »*Treffpunkt im Unendlichen*« eine Autobiographie: »*Kinder dieser Zeit*« (Transmare Verlag),[25] deren Titel verrät, wie abgeklärt der Autor schon ist. Wir bringen ihn daher bei jenen Schriftstellern unter, die längst keine unbeschriebenen Blätter mehr sind. Ihre Reihe mag *Joseph Roth* eröffnen, dessen Roman: »*Radetzkymarsch*« nach dem Vorabdruck in der *Frankfurter Zeitung*[26] bei Gustav Kiepenheuer erscheinen wird. Ferner zeigt dieser Verlag an: einen kleinen Roman von *Ernst Glaeser*: *»Gut im Elsaß«*, einen neuen Roman: *»Aufbruch«* von *Anna Seghers* und *Bert Brechts* legendarisches Gedicht *»Drei Soldaten«*, zu dem *George Grosz* die Illustrationen beigesteuert hat. *Oskar Maria Graf* wird mit einem Buch vertreten sein, das den verheißungsvollen Titel: *»Dorfbanditen«* führt und Erlebnisse aus den Schul- und Lehrlingsjahren des Autors verwertet. Die Helden von *Hanns Heinz Ewers* haben anscheinend ihre Schauplätze vertauscht; nach dem neuen Buch: *»Reiter in deutscher Nacht«* zu schließen, in dem von dem nationalen Ringen der Nachkriegszeit die Rede ist. Es kommt bei J. G. Cotta heraus, der z. B. noch eine Komödie von *Ludwig Fulda*[27] bringt und *Hermann Sudermanns* Briefe an seine Frau aus der Versenkung holt.[28] Aus ihr taucht auch ein neuer Band: *»Wie wir unsere Armut tragen«* von *Rudolf Hans Bartsch* (L. Staackmann Verlag) auf, der sich ausdrücklich als tröstlich bezeichnet. Hoffentlich ist er es auch, denn man kann jetzt Trost gut gebrauchen. Weitere bekannte Autoren: *Hanns Johst*, *Georg Britting* und der bald 60jährige *Korfiz Holm*, die im Verlag Albert Langen auftreten werden;[29] der unverwüstliche *Paul Keller*, die Stütze des Bergstadtverlags, der seine Jugendzeit und seine Großeltern vorzuführen verspricht;[30] *Walther von Hollander* und *W.[ilhelm] E. Süßkind*, deren neue Romane[31] auf dem Produktionsprogramm der Deutschen Verlags-Anstalt stehen, die auch den in der *Frankfurter Zeitung* publizierten Roman *Henry Benraths*: *»Ball auf Schloß Kobolnow«*[32] zu veröffentlichen beabsichtigt. *Robert Neumann*, der Verfasser des Inflationsromans: *»Sintflut«*, wird mit einem Roman: *»Die Macht«*[33] auf der Bildfläche erscheinen. Dem ebenfalls von Zsolnay erworbenen Essaywerk *Heinrich Manns*: *»Das öffentliche Leben«*[34] sehen wir mit Spannung, einem neuen *Frank-Heller*-Band: *»Herr Collin überlistet die Bolschewiken«* mit jenem Vergnügen entgegen, das man von einer netten Reiselektüre erwarten kann. Außer diesem Buch von Heller verzeichnet der Verlag Grethlein noch eines von *Mereschkowski: »Jesus der Unbekannte«* und ein Brasilienbuch *Ernst F.[riedrich] Löhndorffs.*[35] Wir wünschen nur, daß sich diese verschiedenartigen Autoren freundschaftlich miteinander vertragen. Lesenswert werden unter allen Umständen die Memoiren *Hellmuth von Gerlachs*[36] sein. Sie erscheinen im Fackelreiter-Verlag, der demnächst unter dem Titel: *»Männer, Köpfe, Charaktere«* die erste Folge einer Bildermappenserie[37] führender Republikaner herausbringt. Vermutlich wird diese Serie einen interessanten Kontrast zu der Publikation: *»Das Gesicht der Demokratie«*[38] bilden.

Die meisten belletristischen Verlage nehmen sich heute auch bestimmter wissenschaftlicher Werke an und verleiben sich Nationalökonomie, Geschichte, ja sogar Philosophie ein. So setzt die Deutsche Verlags-Anstalt ihre *Jacob-Burckhardt*-Gesamtausgabe[39] fort, bringt eine Untersuchung: *»Die Strafe«* von *Hans Hentig* und ein neues Werk des Grafen Keyserling: *»Südamerikanische Meditationen«*. Der Transmare-Verlag macht mit dem Norweger Prof. *Hans Hjort* bekannt, der in seinem Buch: *»Wiedergeburt Europas«* die Krise aus der Fahnenflucht der europäischen Völker vor ihren eigenen Überzeugungen ableiten will. – Zum Schluß sei noch auf die Produktion der Kunstverlage und der vorwiegend wissenschaftlichen Verlage hingewiesen. Vom Verlag Dr. Hans Epstein werden wir eine Haydn-Biographie (Verfasser: *Karl Kobald*)[40] zu erwarten haben, vom Amalthea-Verlag unter anderem Biographien Anton Bruckners und der Königin Christine von Schweden,[41] von F. A. Brockhaus *Sven Hedins* neues Buch: *»Jehol, die Kaiserstadt«*. *Gustav Glück* veröffentlicht bei Anton Schroll & Co. ein Werk über die Gemälde Peter Breughels des Älteren,[42] *Adolf Bernatzik* bei L. W. Seidel & Sohn eine ethnologische Arbeit: *»Äthiopien des Westens«*. Umfangreich sind nicht zuletzt die Programme von R. Voigtländers Verlag und von Dietrich Reimer.

Es kommt im Rhein-Verlag unter dem Titel *»1918: Hugenau oder die Sachlichkeit«*, der 3. Band der Romantriologie von *Hermann Broch* heraus.[43] *Bruno Brehm*, ein Autor des Piper-Verlags, begibt sich mit seinem Roman *»Versailles«* auf das Gebiet der hohen Politik. Die Sammlung des gleichen Verlags *»Was nicht im Baedeker steht«*, wird mit zwei neuen Bänden fortgesetzt.[44] Ein idyllischer Roman *»Siebensorg«* von *Karl Tinhofer* wird bei Josef Kösel und F. Pustet herauskommen. Der gleiche katholische Verlag kündet außerdem noch wissenschaftliche Werke an.

Wir befürchten fast, daß diese Aufzählung, die durchaus nicht den Anspruch auf Vollständigkeit erhebt, ein wenig ermüdend ausgefallen ist.

Aber das Labyrinth der deutschen Buchproduktion hat eine so gewaltige Ausdehnung, daß auch abgehärtete Wanderer bei dem Versuch, sich in dem Irrgarten zurechtzufinden, einfach unterwegs liegenbleiben. Wir werden versuchen, die Aufzählung weiterzuführen, um ein möglichst vollständiges Bild zu geben.[45]

(FZ vom 20. 3. 1932, Literaturblatt und Gedenkblatt zum 100. Todestag Goethes)

1 Hans Fallada, *Kleiner Mann – was nun?* Berlin: E. Rowohlt 1932.

2 Zu Kracauers Besprechung von Falladas *Bauern, Bomben und Bonzen* siehe Nr. 617.

3 Der Vorabdruck umfaßte die Texte: »Liebeszauber und schreckliches Erwachen«. In: FZ vom 13. 12. 1931, Nr. 926-927; »Radioleiden«. In: FZ vom 29. 1. 1932, Nr. 75-76; »Intermezzi«. In: FZ vom 15. 2. 1932, Nr. 119-122; »Intermezzi II«. In: FZ vom 27. 2. 1932, Nr. 154-155.

4 Das angekündigte Buch erschien 1935 u. d. T. *Hindenburg oder der Geist der Preußischen Armee* im Verlag Euopäischer Merkur (Paris).

5 Franz Blei, *Talleyrand oder der Zynismus*. Berlin: E. Rowohlt 1932.

6 Ernest Hemingway, *In unserer Zeit*. Übers. von Annemarie Horschitz. Berlin: E. Rowohlt 1932; engl. Orig.: *In our time*. New York: Boni & Liveright 1925. Zu Kracauers Rezension siehe Nr. 676.

7 Marc Arland, *Heilige Ordnung*. Übers. vom Franz Hessel. Berlin: E. Rowohlt 1932; frz. Orig.: *L'ordre*. Paris: Gallimard 1929. Zu Kracauers Besprechung siehe Nr. 648.

8 Siehe Romain Rolland, *Stirb und werde*. Ein Aufsatz zu Ehren Goethes. Übers. von Hans Leo Götzfried. Stuttgart: J. Engelhorns Nachfolger 1932; frz. Orig.: »Goethe. ›Meurs et deviens!‹«. In: *Europe*. Numéro spécial consacré à *Goethe* à l'occasion du centenaire de sa mort (April 1932), S. 5-29; Romain Rolland und Malwida von Meysenbug, *Ein Briefwechsel*. 1890-1891. Hrsg. von Berta Schleicher. Übers. von Axel Lübbe. Stuttgart: J. Engelhorns Nachfolger 1932; frz. Orig.: Romain Rolland, *Choix de lettres à Malwida von Meysenbug*. Paris: A. Michel 1948 (= Cahiers Romain Rolland, Bd. 1).

9 Martin Luis Guzmann, *Adler und Schlange*. Übers. von Karl Wilhelm Körner. Stuttgart: J. Engelhorns Nachfolger 1932; mex. Orig.: *El águila y la serpiente*. Madrid: M. Aguilar 1928.

10 Unter der Überschrift »Papa und ich. Einige Romankapitel« erschienen Vorabdrucke aus Hermynia Zur Mühlens *Riesenrad* in der FZ vom 10. 10. 1931, Nr. 754-755, 15. 10. 1931, Nr. 767-768, 16. 10. 1931, Nr. 770-771, 27. 10. 1931, Nr. 799-800, 3. 11. 1931, Nr. 818-819, und 10. 11. 1931, Nr. 837-839.

11 Siehe Leo Trotzki, *Geschichte der russischen Revolution*. Bd. 1: *Februarrevolution*. Übers. von Alexandra Ramm. Berlin: S. Fischer 1931; zu Kracauers Rezension des zweiten Bandes siehe Nr. 720.

12 Liam O'Flaherty, *Lügen über Rußland*. Übers. von Heinrich Hauser. Berlin: S. Fischer 1933; engl. Orig: *I went to Russia*. London u. a.: J. Cape 1931.

13 John Dos Passos, *Auf den Trümmern*. Roman zweier Kontinente. Übers. von Paul Baudisch. Berlin: S. Fischer 1932; engl. Orig.: *1919*. New York: Harcourt, Brace & Co. 1932.

14 William Somerset Maugham, *Menschen der Südsee*. Ein Novellenkreis. Übers. von Else

Aldendorff. Leipzig und Wien: Tal 1932; engl. Orig.: *The Trembling of a Leaf*. Little Stories of the South Sea Islands. New York: George H. Doran 1921.

15 Schalom Asch, *Woran ich glaube: von der Gattung zur Persönlichkeit*. Übers. von Siegfried Schmitz. Berlin u.a.: P. Zsolnay 1932; jidd. Orig.: *Der Veg tsu Zikh*. Warschau: Naye kultur 1929.

16 Herbert G. Wells, *Die Geschichte unserer Welt*. Übers. von Otto Mandl. Berlin u.a.: P. Zsolnay 1932; engl. Orig.: *A Short History of the World*. London u.a.: Cassell 1922.

17 Theodore Dreiser, *Die Tragik Amerikas*. Übers. von Marianne Schön. Berlin u.a.: P. Zsolnay 1932; engl. Orig.: *Tragic America*. London: Constable 1932.

18 Blair Niles, *Teufelsinsel*. Lebensgeschichte eines unbekannten Sträflings. Übers. von Else Baronin Werkmann. München: Drei Masken 1932; engl. Orig.: *Condemned to Devil's Island: the Biography of an Unknown Convict*. New York: Harcourt, Brace & Co. 1928.

19 Siehe Nr. 582, Anm. 1.

20 Manfred Hausmann, *Abel mit der Mundharmonika*. Roman. Berlin: S. Fischer 1932; zuvor waren die Romane *Salut gen Himmel* (1929) und *Kleine Liebe zu Amerika. Ein junger Mann schlendert durch die Staaten* (1930) bei Fischer erschienen.

21 Ernst Cassirer, *Goethe und die geschichtliche Welt*. Drei Aufsätze. Berlin: B. Cassirer 1932.

22 Der österreichische Schriftsteller Erik Graf Wickenburg (1903-1998) war von 1928 bis 1942 Feuilletonredakteur der FZ. Nach dem Krieg schrieb er als Korrespondent und Kritiker für die *Welt*, von 1980 bis 1988 war er Präsident des österreichischen PEN-Clubs. Der Vorabdruck seines Romans erschien unter dem von Wickenburg vielfach verwendeten Pseudonym Robert von der Steinen zwischen dem 19. 8. (Nr. 612-614) und 23. 9. 1932 (Nr. 705-707).

23 Der Roman erschien nicht bei G. Kiepenheuer, sondern in der Reihe »Universum-Bücherei für alle« (Bd. 111) des Neuen Deutschen Verlags (Berlin).

24 Der Deutsche Staatsbürgerinnenverband wurde 1865 als »Allgemeiner Deutscher Frauenverein« unter dem Vorsitz der Schriftstellerin und Mitbegründerin der Frauenbewegung Louise Otto-Peters (1819-1895) gegründet; er widmete sich der Ausbildung und der Förderung der Berufstätigkeit von Frauen und gab eine Vereinszeitschrift heraus. Der von ihm zur Untersützung schreibender Frauen gestiftete Literaturpreis wurde 1931 Elisabeth Langgässer (1899-1950) und Käte Biel (so richtig; 1906-?) verliehen.

25 Zu Kracauers Besprechung dieser Bücher siehe Nr. 650.

26 Der Vorabdruck von Joseph Roths *Radetzkymarsch* (Berlin: G. Kiepenheuer 1932) erschien zwischen dem 17. 4. (Nr. 285-287) und 9. 7. 1932 (Nr. 505-507) in 71 Fortsetzungen in der FZ.

27 Ludwig Fulda, *Der neue Harem*. Komödie in drei Akten. Stuttgart u.a.: G.J. Cotta 1932.

28 *Briefe Hermann Sudermanns an seine Frau (1891-1924)*. Hrsg. von Irmgard Leux. Stuttgart und Berlin: J.G. Cotta 1932.

29 Hanns Johst, *Ave Eva*. München: A. Langen 1932; Georg Britting, *Lebenslauf eines dicken Mannes, der Hamlet hieß*. München: A. Langen 1932; Korfiz Holm, *ich kleingeschrieben, heitere Erlebnisse eines Verlegers*. München: A. Langen 1932.

30 Paul Keller, *Die Heimat*. Roman aus den schlesischen Bergen. Leipzig, Breslau und Wien: Bergstadtverlag W.G. Korn 1931. Die Werke des schlesischen Schriftstellers Paul Keller (siehe Nr. 586, Anm. 3) erschienen bereits seit 1915 im Bergstadtverlag, so u.a. die Romane *Waldwinter. Roman aus den schlesischen Bergen* (zuerst: München: Allgemeine

Verlags-Gesellschaft 1902) und *Der Sohn der Hagar* (zuerst: München: Allgemeine Verlags-Gesellschaft 1907).

31 Walther von Hollander, *Komödie der Liebe*. Eine beinahe tragische Ehegeschichte. Stuttgart und Berlin: DVA 1931; Wilhelm E. Süskind (so richtig), *Mary und ihr Knecht*. Roman. Stuttgart und Berlin: DVA 1932.

32 Der FZ-Vorabdruck erschien zwischen dem 17. 11. 1931 (Nr. 830-832) und 5. 1. 1932 (Nr. 13-15) in 39 Fortsetzungen.

33 Robert Neumann, *Die Sintflut*. Stuttgart: J. Engelhorns Nachfolger 1929; ders., *Die Macht*. Berlin u. a.: P. Zsolnay 1932.

34 Zu Kracauers Besprechung siehe Nr. 665.

35 Ernst Friedrich Löhndorff, *Blumenhölle am Jacinto*. Urwalderlebnis. Leipzig: Grethlein & Co. 1932.

36 Die Memoiren Hellmuth von Gerlachs erschienen 1937 postum u. d. T. *Von rechts nach links* (hrsg. von Emil Ludwig) im Züricher Europa-Verlag.

37 Walter Hammer (Hrsg.), *Männer, Köpfe, Charaktere*. Hamburg-Bergedorf: Fackelreiter 1932.

38 Edmund Schultz (Hrsg.), *Das Gesicht der Demokratie*. Ein Bilderwerk zur Geschichte der deutschen Nachkriegszeit. Mit einer Einleitung von Friedrich Georg Jünger. Leipzig: Breitkopf & Härtel 1931.

39 Vgl. Jacob Burckhardt, *Gesamtausgabe in 14 Bänden*. Hrsg. von Emil Dürr. Stuttgart, Berlin und Leipzig: DVA 1929-1934. Als Band 6 der Ausgabe erschien 1926, herausgegeben von Heinrich Wölfflin, *Die Kunst der Renaissance in Italien*.

40 Karl Kobald, *Joseph Haydn*. Bild seines Lebens und seiner Zeit. Leipzig und Wien: Dr. H. Epstein 1932.

41 Oskar von Wertheimer, *Christine von Schweden*. Zürich u. a.: Amalthea 1936; Max Auer, *Anton Bruckner*. Zürich u. a.: Amalthea o. J.

42 Gustav Glück, *Bruegels Gemälde*. Wien: A. Schroll & Co. 1932.

43 Die ersten beiden Bände von Hermann Brochs Romantrilogie *Die Schlafwandler* erschienen 1931 u. d. T. *Pasenow oder die Romantik 1888* und *Esch oder die Anarchie 1903* im Rhein-Verlag (München und Zürich).

44 Die Reihe »Was nicht im Baedeker steht« wurde seit 1927 vom Piper-Verlag (München) publiziert; 1932/33 erschien in der Reihe *Das Buch von der Schweiz* (2 Bde.) von Annemarie Schwarzenbach.

45 Siehe Nr. 646 und 681.

## 641. Untergang der Gebildeten in Rußland

Rez.: Panteleimon Romanov, *Drei Paar Seidenstrümpfe*. Übers. von Markus Joffe. Berlin: Universitas 1932.

Der Roman: *»Drei Paar Seidenstrümpfe«* von *Panteleimon Romanow* soll außer in Rußland auch in England und Italien ein Erfolg gewesen sein.[1] Die Gründe hierfür sind nicht schwer zu erraten. Zunächst berichtet der Roman vom Schicksal der *gebildeten russischen Mittelschicht*, das die gleichen Schichten anderer Länder natürlich besonders stark berührt. Dann ist er das Produkt einer gut geschulten Erzählerkunst und einer Anschauungskraft, der sich weder zartere seelische Vorgänge noch die robusten Fakten der Außenwelt versagen. Beide Reihen von Ereignissen greifen unaufhörlich ineinander, und der Zwang, ihr Gemisch zu vergegenwärtigen, bestimmt den Autor zu einer Darstellungsweise, die sich am ehesten als komischer Realismus bezeichnen läßt. Mit ihrer Hilfe gelingt es, den Auflösungsprozeß, dem die bürgerliche Intelligenz in Sowjetrußland unterliegt, vielseitig zu beleuchten. Grauen und Lächerlichkeit sind in diesem Prozeß unzertrennlich verbunden und fordern gewissermaßen von sich aus jene tragikomischen Effekte, deren das Buch voll ist. Der Mietshausblock, dessen Bewohner sich vor der Toilette drängen, die Wandzeitung der Kindergruppe Budjonny, die Tante, die aus unerfindlichen Gründen auf den Zehenspitzen steht: das alles ruft Gelächter hervor und ist doch auch schrecklich. Schließlich mag der Autor die ausländischen Sympathien noch dadurch gewonnen haben, daß er, wie ja schon die von ihm verwandten Stilmittel beweisen, seinen Standpunkt nicht offen enthüllt. Er geißelt die neuen Machthaber nicht minder als die Gebildeten, und obwohl er deren Position preisgibt, bekennt er sich keineswegs enthusiastisch zur Arbeiterregierung. Das reizende, seinerzeit von mir besprochene Buch Roesmanns: *»Fischbein streckt die Waffen«*,[2] das mit dem Romanows darin übereinstimmt, daß es die Lage todgeweihter Schichten behandelt, hat sich besser vor Mißverständnissen geschützt.

Wichtig erscheint mir der Roman vor allem insofern, als er zu zeigen versucht, daß der gebildete Mittelstand auch darum zugrunde geht, weil er sich *selber zersetzt*. Der Held des Romans, ein Ingenieur Kisljakow, der eine Anstellung im Moskauer Zentralmuseum gefunden hat, ist ein erbärmlicher Wicht, dem es nur noch auf die Erhaltung seiner Existenz ankommt. Gesinnungslos paßt er sich den Wünschen des neuen kommunistischen Museumsdirektors an und läßt ihn im Stich, sobald er von den Jungkommunisten abgesägt wird. Nicht so, als ob dieser Kisljakow ein Streber wäre; aber er ist ohne Halt und daher zum Überläufer verdammt. Solche Figuren, die auch Dostojewski gezeichnet hat, waren sicher typisch für den unrevolutionären Teil der russischen Intelligenz, der durch den Zarismus gekrümmt und verbogen wurde. Der Nebenheld, ein gewisser Arkadi, ist nicht so geschmeidig wie sein Freund Kisljakow, sondern verzichtet auf Kompromisse mit der neuen Staatsordnung, flüchtet in die Religion und verzehrt sich innerlich. Die Hauptenttäuschung bereitet ihm seine Frau Tamara, die offenbar eine Übergangserscheinung darstellt. Statt wie ihr Mann den überkommenen Sitten treu zu bleiben, stürzt sie sich ins freie Leben, verführt den schwachen Kisljakow, der nicht will und dann doch will, und schläft im Interesse ihrer Filmlaufbahn noch mit verschiedenen anderen Leuten. Nachdem sie auf diese Art und Weise die zynische Behauptung eines ausländischen Regisseurs bewahrheitet hat, daß man jede Russin für drei Paar Seidenstrümpfe kaufen könne, packt sie zuletzt der altmodische Ekel vor sich selber an, und sie bringt sich um.

Eine entwurzelte Gesellschaft, die nicht mehr aus und ein weiß und von der ins Rollen gekommenen Lawine der Sowjetmacht allmählich erdrückt wird. Die Schilderungen, die Romanow von dem ungleichen Alltagskampf zwischen Siegern und Besiegten entwirft, sind umso überzeugender, als er auch die neuen Herren mit Kritik nicht verschont. Er verspottet die Kinderkollektive als Übertreibungen der Organisationssucht und ist auch nicht gut auf die Wichtigtuerei der Jungkommunisten zu sprechen. Der Genosse Museumsdirektor, der das Museum vortrefflich umgestaltet hat, wird von der jungkommunistischen Zelle dieses Instituts einzig und allein aus dem Grunde vertrieben, weil er bei der Reorganisationsarbeit ohne ständige Fühlungnahme mit der Zelle vorgegangen sei. Sein despotisches Verhalten erscheint nun in dem Roman – das aber ist entscheidend – nicht etwa als ein schlimmes Versäumnis, sondern als ein zeitsparendes Handeln, das sich am Ende billigen läßt. Jedenfalls werden die Jungkommunisten spürbar satirisch traktiert, und

daß sie schließlich gerade Kisljakow zum Nachfolger des Direktors küren, ist eine Pointe, die ihre Zellenweisheit nicht eben verherrlicht. Dennoch glaubt Romanow nicht, daß vom gebildeten Mittelstand noch je das Heil komme. Im Gegenteil, er setzt ihn auf den Aussterbeetat, er läßt ihn in der Gewißheit seines Unterganges verenden. »Die Zukunft gehört einer anderen Rasse«, sagt Arkadi zu Kisljakow auf den letzten Seiten des Buchs. »Verstehst du? Einer anderen Rasse ... Die Arbeiter sind doch eine andere Rasse, die nichts mit uns gemein hat! Ratten kann ich noch verjüngen, aber einen Stand, der seinen inneren Halt verloren hat, kann man nicht mehr verjüngen, das ist ausgeschlossen.« – Der Ohnmacht, die aus dieser Selbstbezichtigung spricht, ist allerdings nicht mehr aufzuhelfen.
(FZ vom 27. 3. 1932, Literaturblatt)

1 Russ. Orig.: *Tovarišč Kisljakov*. Tri pary šelkovych čulok. Riga: Ščisn i Kultura 1930; engl. Ausg.: *Three Pairs of Silk Stockings: A Novel of the Life of the Educated Class Under the Soviet*. Übers. von Leonide Zarine. London: E. Benn 1931; ital. Ausg.: *Tre paia di calze di seta*. Übers. von Lia Neanova und Iris Felyne. Mailand: Bietti 1933.
2 Siehe Nr. 563.

## 642. Kunst in Moabit

Der Schwurgerichtssaal ist in eine Gemäldegalerie verwandelt, und alle Welt blättert in den Katalogen. *»Pappelallee«*, *»Heuhaufen im Mond«*[1] und wie die falschen oder echten *Van-Gogh-Bilder* alle heißen – sie lehnen ohne Rahmen an einer Brüstung und werden, wenn es notwendig ist, von Hand zu Hand gereicht. Vor dieser Kunstausstellung sitzen in langen Reihen die Sachverständigen, deren Gutachten man noch hören wird. Da auch das Publikum zum großen Teil aus Connaisseurs besteht, macht das Ganze weniger den Eindruck einer Gerichtsverhandlung als einer Akademie-Sitzung, in der es hochwissenschaftlich zugeht.
Kein Wunder, daß sich die Vernehmungen in einem urbanen Ton vollziehen. Man ist hier in einem Gremium von Gebildeten, und auch der Angeklagte Wacker,[2] dessen Verhör sich dem Ende zuneigt, tritt durch-

aus als Gentleman auf. Ein schicker leicht umflorter Typ, der auf dem Tanzparkett bestimmt eine gute Figur gemacht hat und so leise spricht, als übe er in einem fort Diskretion. Tatsächlich versteht er sich vorzüglich auf sie, denn er läßt sich nicht mit Zangen den Namen jenes Russen entreißen, von dem er die Van Goghs gekauft haben will. Seine Antwort auf alle indiskreten Fragen lautet stets, daß er dem geheimnisvollen Russen Schweigepflicht gelobt habe und das ihm gegebene Ehrenwort unter keinen Umständen brechen werde, das heißt, wenn sich sämtliche Bilder als Fälschungen herausstellen, will er mit sich reden lassen. Einstweilen hält er sie aber noch mit Ausnahme von dreien, die ihm neuerdings fragwürdig vorkommen, für echt. Manchmal trinkt er einen Schluck Wasser, ohne daß sich hinterher seine Stimme belebte. Etwas heftiger wird sie nur angesichts der Möglichkeit, daß man den § 51[3] auf ihn anwenden könne. So entschieden er indessen seinen glänzenden Gesundheitszustand betont, das Gedächtnis läßt ihn mitunter bedenklich im Stich. Zum Beispiel erinnert er sich nicht mehr genau daran, ob er die 50000 Mark, die er einmal an seinen Bruder schickte, wieder zurückerhalten hat; der Geldverkehr zwischen ihnen muß wirklich sehr rege gewesen sein. Alle Aussagen werden in einer Art vorgebracht, die unmittelbare Schlüsse auf ihren Gehalt kaum zu ziehen erlaubt. Existiert der verborgene Russe oder existiert er nicht? Die Sonne, die auf einem der Van-Gogh-Bilder glüht, bringt es vielleicht an den Tag; vorausgesetzt, daß sie falsch ist.

Im Zeugenverhör, das nach der Vernehmung Wackers einsetzt, handelt es sich um ziemlich subtile Dinge, die weit zurückliegen. Der erste Zeuge ist Vincent Wilhelm *van Gogh* aus Holland, der seinem großen Onkel etwas ähnlich sieht; nur sind die Züge ins Bürgerliche übersetzt und ohne die Dämonie des Originals. Er spricht und versteht ganz gut Deutsch und erteilt bedächtige Auskünfte über das Kassenbuch seiner Mutter, über die Bilder, die ihm aus seiner Kindheit her im Gedächtnis geblieben sind usw. Da er offenbar weder an der Kunst im allgemeinen noch an den Familiengemälden im besonderen stark interessiert ist, können ihm Gericht und Verteidigung nicht viel entlocken, und das Frage- und Antwortspiel versackt zuletzt in Rekonstruktionsversuchen jener Zeiten, in denen Werke des Meisters auf einem Karren verkauft wurden oder bei Umzügen abhanden kamen. Solche Lücken, die dem großen

russischen Unbekannten eine Chance geben, sind natürlich der Verteidigung angenehm. Bei dem nächsten Zeugen, Herrn T[h]annhauser, geht es schon um prinzipiellere Dinge. Wichtig ist zunächst, wie der Inhaber der bekannten Kunsthandlung über die Echtheit der Bilder denkt. Obwohl er seinerzeit eines von ihnen erworben hat, ist er doch schon damals trotz günstiger Expertisen in einer gewissen Unruhe gewesen. Das Hauptproblem ist aber unstreitig dies: ob Herr T[h]annhauser selber an Stelle Wackers den Namen des Vorbesitzers genannt hätte, wenn die Zweifel am Wert der Bilder nicht mehr abzuweisen gewesen wären. Herr T[h]annhauser ist überzeugt davon, daß er in diesem Fall den Namen preisgäbe. Und zwar klingt seine Überzeugung so allgemeinverpflichtend, daß der Vorsitzende genötigt ist, sie etwas einzuschränken und der Meinung Ausdruck zu verleihen, ein anderer könne in dem betreffenden Falle vielleicht auch anders handeln. Diese Objektivität der Zeugenaussage gegenüber wird von dem Verteidiger sofort weiter ausgebaut, und das Ende vom Lied ist, daß sich die Nachteile und Vorteile für Wacker ungefähr ausgleichen.
Der interessanteste Abschnitt des Verfahrens werden die Gutachten sein. Denn das eigentliche Prozeßthema ist zweifellos nicht so sehr die Affäre Wacker als die Diskussion über die Gültigkeit von Expertisen. Und dahinter mag dann die dunkle Frage aufsteigen, inwieweit es in manchen Fällen überhaupt möglich ist, die Echtheit eines Werks einwandfrei festzustellen. Ohne den zu erwartenden Erörterungen dieses Gegenstands vorzugreifen, will ich zum Schluß eine Anekdote erzählen, die mir von zuverlässiger Seite mitgeteilt worden ist. Irgendwann einmal tauchte ein Gemälde auf, das den Namenszug Max Liebermanns trug und nur ein Frühwerk des Meisters sein konnte. Da man sich über die Echtheit des Bildes nicht klar war, zeigte man es Liebermann und bat ihn um seine Entscheidung. Liebermann erinnerte sich aber nicht mehr an das Bild und wußte schließlich keinen besseren Ausweg, als den Fragestellern die Prüfung seiner Unterschrift durch einen Graphologen nahezulegen. Der Graphologe prüfte und erklärte, daß der Namenszug echt sei. Daraufhin sagte der von diesem Bescheid verständigte Liebermann: »Also ist auch das Bild echt.« – Mitunter ist Echtheit eine reichlich vertrackte Sache.
(FZ vom 9. 4. 1932)

1 Kracauer berichtet in diesem Artikel von dem Strafprozeß gegen den Galeristen Otto Wacker (1898-1970), der am 6. 4. 1932 vor dem Schöffengericht in Berlin-Mitte begann. Wacker hatte 1927 in der Viktoriastraße in Berlin eine Kunstgalerie gegründet, zu deren Eröffnung er die »Erste große Ausstellung von Zeichnungen und Aquarellen von Vincent van Gogh« veranstaltete. Nachdem 30 der von Wacker präsentierten Gemälde in den van Gogh-Werkkatalog Jacob Baart de La Failles (*L'Œuvre de Vincent van Gogh*. Paris und Brüssel: G. Van Oest 1928) aufgenommen worden waren, enthüllte La Faille diese Gemälde zwei Jahre später als Fälschungen (siehe *Les faux Van Gogh*. Avec 176 reproductions. Paris und Brüssel: G. Van Oest 1930). Das Schöffengericht, in dem La Faille, der Kunsthistoriker Julius Meier-Graefe, Walter Feilchenfeldt, Grete Ring von der Galerie Cassirer sowie der Restaurator der Staatlichen Preußischen Museen, Helmut Ruhemann, als Sachverständige geladen waren, verurteilte Wacker am 19. 4. 1932 wegen fortgesetzten Betrugs und Urkundenfälschung zu einem Jahr Gefängnis; im Berufungsverfahren vor dem Berliner Landgericht I wurde die Strafe auf 19 Monate Gefängnis, 30 000 RM Geldstrafe und die Aberkennung der bürgerlichen Ehrenrechte für die Dauer von drei Jahren heraufgesetzt.

2 Die erwähnten Gemälde waren in La Failles Liste der Fälschungen (siehe Anm. 1) enthalten.

3 § 51 der Strafprozeßordnung regelte das Zeugnisverweigerungsrecht.

## 643. Roman in Paris

Rez.: Peter Mendelssohn, *Paris über mir*. Leipzig: Ph. Reclam 1931.

Der junge *Peter Mendelssohn*, dessen ersten Roman: *»Fertig mit Berlin?«* ich an dieser Stelle besprach,[1] hat inzwischen Berlin mit Paris vertauscht und als Frucht seines Pariser Aufenthaltes einen neuen Roman: *»Paris über mir«* herausgebracht. Das geht schnell heutzutage. Zum Glück scheint London nicht an die Reihe kommen zu sollen.

Das Buch ist, wenn man will, reifer als das erste, weil es die Welt außerhalb des Ichs mehr berücksichtigt, und bestätigt überdies Mendelssohns gefälliges Erzählertalent. Mit erstaunlicher Leichtigkeit und guter Witterung für verwendbare Sujets bemächtigt sich der Autor des ungeheuren Stoffes, der Paris heißt, und macht aus den von allen Seiten herbeiströmenden und herbeitransportierten Materialien seinen Roman zurecht. Viele Arten von Paris werden in ihn hineingesteckt. Das kosmopolitische Paris, in dem sich sowohl ausländische Glücksritter und Hochstapler wie unbefriedigte amerikanische Ehefrauen und ihre traurigen Gatten umhertreiben, die geradewegs einem Roman von Sinclair Lewis[2] entstammen; das Paris der jungen Männer aus der Provinz, die nach dem Vorbild Balzacscher Helden in die Hauptstadt kommen, um dort zu avancieren oder zu scheitern; das große, gefährliche Paris, in dem unerfahrene Mädchen bedenkliche Abenteuer erleben; das Paris junger deutscher Schriftsteller, die sehnsüchtig über die Grenze fahren, sich in die einzige Stadt verlieben und in ihr wie in einem Zauberberg hängenbleiben. Ich glaube, diese Verliebtheit ist echt. Denn nur aus ihr heraus kann der durch den nahen Abschied von Paris elegisch gestimmte Held des Romans erklären: *»Fehlen werden vielleicht die Menschen, die ich nicht kenne und mit denen ich nie ein Wort gesprochen habe. Fehlen werden Bänke, auf denen ich nie gesessen habe, fehlen werden Gassenlieder, an die ich mich nicht erinnere ... Fehlen werden mir die Dinge, die ich nicht kenne und von denen ich nur weiß, daß sie da sind.«* Aber was ist sonst echt an dem Buch?

Der Mangel an Eigenem in ihm wird schon durch den Mißbrauch enthüllt, den Mendelssohn mit der Montageform treibt. Geschickt montiert er seine mannigfaltigen Handlungsverläufe so ineinander, daß der Eindruck eines Mosaiks aus gleichgewichtigen Teilen entsteht, das offenbar die Totalität von Paris vergegenwärtigen soll. Nun hat die Form der Montage (wie jede literarische Form) nur dann einen Sinn, wenn sie einen bestimmten Gehalt vermitteln hilft. John Dos Passos zum Beispiel benutzt in seinem Roman: *»Manhattan Transfer«* und später in: *»Der 42. Breitengrad«* diese Form auf eine allerdings höchst manierierte Weise zur Darbietung des grausamen Nebeneinanders innerhalb der zivilisierten Welt.[3] Sie kann auch der Zerstörung des Scheins von Einheiten dienen, die faktisch keine mehr sind, oder dem Hinweis auf neue Einheiten, deren Elemente noch nicht zusammengehen werden; verlangt ist aber unter allen Umständen, daß sie irgendeine Funktion erfüllt. In Mendelssohns Buch läuft sie statt dessen leer. Die durch Montage miteinander verkuppelten Teile sind nämlich in Wirklichkeit gar nicht gleichgewichtig, sondern in ihrer Mehrzahl Füllwerk, das an Bedeutung weit hinter den Szenen zurücktritt, in denen sich Mendelssohn mit Paris und Frankreich auseinandersetzt. Der gräfliche Politiker, die Abenteurerin aus Chikago und noch andere zusammengelesene Figuren und Ereignis-

stränge nehmen sich neben diesen Szenen wie mehr oder weniger treffende Reportagen aus, die um der Vollständigkeit willen hinzugefügt sind. Sie gründen sich nicht auf die Kenntnis des totalen Paris, sie haben den Zweck, die literarische Vorstellung des totalen Paris zu bebildern. Also besteht der Anspruch, den ihre Komposition sie zu erheben zwingt, nicht zu Recht, und die ganze Montage ist nichts weiter als ein formaler Zauber, den die Inhalte selber desavouieren. Wahrscheinlich hat der Autor geglaubt, durch die Art ihrer Montierung zur epischen Objektivität vorstoßen zu können. Aber diese Montierung täuscht die Objektivität nur vor, und es bleiben als Kern des Buches einige subjektive Erlebnisse und Erfahrungen zurück, um die sich ziemlich unerlebte und [un]erfahrene Geschichten anhäufen.
Leider hält auch das anscheinend aus persönlichem Wissen heraus Gestaltete nicht recht stand. Ich meine alle jene Episoden, die das Verhältnis zwischen Frankreich und Deutschland betreffen. Die Problematik dieser Beziehungen wird hauptsächlich durch die äußeren Umstände vergegenständlicht, in denen sich der Romanheld befindet. Er, der junge Deutsche, hat eine französische Ministerstochter geheiratet, die von dem väterlichen Patrioten ihrer Ehe wegen verstoßen worden ist. Da der Held nach Deutschland zurückverlangt, die Tochter ihm aber nur folgen will, wenn der unbeugsame Vater sie aus freien Stücken mitziehen läßt, sind große Aussprachen zwischen den Vertretern beider Länder notwendig. Auch sonst mangelt es übrigens nicht an weidlich ausgenutzten Chancen zu Debatten, Diskussionen und Ergüssen, in denen dasselbe Thema wieder und wieder vorkommt. Daß es Verstand und Gemüt bewegt, ist in Ordnung; nicht aber, daß die Gelegenheit, es zu behandeln, den Autor unwiderstehlich zum rhetorischen Bombast verlockt. *»Habe ich nicht gelernt in fünf Jahren in Frankreich«*, sagt der Held zum Minister, *»daß das Vaterland überall dort ist, wo ich es suche? Warum wollen Sie wieder Grenzen aufrichten gegen das Herz, das überall beheimatet ist? Begreifen Sie, daß unseren Herzen um der Idee willen keine Grenzen gesetzt sein können, daß wir für Deutschland leben, wenn wir in Frankreich sind, und daß Frankreich uns erfüllt, wenn wir auf deutschem Boden leben? Wie können Sie glauben, daß wir eines gegen das andere auszuspielen trachten …«* Solche Makulatur wird noch an anderen Orten geredet. Hastig stilisierte Ahnungen verdampfen im Nichts und falsch ge-

steuerte Empfindungen erleiden Schiffbruch in den Untiefen der Phrasengewässer.

Ich habe diesen Roman so ausführlich betrachtet, weil sein Verfasser von einer typischen Gefahr bedroht ist. Er hat Talent und treibt wie viele seinesgleichen Raubbau damit. Wenn er es nur geschäftlich verwerten wollte, wäre natürlich jedes weitere Wort verschwendet. Aber vielleicht kennt er einen höheren Ehrgeiz als den, ein mittlerer Unterhaltungsschriftsteller zu werden, und eben in diesem Falle dürfte er nicht länger so verfahren wie jetzt. Das heißt, er müßte damit aufhören, seine Anlagen wie ein unvernünftiger Unternehmer auszubeuten, der über den augenblicklichen Profit nicht hinausdenkt. Aufhören damit, das ihm Widerfahrene sofort zu formulieren und nur im Interesse der Schreiberei die Welt an sich zu raffen. Die Welt schenkt sich nicht dem, der sich in solcher Absicht ihr nähert, und da sie vor ihm zurückweicht, ist er über kurz oder lang abgebrannt. Viele sogenannte Dichter der Nachkriegsjahre gaben sich aus, ehe sie etwas eingenommen hatten, und machten dann vorzeitig Bankrott. Sie lebten fürs Schreiben. Aber das Schreiben ist eine Sache, die nur dann Leben ist, wenn nicht um ihretwillen gelebt wird.

(FZ vom 10. 4. 1932, Literaturblatt)

1 Siehe Nr. 590.

2 Zu Sinclair Lewis siehe Nr. 345, 438 und 493.

3 Siehe John Dos Passos, *Manhattan Transfer*. New York und London: Harper 1925; dt.: *Manhattan Transfer*. Der Roman einer Stadt. Übers. von Paul Baudisch. Berlin: S. Fischer 1927; ders., *The 42nd Parallel*. New York und London: Harper 1930; dt.: *Der 42. Breitengrad*. Übers. von Paul Baudisch. Berlin: S. Fischer 1932. In seinem paradigmatischen Großstadtroman *Manhattan Transfer* adaptierte Dos Passos erstmals konsequent filmische Techniken für eine neue Form literarischer Realitätsdarstellung und experimentierte mit Verfahren von Schnitt, Montage und Überblendung. In *Der 42. Breitengrad*, dem ersten Band seiner USA-Trilogie – sie wurde fortgesetzt mit *1919* (1932; dt.: *Auf den Trümmern*, 1932) und *The Big Money* (1936; dt.: *Der große Schatten*, 1939, wieder u. d. T. *Hochfinanz*, 1962) – entwickelte er dieses Experiment unter Bezug auf das »Kameraobjektiv« und filmische »Wochenschauen« weiter.

# 644. Café im Berliner Westen

Schon die Notwendigkeit, den Ort des Cafés, das ich zu schildern mir vorgenommen habe, näher zu bestimmen, versetzt mich in eine gewisse Verlegenheit. Es könnte dem Café peinlich sein, wiedererkannt zu werden. Manche Personen fühlen sich ja auch verletzt, wenn sie dahintergekommen zu sein glauben, daß sie in einem Roman dargestellt worden sind. Als ob ein Schriftsteller seine Modelle je porträtähnlich gestaltete und sie nicht vielmehr so lange ummontierte und überblendete, bis sie sich den mit dem Werk verbundenen Absichten vollkommen fügen! Höchstens die Nebenfiguren werden mitunter unmittelbar nach dem Leben gezeichnet. Aber man muß heute alle möglichen Rücksichten nehmen, und so beschränke ich mich auf die Angabe, daß das Café irgendwo im Berliner Westen liegt. Der Westen ist groß und umfaßt zahlreiche Cafés.

Das von mir gemeinte macht auf den ersten Blick hin einen durchaus normalen Eindruck. Es hat eine ziemliche Ausdehnung, ist mit Menschen und Zeitungen gefüllt und enthält sich jeder Musik. Die einzige Musik, die man in ihm hören kann, wird durch ein feines Glöckchen erzeugt, das oberhalb einer handlichen Schiefertafel hängt, auf der sich der Name des jeweils zum Telephon gewünschten Gastes eingetragen findet. Immer, wenn der Page die Tafel mit dem Glöckchen darüber spazierenführt, ertönt ein Bimbim, und wäre der Rauch nicht so dicht, man glaubte auf einer Alm unter klingenden Kühen zu ruhen.

So alltäglich aber auch das Café anmutet, es ist inwendig verhext. Oder wie sonst sollte man sich die Tatsache erklären, daß jeder, der hier ahnungslos eintritt, um seinen Kaffee in Frieden zu trinken, binnen kurzem in einen Strudel ablenkender Ereignisse gerissen wird, die ihn zuletzt völlig verwirren? Urheber des Strudels ist unstreitig das Publikum, genauer: das Stammpublikum, dem auch der Ruf des Glöckchens gewöhnlich gilt. Die Verpflichtung, dieses Publikum einigermaßen zu kennzeichnen, erfordert wiederum meine Diskretion. Ich begnüge mich mit der Feststellung, daß es zum großen Teil ausländischer Herkunft ist, ohne die Nationen preiszugeben, denen es ersichtlich entstammt. Denn die gegenseitigen nationalen Vorurteile sind schon sowieso viel zu mächtig, als daß sie noch gefördert werden dürften. Wesentlich unbedenklicher scheint mir die Mitteilung zu sein, daß die betreffenden Stammkunden in der Operetten- und Filmbranche tätig sind. Und zwar dient ihnen das Café als Börse. Offenbar werden an ihr nur Werte gehandelt, die niedrig im Kurs stehen.

Aber nicht die Börsengeschäfte selber rufen jenen Strudel hervor, der alle Unbeteiligten verschlingt. Er brodelt und zischt vielmehr erst in den Feierstunden, in denen die richtige Börse erstorben ist. Dann verlassen die Stammgäste nämlich nicht wie andere Börsenbesucher den Versammlungsort, um ins Café oder nach Hause zu gehen, sondern verwandeln einfach die Börse in ein Café und machen aus ihm ihr Zuhause. So kommt es, daß sie sich eigentlich Tag und Nacht zu ständig wechselnden Zwecken im selben Raum aufhalten. Bald treffen sie Vereinbarungen über Schlager und Engagements, bald sind sie gewöhnliche Gäste und bald wohnen sie hier.

Vor allem die Beschäftigung des Wohnens füllt sie ganz aus. Ich weiß nicht, ob sie noch irgendwo eine eigene Unterkunft haben, aber jedenfalls benehmen sie sich in dem Café so ungezwungen wie in ihren privaten vier Wänden. Es ist, als wollten sie dem Zufallsgast von vornherein zeigen, wie behaglich sie sich hier fühlen. Da man bei sich zu Hause nichts essen und trinken muß, wenn man nicht unbedingt mag, verzichten sie meistens darauf, eine Bestellung zu machen; es sei denn, daß sie sich zwei Glas Wasser bringen lassen, um dem Kellner eine kleine Gefälligkeit zu erweisen. Der Kellner wäre sonst überflüssig und könnte unter Umständen abgebaut werden. Den Pagen droht in dieser Hinsicht keine Gefahr, weil sie voll ausgenutzt sind. Sie dürfen nicht nur in einem fort das Glöckchen schwingen, sondern auch alle jene Zeitungen hin- und herschleppen,[1] die denselben Nationen wie das Stammpublikum angehören. Aus ihnen unterrichtet es sich über Vorgänge in den Cafés der fernen Heimat.

Daß sie schön ist und zu Wanderungen ermuntert, die Heimat, schließe ich aus dem Drang der Gäste, sich in ihrem Caféhaus ununterbrochen zu bewegen. Noch nie habe ich eine ähnlich starke Bewegung erlebt, und alle literarischen Bewegungen, die ich kenne, stehen an Triebkraft weit hinter dieser zurück. Wenn zum Beispiel zwei Leute an einem Tisch sitzen, begrüßt sie sofort ein Dritter, der andere Bekannte nach sich zieht,

die wie von magnetischer Gewalt herbeigelockt[2] werden. Ein Menschenhaufen ballt sich zusammen, der die freien und besetzten Stühle in der Nachbarschaft mit sich reißt und zuletzt einen undurchdringlichen Klumpen bildet, dessen Bestandteile nicht mehr voneinander zu unterscheiden sind. Zu bedauern ist nur der Tisch in der Mitte des Klumpens. Plötzlich und grundlos zerstreut sich die Gesellschaft wieder, und übrig bleiben Zigarettenreste und zahlreiche leere Stühle, die unordentlich im Raum herumfahren.[3] Der Tisch ist zwar nicht zerquetscht worden, hat aber sein schmuckes Aussehen verloren. Die Mitglieder des Klüngels streifen jetzt einzeln durchs Lokal, um bald an irgendeiner neuen Stelle unvermutet zusammenzuschießen. Manche setzen sich überhaupt nicht, aus Angst, sie könnten etwas versäumen, sondern plaudern im Stehen und sind wie fliegende Truppen immer zum Aufbruch bereit. Andere lassen sich so auf einem Stuhl nieder, daß sie die ganze Umgebung beherrschen. Der Stuhl wird kurzerhand vom eigenen Tisch abgerückt und an den nächsten fremden herangeschoben, der auf diese Weise ebenfalls beschlagnahmt ist. Solche Umgruppierungen erhöhen nicht nur die Bequemlichkeit, sondern gewähren auch einen besseren Überblick über die im Lokal verteilten Gefährten. Nicht selten kommen vertrauliche[4] Unterhaltungen zwischen Partnern zustande, die sich an entgegengesetzten Enden befinden. Die Hauptsache ist, daß die Stimme weit genug reicht.
Gegen Abend stockt der Wohnbetrieb, und eine sanfte Stille tritt ein. Harmlose Gäste durchblättern die Zeitschriften, die Pagen kichern hinter einer Balustrade, und in den Ecken flüstern verliebte Pärchen. Das Stammpublikum selbst ist bis auf wenige zurückgelassene Beobachtungsposten verschwunden. Ich habe Grund zur Annahme, daß es sich in der Zwischenzeit erholt, um für den Abend neue Kräfte zu sammeln. Denn kaum ist man der Pause halb innegeworden, so tost der Strudel schon wieder und heftiger als zuvor. Die Schlagerkomponisten, die zukünftigen Operettendiven, die Filmkomparsen, die Herren[5] und die frisch importierten Jünglinge und Mädchen, die noch nichts ihr eigen nennen, außer Rosinen im Kopf: sie alle sind vollzählig eingezogen und bemühen sich jetzt darum, ihre Leistungen zu verdoppeln. Unbekümmert besetzen sie die Gänge, summen Bruchstücke sinnloser Melodien, schlagen über Abgründe hinweg Gesprächsbrücken und kreischen.

Wehe dem Gast, der zwischen ihre Schwärme gerät! Er ist vom Ersticken bedroht und kann sich noch glücklich schätzen, wenn er, dem dünnen Bimbim des Telephonglöckchens folgend, mit heiler Haut den Ausgang erreicht.
(FZ vom 17. 4. 1932)

1 Im Typoskript (KN): »herbeischleppen«.
2 Im Typoskript: »angelockt«.
3 Im Typoskript: »herumlungern.«
4 Im Typoskript: »vertraute«.
5 Im Typoskript: »die Manuskriptschreiber, die Agenten, die älteren undefinierbaren Herren«.

## 645. Ein Bio-Interview

Rez.: Sergej Tretjakov, *Den Schi-Chua*. Ein junger Chinese erzählt sein Leben. Übers. von Alfred Kurella. Berlin: Malik 1932.

*Sergej Tretjakow* nennt sein in der vorzüglichen Übersetzung Alfred Kurellas erschienenes Buch: *»Den Schi-Chua«* ein Bio-Interview.[1] Dieser merkwürdige Begriff bezeichnet eine nicht minder merkwürdige literarische Produktionsweise. Den Schi-Chua, ein junger chinesischer Student, berichtet in dem Buch sein Leben; aber herausgelockt aus ihm und geformt ist der Bericht von Tretjakow, der eine Zeitlang als Lehrer am russischen Seminar der National-Universität in Peking tätig war[2] und dort auch den jungen Chinesen unterrichtete. »Mit Begeisterung«, so heißt es im Vorwort, »nahm er meinen Vorschlag an, die genaue Biographie eines chinesischen Studenten niederzuschreiben. Ein halbes Jahr lang unterhielten wir uns täglich vier bis sechs Stunden. Er stellte mir freigebig die Tiefen seines wunderbaren Gedächtnisses zu Verfügung. Ich wühlte darin herum wie ein Bergmann. Ich war abwechselnd Untersuchungsrichter, Vertrauensmann, Interviewer, Gesprächspartner und Psychoanalytiker.«
Soviel über die Entstehungsgeschichte dieser einzigartigen Selbstbiographie. Nachzurühmen ist ihr zunächst, daß der Mittler hinter dem Erzähler vollkommen zurücktritt. Wüßte man nicht, daß das Buch einer Art

von Symbiose entspringt, man geriete niemals auf den Gedanken, daß es durch die Vereinigung zweier Menschen hervorgebracht worden ist. In der Tat vermeidet Tretjakow geflissentlich jede tendenziöse Einmischung und beschränkt sich rein auf Hebammendienste. Nirgends ist er zu spüren, überall scheint nur Den Schi-Chua selber zu walten und sein Leben aus ureigener Erinnerung zu entwickeln. Bewundernswert wie die Hingabe, mit der hier ein Russe in einem Chinesen gleichsam verschwindet, ist der Erfolg, den die sonderbare Verbindung zeitigt. Tretjakow faßt ihn in die Worte: »Chinesen, die Stücke aus diesem Buch zu hören bekamen, sagten: ›Das ist ja unsere Kindheit, unsere Schule, unser Leben‹, so typisch ist die Biographie Schi-Chuas für die junge chinesische Intelligenz von heute.«
Den Schi-Chuas Jugend – er hat die 26 Jahre seines Lebens 1927 der Behandlung durch den russischen Lehrer anvertraut – fällt in eine heroische Epoche. Schon der ganz kleine Junge hört das Gebrüll Chinas;[3] dank seinem Vater, der eine bedeutende Rolle in der revolutionären Bewegung spielt, die Mandschu-Dynastie stürzen hilft und einer der aktivsten Anhänger Sun Yat-Sens ist. Dieser Vater ist eine großartige Figur von beinah römischer Härte. Er hat in Japan studiert, übernimmt nach der Rückkehr in revolutionärer Absicht die Stellung eines Polizeichefs, organisiert den Aufstand und baut ihn später militärisch aus. In der zweiten Hälfte seines Lebens, zur Zeit der Kuomintang und ihres Zerfalls, rettet er sich mit knapper Mühe vor der Hinrichtung, verbreitet, um sicherzugehen, das Gerücht von seinem Tod, flieht unter fremdem Namen und befindet sich immer wieder in erzwungener Untätigkeit. So hat er natürlich weder Muße noch Lust, sich um die Kinder zu kümmern, und wo er doch einmal in die Erziehung eingreift, geschieht es mit unerbittlicher Strenge. Da er meistens abwesend ist, wächst Schi-Chua verhältnismäßig geborgen und unberührt unter dem Schutz der alten Sitten auf, die am Jangtse-Fluß herrschen. Seine Schilderungen der Familienzustände, der Schule, des Todes der Mutter und der Gymnasiastenjahre gewähren einen vorzüglichen Einblick in den kaum noch sichtbar gemachten chinesischen Alltag. Ein besonderes, wenig erfreuliches Kapitel bildet die Heirat, die traditionsgemäß über den Kopf des Jungen hinweg mit der Familie eines ihm unbekannten Mädchens beschlossen wird. »Ich hasse diese Frau«, schreibt Schi-Chua vom Tag nach der

Hochzeit, »die man an mich gefesselt hat, wie der Zuchthäusler den Klotz haßt, den man ihm an die Knöchel geschmiedet hat, damit er nicht weglaufen kann.« Erst in Peking, wo er, hingerissen wie seine Altersgenossen von einer Biographie Kropotkins[4] und den Volkserzählungen Tolstois,[5] als Student ins Seminar für russische Literatur eintritt, beginnt sich der junge Mann zu emanzipieren. Er schließt sich an die revolutionäre Studentenbewegung an, demonstriert für den Boykott ausländischer Waren und empfindet jede Niederlage mit Schmerz und Wut. Statt Literatur will er fortan Marxismus studieren; die Sehnsucht des ganzen Kreises gilt Rußland. Was aus Den Schi-Chua inzwischen geworden ist? Seit seinem Weggang aus Peking hat Tretjakow nie mehr etwas von ihm gehört.
Es sind nicht nur Kenntnisse, die diese Selbstbiographie eines kaum erwachten Selbstes weitergibt; sie erschließt auch durch ihren Ton den Sinn des vermittelten Stoffes. Dieselben Tatsachen, die Hieroglyphen blieben, wenn sie ein Außenstehender gesammelt und kolportiert hätte, steigen hier aus dem Grund der Hieroglyphen auf, weil sie einer erzählt, der mit ihnen zusammen groß geworden ist. Vermutlich wäre es Tretjakow nicht schwergefallen, das ihm zugeflossene Material zu irgendeiner korrekten Darstellung der modernen studentischen Generation Chinas zu verarbeiten. Er hat recht daran getan, dieses Material in seiner ursprünglichen Gestalt zu belassen. So ist es vor Entstellungen geschützt, wahrt die natürliche Ordnung, aus der heraus es allein verständlich wird, und hält die Verbindung mit dem Sprachgeist aufrecht, in dem seine Bedeutungen wurzeln. Wie spezifisch und unverwandelbar ist etwa die Schilderung, die der angehende Student von seiner ersten Begegnung mit der Eisenbahn entwirft: »Die Lokomotive macht mir Angst. Sie ist schwer und fettig, und ich fürchte, daß der zischende Dampf sie zum Platzen bringt. Besonders entsetzt bin ich über die Schienen. Nach den Illustrationen in den Büchern hatte ich gedacht, daß die Schwellen aus Eisen und daß die Schienen viel dicker seien. In Wirklichkeit waren die Schienen jetzt einfach zwei eiserne Striche. Ich konnte mir nicht denken, wie diese Eisenbänder die Last der vielrädrigen Lokomotive aushalten sollten.« Zahllose solcher Beschreibungen reihen sich aneinander. Sie erklären die fremde chinesische Welt, indem sie es ermöglichen, die Welt überhaupt durch die Guckfenster chinesischer Begriffe zu betrachten.

Indessen hat Tretjakow dieses Bio-Interview zweifellos nicht aus interesselosem Wohlgefallen an der asiatischen Seele verfaßt. Sie heraufzuholen, um das Eingreifen in sie vorzubereiten: das ist, wenn ich mich nicht täusche, der Zweck seines Buchs. Es hat für das an China grenzende Rußland einen Nutzwert, es ist wie *»Feld-Herren«*[6] das Werk eines »operierenden« Schriftstellers, dessen Schreiben ein Handeln sein will. Auch bei uns gibt es heute Schriftsteller, die ähnlich wie Tretjakow zu operieren suchen. Ich glaube, sie könnten methodisch noch einiges von ihm lernen; und sei es nur dies: daß man die Menschendarstellung nicht vernachlässigen darf, wenn man der Zustände habhaft werden möchte. Die Lebenserzählung Den Schi-Chuas ist jedenfalls auch unabhängig von den mit ihr verbundenen Absichten ein außerordentliches biographisches Dokument.
(FZ vom 17. 4. 1932, Literaturblatt)

1 Russ. Orig.: *Den Ši-chua: Têng Shi-hua Bio-Interv'ju*. Moskau: Molodaja Gvardija 1931.
2 Siehe Nr. 554, Anm. 1.
3 Anspielung auf Tretjakovs Drama *Brülle, China!* (*Ryči, Kitaj!*, 1924/1930; dt. 1929), das nach der Moskauer Uraufführung (1926) in der Inszenierung Wsewolod Mejerholds mit großem Erfolg in ganz Europa gespielt wurde. Siehe auch Nr. 554, Anm. 2.
4 Siehe Pëtr Alekseevič Kropotkin, *Memoirs of a Revolutionist.* Boston und New York: Houghton, Mifflin & Co. 1899; dt.: *Memoiren eines Revolutionärs.* 2 Bde. Übers. von Max Pannwitz. Stuttgart: R. Lutz 1900; russ.: *Zapiski revoljucionera.* St. Petersburg: Znanie 1906.
5 Leo N. Tolstoj, *Volkserzählungen*. Leipzig: Ph. Reclam 1890; russ. Orig.: *Narodnye rasskazy* (1885/86).
6 Zu Kracauers Besprechung siehe Nr. 632.

## 646. »Frühjahrsproduktion«

[Anzeige von Neuerscheinungen]

Von den mir bekannten Büchern der letzten Zeit haben mich zwei aus besonderen Gründen gefesselt. Das eine ist die Untersuchung: *»Die jugendliche Arbeiterin«* von Lisbeth *Franzen-Hellersberg*.[1] In diesem Buch, das sich spannender als ein Sensationsroman liest, wird meines Wissens zum ersten Mal das Dasein der Arbeiterinnen nicht etwa kolportiert, sondern an Hand von Materialien wirklich dargestellt und erklärt. Ich wünschte mir mehr solcher Werke, die den ungenügend ausgebildeten Realitätssinn der Deutschen schulen. Das andere Buch ist *Marc Arlands* mit dem Goncourt-Preis ausgezeichneter Roman: *»L'ordre«*, der jetzt in der vorzüglichen Übersetzung Hessels bei Rowohlt erschienen ist.[2] Durch die Lektüre dieses Werks, das richtige Menschen und unverfälschte Leidenschaften gestaltet, sind mir nicht zuletzt die ungemeinen Schwierigkeiten verständlich geworden, denen unsere deutsche Romanproduktion unterliegt. Doch ich komme darauf bei anderer Gelegenheit zurück ... Um auch die ungeborene Frühjahrsliteratur zu streifen, so interessiert mich aus ihr zum Beispiel der neue Roman *Hans Falladas*.[3] Sein erster Roman: *»Bauern, Bonzen, Bomben«*[4] war ein handfestes Versprechen, das der zweite, der in Angestelltenkreisen spielen soll, hoffentlich einlösen wird. Von Trotzkis Darstellung *»Oktoberrevolution«*[5] erwarte ich mir eine Menge entscheidender Aufklärungen. Darf ich zum Schluß gerade noch andeuten, was mich keine Spur interessiert? Die verheerende Romanüberproduktion irgendwelcher unbekannter oder auch bekannter, untalentierter oder halbwegs talentierter junger Autoren, die nicht die geringsten Erfahrungen haben, sondern nur das Bedürfnis zu schreiben.[6]

FZ vom 17. 4. 1932, Literaturblatt)

1 Lisbeth Franzen-Hellersberg, *Die jugendliche Arbeiterin, ihre Arbeitsweise und Lebensform.* Ein Versuch sozialpsychologischer Forschung zum Zwecke der Umwertung proletarischer Tatbestände. Tübingen: J.C.B. Mohr 1932. Siehe auch Nr. 649.

2 Zu Kracauers Besprechung siehe Nr. 648.

3 Siehe Nr. 640, Anm. 1.

4 Zu Kracauers Besprechung siehe Nr. 617.

5 Siehe Nr. 640, Anm. 11, sowie Nr. 720.

6 Siehe u. a. Nr. 570, 590, 643 und 650.

## 647. Flaggen

Angefangen hat es mit den Hakenkreuzfahnen. Seit einigen Tagen sind sie stillschweigend aufgetaucht und hängen hier und dort aus den Fenstern heraus. Eine einzige dieser Fahnen genügt schon, um einen ganzen Straßenzug zu beleben. Denn ihr gesinnungstüchtiges Rot sticht grell von den grauen Fronten ab, und das schwarze Kreuz auf dem weißen Mittelfeld ist schlechterdings nicht zu übersehen. Aus der Ferne wirkt es wie eine Spinne. Vom Erdgeschoß an bis zu den Dachluken hinauf wehen solche Fahnen im Wind. Bald sind sie groß und gewaltig, wie um den Bekennermut der Familie zu dokumentieren, deren Stockwerk sie schmücken, bald stecken sie, winzige Kinderfähnchen, in Blumentöpfen auf den Balkonen. Was ein Hakenkreuz werden will, krümmt sich beizeiten. Man erblickt sie von der Stadtbahn aus an hochherrschaftlichen Wohnungen und Kleinbürgerveranden und kann ihnen fast in keiner Nebenstraße des Kurfürstendamms entgehen. Vermutlich sind sie gar nicht so häufig, wie es den Anschein hat. Aber sie drängen sich durch ihr Kolorit überall in den Vordergrund, gebärden sich aufreizend und haben eine merkwürdige Penetranz.
Inzwischen sind, kurz vorm *Wahlsonntag*,[1] die Symbole der übrigen Parteien noch rechtzeitig nachgerückt. Ein riesiges kommunistisches Wahrzeichen krönt den Dachfirst eines Hausblocks in Charlottenburg, um möglichst weit sichtbar zu sein. Offenbar hat es zu hoch hinaus gewollt, denn der Sturm ist in den Lappen gefahren, und nur ein paar Fetzen taumeln noch durch den Himmel. Es wäre indessen verkehrt, nach der Art schlechter Romanschriftsteller alle Wettererscheinungen gleich symbolisch zu nehmen. Anderswo zeigt sich die schwarzrotgoldne Fahne der Republik. Sie flattert nicht, sondern hängt sanft herunter, und wann immer sie in der Nachbarschaft der Hakenkreuzfahnen erscheint, macht sie, rein optisch betrachtet, den Eindruck einer würdigen Dame, die in eine rude Gesellschaft verschlagen worden ist. Besonders stark wird das Stadtbild durch rote sozialdemokratische Tücher gefärbt. Sie drapieren breite Balkone und sind oft mit den vertrauenerweckenden Zügen Otto Brauns[2] geschmückt.
Manchmal kommt es zu krassen Zusammenstößen zwischen diesen Sym-

bolen. In einer City-Straße zum Beispiel wirbeln sie bunt durcheinander und bedrohen sich im schmalen Luftraum zwischen den Häusern. Hammer und Sichel setzen sich wider das Hakenkreuz zur Wehr, Liste 1[3] mengt sich energisch dazwischen, und eine der spärlichen schwarzweißroten Hugenbergfahnen[4] sucht sich ebenfalls ihren angestammten Platz unter den Balgenden zu erobern. Gar nicht selten enthüllt sich in voller Öffentlichkeit, welche peinlichen Gegensätze irgendein Mietshaus birgt. Die Fahnen bringen es an den Tag, daß die Bewohner seines zweiten Stockwerks die des dritten von Rechts wegen hassen müssen. Vielleicht haben sie sich vorher ahnungslos gegrüßt, wenn sie sich auf der Treppe begegneten, und nun erfahren sie durch den Anblick ihrer Fassade, daß sie feindlichen Parteien angehören, und gehen sich in Zukunft stumm aus dem Weg.

Sie verbreiten keine Heiterkeit, diese Fahnen. Düster wehen sie gegeneinander, künden Programme, die sich den Garaus machen, und geben die Erbitterung preis, von der die Menschen erfüllt sind, die scheinbar friedlich unter ihnen hinwandeln.

(FZ vom 24. 4. 1932)

1 Am 24. 4. 1932 fand die preußische Landtagswahl statt, bei der die Weimarer Koalitionsregierung unter Otto Braun (SPD; siehe unten, Anm. 2) ihre Mehrheit verlor. Da auf der Basis der neuen Sitzverteilung (KPD: 57, SPD: 94, Zentrum: 67, DVP: 7, DNVP: 31, NSDAP: 162) keine Koalition zustande kam, blieb das Kabinett Braun als ›geschäftsführende Regierung‹ zunächst noch im Amt.

2 Der Sozialdemokrat Otto Braun (1872-1955) war – mit kürzeren Unterbrechungen in den Jahren 1921 und 1925 – von März 1920 bis Juli 1932 preußischer Ministerpräsident; unter seiner Leitung bildete sich 1921 in Preußen erstmals eine große Koalition (SPD, DDP, Zentrum, DVP). Am 20. 7. 1932 ließ von Papen in einem Staatsstreich Braun seines Amtes entheben. Im März 1933 emigrierte Braun nach Ascona, nach 1945 nahm er an mehreren SPD-Parteitagen teil, kehrte aber nicht nach Deutschland zurück. 1940 veröffentlichte er seinen Memoiren *Von Weimar zu Hitler*.

3 D.h. die Liste der SPD als stärkste Partei der vorangehenden Landtagswahlen.

4 Zu Alfred Hugenberg siehe Nr. 365, Anm. 3.

## 648. »L'ordre«

Rez.: Marcel Arland, *Heilige Ordnung*. Übers. von Franz Hessel. Berlin: E. Rowohlt 1932.

Der mit dem Goncourt-Preis ausgezeichnete Roman: *»L'ordre«* von *Marcel Arland*,[1] der jetzt unter dem Titel *»Heilige Ordnung«* in der vorzüglichen Übersetzung Franz Hessels vorliegt, hat mich aus mehr als einem Grunde gepackt, ja, ergriffen. Wenn ich versuche, mir über meinen Eindruck Rechenschaft abzulegen, so führe ich ihn nicht einmal nur auf den Wert des Buches zurück. Welchen Rang es innerhalb der modernen französischen Literatur einnimmt, ist auch von außen her kaum zu ermessen. Es hat zum Beispiel nicht die tiefe Besessenheit der Bücher Greens[2] und scheint einige stark epigonale Züge zu enthalten. Aber gleichviel, wie es um seine Bedeutung bestellt sei: der deutsche Leser, der sich in dieses Werk versenkt, reißt sich so schnell nicht von ihm los. Warum? Ich nehme vorweg, daß er in ihm Menschen begegnet.

Gilbert, sein Halbbruder Justin und Renée, die Tochter des Vormunds der beiden, sind die Helden des Buchs. Man vergißt sie nicht, und wenn man sich schon längst von ihnen verabschiedet hat, gehen sie einem noch nach. Sie leben im Nachkriegsfrankreich, inmitten einer scheinbar unerschütterten bürgerlichen Ordnung, deren Sinn und Beständigkeit aber durch sie in Frage gestellt wird. Vor allem Gilbert wütet gegen Familie, Gesellschaft und Staat. Dieser hochbegabte Jüngling hat die glänzenden Eigenschaften von Stendhals Julien Sorel,[3] ist nur in ein Zeitalter verschlagen, in dem sie ihren Ort nicht mehr finden. Wohin mit dem Ehrgeiz und dem Elan? Der Oberklasse bringt er Verachtung entgegen, und die kommunistischen Parolen, für die er sich als Journalist vorübergehend einsetzt, können ihn, den bürgerlichen Spätling, auf die Dauer nicht reizen. So gerät er zum Rebellen ohne Ziel, der sich in Ermangelung eines ihm gemäßen gesellschaftlichen Seins zuletzt selber zerstört. Justin ist in entscheidender Hinsicht das genaue Gegenteil des jüngeren Halbbruders: ein trockener Karrierist, der rasch Deputierter wird und sich in der gegebenen Ordnung zu Hause fühlt. Doch auch er wächst nicht grad empor, sondern wird umgebogen, bevor er die Höhe erreicht, in der die Minister thronen. Nicht so, als ob er sich wie Gilbert gegen die bestehenden Verhältnisse auflehnte; aber dem Zwang der Natur in ihm folgend, löst er sich von ihnen mehr und mehr ab. Die Liebe zu seiner Frau Renée zieht ihn nach sich und bricht die Unnatur seines nicht kontrollierten sozialen Auftriebs. Renée ist die Mitte des Buchs. Sie verläßt Justin nach Jahren einer neutralen Ehe um Gilberts willen, den sie bereits als junges Mädchen geliebt hat. Im Augenblick seiner größten Erniedrigung stößt sie zu ihm und schenkt sich ihm ohne Rücksicht auf Konventionen; mit einer Liebe, die keine andere Ordnung als die von ihr selber gesetzte kennt. Auch sie indessen ist schon für Gilbert eine Fessel, deren er sich in seinem gegenstandslosen Vernichtungswahn entledigen muß. Er, der einmal in sein Tagebuch eingetragen hat: »Vor allem, für immer verschmähen, glücklich zu sein«, beschwört durch sein Verhalten eine Katastrophe herauf, an der die Beziehung schmählich zugrunde geht. Der Schluß spielt acht Jahre später im Heimatort der drei Menschen und ist auf Ausgleich bedacht. Renée und Justin haben sich wieder gefunden und führen ein eingeschränktes, verhältnismäßig ungetrübtes Dasein zusammen. Nur für kurze Zeit erleidet es noch durch die Rückkehr des kranken Gilbert einen Schock. Nach dem Tod des Unglücklichen, der halbwegs versöhnt stirbt, dauert das Leben im Helldunkel fort. Es ist geleimt worden und wird darum besser halten als in jenem Zustand, in dem es ganz war.

Die Hauptpersonen sind von vielen Schilderungen und Figuren umgeben, deren Funktion es offenbar ist, ein Bild der heutigen französischen Gesellschaft zu vermitteln. Man lernt die Provinz kennen, die durch die runde Gestalt des Herrn Henriot verkörpert wird, und lebt das Pariser Leben mit. Wichtig ist der Kreis der jungen Leute, die sich in der Rotonde versammeln. Ein loser Verband von degagierten Bürgersöhnen, Outsidern und fahrigen Revolutionären, die sich gegen ihre Eltern und die herrschende Ordnung wenden, ohne ihr Stürmer- und Drängertum positiv beglaubigen zu können. Sie gründen eine Zeitschrift, in der auch Gilbert Flammen speit, negieren Gott und die Welt und geben sich mit Genuß der Unzufriedenheit hin. Ihr Anführer ist der traurige, elegante Décugis, der aus Langeweile die Freunde antreibt und aus Lebensüberdruß sich vergiftet; ihr Helfer und Berater ein Redaktionssekretär der »Humanité«, der nicht eben als überzeugter Kommunist angesehen werden darf. Fin de siècle-Stimmung klingt in dem Kreis nach, und seine Empörung ist kraftlos. Die von ihm bekämpfte bürgerliche Ordnung, deren skizzenhaft umrissene Vertreter ebenfalls ins Buch hereinragen, mag erstarrt und leer sein, aber sie hält sich dank ihrer Traditionen und wird der ungeleiteten Aufrührer leicht Herr.

Hat Arland nur den schlechten Protest wider eine schlechte Ordnung darstellen wollen? Mir scheint, sein Buch strebt über die gesellschaftliche Sphäre hinaus. Die Menschen, um die es kreist, haben zwar ihren bestimmten sozialen Ort, sind jedoch aus ihm allein nicht zu erklären. Sie bejahen oder verneinen die Zustände, ohne nur sie zu meinen, sie verkörpern ein eigenwilliges Sein, das mehr ist als die Resultierende der jeweiligen Verhältnisse. Ganz am Ende sagt Justin, der Gilbert begraben hat: »Als müßte nicht alles zwangsläufig in die Ordnung zurückkehren!« Die Ordnung, an die hier gedacht wird, ist eine andere als die gesellschaftliche. Es ist die Ordnung der guten Natur, der rechten Mitte, oder wie immer man jenen idealen Gleichgewichtszustand nennen mag, der nach einer sehr wesentlichen, sehr französischen Vorstellung die unerläßliche Bedingung jeder erträglichen sozialen Ordnung ist. Ihm zollt Gilbert durch seinen Tod den Tribut; Justin durch den Umbruch seiner Person; Renée durch ihr zweites Leben an der Seite von Justin.

Man könnte wider diese Lösung einwenden, daß sie der Natur des Menschen zu viel und den gesellschaftlichen Verhältnissen zu wenig gebe. Sie ist unrevolutionär; sie verlegt das Schwergewicht aus der Gesellschaft heraus und verrät eine tiefe Skepsis gegen die Möglichkeiten, die eine Veränderung der sozialen Ordnung gewährt. Denn entspringen wie bei Arland Glück und Unglück, Unheil und Frieden der Beschaffenheit der Menschen und ihrer Beziehungen, so wird damit zugleich geleugnet, daß die Menschen selber durchaus von den Zuständen abhängig seien. Sie ruhen in sich oder sind doch eines Gleichgewichts fähig, das nicht die Variable irgendeiner Gesellschaftsordnung ist, sondern umgekehrt die Voraussetzung richtiger sozialer Ordnungen bildet. Ich bemerke zu dieser Auffassung nur noch, daß sie in der Tat dem Denken eines Volkes entspricht, in dem Natur und Gesellschaft seit langem miteinander verbündet sind (oder waren) und eine Tradition des natürlichen Verhaltens besteht.

Bei uns ist es anders. Und vielleicht ist gerade darum das Buch für den deutschen Leser ergreifend. Er merkt aus ihm, was wir nicht haben: Menschen. Gewiß besitzen wir sie; aber insofern sie sich nicht erschöpfen in der Zugehörigkeit zu einer sozialen Position, einer Klasse oder einer Partei, sind sie gewissermaßen unbestätigt und müssen verkümmern. Sie gelten nur als Bezugspunkte und werden im übrigen nicht beachtet. Dieser menschenlose Zustand mag auch seinen Grund in dem berechtigten Mißtrauen gegen die unzähligen Verhaltungsweisen haben, die sich als menschliche ausgeben und faktisch egoistischen, gesellschaftsschädlichen Interessen dienen. Wenn sich indessen das Mißtrauen unbegrenzt setzt, werden bald die Menschen abhanden kommen, die eine Ordnung tragen können, der Geist wird sich von der Natur absondern und die Natur über die Ufer treten. In Arlands Roman gehen noch Menschen um, die diesen Namen verdienen. Und auch die Sprache darf in ihm noch viele Gehalte ohne Umschweif benennen.

(FZ vom 24. 4. 1932, Literaturblatt)

1 Mit dem Prix Goncourt (siehe Nr. 385, Anm. 9) wurde Marcel Arland 1929 ausgezeichnet.
2 Zu den Romanen Julien Greens siehe Nr. 408, 422, 456, 667 und 725.
3 Der Protagonist von Stendhals Roman *Le rouge et le noir* (1830; dt.: *Rot und Schwarz*, 1913), ein Zimmermannssohn, der über den Priesterstand gesellschaftlich aufzusteigen sucht, macht, ausgestattet mit Leidenschaft, Intelligenz, Ehrgeiz und Machtbewußtsein, in der von ihm verachteten nachnapoleonischen Ära eine steile Karriere, bevor er am Ende stürzt und hingerichtet wird.

## 649. Mädchen im Beruf

Wenn in den Durchschnittsfilmen überhaupt berufstätige Frauen auftauchen, so sind es bis in die jüngste Vergangenheit hinein meistens vergnügte junge Privatsekretärinnen oder Stenotypistinnen, die eigentlich nur zum Spaß Diktate aufnehmen und ein wenig tippen. Sie sind hübsch, weil sie Zeit haben, sich zu pflegen, singen zur Arbeit, die keine ist, einen Schlager und werden am Schluß von ihrem Chef oder einem reichen Amerikaner geheiratet. Ein happy end, das nicht nur der Wunschtraum vieler Mädchen ist, sondern auch ein bewährtes Mittel, um sie zu gefügigen Werkzeugen zu machen. Und wäre selbst die letzte Bank verkracht, so bliebe vermutlich den imaginären Bankdirektoren im Film immer noch die Doppelaufgabe vorbehalten, diese Mädchen an sich und an das System zu fesseln.

Allerdings ist die Spannung zwischen den in den Filmen erzeugten Illusionen und der Wirklichkeit nachgerade so groß geworden, daß die Mehrzahl der weiblichen Angestellten sich nicht mehr so leicht verzaubern läßt. Ich kenne genug berufstätige Mädchen, die sich über den Schwindel auf der Leinwand abfällig äußern. Die Wirklichkeit rückt ihnen buchstäblich auf den Leib und imprägniert sie mit Erfahrungen, die nicht zu beseitigen sind. Auch mehrt sich die aufklärende Literatur, die zum Unterschied von der üblichen Belletristik und den irreführenden Filmen den angestellten Frauen (und Männern) ihre wirkliche Situation bewußt zu machen sucht. Joseph Breitbach: *»Rot gegen Rot«*, Christa Anita Brück: *»Schicksale hinter Schreibmaschinen«*, Rudolf Braune: *»Das Mädchen an der Orga Privat«*, Otto Roeld: *»Malenski auf der Tour«* – das sind einige der hierher gehörigen Bücher.[1] Die öffentliche Diskussion der Angestelltenfragen ist wohl besonders stark durch mein Buch *»Die Angestellten«*[2] angeregt worden, dessen Erkenntnisse auch in dem Theaterstück *»Die Mausefalle«*[3] mitverwertet sind. An wissenschaftlichen Publikationen nenne ich noch die kleine, sehr nützliche Schrift von Susanne Suhr: *»Die weiblichen Angestellten«*,[4] in der eine Umfrage des Zentralverbandes der Angestellten verarbeitet wird.

Wie viele weibliche Angestellte gibt es heute in Deutschland? Ungefähr 1,4 Millionen; das heißt, rund ein Drittel aller Angestellten ist weiblich. Der Zustrom der Frauen zu den Angestelltenberufen, der in den letzten Jahren ständig gewachsen ist, erklärt sich daraus, daß sowohl die früher gewerblich tätigen Frauenschichten wie die Angehörigen des verarmten Mittelstands mehr und mehr in diese Berufe hineindrängen; ferner ist er auf eine gewisse Verschiebung von den männlichen zu den weiblichen Angestellten zurückzuführen, die freilich weniger von der Vermehrung der weiblichen als von der starken Einschränkung der männlichen Arbeitskräfte herrührt. Die meisten angestellten Frauen (besonders die des Nachwuchses) kommen aus dem Arbeiterstand, und ihre Hauptmasse ist ledig (die Zahl der Verheirateten wird mit 7 bis 11 Prozent angegeben). In bezug auf die Entlohnung stehen sie sich etwa 10 bis 15 Prozent schlechter als die Männer. Auf Grund der Erhebung des G.d.A. (Gewerkschaftsbundes der Angestellten) aus dem Jahre 1930 beträgt das Durchschnittsgehalt für die weiblichen Angestellten aller Gruppen 157 Mark monatlich; ein Einkommen, das faktisch noch nicht einmal von der Hälfte der Beteiligten bezogen wird.[5] Andere Erhebungen gelangen zu ungünstigeren Ergebnissen, und eine Kennerin der Verhältnisse versichert mir, daß heute das Gros der Frauen allenfalls 110 Mark erhalte. Natürlich sind die weiblichen Angestellten genauso wie die männlichen vom Schicksal der Erwerbslosigkeit betroffen, das wahrhaftig nicht Schicksal heißen darf.

Jeder kennt weibliche Angestellte oder glaubt sie zu kennen. Aber kennt man sie wirklich, wenn man mit ihnen nur beruflich zu tun hat oder sich gar einmal mit einer Verkäuferin anfreundet? Es sitzt bei den Mädchen viel obenauf, was von außen her zugetragen ist und leicht abfällt. Gewiß, sie amüsieren sich, wenn sie können, paddeln, liebeln, weil sie nichts anderes haben, geben sich je nach der Mode sachlich oder auch herzlich – dieser ganze, sattsam bekannte Zerstreuungsbetrieb vermischt sich jedoch weder mit dem Alltag der Angestellten, noch ist er für ihre überwiegende Menge charakteristisch. Daß er so sein kann, wie er ist, kennzeichnet nur die Gehaltlosigkeit der Bourgeoisie und die Leere des Angestelltenlebens selber.

Daß der Berufs-Alltag der angestellten Frauen nur in den seltensten Fällen zum sogenannten Lebensinhalt werden kann, dafür ist hinreichend gesorgt. Die große Masse der (männlichen und weiblichen) Angestellten hebt sich von den qualifizierteren Arbeitern eigentlich nur noch dadurch ab, daß sie ihr Einkommen in Form von Gehalt empfängt. Sonst sind – von jenen Angestelltenberufen abgesehen, in denen die Mechanisierung eine geringe Rolle spielt – die Lebensbedingungen annähernd die gleichen. Hier wie dort verschwindend kleine Anstiegsmöglichkeiten, die Angst vorm Abbau und im Hintergrund eine riesige Reserve-Armee. Die Beschaffenheit des Berufslebens hängt selbstverständlich von der Art des Berufs ab.

Ein spezifisch weiblicher ist der der *Stenotypistin*, da in diesem Beruf auf 100 Angestellte über 90 Frauen kommen. Sie haben zur Hälfte nervöse Leiden, die geradezu als eine neue Berufskrankheit angesprochen werden dürfen. Verursacht werden diese Nervengeschichten nicht allein durch die unmittelbaren Strapazen des Berufs, durch das Getöse vieler Maschinen im Raum, durch das zu hastige Tempo usw., sondern auch durch Erschütterungen des seelischen Gleichgewichts, die unter dem Druck derselben Bedingungen in anderen Berufen nicht minder häufig auftreten. Man spürt den Gegensatz zwischen dem schlechten Zuhause und der Oberwelt des Büros; man bleibt unbefriedigt von einer Arbeit, die weder Selbstzweck ist noch sich eingliedern läßt; man sehnt sich nach Erfüllung des weiblichen Daseins. Nicht nur die Stenotypistinnen fassen den Beruf als Übergangszustand auf und drängen zur Ehe. Eine treffende Schilderung dieser Nöte, die zudem zeigt, daß es in Frankreich nicht viel anders ist als bei uns, entwirft Suzanne Normand in ihrem Buch: *»Fünf Frauen auf einer Galeere«*.[6] Wer keinen Mann findet, und das sind viele, hat von der Zukunft nichts zu erwarten und ist darum gesundheitlichen Schädigungen besonders leicht zugänglich. (Vergleiche hierzu die Erhebung des allgemeinen freien Angestelltenbundes über die Arbeit an Schreibmaschinen.)[7] Der heutigen Medizin gelten immer noch, durchaus im Einklang mit der kapitalistischen Weltanschauung, alle Krankheiten als Erscheinungen, die am Individuum haften; sie müßte endlich lernen, statt des einzelmenschlichen Körpers den Kollektivkörper zu betrachten und die individuellen Erkrankungen aus denen der Gesellschaft abzuleiten …

Ich übergehe die zahllosen Bagatellen, aus denen sich das Berufsleben der Mädchen und Frauen zusammensetzt. Es mögen kleine Freuden darunter sein, wie sie die Magazine mit Vorliebe sammeln; aber wie die Verhältnisse heute sind, behaupten typische Schwierigkeiten und Konflikte das Feld. Manche von ihnen erblicken vorm Arbeitsgericht das Licht der Öffentlichkeit, das sie zu scheuen hätten. So wird einer zwanzigjährigen Postaushelferin beim Fernsprechamt wegen außerehelichen Geschlechtsverkehrs gekündigt; eine ledige Privatangestellte vor die Tür gesetzt, weil sie schwanger geworden ist; eine andere Angestellte nach achtjähriger Tätigkeit fristlos entlassen, weil sie ihren unmittelbaren (verheirateten) Vorgesetzten zum Freund hat; usw. Hinzuzufügen ist dieser winzigen Auslese nur noch, daß das Arbeitsgericht in den betreffenden Fällen mehr Einsicht bewiesen hat als die verklagten Firmen. Daß sich mitunter auch einmal Angestellte zu Unrecht beschweren, bedarf keiner ausdrücklichen Erwähnung.

Und außerhalb des Berufs? Man kann ohne Mühe nachrechnen, was sich mit dem üblichen Durchschnittsgehalt anfangen läßt; obwohl sich die wenigsten diese Mühe machen. Eben aus Gründen des geringen Einkommens lebt das Gros der Mädchen in den Familien. Sie müssen häufig ihre Eltern unterstützen, und nur ein Drittel von ihnen hat ein eigenes Zimmer. Frau *Suhr*, der ich diese Angaben verdanke, gedenkt in ihrer Schrift auch der Nebenbelastung, die eine eigene Wohnung für die erwerbstätige Frau bedeutet. »Die Frage: ›treiben Sie Sport‹«, heißt es dort, »beantwortete eine Angestellte mit bitterem Humor: ›Jawohl – aufräumen in meiner Wohnung!‹«[8] Dazu kommen Tätigkeiten wie Flikken, Waschen, Stopfen und Instandhalten der Garderobe, die oft die freien Sonntage ausfüllen. In einer Erhebung des Verbandes der weiblichen Handels- und Büroangestellten (1927)[9] sind verschiedene Haushaltungsbudgets zusammengestellt, die veranschaulichen, wie die Mädchen ihr Gehalt aufteilen. Die Welt im Wassertropfen – man bedarf schon beinahe eines Mikroskops, um die einzelnen Zahlen zu erblicken. Aus ihnen geht unter anderem hervor, was auch ohne Beleg leicht erschlossen werden könnte: daß für Ferienreisen, Theater, Kinos, Konzerte usw. so gut wie nichts übrigbleibt. Wenn die Mädchen solche luxuriöse Bedürfnisse haben, deren Befriedigung in Wahrheit kein Luxus ist, sind sie einfach darauf angewiesen, freigehalten zu werden. Der Freund ist eine erotische und materielle Notwendigkeit zugleich.

Ich habe mit Absicht von den politischen und sozialen Vorstellungen der berufstätigen Mädchen geschwiegen. Naturgemäß prägt sich das falsche Bewußtsein, das sich die meisten männlichen Angestellten über ihre Klassenlage gebildet haben – ein Bewußtsein, dessen entscheidender Zug die sture Reaktion auf die ökonomische Proletarisierung ist –, im Leben der weiblichen Angestellten nicht so stark aus. Immerhin setzen ihrer viele ihren Ehrgeiz drein, nicht mit Proletarierinnen verwechselt zu werden, und glauben heute wie gestern, daß die höheren Schichten in höheren Sphären weilen. Auch in Proletarierkreisen gilt ja oft die Tochter, die Angestellte ist, als etwas Feineres.

Als ich meine Arbeit über die Angestellten schrieb, war ich mir klar darüber, daß auch endlich die Wirklichkeit des Proletariers erforscht und auskonstruiert werden müsse. Das Proletariat ist noch unbekannter und

noch schwerer kennenzulernen als die ihm benachbarten unteren Angestelltenschichten. Denn einmal vollzieht sich sein Leben unter ganz anderen Bedingungen als das der Bourgeoisie und ihres Anhangs, ist also mit den hergebrachten bürgerlichen Begriffen und Methoden nur unzureichend zu erfassen, und zum andern wird seine Wirklichkeit so sehr von politischen Kampfparolen überdeckt, daß man sie, die Wirklichkeit, erst mühsam unter dieser Decke aufsuchen und hervorziehen muß.
Inzwischen sind zwei Bücher erschienen, die gerade über das Leben der Arbeiterinnen Auskunft geben: *»Mein Arbeitstag – mein Wochenende. 150 Berichte von Textilarbeiterinnen«* und *»Die jugendliche Arbeiterin«* von Lisbeth Franzen-Hellersberg.[10] Vor allem das zweitgenannte Buch ist eine außerordentlich wichtige Arbeit, die auf jahrelangen Materialstudien beruht und wohl zum erstenmal die Lebensweise der berufstätigen jungen Proletarierin unbefangen und systematisch erschließt. Diese Schrift gewährt nicht nur Einblick in ein bisher unerforschtes Gebiet, sie weist auch mittelbar die Begrenztheit der von uns bewohnten bürgerlichen Welt auf.
Ich will wenigstens anhangsweise einige Beobachtungen mitteilen, die *Frau Franzen* über das erwerbstätige Proletariermädchen gemacht hat. Es kommt aus Wohnungen, die das Alleinsein verhindern; aus Familien, in denen es geringgeachtet ist und die freie Zeit für den Hausstand hergeben muß. Mit vierzehn Jahren gehen die Mädchen in die Fabrik und verrichten dort eine Arbeit, die sie nicht als Beruf empfinden. Sie klagen zwar kaum je über die Monotonie oder die Sinnlosigkeit ihrer Tätigkeit, sind aber dafür auch uninteressiert am Arbeitsprodukt. Wie beim übrigen Proletariat handelt es sich eben bei ihnen um unselbständig gemachte und in Unselbständigkeit gehaltene Menschenmassen, deren Fähigkeiten in einer nicht durch sie selber mitbestimmten Welt notwendig einschrumpfen müssen. Kein Wunder, daß sie in vielen Dingen primitiv reagieren. Ihr Blick ist eingeengt, ihr soziales Wollen begrenzt. Durch die beschränkten Wohnverhältnisse frühzeitig aufgeklärt und durch zahlreiche Abhängigkeiten in der Entfaltung auf anderen Gebieten gehemmt, werden diese Mädchen, zweifellos stärker als die weiblichen Angestellten, zum Geschlechtsgenuß geradezu gedrängt. Etwa 90 Prozent verkehren schon zwischen 16 und 18 Jahren mit Männern. Die sonst bei Bürgersmädchen mit der Pubertät gemeinhin verknüpfte Schwärme-

rei ist den jugendlichen Arbeiterinnen schon darum fremd, weil das Schwärmen einen Aufschub bedeutete, weil sie die entzauberte Erotik gleich praktizieren müssen, um das Haus- und Fabrikleben überhaupt ertragen zu können.

Da ihnen, in Ermangelung einer Beziehung zur bürgerlichen Gesellschaft, die Möglichkeit fehlt, sich törichten Illusionen über ein sorgloseres, vornehmeres Leben hinzugeben, haben sie weniger Neigung zur Prostitution als Hausangestellte oder Mädchen aus kleinen Städten, die in die Großstadt kommen. Die Heirat erscheint ihnen nicht so begehrenswert wie den berufstätigen Angestelltenmädchen, sondern nur als das kleinere Übel von vielen. Aus der ihnen (wie dem ganzen Proletariat) aufgezwungenen Unselbständigkeit erklärt sich nicht zuletzt ihre Hilflosigkeit äußeren Fragen gegenüber, die Unklarheit ihres Selbstbewußtseins, das keine rechten Stützen hat, und ihr häufiges Bestreben, das Kleinbürgertum nachzuspielen. Die Zukunftslosigkeit des Lebens dieser Proletarierinnen kann nicht erschütternder erhellt werden als durch die (von Frau Franzen zitierte) Antwort, die eine Arbeiterin einem aus ihren Kreisen aufgestiegenen Mädchen gibt, das ihr Mut zusprechen will: »Wat habt ihr davon, Plackerei hier und Plackerei da – ick amüsier mir.«

Zur Information bemerke ich noch, daß es nach der Berufszählung 1925 in Deutschland 3,5 Millionen Arbeiterinnen gibt, deren Löhne etwa 60 bis 80 Prozent der männlichen Löhne betragen.

(*Der Querschnitt*, April 1932)

1 Otto Roeld, *Malenski (i. Fa. Faßland & Sohn) auf der Tour.* Roman. Berlin: E. Reiss 1930; zu den genannten Büchern von Breitbach, Brück, Braune und Anita Brück siehe Nr. 487, dort auch Anm. 2.

2 Nach Vorabdrucken in der FZ 1930 im Frankfurter Societäts-Verlag erschienen. Siehe *Werke*, Bd. 1, S. 211-310.

3 Das Stück wurde 1931 von dem Berliner Theaterkollektiv Truppe 31 unter der Leitung des Schauspielers und Schriftstellers Gustav von Wangenheim verfaßt und 1932 uraufgeführt. Erste Buchausgabe: *Die Maus in der Falle*. Komödie in 3 Akten. Mit einem Vorwort von Rudolf Leonhard. Berlin: Henschel & Sohn 1947.

4 Susanne Suhr, *Die weiblichen Angestellten*. Arbeits und Lebensverhältnisse. Eine Umfrage des Zentralverbands der Angestellten. Berlin: Zentralverband der Angestellten 1930. Zu Kracauers Rezension siehe Nr. 497.

5 Siehe Anneliese Kasten, *Die wirtschaftliche und soziale Lage der Angestellten*. Ergebnisse und Erkenntnisse der großen sozialen Erhebung des Gewerkschaftsbundes der Angestellten. Berlin: Sieben-Stäbe 1930.

6 Zu Kracauers Rezension siehe Nr. 423.

7 Siehe Wilhelm Friedel und Franz Karl Meyer-Brodnitz, *Erhebung über das Arbeiten an Schreibmaschinen*. Sozialhygienische Schriften des Afa-Bundes. Berlin: Freier Volksverlag 1931.
8 Susanne Suhr, *Die weiblichen Angestellten* (wie Anm. 4), S. 42.
9 Der Verband für weibliche Handels- und Büroangestellte (VWA) wurde 1919 durch Zusammenschluß des Kaufmännischen Hilfsvereins für weibliche Angestellte e. V. und der Verbündeten kaufmännischen Vereine für weibliche Angestellte e. V. mit Sitz in Berlin gegründet und bestand bis 1933; 1926 trat er dem christlich-nationalen Deutschen Gewerkschaftsbund (DGB) bei. Er verfolgte den Zweck, »die Berufs- und Standesinteressen der weiblichen Handels- und Büroangestellten wahrzunehmen« und »ihre wirtschaftliche und soziale Lage zu verbessern«.
10 *Mein Arbeitstag – mein Wochenende*. Hrsg. vom Deutschen Textilarbeiterverband, Hauptvorstand, Arbeiterinnensekretariat. Berlin: Verlag Textilpraxis 1930; zu Lisbeth Franzen-Hellersbergs Untersuchung siehe Nr. 646, Anm. 1.

## 650. Zur Produktion der Jungen

### Bei Gelegenheit zweier Bücher von Klaus Mann

Rez.: Klaus Mann, *Kind dieser Zeit.* Berlin: Transmare 1932; ders., *Treffpunkt im Unendlichen.* Roman. Berlin: S. Fischer 1932.

»Das Schreiben fiel ihm sehr leicht; so leicht, daß er diese Beschäftigung niemals völlig ernst genommen hatte.«
(Aus »*Treffpunkt im Unendlichen*« von Klaus Mann.)

*Klaus Mann* ist noch nicht 26 Jahre alt und hat bereits einen Haufen Bücher geschrieben, die auch alle gedruckt und besprochen worden sind. Jetzt sind gleich zwei neue auf einmal von ihm erschienen: eine Art Autobiographie: »*Kind dieser Zeit*« und wieder ein Roman: »*Treffpunkt im Unendlichen*«. Ergibt zusammen 700 Seiten. Womit ist diese Unmasse Papieres gefüllt? Die Antwort hierauf veranlaßt mich zu wenig vergnüglichen Betrachtungen.

Um bei der Autobiographie zu beginnen, die von der frühesten Kindheit an bis zum 18. Lebensjahr reicht, so bestätigt sie, was ich schon einmal an diesem Ort feststellte:[1] daß Klaus Mann über ein natürliches Talent, sich mitzuteilen, verfügt. Sie ist routiniert erzählt, enträt nicht des Charme und besitzt sogar einen gewissen dokumentarischen Wert. Er rührt in der Hauptsache daher, daß ihr Verfasser der Sohn eines berühmten Vaters ist und oft aus der Schule, das heißt aus dem Elternhaus plaudert. Wer sich einen Spaß machen will, mag »Unordnung und frühes Leid«[2] mit diesen Erinnerungen vergleichen. Zu der Chance, daß private Kindheitserlebnisse hier gleichzeitig literarische Pikanterien sind, tritt noch der Glücksfall bedeutender Zeitverhältnisse, der ebenfalls ausgenutzt wird. Man erfährt vor allem, wie der Krieg und die späteren, zum Teil aus nächster Nähe erlebten Wirren auf die »Herzogpark-Bande«[3] wirken; üben diese Ereignisse auch einen geringen unmittelbaren Einfluß aus, so greifen sie doch mittelbar in die Entwicklung der Kinder ein und verstärken von den Pubertätsjahren an die exzentrischen Neigungen. Die Tatsachen, die nicht selten heikel sind, scheinen mit Aufrichtigkeit wiedergegeben zu sein; ihre Deutungen dagegen sind überhastet und banal. Und damit komme ich zum Gebrechen des Buchs: unter seiner glatten Oberfläche ist weder Zwang noch Substanz zu spüren. Offenbar hat Klaus Mann so etwas gemerkt. Aber er läßt sich durch die von ihm selber möglicherweise geahnten Mängel nicht vom Schreiben abhalten, sondern sucht sie durch eine Vorbemerkung zu vertuschen. Diese Vorbemerkung enthüllt seinen Unernst und verrät, daß die erwähnte Aufrichtigkeit den Tatsachen gegenüber mehr modisch als unerbittlich ist. Denn statt sich in den einleitenden Sätzen allenfalls für sein frühes Erinnerungsunternehmen zu entschuldigen, rechtfertigt er es mit gespreizten Argumenten, die unerfahren sind und zu dem Buch gar nicht passen. Er erklärt zum Beispiel: »Mich deucht aber, auch der Schriftsteller des ersehnten Kollektivstaates wird nur fähig sein, für das Allgemeine etwas auszusagen, solange er, als Beispiel und Gleichnis, das einzelne nehmen darf. Nicht Überwindung des Individualismus sei unser Ziel, sondern Einfügung des individuellen Bewußtseins in ein umfassenderes, kollektiveres.« Einmal sieht man dieser Formulierung schon an der Nasenspitze an, daß der in ihr enthaltene Gedanke schlankweg aus der Luft geholt ist, in der er liegt, und zum andern dient sie rein als ideologischer Aufputz von Kindheitsgeschichten, die faktisch nirgends über sich hinausweisen. Auch von der »Krise des Bürgertums« ist natürlich in der Vorbemerkung die Rede. Ich weiß nicht, was schlimmer ist: der unerlaubte

Umgang mit solchen Vokabeln oder ihre fixe Verwertung im eigenen Interesse.

Man könnte milder urteilen, wäre nicht der zum selben Zeitpunkt erschienene Roman, der den angeblichen Gehalt der Autobiographie hätte erweisen müssen, einfach zum Kotzen. Einen derart drastischen Ausdruck zu gebrauchen, scheue ich mich um so weniger, als ihn der Autor selber in seinem Roman wieder und wieder verwendet. Gespräch zwischen einer Mutter und ihrem Sohn: »Sie erhob sich aus dem Plüschsessel, um zu ihm ans Bett zu treten. ›Du siehst noch grün aus, wie Ausgekotztes‹, stellte sie angewidert fest und prüfte ihn aus zusammengekniffenen Augen. – ›Na, bist ooch nicht gerade rosig, mein Schatz‹, sagte er, wozu er kurz lachte.« – Gespräch zwischen zwei jungen Liebenden, in Afrika nach dem ersten Haschischgenuß: »›Kotzen! Fest kotzen!‹ bat er von Herzen. ›Kotz auf den Boden!‹ riet er ihr. Aber sie sagte verzweifelt: ›Es kommt nichts – es ist ja alles ganz trocken –‹«. Ist hinzuzufügen nötig, daß der Roman in der Berliner Gesellschaft spielt? Genauer gesagt: er spielt in jenen Berliner Kreisen, die Klaus Mann anscheinend besonders gut kennengelernt hat. Sie bestehen aus Mädchen und Jünglingen, die sich sehr wichtig vorkommen und vor lauter Wichtigkeit manchmal am Leben verzweifeln, aus Künstlern und Literaten, die in großindustrielle Zirkel hineinragen, und aus irregulären Bohemiens, die sich dämonisch gebärden. Das zergliedert sich ununterbrochen selbst, schwätzt Edelmakulatur, mixt Drogen, verwechselt Paris mit einer Dépendance von Berlin und hat Geld genug, um die Erotik als Hauptmetier zu betreiben. Diese Klüngel gedeihen vermutlich immer noch am Rand der Bourgeoisie, und es ließe sich denken, daß man etwa die Hoffnungslosigkeit gestaltete, die mit ihnen gemeint ist. Hemingway hat das getan.[4] Aber Klaus Mann mit seinem Schreibtalent schreibt das schmierige Leben einfach ab, ohne ihm irgendeine Bedeutung zu entnehmen, und fühlt sich noch wohl dabei. Geschrieben muß werden. Der Skrupellosigkeit dieses Betätigungsdranges entspricht die der Mache. Sie ist modern frisiert und erstrahlt im Glanz flüchtig aufgelesener Effekte, die in diesem Zusammenhang nur leider nicht glänzen wollen. So sind gewisse zeitgemäße Verfahrungsweisen, die bei John Dos Passos und Nathan Asch[5] aus triftigen Gründen auftauchen, hier unverstanden übernommen; so nach bewährten Mustern aktuelle Reportagen eingestreut, die an dem betreffenden Ort keine Funktion erfüllen ... Ein verschmiertes Talent. Eine wendige Schmiererei.

Es hätte sich kaum verlohnt, sie so ausführlich zu behandeln, wäre der Fall Klaus Mann heute nicht *typisch*. Auch andere Autoren, die wie er mehr oder weniger talentiert sind, hecken wie die Kaninchen und produzieren am laufenden Band. Und Jahr für Jahr wird die Öffentlichkeit mit den Erzeugnissen ihres Schreibtriebes beglückt.
Ich geben von vornherein zu, daß diese Überproduktion teilweise durch die Verhältnisse verschuldet wird. Früher konnte man noch einem halbwegs begabten jungen Mann den Rat erteilen, daß er zuerst einmal einen praktischen Beruf ausüben möge, ehe er sich gerade als freier Schriftsteller etabliere. Der Rat war gut, klingt aber jetzt lächerlich. Denn die meisten jungen Menschen, die sich zur Schriftstellerei hingezogen fühlen, fänden keinen Broterwerb, auch wenn sie ihn suchten, und müssen darum gar nicht die innere Not anführen, um aus der äußeren die Tugend des Literaten machen zu dürfen. Verhungern will schließlich niemand.
Eine solche Zwangslage erklärt manches; das Verständnis für sie kann indessen nie und nimmer die Bedenken gegen jenen *hemmungslosen Literaturbetrieb* aufheben, den Klaus Mann und seinesgleichen entfesseln. Er schädigt nicht einmal so sehr die Literatur, deren gute und schlechte Bestandteile sich schon allein voneinander sondern, als die jungen Schriftsteller selber. Indem sie völlig unsinnig drauflosproduzieren, treiben sie Raubbau mit ihren besten Kräften. Vor kurzem schrieb ich über Peter Mendelssohn bei Gelegenheit seines Romanes: *»Paris über mir«*, daß es zum mindesten unrationell sei, »seine Anlagen wie ein unvernünftiger Unternehmer auszubeuten, der über den augenblicklichen Profit nicht hinausdenkt«.[6] Dasselbe gilt für Klaus Mann und andere Literaten. Sie verschleißen sich; sie plündern ihre Erlebnisse, bevor sie noch von ihnen Besitz ergriffen haben; sie sammeln Erfahrungen zum einzigen Zweck der sofortigen Verwendung, sammeln also in Wirklichkeit keine. Ich frage mich, ob sie tatsächlich auf die fortwährende Fabrikation von Belletristik angewiesen sind, die sie so schwer gefährdet, und nicht vielleicht doch irgendeine Möglichkeit hätten, ihren Lebensunterhalt auf andere Weise zu verdienen. Gerade weil einige der Jungen Talent

haben, scheint es mir richtig, sie vor der ständigen Prostituierung ihrer natürlichen Fähigkeiten zu warnen. Wie soll allerdings der Leerlauf abgestoppt werden, wenn er durch einen Satz wie diesen bekräftigt wird, den Klaus Mann ans Ende seines Erinnerungsbandes stellt? »Wäre mein Vertrauen in die Kräfte, die eine Mischung des Blutes in mir gezeugt hat, nicht so unerschütterlich fest, wie es ist –: ich müßte die Feder weglegen und so auf das Werkzeug verzichten, mit dem allein mir vergönnt ist, mein Leben seinen Gesetzen nach zu führen und so dem allgemeinen Leben zu dienen.« Wer sich in einer so wohltönenden Selbstverblendung gefällt, wird nicht leicht aufzurütteln sein. Dabei wäre Klaus Mann in der angenehmen Lage gewesen, sich sozusagen aus erster Hand über ein paar wesentliche Voraussetzungen des literarischen Produktionsprozesses zu unterrichten. Er müßte um die Verantwortung dem Wort gegenüber wissen, um das Wartenkönnen, um die zuchtvolle Auslese der Materie. Aber weder in seinen Büchern noch in denen der jungen Schriftsteller, an die ich hier denke, ist von alledem etwas zu merken. Es ist, als hätten sie nie vor den weißen Flächen gezittert, die sie zu bedekken haben, als hätten sie die Lust an der genauen Bezeichnung, nie die Qual des Entgleitens aus der Sprache gespürt. Sie schreiben flüssig, und das ist wenig genug. Vermutlich schreiben sie so, weil sie flüssig sind. Klaus Manne erklärt in seinem Roman: »Ja, das gehört wohl zu den Zwangsideen unserer Generation: immer fort zu müssen.« Solange sie immer fortfließen und fortschreiben, statt in der Sprache auszuharren und in den Sachen anwesend zu sein, werden sie trotz ihres Talentes niemals eine haltbare schriftstellerische Leistung vollbringen und sudelten sie ganze Bibliotheken zusammen.

Mitverantwortlich für den Unfug dieser Quasiliteratur sind die *Verlage*. Natürlich ist mir bekannt, daß ihre Dispositionen zum nicht geringen Teil durch die gegenwärtigen Zustände bedingt werden. Sie befinden sich öfters in Abhängigkeit von den Druckern, deren Maschinen gefüttert werden müssen, und sind dazu gezwungen, die Umlaufgeschwindigkeit ihrer Produktion zu erhöhen; überdies verlangt das Publikum nun einmal jahraus jahrein seine Novitäten. Dennoch ließe sich denken, daß die Auswahl der Manuskripte nicht so direktionslos erfolgte, wie es tatsächlich der Fall ist. Im Bedürfnis, stets etwas Neues zu bieten, verfallen die Verlage vor allem in den Fehler, einen *unkritischen Kult mit jungen Talenten* zu treiben. Sie machen Kotau vor der Jugend als solcher, sie verlieren das Unterscheidungsvermögen, wenn ein Autor, der noch nicht dreißig alt ist, strahlend bei ihnen anklopft, sie halten jeden unreifen Schmarren für eine druckreife Verheißung. Und haben sie glücklich ein einigermaßen marktgängiges Talent gefunden, aus dem vielleicht etwas werden könnte, so hetzen sie es vorzeitig zu Tode. Der junge Autor wird ausgequetscht, bevor er noch angefüllt war, und muß um der augenblicklichen Chance willen wie ein Rennpferd das Letzte hergeben. Meistens bleibt er dann bald unterwegs liegen und mag verrecken. Das ist eine Verlagspolitik, die diesen Namen überhaupt nicht verdient. Wie wäre dem anarchischen Unwesen abzuhelfen? Unter anderem dadurch, daß man nicht nach der Jugend des Autors, sondern nach dem Wert seines Manuskriptes fragte. Ferner käme es zweifellos darauf an, daß man die jungen Schriftsteller, die den Passierschein erhalten haben, pfleglich behandelte und ihnen Zeit zur Entwicklung gönnte. Auch dürfte man sie nicht einfach sich selber überlassen, hätte sie vielmehr fortlaufend zu beraten und wenn möglich zu leiten. Eine solche Aktivität den Autoren gegenüber und die Einkalkulierung längerer Fristen zeitigte wahrscheinlich bessere Ergebnisse als das jetzige kurzsichtige und rein passive Verhalten zahlreicher Verlage … Doch ich begnüge mich hier mit diesen Andeutungen. Sie sollen in absehbarer Zeit näher ausgeführt werden.[7]

(FZ vom 1. 5. 1932, Literaturblatt)

1 Siehe Kracauers Besprechung von Klaus Manns Prosaband *Auf der Suche nach einem Weg*, Nr. 570.

2 Erzählung von Thomas Mann, 1925 in der *Neuen Rundschau* erschienen; erste Buchausgabe: Berlin: S. Fischer 1926.

3 Die Jugendbande, der Klaus Mann zusammen mit seiner Schwester Erika angehörte, nannte sich nach dem Münchener Stadtviertel Herzogpark, in dem die Familie Mann bis zur Emigration 1933 wohnte.

4 Vgl. u. a. Ernest Hemingway, *The Sun Also Rises* (1927; dt.: *Fiesta*, 1928), *In Our Time* (1925; dt.: *In unserer Zeit*, 1932; zu Kracauers Besprechung siehe Nr. 676).

5 Zu Dos Passos siehe Nr. 643, Anm. 3. Der in Warschau geborene Schriftsteller Nathan Asch (1902-1964), Sohn des jiddischen Schriftstellers Sholem Asch, der im Ersten Weltkrieg mit seiner Familie in die USA auswanderte, lebte in den zwanziger Jahren überwiegend in Paris. Mit seinen sozialkritischen Romanen, u. a. *The Office* (1925; dt.: *Als die Firma verkrachte*, 1929), *Love in Chartres* (1927; dt.: *Liebe in Chartres*, 1929) und *Pay Day*

(1930; dt.: *Der 22. August*, 1930), war er in Europa und insbesondere in Deutschland sehr erfolgreich und wurde vielfach mit Dos Passos und Hemingway verglichen.

6 Siehe Nr. 643, S. 81.

7 Das ist in der hier angekündigten Form nicht geschehen.

## 651. Proletarische Schriftsteller in Frankreich

In Paris hat sich vor kurzem eine *»Gruppe proletarischer Schriftsteller französischer Sprache«*[1] gebildet, auf die ich hier aufmerksam machen möchte. Die Gruppe, der unter anderem *Marc Bernard*,[2] *E.[ugène] Dabit*,[3] *A.[ugustin] Habaru*,[4] *Henri Poulaille*[5] angehören, gibt jeden Monat ein vorerst vierseitiges: *Bulletin des écrivains prolétariens* heraus,[6] das schon zweimal erschienen ist. Den programmatischen Erklärungen dieser beiden Nummern sind alle nötigen Auskünfte über die Haltung und die Ziele der Gruppe zu entnehmen. Sie tritt für die sozialistische Revolution ein, ist bereit, Rußland zu verteidigen, und will auf literarischem Gebiet das Selbstbewußtsein des Proletariats wecken und seine Emanzipation herbeiführen. Die letztere Aufgabe, die sie spezifisch als die ihre ansieht, soll durch die Mobilisierung der Ausdrucksfähigkeit der anonymen Massen gelöst werden. Man möchte, mit anderen Worten, nicht nur selber schreiben, sondern auch den Arbeitern helfen, sich über ihr Dasein Rechenschaft abzulegen und den »Schrei der Empörung« (cri de révolte) auszustoßen. Beabsichtigt ist die fortlaufende Veröffentlichung der Dokumente, die auf diese Weise entstehen.

Im Hinblick auf unsere deutschen Verhältnisse scheinen mir am interessantesten jene Formulierungen zu sein, in denen die Beziehung der Gruppe zur Partei und zur *Parteipolitik* festgelegt wird. Sie lauten im Auszug wie folgt:

»Das Proletariat ist in Frankreich gespalten und in seiner überwiegenden Mehrheit noch nicht organisiert. Wir wünschen nicht aus unseren Reihen gewisse Arbeiter zurückzuweisen, weil sie Trotzkisten, Anarchisten ..., parteilos oder reine Syndikalisten sind. Welche politische Überzeugung immer sie hegen: ihre Aussagen bilden den notwendigen Be-

standteil einer proletarischen Literatur, die diesen Namen verdient. Es ist nicht unsere Sache, zugunsten der einen oder der anderen den Ausschlag zu geben ...
Wenn wir sagen, daß wir nicht die Verkünder der Losungen einer Partei sein wollen, so ist diese Erklärung wie folgt zu verstehen: wir wollen in unseren Werken nicht alle Schwankungen und Widersprüche mitmachen, die einer Partei durch die Taktik des Augenblicks oder der jeweils führenden Männer diktiert werden, wollen nicht heute verteidigen, was wir morgen der Bedürfnisse einer Eintagspolitik wegen verurteilen müßten, die den Notwendigkeiten der Stunde gehorcht. Ich bestreite, daß die Rolle eines revolutionären Schriftstellers gerade hierin besteht. Wir weigern uns zum Beispiel zu sagen, daß Trotzki ein Gegenrevolutionär sei, ein ›Vorkämpfer der Bourgeoisie‹ ... Wir weigern uns, die Verleumdungen und Lügen anzuerkennen und zu bestätigen, die ihn in den Augen des Proletariats zu beschmutzen suchen ... Nach unserer Meinung hat ein revolutionärer Schriftsteller nicht so sehr die Aufgabe, Schmähungen dieser Art zu verteidigen und zu verbreiten, als die Verpflichtung, die tiefen Gründe aufzuweisen, die für alle echten Revolutionäre maßgebend sind, denen eine Veränderung der Welt am Herzen liegt ...«[7]
Die hier getroffenen Abgrenzungen sind zweifellos nicht nur für Frankreich wichtig. Welche reale Macht sie entwickeln, wird sich über kurz oder lang zeigen.
(FZ vom 3. 5. 1932)

1 Die Groupe des écrivains prolétariens de langue française wurde im März 1932 auf Initiative Henry Poulailles (siehe unten, Anm. 5) und Tristan Remys gegründet.
2 Der Journalist und Romancier Marc Bernard (1900-1981), ein Gründungsmitglied der Gruppe, der u. a. an der von Henri Barbusse herausgegebenen Zeitschrift *Monde* mitarbeitete (siehe Nr. 401), wurde vor allem für seine Romane *Zig-zag* (1928) und *Anny* (1934) sowie die Erzählung *Pareils à des enfants* (1942) bekannt, für die er mit dem Prix Goncourt ausgezeichnet wurde. In den sechziger Jahren war er Literaturkritiker beim *Figaro*.
3 Der Schriftsteller Eugène Dabit (1898-1936) hatte seinen größten Erfolg mit der Novellensammlung *L'Hôtel du Nord* (1929; dt.: *Hotel du Nord Paris*, 1931), für die er 1931 den Prix du roman populiste erhielt und die 1938 durch Marcel Carnés Verfilmung (zu Kracauers Film-Besprechung siehe *Werke*, Bd. 6.3, Nr. 751) international bekannt wurde.
4 Der belgische Journalist und Schriftsteller Augustin Habaru (1896-1944) war seit 1924 Redakteur der *Drapeau Rouge* und Korrespondent von *L'Humanité* in Brüssel, als Chefredakteur förderte er seit 1928 belgische Autoren in der Pariser Zeitschrift *Monde*, in der

durch seine Vermittlung auch Kracauer einige Artikel veröffentlichte (siehe Nr. 415 und 446 sowie *Werke*, Bd. 6.2, Nr. 441, 510 und 652). Umgekehrt publizierte Habaru auch in der FZ. Er gehörte der im März 1929 gegründeten belgischen Sektion der Gruppe an und war Mitinitiator des »Manifeste de l'équipe belge des écrivains prolétariens de langue française«. Als Mitglied des Widerstands wurde er 1944 von den Nationalsozialisten ermordet. Zu Habaru siehe auch Nr. 754, Anm. 4.

5 Der französische Publizist und Schriftsteller Henry Poulaille (1896-1980), der Begründer der Gruppe, war in der Zwischenkriegszeit die Zentralfigur der *Littérature prolétarienne*, die er mit verlegerischer Arbeit und mit der Gründung von Zeitschriften (z. B. *Nouvel âge*, 1931) förderte. Sein Programm eines sozialkritischen Realismus entwickelte Poulaille in der Schrift *Nouvel âge littéraire* (1930). In seinen Romanen, u. a. *Le pain quotidien* (1931; dt.: *Das tägliche Brot*, 1939), stellte er den Klassenkampf und das Lebensgefühl französischer Proletarier dar.

6 Das *Bulletin des écrivains prolétariens* erschien erstmalig im März 1932, mußte aber bereits nach der vierten Nummer im Juni 1932 eingestellt werden. Es folgten weitere Zeitschriften, die im Dienst der proletarischen Literatur standen, so etwa *Prolétariat*, *A Contre-courant* und *L'Equipe des Arts et des Lettres*.

7 Kracauer zitiert in Übers. aus Marc Bernard, *»Au dessus des partis?«*. In: *Bulletin des écrivains prolétariens* (April 1932), Nr. 2, S. 1.

## 652. Der Hellseher im Varieté

In der *Scala*,[1] deren Programm unter anderem auch die glänzende equilibristische Nummer des Trios Willy Schenk & Co.[2] enthält, zeigt jetzt der Hellseher *Erik Jan Hanussen*[3] allabendlich seine Kunst. Er hat vor dem Avus-Rennen dem Fürsten Lobkowicz geraten, vorsichtig zu fahren, und tatsächlich ist Fürst Lobkowicz beim Rennen tödlich verunglückt.[4] Die übrigen aufs Rennen bezüglichen Voraussagen sollen allerdings sämtlich unrichtig gewesen sein. Sehr zuverlässig ist die Wirklichkeit einstweilen noch nicht.

Ehe Hanussen gleichsam im Allerheiligsten das Hellsehen zelebriert, treibt er sich erst eine Zeitlang in den Vorhöfen herum. Er veranstaltet ein paar telepathische Experimente, wie man sie früher schon häufig sah, plaudert über Graphologie usw. Ohne daß ich die magischen Kräfte anzuzweifeln wagte, über die er auf Schritt und Tritt gebietet, muß ich gestehen, daß mir seine profane Fähigkeit, das Publikum in Stimmung zu bringen, nicht minder bewundernswert erscheint. Bald reißt er es ge-

waltsam empor, indem er für die einzigartigen Versuche, die er hier vorführt, einen stärkeren Beifall verlangt, bald gönnt er ihm kurze Erholungspausen, damit es nicht außer Atem gerät. Geheimnisvolles Mienenspiel und Scherze mit der Damenwelt, Ausbrüche jenseitiger Zuversicht und rein irdische Plänkeleien: das vermischt sich ohne Schwierigkeit und geht in einem fort ineinander über. Bis zuletzt die Zuschauer so durchgerüttelt sind, daß sie reif werden für das eigentliche Mysterium.
Es besteht, kurz gesagt, in folgendem: Herr Hanussen sitzt auf einem Stuhl in der Mitte des Podiums, hat eine schwarze Binde um die Augen gebunden, die offenbar den Zustand äußerster Konzentration bewirken soll, und teilt in diesem Zustand einigen Leuten im Saal mit, was ihnen an einem bestimmten Ort und zu einem bestimmten Zeitpunkt widerfahren ist. Hinzuzufügen wäre noch, daß seinen Auskünften lächerlich winzige Angaben zugrunde liegen. Die betreffenden Leute haben ihm nämlich in der vorangegangenen Pause einen Zettel in die Hand gedrückt, der außer ihrem Namen nichts weiter als die zur Lokalisierung des jeweiligen Ereignisses nötigen Daten enthielt. Und trotzt dieser minimalen Anhaltspunkte klärt der hinter seiner Binde hellsehende Herr Hanussen die Fragesteller vollständig über ihre Vergangenheit auf. Sie bestätigen durchweg die Richtigkeit der ihnen gemachten Eröffnungen und scheinen so erstaunt wie glücklich zu sein, daß sie auf eine derart rätselhafte Weise nochmals erfahren, was sie schon wußten. (Daß sie auch über die Zukunft jeden wünschenswerten Aufschluß erhalten können, beweist ein Blick in Hanussens Wochenschau,[5] in der er der Öffentlichkeit und zahlreichen Privatkunden schlankweg die kommenden Dinge enthüllt.)
Wie immer es mit den Gaben dieses Hellsehers bestellt sei, der Drang des Publikums, sie zu nutznießen, ist nicht zu bestreiten. Ich habe noch selten ein so gespanntes Publikum gesehen. Es steht in langer Reihe vor der Kabüse, in der die Zettel abzuliefern sind, es blickt so starr auf die kleine schwarze Binde, als sei sie das verschlossene Tor des Paradieses, es lauscht hörbar, während sich Hanussen unhörbar konzentriert, und beginnt nach dem Eintreffen der Antworten wollüstig zu rumoren. Eine schwüle Erregung, die unwiderleglich anzeigt, wie sehr durch die Krise die Erwartung des Wunders gesteigert worden ist. Als ob sich die Krise

durch ein Wunder überwinden lasse! Aber seiner im Halbdunkel zu harren, denkt vielen bequemer als die planmäßige Verbesserung der Zustände, die das einzige rechtmäßige Wunder wäre.
(FZ vom 28. 5. 1932)

1 Zum Berliner Varieté Scala siehe Nr. 561, Anm. 1.
2 Der Gleichgewichtskünstler Wilhelm Schenk (1882-1961) startete seine Aristenkarriere 1898 gemeinsam mit seinem Bruder Karl Schenk; ab 1927 war er mit seinen beiden Kindern Willi und Gracie unter dem Namen »Willi Schenk Comp.« zu sehen. Zu seinen bekanntesten Nummern zählten die »Szenen vom Herrenzimmer«.
3 Erik Jan Hanussen (d. i. Hermann Chajm Steinschneider; 1889-1933) trat ab 1918 – eine dänische Herkunft simulierend – unter dem Pseudonym Hanussen als Telepath und Hypnotiseur an verschiedenen Wiener Bühnen auf und gab Gastspiele in ganz Europa und in den USA. Nach einem Betrugsprozeß, in dem er freigesprochen wurde, übersiedelte er nach Berlin, wo er u. a. 1932 von der Scala engagiert wurde und täglich mit zwei Vorstellungen vor insgesamt 5000 Gästen auftrat. Anfang der dreißiger Jahre pflegte er ein freundschaftliches Verhältnis zu einer Reihe von SA-Mitgliedern, darunter Wolf Heinrich Graf von Helldorf; 1932 prophezeite und forderte er in der von ihm gegründeten Zeitschrift (siehe unten, Anm. 5) den Machtantritt Hitlers. Nachdem 1932 seine jüdische Herkunft bekannt geworden war und er 1933 den Reichstagsbrand vorausgesagt haben soll, wurde er im März 1933 von der SA ermordet.
4 Das Autorennen auf der Berliner Avus, bei dem Georg Christian Prinz von Lobkowicz aufgrund eines technischen Defekts tödlich verunglückte, fand am 22. 5. 1932 statt. Angeblich hatte Hanussen am 17. 5. 1932 im Pressebüro des Allgemeinen Deutschen Automobilclubs (ADAC) die Prognose abgegeben, daß es im »Verlauf des Rennens zu zwei Unfällen kommen werde, besonders Fürst Lobkowicz müsse sich vorsehen«, von dem er nicht glaube, daß er »das Rennen überleben werde, man solle doch versuchen, ihn am Starten zu hindern« (»Hanussen hat Fürst Lobkowiczs Unfall prophezeit«. In: *12 Uhr Blatt*, Berlin, vom 23. 5. 1932). In der *Hanussen-Zeitung* vom 27. 5. 1932 wurde folgende Äußerung Hanussens gegenüber dem Pressechef des ADAC zitiert: »Herr Martin, ich sehe einen schweren Unfall für den Fürsten Lobkowitz. Er dürfte eigentlich nicht starten. Wenn irgendeine Möglichkeit besteht, ihn auf diskrete Weise am Rennen zu verhindern, so tun sie das« (»Fürst Lobkowitz' Tod hätte sich vermeiden lassen«. In: *Hanussen-Zeitung*, Berlin, 27. 5.-2. 6. 1932, S. 2).
5 Die von Hanussen gegründete Wochenzeitung, die Themen wie Handlesen, Wünschelruten, Hellsehen, Pathognomik und Graphologie behandelte und eine eigene Schule des Okkultismus begründen sollte, erschien von Januar 1932 bis 1933 unter folgenden wechselnden Namen: *Berliner Woche* (Nr. 1-4), *Erik Jan Hanussen's Berliner Wochenschau* (Nr. 5-27), *Hanussens Bunte Wochenschau* (Nr. 28-40), *Hanussen-Zeitung* (Nr. 41-44) sowie nach Hanussens Tod als *Bunte Wochenschau* (Nr. 45) und zuletzt als *Astropolitische Rundschau* (Nr. 46/47).

# 653. Wiederholung

## Auf der Durchreise in München

Kürzlich verbrachte ich einen Tag in München, von dem ich hier erzählen will. Ich wurde an diesem Tage in eine Vergangenheit versetzt, die ich längst abgeschieden glaubte; oder vielmehr: die Vergangenheit nahm mich buchstäblich zu sich zurück. Zum näheren Verständnis muß ich vorausschicken, daß ich als Student vor dem Kriege mehrere Jahre in München gelebt und später die Stadt immer nur auf der Durchreise berührt habe.[1] Von Berlin aus war ich noch nie dorthin gereist.

Die Tatsache zu erwähnen, daß ich diesmal direkt von Berlin nach München fuhr, halte ich für ungemein wichtig. Berlin ist der Ort, an dem man schnell vergißt, ja es scheint, als verfüge diese Stadt über das Zaubermittel, alle Erinnerungen zu tilgen. Sie ist Gegenwart und setzt überdies ihren Ehrgeiz darein, ganz Gegenwart zu sein. Wer sich längere Zeit in Berlin aufhält, weiß am Ende kaum noch, woher er eigentlich kam. Sein Dasein gleicht nicht einer Linie, sondern einer Reihe von Punkten; es ist jeden Tag neu wie die Zeitungen, die fortgeworfen werden, wenn sie alt geworden sind. Ich kenne keine andere Stadt, die das Gewesene so schleunigst abzuschütteln vermöchte. Auch sonstwo verändern sich zweifellos Platzbilder, Firmennamen, Geschäfte; aber nur in Berlin entreißen die Veränderungen das Vergangene radikal dem Gedächtnis. Viele empfinden gerade dieses Leben von Schlagzeile zu Schlagzeile als Reiz; teils weil sie davon profitieren, daß ihre frühere Existenz in der Versenkung verschwindet, teils weil sie doppelt zu leben glauben, wenn sie rein in der Gegenwart leben. Daß ihnen durch das Aufgehen in aktuellen Momenten das Leben selber niemals gegenwärtig wird, ist allerdings unumstößlich gewiß …

Mitten aus der Aktualität heraus wurde ich also nach München zurückgerissen. Und gleich beim ersten Schlendern am Sonntagmorgen begann schon die Stadt ihre Gewalt auf mich auszuüben. Durch tausend Mittel brachte sie meine Verwandlung zuwege. Da war der Geruch, jener einheimische Geruch, der von Malz, Benzin, Tandlerkram und wer weiß welchen Bestandteilen herrührt; da war der Himmel, der sich freundlicher als in Berlin zu den Häusern und Straßen herabläßt; da war der warme Widerschein einer beinahe italienischen Sonne. Je länger der Tag dauerte, desto tiefer tauchte ich in verschollenen Zeiträumen unter, deren Existenz mir seit vielen Jahren nicht mehr bewußt gewesen war und deren Fortexistenz ich noch am Tage vorher bestritten hätte. Hatte sich München inzwischen nicht verändert oder gar wieder zurückverändert? Jedenfalls zeigte es sich mir wie damals, eine Stadt wie aus einem Traum, die dennoch kein Traum war. Ich erkannte kleine Läden, an denen ich als Student vorbeigekommen war, und las Namenschilder, bevor ich sie richtig erkennen konnte. Auf dem Odeonsplatz hielten die Studentenkorporationen und Taubenschwärme ihren Stehkonvent ab. Schon wunderte ich mich nicht über den Stillstand, sondern fragte mich nur, ob auch die fütternden Kinder und die photographierenden Reisenden sich wiederholen würden. Sie waren vorhanden, fütterten und photographierten. Hinterher saß ich im Hofgarten an einem gedeckten Tisch unter den alten grünen Bäumen; zur selben Stunde, zu der ich früher dort immer gesessen hatte. Und um die Unterschiede zwischen dem Heute und dem Gestern vollkommen zu verwischen, nahmen die gleichen modisch gekleideten jungen Herren in der Nachbarschaft Platz, zitterten die gleichen Lichtkringel über Gestühl und Boden hinweg. Das Gestern war nahezu Heute geworden.

Nicht so, als ob ich mich ganz verloren hätte. Ich beobachtete Hakenkreuze, die man seinerzeit noch nicht trug, und wußte wieder ganz genau, welches Jahr man jetzt schrieb. Auch vergegenwärtigte ich mir, daß München eine Stadt sei, die so gut wie keine Arbeiter enthielt. Hier waren Fabriken fern, hier drang nur das Land herein, das sich mit der bürgerlichen Bevölkerung seit Menschengedenken vermischte. Bürger aller Schattierungen bestimmten in Wahrheit den Geist der Stadt, und in einer Zeit wie dieser hielten sie natürlich aus vielen Gründen vermehrt darauf, daß alles blieb, wie es einst war.

Aber die Überlegungen, die ich beflissen anstellte, vermochten mich nicht vor der Macht des Vergangenen zu schützen. Im Gegenteil: als habe es nur einen kurzen Anlauf genommen, so gesammelt brach neuerdings das Vergessene aus den Gräbern hervor. Jetzt erst recht wurde ich seine Beute. Und zwanzig Jahre schienen nicht gewesen zu sein.

Vor zwanzig Jahren hatte ich mit ein paar Freunden in einem im Studen-

tenviertel gelegenen Caféhaus verkehrt, dessen Inhaberin uns persönlich bekannt gewesen war. Einmal im Fasching hatte sie uns sogar mit Wein und einem besonderen Abendessen bewirtet. In jener Zeit war es notwendig geworden, das Café gründlich zu renovieren, und auf die Bitte der Inhaberin hin hatte ich sie bei der Wahl der Vorhänge, des Anstrichs, wie überhaupt der ganzen Einrichtung gewissermaßen fachmännisch beraten. Zum Erwerb eines schrulligen Eckschränkchens, das ich ihr zugemutet, war sie nicht ohne weiteres zu bewegen gewesen. Der Bildhauer aus dem Kreis hatte die Majolika-Umrahmung des Spiegels geliefert, der Maler ein Landschafts-Aquarell fürs Nebenstübchen.
Von Erinnerungen angelockt, die mich bereits im Hofgarten in ihren Besitz bringen wollten, suchte ich aus mechanischem Zwang heraus dieses Café am Nachmittag auf. Es war unverändert erhalten, mit seinem Eckschränkchen, der Majolika-Umrahmung, dem Aquarell. Aber das Ganze kam mir trüb vor, eng, muffig, verstaubt. Ich freute mich, daß ich mich so fremd fühlte – ein Herr von außerhalb, der seinen Café trinkt und dann unbeschwert geht. Die Inhaberin war nicht zu erblicken.
»Leer hier«, sagte ich zur Kellnerin.
»Sonntag nachmittag. Alles ist draußen.«
Wie immer, dachte ich, und erkundigte mich nach der Inhaberin. Tatsächlich gehörte ihr noch das Café. Sie war gerade unterwegs, ein wenig Luft schöpfen, hatte aber hinterlassen, daß sie bald zurück sein werde.
»Sagen Sie ihr, ein Herr möchte sie sprechen.«
Ich las Zeitungen, die ich überall hätte lesen können. Mit einem Mal stand die Inhaberin, eine vertraute Figur, in ihrer gewohnten Üppigkeit, neben mir, begrüßte mich ohne Überraschung und setzte sich an den Tisch.
»Schon von draußen habe ich Sie gesehen und mir gleich gedacht: das ist doch der …«
Wie immer nannte sie mich nur beim Nachnamen. Sie hatte sich einen Café bestellt und plauderte mit mir.
»Leer heute«, meinte ich wieder.
»Sonntag nachmittag. Sie wissen doch –«
»Hat sich inzwischen viel verändert?«
»Nicht, daß ich wüßte. Es ist alles beim alten geblieben.«
Ja, es war alles beim alten geblieben. Während wir noch sprachen, war

das Café wieder groß und schön geworden wie vor zwanzig Jahren und ich ein Student wie vor zwanzig Jahren. Das Eckschränkchen reckte sich und die Majolikawülste glänzten selbstgefällig und jung. Ich würde später in mein Zimmer gehen, zehn Minuten von hier, oder besser vielleicht in den Englischen Garten ...

Und dann geschah es, daß die Vergangenheit mich nicht nur einspann, sondern selbständig zu wachsen anfing. Sie entwickelte sich weiter, als lasteten nicht die zwanzig, seither verflossenen Jahre auf ihr, und ich, der Student, dehnte mich mit ihr in die unbekannte Zukunft hinein.

»Ich will heuer wieder renovieren lassen«, sagte die Inhaberin.

»Wird auch nötig sein«, stimmte ich zu, »die Wände und Decken sind scheußlich verraucht.«

»Schauen Sie sich nur alles an ... Vielleicht können Sie mir ein paar Ratschläge geben, Sie kennen ja die Räume genau.«

Wir betrachteten das Café, und berieten uns über Anstrich, Vorhänge und Tapeten. Im Nebenstübchen, das auch Salon hieß, wurden wir lange nicht einig, es war wie damals ein schwieriger Fall. Wie damals – aber das Damals war jetzt eigentlich kein Damals mehr, setzte sich vielmehr allmählich und sprunglos fort. Indem ich der Inhaberin meine Vorschläge machte, lebte ich, genaugenommen, in einer imaginären Zeit. Es erging mir annähernd wie einem, der träumt, er müsse ein Examen machen, das er in Wirklichkeit schon gemacht hat; nur eben, daß ich nicht träumte. Mitten im Gespräch, das gerade der Farbenwahl galt, fiel mir ein, daß ich einen Freund abholen wolle, und zugleich wußte ich unterirdisch, daß dieser Freund im zweiten Kriegsjahr gefallen war.[2] Ich erinnerte mich an das Bild des Odeon[s]platzes, das ich mir heute früh wieder eingeprägt hatte, und im selben Augenblick wurde dieses Bild aus der Zeit vor dem Krieg durch ein viel späteres überblendet: durch das des Platzes am Tag der Kriegserklärung. Die Menschen standen dicht gedrängt, schrien begeistert und rissen sich die Extrablätter aus den Händen – doch dieser Tag war, wie gesagt, noch nicht eingetroffen, sondern kam erst viel später. Ich erwog, immer weiterredend, wie ich meinen Beruf wechseln könne, und war mir unterdessen völlig klar darüber, daß ich längst nicht mehr in ihm tätig sei. Ich lebte in einem gläsernen Sarg, durch dessen Wände ich, der Lebende, mich so angestrengt verfolgte, daß ich mittlerweile als leibhaft Lebender verblaßte. Und dann stieg eine furchtbare

Angst in mir hoch. Alles würde noch einmal kommen: der Krieg, die Revolution und die Inflationsjahre danach. Und niemand vermochte zu ermessen, wie alles dann wiederkäme –

»Kommen Sie morgen wieder?«

Verwirrt nahm ich Abschied. Die Straßen waren am hellen Tag erstorben. So kleine Häuser. Wie immer.

Am nächsten Tag reiste ich ab. Wie ein Dienstmann seinen Karren hinter sich herzieht, so schleife ich jetzt ein Stück Vergangenheit durch die Berliner Gegenwart nach. Es bleibt zurück und will sich nicht mit ihr verbinden. Aber wie wäre eine solche Durchdringung heute auch möglich?

(FZ vom 29. 5. 1932)

1 Zu Kracauers Münchener Zeit siehe Nr. 338, Anm. 4.

2 Die Bemerkung bezieht sich wahrscheinlich auf Otto Hainebach, der im September 1916 bei Verdun fiel. Kracauer widmete ihm 1915 das Gedicht »Denken an einen Freund« (siehe *Werke*, Bd. 7, S. 640f.) und setzte dem Jugendfreund in seinem Roman *Ginster* (siehe *Werke*, Bd. 7, S. 9-256) in der Figur Ottos ein literarisches Denkmal.

## 654. Zu einem Roman aus der Konfektion

### Nebst einem Exkurs über die soziale Romanreportage

Rez.: Werner Türk, *Konfektion*. Roman. Berlin und Wien: Agis 1932.

Der Roman *»Konfektion«* von *Werner Türk* beansprucht schon durch seine Stoffwahl Interesse. Dargestellt wird in ihm die Konfektion am Hausvogteiplatz; ein Stück Wirklichkeit also, das bisher meines Wissens literarisch noch nicht bearbeitet worden ist. Gewiß gibt es Romane, in denen etwa Mannequins eine Hauptrolle spielen – ich denke zum Beispiel an Wilhelm Speyers: *»Ich geh' aus und du bleibst da«*.[1] Aber die Bücher dieses Schlags verfahren mit ihrem Thema ähnlich wie andere mit dem Krieg: das heißt, sie benutzen die Konfektion als Folie für irgendein Liebeserlebnis oder sonst eine Geschichte. Der Hintergrund bleibt dabei völlig im Hintergrund. Türk dagegen zieht ihn hervor, und

man hat durchaus den Eindruck, daß er die Konfektion mit ihren Chefs und Zwischenmeistern, ihren Reisenden, Einrichtern, Lehrlingen und Hausdienern sehr genau kennt. Offenbar hat er sie nicht nur von außen betrachtet, sondern ist selber in der Branche tätig gewesen. Ich schließe das aus der Sicherheit, mit der er die Topographie, die Sprache und die Usancen dieser Welt beherrscht. Man lernt etwas aus dem Buch.
Seine Tendenz ist radikal. Indem es die Zustände in der Konfektion aufweist, geißelt es sie zugleich. Der von oben her ausgeübte Druck, der sich über die Zwischenmeister hinweg bis zu den Heimarbeiterinnen fortpflanzt, stehende Mißbräuche und bedenkliche Manipulationen: das alles ist, wie mir scheint, mit Sachkunde und ohne unzulässige Verallgemeinerung wiedergegeben. Besonders ausführlich werden die Verhältnisse der Angestellten geschildert. Sie treten in den verschiedensten Spielarten auf, typische, ihren gesellschaftlichen Funktionen zugeordnete Exemplare, die doch keineswegs der individuellen Färbung entraten. Es versteht sich von selbst, daß Türk die Sonderposition, die sie zwischen dem Arbeitgeber und der Masse der Abhängigen einnehmen oder einzunehmen glauben, der Kritik unterzieht. Er zeigt, wie erhaben sich ihrer viele über die Lohnempfänger dünken, stellt ihren Mangel an solidarischem Verhalten bloß und zerstört manche Illusionen, die sie sich machen.
So handelte es sich um eine Art sozialer Romanreportage von bestimmter Tendenz? Eben nicht. Und das gerade finde ich an dem Buch erfreulich.

Denn die als *Roman aufgeputzte gesellschaftskritische Zustandsschilderung*, die seit etlichen Jahren bei uns gepflegt wird, ist eine *unfruchtbare Mischform*. Und zwar darum, weil sie weder sachgemäß in die Zustände eindringt noch auch den Forderungen entspricht, die an einen Roman zu richten wären. Was zunächst ihr Verhalten jenen gegenüber betrifft, so verfährt sie nach einer Parole, die im ersten Nachkriegsjahrzehnt ziemlich viel von sich reden machte, aber inzwischen glücklicherweise an Schlagkraft verloren zu haben scheint. Ich meine die Parole von der *Verlebendigung* der Wissenschaft. Um der aus triftigen Gründen in Mißkredit geratenen Wissenschaft wieder aufzuhelfen, glaubte man zwischen ihr und dem »Leben« vermitteln zu müssen; ohne sich darüber Rechenschaft abzulegen, daß sie desto mehr Leben enthält, je strenger, je unbekümmerter um das »Leben« sie ist. Im falsch verstandenen Interesse, sie diesem anzunähern, raubte man ihr die genaue Begrifflichkeit, die sie gerade zur Wissenschaft stempelt. Man popularisierte sie, statt zu ihr zu erziehen; man aktualisierte sie, statt die Aktualität wissenschaftlich zu begreifen. Von solcher Verlebendigungssucht sind zweifellos auch die Verfasser der sozialen Romanreportagen erfüllt. Die Aufgabe, unsere gesellschaftlichen Verhältnisse in Form von Abhandlungen und wissenschaftlichen Werken zu analysieren, dünkt ihnen zu trocken, und so gestalten sie ihr Material lieber in Form von Romanen. Zugegeben, daß diese Methode leichter anzuwenden und häufig genug dankbarer ist; aber sie steht an dokumentarischem Wert und Möglichkeiten echten Eingreifens weit hinter der exakten Analyse zurück. Nicht allein, daß die Romanreportage ein Bild der gesellschaftlichen Verhältnisse entwirft, das sich rein durch die Art seiner Mitteilung nicht kontrollieren läßt, sie verzichtet auch von vornherein, eben um der Romanhaftigkeit willen, auf die substantielle Durchdringung des Stoffes, die nur mit Hilfe eines gewissen theoretischen Apparates bewerkstelligt werden kann. Sie erobert nicht Neuland, sondern hinkt der Wissenschaft nach; sie aast mit Befunden, die zu ihrer Herausstellung der systematischen Untersuchung bedürften; sie erzielt allenfalls gefühlsmäßige Wirkungen, statt Erkenntnisse zu produzieren, die uns wirklich zu Veränderungen befähigten.

Ebensowenig vermag dieser Typus der kritischen Zustandsschilderung die Funktion des Romans auszuüben. Der Hauptfehler, dessen sich die einschlägigen Autoren schuldig machen, ist aber der: daß sie die Zustände und Tendenzen, um die es ihnen zu tun ist, nicht aus der epischen Gestaltung hervorgehen lassen, durch diese vielmehr umgekehrt jene exemplifizieren wollen. Das heißt, sie vermitteln gar nicht primär das der Romanform zugekehrte konkrete Dasein, sie benutzen es nur zur Verlebendigung eines Stoffes, der vermutlich in einer Abhandlung ungleich treffender dargestellt werden könnte. Die meisten der hier gemeinten Romanreportagen leiden an dem Gebrechen der *Scheinkonkretheit*. Ihre Situationen sind von einer bestimmten abstrakten Auffassung her konstruiert und müßten doch von Rechts wegen auf sie hinweisen; ihre Menschen sind keine wirklich erfahrenen Menschen, sondern Puppen, die zur Verdeutlichung der Tendenz ins kahle Konstruktionsgerippe eingesetzt und mit der an der betreffenden Stelle fälligen Erkennungsmarke versehen werden. Ich erinnere mich eines Romans, in dem einmal das Wort Kleinbürger so gebraucht ist, daß die Art seines Gebrauchs die Untauglichkeit des ganzen Romans enthüllt. Der Terminus dient dort nämlich zur naiven Kennzeichnung irgendeines Menschen oder einer Menschengruppe. Nun gehört dieser Ausdruck der theoretischen Sphäre zu, in der er eine definierbare Bedeutung hat. Wenn er in die konkrete Umwelt verpflanzt und dort ungebrochen benutzt wird, heißt das nichts anderes, als daß diese Umwelt keineswegs die Konkretheit besitzt, über die sie doch als Romanbestandteil zu verfügen hätte. Denn wäre sie wirklich konkret, so müßte sich gewiß aus der Charakterisierung eines in ihr befindlichen kleinbürgerlichen Menschen ergeben, daß er kleinbürgerlich ist; nicht aber dürfte der Mensch dadurch charakterisiert werden, daß man ihn tendenziös Kleinbürger nennt. (Daß Begriffe wie der des Kleinbürgers natürlich auch legitim in einem Roman auftreten können, bedarf wohl keiner Erwähnung.) Kurzum, die Romanreportage versagt sowohl den Fakten wie den Ansprüchen der Romanform gegenüber. Unkräftig bewegt sie sich zwischen Wissenschaft und gestalteter Epik, Erfindung und Dokument.

Daß sich Türk durch seinen Gegenstand nicht zur romanhaften Zustandskritik verführen läßt, ist vor allem dem glücklichen Griff zu danken, den er mit der Figur des Helden tut. Der empört sich nicht etwa gegen das Bestehende, sondern ist ein Karrierist, ein ganz gerissener Junge, der sich skrupellos vom Lehrling zum Mitinhaber eines großen Konfektionshauses durchwindet und -boxt. Dieser peinliche Typ nimmt die Mitte des Buches ein, und die Stationen seines glorreichen Anstiegs bestimmen den Gang der Handlung. Ist es nun schon wichtig, daß Türk den Helden konkret gestaltet, so ist es noch ungleich wichtiger, daß er gerade den geschworenen Feind der im Roman vertretenen Interessen zum Helden macht. Denn durch die so getroffene Wahl bewahrt er sich davor, in die übliche soziale Romanreportage zu entgleiten. Sie wäre sofort gegeben, wenn der eigentliche Träger der Handlung die zu verfechtenden Tendenzen direkt verkörperte. Dann ließe sich kaum der Gefahr entrinnen, der alle diese Zwischenprodukte erliegen: daß der Roman zur

pseudo-dokumentarischen Darstellung verblaßte und die nur in genauer Untersuchung zu demonstrierende Haltung ein ihr abträgliches Scheinleben gewönne. So aber ist Türk gezwungen, gewissermaßen *gegen den Strich* zu schreiben. Die wider das Ziel des Buches gerichtete Bewegung seines Helden, die alle übrigen Figuren mitreißt, nötigt ihn, den Autor, zu lauter indirekten Aussagen, verhindert ihn daran, der Tendenz selber das Wort zu erteilen. Er personifiziert sie nicht, sondern läßt sie durch das Medium der Personen erscheinen; er illustriert nicht sein Wissen um die Zustände, sondern macht die Zustände episch sichtbar.
Im großen und ganzen ist dieser Roman jedenfalls wirklich ein Roman. Ich übersehe nicht, daß er nur eben sein Thema abwandelt, ohne es je zu transzendieren, verschiedene rein schematische Figuren und Gespräche enthält und eine lockere, nichtssagende Komposition hat. Aber diese Schwächen werden dadurch zurückgedrängt, daß er der Verlokkung, die Form des Romans zu mißbrauchen, mit Erfolg widersteht. Hinzu kommt, daß er knapp, spannend und schön äußerlich erzählt ist. Allerdings fließen die Sätze zu leicht.
(FZ vom 5. 6. 1932, Literaturblatt)

1 Berlin: Rowohlt 1930.

## 655. Alt-Berlin im Westen

Man schreibt uns aus Berlin: Wird sonst in Berlin neu gebaut, so kann es meistens nicht modern genug sein. Eine Ausnahme bildet die neue *Kranzler-Ecke* am Kurfürstendamm, die an die Stelle des einstigen »Café des Westens«[1] getreten ist. Mit diesem jetzt eröffneten Lokal ist ein sehenswertes Stück Alt-Berlin in den Westen eingezogen. Die äußere Architektur erinnert an die des Stammlokals Unter den Linden, die innere spiegelt den Geist der Biedermeierzeit 1820 bis 1860 wider. Kleine Café-Räume im Erdgeschoß, man glaubt, in der Chaise hier gelandet zu sein. Ein Zimmer ist Fontane gewidmet, ein anderes der Taglioni,[2] ein drittes den Moden von ehemals. Die ganze Geschichte kehrt in Bildern, Stichen, Tapeten und Stühlen wieder, und sogar die Trachten der Kellnerin-

nen sind wie aus verschollenen Tagen. In den Restaurationsräumen oben wird der reizende Repetitionskurs fortgesetzt. Sie sind mit den Erzeugnissen der Staatlichen Porzellanmanufaktur gefüllt: Vasen und Biskuitfiguren aus der Epoche Schinkels und Schadows, Zierporzellanen und Gruppen, die ihre lange Geschichte haben. Am anziehendsten ist vielleicht der Raum, in dem die Berliner Stammtische des vorigen Jahrhunderts ins Gedächtnis zurückgerufen werden. Fresken von Walter Trier[3] halten die Tafelrunde des »Kladderadatsch« fest,[4] vergegenwärtigen den »Tunnel über der Spree«.[5] Ein großes Fries gilt dem alten *»Café Größenwahn«*[6] selber, in dem nach 1900 die ganze Berliner Bohème (Peter Hille, Else Lasker-Schüler usw.) residierte. Man sieht sie alle wieder, die Toten und die noch Lebenden, mit Einschluß des roten Richard,[7] der die Zeitungen austrug und leider vor kurzem verstorben ist. Davor stehen die bekritzelten und bemalten Stammtische, auch sie aus der Vergänglichkeit gerettet. Was einst aus der Bürgerlichkeit in die Café-Wildnis flüchtete, ist jetzt zum Dekor derselben Bürgerlichkeit geworden.
(FZ vom 9. 6. 1932)

1 Das 1898 eröffnete Café des Westens (auch Café Größenwahn) am Kurfürstendamm 18/19 war bis zu seiner Schließung im Jahr 1915 der wichtigste Treffpunkt der Berliner Künstlerszene und Mittelpunkt des Expressionismus. In seinen Räumen eröffnete das Café Kranzler 1932 eine Filiale. Nach kriegsbedingter Zerstörung des Gebäudes wurde das Café 1958 im sogenannten Kranzler-Eck wiedereröffnet, das 1998-2000 von dem Architekten Helmut Jahn neu gestaltet wurde.
2 Die italienische Ballett-Tänzerin Marie Taglioni (1804-1884) gilt als erste Meisterin des Spitzentanzes. Ihren internationalen Durchbruch hatte sie in der Titelrolle des Balletts *La Sylphide*, das 1832 im Pariser Théâtre de l'Académie Royale de Musique uraufgeführt wurde.
3 Walter Trier (1890-1951) arbeitete als Illustrator und Zeichner u. a. für die Zeitschriften *Simplicissimus*, *Jugend* und die *Lustigen Blätter* und illustrierte ab 1929 zahlreiche Kinderbücher Erich Kästners. Siehe auch Nr. 705.
4 Die satirische Wochenzeitschrift *Kladderadatsch* wurde 1848 in Berlin von David Kalisch begründet und zunächst in Gemeinschaftsarbeit mit den Autoren Ernst Drohm und Rudolf Löwenstein sowie dem Zeichner und Karikaturisten Wilhelm Scholz gestaltet. In den zwanziger Jahren verfolgte sie zunehmend einen nationalsozialistisch-antisemitischen Kurs, 1944 wurde ihr Erscheinen eingestellt.
5 Die literarische Gesellschaft Tunnel über der Spree wurde als »Sonntags-Verein zu Berlin« im Dezember 1827 von dem Schriftsteller Moritz Gottlieb Saphir und den Schauspielern Friedrich Wilhelm Lemm und Ludwig Schneider gegründet und bestand bis ca. 1898; zu ihren zahlreichen Mitgliedern gehörte u. a. Theodor Fontane.
6 Siehe oben, Anm. 1.

7 Der »rote Richard« (d.i. Richard Frankewitz; 1889-1932), der rothaarige Zeitungskellner des Cafés, wurde von Joseph Roth 1923 in dem Artikel »Richard ohne Königreich« porträtiert. Siehe Joseph Roth, *Werke*. Bd. 1: *Das journalistische Werk 1915-1923*. Hrsg. von Klaus Westermann. Köln: Kiepenheuer & Witsch 1989, S. 909-912.

# 656. Guckkasten-Bilder

## Besuch in der Wochenend-Ausstellung

Die Messe-Ausstellung: »*Sonne, Luft und Haus*«, über die bereits bei uns berichtet worden ist (vergl. den Artikel Eugen Ohms in der Reichsausgabe vom 24. Mai),[1] nimmt Zustände vorweg, die noch nicht eingetreten sind. Guckkastenbilder einer neuen Welt erscheinen in ihr, Zeiten, die auf den Abgang der unsrigen ungeduldig warten. Wodurch gelingt diese Schau des Kommenden? Durch die Auswahl der Darbietungen. Man zeigt, was sein sollte, und verhüllt die Widerstände, die sich seiner Verwirklichung entgegensetzen. Wenn aber der Traum schon so sichtbar ist, muß die Decke zu sprengen sein, unter der er sich regt.

Im Eingangssaal, der die Frage: »Warum Wochenende?« beantwortet, wird die Wirkung der Berufsarbeit auf den Körper und die Notwendigkeit seiner Reparatur durchs Wochenende veranschaulicht. Nicht nur veranschaulicht, sondern ins Publikum hineingewirkt. Man sieht zum Beispiel ein riesiges Modell der menschlichen Haut, aber dieses Modell sagt erst etwas aus, wenn der Besucher es durch selbsttätiges Eingreifen zur Aussage zwingt. Er muß eine Kurbel drehen und erfährt dann, wie die Haut auf Wasser, Seife, Bürste usw. reagiert. Der Grundsatz, den Lernenden im Interesse der besseren Durchdringung des Stoffes zu aktivieren, ist nicht von heute. Nur eben wird er hier auf ein Gebiet übertragen, auf dem er bisher kaum praktiziert worden ist. Noch haben die Massen eine instinktive Scheu vor der Medizin; noch pflegen viele Ärzte diese Scheu, statt sie zu zerstreuen – ein Verhalten, das zweifellos mit ihrer geringen Neigung zusammenhängt, die Ursachen mancher individuellen Erkrankungen in denen des Kollektivkörpers zu suchen. Die Propaganda fürs Wochenende prägt, vielleicht ohne Absicht, dem großen Publikum die Beziehung zwischen den sozialen Verhältnissen und verschiedenen medizinischen Mysterien ein. Man braucht nur aktiv die Kurbel zu drehen, und schon ist die Sache klar.

Panoramaartig aufgestellte Photomontagen in der Pergola führen eine Sprache, die es in sich hat. Ehe sie das Paradies[2] der Wochenend-Siedlung illustrieren, vergegenwärtigen sie die scheußlichen Mietskasernen, in denen die Proletarier wohnen. »Laßt die Mietskasernen baden!« steht unter einem solchen düsteren Panorama geschrieben. Und zwar wird diese höhnische Aufforderung einem jungen Pärchen in den Mund gelegt, das gerade zum Baden hinauszieht. Wer wüßte nicht, auf welche Hindernisse zum Beispiel die Liquidierung des Mietskasernenelends stößt? Sie werden stillschweigend übergangen. Aber die deutlichen Photos und der provokatorische[3] Ton der Sprache sind wie ein Hämmern gegen verschlossene Türen.

Auf einer Hobelbank liegt ein Holzbrett. Ein Junge kniet auf dem Brett und sägt. Die zusammengekauerte Gestalt des Knaben ist – wunderbar anzusehen – so in die Aktion des Sägens vertieft, daß sie mit dem Material zur undurchdringlichen Einheit verwächst. Ein Geruch von Freiheit umgibt die Gestalt. Das sägt sich ohne äußere Hemmung leidenschaftlich ins Unbekannte hinein.
Der Junge ist nur einer von vielen Männern[4] und Knaben, die sich in einem ihnen eingeräumten Ausstellungssektor wie in einer Oase betätigen dürfen. Unterhalten wird der kleine Naturschutzpark von der Vereinigung Deutscher Werklehrer, die durch seine Anlage für den Werkunterricht in der Schule werben will. Er ist noch längst nicht überall eingeführt, und aus budgetären Gründen wird sogar zur Zeit sein Abbau erwogen. Die Kinder, die hier angesichts des Publikums zeichnen, nähen, kleben, schreinern usw., sind lebendige Demonstrationsobjekte, deren Verführungskraft sich niemand entziehen kann. Sie kommen aus den Klassen, üben sich im vernünftigen Umgang mit den Stoffen und werden dazwischen mit Marmeladebroten verköstigt. Auch schulentlassene Arbeitslose nehmen am Unterricht teil.

So gewiß sich die Arbeit dieser Kinder heute wie unter einer Glasglocke vollzieht, ebenso gewiß versinnlicht sie einen Zustand, in dem sie keine Ausnahme mehr ist, sondern die Regel. Eine Statue, nach der sägenden Knabenfigur[5] gebildet, könnte sein Zeichen sein. Das Zeichen aber hätte zu besagen, daß alle Knaben, Sägen und Bretter uneingeschränkt zusammengehören. Einstweilen begegnen sie sich nur selten und unter vertrackten Kautelen.

»Hier gibt es eitel Sonne,
Der Kinder und der Mütter Wonne«,

so lautet der Begleitvers zu einer Bildmontage, die das Glück in der besiedelten Natur draußen zeigt. Das ganze Freigelände ist dieses Glückes voll. Es enthält lauter Wochenend- und Siedlungshäuschen »für alle«, die nur leider, so billig und puppenhaft ihrer viele auch sind, nicht von allen bezahlt werden können. Sie haben sogar die Fähigkeit zu wachsen, aber die meisten Leute renkten sich schon jetzt die Glieder aus, wenn sie sich nach ihren niedrigen Decken strecken wollten. Diese netten Dinger, deren einige immerhin bereits Käufer gefunden haben, sind durchaus doppeldeutig. Einmal stellen sie eine Zuflucht dar, die das Bestehende nur noch verfestigt. Denn wer sich in ihre hübsche Geborgenheit zurückzieht, bleibt gern in seinem Blumentopf stecken und ist daher mehr am Steckenbleiben als an Veränderungen interessiert. Zum andern sind die Häuschen ein Versprechen. Vielfach nach dem Freien geöffnet und doch heimlich, mitten in der Natur und doch in Verbindung mit dem Arbeitsplatz, weisen sie auf eine Zeit hin, in der sich Privates und Öffentliches, Stadt und Land richtiger zueinander verhalten. Gleich ihnen ist die Spiel- und Festwiese zur Hälfte eine Fata Morgana. Jugend vereint sich hier zu Gruppenspielen und gymnastischen Posen, die auf allegorischen Wandgemälden abgebildet sein[6] könnten, und rund ums Oval laufen Sitzreihen und Blumenbeete, die Stufe um Stufe erklimmen. Das Oval ist entspannt, und die Beete erinnern an den Frieden. Ein Schein, der nicht trügt; aber vergißt man über ihm die fortgelassene Wirklichkeit, so ist man betrogen.

Herrlich ist ein Hallenteil, in dem sich folgendes beieinander findet: ein richtiges Flugzeug; das große Modell einer D-Zug-Lokomotive; ein

Stück Zoo in Lebensgröße mit Palmen und einer echten Antilope. Raum- und Zeitzusammenhänge sind in diesem Abschnitt gleichnishaft aufgehoben, Weltelemente aus der Kruste gerissen und kurzerhand ineinander verschränkt. Geld spielt hier keine Rolle mehr, und die Entfernung ist nichtig. Man fährt nach Taugenichtsart auf der Lokomotive mit, die über unsichtbare Schienenstränge hinrollt, oder besteigt das Flugzeug und ist schon am Ziel: dicht bei der Antilope, die ohne Furcht grast.
(FZ vom 8. 6. 1932)

1 Die vom Berliner Messeamt veranstaltete Ausstellung »Sonne, Luft und Haus für alle«, eine »Ausstellung für Anbauhaus, Kleingarten und Wochenende« fand vom 14. 5. bis zum 7. 8. 1932 auf dem Messegelände statt. Siehe Eugen Ohm, »Sonne, Luft und Haus für alle. Bemerkungen zu einer Ausstellung«. In: FZ vom 24. 5. 1932, Nr. 381-383.
2 Im Typoskript (KN): »Glück«.
3 Im Typoskript: »drastische«.
4 Im Typoskript: »Mädchen«.
5 Im Typoskript: »nach dem sägenden Knaben«.
6 Im Typoskript: »werden«.

## 657. Heißer Abend

Jetzt in den heißen Tagen öffnen sich abends die Poren Berlins, und die Stadt dünstet ihre Menschen aus. Viele sammeln sich auf dem *Kurfürstendamm* und wälzen sich ununterbrochen fort – ein träges Gewühl, das genauso glüht wie der Asphalt. Wo ist der Asphalt?[1] Man sieht ihn nicht mehr, denn er wird vollständig vom Ineinander menschlicher Körper bedeckt, die eine lebendige Schicht über der toten bilden. Und wo sie aufhören, beginnen gleich die Karosserien, aus denen Köpfe herausragen, die wartenden Wagen, die in Laub gehüllt sind. Das Laub raschelt nicht, sondern ist still und erschöpft. Endigte es noch im Himmel! Aber vom Himmel wird es durch die Lichtreklamen getrennt, deren farbige Zeichen, Worte und Linien die Höhe beherrschen. Sie sind grell wie die Hitze, erhellen Bruchstücke von Dächern, Türmen und Karyatiden, und werfen zusammen mit den Bogenlampen einen betörenden Schein auf das Menschengewimmel. Es ist bunter noch als die Lichter. Kleine

Pärchen, Provinzler, junge Dandys, vornehme ältere Herren, vierschrötige Männer, Dämchen, Damen und Mädchen, Arbeiter, Gelegenheitsmacher, vergnügte nächtliche Banden – aus allen Ländern und Stadtquartieren sind sie hier zusammengeströmt. Außer dem Pflaster und der schwülen Luft, die sie einatmen, haben sie kaum etwas miteinander gemein. Im Gegenteil, so dicht sie sich streifen und kreuzen, so scharf und unvermittelt grenzen sie sich gegenseitig ab. Keine Atmosphäre ist zwischen den Gesichtern, keine Woge nimmt das Widerstrebende mit. Sämtliche Konturen sind vielmehr von einer Härte, die unduldsam ist. Armut und Reichtum, Unschuld und Laster: diese Begriffe aus den Kinderbüchern, die sonst vielfach abgewandelt werden, verkörpern sich an solchen heißen Abenden auf dem Kurfürstendamm und ziehen, grün oder rot beleuchtet, zwischen Laubfolien und Restaurationsgärten dahin. Der Bettler singt. Der Portier schließt die Wagentür. Ein Jüngling flüstert Liebesworte. Die Herrschaften lachen. Durchs Halbdunkel wirbeln Prozente.

Es ist die Hitze, die jeden einzelnen so aus sich heraustreibt. Wie sie den Asphalt erweicht, so löst sie die Menschen auf, bis sie sich völlig zeigen. Sie haben Röcke und Westen zu Hause gelassen und wirken in diesem Zustand nackter als ohne Kleider. Hosenträger straffen sich sichtbar, durchschwitzte Hemden kleben am Leib und dünne Blusen drohen zu platzen. Der *Körper* ist an die Oberfläche getreten, und nicht nur der Körper, sondern alles, was in und um ihn ist, der ganze Mensch selber mit Haut und Haaren. Die vorquellenden Augen enthalten seine Begierde, das Mißvergnügen sitzt in den überdeutlichen Pickeln, und der Gang ist eins mit der Not. Die Geheimnisse verdampfen, Neid, Haß, Glück und Einsamkeit wölben sich öffentlich im Raum. Sie drücken sich in der Sprache der Glieder aus, deren schwellende Plastik nicht übersehen werden kann, sie vergegenwärtigen sich durch Gebärden, die nach ihrem Verschwinden noch lang in der Luft stehen. Nichts bleibt zurück und alles ist außen.

Auch die *Stimmen* sind ungedämpft; es ist, als seien überall verborgene Schalltrichter angebracht. Die Rufe der Zeitungsverkäufer gellen, Frauen kreischen, und Worte, deren Hülle durchgeschmolzen ist, brechen aus der Finsternis hervor. Wer unterschiede noch verständliche Fetzen in dem Gebrüll?[2] Es sei denn, daß man das Gegeneinander der Stimmen

herausHörte, die Qual, die nur schreien will,[3] und die Lust, hier auf der Erde zu sein. Die Figuren sind Entladungen und das Tosen ist eine Explosion.[4]
(FZ vom 15. 6. 1932)

1 Text nach der handschriftlichen Korrektur Kracauers in den Klebemappen; im FZ-Druck fehlt der vorangehende Satz (»Wo ist der Asphalt?«).
2 Im Typoskript (KN): »Wer unterschiede noch Einzelheiten in dem Gebrüll?«
3 Im Typoskript: »die sich ausschreien will«.
4 Im Typoskript: »Das Getose der Figuren ist eine einzige Explosion.«

## 658. Reichsehrenmal

### Zur Ausstellung des Ideenwettbewerbs

Der Wettbewerb zur Erlangung von Vorschlägen für die Ausgestaltung des *Reichsehrenmals*, das bekanntlich bei *Bad Berka* (Thüringen) in Form eines Ehrenhaines errichtet werden soll,[1] hat eine Unmenge von Architekten, Bildhauern und Malern mobilisiert. Nicht weniger als 1828 Entwürfe sind eingelaufen, die teilweise noch durch Modelle ergänzt werden. Sie füllen die Ausstellungshallen am Lehrter Bahnhof, riesige Räume, die kaum die Ausgeburten der Monumentalfantasie zu fassen vermögen. Ihre Sichtung muß eine wahre Herkulesarbeit gewesen sein. Das Preisgericht, das sie unter dem Vorsitz von Staatssekretär Zweigert[2] geleistet hat – dem Kollegium gehörten u. a. der Reichskunstwart Dr. Redslob[3] und verschiedene namhafte Architekten[4] an –, ist zur Prämiierung von 20 Entwürfen gelangt. Zwanzig weitere Vorschläge sind mit Anerkennungspreisen bedacht worden.

Angesichts der vollendeten Tatsache von 1828 Entwürfen ist es nicht an der Zeit, das Projekt des Reichsehrenmals selber nochmals zur Diskussion zu stellen. Genug, daß die Ausstellung schlagend die Schwierigkeiten dartut, in die dieses Projekt sämtliche um seine Verwirklichung bemühten Künstler stürzt. Woher rühren die Schwierigkeiten? Sie haben ihren Grund nicht zuletzt darin, daß sich eine einheitliche, überragende Auffassung des Kriegs noch nicht hat durchsetzen können. Verschiedene fundamentale Prinzipien kämpfen heute um ihre Geltung, Erkenntnis und dunkle Machtansprüche liegen miteinander im Streit – das Ehrenmal aber soll seiner Bestimmung gemäß Gehalte vergegenwärtigen, die allen gemeinsam sind. Diese Aufgabe ließe sich mit Erfolg angreifen, wenn ein Prinzip herrschte, das wirklich allgemein bejaht zu werden verdiente. Sie in unserer Situation positiv zu bewältigen, ist unmöglich.

Solche Erwägungen sind offenbar auch bei der Urteilsbildung von Einfluß gewesen. Denn das Preisgericht hat eine Reihe von Entwürfen anerkannt, die sich positiver Aussagen enthalten oder doch jedenfalls mit einem Minimum von Bedeutungen auszukommen suchen. Unter ihnen befindet sich zum Beispiel ein architektonisch ansprechender von Ernst Zinsser,[5] der das eigentliche Mal als eine Art von offenem Atrium ausgestaltet. Auch andere preisgekrönte Vorschläge ziehen sich zur Hauptsache auf den wirksamen mythischen Gehalt des Waldes und der Landschaft zurück. So verbindet Dr. Heinz Hildner[6] die drei Hügel des Geländes durch einen Rundweg, von dem aus sich allenthalben Blicke auf den tiefer gelegenen Versammlungsraum in der Mitte eröffnen. Übersteigert wird der dem Wald rechtmäßig beizumessende Sinn in einem Projekt, das einen kreisrunden »heiligen Wald des Schweigens« anordnet, den es durch einen ringartig ausgeholzten breiten Gürtel von der profanen Außenwelt absondert. Die Funktion des Waldes erlischt sofort, wenn er zum symbolisch gemeinten Architekturelement erhoben wird, und ich wüßte nicht, wie man die Leere dieser Symbolik drastischer kennzeichnen könnte als der Verfasser des Projekts selber, der nicht verabsäumt, seinem »heiligen Wald des Schweigens« gleich eine Planskizze zur »Verkehrsregelung im Ehrenhain bei vaterländischen Veranstaltungen« beizugeben.[7] Vorsichtiger verkehren Gerhard Morgenstern und Kurt Voutta[8] mit den Symbolen, die Autoren eines Entwurfs, der sich nicht auf ein einzelnes Wahrzeichen beschränkt, sondern eine Menge von Gedenksteinen, die den verschiedenen Ereignissen des Krieges gerecht werden sollen, über den Hain verteilt. Hier wird der Besucher aktiviert, und Wald und Erinnerung wirken zusammen auf den Wanderer ein. »Das Schlagwortartige, das viele Einsender suchten«, heißt es auch sehr richtig in der Begründung des Preisgerichts zu diesem Entwurf, »ist hier verdrängt durch das Anschauliche«.[9] Prof. Wilhelm Kreis[10] nutzt ebenfalls das Motiv des Weges gut aus: zum eigentlichen Mal führt eine ansteigende Waldschneise, an deren Ende sich hochragende Kriegergrabkreuze gegen den Horizont abheben. Überhaupt wird Kreis diesmal seiner Neigung zur Monumentalität Herr und behandelt das Symbolische mit reifer Zurückhaltung.

Nicht alle preisgekrönten Entwürfe vermeiden das »Schlagwortartige«, das die Gutachter unmißverständlich geißeln. Den Passierschein erhalten hat etwa ein Ehrenmal in Gestalt eines gewaltigen Steinblocks mit der weithin sichtbaren Aufschrift: »2 000 000«, den dichtgedrängte Figurenscharen stützen.[11] Oder das Mal setzt sich aus fünf ungeheuren Steinpfeilern zusammen, die der Bezeichnung der fünf Kriegsjahre dienen. Ähnliche Lösungen finden sich unter den anerkannten noch mehr. Sie haben dies gemeinsam: daß sie sich aus dem Negativen herauswagen, ohne das Pathos des Kriegs substanziieren zu können. Hierzu bedürfte es der Bezugnahme auf eine Idee, die das Faktum des Kriegs tatsächlich umklammerte. Statt dessen leiten die betreffenden Vorschläge ihre Architekturen aus Vorstellungen und Begriffen ab, die viel zu dünn, ausgelaugt und neutral sind, um diese Architekturen selber zu rechtfertigen. Der Komplex der fünf Steinpfeiler ist ein Symbol, das weniger Gewicht als die Steinpfeiler hat, und der von den Figuren getragene Block erdrückt den Gedanken, der ihm zugrunde liegt. Leicht verständlich, daß von so schwachen symbolischen Werten auch die rein architektonischen in Mitleidenschaft gezogen werden.

Der Rest ist nicht Schweigen im Walde, sondern Radau. In der Tat: wer die Masse der ungekrönten Entwürfe durchmustert, dem vergehen die Sinne vor wildem Geschmetter, und ein Alpdruck, der nicht nachlassen will, senkt sich auf ihn herab. Siegesalleen runden sich zum Kreis, Völkerschlachtdenkmäler stolpern himmelan, wuchtige Kolossalfiguren trampeln alles nieder, Steinbogen wölben sich über der nichtsahnenden Landschaft, protzige Schwimmhallen gebärden sich als Gedenkstätten und Monstrefilmtreppen nehmen ihren Lauf. Diese architektonischen Exzesse, deren manche vor das Forum des Psychoanalytikers gehörten, belegen sinnfälliger als Statistiken die Zerrüttung im Innern. Verzweiflung symbolisiert in ihnen mythische Gewalten, von denen sie nicht ergriffen ist, und Ohnmacht umgibt sich hier lautsprecherisch mit Monumenten.[12]

(FZ vom 18. 6. 1932)

1 Das Kabinett Brüning hatte am 27. 3. 1931 offiziell die Errichtung des Reichsehrenmals im Waldgebiet südlich Bad Berkas beschlossen. Am 20. 8. 1931 wurde ein allgemeiner Ideenwettbewerb unter allen »künstlerisch tätigen Deutschen (Reichsangehörigen)« zur Vorbereitung der Entscheidung über die Ausgestaltung des Ehrenmals ausgeschrieben. Der Vorschlag sollte »dem Gedanken des Ehrenhains für die im Weltkrieg gefallenen Deutschen Krieger und dem Waldgelände angepaßt sein«.

2 Der Jurist Erich Zweigert (1879-1947) war von 1923 bis 1933 als Staatssekretär im Reichsinnenminsterium tätig.

3 Zu Erwin Redslob siehe Nr. 492, Anm. 2.

4 Das Preisgericht setzte sich aus 17 Vertretern von Reich, Ländern, Frontsoldatenverbänden und Künstlern zusammen. Die beteiligten Architekten waren German Bestelmeyer (München), Karl Elkart (Hannover), Franz Seek (Berlin), Heinrich Straumer (Berlin) und Gartenarchitekt Carl Kempkes (Berlin).

5 Der Architekt Ernst Zinsser (1904-1985) war als Regierungsbaumeister in Bonn und Berlin tätig, wo er 1934 ein Architekturbüro eröffnete. Von 1947 bis 1971 lehre er als Professor für Entwerfen und Gebäudekunde an der Technischen Hochschule Hannover.

6 Der Wiesbadener Architekt Heinz Hildner promovierte 1931 über das Thema *Wiesbadener Wohnbauten der klassizistischen Zeit* an der Technischen Hochschule Darmstadt; weitere Angaben waren bislang nicht zu ermitteln.

7 Gemeint ist der von den Architekten Alfons Baecker, Franz Suirrenberg und dem Gartenarchitekten Rudolph Stier (Kassel) eingereichte Entwurf, in dessen Zentrum der von Kracauer erwähnte »heilige Wald des Schweigens« stand.

8 Der Architekt und Maler Gerhard Morgenstern (1881-?) und der Bildhauer Kurt Voutta (1898-?) waren beide in Königsberg tätig.

9 Kracauer zitiert hier und im vorangehenden aus dem Urteil des Preisgerichts. Die Beurteilung der preisgekrönten Entwürfe ist abgedruckt in: *Die Gartenkunst* Jg. 45 (1932), Nr. 6 vom Juni 1932, S. 81-98.

10 Zu Wilhelm Kreis siehe Nr. 492, Anm. 2.

11 Der hier erwähnte Entwurf war ein Gemeinschaftsprojekt des Architekten Ludolf Beer (Wiesbaden), des Gartenarchitekten Herbert Kuske (Wiesbaden) und des Bildhauers Carl Wilhelm Bierbrauer (1881-1962). Bierbrauer war von 1913 bis 1933 Dozent an der Werkkunstschule in Wiesbaden; zu seinen Arbeiten zählen u. a. die Gutenbergstatue am Portal der Nassauischen Landesbibliothek Wiesbaden (1913), das Bauarbeiterdenkmal im Rheingauviertel von Wiesbaden (1924) sowie mehrere Kriegsdenkmäler in der Umgebung von Wiesbaden.

12 Im Januar 1933 unterzog die Jury die Entwürfe einer zweiten Prüfung; drei Entwürfe wurden mit einem Preis von je 3000 RM prämiert. Siehe hierzu Nr. 724.

## 659. Der Elefant

Im Wintergarten,[1] dessen Programm durch eine Solonummer von *Paul Graetz*[2] gekrönt wird – der Künstler singt und springt mit Gelenkigkeit und Noblesse ein Potpourri Altberliner Chansons –, tritt auch ein *Elefant* auf, der einem in der Seele leid tun kann. Langsam kommt er hereingeschritten, ein mächtiges graues Tier, und stellt sich im Hintergrund auf. Vielleicht erinnert er sich noch an die Wälder, durch die er einst stampfte, an die Gerüche der Freiheit und an die Sonne, die manchmal über ihm leuchtete. Aber Wälder und Freiheit sind schon lange vorbei, und das Scheinwerferlicht, das die Bühne erhellt, ist mit der Sonne nicht zu vergleichen. Man ist gefangen. Man darf nicht mehr jubelnd trompeten oder nach Gefallen Baumstämme knicken, sondern muß sich wie ein Besiegter in sein Schicksal ergeben.

Das Schicksal wird durch eine lächelnde Dame verkörpert, die dem Elefanten befiehlt, auf einem riesigen Ball zu balancieren, als sei er ein Seelöwe, und ihn dann wie einen Seiltänzer über eine Reihe von Pfosten schickt, auf denen er kaum Tritt fassen kann. Er tut, was sie will. Er fühlt mit dem Rüssel vor, setzt jeden der vier Fußkolosse genau an die richtige Stelle und geht sogar, weil es nun einmal von ihm verlangt wird, den schwindelerregenden Pfostenweg wieder zurück. Welch ein Gleichgewichtssinn sitzt unter der dicken Haut und wie ausgewogen sind alle Bewegungen, die er vollführt! Wäre er ein Artist, so dürfte er stolz auf die wunderbare Kunstfertigkeit sein, mit der er die Figuren beschreibt und die Schwere bezwingt. Aber er ist kein Artist, sondern ein Elefant, der den Sinn dieser Leistungen nicht einsieht oder ihn doch mißbilligte, begriffe er ihn. Denn seit wann wäre es die Bestimmung des Elefantengeschlechts, Bälle zu rollen und über Pfosten zu schreiten? Beschämt und verwaist steht er wieder im Hintergrund und erwartet die neuen schlimmeren Qualen, die ihm jetzt zugefügt werden.

Ein *Herr* in weißer Uniform erscheint, eine Art tropischer Feldwebel, der sehr zielbewußt ist. Mit seiner selbstsicheren Stimme nötigt er den Elefanten, sozusagen geistige Arbeiten zu verrichten. Er zeigt ihm eine Vier, und der Elefant muß viermal auf die Tafel klopfen; er veranlaßt das Publikum, Rechen-Aufgaben zu stellen, und dem Elefanten bleibt nichts

anderes übrig, als die kindischen Aufgaben wie ein Klopfgeist zu lösen. Empfinge er noch die Anweisungen in zuvorkommendem Ton! Doch der Uniformierte denkt gar nicht daran, ihn weltläufig zu behandeln, sondern begönnert das gewaltige Tier. Wahrhaftig, er legt Herablassung an den Tag, sucht dem Elefanten einzureden, daß alle diese läppischen Späße, bei denen mitzuwirken ihm obliegt, ernste und wichtige Verpflichtungen seien, und spielt durchaus den überlegenen Gebieter, der es sich leisten darf, plump vertraulich zu werden. Wie einem dummen Tölpel begegnet er dem Geschöpf.
Es kann sich nicht wehren. Aber man merkt, daß es die Demütigung spürt, die ihm hier widerfährt. Während der weiße Mann sich krampfhaft mit ihm beschäftigt, sieht es ihn nicht etwa an, blickt vielmehr unaufmerksam ins Leere. Den Ausdruck dieser *Augen* vergißt niemand so leicht. Sie sind von einer Trauer erfüllt, die so unendlich ist wie die grauen zerklüfteten Flächen, in deren Mitte sie sich verlieren, und verraten zugleich die grenzenlose Verachtung, die das Tier gegen den törichten Weißen empfindet. Ja, es verachtet ihn, dem es gehorchen muß, und gibt sich nicht einmal die Mühe, dieses Gefühl zu verbergen, das sein Peiniger auch gar nicht verstünde. Mitunter vergißt es überhaupt, daß er neben ihm steht, nickt einsam vor sich hin und schüttelt abwesend den Kopf. In solchen Augenblicken hängt es den unentwirrbaren Geschichten aus der Vergangenheit nach, und die Weisheit der Wälder rauscht durch sein Blut. Wurzelnacht, Lichtungen, Schneisen – dort weilt in Wahrheit sein Geist. Und nur mechanisch führt es die Aufträge aus, über die es erhaben ist, ohne sich um die plappernde Uniform zu bekümmern.
Diese scheint ihrer Sache so sicher zu sein, daß sie einmal dem Elefanten sich aufzurichten befiehlt. Er richtet sich auf, und es ist, als berste die Erde, als ginge die Natur aus den Fugen. Gegen jede Gewöhnung steigt die ganze ungeheure Masse in die Höhe, steht auf den beiden Hinterfüßen und erstarrt zur furchtbaren Drohung. Ist das noch der Elefant, der Kegel schiebt und ein Holzstäbchen zerbricht? Ein Urwelttier ist auf dem Podium erstanden. Sein Leib ist ein Massiv lebendig gewordener Felsen, sein Kopf eine Fratze, in der sich die Empörung der Elemente verkörpert. Kein Bild, das wir kennen, gleicht dieser Gestalt. Aus ihren Augen schießen böse Strahlen, und ihr Rüssel stürzt unheilvoll nieder.

Sie brauchte ihn nur leicht zu schwingen, und der Wicht vor ihr wäre nicht mehr. Und statt reglos wie ein düsteres Monument auf demselben Fleck zu verharren, könnte sie dann Schritt für Schritt, als ginge sie über lauter Pfosten, in den Zuschauerraum niedersteigen und das Publikum zertrampeln, das nichtsahnend gelacht und geklatscht hat ...
Das alles könnte sie tun, und niemand vermöchte den Ausbruch zu hindern. Aber nach einer kurzen Pause, die nicht aufhören will, senkt sich das unförmige Wesen langsam herab und verwandelt sich wieder in den alten Elefanten zurück. Die Wunder der Dressur nehmen ungestört ihren Fortgang. Mit einer unermüdlichen Geduld vollbringt der Elefant, was ihm geheißen ist.

Wie dieser Elefant, so verhalten sich manchmal die Völker. Sie werden gegängelt, sie balancieren, rechnen, richten sich auf, senken sich nieder und üben Geduld. Doch gleich dem Elefanten sind sie nicht immer, was sie zu sein scheinen. Um zu erfahren, wie es ihnen wirklich zumute ist, muß man den Text entziffern, der in ihren Augen geschrieben steht. Genau wie beim Elefanten.
(FZ vom 19. 6. 1932)

1 Der Wintergarten wurde 1887 unter der Leitung von Franz Dorn und Julius Baron als Varietébühne eröffnet und avancierte nach der Jahrhundertwende zu einem der wichtigsten Berliner Varietés. 1928 unter der Direktion Ludwig Schuchs umgebaut und auf 3000 Sitzplätze erweitert, wurde er 1944 zerstört; 1992 feierte das Wintergarten-Varieté in Erinnerung an den alten Wintergarten seine Neueröffnung.

2 Der Schauspieler und Kabarettist Paul Graetz (1890-1937) trat nach dem Ersten Weltkrieg u. a. im Kabarett Schall und Rauch, an der Wilden Bühne und im Kabarett der Komiker auf und machte sich in Produktionen wie DIE HOCHSTAPLERIN (Marcel Berger. DE 1926/27; siehe *Werke*, Bd. 6.1, Nr. 225), DER MEISTER DER WELT (Gennaro Righelli. DE 1927; siehe *Werke*, Bd. 6.1, Nr. 233), sowie in EIN TAG FILM (Max Mack. DE 1928; siehe *Werke* Bd. 6.2, Nr. 417) auch als Filmschauspieler einen Namen. 1933 emgrierte er über England in die USA.

## 660. Gedenkfeier für Walther Rathenau

Der *Deutsche Republikanische Reichsbund* und das *Reichsbanner*[1] feierten heute abend das Andenken Walther Rathenaus[2] im blumengeschmückten Plenarsitzungssaal des Reichstages. An der gleichen Stätte, an der vor zehn Jahren der Sarg des von Mörderhand gefallenen Ministers aufgebahrt worden war. Jene Zeiten sind uns, die wir sie miterlebt haben, schon beinahe historisch geworden. Aber als die Fahne der Republik hochgezogen wurde, stiegen sie mit ihr langsam empor und kehrten wieder in die Gegenwart zurück, die trüb ist wie sie. Es war, als beschwöre die Fahne selber, die das Symbol der Republik ist, die Erinnerung an den großen Toten herauf, der die Republik mitgeschaffen und für sie das Opfer seines Lebens gebracht hat. Ihn, den »Märtyrer der Republik«, feierte Oberbürgermeister Dr. *Luppe* (Nürnberg)[3] in kurzen einleitenden Worten, die der Vergangenheit galten und dem Heute zugewandt waren. Denn sie leg[t]en den Sinn dieser Stunde dahin aus, daß Rathenau ehren nichts anderes heiße, als sich für den Kampf stählen, der um den Volksstaat entbrannt ist.

Auch Graf *Harry Kessler*[4] begriff in seiner wohldurchdachten und formsicheren Gedenkrede Rathenau nicht als historische Erscheinung, sondern als eine aktuelle Gestalt. Was aber bedeutet dieser »Wegsucher« unserer Zeit? Er hat zunächst, so etwa formulierte der Redner, schon lang vor dem Krieg die *politischen* Gefahren erkannt, von denen unser Volk noch heute bedroht ist, und dann nach dem Krieg die Folgerungen aus seinen Erkenntnissen gezogen. Wie sie es ihm ermöglichten, die Unhaltbarkeit des Versailler Vertrages und den wirtschaftlichen Widersinn der Reparationen zu durchschauen, so bestimmten sie ihn dazu, sich rechtzeitig mit den Problemen des Wiederaufbaues zu befassen. Dank dieser konstruktiven Einsichten vermochte er der deutschen Außenpolitik in einer der schwierigsten Epochen unserer Geschichte eine Idee zu schenken und jene Linie einzuschlagen, die früher oder später zur Befreiung Deutschlands führen muß. Durch die äußere Befreiung hat er im *Innern* die des deutschen Menschen erreichen wollen. Freiheit des Menschen: das war in der Tat die Mitte seiner von Graf Kessler geistreich skizzier-

ten Philosophie. Um dieser Freiheit willen bekämpfte er den alten Obrigkeitsstaat, wurde zum Verteidiger der jungen Republik. Als der große Praktiker, der er war, erkannte er aber auch, daß die menschliche Freiheit im Zeitalter der Massen nur unter gewissen *sozialen und wirtschaftlichen* Bedingungen zu realisieren ist. Alle seine Schriften zeugen von einem leidenschaftlichen Ringen um das Problem, wie Seele und Mechanisierung miteinander zu vereinen seien. Vermochte er es auch nicht zu lösen, so wies er doch einen Weg. Und zwar war ihm bewußt, daß der Prozeß der Mechanisierung nicht mehr rückläufig gemacht werden könne, sondern im Dienste der menschlichen Seele noch intensiviert werden müsse. Der Weg, den er meinte, führte zum Sozialismus, zur Verwirklichung der Planwirtschaft, deren Lebensfähigkeit schon im Krieg bündig dargetan worden war. Und nur in dem einen, allerdings wesentlichen Punkt unterschied er sich von Marx: daß er vom Sozialismus nicht die Befreiung des Menschen erhoffte, vielmehr umgekehrt die Herbeiführung des Sozialismus von der Schaffung eines neuen Menschentypus abhängig machte. Damit aber wurde er zum Künder und Führer der in Umbildung begriffenen *deutschen Jugend von heute*. Graf Kessler verweilte bei dieser Jugend und deutete die radikalen politischen Bewegungen, denen sie sich zum großen Teil angeschlossen hat, als religiöse Bewegungen, die auf den neuen Menschen gerichtet sind. Unter schweren Wehen wird er geboren werden, und schon sieht man seine Konturen. Physiognomische Veränderungen haben stattgefunden, die Architektur ist neu geworden, und auch der Sport weist auf die kommenden Dinge hin, die Walther Rathenau erträumte. Der Redner erinnerte an sein Wirken für Deutschland vor, in und nach dem Krieg, an seinen Kampf gegen die Verleumdung Deutschlands und an die mit feigem Mord vergoltene Liebe, die er, der Jude, für die germanische Rasse empfunden habe. Den Antisemitismus geißelnd, der unser Volk verunziere, drückte der Redner am Schluß die Hoffnung aus, daß der »Karneval der Verzweiflung«, in dem wir uns heute befinden, bald zu weichen beginne.
Mit dem Dank Dr. Luppes an Walther Rathenau und dem Gelöbnis, ihm nachleben zu wollen, ging die schöne, würdige Feier zu Ende.
(FZ vom 26. 6. 1932)

1 Der 1921 als überparteiliche Organisation gegründete und von Politikern der SPD, der DDP und später auch des Zentrums geleitete Republikanische Reichsbund (RRB) setzte

sich zum Ziel, den Einfluß reaktionärer Gruppen im Staatsapparat zurückzudrängen, den Zusammenhalt zwischen den demokratischen Parteien zu stärken und die »republikanische Gesinnung« zu vertiefen. 1933 mußte er seine Tätigkeit einstellen. Das Reichsbanner Schwarz-Rot-Gold wurde 1924 von SPD, Zentrum, DDP und kleineren Parteien zum Schutz der Republik gegen die Aktivitäten der rechtsextremen Verbände, aber auch gegen die Politik der KPD gegründet. Vorsitzende waren die SPD-Politiker Otto Hörsing (bis 1932) und Karl Höltermann (1932/33). Das Reichsbanner hatte 1932 bis zu drei Millionen Mitglieder; 1933 wurde es verboten und 1953 als Bundesverband Reichsbanner Schwarz-Rot-Gold, Bund aktiver Demokraten e. V., wieder begründet. Siehe auch Nr. 473, Anm. 5.

2 Zu Walther Rathenau siehe Nr. 81, 82 und 83.

3 Hermann Luppe (1874-1945), seit 1910 Mitglied der DDP, war von 1920 bis 1933 Oberbürgermeister von Nürnberg.

4 Zu Harry Graf Kessler siehe Nr. 78, Anm. 7. 1928 veröffentlichte Kessler die Biographie *Walther Rathenau. Sein Leben und sein Werk* (Berlin: Klemm).

## 661. Ein Arbeitslosen-Roman

Rez.: Georg Schäfer, *Straßen führen auf und ab*. Köln: Gilde 1932.

*Georg Schäfers* Roman: »*Straßen führen auf und ab*« ist ein einfacher, im Ichton erzählter *Bericht*, der keinen Anspruch auf Kunst macht. Sein Held, ein kleiner Angestellter kommt eines aus Eifersucht begangenen Gewaltaktes wegen ins Gefängnis, geht dann auf die Walze, lebt lang das Leben der Arbeitslosen mit und organisiert zuletzt, durch einige glückliche Umstände begünstigt, eine Erwerbslosen-Siedlung, die als eine Art von Ausweg aus dem Elend erscheint. Solche Berichte sind schon hinreißender gestaltet, mit härterem Griff der Wirklichkeit abgerungen worden. Dennoch hat das Buch einen gewissen dokumentarischen Wert. Er besteht, kurz gesagt, darin, daß sich hier eine Auseinandersetzung zwischen *katholischer* Gesinnung und unseren heutigen *sozialen* Verhältnissen vollzieht. Und zwar wird die katholische Haltung nicht als Tendenz an den Stoff herangetragen, sondern im Material selber entwickelt. Sie prägt sich in der Führung des Berichts aus, die zum Unterschied von gesellschaftskritischen Reportagen soziologische Betrachtungen meidet; sie verkörpert sich in einer Figur wie der des Kaplans Brand, der seelsorgerische Tätigkeit mit praktischer Hilfeleistung verbindet und als Mittler gewissermaßen den Schlüssel des Heils in Händen hat; sie grenzt sich

in verschiedenen Gesprächen ausdrücklich von anderen Haltungen ab. So kommt es einmal zu einer Diskussion zwischen einem kommunistischen Arbeitslosen und einem Nationalisten, in der sich der Autor durch den Mund des Kaplans gegen beide Richtungen wendet. Wie er die Nachahmung des russischen Beispiels verwirft, so verneint er auch die Zulässigkeit der rechtsradikalen Ideologie: »Das Nationale, wie Sie es nennen, ist etwas Selbstverständliches, daß man es nicht immer betonen muß.« Ebenso deutlich verurteilt er gewisse Ausschreitungen des Kapitalismus; vor allem jene unmäßig aufgeblähten Unternehmungen, die früher oder später platzen müssen. Sprachrohr der Kritik ist ein besonnener, mittlerer Industrieller, der angesichts der vielen Krachs rings um ihn erklärt: »Großmannssucht in Gemeinschaft mit zynischer Skrupellosigkeit kann auch das festeste Gebäude zum Wanken bringen.« Derselbe Industrielle finanziert am Schluß auch das Siedlungswerk, das ohne seine Unterstützung gar nicht in Angriff genommen werden könnte. Eine Tatsache, aus der schon eindeutig hervorgeht, daß das optimistische Ende des Romans keinen generellen Lösungsversuch bringt, sondern sich auf die Veranschaulichung einer *Ausgleichsmöglichkeit* beschränkt. Daß das Streben nach solchen Ausgleichen den Vorzug vor radikalen gesellschaftlichen Umbrüchen erhält, entspricht nur der Einstellung katholischen Denkens zu den innerweltlichen Angelegenheiten. Der Roman ist insofern aufschlußreich, als er uns dieses Denken gleichsam im Alltagsgewand zeigt.
(FZ vom 26. 6. 1932, Literaturblatt)

## 662. Zeichen- und Kunstunterricht

Rez.: Jakob Schug, *Aufbau des Zeichen- und Kunstunterrichts*. Saarbrücken: Hofer 1931.

Das Buch: *»Aufbau des Zeichen- und Kunstunterrichts«* von *Jak.[ob] Schug*, das aus dem Austausch jahrelanger Erfahrungen innerhalb der »Arbeitsgemeinschaft der Zeichenlehrer und -lehrerinnen im Saargebiet« entstanden ist, behandelt systematisch die Gestaltung des Unterrichts in den einschlägigen Fächern von der untersten Volksschulklasse an bis zum Abgang von der höheren Schule. Freies Phantasieschaffen, schmückendes Zeichnen, Zeichnen aus der Vorstellung und vor der Natur usw. – alle Arten bildenden Gestaltens werden erörtert und in ihrer Bedeutung für die verschiedenen Altersstufen dargestellt. Und von den allgemeinen Gesichtspunkten wendet sich dann die Betrachtung immer zur praktischen Handhabung und zu sämtlichen für den Unterricht wichtigen Details. – Einige Worte zum Grundsätzlichen. »Bildgestaltung des Kindes ist keine Kunst«, heißt es an einer Stelle. In der Tat erblickt Schug, durchaus richtig, im Zeichenunterricht nicht eine Anleitung zum wie immer gearteten künstlerischen Schaffen, sondern eine Methode zur Entwicklung mehrerer in allen Kindern angelegten Kräfte. Der Sinn der Erziehung ist nach ihm eben die Übung dieser Kräfte zum Zweck ihres späteren Funktionierens. Bei solcher Haltung versteht es sich von selbst, daß Schug den Fehler vermeidet, in den viele verfallen: vor lauter Begeisterung über die aus dem Unbewußten genährte kindliche Anschauungsweise die Kinder im primitiven Stadium festhalten zu wollen. Im Gegenteil. Schug sagt ausdrücklich: »Die starken Kräfte des kindlichen Gestaltungsdranges hinüberretten ins bewußte Gestalten ist unsere schwierige Aufgabe«. Wie aus dem ganzen Zusammenhang hervorgeht, in den dieser Satz eingebettet ist, liegt das Gewicht hier mindestens so sehr auf der Bewußtheit wie auf dem Gestalten. Dennoch entgeht Schug nicht immer der Gefahr des Idealisten, die organische Persönlichkeit zu überschätzen. Er gibt zum Beispiel dem Thema, das aus einem spontanen Erlebnis kommt, den Vorrang vor jedem gestellten Thema und fordert vom Lehrer, daß er den Schüler in seiner Eigentümlichkeit bestärken und weiterführen müsse. Sollen diese Maximen nicht ins Uferlose individueller Willkür locken, so bedürfen sie der Ergänzung durch eine andere Maxime, die Carl Linfert jüngst in seinem trefflichen Artikel: »Jugend malt und zeichnet« (vergl. Reichsausgabe vom 27. Mai)[1] angedeutet hat. Er meint dort, daß der Zeichenunterricht nicht nur die charakterologische Auslegung der kindlichen Wahrnehmungen, sondern auch ihre intellektuelle Ausnützung zu fördern habe. Die vielen dem Buch beigefügten Illustrationen und Bildtafeln, die durchweg typische Unterrichtsproben sind, beweisen zum Glück, daß Schug in der Praxis die kontrollierbare intellektuelle Bildung nicht vernachläßigt. Sein prachtvoll ausgestatte-

tes Werk verdient die Beachtung aller im weitesten Sinn pädagogisch interessierten Kreise.
(FZ vom 26. 6. 1932, Literaturblatt)

1 Carl Linfert, »Jugend malt und zeichnet«. In: FZ vom 27. 5. 1932, Nr. 388-390.

## 663. Die Techniker verteidigen sich

Eine der Technik feindliche Stimmung greift heute um sich. Es gibt eine Menge Leute, die sich nach jenen Zeiten zurücksehnen, in denen man Sendestationen und Giftgase noch nicht kannte, und zahlreiche Menschen sind der Ansicht, daß das ungezügelte Tempo der technischen Entwicklung die Schuld an dem über uns hereingebrochenen Unheil trage. Genießt in Rußland die Technik nahezu göttliche Ehren, so ist man ihrer bei uns ein wenig müde geworden. Nicht so, als ob man Bequemlichkeiten missen möchte, die sie verschafft, aber man hält ihren Geist für zerstörerisch. Er entläßt Erfindungen aus sich, die immer wieder die geschlossene Form unseres Daseins sprengen, und bindet sich nirgends an Grenzen. Vor allem wird die Technik von breiten Kreisen als die Urheberin der Rationalisierung bekämpft. Wenn sie in ihrem blinden Eifer, so meint man, dieses Teufelswerk nicht in Szene gesetzt hätte, wären auch die verhängnisvollen Folgen des Rationalisierungsprozesses ausgeblieben, unter denen wir jetzt zu leiden haben. Die Technik hat gewissermaßen die Rolle des Prügelknaben übernommen.
In einer Versammlung des *Bundes geistiger Berufe*[1] ergriffen jüngst einige Techniker das Wort zu ihrer Verteidigung. Dieser Bund ist zu dem Zweck gegründet worden, die Vertreter geistiger Berufe für das sachliche Studium ihrer gesellschaftlichen Lage zu interessieren. Zum Unterschied von seiner ersten Veranstaltung, die diesem Zweck nur wenig entsprach (vergl. das Referat Grete de Francescos in der Reichsausgabe vom 17. 4. 1932),[2] kam die zweite den Zielen des Bundes wirklich entgegen. Ihr Thema lautete: *»Technik und Planwirtschaft«*. Und sie zeigte zum mindesten, wie verschiedene Techniker von Rang die Funktion der Technik beurteilen.

Sie alle – Hauptsprecher des Abends waren der bekannte Wasserbauer Dr. Ing. *N.[ikolaus] Kelen* von der Technischen Hochschule Berlin, Stadtbaurat Dr. *Martin Wagner* und Architekt *Hans Luckhardt*[3] – drehen den Spieß gegen ihre Angreifer um. Sie erklären, daß nicht die Technik zur Wirtschaftskrise geführt habe, sondern diese umgekehrt durch die falsche Anwendung der von der Technik gelieferten Mittel entstanden sei. Verantwortlich für die Schwierigkeiten, in denen wir uns befinden, machen sie die heutige Wirtschaftsweise, nicht aber die von den Gegnern behauptete Libertinage der Technik. Im Gegenteil, diese gilt ihnen als sakrosankt und ihre ungestörte Entfaltung als die entscheidende Voraussetzung gesellschaftlichen Lebens überhaupt. Nach dem etwas linearen Schema, das Dr. Kelen aufstellt, ist die Technik das Fundament der Wirtschaft, deren Steigerung die Heraufkunft der wirklich sozial durchgeformten Gesellschaft ermöglicht, die ihrerseits erst die Grundlage einer zureichenden Kultur bilden kann. Aus dieser Formel ergibt sich zwangsläufig, daß die Konstruktionsfehler des jetzigen Systems nicht in der Technik gesucht werden dürfen. Wie sie unschuldig an den Wirkungen der Rationalisierung ist, so kennt auch die von ihr erzeugte Apparatur als solche keinen Makel. Und Kelen verfährt durchaus folgerichtig, wenn er alle jene Tendenzen verdammt, die der Technik nicht freie Hand lassen wollen. So wendet er sich gegen die Aufrechterhaltung der Betriebsgeheimnisse, durch die verhindert werde, daß viele wichtige Erfindungen und Verbesserungen der Allgemeinheit zugute kommen; so beklagt er die Anarchie in der fachwissenschaftlichen Literatur, die einen Überblick über den jeweiligen Stand der Technik nicht mehr erlaube. Die dem Fortschritt der Technik bereiteten Widerstände hemmen nach ihm zugleich den Gesamtfortschritt.
Gibt es einen Ausweg aus der Sackgasse? Die Meinung dieser Techniker geht dahin, daß der Übergang zur Planwirtschaft einen solchen Ausweg bedeute. Und durch die Herstellung von Maschinen an eine konstruktive Tätigkeit gewohnt, konstruieren sie sofort, ihr engeres Fachgebiet verlassend, Gerüste zu einer Planwirtschaft in den freien Raum hinein. Es mag hier unerörtert bleiben, ob ihre wirtschaftlichen Konstruktionen genau so haltbar sind wie jene speziellen, die sie in ihrer Eigenschaft als Techniker entwerfen; denn wichtiger ist einstweilen dies: daß sie durch ihren Beruf gleichsam von selber genötigt werden, sich mit dem Gedan-

ken planmäßigen Wirtschaftens überhaupt zu befassen. Sie nähern sich ihm nicht auf Grund bestimmter politischer Überzeugungen, sondern kraft logischer Schlußfolgerungen, zu denen sie durch die von ihnen ausgeübte Tätigkeit kommen. Indem sie technische Erwägungen gradlinig und unbefangen verlängern, gelangen sie zu Forderungen, die sie an die Wirtschaft richten zu müssen glauben. Die Kritik der Gesellschaft an der Technik wird von ihnen, den Technikern, mit einer Kritik der Gesellschaft beantwortet.

Wer ihnen dort die Gefolgschaft verweigert, wo sie sich über die vom Beruf gesetzten Schranken hinauswagen, wird sich zum mindesten nicht den Reflexionen entziehen können, die sie als Fachleute innerhalb ihres Berufes anstellen. Sie haben ihren Ursprung in gewissen Widersprüchen, die sich im Verlauf der praktischen Arbeit zwischen den besonderen technischen Möglichkeiten und der übergreifenden gesellschaftlichen Wirklichkeit ergeben. Die Städtebauer werden heute zum Beispiel, wie Martin Wagner aus eigenster Erfahrung belegt, durch die ständige unkontrollierbare Wanderung der Produktionsstätten nach dem Ort der niedrigsten Selbstkosten gehandicapt. Diese vom Rationalisierungsstreben hervorgerufenen Standortverschiebungen ziehen eine unaufhörliche Entwertung der Wohnungen, der Läden, der Einrichtungen der öffentlichen Hand usw. nach sich, der ebenfalls im Interesse rationellen Wirtschaftens begegnet werden müßte. Wie soll das geschehen? Es könnte nur durch große Landesplanungen geschehen, die für die Rentabilität der Arbeitsplätze zu sorgen hätten. Aber der Vollzug solcher Landesplanungen wäre freilich an den allgemeiner planwirtschaftlicher Überlegungen geknüpft. Auch beim Hausbau stößt man nach der Überzeugung von Architekt Luckhardt auf einen ähnlichen Antagonismus. Er besteht unter anderem darin, daß die Ausführung der Hausplanung immer noch ein Nacheinander (von Architekten- und Unternehmerarbeit) ist, obwohl sie als Nebeneinander rationeller vonstatten ginge. Nur eben ist dieses Nebeneinander im Rahmen der gegebenen Verhältnisse nicht durchführbar.

Die Techniker machen einen Gegenangriff. Und gleichviel, ob er übers Ziel hinausschießt oder nicht: er wird die Erkenntnis unserer Situation jedenfalls mehren.

(FZ vom 28. 6. 1932)

1 Der Bund geistiger Berufe (BGB; auch Bund der Geistesarbeiter) wurde im Frühjahr 1932 in Berlin als eine Organisation der KPD gegründet. Ziel war die »ideologische Beeinflussung« von Intellektuellen auf breiter Basis, insbesondere »der Mittelschichten«. Zu seinen Mitgliedern gehörten Georg Lukács, Paul Massing, Karl-August Wittfogel und Arvid Harnack. Bis 1933 organisierte der BGB eine Reihe öffentlicher Vorträge mit Diskussionsrunden; die Themen waren unterschiedlichen Berufssparten angepaßt.
2 Siehe Grete de Francesco, »Hilflose Intelligenz«. In: FZ vom 17. 4. 1932, Nr. 285-287.
3 Nikolaus Kelen (1894-?) war von 1927 bis 1933 Privatdozent für Bauingenieurwesen (Baukonstruktionen im Wasserbau) an der Technischen Hochschule Berlin; 1934 emigrierte er in die UdSSR. Zu Martin Wagner siehe Nr. 494, Anm. 5. Der Architekt Johannes Luckhardt (1890-1954) gründete 1921 gemeinsam mit seinem Bruder Wassili die Architektengemeinschaft Gebrüder Luckhardt, die nach dem Beitritt von Alfons Anker 1923 als »Brüder Luckhardt und Alfons Anker« firmierte. Nach dem Zweiten Weltkrieg wurde das Büro u. a. durch den Berliner Pavillon auf der Constructa (Hannover 1951) und die Wohnbauten am Kottbusser Tor in Berlin bekannt.

## 664. Zum Ende des Sklarek-Prozesses

Der Sklarek-Prozeß ist mit der Verkündigung des Urteils, gegen das keine Berufung mehr beantragt, sondern nur noch Revision eingelegt werden kann, nach einer Dauer von 8½ Monaten zu Ende gegangen.[1] Die Verhandlung folgte einer Voruntersuchung, die sich bereits auf zwei Jahre erstreckt hatte. Eine endlose Zeit. In ihrem Verlauf sind Zustände enthüllt worden, deren deutende Darstellung eines *Balzac* würdig wäre. Denn nur ein Dichter seines Formats könnte aus dem Prozeß die Gesellschaft rekonstruieren, die dieses jahrelange Treiben und Treibenlassen ermöglichte. Und wie er mit einem scharfen Blick für das Einzelne die Verirrungen der verschiedenen Akteure bloßlegen müßte, so müßte er auch die Divinationsgabe des Soziologen besitzen und den Zusammenhang zwischen diesen Verirrungen und der allgemeinen Struktur des öffentlichen Wesens gestalten. Von den Spielern und Gegenspielern sind einige durchaus typische Erscheinungen gewesen.
Damit ist schon auf den Grund hingewiesen, aus dem dieser Prozeß zur Sensation wurde. Das Publikum fühlte, daß es in ihm nicht nur um die dreizehn Angeklagten ging, die gefaßt worden waren.[2] Hinter ihnen ahnte man andere Figuren, die ebenfalls zur Verantwortung hätten ge-

zogen werden sollen, aber in einen undurchdringlichen Dunstkreis gehüllt blieben. Immer wieder wird in den Prozeßberichten und Zeitungskommentaren die Frage nach diesen Hintermännern aufgeworfen und die begründete Vermutung geäußert, daß unter der Ära Böß[3] noch mehr faul war als der jetzt herausgeschnittene Schaden. Man hätte die Operation durchgreifender gewünscht, man schloß aus der hohen Stellung der Korrumpierten auf den gewaltigen Umfang der Korruption, man übte Kritik am ganzen System, in dem eine solche Korruption sich so lange ungestraft austoben konnte. Die politische Agitation vor allem hat von dem Prozeß zu profitieren gewußt.
Daß der Prozeß sich nicht auf ein zu isolierendes Ereignis bezog, verdeutlichen nicht zuletzt die düsteren Begebenheiten, die sich fortlaufend an seinem Rande vollzogen. Zwei der Angeklagten, Direktor *Kieburg* und Magistratsrat Dr. *Schalldach*, starben während der Voruntersuchung.[4] Stadtrat *Busch* erlag im Juni 1930 einem schweren Leiden.[5] Generaldirektor *Schüning* beging kurz nach seiner Zeugenvernehmung Selbstmord.[6] Wie er, so mußten auch andere Zeugen unvereidigt bleiben. Ein Zufall mochte es heißen, daß einer der Verteidiger durch eine heimtückische Krankheit dahingerafft wurde. Aber der Zufall erhellt stets den Sinn des Geschehens, dem er zufällt.

Die *Sklareks:* Es wäre allzu billig, ihre Verbrechen mit ihrer Herkunft in Beziehung zu bringen. Die Lahusen können sich neben ihnen sehen lassen, und im Vergleich mit Kreuger sind sie kleine Pinscher gewesen.[7] Wie die andern Abenteurer, Glücksritter und Gauner ihresgleichen haben sie einfach die Nachkriegsverhältnisse genutzt, die ihnen entgegenkamen. In alle Lücken, die sich ihnen durch den desorientierten Verwaltungsapparat, durch wirtschaftliche Fahrlässigkeit und [durch das unzulängliche Verhalten der Funktionäre öffneten, sind sie][8] mit einem nur noch von ihrer Skrupellosigkeit übertroffenen Geschick eingedrungen, um Vorteile für sich zu erlangen. Sie haben Beutezüge mit verteilten Rollen unternommen. Ist der herrschsüchtige *Max,* wie die Brüder behaupten, der eigentliche Bandenführer gewesen, so hat *Leo* kraft seiner gesellschaftlichen Talente gewirkt und *Willi* für die Herstellung von Belegen und falschen Büchern gesorgt. Alle drei müssen auf ihre Art hervorragende praktische Menschenkenner sein, denn sonst hätten sie trotz

der Willfährigkeit, die ihnen die Gegenseite bezeigte, diese nicht so fest in ihre Hand bekommen können. Allerdings war es für sie weniger schwer als für andere, ihre Menschenkenntnis zweckmäßig zu verwerten, weil sie, an Verschwendung im Privatleben gewöhnt, mit den Bestechungsgeldern nicht geizten, und die Kunst zu bestechen um so leichter auszuüben ist, je größer die dafür aufgewandten Summen sind. Der Buchhalter *Lehmann*, der es wissen muß, schätzte die Ausgaben für Beamte auf 1½ bis 2 Millionen. Diese Ausgaben lohnten sich, denn sie gestatteten den Sklareks, sich durch Kellerwechsel, vordatierte Schecks usw. ein Vielfaches der so freigebig verteilten Beträge zu beschaffen. Eine Hand wusch die andere, und die andere wußte nicht, was sie tat. Der Kredit, den die Stadtbank auf Grund gefälschter Unterlagen den Sklareks gab, erreichte die Höhe von zehn Millionen.
Aber waren die Sklareks auch Betrüger von Format, so sammelt sich doch nicht das Interesse auf ihnen. Es ist vielmehr der Welt zugekehrt, die dem Trio Vorschub leistete und sich in seine Schwindeleien immer tiefer hineinreißen ließ. Da sie eine unantastbare Welt der Beamten und Würdenträger war, saß *sie* vor allem in diesem Prozeß zu Gericht.

Zwei Bürgermeister, zwei Stadtbankdirektoren und noch andere Direktoren, höhere städtische Funktionäre, Revisoren und mehrere kleinere Typen, um die es nicht weiter geht: das sind die Partner der Sklareks gewesen. »Halb zog sie ihn, halb sank er hin«, kann es von ihnen heißen. Manche allerdings, wie etwa der Bilanzfälscher *Kieburg*, scheinen durchaus selbständig gesunken zu sein, ohne daß man sie außerdem ziehen mußte. Und ihrer viele haben sich nicht auf die passive Begünstigung beschränkt, sondern die empfangene bare Münze mit aktiven Gegenleistungen bezahlt, die ebenfalls bare Münze bedeuteten. Stadtbankdirektor *Hoffmann* informierte die Sklareks über bevorstehende Prüfungen und skizzierte ihnen Kreditanträge, Stadtrat *Gäbel* verlängerte eigenmächtig ihren Vertrag auf die ausschließliche Belieferung der städtischen Stellen, Buchprüfer *Luding* beriet sie steuertechnisch, obwohl ihm Nebenarbeit verboten war.[9] Und so ging es fort.
Aber die scharf konturierten Delikte sind nicht einmal entscheidend. Ungleich wichtiger sind vielmehr jene Eigentümlichkeiten des Ensembles, die, ohne selber strafbar zu sein, der Nährboden für die Delikte wa-

ren. Gemeint ist hier zunächst die erschütternde Kenntnis- und Verantwortungslosigkeit, mit der zahlreiche hohe Verwaltungsbeamte ihre Berufspflichten versahen. Sollte man sie einzig und allein darauf zurückführen dürfen, daß ein Teil der Funktionäre rein infolge der Parteizugehörigkeit, also nach den Gesetzen der Fraktionsarithmetik, in die Aufsichtsräte kommandiert wurde? Tatsache ist jedenfalls, daß etwa *Kohl*, *Gäbel*, *Degner* als politische Beamte Machtkompetenzen erhielten, die sie [zu] mißbrauchen verstanden.[10] Einer dieses Schlages bekannte auch im Gerichtssaal, daß er keine Ahnung von seinen Obliegenheiten gehabt habe. Doch nicht sie allein waren schuldige Unschuldsengel, die von nichts wußten, sondern ebensosehr die Berufsbeamten, die vom Baum der Erkenntnis hätten gegessen haben müssen. An ihrer Spitze Herr *Böß*, der auch bei seiner Zeugenvernehmung wieder als die Verkörperung der Unfähigkeit wirkte. Er habe nichts gehört und nichts gesehen, und der ganze Sklarekskandal war für ihn sozusagen eine einzige Überraschung gewesen. An ihm nahmen sich die anderen das Vorbild, das er nicht war, bis herunter zum Revisor *Luding*, der erklärte, daß die Buchprüfung eine Glückssache sei. (Nur von einem Genie[11] unter den Revisoren hätte eine solche Erklärung mit einigem Recht abgegeben werden dürfen.) Besonders charakteristisch in dieser Hinsicht ist der Fall der Stadtbankdirektoren *Hoffmann* und *Schmitt*, die zum Unterschied vom Sozialdemokraten *Schneider* etwa, bei dem auch für die Dauer von drei Jahren auf die Unfähigkeit zur Bekleidung öffentlicher Ämter erkannt wurde, ein auffallend mildes Urteil erhalten haben.[12] Die grenzenlose Leichtgläubigkeit, mit der sie, die geeichten Bankfachleute, trotz der ihnen zugegangenen Warnungen den Sklareks Kredit um Kredit bewilligten, wird noch durch ihre Motivierung dieses unangebrachten Vertrauens verschlimmert. Immer wieder beteuert Herr Hoffmann vor Gericht, daß man den Sklareks darum ohne jedes Bedenken entgegengekommen sei, weil sie »Behördencharakter« gehabt oder, wie er sich auch einmal ausdrückt: »weil sie als ein Anhängsel der Stadt« gegolten hätten. Mit anderen Worten: man handelte nicht, wie die Position es verlangte, aus eigener Verantwortung, sondern nach den Spielregeln der Clique. Da die Sklareks oben gut angeschrieben zu sein schienen, drückte man beide Augen zu und beachtete statt der Unterlagen, die sie lieferten oder nicht lieferten, nur ihre famosen Beziehungen zur Spitze. Wenn man von einem System reden will: dies war das System. Ihm huldigten die Stadtbankdirektoren, der Kämmerer, nahezu alle. Die eine Stelle schob die Schuld auf die andere ab, und die Sache selber fiel unversehens unter den Tisch.

Vielleicht hätte das Übel weniger um sich gegriffen, wenn nicht die meisten Beteiligten vom Drang der Emporkömmlinge nach Glanz und gesellschaftlicher Stellung besessen gewesen wären. Da die Sklareks selber diese Neigung hatten, konnten sie schon aus Instinkt die Wünsche ihrer Gönner erraten und befriedigen. Auf ein Rätselraten waren sie offenbar in der Regel gar nicht angewiesen. *Leo* meinte einmal, daß sie, die Brüder, für ihre Freunde die reinsten »Automaten« gewesen seien. Und der Oberstaatsanwalt versicherte in seinem Plädoyer, er glaube aufs Wort, daß sich die Beamten höchst schamlos betragen hätten. Sie bezogen für sich und ihre nähere und weitere Familie von den Sklareks die Garderobe, sie nahmen Provisionen, Zehn- und Hunderttausende entgegen, sie ließen sich mit silbernen Kaffee-Servicen und Lebensmitteln beschenken. Die Sehnsucht nach dem, was sie für die Gesellschaft hielten, beherrschte sie ganz. Der Kommunist *Degner* richtete sich mit den Schmiergeldern eine teure Wohnung ein, und sein Fraktionsgenosse *Gäbel* besuchte in Gesellschaft Leos die Ballokale am Kurfürstendamm. Auf die Notwendigkeit, solche Lokale zu politischen Studienzwecken zu ergründen, hätte er sich nicht herausreden sollen. Und wie großartig ist nicht Stadtbankdirektor Schmitt im Jagdschloß der Sklareks aufgetreten! Sie wollten die Herren spielen und wurden zu schäbigen Knechten.
Es waren [fast] lauter kleine Leute, die sich [so][13] hochzustapeln versuchten. Sie kamen über ihre Parteien in Stellungen, die ihnen ihrem Charakter nach nicht zukamen, oder sie hatten sich im Dienst bis zu einer gewissen Position durchgerungen. Daß sie dann rasch der Verlokkung erlagen, ist gewiß nicht zu verzeihen, aber immerhin zu erklären. Ihr schädliches Handeln wurde mitbedingt durch unsere gesellschaftliche Situation. In diesem Nachkriegsjahrzehnt, in dem die Unterschichten endlich Luft zu bekommen glaubten und zugleich – ein Widerspiel der hin- und herwogenden Machtkämpfe – sämtliche Maßstäbe des Verhaltens in Verwirrung gerieten, war der Auftrieb leicht verführbarer Na-

turen weniger als je an Grenzen gebunden. Keine Autorität leitete ihn in die richtigen Kanäle – im Gegenteil, die aus der Inflation hervorgegangene gesellschaftliche Oberschicht, die ein Beispiel hätte geben sollen, war selber nicht dazu bereit, sich Schranken aufzuerlegen. Man strebte danach, es ihr gleichzutun, hatte aber nicht eigentlich Achtung vor ihr. So konnten freilich betrogene Betrüger und ehrgeizige Schwächlinge auf den Glauben geraten, daß jedes Mittel recht sei, um in die Höhe zu fallen. Es ging ja gut, es kam niemand dahinter, und viele andere trieben es ebenso.

Eine maßlose politische Hetze hat sich auf diesen Prozeß wie auf eine willkommene Beute gestürzt und ihn entgegen seinem wahren Sinn und über jedes zulässige Maß hinaus zu Propagandazwecken verwertet. Er sollte von der Verrottung des »Systems« zeugen, sollte das untrügliche Zeichen der »sozialistischen Mißwirtschaft« sein. In Wirklichkeit aber verhält es sich anders. Die Freunde der Sklareks reichten von den Kommunisten bis zu den Antisemiten, und Leute aus allen politischen Lagern hatten den Wert unverdienten Geldes erkannt. Wen klärte nicht der »Silberne Pokal der Freundschaft« darüber auf, daß die Lust an Geschenken nicht von der Parteizugehörigkeit abhängig ist? Ein Pfarrer und deutschnationaler Reichstagsabgeordneter segnete diesen Pokal ein, und so gut wie andere Stadtverordnetenfraktionen ließ sich die deutschnationale Wahlgelder von den Sklareks spendieren.
Auch für das, was man heute unter dem »System« versteht, ist der Sklarek-Prozeß nicht symptomatisch. Er beweist höchstens, wie sehr das »System« in der Berliner Stadtverwaltung mißbraucht worden ist, und sagt etwas über die Art dieser Mißbräuche aus. Sie erklären sich eines Teils, wie wir schon andeuteten, aus der Nachkriegssituation und sind anderen Teils noch eine Folge des alten, durch den Krieg zusammengebrochenen Systems, das den Untertanengeist mehr gepflegt hatte als die Tugend der Verantwortung. Durfte es wirklich wundernehmen, daß die aus dem Druck der Vorkriegsverhältnisse entlassenen Untertanen ihre Freiheit mitunter nicht zu gebrauchen verstanden und daß in dem kurzen Lehrkurs hie und da ein Unglück geschah? Die Demokratie zu praktizieren, ist eine Sache der Übung.
(FZ vom 1. 7. 1932)

1 Zum Sklarek-Prozeß siehe Nr. 601, dort auch Anm. 1. Das Urteil wurde am 28. 6. 1932 verkündet.

2 Angeklagt waren neben Willi, Leo und Max Sklarek ihre Buchhalter Tuch und Lehmann, die Stadtbankdirektoren Hoffmann und Schmitt, die Berliner Bezirksbürgermeister Schneider und Kohl, die Magistratsmitglieder Sakolowski, Gaebel und Degner sowie der städtische Buchprüfer Luding.

3 Gustav Böß (1873-1946), Mitglied der DDP, war von 1921 bis November 1929 Oberbürgermeister der Stadt Berlin. Um zu beweisen, daß er nicht in den Sklarek-Skandal verwikkelt war, leitete er gegen sich selbst ein Disziplinarverfahren ein. Im Laufe der Ermittlungen stellte sich heraus, daß seine Ehefrau von den Sklareks eine Pelzjacke erhalten hatte; Böß mußte 1929 von seinem Amt zurücktreten und wurde 1930 aus dem Dienst entlassen. 1933 rollten die Nationalsozialisten den Fall wieder auf, Böß wurde zu neun Monaten Haft verurteilt.

4 Als Direktor der Berliner Anschaffungsgesellschaft (BAG) und der Kleidervertretungsgesellschaft (KVG) hatte Kieburg mit der Firma der Sklareks Monopolverträge über die Bekleidung Hilfsbedürftiger abgeschlosssen; er starb ebenso vor dem Prozeß wie der Berliner Magistratsrat Schalldach.

5 Weitere Angaben vorläufig nicht zu ermitteln.

6 Wilhelm Schüning war Generaldirektor der Berliner Hafen- und Lagerhausgesellschaft (Behala). In seiner Vernehmung am 20. 11. 1931 wies er den Vorwurf der schweren Bestechung zurück, gestand aber, die Gebrüder Sklarek bei der Übernahme der Kleiderverwertungsanstalt auch zur Übernahme der Schulden genötigt zu haben (siehe Nr. 601, dort auch Anm. 1). Er wurde nach seiner Aussage vom Dienst suspendiert und nahm sich am 30. 11. 1931 das Leben.

7 Die Brüder Gustav Carl (1854-1939) und Heinz Lahusen (1894-1943) leiteten seit 1923 die 1884 gegründete Norddeutsche Woll-Wäscherei und Kammgarnspinnerei AG, kurz Nordwolle. Durch Ankäufe von Kammgarnspinnereien, Tuchherstellungsbetrieben und Strickereien im gesamten Reich war die Nordwolle AG das größte Unternehmen dieser Art in Europa. Um Verluste zu verschleiern, betrieben sie ab 1929 jahrelang Bilanzfälschung und Kreditbetrug im großen Stil. Im Juli 1931 wurden sie verhaftet, die Nordwolle mußte Konkurs anmelden. Durch den Zusammenbruch des Unternehmens wurde auch die Danat-Bank als größter Kreditgeber der Nordwolle zahlungsunfähig (siehe Nr. 578, Anm. 1). Insgesamt belief sich der wertmäßige Schaden auf ca. 240 Millionen RM. Am 3. 8. 1933 begann die Hauptverhandlung vor der Bremer Strafkammer, am 29. 12. wurden Gustav Carl und Heinz Lahusen wegen Konkursverbrechen und handelsrechtlicher Untreue zu fünf und drei Jahren Gefängnis und hohen Geldstrafen verurteilt. Der schwedische Zündholzfabrikant und Finanzier Ivar Kreuger (siehe auch Nr. 599, Anm. 4) kontrollierte Anfang der dreißiger Jahre drei Viertel des Weltmarkts für Streichhölzer. Er hatte an mehrere europäische Staaten Kredite in dreistelliger Millionenhöhe vergeben und im Gegenzug in den jeweiligen Ländern das Zündholzmonopol erhalten. Im Zuge der Weltwirtschaftskrise führte Kreugers undurchsichtiges und teils illegales Geschäftsgebaren das Unternehmen in den Konkurs. Der Gesamtschaden betrug mehr als eine Milliarde Dollar; Kreuger beging im März 1932 Selbstmord.

8 Ergänzung nach der Lokalausgabe der FZ vom 1. 7. 1932, Abendblatt und erstes Morgenblatt (Nr. 483-484); in der Reichsausgabe ist der Text korrupt.

9 Zu Emil Hofmann siehe unten, Anm. 11. Buchprüfer Luding wurde zu einem Jahr und drei Monaten Gefängnis verurteilt.

10 Korrektur d. Hrsg.; im FZ-Druck: »die sie nur mißbrauchen verstanden«. Zu Robert Kohl siehe Nr. 601, Anm. 3. Die Stadträte Gustav Degner (KPD) und Otto Gäbel (KPD) – letzterer war Aufsichtsratsvorsitzender der BAG – spielten eine zentrale Rolle beim Abschluß und bei der Verlängerung der Monopolverträge der Sklareks und erhielten dafür regelmäßig Geschenke und Bargeld. Nach Bekanntwerden des Skandals wurden sie aus der KPD ausgeschlossen.

11 Korrektur d. Hrsg.; im FZ-Druck: »Nur ein Genie«.

12 Die Stadtbankdirektoren Emil Hoffmann und Franz Schmitt wurden wegen schwerer passiver Bestechung zu Haftstrafen von drei und vier Monaten verurteilt, die sie aber nicht antraten. Fritz Schneider (SPD) war während der Sklarek-Affäre Bürgermeister von Berlin-Mitte. Er wurde über die von Kracauer genannte Strafe hinaus wegen schwerer passiver Bestechung auch zu vier Monaten Haft verurteilt.

13 Ergänzung nach der Lokalausgabe der FZ (siehe oben, Anm. 8); in der Reichsausgabe ist der Text korrupt.

## 665. Der Schriftsteller Heinrich Mann

### Zu seinem Prosa-Band: »Das öffentliche Leben«

Rez.: Heinrich Mann, *Das öffentliche Leben*. Gesammelte Aufsätze. Berlin u. a.: P. Zsolnay 1932.

*Heinrich Manns* neuer Prosa-Band: *»Das öffentliche Leben«* ist eine Sammlung von Essays, Reden, kleinen Aufsätzen und Zeitungsartikeln, die wohl durchweg den letzten zehn Jahren entstammen. Zu losen Gruppen vereint, berühren diese Beiträge die verschiedensten Lebensgebiete. Man findet Gedenkworte auf Stresemann, die Pawlowa und andere Tote; Themen wie die Berliner Siedlungen und die Funktionen der Kriminalpolizei werden behandelt; Pariser Bilder mischen sich mit Eindrücken von Theaterproben und einer Betrachtung der Gegenwartsliteratur; Erörterungen über Antisemitismus, richterliche Verantwortung usw. beleuchten unsere innerpolitische Situation; autobiographische Angaben führen ins Private und dann wieder an die Öffentlichkeit zurück. Eine Menge von Gegenständen, die sich aber darum gut miteinander vertragen, weil sämtliche Äußerungen von einer einheitlichen und geschlossenen Haltung durchdrungen sind. Diese Haltung geht nicht einfach in den paar Überzeugungen auf, zu denen sie hindrängt. Sie ist durchaus an die hohe Meinung gebunden, die Heinrich Mann vom Beruf des Schriftstellers hat.

»Die Sprache ist in einem Buch das unverkennbare Zeichen einer Gesinnung, eines Ranges – und auch der Dauer, die es haben wird.«[1] Nur ein Schriftsteller kann so von der Sprache denken. Die Heinrich Manns bestätigt, daß er durchs Wort zum Gedanken kommt. Sie ist hell und klar, ohne daß sie sich im Flachland bewegte, dort, wo es keine Schatten gibt und keine Dämonen. Im Gegenteil, ihr Ort ist viel eher ein zerklüftetes Terrain, das genug Dunkelheit birgt. Aber wie sie das Dunkel nicht verleugnet, so verweilt sie auch nicht bei ihm, sondern läßt Hohlräume frei, in deren Tiefe es wie in Spalten rumoren mag. Tatsächlich sind zwischen den knappen Sätzen lauter Lücken eingeschaltet, über die man hinwegspringen muß. Die Diktion fließt nicht stetig dahin, sie wird immer neu unterbrochen. Und vom schwarzen Grund der Lücken hebt sich das Gefunkel der Sätze wie das geschliffener Steine ab.
Die literarische Bewußtheit, von der diese Sprache zeugt, wird, nebenbei bemerkt, auch durch zahlreiche Gedanken über das Metier des Schriftstellers belegt. So zieht Heinrich Mann eine scharfe Grenzlinie zwischen der Reportage und dem Roman. Zum Unterschied von jener, die zwar wirklichkeitstreu ist, aber den »Sinn des Lebens«[2] nicht trifft, kennzeichnet er diesen wie folgt: »Die großen Romane sind immer und ausnahmslos überstiegert gewesen – weit hinausgetrieben über die Maße und Gesetze der Wirklichkeit. Das Denken und Fühlen der Menschen war in ihnen heftiger und entschlossener, das Schicksal gewaltiger, und die Dinge und Vorgänge erstanden stärker in einer Luft, die zugleich leichter war und erregender glänzte.«[3] Das Verdienst einer solchen Formulierung ist darin zu erblicken, daß sie berichtigend in die literarischen Bemühungen der Gegenwart eingreift. Sie weist die Reportage, die sich in den Vordergrund drängen möchte, auf den ihr zukommenden Platz zurück und stellt die Bedeutung heraus, die der Roman als Gestaltung der Wirklichkeit hat. (Vergl. die entsprechenden Ausführungen in meinem der sozialen Romanreportage gewidmeten Artikel »Ein Roman aus der Konfektion« im Literaturblatt vom 5. Juni.)[4]

In einem Rückblick auf die eigene Entwicklung erläutert Heinrich Mann die Auffassung, die er schon früh von seinen Arbeiten hatte: »Er trat mit ihnen in den Dienst einer Macht, die er verschieden, meistens aber mit dem Namen des Geistes bezeichnete.«[5] Diese Bezeichnung bleibt bis zuletzt in Kraft, ja, sie dient dazu, die Mission des Schriftstellers zu bestimmen. Er wird von Heinrich Mann als der Verfechter des Geistes, als der Vorkämpfer der Geistesfreiheit definiert und gepriesen. Der Akzent liegt sowohl auf Geist wie auf Freiheit. »Die Geistesfreiheit, oder was von ihr noch übrig ist, muß verteidigt werden«, heißt es in einer gegen die Zensur gerichteten Rede,[6] und auch die Dichterakademie soll unter anderen Aufgaben vor allem diese in Angriff nehmen.[7]
Der Kampf für die Geistesfreiheit, der den Schriftstellern obliegt, ist nach Heinrich Mann gleichbedeutend mit dem Kampf für die Demokratie. Sie scheint ihm, der die Tugenden des Zweifels, der Milde und des Verständigungswillens dem blinden Fanatismus und jeder Art von Schwarzweißmalerei vorzieht, die einzige politische Form zu sein, die den »Geist« einläßt und halbwegs vor Vergewaltigungen schützt. Er feiert Stresemann,[8] er erklärt, daß der russische Versuch »auf den Grundlagen unseres Daseins, wie es geworden ist, nicht gelingen könnte«.[9] Die Quelle seiner politischen Leidenschaft ist ersichtlich weniger die Leidenschaft für die Politik als die für den Geist. »Endlich war ihm klar geworden«, sagte er in dem erwähnten Rückblick von sich selber, »welchen Willen er dem Leben, wie es wirklich ist, entgegenbrachte. Denselben, wie in seiner Arbeit: es soll wahr sein.«[10] Im Interesse der Verwirklichung dessen, was er Wahrheit oder Geist nennt, wird er zum politischen Schriftsteller, zum Verkünder der Demokratie. Und wann immer er sich für diese einsetzt, betritt er nicht eigentlich als Politiker die Arena, sondern als ein Ritter des Geistes.

Seltener Fall: ein deutscher Schriftsteller, der den Geist in die Wirklichkeit überführen und damit eine Beziehung herstellen will, die bei uns kaum je geglückt ist. Denn noch immer beschränken sich hierzulande die meisten Schriftsteller bzw. Dichter auf ihre Literatur oder Kunst, ohne sich um das Aussehen der Wirklichkeit zu bekümmern. Als ob die Kunst sich ungestört entfalten könne, gleichviel, wie diese beschaffen sei! Heinrich Mann versucht als politischer Schriftsteller, beide Sphären in ein richtiges Verhältnis zueinander zu bringen. Und es heißt seine Bemühung nicht verkleinern, wenn ich hier auf eine Schwierigkeit hinweise, der er wieder und wieder begegnet. Sie rührt daher, daß er seinen Ausgang weniger von den realen Machtfaktoren und den jeweiligen ökonomischen und sozialen Zuständen als von einem allgemeinen Begriff der Geistesfreiheit nimmt, dessen Annahme freilich selber von bestimmten Voraussetzungen abhängt. Indem er nun, diese Voraussetzungen ausklammernd, seinen Begriff des Geistes in idealistischer Weise verabsolutiert und mit ihm eine Demokratie korrespondieren läßt, die ebenfalls ideal gemeint ist, verfehlt er öfters die richtige Einschätzung der realen Kräfte und Gegenkräfte, die jeder politischen Aktion voranzugehen hätte. In einer vor dem Schutzverband Deutscher Schriftsteller gehaltenen Rede schlägt er etwa den gemeinsamen Kampf aller Schriftstellervereinigungen gegen die Zensur vor. »Ein politisches Komitee, gebildet aus Vertretern aller unserer Organisationen – und ich möchte wissen, ob die Zensur, die legale wie die illegale, die sich einschleicht, den folgenden Tag noch überleben würde!«[11] Aber solange sich der Geist je nach den politischen Interessen in verschiedenen Formen niederschlägt, ist ein derartiger Vorschlag illusorisch. Denn ein politisches Instrument wie die Zensur kann nur mit politischen Mitteln beseitigt werden und nicht mit denen eines absolut gesetzten Geistes. Bezeichnend ist auch die hinsichtlich des deutsch-französischen Verhältnisses vertretene Meinung, »daß die Beziehung der beiden Länder leider noch immer schwanken – ohne berechtigten Grund, aber doch schwanken nach dem Belieben der Diplomaten, man könnte auch sagen: nach ihrem Talent«.[12] Faktisch ist das Schwanken nicht aus dem Belieben der Diplomaten zu erklären, sondern aus dem keineswegs willkürlichen Verhalten von Gruppen und Parteien, deren Exponenten unter anderem die Diplomaten sind. Die Beispiele zeigen deutlich die Grenze an, die einer Politik aus dem Geiste gezogen sind. Diese wird sich immer demonstrieren können, und das ist unter Umständen viel. Aber Wirkungen im politischen Medium erzielt sie dann allein, wenn sie den Geist der Politik erfaßt.

Vielleicht verkennt Heinrich Mann auch darum das Gewicht gewisser notwendig einzukalkulierender politischer Gegebenheiten, weil er ganz und ungebrochen der Mensch ist, den er in Existenz wissen will. Und zwar verkörpert er einen Typus, der gerade heute vorbildhaft sein müßte. (Hätte die Demokratie mehr solcher Menschen besessen, so wäre uns einiges erspart geblieben.) Denn wer ist dieser Schriftsteller? Ein Freund der Aufklärung, ein Anhänger der Vernunft. Damit braucht an sich noch nichts gesagt zu sein; aber in einer Zeit, in der die Vernunft so gewaltige Gegner hat, ist schon das Bekenntnis zu ihr ein verheißungsvolles Signal. Es gibt auch eine schlechte Aufklärung; jene, die nicht aufklären, sondern auflösen und jeden Bestand wegleugnen möchte. Die Lücken zwischen den knappen Sätzen Heinrich Manns beweisen, daß er das nicht Auflösbare an seinem Ort stehenläßt. Er kennt das Dunkel des Geschlechts, hat den Süden erfahren und weiß um das Meer. »Jeder, der einmal abreisen, ganz abreisen muß, erkennt das Meer wieder, seinen tiefen Atem, seine windige Bläue und den Glanz, unseren Glanz, der über ihm untergeht.«[13] Um so größeren Anspruch hat er darauf, für die Sache der Aufklärung zu kämpfen. Aus einem gefüllten Dasein heraus, das die Elementarmächte in sich aufgenommen hat, verwirft er eine Jugend, die sich nur elementar gebärdet und am liebsten mit Schußwaffen argumentierte. Sein Sinn steht nach dem geeinigten Europa, sein Ziel, das er innerhalb der Republik erreichen zu können glaubt, ist das Ende der Ausbeutung. Es ist kein Vernünftiger, der das Volk davor warnt, auf den »Ruf des Abgrunds« zu hören, sondern der Dichter der *»Göttinnen«* und des Romans: *»Die kleine Stadt«*.[14] Und er gerade, der diesen Ruf vernommen hat, schreibt den Satz nieder: »Zu wünschen ist ein Deutschland der Vernunft – das zweifelt, Milde kennt und deshalb um nichts weniger handelt.«[15]

(FZ vom 3. 7. 1932, Literaturblatt)

1 Heinrich Mann, »Die Geistige Lage. Vortrag«. In: Ders., *Das öffentliche Leben*, S. 51-84, Zitat S. 56.
2 Ebd., S. 54.
3 Ebd., S. 55.
4 Zu Kracauers Besprechung siehe Nr. 654.
5 Heinrich Mann, »Der Schriftsteller, den der Ansager nannte. Gesprochen im Westdeutschen Rundfunk«. In: Ders., *Das öffentliche Leben* (wie Anm. 1), S. 336-345, Zitat S. 339.
6 Heinrich Mann, »Die Zensur. Gesprochen bei einer Kundgebung im Reichstag«. In: Ebd., S. 130-138, Zitat S. 133.
7 Siehe Heinrich Mann, »Die Akademie«. In: Ebd., S. 115-125.
8 Ders., »Gustav Stresemann. Ansprache im Reichstag zugunsten seines Ehrenmals«. In: Ebd., S. 33-36.

9 Ders., »Wir wählen«. In: Ebd., S. 257-262, Zitat S. 259.
10 Ders., »Der Schriftsteller, den der Ansager nannte« (wie Anm. 5), S. 342.
11 Ders., »Der Schutzverband. Rede, gehalten auf dem Bankett am 27. März 1931«. In: Ebd., S. 143-149, Zitat S. 147. Zum Schutzverband Deutscher Schriftsteller siehe Nr. 611, Anm. 1.
12 Ders., »Rede im P.-E.-N.-Club«. In: Ebd., S. 149-153. Zitat S. 152.
13 Ders., »Stilles Gestade«. In: Ebd., S. 354-360, Zitat S. 360.
14 Heinrich Manns Trilogie *Die Göttinnen oder Die drei Romane der Herzogin von Assy* erschien zuerst 1903 im Verlag Albert Langen (München), sein Roman *Die kleine Stadt* 1909 im Insel Verlag (Leipzig).
15 Heinrich Mann, »Morgen«. In: Ders., *Das öffentliche Leben*, S. 153-164, Zitat S. 164.

## 666. Reisen, nüchtern

Expeditionsfilme und Reisebücher erfreuen sich heute einer großen Beliebtheit. Zwei Motive tragen sie, wie ich meine, empor. Das eine ist dies: daß die Sinne der Technik nachzukommen eilen. Nach dem Krieg hat diese Erfindungen gezeitigt, durch die der Verkehr auf eine ungeahnte Weise beschleunigt und vervielfältigt worden ist. Flugzeug und Radio haben sich eingebürgert und Verbindungsmöglichkeiten eröffnet, von denen noch die vorige Generation nichts wußte. Aber wenn die Erde faktisch zusammengeschrumpft ist und ihre Bewohner näher aneinandergerückt sind als je: erfahren wir sie wirklich schon so, wie sie sich uns eigentlich darstellen müßte? Obwohl wir im Flugzeug reisen und auf der Klaviatur der Wellenlängen zu klimpern verstehen, sind wir doch noch mit allen Fasern unseres Wesens der alten Erde verhaftet. Ihr verändertes Antlitz zu erobern, ist die Mission jener Filme und Bücher. Indem sie exotische Gegenden erschließen, sagen sie uns, daß die Exotik nicht mehr gleichbedeutend mit unendlicher Ferne ist, sondern dicht neben uns sich entfaltet: indem sie durch die Geographie rasen, vermitteln sie uns den von der Technik umgeschaffenen Raum. Sie erfüllen eine *Pionieraufgabe*, sie passen unsere menschliche Konstitution der neuen planetarischen an. Und über kurz oder lang werden wir dank ihrer Mithilfe die Technik tatsächlich einholen können. Das heißt, wir werden dann erworben haben, was wir durch die technischen Errungenschaften besitzen, und die kleine, völlig unfaßbare Welt wird uns zur zweiten Natur geworden sein.

Das andere Motiv ist das der Flucht. Reisefilme und -bücher dienen faktisch (bewußt oder unbewußt) auch dem Zweck, unsere eigene Wirklichkeit durch die Ferne zu überblenden. Sie lassen eine Fata Morgana über der Wüste unseres Alltags erstehen, sie zaubern uns lauter betörende Bilder vor Augen, damit wir zu fragen vergessen, wie es um uns selber bestellt sei. Ablenkung ist, wo nicht ihr Ziel, so doch eine ihrer Funktionen. Und die Gefahr der durch sie bewirkten Entfremdung besteht eben darin: daß diese uns an der Durchdringung der Zustände verhindert, in denen wir leben, und so das Handeln erschwert, das einer Veränderung der bereffenden Zustände gilt. Man kann die Wirkung der ganzen Reiseliteratur teilweise mit der von Opiaten vergleichen.

Ihr entgegenzuarbeiten, ist nun die Absicht einer Literaturgattung, deren einzelne Werke in übertragenem Sinn ebenfalls Reisebeschreibungen sind. Nur daß die Reisen, denen sie sich widmen, in umgekehrter Richtung vonstatten gehen. Diese Expeditionen ziehen nicht nach Afrika oder Asien aus, sondern erforschen das von uns bewohnte Terrain; sie wenden uns nicht den Rücken zu, sondern verfolgen die Aufklärung des gesellschaftlichen Seins, das unser Tun und Denken bedingt. Kurzum, es handelt sich hier um jene *soziologische Literatur*, die immer mehr in Aufnahme zu kommen scheint. Gebieterische Notwendigkeiten treiben sie hervor. Einmal hat sich die gesellschaftliche Wirklichkeit nicht minder wie die geographische gewandelt und zum andern muß im Interesse ihrer Neugestaltung mit verdoppelter Anstrengung dem Fluchtwillen begegnet werden, der wieder und wieder von ihr fortschweift und sie in dichten Nebeln zurückläßt. Diese soziologischen Expeditionen bemühen sich, diese Nebel zu zerteilen. Und je wagemutiger sie sind, desto deutlicher stellt sich heraus, daß das scheinbar so vertraute Gebiet, in das sie vorstoßen, jedes exotische an Exotik weit übertrifft. Sie beweisen uns, daß das Nächste zugleich das Fernste ist; sie sind Entdeckungsreisen in der genauen Bedeutung des Worts.

Zur Enthüllung bisher noch ungesichteter Zustände haben die zahlreichen sozialen Reportagen der letzten Jahre nicht unwesentlich beigetragen. Zweifellos vermittelt die Reportage keine Erkenntnisse, die verbindlich wären, und gar die Romanreportage besitzt, wie ich erst unlängst ausführte,[1] nur einen sehr eingeschränkten Wert. Dennoch sind die Bücher dieser Art schon darum nützlich, weil sie den übermächtigen Hang zu Illusionen in ihren Lesern begrenzen. Sie möchten die Schlaftrunkenen aufrütteln und die Träumenden wecken. *Erik Reger* z.B. unterrichtet in seinem mit dem Kleistpreis ausgezeichneten Werk: *»Union der festen Hand«*[2] über die Verhältnisse im Industrierevier, Pli[e]vier erinnert in seinem neuen Buch[3] an die Vorgänge nach Ende des Krieges und *Werner Türk* schildert im Roman: *»Konfektion«*[4] die Zustände innerhalb eines großen Gewerbes. Erst in den letzten Wochen hat der junge begabte *Hans Fallada* einen Roman: *»Kleiner Mann – was nun?«*[5] herausgebracht, der sich in breiter Ausführlichkeit mit dem Lebenslauf eines kleinen Angestellten beschäftigt. Auch die heutige Wirklichkeit des Arbeiters beginnt erschlossen zu werden, und gern weise ich in diesem Zusammenhang wieder auf die systematische Studie: *»Die jugendliche Arbeiterin«* von Lisbeth *Franzen-Hellersberg* hin.[6] Der noch ganz und gar unbekannte Teil des gesellschaftlichen Kontinents, den die Arbeitslosen bevölkern, scheint ebenfalls ins Blickfeld rücken zu wollen. Ihm ist ein Buch zugeeignet, das von den Erfahrungen eines Lehrers in einem Erwerbslosenheim berichtet und binnen zweier Monate der Öffentlichkeit vorgelegt werden wird.[7] Nicht zuletzt wäre hier der Fülle soziologischer Literatur zu gedenken, die aus Rußland zu uns herüberkommt. Darstellungen des neuen bäuerlichen Kollektivs (*Tretjakow: »Feld-Herren«* und *Gladkow: »Neue Erde«*),[8] der Fabrikarbeit (*Lili Körber: »Eine Frau erlebt den roten Alltag«*),[9] der Situation der Händler (*A. Roesmann: »Fischbein streckt die Waffen«*),[10] der Lage des früheren gebildeten Mittelstandes (*Romanow: »Drei Paar Seidenstrümpfe«*)[11] usw. werden dort in Massen erzeugt. So gewiß den russischen Büchern eine von den ähnlich gerichteten deutschen Werken verschiedene Aufgabe zufällt, ebenso gewiß können doch unsere deutschen Autoren aus einigen von ihnen (vor allem aus den Werken Tretjakows) in methodischer Hinsicht viel lernen.

Soziologische Expeditionen – sie sind wie die geographischen Entdekkungsfahrten in die neue Wirklichkeit. Aber darüber hinaus haben sie das Ziel, alle Expeditionsteilnehmer zur Veränderung dieser Wirklichkeit zu aktivieren.

(FZ vom 10. 7. 1932, Literaturblatt)

1 Siehe Nr. 654.
2 Erik Reger, *Union der festen Hand*. Berlin: Rowohl 1931; den Kleist-Preis erhielt Reger (zusammen mit Ödön von Horváth) 1931.
3 Theodor Plievier, *Der Kaiser ging, die Generäle blieben*. Prag: Malik 1932.
4 Siehe Nr. 654.
5 Siehe Nr. 640, Anm. 1.
6 Siehe Nr. 646, dort auch Anm. 1, und Nr. 649.
7 Albert Lamm, *Betrogene Jugend*. Aus einem Erwerbslosenheim. Berlin: B. Cassirer 1931. Zu Kracauers Rezension siehe Nr. 683.
8 Fjodor Gladkov, *Neue Erde*. Roman. Übers. von Olga Halpern. Berlin: Verlag für Literatur und Politik 1932. Russ. Orig.: *Novaja zemlja*. Moskau: Gosizdat chud. lit. 1931. Zu Kracauers Besprechung von Tretjakovs *Feld-Herren* siehe Nr. 632.
9 Siehe Nr. 670.
10 Richtig: Matwej Roesman. Siehe auch Nr. 563.
11 Siehe Nr. 641.

## 667. Julien Green[1]

Julien Green, dessen neuen Roman: »*Epaves*« wir im Feuilleton der *Frankfurter Zeitung* veröffentlichen werden,[2] ist von nordamerikanischen Eltern in Paris geboren und hat fast seine ganze Jugend in Frankreich verbracht. Die Menschen, die der zweiunddreißigjährige Dichter in seinen bisherigen Romanen dargestellt hat,[3] sind Ausgeburten der unerlösten und unerlösbaren Schöpfung. Rettungslos einbezogen in den Prozeß der ungemischt dumpfen, aus der Übernatur entlassenen Natur, werden sie ganz und gar zur Beute des Schicksals, das diese Sphäre völlig beherrscht. Ihm ist Adrienne Mesurat ausgeliefert, die Heldin von Greens gleichnamigem Roman.[4] Sie gleitet allmählich ins Totenreich hinab, das ihr durch Menschen und Dinge seine Botschaften schickt. Je mehr sie ihnen Gehör schenkt – aber es bleibt ihr keine andere Wahl –, desto mehr wird sie von der wirklichen Welt abgeschnürt, um in sich zu verenden. Ihr Leben ist einziger Monolog. Alle Gestalten, mit denen sie umgeht, zerrinnen ihr, und genau dort, wo sie eine Durchbruchstelle gefunden zu haben glaubt, ist sie am weitesten von ihr entfernt. Zuletzt verstrickt sie sich in Wahnsinn, der die Vorstufe ihres Untergangs ist. Angst erfüllt diese Welt genau so wie die des Romans: »*Léviathan*«.[5] In ihm sucht das Verhängnis nicht ein schuldloses Opfer: Leidenschaften vielmehr, die unerhellt walten, suchen hier ihrerseits das Verhängnis. Paul Guéret, die Hauptfigur dieses Werks, verkörpert die Gier nach Reichtum, Liebe und Glück; Madame Londe stellt die Sucht der Neugierde dar; Frau Grosgeorge ist von jenen gewalttätigen Trieben bestimmt, die unter der Kruste eines versäumten Lebens sich regen. Sie begegnen sich alle in der Provinz, die als ein Alpdruck gestaltet ist, den höchstens der Mond bescheint. Die Welt, so wird am Schluß gesagt, entwich der sterbenden Angèle wie ein böser Traum. In der Tat, allein die Gesichte des Traums können den ungehemmten Ausbruch der Passionen umstellen. Mit zunehmender Beschleunigung beschwört dieser Ausbruch das Nahen des Schicksals herauf. Mag es anfänglich noch zögern, gegen das Ende zu ereilt es im wörtlichem Sinne die ihm Verfallenen und zeichnet sie Schlag um Schlag. Wie Adrienne Mesurat, so versinken sie schließlich, und nirgends eröffnet sich ein Weg, der nach außen wiese, in das gewordene Miteinander der zivilisierten Gesellschaft. Green nimmt das uns vertraute gesellschaftliche Dasein, das sich dem Zugriff des Schicksals entwinden möchte, so wenig in seine Werke auf, daß er sich noch nicht einmal dialektisch zu ihm verhält. Dennoch meint er es zweifellos, wenn er unbeirrbar, als ob er einem fremden Auftrag gehorche, den Gang des elementaren Geschehens verfolgt. Wer wollte so leicht den Sinn des Auftrags enträtseln? Gewiß ist: keine menschliche Gesellschaft wird sein, die sich über ihre Ursprünge hinwegsetzen dürfte. Nähme sie nicht die ganze unerlöste Schöpfung mit – die Triebe erhielten die Oberhand, und der Léviathan verschlänge die Welt.

(FZ vom 17. 7. 1932, Literaturblatt)

1 Der Artikel war mit einer Abbildung »Die erste Manuskriptseite des Romanes ›Epaves‹ von Julien Green« illustriert.

2 Julien Green, *Treibgut*. Übers. von Friedrich Burschell. Berlin: G. Kiepenheuer 1932; frz. Orig.: *Épaves*. Paris: Plon 1932. Der Vorabdruck erschien zwischen dem 24. 7. (Nr. 546-548) und 15. 9. 1932 (Nr. 689-691) in 45 Fortsetzungen. Zu Kracauers Rezension des Romans siehe Nr. 725.

3 Das waren *Mont-Cinère* (1926; siehe Nr. 422), *Adrienne Mesurat* (1927; siehe Nr. 408), *Le Voyageur sur la terre* (Paris: Éditions de la Nouvelle revue française 1927; dt.: u. d. T. *Pilger auf Erden*. Übers. von Elisabeth von Schmidt-Pauli. Kevelaer: Butzon & Bercker 1941), *Léviathan* (1929; siehe Nr. 456) und *L'autre sommeil* (Paris: Gallimard 1931; dt.: *Der andere Schlaf*. Übers. von Carlo Schmid. Frankfurt a. M.: Suhrkamp 1958).

4 Siehe Nr. 408.

5 Siehe Nr. 456.

## 668. Vorwort der Redaktion

[Zum Vorabdruck:] *»Betrogene Jugend«* von Albert Lamm[1]

Die Erwerbslosigkeit ist zum Dauerzustand geworden. Wie rasch und bis zu welchem Grad sich dieser Zustand bei einem Konjunkturaufschwung ändern wird, steht dahin. Zweifellos verstreicht aber auch im besten Falle noch eine geraume Zeit über die Wiedereingliederung der Massen in den Arbeitsprozeß.
Zu leiden unter den schwer wandelbaren Verhältnissen hat vor allem die *erwerbslose Jugend.* Ganze Jahrgänge Jugendlicher, deren Recht und Pflicht es wäre, sich eine Stellung im Leben zu erobern, harren vor verschlossenen Türen. Ist die ältere Generation immerhin noch im Besitz von Erinnerungen, so dürfen sie nicht einmal Hoffnungen nähren, sondern werden zum alten Eisen geworfen, obwohl sie doch funkelnagelneu glänzen. Und vorenthalten bleibt ihnen gerade das, wonach sie, ihrem Entwicklungsstadium gemäß, mit Leib und Seele verlangen: eine Tätigkeit, die ihrem Dasein eine Art von Sinn zu geben vermöchte. Das Outsidertum, zu dem sie ohne ihre Schuld verdammt sind, ist aber um so bedrohlicher, als es an jener allmählichen Verschmelzung mit der Gesellschaft verhindert [sic], die sich von Rechts wegen nach den Schuljahren vollziehen müßte. Sie wachsen nicht, wie es ihren eigenen und den gesellschaftlichen Notwendigkeiten entspräche, in die Arbeitsmethoden, Gesetze, Spannungen und geistigen Überlieferungen des Volksganzen und der ihnen zubestimmten Schichten hinein – sie stehen draußen wie Verbannte in einem abseitigen Raum.
Was weiß man von ihnen? So gut wie nichts und jedenfalls kaum mehr als dies: daß sie, die abgeschnürt vom Leben sind, das allein Leben heißen darf, mit einer begreiflichen Willfährigkeit den politischen Rattenfängern Gefolgschaft leisten, die ihre Unerfahrenheit und ihren Tatendrang zu nutzen verstehen. Und doch käme es darauf an, tiefer in diese Welt einzudringen, die sich neben der eigentlichen neu gebildet hat. Denn überläßt man sie immer weiter sich selbst und einer verderblichen Agitation, so verhärtet sie sich mehr und mehr, und die in ihr sich regenden Kräfte werden vollends an sich und an der Gesellschaft verzweifeln.

Schon sind wir diesem Punkt bedenklich nahe gerückt. Und wenn es nicht bald gelingt, die unerträgliche Lage der Erwerbslosen durch geeignete Maßnahmen erträglicher zu gestalten, ist das Gesamtleben der Gesellschaft gefährdet.
Voraussetzung solcher Maßnahmen ist die Vertrautheit mit denen, deren Lage gebessert werden soll. In der Absicht, auf die betreffenden Zustände aufmerksam zu machen und so ihre Veränderung einzuleiten, veröffentlichen wir im folgenden Auszüge aus einem (demnächst im Bruno-Cassirer-Verlag erscheinenden) Manuskript, das über die Lebensumstände der erwerbslosen Jugend unterrichtet. Sein Verfasser ist *Albert Lamm*, ein edelgesinnter, tätiger Mann, der lange Jahre in Süddeutschland lebte und kämpfte und dann nach Berlin verzog. Warum? Weil er zu denen gehen wollte, »deren Leidensweg am Ende angelangt ist, die an das Zeitalter der Maschine sich selbst verloren hatten und nun auch von diesem abgeschoben waren ins Nichts: zu den Erwerbslosen. Unter diesen aber zur erwerbslosen Jugend. Denn nur bei der Jugend kann ein neuer Lebenswille noch mit soviel Unbefangenheit sich äußern, als aller Schutt der Urteile von einstmals es zuläßt – gerade weil hier Erfahrung zum Vergleichen und damit Verleitung zum bloßen Widerspruch fehlt«. Um diese Jugend kennenzulernen und ihr zu helfen, verschaffte sich Lamm eine Stelle als *Zeichenlehrer an einem Jugendheim für Erwerbslose*, das vor kurzer Zeit geschlossen wurde. Der Wert der Einblicke, die er hier erhielt, wird noch durch den der Haltung erhöht, mit der er dem Übermaß der Not entgegenzutreten sich bemühte.
(FZ vom 19. 7. 1932)

1 Albert Lamm, *Betrogene Jugend*. Aus einem Erwerbslosenheim. Berlin: B. Cassirer 1932. Der Vorabdruck erschien in der FZ vom 20. 7. (Nr. 534-536) bis 23. 7. 1932 (Nr. 543-545). Siehe zu Lamms Roman auch Nr. 683, 719 und 742.

## 669. Kurort Berlin

Wenn Berlin heute die Menschen stärker als je verbraucht, so bemüht es sich doch auch doppelt um ihre Auffrischung, damit sie sich dann wieder besser verbrauchen können. Und diese Fürsorge ist bereits so weit gediehen,[1] daß man die Erholung nicht einmal mehr in Wannsee suchen muß, sondern sie in der Stadt selber findet, dort, wo die Unruhe am größten ist. Lauter kleine, ihr dienstbare Oasen[2] sind während der letzten Monate entstanden. Sie liegen mitten in der Krise und dem Wahlkampf und nur einen Schritt von den nächsten Straßenkämpfen entfernt.
So ist zum Beispiel der Dachgarten eines Hochhauses gegenüber dem Anhalter Bahnhof ganz der Erholung gewidmet.[3] Man durchfliegt im Lift[4] zehn Stockwerke, in denen das Geschäftsleben wo nicht blüht, so doch vegetiert, und erreicht eine Plattform, die den Rang eines Höhenluftkurorts beanspruchen darf. Denn sie ist nicht einfach eine asphaltierte Rechtecksfläche, sondern eine Art künstlicher Alm. Saftige grüne Wiesen dehnen sich unmittelbar über den stickigen Büros, und aus dem Erdreich der Kassabücher und Akten sprießt eine üppige Flora in zahllosen Kübeln empor. Hier scheint die Sonne leuchtender als drunten in der Tiefe, hier weht der Wind wie um Gipfel. Der besondere Zauber dieser Himmelslandschaft besteht aber darin, daß sie eine Menge Liegestühle enthält, die zur kostenlosen Benutzung freigegeben sind. Wer will, kann in ihnen von früh bis in die Nacht hinein die Zeit vertrödeln, wenn er sie hat,[5] und sich einbilden, auf der Terrasse eines Luftschlosses zu weilen. Zwar erblickt man von ihr aus nur Berlin, das man kennt, aber ein anderes als das bekannte, dem man glücklich entronnen ist. Fremd wie ein blaues Tellergemälde schimmert die Stadt. Ihre Armut, ihre Erwerbslosen und ihre politischen Wirren werden durch die Dächer verborgen, die sich nach allen vier Himmelsrichtungen erstrecken und in eine leichte Dunsthülle getaucht sind, der allein die Kuppeln, Türme und Hochhäuser entsteigen. Ist das noch Berlin? Nicht die Stadt selber, sondern nur ihr unwirklicher Glanz dringt zu den Liegestühlen hinauf – ein Glanz, der sich von den Straßen und Plätzen abgelöst hat und den reinsten Sommerfrischenfrieden verbreitet. Die Kurgäste laben sich an dem

Frieden,[6] lassen sich bräunen und genießen das Panorama, aus dem sie stammen, wie eine Alpenkette, die sie nie durchmessen werden. Um die Illusion noch vollkommener zu machen, steht ihnen überdies ein Fernrohr zur Verfügung, das nicht so sehr die Annäherung der Schauobjekte als ihre Versetzung in ein entlegenes Jenseits bezweckt.
Diese der Erholung günstige Abgeschiedenheit wird auch auf ebener Erde neuerdings zu erreichen versucht. Allerdings ist die Sehnsucht nach ihr im Straßenlärm schwerer zu befriedigen als hoch über den Dächern, und es bedarf schon besonderer Vorkehrungen, um sie hier unten ungetrübt zu verwirklichen. Ein vor kurzem eröffnetes Café, das dicht neben einem Verkehrszentrum liegt, vermittelt seinen Gästen dadurch die gewünschte Entspannung, daß es sie in einen *submarinen Naturschutzpark* verpflanzt. Zwischen den einzelnen Tischen sind leuchtende Glaskästen aufgestellt, in denen die merkwürdigsten Fische sorglos herumschwimmen. Sie nahen in rauschenden Gewändern, schillern in bunten Farben und tragen schwierige lateinische Namen, die für alle Fälle auf kleinen Schildern verzeichnet sind. Aber man muß zum Glück ihre Namen nicht auswendig lernen, sondern braucht nur die Bewegungen zu verfolgen, die diese Unterwassergeschöpfe vollführen. Und während man sie unaufhörlich und sinnlos an bleichen Gewächsen und wehenden Farnen vorbeiziehen sieht, beginnt man selber von der Oberwelt[7] zu genesen. Das Beispiel der innerlich erhellten Aquarien verführt sämtliche Herzen, und es ist, als ließen sie sich allmählich von der stummen Weisheit der Fische erfüllen. Vielleicht geben sich die Gäste auch darum der Ruhe so willfährig hin, weil ihnen durch das Treiben in den perlenden Gewässern die Aussicht auf die Nachbartische verdeckt wird. Die gläsernen Wände verwehren den Gesichtern, die hinter ihnen aufsteigen wollen, schreckhaft deutlich zu werden, und machen die Worte unhörbar. So bleibt man allein in der Gesellschaft der schweigsamen Wesen zurück und ist ihnen nachzueifern genötigt.
Himmel und Meeresgrund liegen mitten in Berlin. Und ich weiß nicht, was wunderbarer ist: daß man gar nicht erst verreisen muß, um in ihren Höhen und Tiefen wie in Kurorten Erholung zu finden, oder daß man von der langen Reise nach diesen unermeßlichen Fernen mit einer Plötzlichkeit ohnegleichen zurückkehren kann.
(FZ vom 19. 7. 1932)

1 Im Typoskript (KN): »Und es ist bereits so weit gekommen, [...]«.
2 Im Typoskript: »ihr gewidmete Oasen«.
3 Im Typoskript: »ganz auf Gesundheit eingestellt.«
4 Im Typoskript: »im Aufzug«.
5 Im Typoskript: »vorausgesetzt, daß er sie hat«.
6 Im Typoskript: »diesem Frieden«.
7 Im Typoskript: »vom Unfrieden der Oberwelt«.

## 670. Aus dem roten Alltag

Rez.: Lili Körber, *Eine Frau erlebt den roten Alltag*. Ein Tagebuch-Roman aus den Putilowwerken. Berlin: E. Rowohlt 1932.

*Lili Körber*, eine Wiener Schriftstellerin, hat ein Jahr lang in den Leningrader Putilow-Werken gearbeitet[1] und ihre Erlebnisse jetzt in einem tagebuchartigen Roman: *»Eine Frau erlebt den roten Alltag«* veröffentlicht. Sie verhehlt dem Publikum nicht, was sie den Genossen zunächst fürsorglich verschweigt: daß sie hauptsächlich aus Sensation in den Betrieb geht »und auch ein wenig, weil mein Freund, ein amerikanischer Ingenieur, hier beschäftigt ist«. Aber dieses gleich am Anfang mit einer gewissen Koketterie abgelegte Geständnis hat offenbar ausschließlich den Zweck, ihren späteren Gesinnungswandel ins rechte Licht zu rükken. Denn im weiteren Verlauf wird ihr Freund Ralph seiner wo nicht reaktionären, so doch unzuverlässigen Haltung wegen mehr und mehr entthront und ein russischer Genosse nur noch mit dem Vornamen benannt. Da dieser Viktor verheiratet ist und als Parteikommunist keine Zeit hat, ein Doppelleben zu führen, kommen die beiden allerdings nicht zusammen. Anderswo wäre man vielleicht dazu geneigt, die Tragik eines solchen Ausgangs zu unterstreichen; hier dagegen gilt er als kleines privates Opfer für die große öffentliche Sache. Ihr schmeißt sich die Wiener Verfasserin manchmal mit einer Aufdringlichkeit an den Hals, die peinlich berührt. Gerade erst in die Fabrik eingetreten, bezweifelt sie zum Beispiele unverzüglich das Klassenbewußtsein eines alten Vorarbeiters und fragt ihre Kollegin, ob der Alte nicht vielleicht ein Schädling sei, der die Arbeit absichtlich sabotiere. Oder sie lernt einen ehemaligen weißen Offizier kennen und empört sich darüber, daß ihn die Sowjets am Leben lassen: »Ich wundere mich, daß man ihn nicht erschossen hat, diesen reaktionären Mummelgreis, und ihm noch eine Rente zahlt.« Die Verfasserin ist nicht die einzige unter den Rußlandfahrern, die päpstlicher sein will als der Papst und Prostitution mit echter Hingabe verwechselt.

Nach Abzug der Gesinnungshuberei und verschiedener anderer Menschlichkeiten bleibt ein ganz lebendiger Bericht übrig, der eine Menge Beobachtungen enthält. Viele behandeln Tatsachen, die hinreichend bekannt sind; so vor allem die Schilderungen der kulturellen Erziehungsarbeit, die in den höchst optimistischen Schluß ausklingen, daß in zwanzig Jahren die Sowjetunion von Halbkönnern gereinigt sei. Wichtiger ist die Darstellung des Fabrikmilieus aus der Perspektive der Arbeiterin. Man erhält hier wirklich einen inhaltlich erfüllten Begriff von den Veränderungen, die seit Beginn des sozialistischen Aufbaus mit dem Alltag des russischen Proletariats vor sich gegangen sind. Wie sich ein Dasein ohne materielle Existenzangst ausnimmt; wie die Freizeit genutzt wird; wie Schichten, denen der Weg nach oben früher versperrt war, jetzt durch die Ergreifung der staatlichen Macht in Bewegung kommen und ein gewaltiges Streben entwickeln – das alles tritt uns aus der Reportage sinnfällig entgegen. Und sie belegt überdies wieder einmal den Substanzreichtum des russischen Volkes, der durch das System nicht geschaffen worden ist, sondern umgekehrt dieses System erst lebensfähig gemacht hat. Mit ihm vereint sich eine Naivität, die dann besonders kurios wirkt, wenn sie sich abgebrühter Vokabeln bedient. Ein etwa zwölfjähriger Pionier kommt zur Verfasserin, stellt fest, daß sie Ausländerin sei, und fragt: »Möchten Sie nicht bei uns im Pionierklub einen Vortrag über die Lage des proletarischen Kindes in den kapitalistischen Ländern halten?« Sie sagt natürlich zu, muß aber in der betreffenden Versammlung warten, bis der 1. Punkt der Tagesordnung erledigt ist, der die »Erziehung der Eltern« traktiert und einigen Mädchen Gelegenheit gibt, sich über die »kleinbürgerlichen Vorurteile« ihrer Mütter zu beschweren. Zweifellos kann nur innerhalb eines jungen Volkes der Kindermund ungestraft zu so erwachsenen Wörtern greifen.
Erwähnenswert ist noch eine Episode, die darüber aufklärt, wie man

sich im Falle eines Konflikts zwischen Idee und Staatsräson verhält. Eine Oberkontrolleurin, die sogar Parteimitglied ist, wird trotz schwerer Vergehungen vom Parteikomitee der Fabrik nicht bestraft, sondern nur verwarnt und in eine andere Werkstatt versetzt. Die Verfasserin wendet gegen diesen Beschluß ein, daß er falsch sei, da man entweder die Rentabilität oder eine neue Welt erstreben müsse. Ihr wird die Antwort zuteil: »Die Rentabilität unserer Roten Betriebe ist das Fundament der neuen Welt.« Das heißt: man pfeift auf das Schmarotzertum der Oberkontrolleurin, weil man sie, die eine vorzügliche Arbeitskraft ist, einstweilen nicht entbehren zu können glaubt. Die mit Kompetenzen ausgestattete Arbeiterschaft hat schnell gelernt, machtpolitisch zu handeln, und weiß auch eine solche Maßnahme durch die ideologische Erklärung zu rechtfertigen, daß man alle Schmarotzer vertilgen werde, sobald der volkswirtschaftliche Organismus stark genug sei. Die Frage ist nur, ob man dann noch stark genug dazu ist.

Ohne die begrenzte Nützlichkeit von Reportagen über Sowjetrußland zu verkennen, scheint es mir doch so, als ob sie in der letzten Zeit allzu dicht auf uns niederströmten. Sie beschreiben, ohne wirklich aufzuklären, verwirren durch ihre Unverbindlichkeit und liefern Impressionen statt Bilder. Eingreifenden Wert für uns hätten allein Werke, in denen Theorie und Praxis zusammengingen, die Anschauung sowjetrussischen Lebens aus der Kenntnis seiner Konstruktion erwüchse und eine Verbindung hergestellt wäre zwischen der dortigen Wirklichkeit und unseren Chancen.

(FZ vom 24. 7. 1932, Literaturblatt)

1 Die Schriftstellerin Lili Körber (1897-1982) wuchs in Moskau auf. Nach Studium und Promotion in Wien und Frankfurt a. M. war sie als Journalistin und freie Schriftstellerin tätig. Auf Einladung des Moskauer Staatsverlages reiste sie u. a. zusammen mit Anna Seghers in die Sowjetunion. Im Anschluß an diesen Aufenthalt arbeitete sie ein Jahr als Bohrerin in den Putilov-Werken, dem größten Rüstungsbetrieb der Sowjetunion, der eine Keimzelle der Revolution von 1905 war.

# 671. Unliterarische Unterhaltung

Da heute viele Bücher literarische Geltung genießen, die mit Literatur nichts gemein haben, ist es dem literarischen Betrachter gestattet, sich auch einmal Romanen zuzuwenden, denen der literarische Ehrgeiz fern liegt. Zu ihnen gehören etwa die Serienfabrikate von *E.[dward] Philipps Oppenheim*, der einer der beliebtesten englischen Unterhaltungsschriftsteller ist.[1] Wahrscheinlich ist Oppenheim ein Sammelbegriff für mehrere Autoren: denn einer allein könnte diesen ununterbrochenen Romanbetrieb gar nicht aufrechterhalten. Die Leihbibliotheken quellen von den Oppenheims über, und wenn man sich in der Bahnhofsbuchhandlung einen kauft, um die Eisenbahnfahrt zu überstehen, liegt an der Endstation schon der neue bereit. So gewaltig hat nur Wallace noch produziert.[2] Und in der Tat bestehen zwischen beiden Ähnlichkeiten, die nicht allein quantitativer Art sind. Ihre Bücher haben die gleichen bunten Umschläge, und auf diesen bunten Umschlägen zeigen sich, hier wie dort von einem Kreis umrahmt, nahezu dieselben Autorengesichter. Auch Oppenheim ist ein kommerzieller, älterer, glattrasierter Herr, und obwohl er zum Unterschied von Wallace keine Zigaretten raucht, stimmt er mit diesem doch darin überein, daß er insgesamt das Aussehen eines Schwerverdieners hat. Ein freundliches Lächeln verklärt seine Züge. Es mag der Unvernunft des Publikums zugedacht sein, das die von ihm gelieferten Waren verschlingt.
Das Geheimnis ihrer Anziehungskraft ist, daß sie den Lesermassen Zutritt zu jener Gesellschaft gewährt, die sich im wirklichen Leben gerade den Massen verweigert. Wer wollte nicht gerne mit *Herzoginnen, Lords* und schönen *Marquisen* wie mit seinesgleichen verkehren? In diesen Romanen wird seine uneingestandene Sehnsucht befriedigt. Träger erlauchter Namen und Titel wandeln über gepflegte Rasenflächen oder suchen mondäne Orte auf, an denen sich ein internationales Treiben entwickelt. Und das Publikum genießt den unbeschreiblichen Vorzug, nicht nur, einem Zaungast gleich, auf Beobachtungen aus der Ferne angewiesen zu sein, sondern sich mitten unter die elegante Welt mischen zu dürfen. Es ist, als ginge man in eine illustrierte Zeitschrift hinein, tiefer und immer tiefer, bis man zuletzt eins geworden ist mit den in ihr ab-

gebildeten Mitgliedern der Gesellschaft und der Diplomatie. Sie nehmen gewissermaßen Körper an oder man selber wird flach wie sie. Die Vertrautheit mit ihnen ist aber um so beglückender, als sie zur Einsicht führt, daß hinter der glänzenden Außenseite sich oft ein trübes Innenleben verbirgt. Oppenheim entblößt schonungslos die schlechten Eigenschaften mancher Aristokraten, zeigt ohne Nachsicht, daß der eine oder andere von ihnen standesgemäße Laster hat oder aus Snobismus gar dem Verbrechen verfällt. So verschafft er dem Publikum die Genugtuung, auf der Menschheit Höhen zu weilen, die ihm unerreichbar sind, und sich in den Niederungen doch zugleich über diese Höhen erhaben zu dünken. Da er die richtige Mischung kennt, treibt er allerdings die Desillusionierung niemals zu weit. Denn übersteigerte er sie, so stürzte er die Leserschaft aus allen Himmeln, in denen sie heimisch sein will. Aber er hat gar nicht die Absicht, sie aus schönen Träumen zu wecken, sondern schmeichelt ihr lieber, wo er nur kann. Diesem Zweck dienen hauptsächlich die zahlreichen und gewählten Dialoge, die seine Romane erfüllen. Sie weihen den schlichten Bürger in die Sprache illustrer Zirkel ein und bestärken ihn in dem angenehmen Gefühl, daß er sich dort oben so sicher wie zu Hause bewege. Ihre Wendungen sind poliert, und das Aroma, das sie ausströmen, muß edel genannt werden. Von der Art solcher Gespräche vermittelt etwa die folgende Probe einen guten Begriff:

»Zum ersten Mal an diesem Abend huschte ein Lächeln über das kalte Gesicht des Diktators, verschwand aber sofort wieder.

›Haben Sie irgendeinen Wunsch, Signor Amory?‹ wollte er wissen.

›Nur den, meine Pflicht zu erfüllen‹, gab der Gefragte zurück.

›Ich glaube Ihnen. Ich habe Prinzen und Minister bestechen können, aber – –.‹

›Es sind die Leute aus dem Volk, die am seltensten ihre Ehre verkaufen, Exzellenz‹, unterbrach ihn Mervyn.

›Würde Ihnen eine Million Pfund, ein Palast an der Adria und der Adelstitel keinen Anreiz bieten, Ihren Entschluß umzustoßen?‹

›Warum diese Frage, Exzellenz, die nur die Erinnerung an diese sonst so angenehm verlaufene Unterhaltung in mir verbittern wird?‹«

Die Probe stammt aus dem Roman: »*Gewitter um Monte Carlo*«,[3] der wie viele Oppenheims einen kriminalistischen Einschlag hat, ohne sich darum gleich in die vulgäre Unterwelt zu begeben, und Spannung er-

folgreich mit Distinktion verknüpft. Ein zwischen Italien und Frankreich drohender Krieg wird in ihm durch Staatsmänner, Geheimagenten und Damen zu guter Letzt noch verhindert. Matorni, der italienische Diktator, der eine Niederlage erleidet, bramarbasiert so komisch, daß man beinahe glauben muß, den Engländern sei die Vorstellung von einem Diktator völlig abhanden gekommen. Glückliches England!
(FZ vom 31. 7. 1932, Literaturblatt)

1 Der englische Schriftsteller Edward Phillips (sic) Oppenheim (1866-1946) veröffentlichte zu Lebzeiten mehr als 150 Bücher; siehe auch Nr. 431.
2 Siehe Kracauers Nachruf, Nr. 631.
3 Edward Phillips Oppenheim, *Gewitter um Monte Carlo*. Übers. von Arthur S. Schönhausen. Dresden-Hellerau: Avalun-Presse 1932; engl. Orig.: *Matorni's Vineyard*. Boston: Little, Brown & Co. 1928.

## 672. Zur Neuregelung des Rundfunks

Im Einvernehmen mit den Ländern sind jetzt die *Leitsätze zur Neuregelung des Rundfunks* veröffentlicht worden.[1] Sie stimmen mit dem ursprünglichen Entwurf in verschiedenen Punkten überein.[2] Vor allem darin, daß sie den gesamten Rundfunkbetrieb in Abhängigkeit vom Reichsminister des Innern bringen. Ein von diesem delegierter *Reichskommissar* wird der Reichsrundfunkgesellschaft[3] übergeordnet werden und die Verantwortung für die grundsätzlichen Programmfragen, den Nachrichtendienst und den Programmaustausch zu tragen haben. Aus dem Anfangsprojekt erhalten geblieben ist ferner: die Ablösung des noch an den Rundfunkgesellschaften beteiligten Privatkapitals – die Geschäftsanteile fallen fortan zu 51 Prozent ans Reich, zu 49 Prozent an die Länder –; die Aufhebung der bisherigen politischen Überwachungsausschüsse; die Verwandlung des Deutschlandsenders in einen *Reichssender*.
Dennoch bringen die Leitsätze eine wesentliche Veränderung. Und zwar sind in ihnen dank dem Widerstande der Länder die *Zentralisierungsabsichten* des ersten Entwurfs erheblich *abgeschwächt* worden. War zum Beispiel, verbürgten Meldungen nach, früher vorgesehen, daß

die einzelnen Rundfunkgesellschaften[4] je einen Staatskommissar erhalten, der »im Benehmen mit den Länderregierungen« vom Reichsinnenminister ernannt wird, so ist den jetzt in Kraft getretenen Bestimmungen zufolge der Staatskommissar vom zuständigen Land »im Einvernehmen mit dem Reichsminister des Innern« zu ernennen.[5] Auch wird als Zweck der Neuregelung außer der »Entpolitisierung« des Rundfunks ausdrücklich die »Dezentralisierung der Programmgestaltung« betont.[6] Das heißt: von der Anerkennung »der landsmannschaftlichen Eigenarten des deutschen Kulturlebens«[7] ausgehend, will man bei der Durchführung einheitlicher Richtlinien die Selbständigkeit der örtlichen Rundfunkgesellschaften wahren.

Unter allen Umständen bedeutet die Neuregelung eine Stärkung des *autoritären Prinzips*. Es setzt sich an entscheidenden Stellen durch. Indem die Reichsregierung den Deutschlandsender zu ihrem unmittelbaren Instrument macht und zugleich alle nach paritätischen Grundsätzen abgewogenen politischen Darbietungen aus dem Programm der Rundfunkgesellschaften verbannt, *monopolisiert sie das ganze Gebiet der Politik*. Sie kann auch sämtlichen Sendern die Verpflichtung auferlegen, gewisse Mitteilungen, Ansprachen usw. zu übernehmen. Zugegeben, daß das bisher geübte Verfahren paritätischen Ausgleichs der politischen Gesinnungen nicht eben befriedigend war – seine Verdrängung durch das Staatsmonopol scheint uns ungleich gefährlicher zu sein. Dieses Monopol setzt eine inhaltliche Autorität des Staates voraus, die im Augenblick zweifellos mehr gewollt als gegeben ist; es verschließt die Ventile, die den Rundfunkhörern bisher geöffnet waren; es erschwert die politische Meinungsbildung.
Die *Streichung der Überwachungsausschüsse* weist in dieselbe Richtung. Durch ihren Fortfall wird der direkte Einfluß der Parteien auf die Gestaltung des Rundfunks unterbunden. Das bewegte Mit- und Gegeneinander der Bevölkerungsgruppen weicht der autoritativen Entscheidung der durch die Kommissare vertretenen jeweiligen Regierungen. Die Kommissare aber sind *Beamte* und werden kaum anders als Beamte handeln. Wie immer sie Stellung nehmen, sie können sich jederzeit auf ihre vorgesetzte Behörde berufen, und Beschlüsse, die aus einem Kampf der Richtungen hervorgehen sollten, gewinnen so zu ihrem

Rechtsgrund die anonyme Autorität. Aller Schwierigkeiten ungeachtet, die unter den heutigen Umständen jede Verständigung zwischen Parteien, Gruppen usw. bietet: die Lähmung des Spiels der Kräfte bedroht gerade jene Lebensregungen, die sich im Rundfunk entfalten sollen. Gemeint sind die *kulturellen*. Es kann ernsthaft nicht bestritten werden, daß sie mehr als andere Regungen sich der autoritären Handhabung entziehen. Die Kultur eines Volkes mag bestimmten Gehalten entspringen, die sich autoritative Geltung erworben haben; nach staatlichen Richtlinien reglementieren läßt sie sich nicht. Ihr Element ist vielmehr die richtig verstandene Freiheit. Und sie muß Schaden erleiden, sobald der Staat, die ihm zukommenden Funktionen mißverstehend, seine Hoheitsrechte auch auf sie auszudehnen sucht. Wir haben vor kurzem die Filmkontingent-Bestimmungen u. a. darum abgelehnt, weil ihnen die Tendenz zur Übersteigerung des autoritären Prinzips innewohnt.[8] Aus der gleichen kulturhemmenden Tendenz erwächst die Rundfunk-Regelung.

Ministerialrat *Scholz*, der Rundfunkreferent im Reichsministerium des Innern, der dem Vernehmen nach seinen Übertritt zur Nationalsozialistischen Partei vollzogen hat und vermutlich zum politischen Reichskommissar ernannt werden wird,[9] erklärte dieser Tage am Mikrophon: er halte die Befürchtung für unbegründet, daß die Neuregelung zu einer *Bürokratisierung des Rundfunks* führen werde. Man sei sich in den Verhandlungen zwischen Reich und Ländern einig darüber geworden, daß der Rundfunk als »Kulturinstrument« eine derartige Hemmung nicht vertrage, und wolle daher die Bewegungsfreiheit der Rundfunkintendanten »im Rahmen der zu erlassenden Richtlinien« nicht im geringsten einengen.[10]

Um das Maß der den Intendanten gegönnten Bewegungsfreiheit beurteilen zu können, wird man also die Richtlinien abwarten müssen. Inzwischen lohnt es sich, bei den Sätzen zu verweilen, die Ministerialrat Scholz der zukünftigen Programmbildung widmet. Sie lauten wie folgt: »Will der Rundfunk wirklich mehr als der flüchtigen Unterhaltung und oberflächlichen Zerstreuung dienen, so hat er sich die hohe Aufgabe zu setzen, Träger und Mittler deutscher Kultur und deutschen Geistes zu sein. Er soll und muß, um dieser Aufgabe zu genügen, die Seele des deutschen Volkes zu erfassen suchen, wahre, echte, volksbildnerische Arbeit leisen und sich in klarer, zielbewußter Weise in den Dienst des deutschen Volkstums und der nationalen Idee stellen. Sein ganzes Programm ist darauf einzurichten. Das hat mit Chauvinismus nichts zu tun. Das hindert in keiner Weise, daß der Rundfunk auch Kulturwege fremder Völker uns näherbringt ...«[11]

Diese Sätze enthalten:

1. Eine berechtigte Kritik an der »flüchtigen Unterhaltung und oberflächlichen Zerstreuung«, die sich nicht nur im Rundfunk, sondern auch in den Kinos breitmacht. Es gilt einzusehen, daß die Vorherrschaft des bloßen Zeitvertreibs eine geradezu strukturelle Eigentümlichkeit unserer bisherigen inneren Zustände ist (Scheler hätte gesagt: ihr »Lasterkorrelat«).[12] Sie sind gekennzeichnet durch die Kämpfe großer politischer und weltanschaulicher Prinzipien, die sich gegenseitig ausschließen oder auszuschließen glauben. Da diese von den Parteien verfochtenen Prinzipien sämtliche Gehalte verschluckt haben, ist man, um keinen Anstoß zu erregen, dazu gezwungen gewesen, sie, die Gehalte, aus allen der Allgemeinheit zugänglichen Darbietungen auszutreiben. So erklärt sich die bisherige Aufrechterhaltung der formalen Neutralität innerhalb zahlreicher Gebiete des öffentlichen Lebens, so die stete Flucht in leere Zerstreuung.

2. Die Forderung, an die Stelle der Zerstreuung wirkliche Gehalte zu setzen.

Wer teilte nicht den Wunsch nach Gehalten? Aber die geforderten entstammen einem Kulturbegriff, der ihre Entwicklung hintertreibt und das kulturelle Leben nicht befruchtet, sondern beeinträchtigt. Es ist der *Kulturbegriff der Restauration*, der die Rundfunk-Neuregelung trägt. Gewiß drücken sich in allen kulturellen Leistungen unter anderem auch die »landsmannschaftlichen Eigenarten« aus; aber das heißt doch nicht, daß landsmannschaftliche Eigenarten als solche schon das Zeichen kultureller Leistungen seien. Diese Annahme – typisch für alle Restaurationsbemuhungen – stempelt ein selbstverständliches Merkmal sämtlicher bedeutender Werke zu deren Bedingung und verhindert so die Unterscheidung zwischen dem Wert oder dem Unwert von Werken. Wahrscheinlich ist ein Werk um so wertvoller: nicht je mehr es auf den ersten Blick hin »landsmannschaftliche Eigenarten« verrät, sondern je mehr Gehalte es birgt, in denen sich diese Eigenarten auf eine neue, bis-

her unbekannte Weise darstellen können. Sofort sichtbar sind die landsmannschaftlichen Eigenarten nur in alten, dem Volksbewußtsein längst vertrauten Werken. Der Grundgedanke der Leitsätze, nach dem das Landsmannschaftliche der besonderen Pflege bedarf, unterdrückt also faktisch die *werdende* Kultur, die eine neue Form der Stammeseigentümlichkeiten zu entwickeln hätte, zugunsten der *vergangenen* Kultur und schon historisch gewordener Gestaltungen. Die zwangsweise Anpassung des gegenwärtigen Schaffens an die Modelle der Überlieferung wäre aber der Tod jedes kulturellen Lebens.
Nicht minder gefährdet würde es dadurch, daß man es einfach »in den Dienst der nationalen Idee« stellen wollte. Eine kulturelle Leistung hat Gehalte zu vergegenwärtigen, und die Art und Weise, in der sie das tut, ist unstreitig immer durch nationale Eigentümlichkeiten bedingt. So gut es nun möglich ist, daß diese Gehalte sich ausdrücklich und unmittelbar auf das Nationale beziehen, so wenig ist doch dergleichen allgemein zu fordern. Denn die Kulturarbeit hat ihren Wert in sich selber und wird darum in dem Augenblick aufgehoben, in dem man sie einer von außen herangebrachten Idee untertan macht. Welch eine Umkehr der wahren Verhältnisse! Während tatsächlich die nationale Idee von den bedeutenden Kulturwerken her Inhalt und Glanz empfängt, möchte die neue Rundfunkregelung die Kultur der nationalen Idee versklaven. Worauf gründet sich diese nationale Idee, wenn nicht auf die kulturellen Leistungen des Volks, die das Dunkel vor uns in engster Fühlung mit den verschiedensten Sachen und Stoffen immer neu durchdringen?
Es ist eben doch der Bürokratismus, der aus den genannten Weisungen spricht. Er lebt nicht in der Kultur, er meint, über sie verfügen zu können. Mag er das Gute auf seine Weise wollen: in Wirklichkeit führt er zur Restauration. Vielleicht gelingt es ihm, die hohle Zerstreuung zu reduzieren. Aber er ersetzt sie nicht durch Kultur, sondern droht diese kraft autoritärer Maßnahmen in eine *dumpfe Gefangenschaft* zu bringen, in der sie sich am Ende noch schwerer regen kann als in Zeiten, in denen die Zerstreuung gleißend und gewaltlos ihren Platz einnimmt.

Im Interesse der Programmgestaltung des Rundfunks wird eine weitgehende *Auflockerung* der Leitsätze unerläßlich sein. Sie muß von den Richtlinien erwartet werden und hängt auch ein wenig – keineswegs in einem entscheidenden Sinne – von der Wahl der mit der Exekutive zu betrauenden Funktionäre ab. Je verständiger und liberaler die Programmbeiräte zusammengesetzt werden, desto mehr vergrößern sich die notwendigen Durchbruchsmöglichkeiten. Der Geist selber, in dem die Bestimmungen erlassen sind, bleibt allerdings vorerst unaufhebbar.

Immerhin sollte er, eben auf Grund der hier angestellten Überlegungen, die Gefahr bemerken, in die er sich begibt. Er trocknet den Boden aus, den er bestellen will, wenn er die Kultur einfach zum Objekt der Verwaltung macht und sie Zwecken verpflichtet, die sie sich nicht selber stellt. Die kommenden Männer des Rundfunks müßten zum mindesten soweit Selbstentäußerung üben, daß sie *Vorkehrungen* einschalten, die eine *radikale Durchführung des Verwaltungsprinzips verhindern.* Der Erkenntnis Raum gewährend, daß Kultur nicht zu bevormunden ist, sondern höflich aufgesucht zu werden verlangt, hätten sie vor allem dafür zu sorgen, daß die eigentlichen Kulturträger – Autoren, Künstler usw. – ihren Wünschen und Meinungen innerhalb des Rundfunkbetriebs Geltung verschaffen können. Der unlängst in Berlin gegründete »Bund freier Rundfunk-Autoren«[13] hat Vorschläge für Programmausschüsse ausgearbeitet, die sich aus Mitgliedern des Bundes zusammensetzen und Einfluß auf die Programmbildung der Rundfunkgesellschaften sowie auf die Vergebung von Arbeiten gewinnen sollen. Sei es durch diesen Bund, sei es auch durch andere Mittel – die neue Rundfunkverwaltung wird jedenfalls zur freiwilligen Beschränkung ihrer Machtansprüche genötigt sein, um kultureller Leistungen überhaupt habhaft zu werden. Verführe sie nach den Maximen der Leitsätze und so autoritär, wie diese es gestatten, wir gingen Zeiten einer entsetzlichen Dürre entgegen.

(FZ vom 3. 8. 1932)

1 Die »Leitsätze zur Neuregelung des Rundfunks« wurden am 13. 7. 1932 an die Reichsvertreter in den Überwachungsausschüssen versandt und am 27. 7. 1932 durch den Reichsrat erlassen. Siehe *Leitsätze zur Neuregelung des Rundfunks.* In: Bundesarchiv, R 43-I/2001, Reichskanzlei (»neue Reichskanzlei«), Bd. 3.

2 Kracauer spielt hier auf den 1931 vorgelegten Referentenentwurf der »Leitsätze« an, der dem Reichsinnenministerium bereits 1931 vorgelegt wurde.

3 Zur Reichsrundfunkgesellschaft siehe Nr. 476, Anm. 1.

4 Zu den regionalen Rundfunkgesellschaften siehe Nr. 476, Anm. 2.

5 *Leitsätze*, Nr. 1b. In: Bundesarchiv (wie Anm. 1).
6 *Leitsätze*, Nr. 1c. In: Ebd.
7 Ebd.
8 Siehe *Werke*, Bd. 6.3, Nr. 691.
9 Der Jurist Erich Scholz (1882-1954) übernahm 1924 das Rundfunkreferat des Reichsinnenministeriums, ab 1926 gehörte er den Überwachungsausschüssen der Berliner Funk-Stunde (siehe Nr. 534, Anm. 3) und der Deutschen Welle (siehe Nr. 534, Anm. 4) an. 1930 wurde Scholz Mitglied der DNVP, im Sommer 1932 trat er in die NSDAP ein. Im August desselben Jahres wurde er zum Rundfunkkommissar des Reichsinnenministers ernannt, trat aber bereits im November wieder von dem Amt zurück. Scholz war verantwortlich für die Umsetzung der »Leitsätze zur Neuregelung des Rundfunks« und die strukturelle Umgestaltung der DRADAG (siehe Nr. 471, Anm. 4).
10 Zum Manuskript der Rundfunkansprache, aus der Kracauer hier zitiert, siehe Wienfried B. Lerg, *Rundfunkpolitik in der Weimarer Republik*. München: dtv 1980, S. 480.
11 Ebd.
12 Siehe Max Scheler, *Krieg und Aufbau*. Leipzig: Verlag der weißen Bücher 1916, S. 160. Zu Kracauers Rezension der Schrift siehe Nr. 3.
13 Der Bund freier Rundfunkautoren, in dem sich u. a. Alfred Döblin und Rudolf Arnheim engagierten, wurde 1932 gegründet, um die Interessen freier Schriftsteller und Angehörigen anderer geistiger Berufe gegenüber dem Runkfunk zu wahren.

# 673. Stadt-Erscheinungen

## Der Tänzer

Hohe Mictshäuser fassen die grade Straße ein, in der zwei Baumreihen strammstehen wie Rekruten. Vom einen Stamm zum andern sind immer genau zwölf Schritte. Über den Laubmonturen ragen die Fassaden hervor, schmutzige Wände mit eingelassenen Balkonen und vielen Fenstern, hinter denen sich ein besseres Familienleben vollzieht. Es verfügt über Warmwasser und Zentralheizung, und wenn eine Familie das Haus räumt, rückt die neue gleich nach. Veränderungen entstehen dadurch nicht; höchstens wird die Tapetenfarbe gewechselt. Im Erdgeschoß befinden sich unbedeutende Kneipen und kleine Läden, die dem Bedarf der Straßenbewohner dienen. Aus den Küchen schlürft es in diese Geschäftchen hinein und dann wieder empor zu den Etagen. Die Trottoirs sind viel zu breit, da die wenigen Passanten, die sie bevölkern, dicht an den Schaufenstern entlang zu gehen pflegen.[1] Auf dem Asphalt fahren fortwährend Wagen und Taxis vorbei, die im Verein mit einigen Zeitungsbuden der Straße ein großstädtisches Aussehen verleihen. Dennoch langweilt sie sich. Ihre Erker sind es müde, sich ewig anzustarren, und ihre Bäume müssen immer denselben Abstand wahren. Man könnte sich vorstellen, daß die Straße zum Zeitvertreib gern mit einer der zahlreichen Straßen tauschte, von denen sie rechtwinklig gekreuzt wird. Aber diese Straßen unterscheiden sich nicht im geringsten von ihr. So bleibt sie lieber, wo sie ist, schnurgerade Straße, wie es deren Tausende gibt.

In ihrer Mitte erscheint ein schmächtiger, verwahrloster Mann. Er denkt nicht daran, den Fußgängersteig zu benutzen, sondern bewegt sich auf dem Fahrdamm, der jetzt, am frühen Nachmittag, kaum befahren wird. Bewegt sich der Mann wie ein gewöhnlicher Mensch? Seine Schritte sind die eines Tänzers. Jeder hat im Kino schon Zeitlupenaufnahmen gesehen, durch die alle Gebärden zum Verweilen gezwungen werden. Der Springer scheint in der Luft innezuhalten, der fallende Reiter erreicht niemals die Erde. Nicht anders tanzt auch dieser Mann über den Asphalt. Während wirkliche Tänzer in einem Rhythmus dahingleiten, der uns faßbar ist, beschreibt er Figuren, die von einer unnatürlichen Langsamkeit sind. Bald schwebt er so gemächlich zwischen den Baumreihen, als wolle er nicht mehr den Boden berühren, bald kriecht er wie ein Wurm ohne Flügel und führt dabei Drehungen aus, die kaum je zur Spirale gedeihen. Die Übergänge zwischen den verschiedenen Höhenlagen sind sanft und verworren, und die Kurven, in denen er sich windet, ähneln endlosen Schnörkeln, die an eine unsichtbare Unterschrift angefügt werden. Gesang begleitet ihre Entwicklung. Wahrhaftig, der Mann singt mit einer Stimme, die hell wie die eines Kindes ist. Die Melodie hört nicht auf und fängt nicht an, sie folgt vielmehr den unverständlichen Bahnen, die er ohne Abschluß auf und nieder zieht. Statt sich ihnen aber anzupassen, klingt sie immer gleich hoch und fern, eine Melodie von entlegener Süße, die nicht abreißt, so sehr sie auch gedehnt wird. Wie schön könnte sie sein, wäre sie nicht unheimlich wie der verlangsamte Tänzer! Sein Haar ist rötlich, seine Blicke richten sich auf das Asyl, das ihm in dieser Welt vorenthalten worden ist. Wir andern erkennen es nicht, er selber jedoch ist bereits auf dem Wege zu ihm, und zieht mit ir-

ren Tönen und Zeitlupenschwüngen in eine unzugängliche Geborgenheit ein.
Die Mietshäuser reihen sich unbeteiligt aneinander. In ihrem Innern rauscht Warmwasser, und außen steht nüchtern das Laub. Zwölf Schritte sind immer von Baum zu Baum. Vielleicht hat die Straße den Tänzer ausgebrütet. Und was sie verschweigen muß, verdichtet sich zu dieser Figur.

## Die Brücke

In einer Hauptverkehrsgegend kreuzt die Stadtbahn einen breiten Straßenzug. Er macht nicht die geringste Biegung, und jedermann kann ohne Schwierigkeit unter der Brücke passieren, auf der in einem fort die Züge hin- und herrollen. Obwohl sie kein Hindernis bedeutet, ist sie aber doch eine Scheidewand. Sie spaltet die Straße in zwei Teile, die sich trotz ihrer Gleichförmigkeit nicht miteinander vermischen.
Der eine Teil liegt in der Weltstadt. Er enthält belebte Geschäfte, Amüsierlokale und glänzende Lichtreklamen und wird von einem Menschenstrom durchzogen, der sich ununterbrochen weiterwälzt. Den Strom abzulenken, scheint unmöglich zu sein. Mit einer unerbittlichen Gewalt wogt er genau bis zur Brücke und bricht dort jäh ab, ohne den anderen Teil der Straße auch nur zu streifen. Wäre dieser noch eng und verkümmert! Aber davon kann nicht die Rede sein. Seine Häuser suchen an Pracht ihresgleichen, und schöbe sich nicht die Brücke dazwischen, so merkte niemand den Unterschied zwischen beiden Hälften. Und doch ist die jenseits der Stadtbahn gelegene nicht wie ihre gradlinige Fortsetzung vom Weltstadtgetose erfüllt, sondern in den tiefsten Provinzfrieden getaucht. Der Gegensatz ist so kraß, daß man ihn unmittelbar hinter der Brücke erfährt. Wer sich aus dem Menschengeriesel löst und nur ein paar Schritte tut, ist bereits vom Leben abgetrennt und kommt vor Einsamkeit um. Ein Modergeruch umweht diesen Straßenteil, und welche Anstrengungen immer gemacht werden, um ihn aufzufrischen, sie verfehlen ihr Ziel. Aus der Überlegung heraus, daß eine Brücke keine Wand und ein Weg von zwei Minuten keine Entfernung ist, haben sich hier Cafés und Vergnügungsstätten angesiedelt, die von der Nähe des Verkehrs

zu profitieren suchen. Es gelingt ihnen nicht. Ihre Herrlichkeit gleicht der von Strandkasinos, und ihre Gärten erinnern an die Vergnügungsorte mittlerer Städte. So unverwischbar ist der verschollene Eindruck, den sie erwecken, daß sie auch dann hinterwäldlerisch wirken, wenn sie Besuch von der anderen Seite erhalten. Indem die Gäste die Brücke kreuzen, kehren sie in vergangene Zeiten zurück. Sie verwandeln sich in altmodische Personen, und ihre Hüte und Kleider sind aus der vorigen Generation.

Der Menschenstrom wird auch von der Gewohnheit gelenkt. Die Macht, die sie ausübt, übertrifft die großer Umstürze. Vielleicht vermöchte nicht einmal eine Revolution die Scheu vor der Brücke zu besiegen und die eine Straßenhälfte aus der Verlassenheit zu retten.

(FZ vom 6. 8. 1932, u. d. T. »Berliner Figuren« wieder in: *Straßen*)[2]

1 Im Typoskript (KN): »noch dazu meistens dicht an den Schaufenstern entlang gehen.«
2 Der erste Teil dieses Feuilletons (»Der Tänzer«) wurde in *Straßen* zusammen mit Nr. 539 und 575 u. d. T. »Berliner Figuren« wiederveröffentlicht.

## 674. Zwischen Blut und Geist

Rez.: Frank Thieß, *Die Zeit ist reif.* Reden und Vorträge. Berlin u. a.: P. Zsolnay 1932.

Unter dem Titel: *»Die Zeit ist reif«* bringt *Frank Thieß* eine Anzahl von Reden und Vorträgen heraus, die aus den Jahren 1930 bis 1932 stammen und zum kleineren Teil im Ausland gehalten worden sind. Sie befassen sich in der Hauptsache mit der *deutschen Krise* und den Möglichkeiten, die sie in sich birgt. Obwohl Thieß dabei immer wieder gezwungen ist, ins Gebiet der Politik vorzudringen, lehnt er es doch ausdrücklich ab, als Parteipolitiker zu sprechen; denn es ist nicht »die Aufgabe des Dichters, staatspolitische Richtlinien zu geben, sondern einen geistigen Zustand eindeutig zu bestimmen«.[1] In der Tat kann man Thieß nicht etwa als einen Parteigänger der Nationalsozialisten bezeichnen. Aber er ist, im Einklang mit seinen früheren Schriften,[2] von einem starken Glauben an die Jugend erfüllt, die sich in diesen Gegenden aufhält, und bejaht Anschauungen und Ziele, wie sie unter anderem der »Tat«-Kreis[3] formuliert.

Daraus geht schon von selber hervor, daß er sich gleichmäßig wider Liberalismus und Marxismus richtet. Den in ihnen verkörperten Prinzipien und auch der »Scheinrevolution« von 1918 hält er das »neue nationale Wunschbild« entgegen: »aus eigener Kraft, mit eigenen Mitteln, nach den Gesetzen der eigenen nationalen Besonderheit einen streng sozialen deutschen Volksstaat wieder aufzubauen«.[4]

Die Erörterung dieses politischen Credos, zu dessen Stammbegriffen Vokabeln wie Autarkie, organische Gliederung des Volks usw. gehören, ist hier um so überflüssiger, als Thieß sich die Rolle eines Politikers ja gar nicht anmaßt. Dringend geboten aber ist die Auseinandersetzung mit seiner Haltung. Sie wird dadurch gekennzeichnet, daß sie – wo nicht ihrer Absicht nach, so doch faktisch – zwischen der Anerkennung des Geistes und der blutmäßigen Daseins unentschieden hin- und herschwankt. Ein *Widerspruch ist in ihrem Grund angelegt*, der mir für das Leben breiter Schichten unserer Jugend (nicht zuletzt auch des »Tat«-Kreises) typisch zu sein scheint. Es gibt fruchtbare Widersprüche, die den Menschen erst zum Menschen machen. Dieser Widerspruch dagegen ist unfruchtbar. Und er müßte von den ihm Verfallenen darum durchschaut und getilgt werden, weil er sie empfindlich lähmt, weil er sie stets von neuem an der Verwirklichung des richtig Erkannten hindert.

Thieß beweist wiederholt und an entscheidenden Stellen, daß er dem »Geist« – ich übernehme das Wort in dem großen und allgemeinen Sinne, in dem es unsere Dichter zu gebrauchen lieben – die ihm zukommenden Ehren gibt. Im Essay: »Der Dichter und seine Zeit«[5] findet sich ein schöner Abschnitt, der Goethes Deutschtum gegen sture chauvinistische Angriffe verteidigt. Dort wird (unter Berufung auf Gundolf) erklärt, daß *Goethe* gerade durch jene Eigenschaften Bedeutung für Deutschland gewann, die den Patriotismus ausschlossen; dort heißt es, daß er das deutsche Wesen insofern repräsentierte, als er die Gefahr eines Einbruchs der irrationalen Mächte durch das ordnende Gesetz zu bannen suchte. »Mag sein, daß so gedacht nicht national gedacht ist. Aber wenn dies nicht deutsch ist, so weiß ich nicht, was noch deutsch sein kann.«[6] Auch in der politischen Sphäre kämpft Thieß für den Vorrang des Geistes. Er führt der nationalsozialistischen Jugend zu Gemüt, »wie undeutsch, bequem und feige es ist, in Sprechchören Gesinnung in die Luft zu schießen«, warnt davor, die moralische Zucht über der militärischen zu vergessen, und verwirft eine Bewegung, die glaubt, daß »Werte wie Menschlichkeit, Geistesfreiheit, Gerechtigkeit ›von den Juden erfunden‹ seien ...« – »Ich weiß um das Recht des Blutes«, sagt er einmal besonders prägnant, »aber dieses Recht wird zur fressenden Gewalt, wenn der Geist es nicht bändigt. Denn so gewiß es ist, daß der Geist eines Volkes aus seinem Blute stammt, so gefährlich wäre die Meinung, Blut und Geist seien eins.«[7]

Vortreffliche Einsichten! Der Nutzwert jedoch, den sie gerade heute haben könnten, wird dadurch nahezu aufgehoben, daß Thieß mit dem gleichen Atemzug, mit der er die Herrschaft des Geistes fordert, die Bedingungen verneint, unter denen er, der Geist, einzugreifen vermöchte. Seinem Wunsch nach Zucht widerstrebt sein *Hang zum Irrationalen*, und wieder und wieder macht er aus dem »Blut«, das, wie er selber sagt, den Geist gebiert, ein Ziel dieses Geistes. Die materialistische Geschichtsbetrachtung wird zugunsten der organischen entthront, die Stämme, Stände, Bünde werden gegen die Parteien, Interessenverbände usw. ausgespielt. Fortwährend kreuzt sich die Tendenz zur Überhöhung der naturalen Voraussetzungen geistigen Wirkens mit jener ersten Tendenz, die den Geist in Kraft wissen will, der sich doch vom natürlichen Fundament erst aufschwingt. So rückt Thieß dem »Kosmopolitismus« Heinrich Manns[8] mit dem Argument zu Leibe, daß Gesetz und Rechtsgefühl einer Nation »geschichtlich, landschaftlich, völkisch gebunden«[9] seien, und annulliert derart das Geistige zugunsten des Bodens, in dem es wurzelt, statt, von den geschichtlichen, landschaftlichen, völkischen Bindungen ausgehend, wider die von Heinrich Mann entwickelten Inhalte andere zu setzen. Am deutlichsten enthüllt sich die gegen den Geist gerichtete Gesinnung in dem von Thieß angestellten Vergleich der jetzigen Spannungen mit denen der *Reformationszeit*. Thieß meint, daß heute genau so wie damals ein *neuer Glaube an Deutschland* entstehe – der Glaube an »die Eigengesetzlichkeit und Überwirklichkeit der Nation«[10] – und darum auch heute der Glaubensstandpunkt, den Luther vertrat, dem Vernunftprinzip, das Zwingli geltend machte, überlegen sei. »Es darf keine Deutung der Vernunft erlaubt sein, wo der Glaube spricht! Wage ich es, meinen Glauben nur mit einer einzigen Wurzelfaser an die Vernunft zu knüpfen, ihn von der Ratio, von der Logik her zu begründen, so nehme ich ihm damit seine magische Kraft, ich nehme ihm seine göttliche Verbundenheit, ich mache ihn zum Diskussionsgegenstand, unterstelle ihn zeitlicher, nicht ewiger Ordnung. Luther hatte recht, nicht Zwingli.«[11] Um davon abzusehen, daß der Glaube an »die Eigengesetzlichkeit und Überwirklichkeit der Nation« qualitativ von jedem theologischen Glauben verschieden ist und die heutige Bewegung als eine politische tatsächlich ganz in die Zeitlichkeit eingeht – um von alledem abzusehen, wüßte ich nicht, wie Thieß die hier geäußerte Auffassung von der Erhabenheit des Glaubens über die Vernunft mit dem Anspruch vereinen könne, daß der Glaubenskampf, in dem doch nach ihm das Volk zur Zeit steht, im Zeichen der Vernunft geführt werden solle. Zwei Seelen wohnen in seiner Brust, und die eine wird von der andern oft genug exmittiert.

»Geist« und »Blut« – zwischen beiden Extremen bewegt sich heute, widerspruchsvoll und unentschlossen wie Thieß, ein guter Teil unserer Jugend. Sie wendet den Blick zum Irrationalen und möchte doch die Ratio nicht missen (so etwa liegt der Fall beim »Tat«-Kreis, der die organische Lehre mit dem Gedanken der Planwirtschaft zu verbinden sucht). Das Verhängnis einer solchen Zwiespältigkeit ist noch nicht einmal, daß der Geist als das schwächere Prinzip gewöhnlich zu kurz kommt, sondern besteht viel eher darin, daß gerade die Anbetung des Irrationalen dieses vertreibt. Je mehr das Blut, das völkische Wesen, die Landschaft usw. angestarrt und beschworen werden, desto leichter verflüchtigen sie sich. Zur richtigen Existenz gelangt die Natur eines Volkes erst dann, wenn das Volk gewillt ist, alle der Vernunft zugänglichen Angelegenheiten vernünftig zu regeln.

(FZ vom 7. 8. 1932, Literaturblatt)

1 Frank Thieß, »Deutsche Dichtung und deutsche Gegenwart«. In: Ders., *Die Zeit ist reif*. Reden und Vorträge. Berlin u. a.: P. Zsolnay 1932, S. 145-200, Zitat S. 189.
2 Siehe »Bemerkungen zu Frank Thieß«, Nr. 555.
3 Zum »Tat«-Kreis siehe Nr. 615, dort auch Anm. 1.
4 F. Thieß, »Was geschieht in Deutschland?«. In: Ders., *Die Zeit ist reif* (wie Anm. 1), S. 201-258, Zitat S. 255.
5 Ders., »Der Dichter und seine Zeit«. In: Ebd, S. 95-143.
6 Ebd., S. 115.
7 F. Thieß, »Deutsche Jugend und deutsche Krise«. In: Ebd., S. 259-314, Zitat S. 312.
8 Siehe u. a. Nr. 514 und 665.

9 F. Thieß, »Deutsche Dichtung und deutsche Gegenwart«. In: Ders., *Die Zeit ist reif*, S. 145-200, Zitat S. 186.
10 Ders., »Was geschieht in Deutschland?«. In: Ebd., S. 201-258, Zitat S. 251.
11 Ebd.

## 675. Berlin in Deutschland

Rez.: Hermann Ullmann, *Flucht aus Berlin?* Jena: E. Diederichs 1932.

Ein wichtiger Beitrag zur wachsenden Literatur über die Reichshauptstadt ist das Buch *Hermann Ullmanns*: *»Flucht aus Berlin?«*. Es empfiehlt sich rein schon als eine sichere Darstellung der für die Wirklichkeit Berlins entscheidenden Züge. Indem Ullmann diese Wirklichkeit von verschiedenen Seiten aus betrachtet – nicht ohne die heutigen Tatbestände durchweg historisch zu unterbauen –, übt er zugleich an ihr schonungslose Kritik. Eine Kritik, die nicht auf mehr oder weniger zufälligen Impressionen, sondern auf einer fundierten Anschauung der gesamtdeutschen Verhältnisse beruht.
Hassende und auch Liebende haben die Reichshauptstadt zu schildern versucht, und Ullmann ist nicht ihr Entdecker. Er muß aufnehmen, was andere nicht minder scharf beobachtet haben: die Geschichtslosigkeit dieser Stadt, die formlose Unruhe, von der sie beherrscht wird, die Vermittlerrolle, die sie zwischen dem deutschen Osten und der westlichen Zivilisation spielt. Und gewiß ist manches tiefer erfaßt worden, als es hier geschieht; so etwa die fragwürdige Beziehung Berlins zum Boden, die Ernst Bloch erst unlängst in seinem großartigen Aufsatz: »Berlin, von der Landschaft gesehen« (vergl. Reichsausgabe vom 7. Juli)[1] erforscht und gedeutet hat. Aber das Schwergewicht der Betrachtungen Ullmanns liegt doch auf der Analyse eines Phänomens, das bisher meines Wissens noch nicht so grundsätzlich angegriffen worden ist. Ich meine das Phänomen der *Berliner Oberschicht*.
Diese Gesellschaft, die keine ist – Ullmann leitet ihr Parvenutum aus ihrer Entstehungsart ab. »Die industrielle Gründerzeit hat ganz Europa verwüstet, aber sie hat überall allmählicher eingesetzt und mehr Zeit zur

Anpassung gelassen als in Deutschland und zumal in Berlin. In diesen unseligen Jahrzehnten ... ist die Stillosigkeit des Parvenus geradezu der Stil Berlins geworden ... Und wenn auch der Parvenu überall den Ton anzugeben begann: in Berlin war er nahezu mit sich allein. Weder eine alte Gesellschaft noch ein starker, einflußreicher Untergrund von Volkstum trat ihm entgegen und hemmte ihn.« So mußte freilich nach dem Zusammenbruch eine Oberschicht übrigbleiben und weiter gedeihen, die noch viel ungehemmter war und aller Voraussetzungen zur Gesellschaftsbildung ermangelte. Man traf sich zu technischen Zwecken, ohne sich zum Miteinanderleben zu verstehen, und tauchte in zahllosen Klüngeln unter, die nur den Mangel eines allgemeineren Consensus bewiesen. Kurzum, die Oberschicht war und ist alles andere eher als eine wirkliche, zur Führung berufene Gesellschaft. Und mit Recht, wenn auch nicht ohne Übertreibung, wird die Frage aufgeworfen: »Die Ohnmacht der Zentralen, der politischen, bürokratischen, verwaltungstechnischen, der Meinungszentralen, die in Berlin gehäuft sind ... dieses völlige Versagen der Selbst- und Staatsverwaltung gegenüber den Riesenaufgaben der Krise – wo hat das alles seine Wurzeln, wenn nicht in dem Fehlen einer geschulten Schicht, einer Elite? ... Oder vielmehr: muß diese Apparatur nicht versagen, wenn der geistige Ausgleich, die seelische Beziehung zwischen denen stockt, die sie bedienen?«

Dringt Ullmann auch nicht zu den letzten Gründen der von ihm beschriebenen Zustände vor, so wertet er doch seine Einsichten mit einer guten Besonnenheit aus. Sie wird dort zur außerordentlichen Tugend, wo sie nicht aus Kompromißlust hervorgeht, sondern aus dem Wunsch, umfassend zu urteilen. Ullmann erkennt genau, daß die Schäden, die sich in Berlin besonders drastisch darbieten, *gesamtdeutsche Schäden* sind, und lehnt alle Versuche ab, die Berlin gewissermaßen zu einem Geschwür am deutschen Volkskörper stempeln wollen. Und die eigentliche Bedeutung seines Buches besteht eben darin, daß er aus seiner Kritik *nicht* die üblichen Schlüsse zieht, zu denen die Widersacher Berlins in Berlin selber und in der Provinz gelangen. »Nein, die bloße Negation ›Berlins‹ tut es nicht. Berlin ... als soziologische Tatsache, als irgendwo in Deutschland vorhandener Zentralenapparat und damit als Zustand und Problem wird immer bestehen. Es ist ohne Zweifel verdienstlich, gegen die Überwertung der Maßstäbe, die aus ›Berlin‹ stammen, zu

kämpfen. Aber es ist weder tapfer noch fruchtbar, vor jenem Problem als solchem in das Idyll und das romantisch übersteigerte Ideal einer (nie und nirgends bestehenden) nurschöpferischen, zivilisationsfreien Provinz zu flüchten. Berlin ist als Zustand heute im fernsten Provinzler wirksam und real; und es muß als ein Stück Realität, der wir nicht entrinnen können, ohne Ressentiment und Romantik vom deutschen Leben verarbeitet und bezwungen werden.«
Flucht aus Berlin? Die Antwort Ullmanns lautet: *Nein*. Er erteilt sie in der Gewißheit, daß Berlin »der Ausdruck des deutschen Schicksals und seiner Verwirrungen« ist, und verknüpft sie mit der Erwartung, daß sich unter dem Druck der Not in der Reichshauptstadt endlich eine führende Schicht bilden werde, die wirklich Elite heißen darf. Auch wer nicht in allen Begründungen und Forderungen mit ihm übereinstimmt, wird doch die Haltung bejahen müssen, aus der heraus er, der Kritiker Berlins, sich von dieser vielgehaßten Stadt nicht abkehrt, sondern sie, einem Liebenden gleich, erst recht ans Herz drückt.
(FZ vom 14. 8. 1932, Literaturblatt)

1 Ernst Bloch, »Berlin aus der Landschaft gesehen« [sic], in: FZ vom 7. 7. 1932, Nr. 499-501; verändert wieder in: Ernst Bloch, *Gesamtausgabe*. Bd. 9: *Literarische Aufsätze*. Frankfurt a. M.: Suhrkamp 1965, S. 408-420.

## 676. Zerbrochene Hymnen

Rez.: Ernest Hemingway, *In unserer Zeit*. Erzählungen. Übers. von Annemarie Horschitz. Berlin: E. Rowohlt 1932.

In *Ernest Hemingways* erstem, jetzt übersetzten Geschichtenbuch: »*In unserer Zeit*«[1] finden sich viele Stellen hymnischer Bejahung des natürlichen Lebens. Ihm ist der Dichter gläubig zugetan. Sein Held Nick, der immer wieder vorkommt, lernt als Junge das primitive Dasein der Indianer kennen und ist mit dem Fluß vertraut, an dessen Ufern er aufwächst. Ein männlicher Bursch, ein Stück Natur in der großen Natur. Einmal treibt er sich auf der Eisenbahn herum und gerät irgendwo am Schienenstrang in die Gesellschaft eines ausrangierten Boxers und eines Negers.

Nach dem Krieg läuft er mit George in der Schweiz Ski, beseligt über diesen Sport, der herrlicher ist als jeder andere Genuß. Noch später wandert er, wieder in der Heimat, zum geliebten Fluß, kampiert einsam, verschmilzt mit dem Kiefernnadelboden und der Nacht und gibt sich dem Glück des Forellenfischens hin.

Lob des naturhaften Miteinanders, der Streifzüge durch die Welt, der Kameradschaft aller Wesen – das ist nicht weit von Walt Whitman entfernt.[2] Wie dieser, so hätte auch Hemingway vielleicht Hymnen angestimmt, wenn er nicht durch den Krieg gegangen wäre. Der *Krieg* aber, der ihm zur Grunderfahrung geworden ist, hat sein Zutrauen zu den Heilskräften des elementaren Geschehens vernichtet und die Hymnen zerbrochen. Im wörtlichen Sinne. Das Buch ist in jener Mosaiktechnik geschrieben, die von John Dos Passos ausgebaut und leider zu manieriert angewandt wird.[3] Zwischen den eigentlichen Geschichten sind kurze Fragmente einmontiert, die kaum je eine einleuchtende Beziehung zu ihrer Umgebung haben. Sie heben stets erneut den Zusammenhang auf, der sich bilden will, und sollen offenbar dartun, daß das Miteinander ein Gegeneinander und die Wirklichkeit sinnlos ist. Entscheidend ist nun, daß die fragmentarischen Abschnitte, die den einheitlichen Verlauf sprengen, auch ihrem Inhalt nach Granatsplittern gleichen. Alle handeln sie vom Krieg, von der Grausamkeit, vom Töten. Flüchtige Bilder aus Wochenschauberichten, so tauchen diese Szenen auf: Feinde werden abgeschossen; eine Frau, die aus einer Stadt flieht, bekommt ein Kind; die Schrecken von Stierkämpfen erstehen; Hinrichtungen sind protokolliert usw. Es ist, als explodiere unablässig die außer Rand und Band geratene Natur und richte ihre Verwüstungen an. Sie, die so gut und wunderbar sein kann, daß man sie immer nur besingen möchte, wendet sich, dem Abgrund entsteigend, gegen sich selber, zerstört die Bedeutungen und reißt die edlen Gebilde in Fetzen.

Die Erkenntnis ihrer finsteren Gewalt erzeugt keinen Haß, wohl aber einen desperaten Unglauben. Dieser Unglaube hat seinen eigenen Ton: den der *impassibilité.* In der Tat: der im Krieg gewesene Hemingway läßt den Jubel gefrieren, bleibt sogar dort reserviert, wo der Hymnus voll einzusetzen hätte, und stellt scheinbar ungerührt fest, wie die Welt in Wahrheit beschaffen ist. Wie ist sie beschaffen? Sie geht ohne Antwort über die wichtigsten Fragen hinweg und ist im Grund, den man nicht sieht, außerordentlich banal. Ihr doofes Unwesen beschreibt der Dichter mit einer Illusionslosigkeit, wie man sie vor ihm kaum kannte. Da ist der Revolutionär aus Budapest, der mit einem Empfehlungsschreiben seiner Partei Italien bereist. Er glaubt an die Fortschritte der revolutionären Bewegung in Italien, hat eine Abneigung gegen Mantegna und wandert gern über einen Paß. Fertig ist die Geschichte. Sie konstatiert gewollt nüchtern verschiedene, nicht zueinander passende Lebensäußerungen eines Menschen und deckt zugleich das Mißverhältnis zwischen der Idee und ihrer Verkörperung auf. Überall geht es darum, die Realität zu entblößen, die sonst mit einem Schleier verhüllt wird, und sie in ihrer Kahlheit zu zeigen. Zum Vorschein kommt etwa der faktische Ablauf bürgerlicher Dutzendehen; die Plattheit einer Gemeinschaft, die keine ist, die Öde, die zwischen den Partnern herrscht. Der Sprachgebrauch retouchiert gemeinhin solche Beziehungen. Hier aber wird unter die Sprache gegriffen und die Deutlichkeit einer Photographie erzielt, die nicht den geringsten Pickel im Gesicht unterschlägt. Ein junges amerikanisches Paar macht die übliche Italienreise und weiß nicht, was es mit sich, mit der Zeit, der Landschaft und dem Leben anfangen soll. Er räkelt sich auf dem Bett herum und liest; sie ist unbefriedigt, ohne recht zu ahnen, warum, und wünscht sich das Blaue vom Himmel herunter, den sie doch über sich hat. »›Und ich will an meinem eigenen Tisch von meinem eigenen Silber essen, und ich will Kerzenbeleuchtung. Und ich will, daß Frühling ist, und ich will mein Haar vor dem Spiegel richtig bürsten können, und ich will eine kleine Katze haben, und ich will neue Kleider haben.‹ – ›Nun hör schon auf und nimm was zum Lesen‹, sagte Georg. Er las wieder.« Nur selten klingt diese Melodie der Sehnsucht durch. Das Ungenügen verkapselt sich vielmehr meistens in die trockene Mitteilung äußerer Umstände, in die fühllose Wiedergabe von Alltagsgesprächen. Als würden sie durch eine Grammophonwalze reproduziert, so blöd und ziellos entwickeln sie sich, so stumpf brechen sie ab. Und obwohl solche Unterhaltungen von unzähligen Menschen jederzeit geführt werden, scheint es doch, als habe man sie noch nie so gehört. Eine Fremdheit, die daher rührt, daß Hemingway den Dunstkreis fortscheucht, hinter dem sie in der Wirklichkeit aufziehen und vergehen. Der Krieg hat ihm die Augen geöffnet, und er gebraucht sie jetzt ohne Erbarmen. Aber auch ohne Empörung. Denn was nutzt es, sich aufzulehnen, wenn die bloße Natur die Macht ergreift und der Unsinn wieder und wieder die Hoffnung bezwingt? Ihn auch nur verurteilen zu wollen, wäre ein unfruchtbares Beginnen. Man kann ihm ins Angesicht blicken, und damit gut.

Die *impassibilité*, in die Hemingway verfällt, ist aber keineswegs gleichbedeutend mit Apathie, und das Anstarren des Bruchwerks der Welt bringt ihn nicht zum Erstarren. Im Gegenteil, der Nihilismus lockert ihn, befähigt ihn zu Einsichten und Gestaltungen, deren er wohl ursprünglich nicht fähig gewesen wäre. Von Natur aus neigt er eher zur Bejahung der Kraft, des Sieges, des Glücks, der Gesundheit; wofür nicht zuletzt seine Erscheinung spricht, die, nach den Bildern zu schließen, blühend ist. Durch den im Krieg erlittenen Umbruch nun wird ihm, dem hymnisch angelegten Menschen, der sich den Baumen und Gestirnen gleich nahe fühlt und die Geheimnisse der Geburt und des Todes früh erfährt, das Wissen um den Untergang zuteil. Und statt sich von ihm abzuwenden, spürt er ihm nach, gibt er sich willig ihm hin. Nicht nur das aufsteigende Leben ist sein Gegenstand, sondern erst recht das sich verlierende, das ins Dunkel gleitet. Der Held muß dem Unterlegenen weichen, die Größe der Unscheinbarkeit. In einem der Fragmente wird ein schlechter Stierkämpfer geschildert, den die Menge schmäht. Besonders aufschlußreich ist die Erzählung vom alternden Jockei, der nicht mehr reüssiert, nach und nach verkommt und am Ende zu Tode stürzt. Nicht der Träger des Ruhms – einer, der aus der Reihe tritt und verschwindet, erhält hier die Glorie; oder richtiger: er wird notiert und damit eingereiht.

Allem Verschwindenden folgt so der Dichter bis ins Nichts hinein. Da ihm die Hymnen zerbrochen sind und er nicht alles preisen kann, ist das Nichts der äußerste Ort, den er erreicht. Wird er es bleiben? Der Lokkung des Nichts immer nachzugeben, wäre auch Desertion.

(FZ vom 4. 9. 1932, Literaturblatt)

1 Engl. Orig.: *In our time*. New York: Boni & Liveright 1925.
2 Zu Walt Whitman siehe Nr. 10, Anm. 9.
3 Siehe Nr. 643, Anm. 3.

## 677. Rußland von außen und innen

### Zu drei Rußlandbüchern

Sammelrez.: Ludwig Renn, *Rußlandfahrten*. Berlin: Lasso 1932; Margarete Neumann, *Ich kann nicht mehr* ... Wien und Leipzig: E. Prager 1932; Ilja Ilf und Eugen Petrov, *Ein Millionär in Sowjet-Rußland*. Übers. von Elsa Brod u. a. Berlin u. a.: P. Zsolnay 1932.

*Ludwig Renn* schickt seinem Buch: »*Rußlandfahrten*« die Erklärung voraus, daß er in ihm »kleines Material aus dem Leben« bringen wolle. Mehr leistet er tatsächlich nicht. Weder stellt er je breitere Zusammenhänge dar, noch widmet er sich etwa den allgemeinen Problemen des sozialistischen Aufbaus, noch erteilt er überhaupt Auskünfte, die einen Erkenntniswert hätten. Mit Scheuklappen versehen, reist er vielmehr gleichsam bewußtlos im Land umher und verzeichnet lauter Eindrücke, die aufs Geratewohl gepflückt sind. (Die zweite, mit einem deutschen Weber unternommene Reise bezweckt zwar das Studium der Textilfabriken, verläuft aber auch höchst unsympathisch.) Allerdings wird Renn nicht eigentlich vom Wunsch des Forschers, sondern vom Heimweh des Gläubigen nach Rußland getrieben. Und da er der Sache sicher ist, deren sich jener erst versichern müßte, dienen die Erfahrungen, die er drüben sammelt, von vornherein weniger der Erweiterung unseres Wissens als der Bestätigung des Geglaubten.

Es gibt Gläubige, die aus dem Zweifel kommen. Renn gehört nicht zu ihnen. Er ist gradlinig wie ein Soldat oder eine Pappelallee und von der Schlichtheit des Mönchs. Intellektuelle Skrupel liegen ihm fern, primitive Zustände zieht er von Natur aus den zweideutigen vor, die ihn verwirren könnten. »Alle sagten immer das gleiche«, meint er einmal, »und jedesmal war ich wieder begeistert von dieser Selbstverständlichkeit.« Offenbar sind ihm individuelle Neigungen so unbekannt, daß der Verzicht auf sie für ihn eine Entlastung und kein Opfer ist. Dieser Haltung entsprechen Beobachtungen, die einfach, lauter und aus Holz geschnitzt sind. Man vernimmt, daß viele Leute an ihn, den deutschen Schriftsteller, die Aufforderung richten, das deutsche Volk möge endlich die Revolution machen, daß die Bauern sich rasch in Arbeiter verwandelten, daß die Abnahme des Kirchenbesuchs vom Widerstand der Popen gegen die

Traktorisierung herrühre usw. Das alles ist in einem Chronikstil erzählt, dessen gesinnungsfrommes Wesen noch ergreifender wirkte, wenn seine Dürftigkeit auf die Dauer nicht langweilte. Die Gespräche reihen sich ohne Kommentar aneinander, und niemals werden die Feststellungen von Urteilen umspielt. So schildert Renn ein Zusammensein mit Max Hölz,[1] ohne daß dieser das ihm zukommende besondere Leben gewönne. Er lebt in einem Kaukasus-Sanatorium, hat sich so und so geäußert und damit Schluß. Gesehen sind allein die typischen Züge, und auch sie nur insoweit, als sie ins Idealbild passen. Dieses Bild in der Wirklichkeit wiederzufinden, ist das einzige Sinnen Renns. »Und wen der Fünfjahresplan nicht begeistert«, sagte ein Wolgadeutscher zu ihm, »der muß doch schon ganz eingerostet sein.« Sein Glaube ist so simpel, daß er über solchen Zeichen der Bejahung die Gegenkräfte und Schwierigkeiten kaum bemerkt.

Immerhin enthält das Buch einige Sätze, die nicht nur erbauen, sondern auch erhellen. Beim Besuch einer Kollektivwirtschaft stellt Renn fest: »Für die Bauern hier bedeutet der Sozialismus etwas, was wir gar nicht mehr fassen können, weil es uns längst selbstverständlich geworden ist.« Eine Einsicht, die freilich ihre Fruchtbarkeit erst entfaltet hätte, wenn sie hinreichend ausgebaut worden wäre. Erwähnt sei auch die schöne Formulierung eines Armeniers: »Erst dadurch, daß wir mit dem Nationalismus aufgehört haben, können wir uns national entwickeln.«

Während Renn von außen her kommt, ein Pilger, der geweihte Stätten aufsucht, hat *Margarete Neumann*, die Verfasserin des Buches: *»Ich kann nicht mehr ...«*, jahrelang in Rußland selber gelebt und gekämpft. Sie war Mitglied der Kommunistischen Parteien verschiedener Länder und zwischen 1923 und 1930 mit der *Trotzki-Opposition* verbunden. Deren Schicksale werden von ihr geschildert. Nicht in einer Darstellung, die den Verlauf der politischen Ereignisse zusammenhängend berichtete, sondern in Form eines Romans, der den Einfluß dieser Ereignisse auf eine Gruppe junger Menschen zu gestalten versucht, mit denen sie offenbar vertraut gewesen ist.

Mag der Roman als solcher belanglos sein: zum Unterschied von Renns Buch, das angesichts der Wunschfassade verharrt, deutet er doch wenigstens an, was hinter den Kulissen geschieht. Nur tut die Verfasserin der von ihr beabsichtigten Wirkung dadurch Abbruch, daß sie in einem fort politische und menschliche Dinge durcheinandermengt. Trotzkistin, die sie ist, will sie die Leiden der Opposition und die Fehler des Stalin-Kurses enthüllen. Statt sich nun in der Hauptsache mit Vorgängen zu befassen, die wirklich in die gemeinte Richtung weisen, erzählt sie eine Menge von Tatsachen, die weder für Trotzki noch gegen Stalin sprechen, wie erfreulich oder empörend immer sie seien. Zweifellos ist sie eine jener Frauen, die sich darum zur Revolution bekennen, weil sie die Unzulänglichkeit alles Irdischen nicht ertragen. Kein Zustand und erst recht nicht einer, der sich zu konsolidieren beginnt, kann ihnen genügen. Aber indem sie den politischen Kampf im Interesse von Zielen führen, die nicht rein politischer Art sind, verwechseln sie unwillkürlich die politisch zu beseitigende Not mit der kreatürlichen überhaupt und verlieren den Sinn für die Möglichkeiten der Politik.

Wie sehr menschliches Mitgefühl das politische Räsonnement überwiegt, ist an allen Ecken und Enden zu spüren. Gewiß fehlt nicht der Blick für die Zustände im allgemeinen, für Parteitaktik und Abänderbares. So wird das schwankende Verhalten der Partei den Kulaken gegenüber angegriffen, die Gefahr der Bürokratisierung durchschaut und Kritik an den ausländischen Sowjetinstitutionen geübt. Diese Betrachtungen sind indessen nur der Nebeneffekt einer Erzählung, die das Leben eines Kreises von Jünglingen und Mädchen behandelt und dabei stets wieder private und öffentliche Motive zusammenfließen läßt. Einige vertreten faktisch die Sache: Petruscha zum Beispiel, der sich bei jeder Gelegenheit gegen die »Hyänen der Revolution« wendet, oder Sergej, der sich umbringt, weil er seinen Konflikt mit der Partei nicht zu lösen weiß. Andere dagegen erleiden ein Schicksal, für das die politischen Verhältnisse schlechterdings nicht verantwortlich zu machen sind. Die Jüdin Njurka, die sich dem Säufer Vlada ergeben hat – er erinnert an Gestalten aus vorrevolutionären Romanen –, wird von diesem angesteckt und erhängt sich. In jedem Land konnte ein solches Mädchen lieben und sterben. Es ist gut zu verstehen, daß die Verfasserin ihr Herz an diese mutige und aufrichtige Jugend hängt, die mehr taugt als das Gros der Karrieristen. Manche Figuren beschreiben aber eine so individuelle Lebenskurve, daß sie nicht als Verkörperung der Opposition aufgefaßt werden können.

Der Roman hat Trotzki vorgelegen, und es entbehrt nicht der politischen Pikanterie, daß dieser in seinem mit abgedruckten *Antwortschreiben* von dem Buch weit abrückt.[2] Er stellt ein paar Fehler richtig und erklärt im gleichen Satz, in dem er der Verfasserin mit weltmännischer Höflichkeit seine Sympathie ausdrückt, daß ihre Wege unversöhnlich auseinandergingen. Da sie die »Wurzel des Übels in der Diktatur des Proletariats« erblicke, sei ihre Arbeit »vollständig zugunsten der Sozialdemokratie gegen den Kommunismus« geschrieben. In der Tat schreibt am Schluß der verbannte Oppositionelle Sascha seiner Frau: »Jetzt ist die Partei durch die Bürokratie vollständig erstickt, sie ist tot! ... Ich frage mich immer wieder: Ist daran nur der Kurs der Parteiführung schuld oder liegt das nicht vielmehr im System der Diktatur? ...« Wenn diese Frage das Fazit sein sollte, so bestätigt sie noch einmal, daß die der Verfasserin vorschwebende Revolution über jede politische hinausweist.

Der Roman: *»Ein Millionär in Sowjetrußland«* von *Ilja Ilf* und *Eugen Petrow*[3] ist eine angenehme Ausnahme in der russischen Literatur. Er stellt das Sowjetleben nicht unmittelbar dar wie die meisten anderen Romane, die nichts weiter als maskierte Reportagen sind, sondern macht es zum Hintergrund einer wirklich durchkomponierten Handlung. Und statt in dogmatischem Ernst zu ersticken, zeigt er eine Heiterkeit, die noch mit sanktionierten Grundsätzen zu spielen versteht und mehr echten Ernst verrät als das lehrhafte Wesen, das heute so vielen russischen Produkten eignet.
Ist Ostip Bender, der Held des Romans, ein aus der kapitalistischen Epoche übriggebliebener Schädling oder ein fehlgeratener Sproß der Sowjetunion? Man weiß es nicht recht. Jedenfalls paßt ihm der ganze Bolschewismus nicht, und er sehnt sich danach, mit einer Million in der Tasche nach irgendeinem vom Kommunismus noch nicht befleckten Rio de Janeiro zu verduften. Aber woher die Million bekommen? Bender, der seiner Findigkeit wegen auch der »große Kombinator« genannt wird, hat den Einfall, in der Wüste der Sowjetunion einen Millionär aufzutreiben, dem er sein Geld abnehmen kann. Einer der Kumpane, die er unterwegs findet, setzt ihn auf die richtige Spur. In Tschernomorsk lebt ein gewisser Korejko, der als bescheidener Buchhalter sein Dasein fristet, in Wirklichkeit aber Unsummen erworben hat, die er in einem Köfferchen

aufbewahrt. Er wird nun von Bender & Co. nach allen Regeln der Kunst verfolgt. Der Kombinator macht ihn systematisch mürb und verfaßt dann eine Lebensbeschreibung des Kryptomillionärs, die er diesem zum Verkauf anbietet. Zuletzt zahlt Korejko wirklich die geforderte Million für das Verzeichnis seiner Schandtaten. Die Jagd nach dem Glück ist zu Ende; das Buch allerdings noch nicht.
Witzig und bedenkenlos wie die Sentenzen Ostip Benders sind auch seine Gaunereien. Er nutzt die vertracktesten Umstände und weiß sogar aus einem antikapitalistischen Verhalten Kapital zu schlagen; darin weit seinen Gefährten Balaganow und Panikowski überlegen, die sich ihren Unterhalt damit erschnorren, daß sie sich als Söhne eines Leutnants Schmidt ausgeben, irgendeines Revolutionshelden, dessen Kinder man wohl oder übel durchfüttern muß. (Nebenbei bemerkt, sind sie nicht die einzigen Hochstapler, die den glorreichen Gedanken gefaßt haben, diesen Schmidt zu ihrem Vater zu wählen.) Solche kleinen Beutezüge verachtend, geht Bender mit wunderbarer Geschicklichkeit gleich aufs Ganze. Auf der Reise nach Tschernomorsk, die er mit seiner Bande im Auto zurücklegt, läßt er sich z. B. als Sieger eines Autorennens preisen und bewirten, das zufällig in diesem Rayon veranstaltet wird. Später gründet er eine Scheingesellschaft zur »Verarbeitung von Hörnern und Hufen«, um sich in den Besitz der notwendigen Auskünfte über Korejko zu bringen. Und es versteht sich von selbst, daß er gratis in einem Sonderzug mitfährt, der Journalisten und Behörden zur Feier einer Gleisvereinigung nach dem Fernen Osten befördert. Wer wollte ihm böse sein? Es ist durchaus in der Ordnung, daß er überall, wo er auftaucht, zum Mittelpunkt wird und für eine beschränkte Zeit allgemeine Verehrung genießt. Denn seine Aktionen breiten Glanz über die Alltagsmisere, und die Leute, die auf ihn hereinfallen, sind gewöhnlich betrogene Betrüger.
*Lunatscharski*[4] erklärt in einem Nachwort, daß die Schelmereien Ostip Benders darum anzuerkennen seien, weil sie die Spießerwelt bloßstellten, eine Welt, die nach ihm der »Bodensatz unserer Gesellschaft«, der »beschmutzte Saum des Gewandes der Revolution« ist. In ihr, in der das noch immer nicht unterdrückte Kleinbürgertum wuchert, sei Bender mit Recht der »große Mann«. »Kommt er aber«, fährt Lunatscharski fort, »in Berührung mit dem wirklichen Leben, so wird das wirkliche

Leben ihn erdrücken müssen, als eine Persönlichkeit, die um so schädlicher ist, je begabter und prinzipienloser sie ist.«
Vor allem das Ende des Romans spricht für diese These. Kaum hat Bender sein Ziel erreicht, so muß er auch schon merken, daß die Million in Rußland eher ein Hindernis für ihn ist. Er kann mit dem Geld nichts anfangen, und wenn er als Millionär Eindruck zu schinden sucht, rücken die Leute von ihm ab. Die schönen Rubel sind in Wahrheit keinen Pfifferling wert. So kauft er sich heimlich Sachwerte, bepflastert sich mit goldenen und silbernen Gegenständen, hüllt sich in kostbare Pelze und flieht aus Rußland. Sofort jenseits der Grenze aber ereilt ihn das Schicksal in Gestalt rumänischer Grenzsoldaten, die ihn aller seiner Güter berauben. Arm und geschlagen kehrt der Kombinator zurück. Seine Anstrengungen sind vergeblich gewesen. Niemals mehr wird ihm ein Outsiderglück blühen, und Rio de Janeiro bleibt ewig ein Traum.
Trotz dieses symbolisch gemeinten Schlusses scheinen jedoch die heiteren Erfinder Ostip Benders nicht nur jenes Milieu geißeln zu wollen, das von Lunatscharski so poetisch als der »beschmutzte Saum des Gewandes der Revolution« bezeichnet wird. Ihre Angriffe reichen vielmehr mindestens bis zur Taillenhöhe hinauf. Den Beweis hierfür liefern zunächst einige Nebenfiguren. Ein Greis beschäftigt sich damit, auf Träume zu lauern, die ihm gestatten, der penetranten Sowjetwirklichkeit zu entrinnen; aber diese verfolgt ihn auch noch im Traum und spiegelt dem Schlafenden statt einer Fata Morgana Wandzeitungen, Mitgliederbeiträge und Massenküchen vor. Ein anderer Greis, der sich sein Auskommen durch Rebusse verschafft, scheitert daran, daß ihm die Rätsel nur abgenommen werden, wenn sie ideologisch unanfechtbar sind; einwandfreie Worte wie »Industrialisierung« indessen spotten der sinnvollen Zerlegung. Diese komischen Typen haben unstreitig den Zweck, auf Übertreibungen des Systems aufmerksam zu machen. Auch Bender verhöhnt immer wieder das offizielle Gebaren. Wenn er sich etwa auf der Autoreise das Entgegenkommen der Bevölkerung dadurch sichert, daß er sein altes Vehikel mit der Inschrift versieht: »Im Auto rennen wir an gegen schlechte Wege und Rückständigkeit«, so trifft er mit diesem Plakat die Ausschweifungen der Propaganda und alle Sowjetbürger, die ihnen erliegen. Gewiß, die Kombinationen des Kombinators zergehen in Nichts; aber deshalb ist er doch mehr als ein Saboteur, dem der Pro-

zeß gemacht werden muß. Er widersteht dem System keineswegs als ein Kapitalist, sondern als ein ihm notwendig beigegebener Gegenspieler, der es daran verhindert, sich selbstherrlich zu schließen. Das Anarchische stellt sich wie verzerrt immer in Bender dar. Ohne die Einschaltung dieses Korrektivs wäre das System von der Gefahr der Erstarrung bedroht.
(FZ vom 11. 9. 1932, Literaturblatt)

1 Max Hölz (1889-1933) trat nach dem Kriegsdienst 1918 in die USPD und ein Jahr später in die KPD ein. Bekannt wurde er zunächst durch seine Tätigkeit im Arbeitslosenrat und agitatorische Aktivitäten im Vogtland. Nach Ausschluß aus der KPD 1920 wurde Hölz Mitglied der Kommunistischen Arbeiterpartei (KAP). 1921 wurde er wegen Mordes an einem Gutsbesitzer zu einer lebenslangen Freiheitsstrafe verurteilt. Nach Erscheinen seiner *Zuchthausbriefe* (Berlin: E. Reiss 1927) wurde das Verfahren jedoch auf Intervention zahlreicher Intellektueller hin wiederaufgenommen. Hölz kam frei und emigrierte 1929 in die Sowjetunion, wo er 1933 unter ungeklärten Umständen umkam.
2 Margarete Neumann, *Ich kann nicht mehr…* Mit einem Brief von Leo Trotzki. Leipzig, Wien: E. Prager 1932; zum »Schreiben Trotzkis« siehe S. 6f.
3 Russ. Orig.: *Zolotoj telenok*. Berlin: Kniga i Scena 1931.
4 Zu Lunatscharski siehe Nr. 608, dort auch Anm. 1.

## 678. Aus einem französischen Seebad

### Der 15. August

*Royan*, ein ziemlich großes Städtchen am Ausgang der *Gironde*, ist ein so rein französisches Seebad, daß man hier nicht einmal deutsche Zeitungen auftreiben kann. Es ist, als mache man eine Entziehungskur durch. Der Erholung zuträglich ist auch das Ausbleiben der englischen middle-classe. Sie wird offenbar von den Schönheiten und Pensionen der Bretagne stark genug gefesselt, um die weiter südlich gelegenen Küstenstriche zu verschonen. Zum Glück hat die Bretagne viel Platz.
Dennoch ist Royan kein abseitiges Idyll. Es besitzt z. B. ein Kasino, das wie die schlechte Kopie eines Lustschlosses aussieht, in dem einst eine offizielle fürstliche Mätresse gewohnt hat. Abends wird diese fatamorganatische Wirkung durch die Beleuchtung der übertriebenen Gesimse

gesteigert, auf denen in regelmäßigen Abständen Konditorvasen stehen, die sich weiß gegen den Nachthimmel abheben. Auch die Blumenvasen im Garten davor glänzen von innen.

Am 15. August übt dieser Glanz eine unwiderstehliche Anziehungskraft auf ganz Frankreich aus. Wer etwa, ohne zu ahnen, daß der 15. August ein besonderer Tag ist, kurz vor seinem Anbruch nach Royan fährt, kann zufrieden sein, wenn er auch nur eine notdürftige Unterkunft erhält. In den Straßen herrscht ein weltstädtischer Trubel, und noch aus dem hintersten Pavillonzimmer blicken Gäste und Badehosen heraus. »Was wollen Sie ... der 15. August –«, heißt es überall, »viele übernachten unten auf dem Strand.«

Trotz der Größe des Strands sind solche Auskünfte kein Trost. Erführe man wenigstens, welche Bewandtnis es mit dem 15. August hat! Aber die Bedeutung dieses Datums, an dem man sich immer wieder stößt wie an einer unsichtbaren Wand, hinter der gleich die Zeit aufhört, scheint ein Geheimnis bleiben zu sollen. Der 15. August ist einfach der 15. August. Jedenfalls bin ich nicht klüger aus ihm geworden, als ich ihn miterlebte; denn er verlief wie andere Tage auch. Nur daß vielleicht noch mehr Leute als sonst herumpromenierten, die zweifellos alle wußten, warum sie es taten. Sie waren Eingeweihte und strahlten wie die Blumentöpfe des Kasinos, während sie ihren verborgenen Kult begingen. Am Abend des Tages fand ein Gewitter statt, das von einem Feuerwerk begleitet wurde. Der Donner krachte lauter als die Raketen, die auch an Leuchtkraft hinter den Blitzen zurückblieben. Aber das Naturschauspiel war doch nur ein Zufall. Die treffendste Antwort auf meine so oft gestellte Frage nach dem 15. August gab mir ein Kellner, der allerdings ein Pariser ist.

## Das Palast-Hotel

Er arbeitet die Saison über in einem Palast-Hotel, das außerhalb Royans auf einem kleinen Hügel liegt. Man erblickt es schon von weitem – ein völlig unnahbarer Kasten, der die ganze Bucht beherrscht und einem umgekehrten Zuchthaus gleicht; was nicht heißen soll, daß es ein Freudenhaus wäre. Dazu ist er viel zu modern gebaut; in einem Geist, der

keine Kurven kennt, sondern nur Ecken. Die Balkone sind aus der Luft herausgeschnitten. Auch wenn man bereits dicht vor dem Hotel steht, ist man noch weit weg von ihm, weil es auf eine monumentale Fernwirkung berechnet ist, über der alle Kleinigkeiten vernachlässigt werden. Genau wie bei Filmstaffagen. Vor allem die große Halle scheint nur zu dem Zweck einer Komödie errichtet worden zu sein, die an der Riviera spielt. Der Marmor klingt dumpf wie Gips, und der matte Schimmer der Pfeiler und Säulen rührt unstreitig davon her, daß sie mit Silberpapier beschlagen sind. Jeden Augenblick erwartet man, Willi Fritsch[1] hinter den grünen Vorhängen hervortreten zu sehen. Aber obwohl das Hotel besetzt ist, zeigt sich tatsächlich nachmittags niemals ein Mensch in der Halle. Der Grund ist der, daß die Gäste aus Pflichtgefühl die Hitze am Strand dem kühlen Innern vorziehen. In einem Seebad muß man ineinemfort baden. So schläft das Orchester vor den leeren Sessels ein, und der Gigolo starrt sehnsüchtig aufs Meer hinaus. Nur wenn der Kellner die Halle kreuzt, kommt etwas Leben in sie. Auf meine Erkundigung hin versicherte er mir, daß auch er nicht ahne, was am 15. August eigentlich vor sich gegangen sei, zuckte verächtlich die Achseln und meinte: »C'est la mode! C'est bizarre! On a pris son pil.«
Es ist die Mode. Es ist zur Gewohnheit geworden. Der Kellner ließ es um so leichter bei diesen einleuchtenden Erklärungen bewenden, als er sich in Royan wie ein Verbannter fühlt. Er zählt die Tage bis zum Saisonschluß, an dem er wieder nach Paris zurückkehren kann. Ein schwarzer zierlicher junger Mann, der ganz verzückt: »Oh, Paris« sagt. Das Oh erinnert an das von Chevalier, als dieser noch französisch sprach.[2] Freilich harren des Kellners in Paris unvergleichliche Seligkeiten, die er nicht müde zu schildern wird. Dort ist er während des Winters in einem Luxusrestaurant beschäftigt, das ein wahrer Feenpalast sein muß. Prachtvolle Spiegel vervielfachen den Raum, drei ausgewählte Kapellen musizieren vom five-o'clock-tea an bis in die Nacht hinein, und immer neue wunderbare Attraktionen unterhalten die Gäste, die dichtgedrängt tafeln. »Oh, Paris«, sagt er, und die Begeisterung über ein Tanzakrobatenpaar zittert noch in ihm nach. Seine Augen glitzern, als seien sie frisch gewichst. Von der Aussicht auf Paris verzaubert, tänzelt er, das Servierbrett mit einem Finger balancierend, durch die verwaiste Halle zur Terrasse hinaus.

## Die Dampftrambahn

Man erreicht das Hotel mit einer Dampftrambahn, die aus der Zeit unserer Großeltern stammt. Sie ist klein wie ein Kinderspielzeug und wird von jedem Windhauch gefährdet. Auf den Trittbrettern der offenen Wägelchen, die man leicht in die Hand nehmen könnte, ziehen echte Kontrolleure vorbei, denen ihr Beruf heilig ist. Die Lokomotive hat einen ungewöhnlich langen Schornstein, der fast den Lokomotivführer überragt, und stößt fortwährend gellende Hilferufe aus. Es ist, als befürchte sie, überfahren zu werden. Das ganze Bähnchen schaukelt wie ein Schiff auf hoher See am Strand entlang und macht alle drei Schritte Station. Viele Villen säumen seinen Passionsweg ein. Sie tragen poetische Namen, die beweisen, daß ihre Besitzer mit sich und der Welt in Harmonie leben, haben das provisorische Aussehen südlicher Bauwerke und dringen tief in den Wald ein, der die Bucht umgürtet. Der Wald ist ein vergessener Grunewald, der im Vergleich mit dem Meer etwas hinterwäldlerisch anmutet. Kerzengerade Schneisen teilen ihn geometrisch auf. Dank der Lichtungen, die er für Tennisplätze, Rondells und andere Bedürfnisse der Zivilisation freigibt, könnte sein Inneres manchmal auch sein Äußeres sein. Mutig durchfährt ihn die Dampftrambahn dort, wo er am wildesten ist, und pfeift mit den Vögeln um die Wette. Zwischen den einzelnen Baumstämmen kampieren nicht selten Gruppen in Badeanzügen, die sich mit schlechtem Gewissen vor der Sonne geflüchtet haben. Auch die alten Weibchen und die Einheimischen gehen hier gern spazieren, es liegt ihnen sonderbarerweise nichts daran, braun zu werden.

## Das Badeleben

Um so leidenschaftlicher brennen die Badegäste darauf zu verbrennen. Die braune Körperfarbe ist zu einer Religion geworden, deren Gläubige vor keinen Hautfetzen zurückscheuen. Manche ruhen nicht eher, bis sie schwarz wie die Neger geworden sind, über die sie sich als Angehörige der weißen Rasse erhaben dünken. Ein Bleichgesicht zu sein, gilt als Ketzerei. Darum werden auch schon die Bébés geröstet, von denen der Strand nur so wimmelt. Sie formen Sandkugeln, die sie übereinanderschichten, lutschen Zuckerstangen und trippeln aus dem Schoß ihrer faul hingelagerten Familien ins Wasser. Die Kleinen gehen mit den Wogen furchtlos wie mit Hunden um, die Größeren möchten am liebsten weinen. Wenn eines von ihnen abhanden kommt, wird sein Verlust durch Lautsprecher bekanntgegeben. »Ein vierjähriger Junge namens Roger ist am Hafen gefunden worden. Er trägt einen weißblauen Sweater, hat eine Schippe und kann von den Eltern im Polizeikommissariat abgeholt werden.« Die Meldung schallt über die Strandpromenade, auf der sich alle Welt trifft. Nach den Gesetzen der Mode benimmt man sich hier sehr rücksichtsvoll gegeneinander. Und nicht nur die Rücken der Mädchen zeigen sich unverhüllt frei, sondern auch ihre Vorderansichten wagen sich unvorsichtig hervor. Was noch übrigbleibt vom Kostüm, ist ein einziger greller Farbfleck. Wie in einem Kaleidoskop gehen diese blauen, gelben, roten Flecke immer wechselnde Verbindungen miteinander ein, so daß oft herrliche Kompositionen entstehen. Beim Nachmittagstanz verschmelzen sie paarweise unter dem grünen Laub im Rumbatakt zitternd. An den Abenden bilden sie lange Reihen, die bunt wie Halsketten sind – Banden junger Männer und Mädchen, denen es einen ungeheuren Spaß macht, mit untergefaßten Armen einträchtig über die Promenade zu bummeln. Ihre Gesichter haben einen sorglosen Ausdruck, den man bei uns in Deutschland gar nicht mehr kennt. Aber was kümmern sie sich um Deutschland! Seine Not ist ihnen kaum ein Begriff, und das Leben ist schön. Bedeutend verschönert wird es seit kurzem durch *Yo-Yo*, das jüngste Modespiel, das seinen Siegeszug angetreten hat. Eine Art Kaugummi für die Hand. An einem Bindfaden hängt ein rundes Scheibchen, das man nach verschiedenen künstlichen Methoden auf- und abgleiten lassen kann. Die Hand kaut das Scheibchen, spuckt es aus und holt es dann plötzlich wieder zurück, um von neuem zu kauen. Sämtliche jungen Leute vertreiben sich mit diesem Yo-Yo die Zeit, die sie im Überfluß haben. Sie blicken im Gehen nicht nach rechts und nach links, sondern starren tiefsinnig vor sich hin, und vergessen über einem zerrissenen Bindfaden die Anknüpfung von Flirts, die durch nichts besser eingeleitet werden können als gerade durch Yo-Yo.

Sogar der Chausseur des Cafés yoyot bereits. Er ist ein Junge, ein halbes Kind noch, das seinen Beruf als ein Vergnügen auffaßt und aus Übermut

Clownsstreiche begeht, die vom Geschäftsführer freundlich belacht werden. Ist die Hitze zu groß, so stehlen sich die beiden wie Kameraden zu einer Erfrischungsbude gegenüber und essen dort Waffeleis. Die Gäste bekommen zur Abkühlung Papierfächer geschenkt. Da diese überall ausgeteilt werden, kann man sich eine hübsche kleine Sammlung von ihnen anlegen. Sie sind mit kolorierten Reklamezeichnungen versehen und manchmal so zart gekräuselt, als ob sie aus echten Federn bestünden. Wenn sich alle Caféhausbesucher fächeln, beginnen die Tische zu schwanken, und das ganze Café wogt mitten in die Sonne hinein. Tragisch wäre der Fall eines Menschen, der Yo-Yo spielen und sich zugleich mit einem Fächer Luft zuwehen müßte. Zu den Stammgästen des Cafés gehören zahlreiche ältere Herren und Ehepaare, die sich nur schwer unterbringen lassen. Weder wirken sie geradezu wie Einheimische, noch auch beteiligen sie sich unmittelbar an den Ferienfreuden des Badelebens. Vielmehr tauchen sie ohne Sinn und Zweck auf, beunruhigende Erscheinungen, die sich der Tätigkeit des Nichtstuns völlig grundlos hingeben. Es sind die Rentiers, die dieses rätselhafte Leben führen. Man sieht sie in den Gärten ihrer Häuschen die Zeitung lesen und kann sie bei ihren gemächlichen Spaziergängen beobachten. Das Café dient ihnen als regelmäßiger Zufluchtsort. Hier sitzen sie zu jeder Tageszeit ihre Zeit ab, hier spielen sie Karten und hier schreiben sie Briefe, die vielleicht gar nicht geschrieben werden müßten. Des Abends kleiden sie sich besonders soigniert und lauschen mit Wohlbehagen der Musik, die immerhin ein paar Stunden ausfüllt. Einmal in der Woche findet ein klassischer Abend statt, der sich von den anderen Abenden hauptsächlich dadurch unterscheidet, daß die Musiker schwarze Röcke tragen. Sie bringen ihre Familien und Bekannten mit, die sich dicht beim Podium niederlassen, und spielen Wagner, Schubert, Offenbach, Verdi. Das vollbesetzte Café klatscht begeistert wie in einem Akademiekonzert und vermeidet während der Solodarbietungen das Fächeln. Je nach der Art der Motive zwirbeln die Rentiers den Schnurrbart oder blicken gerührt auf ihre Gamaschen. Nach dem Konzert zahlen sie und gehen befriedigt heim. Ihr Schlaf wird von der Regierung behütet, die über dem Zinsendienst wacht.

## Das Meer

Das Klima ist für diese Rentner geschaffen. Die Wolken zerstreuen sich rasch, und mild wie die Luft ist das Meer. Seine Brandung kämpft nicht gleich der in Biarritz wütend gegen die Küste an, sondern legt sich, den Bedürfnissen des französischen Mittelstands Rechnung tragend, behutsam auf den Strand nieder. Überhaupt weiß das Meer genau, was sich an einem so populären Seebad schickt und läßt sogar Gottheiten den Fluten entsteigen. Eine traf zum Marine- und Kolonialfest Ende August auf einem Kreuzer in Royan ein. Es war eine herrliche Zeremonie. Die ordengeschmückten Behörden standen in der Eingangshalle des Rathauses, vor dem eine Abteilung Senegalesen Spalier bildete. Man wartete geduldig auf den Meerbeherrscher, der aber nicht kam. Einmal schien es, als ob er sich nähere. Auf ein verabredetes Zeichen hin kommandierte der weiße Offizier: »Achtung!«, und seine Senegalesen erstarrten. Das Zeichen war jedoch ein Irrtum gewesen. Die Zuschauer lachten, die Senegalesen lachten, und wirklich – der Offizier lachte auch. Alle lachten zusammen und riefen sich Witzworte zu. In anderen Ländern hätte der Offizier seiner militärischen Ehre etwas zu vergeben geglaubt, wenn er – noch dazu nach einem verkehrten Manöver – in irgendeine intimere Beziehung zu den Zivilisten getreten wäre. Endlich fuhr das Auto vor, das einen alten Vizeadmiral mit seiner Gemahlin enthielt. Die Behörden sammelten sich, die kleine Truppe präsentierte das Gewehr. Der Vizeadmiral mit seinen schlohweißen Haaren und seinen leuchtenden Augen war eine historische Denkwürdigkeit, von der bestimmt schon die Schullesebücher erzählen. Während er die Front abschritt, bewunderte seine Gattin mit edlen Gebärden der Anerkennung die Blumendekoration des Rathauses: zwei aus Veilchen geformte Schiffsanker. Jeder tat, was ihm zukam; jeder führte seine Rolle vollendet durch. Das hohe Paar zog die Behörden huldreich ins Gespräch, die Behörden nahmen ihren Platz ein und die Senegalesen machten brave Soldatenaugen. Wie ein Schauspiel, das man sich selber gab, wickelte sich der Empfang ab, und obwohl sämtliche Beteiligten auf offener Szene den nötigen Ernst wahrten, wußten sie doch, daß sie Schauspieler waren. Es fehlte nicht viel, und sie hätten hinterher Beifall gejubelt. In der Dämmerung entfernte sich der Kreuzer langsam, und das Meer war wieder friedlich wie immer.

Um diese Zeit ist es ein stiller glatter Spiegel, in dem die feinen Farben des Himmels wiederscheinen. Weit draußen fahren die Schiffe nach Bordeaux zu oder gleiten hinaus. Man sieht sie kaum; ihre Rauchfahnen sind ein Hauch. Wenn die Dunkelheit wächst, entzünden sich die Leuchttürme und spielen Yo-Yo miteinander. Strand und Wasser werden dann eins. Das Kasino steckt alle seine zahllosen Lichter an, deren größtes der rote Vollmond ist.
(FZ vom 14. 9. 1932)

1 Der Schauspieler Willy Fritsch (1901-1973), der seit 1923 unter Vertrag bei der Ufa stand, wurde zusammen mit Lilian Harvey in Filmen wie LIEBESWALZER (Wilhelm Thiele. DE 1930; siehe *Werke*, Bd. 6.2, Nr. 591), DIE DREI VON DER TANKSTELLE (Wilhelm Thiele. DE 1930) und GLÜCKSKINDER (Paul Martin. DE 1936) zum Traumpaar des Konzerns aufgebaut (siehe hierzu *Werke*, Bd. 6.2, Nr. 648). Siehe auch *Werke*, Bd. 6.1, Nr. 23, 110 und 136, sowie Bd. 6.2, Nr. 420, 442 und 610.

2 Der französische Chansonnier und Schauspieler Maurice Chevalier (1888-1972), der Anfang der zwanziger Jahre in Paris als Entertainer und Sänger – u. a. des bekannten Schlagers »Valentine« – berühmt geworden war, ging 1929 nach Hollywood und stand von 1929 bis 1933 bei den Paramount Studios und 1935 bei Metro-Goldwyn-Mayer unter Vertrag, wo er u. a. in Ernst Lubitschs THE LOVE PARADE (US 1929) und THE SMILING LIEUTENANT (US 1931; siehe *Werke*, Bd. 6.2, Nr. 658) spielte.

## 679. Über Arbeitslager

Die entscheidende Form, in der sich der *Freiwillige Arbeitsdienst* vollzieht,[1] ist die jener *Arbeitslager*, die vor etwa sieben Jahren aus der deutschen Jugendbewegung hervorgegangen sind. Das erste bestand nur aus Studenten und sollte, wie Georg Keil in seinem Buch: »*Vormarsch der Arbeitslagerbewegung*«[2] erklärt, die Werte des Werkstudententums, das nach der Stabilisierung der Mark erlosch, in die Zukunft hinüberretten. Bald danach wurde dann, unter der aktiven Mitwirkung von Hans Dehmel und Eugen Rosenstock, der auch die neue Bewegung in theoretischer Hinsicht richtig zu fundieren suchte, im Schlesischen das erste Volkslager geschaffen, das sich aus Arbeitern, Bauern und Studenten zusammensetzte.[3] Wichtig ist, daß diese Lager keineswegs zu dem Zweck gegründet wurden, um etwa für ihren Teil der Erwerbslosigkeit abzuhelfen, sondern ihrer ursprünglichen Konzeption nach außerwirtschaftliche Ziele verfolgten. Es darf nicht vergessen werden, heißt es bei Keil, »daß es Arbeitslager als Lebensform auch dann geben muß, wenn die Erwerbslosigkeit einmal nicht mehr der unmittelbare Anlaß für die Lagerarbeit sein sollte«.[4] Sie entstanden aus dem Drang der (bürgerlichen) jungen Generation zu einer fühlbareren Volksgemeinschaft als der vorhandenen, aus ihrem Bedürfnis nach autonomem bündischen Zusammenleben. »Daß von jungen Menschen Gemeinschaft empfunden wurde, das macht die Arbeitslager zu dem, was sie heute sind, und läßt für die Zukunft hoffen« (Keil, a. a. O.).[5] Ich beabsichtige, in der folgenden Darstellung gerade auf die ideologische Seite der Bewegung einzugehen.

Die im vorigen Jahr erlassene Verordnung über den Freiwilligen Arbeitsdienst[6] machte sich die in den bisherigen Arbeitslagern gesammelten Erfahrungen zunutze. Es erscheint mir hier als unnötig, die mit dem Freiwilligen Arbeitsdienst verbundenen Probleme im allgemeinen zu erörtern (vergl. u. a. die Aufsätze in unserer Beilage: »Für Hochschule und Jugend« vom 23. Mai, 6. Juni und 3. Juli 1932).[7] Genug, daß ihm in den gesetzgeberischen Bestimmungen ausdrücklich nicht nur eine ökonomische, sondern vor allem eine sozialpädagogische Bedeutung zugesprochen wird, die sich nicht weit von den Absichten der früheren Lagergründungen entfernt.

Zum Tatsächlichen noch: nach den neuesten Verfügungen können jetzt alle jungen Deutschen unter 25 Jahren zum Freiwilligen Arbeitsdienst zugelassen werden;[8] wobei es sich von selbst versteht, daß die Erwerbslosen den Vorzug genießen. Ein Lager dauert durchschnittlich 80 Tage. Die in ihm verrichteten Arbeiten, die gemeinnütziger und zusätzlicher Art sein müssen, dienen in der Regel der Herstellung von Sportplätzen, Meliorationen, Siedlungen usw. Neben dem herrschenden Lagertypus, der Menschen verschiedenster Berufe, Weltanschauungen und Parteirichtungen vereint, gibt es noch den Typus des »Gesinnungslagers«, in dem nach der Konfession oder dem Parteibuch gefragt wird. Überhaupt ist das interkonfessionelle »Volkslager« nicht unumstritten. Die freien Gewerkschaften erkennen es zwar heute eingeschränkt an, aber die radikalen Parteien (und wohl auch das Zentrum) neigen zu seiner Verwerfung.

Ich möchte zunächst einige Eindrücke verzeichnen, die einen Begriff von einem solchen Volkslager vermitteln. Sind Eindrücke an sich auch belanglos, so bewahren sie doch vor Fehlurteilen wie diesen: »Den jungen Leuten wird eine Ideologie eingeimpft, die antidemokratisch ist und antisolidaristisch, die das alte Klassengefühl der Arbeiterschaft durch Subordination unter den Willen von ›Führern‹ ersetzt. So werden Betriebsbullen für die fascistische Fabrik gezüchtet ...« Behauptungen, von deren Unverantwortlichkeit schon der flüchtigste Besuch in einem interkonfessionellen Lager zu überzeugen vermag. Aufgestellt worden sind sie in einem Artikel der »Weltbühne« vom 20. September, in dem Thomas Murner Peter Martin Lampels Arbeitslager-Buch: »Packt an! Kameraden!« ablehnt.[9] Das Buch von Lampel ist eine Reportage, was sage ich, eine Sturzflut von Reportagen, in denen lauter Gespräche mit Leuten über Arbeitslager und lauter Gespräche mit Leuten aus Arbeitslagern reproduziert worden sind. Sie gleichen einer Kollektion ausgezeichneter Photographien. Aber wie immer bei solchen Momentaufnahmen: man kann sich auf Grund der zahllosen Bilder nur schwer ein Bild zusammenreimen. Oder das Bild ist schief; was jene oben zitierten Sätze Murners beweisen.

Das von mir besuchte *dritte märkische Arbeitslager* bei Bad *Saarow* umfaßt 75 Teilnehmer, von denen 23 Studenten, die übrigen in der Mehrzahl erwerbslose Arbeiter und Angestellte sind. Sie hausen in einem alten Soldatenheim aus dem Krieg, das unter Bäumen steht und sich nicht heizen läßt. Am 1. Oktober ist daher Schluß. Zu dem Anwesen gehört noch ein großes Freigelände und ein Saalbau, in dem auch gegessen wird. Der Vormittag, der unheimlich früh anfängt, ist mit Arbeit an einem Sportplatz ausgefüllt, die Nachmittage sind dem Sport und der geistigen Ausbildung in Arbeitsgemeinschaften gewidmet. Man legt Wert darauf, daß sich in diesen wie in den eigentlichen Arbeitsgruppen stets Vertreter der verschiedenen Schichten und Berufe zusammenfinden. Soweit der Gebrauch der übrigen Stunden nicht dem Belieben des Einzelnen freigegeben ist, werden sie zum gemeinsamen Musizieren und Singen, zum Theaterspiel, zur Gymnastik verwandt. Das nennt man, ein wenig anspruchsvoll, Freizeitgestaltung. Sogar den einfachsten Tätigkeiten müssen heute Begriffsorden verliehen werden.

Ich weiß nicht, ob es sich überall so verhält: aber diese jungen Dienstwil-

ligen, die erst seit zwei Wochen im Lager sind, haben sich einander überraschend schnell angepaßt. Niemand vermag sofort zu erraten, daß sie allen möglichen Schichten und Parteien entstammen, niemand kann auf den ersten und auch zweiten Blick hin den Studenten vom Arbeiter unterscheiden. Es ist wie in Badeanstalten. Die Homogenität wird durch ähnliche Kleidung und das gemeinsame Tagewerk verstärkt; auch bilden sich natürlich Sitten heraus, die das Zusammengehörigkeitsgefühl unterstreichen. Man singt vor Beginn und nach Schluß irgendeines Tagesabschnittes Lieder, legt sich Spitznamen bei, umrahmt das Essen mit einer lauten indianischen Zeremonie usw. Unter den vielen jungen Männern verlieren sich fast die paar Mädchen, die mir nicht besonders frohsinnig zu sein scheinen. Vielleicht ist ihnen die Arbeit zu schwer, und dann wird sich ihre Art in diesem Kreis nicht recht durchsetzen können. Wie ich dem gerade erschienenen Buch von Ernst Schellenberg: »*Der freiwillige Arbeitsdienst auf Grund der bisherigen Erfahrungen*«[10] entnehme, sind die Bemühungen, eine gemeinsame Arbeit der Geschlechter herbeizuführen, teilweise gescheitert.
Wo sich so viele Gegensätze und Weltanschauungen zusammendrängen, ist die Frage, ob und wie sie miteinander auskommen, mehr als berechtigt. Meine Beobachtungen werden durch gern gegebene Auskünfte ergänzt. Festzustellen ist zunächst: man sucht den Ausgleich nicht einfach dadurch zu schaffen, daß man politische Gespräche künstlich fernhält und das Lager zum neutralen Gebiet erklärt. Eine solche Neutralität wäre ja auch ein Vakuum. Die schlechte Enthaltsamkeit ist im Gegenteil verpönt, und in den Arbeitsgemeinschaften finden ständig Diskussionen statt, die vor der Politik keineswegs haltmachen. Der Nationalsozialist muß sich mit dem Kommunisten auseinandersetzen, und der Reichsbannermann hält wahrscheinlich auch nicht den Mund. Wenn man an die Straßenkämpfe draußen denkt, klingt es wie ein Wunder, daß das Lager nach acht Tagen noch die gleiche Zahl von Menschen faßt wie bei seinem Zusammentritt. Wahrhaftig, die Vertreter von einander zuwiderlaufenden Standpunkten und Programmen fressen sich nicht auf, sondern weiden gemeinsam wie die Löwen und Lämmer der uns verheißenen paradiesischen Zeiten.
Dieser Friedenszustand, der vermutlich mehr durch persönliche als durch politische Zwistigkeiten gefährdet wird, ist angesichts der heuti-

gen Verhältnisse so merkwürdig, daß er eine genauere Betrachtung verdient. Es wäre zu bequem, seine Entstehung daraus zu erklären, daß die Lagerteilnehmer aufeinander angewiesen sind und im übrigen durch die gemeinsame Arbeit gleichsam von selber domestiziert werden. Wichtiger ist schon, daß, dem Lagerbrauch zufolge, niemand die Sucht kennt, dem andern seine Überzeugung zu rauben. Wer nicht von seiner Meinung ablassen will, darf die Gesinnung, die ihm wert ist, ruhig behalten. Kein Dogma herrscht hier, und zweifellos wäre auch kein einziger der jungen Menschen dazu fähig, die übrigen gerade auf politischem Gebiet unter Druck zu setzen. Am wesentlichsten aber ist ein Vorgang, der nicht nur zur an sich leeren Verträglichkeit führt, sondern sie überdies mit einem positiven Vorzeichen versieht. Ich meine die *Haltungskontrolle*. Einige Teilnehmer erzählen mir, daß viele im Lager mit einem Haufen angelernter politischer Phrasen einträfen, deren Hohlheit sich bereits in den ersten Tagen enthülle. Wodurch enthüllt sie sich? Durch den beim gemeinsamen Leben jederzeit möglichen Vergleich zwischen dem Sinn der Phrase und der Haltung ihres Benutzers. Wenn zum Beispiel einer von der Solidarität spricht, die man beweisen müsse, wird das Lager unschwer nachprüfen können, ob der Betreffende selber sich im Alltag nach seiner Maxime richtet. Und tut er es nicht, so ist die von ihm erhobene Forderung der Unwirklichkeit überführt. Dank der dauernden wechselseitigen Kontrolle streben alle danach, ihre Äußerungen mit ihrem Verhalten in Übereinstimmung zu bringen und nicht mehr vorzustellen, als sie faktisch sind. Die Worte begrenzen sich; die Realität setzt immer wieder Ideologien außer Kurs.
Was die Beziehung zwischen den Klassen und Berufsschichten betrifft, so versichert man mir, daß die Mischung sich gut entwickle. Die Arbeiter legen ihre anfängliche Befangenheit in den Arbeitsgemeinschaften um so leichter ab, als sie bei der körperlichen Vormittagsarbeit die Überlegenen sind. So brauchen sie sich nicht in jeder Lagersituation zurückgesetzt zu fühlen. Außerdem befindet man sich ja in einem halben Naturschutzpark, in dem die gesellschaftlichen Kontraste sowieso schon etwas gedämpfter sind.

Während mehrere politische Parteien die Arbeitslagerbewegung mit Mißtrauen verfolgen, knüpft man in den Kreisen der beteiligten Jugend selbst und auch anderswo die größten Hoffnungen an die Lager. Lampel fragt einen der Jungen: »Ihr nehmt euch zum Ziel die Erweckung des Volkes?« Der nickt und antwortet: »Die Lösung von der Jugend her.«[11] Viele glauben in der Tat, daß diese Lager der Kern einer kommenden, politisch auszuwertenden Volksgemeinschaft und damit »die Lösung« seien. »So können die Arbeitslager da draußen«, schreibt Prof. Walter Norden in seinem Vorwort zu Schellenbergs Buch, »zu Keimzellen einer gefestigten, vertieften und veredelten Volksgemeinschaft werden.«[12] Und auch die letzten Erlasse des Reichskommissars für den Freiwilligen Arbeitsdienst Dr. Syrup sprechen von dem »echten Gemeinschaftsgeist«, den der Arbeitsdienst zu pflegen habe.[13]

Nichts wäre der richtigen Entwicklung der Arbeitslager hinderlicher als dies: sie zu »Keimzellen« zukünftiger politischer Gestaltungen zu machen und sie derart ideologisch zu übersteigern. Wenn man sie als den Kern einer neuen Volksgemeinschaft ansieht und dementsprechend behandelt, erstickt man nur von vornherein die Möglichkeiten, die sie vielleicht bieten. Warum? Weil jeder Versuch, die Volkslager unmittelbar politisch auszukonstruieren, an der politischen Realität scheitern und sie damit selber zum Scheitern bringen muß; weil er ihnen einen Geist einhaucht, der ihrem ursprünglichen zuwiderläuft.

Zugegeben, daß in den interkonfessionellen Arbeitslagern die Jugend aller Volksschichten sich aufeinander abstimmt und ihre Gemeinsamkeit zu empfinden lernt. Aber wie dieses jugendliche Empfinden der Gemeinsamkeit von sich aus politisch wirksam werden soll, ist nicht einzusehen. Die Jugendbewegung in ihrer keineswegs zufälligen Unkenntnis der politischen Realität hat von jeher den guten Willen und Gemeinschaftsgefühle für bare politische Münze genommen, statt der Tatsache innezuwerden, daß in der politischen Sphäre Interessen regieren. Um eine eingreifende politische Bedeutung zu erlangen, hätte sich also die Arbeitslagerbewegung als eine politische zu konstituieren; d.h., ihre Anhänger dürften nicht in den Wahn verfallen, daß bereits die Lagerform als solche politische Konsequenzen nach sich ziehe, sondern müßten Stellung zu unserer Wirtschaftssituation, zur sozialen Schichtung, zu den Parteiinteressen usw. nehmen und sich dann zur Lagerform aus politischen Konsequenzen bekennen. Diese Notwendigkeit der Eingliederung einer an sich noch nicht politischen Erscheinung, wie es die Arbeitslager sind, in reale politische Zusammenhänge faßt E.[rnst] W.[ilhelm] Eschmann, der Mitarbeiter der *Tat*,[14] ins Auge, wenn er im Vorwort zu dem Sammelwerk: »*Wo findet die deutsche Jugend neuen Lebensraum?*« die Forderung des obligatorischen Arbeitsdienstes durch die Sätze ergänzt: »Am fruchtbarsten wäre wohl das Zusammenschließen eines solchen allgemeinen Arbeitsdienstjahres aus den ... freien Arbeitslagern der Jugend aller sozialer Schichten, denn hier sind die geistigen, sozialen und wirtschaftlichen Vorbedingungen des Arbeitsdienstjahres bereits praktisch erforscht worden. Andererseits ist es notwendig, daß diese Arbeitslager sich in zunehmendem Maße als Vorposten des unvermeidlichen allgemeinen Arbeitsdienstjahres fühlen und ihre Fragestellungen danach einrichten, indem sie ihrem nationalpädagogischen Anfang eine staatspolitische und nationalwirtschaftliche Fortsetzung geben. Das bisher richtige Bestehen auf der rein *pädagogischen* Bedeutung der Arbeitslager würde die Gefahr mit sich bringen, daß vielleicht das kommende Arbeitsdienstjahr nach unsinnigen, veralteten Vorstellungen organisiert wird und eben den pädagogischen Erfolg der freien Arbeitslager wieder zerstört. Wie überhaupt ist auch hier, gerade hier, die Behauptung von der Autonomie der Pädagogik scharf zurückzuweisen. Gerade hier ist zu betonen, daß es eine Pädagogik außerhalb des Staatlichen und Sozialen nicht gibt und nicht geben kann.«[15] Lehnt man auch das allgemeine Arbeitsdienstjahr ab, so muß man doch die Gültigkeit der in Eschmanns Forderung mitgesetzten Erkenntnis einräumen, daß die Institution des Arbeitslagers nur dann einen politischen Sinn erhält, wenn sie als Glied einer politischen Konstruktion auftritt. Als eine Einrichtung, die aus eigenem Antrieb in die politische Sphäre hineinwirken will, bleibt sie zur Ohnmacht verdammt. Oder hat etwa der Frontsoldatengeist in der Politik der Nachkriegszeit sich durchzusetzen vermocht? Und doch ist die Kriegsgemeinschaft bindender gewesen als die Gemeinsamkeit in den Lagern.

Die romantische Illusion, daß aus der Wirklichkeit der Arbeitslager direkt die der Volksgemeinschaft entspringen könne, denunziert sich selber als *politische Naivität*. Nicht anders kann man jedenfalls das Ansinnen bezeichnen, das heute aus der Bewegung heraus an den Staat gestellt wird: daß er den Freiwilligen Arbeitsdienst um seiner volkspolitischen Ziele willen auch auf Kosten der wirtschaftlichen Rentabilität durchführen möge. Sieht man selbst davon ab, daß ein so stark wirtschaftlich bedingtes Unternehmen wie der Freiwillige Arbeitsdienst die ökonomische Rentabilität nicht einfach außer acht lassen darf, so ist doch noch zu fragen, ob den volkspolitischen Zielen der Bewegung tatsächlich damit gedient wäre, wenn die Regierung auf einen solchen Vorschlag einginge. Vielleicht wäre ihnen gar nicht damit gedient, und wahrscheinlich bemerkt man nicht einmal, daß wenig dazu gehört, um die Arbeitslager in ein Instrument der *Kulturreaktion* zu verwandeln. Schon heute zeigen sich Ansätze zu einer Entwicklung in dieser Richtung, die auch dem ahnungslosesten Gemüt zu denken geben sollten. Ein Lagerteilnehmer antwortet auf meine Frage, wie sich junge Kommunisten und Nationalsozialisten nach Absolvierung des Lagerdienstes verhielten, daß die Radikalen meistens »gebrochen« zu ihren Parteien zurückkehrten und nicht mehr recht zu gebrauchen seien. Ebenso wird nach Schellenberg von den Trägern der Arbeit häufig betont, »daß sich neben der Hebung der Arbeitsfreudigkeit das Gemeinschaftsgefühl nach der idealen Seite hin stark gehoben habe. Ablehnung des Radikalismus und positive Einstellung zum Staate seien die beherrschende Haltung.«[16] Wenn es aber so ist, daß die Arbeitslager das Einschwingen in eine höchst problematische Mitte begünstigen, wenn sie junge, revolutionär gesinnte Leute nicht nur kritisch gegen das Verhalten ihrer Partei stimmen, sondern auch von jenem entschiedenen Denken abbringen, das den Ehrennamen des radikalen verdient, wenn sie einen Zustand hervorrufen, in dem die eine Radikalität so wenig wie die andere gilt – dann befördern sie in Wahrheit nicht die Volksgemeinschaft, sondern die politische Stagnation; dann bilden sie nicht die Keimzelle neuer Gestaltungen, sondern werden zum Werkzeug der nach rückwärts gerichteten Mächte. Dergleichen fängt klein an und hört schlimm auf. Die naiven Ideologen der Bewegung sollten begreifen, daß sie zuletzt nur den Kräften in die Hand arbeiten, die mit den Arbeitslagern ihre eigenen Pläne verfolgen.

Jeder Versuch, die Arbeitslager mit positiven Bedeutungen zu überlasten, sie als Vorform der Volksgemeinschaft aufzuziehen und überhaupt politisch auszuwerten, muß Enttäuschungen zeitigen; wenn er nicht gar der Reaktion mittelbar zugute kommt. Diese Erkenntnis besagt nichts

wider die Bewegung selber. Nur wird ihr Sinn nicht dort anzutreffen sein, wo ihn die Gutgläubigen zu finden hoffen.
Ein auffälliges Merkmal der sozialen und politischen Kämpfe in Deutschland ist ihre *Abstraktheit*. Es ist, als schlügen sich nicht so und so bedingte Menschen und Gruppen mit Hilfe von Parteiprogrammen, sondern als befehdeten sich Parteiprogramme mit Hilfe irgendwelcher Menschen. Die Programme sind gewissermaßen allein in der Welt und die Menschen nur eine Konstruktion. Dieser Grundzug geht durch, er bestimmt das Verhalten auf der Rechten und auf der Linken. Bezeichnend für ihn ist z. B. die ungehemmte Leichtigkeit, mit der die Parteien ihre Taktik sprunghaft verändern. Die Position des einen Tages wird durch die des nächsten desavouiert, und die Sprünge sind Luftsprünge. Wer soll dem folgen? Hatten die Aktionen wirklich Träger, so müßten sie sich anders entwickeln. Aber eben die menschlichen Träger scheinen nicht vorhanden zu sein. Es fehlt die Substanz, an der das politische Handeln zu haften vermöchte. Die Masse der Menschen ist nicht in Parteien organisiert; umgekehrt vielmehr: aus der Tatsache der Parteimitgliedschaft folgern die Organisierten erst, daß sie auch Menschen seien. Der beste Beweis dafür ist, daß sogar untergeordnete Fragen rein sachlicher Natur von dem ihnen unangemessenen parteipolitischen Standpunkt aus entschieden werden. Das Parteidogma regiert unumschränkt auf Kosten der Personen, die es verfechten, und setzt sich noch über die gesellschaftliche Wirklichkeit hinweg. Auf der anderen Seite genießt dann innerhalb der nationalen Bewegung der »Führer« geradezu göttliche Ehren; aber dieser unbegründete, phantastische, ja widersinnige Führerkultus ist nur der totale Widerspruch zur Abstraktion vom Menschen und verrät ebenfalls, daß bei uns politische Theorie und menschliche Praxis einstweilen nicht zueinander kommen können.
Wie dieser Zustand sich auswirkt, weiß jeder. Von der leibhaft existierenden Bevölkerung aus betrachtet, verhindert er die Entstehung des geringsten außerpolitischen Consensus. Da die Menschen ja nur insofern Menschen darstellen, als sie von ihrem Parteibuch bzw. der dem Parteibuch gemäßen Gesinnung okkupiert werden, öffnen sich Abgründe zwischen ihnen, die aber gar nicht Abgründe zwischen Menschen, sondern zwischen Schemen sind. Morden sich denn die lebendigen Träger politischer Überzeugungen in den Straßenschlachten? Keineswegs. Die auf-

einander losknallen, sind gespenstische Produkte von Überzeugungen, und erst ihre Leichen enthüllen wieder, daß sie auch Menschen waren. Von der Seite der Parteiziele und -programme aus betrachtet, führt der herrschende Zustand bei jeder Gelegenheit in einen weltanschaulichen Doktrinarismus hinein, der sich ohne Rücksicht auf die Situation seiner Vertreter entfaltet. Kein Wunder: diese Vertreter tragen ihn nicht, sondern lassen sich viel eher von ihm soweit fortschwemmen, bis sie (als Menschen) verschwinden. Dadurch aber, daß die politischen Auseinandersetzungen und Formulierungen nicht von der Wirklichkeit der Menschen, der zusammengehörigen Massen usw. begrenzt werden, erhalten sie leicht den Charakter der *Irrealität*. Sie nehmen eine Grundsätzlichkeit an, die realitätsfeindlich und nicht nur unrealisierbar ist; sie verdichten sich zu Prinzipien, die auf die zu verändernde gesellschaftliche Materie nicht mehr zurückweisen. Eine *imaginäre politische Welt*. Und was in ihr geschieht, ist selber imaginär; wie blutig immer es sein mag.

Wenn die Arbeitslager eine Aufgabe haben, so diese: zur Verwandlung des hier gekennzeichneten Zustands beizutragen. Das heißt, ihre etwaige Mission erstreckt sich nicht auf das politische Gebiet, sondern beschränkt sich rein und ausschließlich aufs *vorpolitische*. Kein Königsweg führt von ihnen zu dem, was in des Wortes strenger Bedeutung Volksgemeinschaft heißen darf; wohl aber können sie die Voraussetzungen für ein wirkliches politisches Handeln mitschaffen.
Sie können es zunächst dadurch, daß sie jungen Leuten aus allen möglichen Schichten, Parteien, Berufen die Gelegenheit geben, sich als existierende Wesen kennen zu lernen. Bis heute weiß z. B. der Idealtyp eines Hitlermannes vermutlich nicht, daß außerhalb seiner Partei Menschen leben; ist er doch selber zum guten Teil eine Gesinnungsattrappe. Im Lager dagegen kann und muß sich jeder an Fakten stoßen, die rein von der politischen Überzeugung her nicht zu bewältigen sind. Man erfährt hier einwandfrei und unwiderleglich, daß Programme, soziale Forderungen usw. nicht als selbstherrliche Gebilde im luftleeren Raum wohnen, sondern einem menschlichen Sein von bestimmter Beschaffenheit entsteigen. Dies ist der Arbeiter und dies der Student. Dem Lagerteilnehmer werden seine Gegner sichtbar, er merkt – zuerst bei den andern und dann bei sich selber –, daß den politischen Zielsetzungen etwas zugrun-

de liegt, das nicht in ihnen aufgeht, er ist zu beachten gezwungen, daß die sozialen Ideen lebendige Träger haben, die man nicht einfach als Anhang der Ideen übersehen darf.
Das ist nicht viel, aber unter den heutigen Umständen eine Menge. Hinzu kommt der oben geschilderte Vorgang der Haltungskontrolle, der das immer wieder in die Irrealität ausschweifende Denken einschränkt. Der Solidaritätsschwärmer, der auf sein unsolidarisches Handeln aufmerksam wird, ist fortan dazu genötigt, seine Vorstellungen an Fakten zu orientieren. Indem alle ihr Tun und Reden miteinander vergleichen, legen sie, im Prinzip wenigstens, den schweren Block der Wirklichkeit frei, den es in der Politik zu bearbeiten gilt. Sie stellen sozusagen methodische Übungen an, die der Vermittlung zwischen Theorie und Praxis dienen, sie unterziehen sich der Anstrengung, die Irrealität durch die Konfrontation mit unserem greifbaren Dasein zu blamieren.
Kurzum, die Arbeitslager haben die Aufgabe, für ihren Teil den *Auszug aus der imaginären Welt* herbeizuführen, in der wir noch stecken. Sie sind nicht ein Mittel der Politik, sondern ein Mittel der Realisierung von Politik. Ihre etwaige Bedeutung entwickelt sich nicht innerhalb der politischen Sphäre, besteht vielmehr darin, eine solche politische Sphäre vorzubereiten, die es bisher in Deutschland kaum gegeben hat. Im Einklang mit dieser ihrer Bestimmung, der einzigen, die sie haben, ist es nicht ihre Funktion, die Gegensätze zu versöhnen und eine Volksgemeinschaft zu eröffnen – wohin sie unter dem Druck derartiger ideeller Zumutungen kämen, wurde von mir zu zeigen versucht –, sondern die Gegensätze in ihrer Wirklichkeit herauszustellen und echte politische Kämpfe zu ermöglichen. Statt irgendeine definierbare politische Gesinnung zu pflegen, sollen sie die Bedingungen schaffen, unter denen Gesinnungen überhaupt sinnvoll sind, statt die Radikalität aufzuheben, sollen sie ihr zu Wurzeln verhelfen. In einem Lagerbericht über den Empfang auswärtiger Gäste schreibt Joseph Wittig: »Nicht zu vertrauensseliger Fidelitas wurden sie eingeladen, sondern wie Rosenstock in seinem Gruße sagte, zu ›freundschaftlicher Gegnerschaft von Menschen, die sich in Beruf und Arbeit auseinanderleben *müssen*‹. Durch keine Romantik wurde die Wirklichkeit der Gegnerschaft verhüllt.«[17]
Das wäre in der Tat der eigentliche pädagogische Zweck der Arbeitslagerbewegung: aus Phantomen, die sich bekämpfen, *Gegner zu machen*,

die *wirklich* sind. Alles übrige ist eine Sache der Politik und in den Lagern selbst nicht zu lösen.
Aus der Erkenntnis des begrenzten Zwecks der Bewegung, der von ihren Führern ganz scharf visiert werden muß, folgt in praktischer Hinsicht, daß alle »Gesinnungslager«, jene also, in denen sich nur Mitglieder einer einzige Gruppe oder Partei, Angehörige derselben Konfession usw. zusammenfinden, abzulehnen sind. Sie verfehlen das mit den Lagern Gemeinte insofern, als sie bereits die Realität der politischen Sphäre voraussetzen, deren Wirklichkeit erst zu begründen wäre. Auch die von starken Kräften erstrebte Militarisierung des Freiwilligen Arbeitsdienstes machte natürlich die Funktion der Lager zunichte; weil sie ihnen unter anderem die Freiheit raubte, die sie als prinzipiell vorläufige Gebilde haben müssen. – Über die wirtschaftliche und ideologische Problematik des von manchen Kreisen befürworteten Arbeitsdienstjahres ist hier noch nicht zu reden.
(FZ vom 1. 10. 1932)

1 Zur Verordnung über den Freiwilligen Arbeitsdienst siehe unten, Anm. 6.
2 Georg Keil, *Vormarsch der Arbeitslagerbewegung*. Geschichte und Erfahrung der Arbeitslagerbewegung für Arbeiter, Bauern, Studenten 1925-1932. Unter Mitarbeit von Hans Dehmel u. a. hrsg. vom Deutschen Studentenwerk. Berlin und Leipzig: de Gruyter 1932.
3 Das »Volkslager«, das vom 14. 3. bis zum 1. 4. 1928 in Löwenberg stattfand, wurde im wesentlichen von der Schlesischen Jungmannschaft organisiert und von dem Rechtshistoriker und Soziologen Eugen Rosenstock-Huessy (1888-1973) sowie dem Pädagogen und SPD-Politiker Adolf Reichwein (1898-1944) geleitet; Thema des Lagers waren die »Lebensformen der Industrie«.
4 Keil, *Vormarsch der Arbeitslagerbewegung* (wie Anm. 2), S. 33.
5 Ebd., S. 51.
6 Der Freiwillige Arbeitsdient (FAD) wurde am 5. 6. 1931 vom Kabinett Brüning im Rahmen der »Zweiten Verordnung des Reichspräsidenten zur Sicherung von Wirtschaft und Finanzen« (zu dieser Notverordnung siehe auch Nr. 630, Anm. 2) beschlossen. Seine Organisation lag in der Verantwortung des Reichsarbeitsministeriums, die Reichsanstalt für Arbeitsvermittlung und Arbeitslosenversicherung (AVAV) förderte den Dienst mit Mitteln der Arbeitslosenunterstützung und Krisenfürsorge. Der FAD sollte sich vor allem der Bodenverbesserung, der Erschließung von Siedlungs- und Kleingartenland, der örtlichen Verkehrsverbesserung und der Verbesserung der ›Volksgesundheit‹ widmen. Konkretisiert und ergänzt wurden die Bestimmungen durch die »Verordnung über die Förderung des freiwilligen Arbeitsdienstes« vom 23. 7. 1931.
7 Siehe S. Stockburger, »Möglichkeiten und Grenzen des Freiwilligen Arbeitsdienstes«. In: FZ vom 23. 5.1932, Beilage: Für Hochschule und Jugend; Ernst Michel, »Die Arbeitslosigkeit volkspolitisch gesehen«. In: FZ vom 6. 6. 1932, Beilage: Für Hochschule und Ju-

gend; [anonym], »Freiwilliger Arbeitsdienst muß rentabel sein!«. In: FZ vom 3. 7. 1932, Beilage: Für Hochschule und Jugend

8 Mit der »Verordnung über den freiwilligen Arbeitsdienst« vom 16. 7. 1932, erlassen von der Regierung von Papen, wurden wesentliche Bereiche, insbesondere die Teilnahmebedingungen, modifiziert. Von nun an konnte sich jeder schulpflichtige Deutsche unter 25 Jahren am FAD beteiligen; in Art. 6, Abs. 2 der Verordnung hieß es: »Die Förderung soll hauptsächlich Personen unter 25 Jahren zustatten kommen.« (In: *Reichsgesetzblatt* 1 [1932], Nr. 45, S. 353.)

9 Vgl. Thomas Murner [d. i. Carl von Ossietzky], »Kamerad Lampel«. In: *Die Weltbühne* 28 (1932), S. 425-427. Lampels Buch erschien 1932 im Rowohlt Verlag (Berlin). Das Pseudonym, unter dem Ossietzky diesen wie zahlreiche andere Artikel in der *Weltbühne* veröffentlichte, weist auf den frühneuzeitlichen Schriftsteller und Satiriker Thomas Murner (1475-1537) zurück.

10 Ernst Schellenberg, *Der freiwillige Arbeitsdienst auf Grund der bisherigen Erfahrungen*. Mit einem Vorwort von Prof. Dr. Walter Norden. Berlin: F. Vahlen 1932 (= Sonderschriften des Kommunalwissenschaftlichen Instituts an der Universität Berlin. Hrsg. von Prof. Dr. Walter Norden, Heft 2).

11 Lampel, *Packt an! Kameraden!* Erkundungsfahrten in die Arbeistlager. Berlin: Rowohlt 1932, S. 8.

12 Schellenberg, *Der freiwillige Arbeitsdienst* (wie Anm. 10), S. 6.

13 Friedrich Syrup (1881-1945) war von 1927 bis 1938 Präsident der Reichsanstalt für Arbeitsvermittlung und Arbeitslosenversicherung und hatte von Juli 1932 bis März 1933 mit kurzer Unterbrechung das Amt des Reichskommissars für den FAD inne. In den von Reichsarbeitsminister Schäffer gezeichneten »Ausführungsvorschriften« zur »Verordnung über den freiwilligen Arbeitsdienst vom 16. 7. 1932« hieß es: »§ 3 Der Eintritt in den freiwilligen Arbeitsdienst verpflichtet den Arbeitswilligen, echten Gemeinschaftsdienst zu pflegen und die gemeinschaftlichen Zwecke nach Kräften zu fördern.« (In: *Reichsgesetzblatt* 1 [1932], S. 392.)

14 Siehe Nr. 615, dort auch Anm. 1.

15 *Wo findet die deutsche Jugend neuen Lebensraum?* Bericht über die Rundfrage des Deutschen Studentenwerks e. V. Bearbeitet und zusammengefaßt von E. W. Eschmann. Berlin: de Gruyter 1932, S. 30f.

16 Schellenberg, *Der freiwillige Arbeitsdienst* (wie Anm. 10), S. 136.

17 Joseph Wittig, *Es werde Volk!* Versuch einer ersten Geschichte des Löwenberger Arbeitslagers im Frühjahr 1928. Wadenburg: Schlesische Bergwacht 1928, S. 29.

# 680. In der Dela

Die *Deutsche Luftsport-Ausstellung* am Funkturm[1] enthält unter anderem eine Reihe von Flugzeugen, deren Aussehen ungewohnt ist. Ihrer einige gehören vergangenen Zeiten an; so die Rumpler-Taube, die Orville-Wright-Maschine usw. Wie schnell diese Typen, die bis auf die Urfledermaus Otto Lilienthals alle dem 20. Jahrhundert entstammen, historisch geworden sind! Obwohl uns kaum mehr als zwei Jahrzehnte von ihnen trennen, sind sie schon weit hinter uns zurückgeblieben und wirken heute linkisch und rührend wie Kinder. Noch schlenkern sie unbeholfen mit ihren Drähten herum, noch verfügen sie nicht über vollausgebildete Organe. Es ist wunderbar, sie zu betrachten, und die gegenwärtigen Formen, die ohne Ursprung zu sein scheinen, aus diesen primitiven Anfängen abzuleiten. Unmittelbar neben den museumsreifen Konstruktionen sind neue aufgebaut, die in die Zukunft vorausweisen und vielleicht bald ebenso überholt sein werden. Eine ist das »Flugzeug-Auto« mit zusammenklappbaren Windmühlenflügeln oberhalb der Karosserie; eine andere das »Wochenend-Amphibium«, das sowohl auf dem Land wie auf dem Wasser niedergehen und große Strecken bewältigen kann. Phantastische Geschöpfe, die zweifellos ihre endgültige Form noch nicht gefunden haben, aber bereits mit nicht zu überbietender Selbstverständlichkeit eine Zeit vorwegnehmen, in der das Flugzeug so populär ist wie ein Ford. Jeder Angestellte wird dann eines besitzen, vorausgesetzt, daß nicht gerade eine Krise ist, und die Luft wird voll sein von Sonntagsausfliegern, die viel rascher wieder zu Hause sein werden als die Ansichtskarten, mit denen sie die Daheimgebliebenen über ihre fernen Zielpunkte unterrichten.

Einstweilen allerdings ist dieser Idealzustand noch nicht erreicht; wenn auch ein paar »Volksflugzeuge« ausgestellt sind, die nur ungefähr 6000 Mark kosten. Sie befinden sich unter einem Haufen moderner Typen, die man hier alle aus nächster Nähe besichtigen kann. Leider bin ich nicht Fachmann genug, um sie so zu würdigen, wie sie es von Rechts wegen verdienten, und begnüge mich daher mit der Erwähnung einer Maschine, die sich hohen Ruhm erworben hat. Es ist die Elli Beinhorns. Sie unterscheidet sich von einem Monument nur darin, daß sie nicht wie dieses von den Touristen aller Länder aufgesucht worden ist, sondern umgekehrt ihrerseits alle Länder aufgesucht hat, um sich dort vollkritzeln zu lassen. Namen, Glückwünsche und Verse in sämtlichen Sprachen bedecken die Tragflächen, den Rumpf, und vergeblich sucht man auf dem ganzen Leib nach einem unbeschriebenen, verwundbaren Fleck. Das Flugzeug hat keine Andenken mitgebracht, es ist selber zu einem einzigen Andenken geworden.[2]

Viel Platz beanspruchen die von Vereinen, Gruppen und Schulen hergestellten Modelle und Flugzeuge jeder Art. Aus Gründen der Billigkeit bevorzugen die Bastler Segelflugzeuge, deren geschweifte, hölzerne Flügel sich riesig dehnen und herrlich anzusehen sind. Eines wird gerade in einer von der Ausstellungsleitung eingerichteten Werkstatt gebaut. Junge Bauhandwerker, die auf einem offenen Podium schweigend Hand in Hand arbeiten, schneiden und pressen die Rippen des Tragwerks zurecht. Wie das anderswo zusammengetragene Material verrät, wird überhaupt für die Einbürgerung des Flugsports eine Menge getan. Die technischen Grundvorstellungen dringen in die Schulen ein, und die ganze Fliegerei hat längst ihr esoterisches Wesen verloren.

Sie hätte es schon darum nicht zu bewahren vermocht, weil sich die junge Generation leidenschaftlich fürs Fliegen interessiert. Man schämt sich in der Ausstellung beinahe, ein Laie zu sein, so technisch gebildet sind die Schwärme junger Leute, die sie besuchen. Diese geborenen Kenner betrachten die Flugzeuge nicht, sondern begutachten sie und pflegen mit den schwierigsten Fachausdrücken einen Verkehr, der nicht intimer sein könnte. Keine Schraube entgeht ihrem kritischen Blick, der völlig unbestechlich gegen den bloßen schönen Schein ist. Am fachmännischsten benehmen sich die Halbwüchsigen, die Buben. In einer Koje befindet sich ein Flugzeugmodell, das sich von einer normalen Führerkabine aus steuern läßt. Eine sinnreiche Kombination, die sich gut zur Erkennung des Fliegens eignet, da das Modell immer genau die der Steuerbetätigung entsprechenden Bewegungen ausführt. Es versteht sich von selbst, daß dieser Führersitz der Lieblingsaufenthalt der heranwachsenden Jugend ist. Ständig wird er von irgendeinem kleinen Kerl okkupiert, der mit erheuchelter Kaltblütigkeit das Modell zum Trudeln bringt und dann den Steuerknüppel so sachkundig herumwirft, als sei er schon im Flugzeug zur Welt gekommen. Das Fliegen ist für ihn nicht das geringste Wunder

mehr, sondern eine einfache Tätigkeit wie Lesen und Schreiben. So bewahrheiten sich alte Sagen. Nur die schönen Kindermärchen wollen nie in Erfüllung gehen.
(FZ vom 6. 10. 1932)

1 Die Deutsche Luftsport-Ausstellung fand vom 1. 10. bis zum 14. 10. 1932 in Berlin statt.
2 Zu Elly Beinhorn siehe auch Nr. 681, Anm. 73.

## 681. Die neue Produktion der deutschen Verleger

[Anzeige von Neuerscheinungen]

Wir geben im folgenden eine Zusammenstellung der neuen Verlagsproduktion. Da sie sehr umfangreich ist, haben wir eine Auswahl treffen müssen, bei der vielleicht nicht alle wesentlichen Bücher berücksichtigt worden sind. Aber man kann aus den Prospekten nur schwer auf die Bedeutung der Publikationen schließen, und wir glauben alles in allem, daß der Überblick ein ausreichendes Bild von den zu erwartenden Büchern vermittelt. Die bisher angekündigten Jugendschriften sind nicht mit einbegriffen; ebenso haben wir von der Nennung gewisser Spezialveröffentlichungen Abstand genommen. Obwohl im allgemeinen nur der noch nicht erschienenen Werke gedacht ist, mögen sich doch in der Liste manche finden, die bereits herausgekommen sind. Auf eine bürokratische Anordnung der Büchermassen haben wir um so lieber verzichtet, als die Künstlichkeit einer solchen Ordnung nur die *Anarchie* verhüllte, die im Produktionswesen faktisch herrscht. Immerhin scheint es uns nützlich, den Stoff nach ein paar Sachrubriken zu gliedern, die zum mindesten eine Orientierung im Groben gestatten.
Wir beginnen mit der

## Lyrik

Der Bruno Cassirer-Verlag hat den glücklichen Gedanken gefaßt, die Einzelbändchen *Christian Morgensterns* zu einer Volksausgabe: *»Alle Galgenlieder«* zu vereinen. Von katholischer Lyrik erscheinen zwei Bände bei Kösel und Pustet (München): *»Hymnen an Deutschland«* von *Gertrud Le Fort* und ein dünnes Buch: *»Der Krippenweg«*, das *Ruth Schaumann*, die Verfasserin, selber mit farbigen Holzschnitten ausgestattet hat. *Theodor Haecker* bringt eine Übertragung von Vergils Hirtengedichten heraus, die von Jakob Hegner (Leipzig) vorgelegt wird, der übrigens auch *Theodor Däublers* neue Prosadichtung: *»Can Grande«* publiziert. Ferner dürfen wir Gedichtbänden von Agnes Miegel (Diederichs, Jena)[1] und von Paul Ernst (Albert Langen, München)[2] entgegensehen. Gute Aufnahme findet gewiß wieder ein Gedichtband: *»Gesang zwischen Stühlen«* von Erich Kästner (Deutsche Verlags-Anstalt, Stuttgart), der nun einmal das Herz eines gewissen Lesepublikums anzusprechen weiß. Für die Liebhaber lyrischer Anthologien sind ein vom Rembrandt-Verlag (Berlin) angekündigter Sammelband: *»Mit allen Sinnen«* und das Werk des Phaidon-Verlags (Wien): *»Die schönsten deutschen Gedichte«* bestimmt, das an die tausend von Paul Wiegler und Ludwig Goldscheider ausgewählte Gedichte enthält.
Auch in der diesjährigen Produktion überwiegen natürlich

## Romane, Erzählungen, Novellen

Der *Insel-Verlag bringt eine Reihe von Übersetzungen:* so den Zukunftsroman: *»Welt – wohin?«* von *Aldous Huxley*,[3] das Werk: *»Apokalypse«*, das D.[avid] H.[erbert] Lawrence angesichts des Todes geschrieben hat,[4] und den in der Heimat des dänischen Dichters *Marcus Lauesen* berühmt gewordenen Roman: *»Und nun warten wir auf das Schiff«*.[5] Ein anderer Nordländer, Johan Bojer, erscheint mit einem Band Erzählungen: *»Der Verstrickte«* in der C. H. Beckschen Verlagsbuchhandlung (München).[6] Um gleich noch einige Ausländer zu erwähnen: der Roman: *»Maria Danneels«* des niederländischen Dichters M.[aurice] Roelants kommt bei R. Voigtländer (Leipzig) heraus,[7] die F. G. Speidelsche

Verlagsbuchhandlung (Wien) vermittelt uns die Bekanntschaft mit dem schottischen Roman: *»Die Sünderin«* von Claire Spencer,[8] und Carl Schünemann (Bremen) veröffentlicht das neue Buch: *»Eva und der Apfel«* seines Hausdichters Jo van Ammers-Küller.[9] Unter den Novitäten der *Deutschen Verlagsanstalt* (Stuttgart) verdient der Angestellten-Roman: *»Herrn Brechers Fiasko«* von *Martin Kessel* hervorgehoben zu werden; nicht zuletzt auch ein neues Buch von *Ernst Zahn.*[10] Philipp Reclam jun. (Leipzig) gibt einen Zeitroman von Wilhelm Stolzenbach: *»Zwischen Gestern und Morgen«* heraus, dessen Helden vier Werkstudenten sind, und erweitert wieder seine wunderbare Universalbibliothek. *Wilhelm von Scholz* veröffentlicht eine Novelle: *»Die Pflicht«*, die ebenso wie der Roman: *»Porta Nigra«* von *Jakob Kneip* im Paul-List-Verlag (Leipzig) erscheint. Ruth Schaumann wartet mit dem Band: *»Amei. Eine Kindheit«* auf (G. Grotesche Verlagsbuchhandlung, Leipzig). Vermutlich befindet sich der Stimmungsgehalt dieses Werks in starkem Kontrast zu den beiden Berliner Romanen von *Paul von Hahn* und *Kurt Lamprecht*, die wir aus der Produktion des Dreimasken-Verlags (Berlin) herausgreifen.[11] Nach Ostpreußen führt der Roman *Artur Brausewetters*: *»Nur ein Bauer«*, der im Bergstadt-Verlag erscheint, dessen Hauptautor *Paul Keller* auch wieder einen neuen Band Erzählungen publiziert.[12] Orell Füssli (Zürich und Leipzig) kündigt einen Roman aus der Fremdenlegion: *»Der Commandant«* von *John Knittel* an und eine heitere Sommergeschichte: *»Neun in Ascona«*, die gleich zwei Verfasser, *Ursula von Wiese* und *W.[erner] J.[ohannes] Guggenheim*, hat. Der mit dem Georg-Müller-Verlag vereinte Verlag Albert Langen (München) veröffentlicht nicht nur neue Bücher seiner Autoren *Paul Ernst*, *E.[rwin] G.[uido] Kolbenheyer* und *Wilhelm Schäfer*,[13] sondern bringt auch den preisgekrönten Roman: *»Gehenna«* des Finnland-Schweden *Jarl Hemmer*[14] und vor allem, zu einem einzigen Band: *»Der Wanderer«* zusammengefaßt, Hamsuns drei berühmte Wanderer-Romane.[15] Schließlich beginnt dieser Verlag mit der Herausgabe einer Kollektion: »Die kleine Bücherei«, deren billige Bändchen das Schaffen der ihm nahestehenden Dichtergruppe (Alverdes, Billinger, Hans Grimm, Griese usw.) zugänglich machen wollen.[16] In dem Buch *Bronnens*: *»Erinnerung an eine Liebe«* (Verlag Tradition Wilhelm Kolk, Berlin) weht hoffentlich ein sanfterer Wind als in seinem Roßbach-Buch.[17] Mit Spannung sehen wir dem

Werk von *Anna Seghers*: *»Gefährten«* entgegen,[18] das die Leiden des kämpfenden Proletariats darstellt; mit Erwartungen auch dem Roman: *»Die Wandlung der Susanne Dasseldorf«* von *Joseph Breitbach*. Außer diesen Büchern legt Gustav Kiepenheuer (Berlin) noch folgende vor: *Julien Greens* Roman: *»Treibgut«*, der in der *Frankfurter Zeitung* vorabgedruckt wurde;[19] *Arnold Zweigs*: *»De Vrient kehrt heim«*; von *Giraudoux*: *»Abenteuer des Jerome Bardini«*;[20] einen Roman von *Karin Michaelis*[21] usw. Der S. Fischer-Verlag bereitet das *»Fragment eines Romanes«* aus dem Nachlaß *Hugo von Hofmannsthals* vor,[22] veröffentlicht das unseren Lesern bereits bekannte Buch: *»Der Vater«* von *Julius Meier-Graefe*[23] und verheißt weiterhin Werke seiner bekannten Autoren, die wieder Jahresringe angesetzt haben. Wir nennen *Schickeles*: *»Himmlische Landschaft«*, die selbstverständlich zwischen dem Schwarzwald und den Vogesen liegt, *Kurt Heusers*: *»Abenteuer in Vineta«* und *Manfred Hausmanns*: *»Abel mit der Mundharmonika«*. Von den Werken des Zsolnay-Verlags (Wien [u. a.]) dürften *Heinrich Manns* eben in unserem Feuilleton erscheinender Roman: *»Ein ernstes Leben«*[24] und *Kasimir Edschmids*: *»Deutsches Schicksal«* interessieren, das sich in dem vom Dichter gerade bereisten Südamerika vollzieht. Das neue Buch von *Erich Edwin Dwinger*: *»Wir rufen Deutschland«* gehört zur Produktion des Verlags Eugen Diederichs (Jena). Außerordentlich wichtig wird der zweite Band des Romans: *»Der Mann ohne Eigenschaften«* von *Robert Musil* sein. Er kommt im Ernst-Rowohlt-Verlag (Berlin), der noch einige andere zweifellos lesenswerte Bücher anzeigt: *»Das wachsame Hähnchen«* von *Erik Reger*,[25] das in den westdeutschen Städten kräht, den Roman: *»Schau heimwärts, Engel!«* des jungen Amerikaners *Thomas Wolfe*, von dem man sich viel verspricht, eine Erzählung *Else Lasker-Schülers* und den Frauenroman: *»Ann Vickers«* von *Sinclair Lewis*.[26] Der Roman des jungen Wiener Schriftstellers *Rudolf Brunngraber* *»Karl und das 20. Jahrhundert«* wird wegen seiner neuartigen literarischen Form besondere Beachtung finden (*Societäts-Verlag*). *»Da droben in den Bergen«* spielen Geschichten von *J.[akob] C.[hristoph] Heer* (Paul Franke Verlag, Berlin). Wahrscheinlich schließt sich der Nachkriegsroman von *Oskar Maria Graf*: *»Einer gegen alle«*, der in der Gesellschaft von Romanen Siegfried von Vegesacks und Joe Lederers im Universitäts-Verlag (Berlin) erscheint, an sein prachtvolles Buch: *»Wir sind Gefangene«* an.[27]

In der Verlagsliste Rudolf Pipers (München) bemerken wir den Roman: *»Das falsche Gold«* des Schweizers *C.[harles] F.[erdinand] Ramuz*[28] und das Buch: *»Die große Lüge«* von *Bruno Brehm,* in dem das Ende des Kriegs dargestellt wird. *Reimar Hobbing* (Berlin) verspricht uns eine Novellen-Sammlung deutscher Erzählerinnen (Vicki Baum, Ricarda Huch usw.),[29] Quelle & Meyer (Leipzig) einen Roman: *»Der Zweibändermann«* von Curt Thomalla, in dem es sehr zeitgenössisch zuzugehen scheint, die Cottasche Buchhandlung (Stuttgart) ein Horst-Wessel-Buch, dessen Verfasser Hanns Heinz Ewers ist.[30] Unter den Romanen des Erich-Reiß-Verlags (Berlin) sei einer von Louis Bromfield: *»Vierundzwanzig Stunden«* genannt.[31] Daß zwei so unermüdliche Kämpen wie *Upton Sinclair* und *Ilja Ehrenburg,* die beide Autoren des Malik-Verlages (Berlin) sind, dem Bücherschlachtfeld nicht fern bleiben, versteht sich von selbst; jener erscheint mit dem Prohibitions-Roman: *»Alkohol«*,[32] dieser mit einem Roman: *»Moskau glaubt nicht an Tränen«*, der aber in Paris spielt.[33] Der Bruno Cassirer-Verlag (Berlin) verzeichnet in einem Programm u. a. Max René Hesses Buch: *»Moraths Flucht«* und den Roman: *»Eine Brandstiftung«*, in dem *Karl Strecker* sicher die eigene Lebenswirklichkeit gestaltet. Eine besondere Freude werden uns die zwei Bände Erzählungen: *»Vom Brote der Stillen«* von *Regina Ullmann* bereiten (Rotapfel-Verlag, Erlenbach und Zürich).
Damit sind die Romane noch nicht erschöpft. Wir bringen mit Absicht jene gesondert, die von dem unverminderten Interesse zeugen, das für Stoffe aus der Vergangenheit und bedeutende Lebensschicksale besteht. Unter die Rubrik:

## Kulturhistorische und biographische Darstellungen

fallen außerdem Autobiographien, Briefsammlungen und Werke biographischer Art, die nicht in Romanform gehalten sind.
*Otto Brües* greift in seinem Roman: *»Die Wiederkehr«*, der ein Stück Kölner Geschichte behandelt, auf die lebensfrohe Barockzeit zurück (Grotesche Verlagsbuchhandlung). Einen heiteren Grundzug wird auch das Buch der Insel: *»Der Zauberer von Homburg und Monte Carlo«* von *Egon Cäsar Conte Corti* haben, das die Entstehung dieser beiden Spiel-

banken schildert; während man sich den bei Grethlein & Co. (Leipzig und Zürich) erscheinenden Roman *Ludwig Hunas*: *»Bartholomäusnacht«* nicht düster genug vorstellen kann. In seinem neuesten Werk: *»Der jüdische Krieg«* (Propyläen-Verlag, Berlin)[34] springt *Lion Feuchtwanger* plötzlich zur Alten Geschichte über und wird damit der Nachbar von *Nils Petersen*, dessen *»Sandalenmachergasse«* (Albert Langen) die Epoche Marc Aurels gestaltet. Näher liegt uns das von Feuchtwanger erst jüngst verlassene München, dem *A. De Noras* Buch: *»Färbergraben. Erinnerungen um die Jahrhundertwende«* gewidmet ist (L. Staackmann, Leipzig).
Zahlreich sind die *Künstler-Biographien.* Kurt Arnold Findeisen veröffentlicht bei Grethlein einen Brahms-Roman,[35] Heinz Grothe schreibt das Leben Klabunds (Joachim Goldstein, Berlin),[36] Karl Hans Strobl benutzt Goya als Modell zu einem Roman (L. Staackmann).[37] Die Biographie Christian Morgensterns von Michael Bauer (R. Piper, München) wird ein schönes Geschenk für die Freunde des Dichters sein.[38] Das Zola-Buch von Henri Barbusse und die Autobiographie Theodore Dreisers erscheinen beide bei Rowohlt.[39] Auch Frauen sind nicht selten Gegenstand der Betrachtung. Wir werden einen Jeanne-D'Arc-Roman: *»Die eiserne Jungfrau«* (Philipp Reclam jun.)[40] und ein Buch von Stefan Zweig über Marie Antoinette (Insel-Verlag) vorgelegt bekommen.[41] Carl Reißner (Dresden) publiziert unter dem an Lily Brauns bekanntes Buch[42] anklingenden Titel: *»Memoiren um die Titanen«* alte Erinnerungen von Diana v. Pappenheim und Jenny v. Gustedt. Berta Schleicher erzählt das Leben von Meta v. Salis-Marschlins (Rotapfel-Verlag),[43] und welches würdigere Objekt könnte Henny Porten finden als sich selber? *»Vom Kintopp zum Tonfilm«* heißt ihre Autobiographie (Carl Reißner). Zu den Darstellungen berühmter Männer gehört: die Spinoza-Biographie Rudolf Kaysers (Phaidon-Verlag, Wien),[44] ein Robert-Mayer-Roman Ludwig Finkhs: *»Der göttliche Ruf«* (Deutsche Verlags-Anstalt) und ein Buch des Erich-Reiß-Verlags: *»Präsident Masaryk erzählt sein Leben«*.[45] Ignaz Seipel wird ebenfalls auf biographischem Wege verewigt werden (Verlagsanstalt G. J. Manz, Regensburg).[46] Über den heiligen Franziskus sind zwei Bücher angekündigt: das von Angelo Conti (Jakob Hegner) und eines von Felix Timmermans, das in der Insel erscheinen wird.[47] Da das Buch Carl Hensels: *»Das war Münchhausen«*

(J. Engelhorns Nachfolger, Stuttgart) sich einen Tatsachenroman nennt, wird es zum mindesten keine Münchhauseniade sein. Dem Gedächtnis Paula Modersohn-Beckers ist ein Sammelband des Rembrandt-Verlags (Berlin) zugeeignet, der Beiträge der Freunde enthält.[48] – Die Speidelsche Verlagsbuchhandlung veröffentlicht Briefe von Anton Wildgans: *»An einen Freund«*, der Verlag Engelhorns den Briefwechsel zwischen Romain Rolland und Malvida von Meysenbug.[49]
Wir schließen hier die Rubrik:

## Geschichtliche Werke

an. Der Verlag Kösel und Pustet (München) eröffnet die zweite Reihe seiner: *»Bibliothek der Kirchenväter«* und bringt eine Untersuchung von *Edelbert Kurz*: *»Individuum und Gemeinschaft beim hl. Thomas von Aquin«*. Daß das Hauptwerk des Aquinaten: *»Summe der Theologie«* in Kröners Taschenausgaben zugänglich gemacht wird, ist sehr angenehm. Eine gewisse Aktualität darf der II. Band von *Elerts* Werk: *»Morphologie des Luthertums«* beanspruchen, der die Sozialwirkungen der lutherischen Lehre behandelt (J. Engelhorn). Er mag ergänzt werden durch das bei Diederichs erscheinende Müntzer-Buch *Otto Brandts.*[50] Durch eine *billige Ausgabe von Mommsens Römischer Geschichte* erwirbt sich der Phaidon-Verlag entschieden ein Verdienst.[51] Große historische Räume durchmißt auch wieder der *Propyläen-Verlag im IV. Band seiner Weltgeschichte*[52] und in *Karl Hampes*: *»Geschichte des Abendlandes im Hochmittelalter«*. Die *Geschichte Österreichs* wird im Sammelwerk des Amalthea-Verlags: *»Neue österreichische Biographie«* behandelt, von dem jetzt der VIII. Band erscheint;[53] die der Tschechoslowakei beabsichtigt der Erich-Reiß-Verlag nächstens herauszubringen.[54] Der Freiheitskampf des Burenvolkes erfährt seine Darstellung im Buch von *Deneys Reitz,* dessen deutsche Ausgabe bei Paul List kommt,[55] der auch die Memoiren des ehemaligen Großfürsten Alexander von Rußland publiziert.[56] *Kurt Kerstens* Buch über die 48er Revolution (Kiepenheuer) enthält vermutlich starke Beziehungen zur gegenwärtigen Situation,[57] deren Erkenntnis durch die Übersetzung des Werks von *Jean Prévost*: *»Geschichte Frankreichs seit dem Weltkrieg«* (Engelhorn) gleichfalls vertieft werden wird.[58] Unnötig, ein Wort über die besondere Bedeutung des Schlußbandes von *Leo Trotzkis*: *»Geschichte der russischen Revolution«*[59] (S. Fischer-Verlag) zu verschwenden, in dem die Eroberung der Macht durch die Bolschewiki im Oktober 1917 geschildert ist.

## Literaturwissenschaft<br>Gesamtausgaben und Kulturkritik<br>Kunstbetrachtungen

Prof. *Josef Nadler*, der in seinen literarhistorischen Werken vor allem die »landsmannschaftlichen Eigentümlichkeiten« berücksichtigt, wie es neuerdings immer beim Rundfunk heißt, veröffentlicht im Verlag Grethlein & Co. eine *»Literaturgeschichte der deutschen Eidgenossenschaft«*.[60] In methodischer Hinsicht steht ihm wahrscheinlich eine Publikation von *Heinz Otto Burger* nahe, die sich mit dem *»Schwabentum in der Geistesgeschichte«* befaßt (Cotta). *Karl Voßler* hat eine Monographie über *»Lope de Vega und sein Zeitalter«* geschrieben (Becksche Verlagsbuchhandlung). Hingewiesen sei auch auf Reclams Sammelwerk: *»Deutsche Literatur«*, deren Reihen *»Romantik«*, *»Politische Dichtung«* und *»Barockdrama«* erweitert werden.[61]
Das Nietzsche-Archiv beginnt jetzt mit der Veröffentlichung des gesamten ungekürzten schriftlichen Nachlasses von Nietzsche; die kritische Gesamtausgabe erscheint in der Beckschen Verlagsbuchhandlung.[62] Die Deutsche Verlags-Anstalt vervollständigt ihre *André-Gide-Ausgabe* durch den Band: *»Corydon«*,[63] und der Phaidon-Verlag hat eine Volksausgabe von Unamuno besorgt.[64] – Erfreulich ist, daß Zsolnay, der auch einen neuen *Wells* vorlegt,[65] das deutsche Publikum mit einem Werk des französischen Denkers Alain (*»Lebensalter und Anschauung«*) bekannt macht.[66] *»Wie denken Sie darüber?«* lautet der Titel eines Essaybandes von *Chesterton*, der, wenn es mit rechten Dingen zugeht, die Antworten selber vorwegnehmen wird (Carl Schünemann).[67] Unter den kulturkritischen Bänden des Paul-Neff-Verlags (Berlin) befindet sich *Paul Cohen-Portheims* Buch: *»Die Wiederentdeckung Europas«*.
Aus der Reihe der Kunstbücher nennen wir das Werk von *Max Deri*: *»Die Stilarten der Kunst im Wandel von zwei Jahrtausenden«* (Deut-

sches Verlagshaus Bong & Co., Berlin) und *Gustav Glücks: »Rubens, Van Dyk und ihr Kreis«*, das bei Anton Schroll & Co (Wien) erscheint. Dieser Verlag bringt auch eine programmatische Schrift von *Joseph Gantner: »Revision der Kunstgeschichte«* heraus, die einen Anhang über Semper und Le Corbusier enthält. – Hier ist der passende Ort, um zweier Monographien über Städte zu gedenken. *Wilhelm Hausenstein* vereinigt seine zum überwiegenden Teil in der »Neuen Rundschau« erschienenen Aufsätze zu einem Band: *»Europäische Hauptstädte«* (Rotapfel-Verlag), und der Amalthea-Verlag beschert uns mit einem Bilderbuch: *»Wien«*.[68]
Die Hochflut der

Reportagen,

die in den letzten Jahren den Büchermarkt überschwemmte, ist immer noch nicht zurückgewichen. Der Phaidon-Verlag bringt: *»Terror auf dem Balkan«* von *Albert Londres*, dem berühmten, um eine Besserung unserer Zustände so verdienten Journalisten, der bei einem Schiffsunglück bekanntlich sein Leben eingebüßt hat.[69] Es scheint uns nicht zweifelhaft, daß *Tröbst* in seinem Buch: *»Balkan durchs Schlüsselloch«* (Verlag Tradition) demselben Gegenstand andere Seiten abzugewinnen sucht. Die heute im literarischen Interesse sehr beliebten Rußlandreisen haben wieder zwei Bücher gezeitigt: das von *Helene von Watter*: *»Eine deutsche Frau erlebt Sowjetrußland«* (Bergstadt-Verlag, Breslau) und *F. [ranz] C.[arl] Weißkopfs*: *»Das Land, wo man die Arbeit ehrt«* (Malik-Verlag), ein Bericht, der sich auf 18 000 durchmessene Kilometer bezieht.[70] Noch weiter ist *Egon Erwin Kisch* vorgedrungen, der in einem bei Erich Reiß erscheinenden Buch seine Eindrücke aus China verzeichnet.[71] *Heinrich Hauser* taucht neuerdings im Diederichs-Verlag auf, wo er unter dem Titel: *»Wetter im Osten«* ein Buch über Ostpreußen veröffentlicht. Der Gilde-Verlag (Köln) wird durch seine Werke: *»Von der Teufelsinsel zum Leben«* und *»Armee auf Schleichwegen«* das Spannungsbedürfnis befriedigen.[72] *Knickerbocker*, der vielleicht noch schneller schreibt, als er reist, ist mit einer großen Reportage: *»Kommt Europa wieder hoch?«* zur Stelle (Rowohlt-Verlag). *Elli Beinhorn* erzählt ihre Flugabenteuer (Reimar

Hobbing),[73] und *Axel Eggebrecht* bietet in seinem Buch: *»Junge Mädchen«* Aufzeichnungen über die Dreizehn- bis Sechszehnjährigen an (Dietrich Reimer, Berlin). Sehr wichtig sind die beiden Reportagenbände des Bruno Cassirer-Verlags: das Buch: *»Betrogene Jugend«* von *Albert Lamm*,[74] aus dem wir in unserem Feuilleton Ausschnitte brachten,[75] und *Ernst Haffners* Bericht: *»Jugend auf der Landstraße Berlins«*,[76] der neue Aufschlüsse über die Jugendcliquen gibt.
Mit diesen Reportagen sind wir in die Gegenwart eingerückt. Wir verzeichnen im folgenden:

## Aktuelle Schriften zur Politik, Wirtschaft, Erziehung und Baupraxis

Unsere Kenntnis Indiens möchte die Publikation des Callwey-Verlags: *»Indien in der Weltpolitik«* von *Taraknath Das* vermehren; Prof. *Haushofer* hat das Vorwort geschrieben. Der S. Fischer-Verlag bereitet ein Buch: *»Inventur der europäischen Probleme«* von *Carlo Sforza* vor, das die Veröffentlichung: *»Europäische Profile«* des Universitas-Verlags ergänzen dürfte, in der sich Hans Roger Madol über seine Begegnungen mit Staatsmännern und Monarchen unserer Zeit verbreitet. Im Rahmen der »Tat«-Schriften (Diederichs) erscheinen Arbeiten von *Hans Zehrer*, *Ferdinand Fried* und *Giselher Wirsing*, deren Inhalt den Lesern der *»Tat«* wohl kaum eine Überraschung bedeuten wird.[77] Das mächtig angeschwollene Schrifttum über den Nationalsozialismus erfährt eine Bereicherung durch die Darstellung *Konrad Heidens*: *»Geschichte des Nationalsozialismus«* (Rowohlt-Verlag) und durch K. A. *Wittfogels* Buch: *»Der Nationalsozialismus«* (Malik-Verlag), das die Wirklichkeit der Bewegung mit ihrem Programm vergleicht. Die aktuellen Fragen der deutschen Agrarpolitik werden in *Erwin Topfs* Werk: *»Grüne Front«* (Rowohlt-Verlag) behandelt. *Kurt von Reibnitz* entwirft in seinem Buch: *»Im Dreieck Schleicher, Hitler, Hindenburg«* (Dietrich Reimer) auf Grund eigener Beobachtungen Bilder dieser drei Männer. Von *Rudolf Olden* ist eine Lebensbeschreibung des Reichspräsidenten (Rowohlt-Verlag) zu erwarten.[78] In das Zentrum der Auseinandersetzung zwischen Kommunismus und Nationalismus führt *Hans Kohns* neues Buch

*»Der Nationalismus in der Sowjetunion«*,[79] das im Societäts-Verlag erscheint.
An erster Stelle der Schriften zur Wirtschaft machen wir auf das Buch: *»Geschäftsethik und Verantwortlichkeit der Banken«* von Dr. *L.[ouis] Schultheß* (Rotapfel-Verlag) aufmerksam, dessen Thema zum mindesten außerordentlich zündend ist. Dr. *E.[mil] Müllers* Buch: *»Mussolinis Getreideschlacht«* (Verlagsanstalt G.J. Manz) ist eine Untersuchung über die italienische Landwirtschaft im Zeichen der Diktatur. Das in einer deutschen Ausgabe der Deutschen Verlags-Anstalt erscheinende Werk: *»Währungsnot der Welt«* von *Raymond Patonôtre*, der als Staatsekretär dem Kabinett Herriot angehört, ist mit einem Vorwort von Joseph Caillaux versehen.[80] *Wolfgang Vortischs* Buch: *»Die Wirtschaft der Persönlichkeit«*, das in Erwartung verantwortungsbewußter Persönlichkeiten den Staat weitgehend aus der Wirtschaft ausschalten möchte, erscheint im Amalthea-Verlag; ebenso eine Schrift von *Enrico Garantini* mit dem verheißungsvollen Titel: *»Das Ende der Arbeitslosigkeit«*. Nicht vergessen werden soll schließlich das Buch über Deutsche Planwirtschaft von Ericcius, das der Callwey-Verlag für nächstes Jahr ankündigt.[81]
Beiträge zum Problem der Erziehung liefern zwei Broschüren des Verlags R. Voigtländer (Leipzig). Die eine: *»Krisis des Frauenstudiums«* von *Gertrud Bäumer* betrachtet die Wirkung der Überfüllung unserer Hochschulen auf das Frauenstudium; die andere: *»Das Bildungswesen in Deutschland«*, die von der Deutschen Pädagogischen Auslandsstelle besorgt ist, erscheint gleichzeitig in englischer und französischer Sprache.[82] Die Deutsche Verlags-Anstalt veröffentlicht ein Buch von *Ernst Robert Curtius* über die Elemente der Bildung, der Verlag Kösel und Pustet baut sein *»Handbuch der Erziehungswissenschaft«* weiter aus.[83] Gesammelte Aufsätze von Prof. *Eduard Spranger* werden unter dem Titel: *»Volk, Staat, Erziehung«* bei Quelle & Mayer erscheinen.
Eine ganze *Literatur über den Siedlungs- und Kleinhausbau* ist im Entstehen begriffen. Hierher gehören z.B. das *»Praktische Handbuch für Siedler und Eigenheimer«*, *»Das Eigenheim«*, *»Das wachsende Haus«* von Stadtbaurat *Wagner* und andere Schriften des Deutschen Verlagshauses Bong & Co.[84] Callwey bringt ein Buch *Guido Harbers*: *»Das freistehende Einfamilienhaus von 10-30000 Mk. und darüber«*, Anton Schroll & Co. Sammelwerke über die internationale Werkbundsiedlung

Wien 1932 und kleine Einfamilienhäuser mit 50 bis 100 Quadratmeter Grundfläche.[85] Etwas außerhalb dieses Rahmens steht noch der *»Almanach der feinen Küche. Ein Tagebuch der besten französischen Rezepte«* von *Marcel X. Boulestin*, von dem Societäts-Verlag angekündigt.[86] Am Schluß der Zusammenstellung kehren wir zur Natur zurück, die ja heute auch das Ziel aller Weekend-Ausflüge bildet. Unter die Rubrik:

Erdkunde
Forschungsreisen und Speditionen

fällt noch eine Anzahl von Schriften. Der Verlag Bibliographisches Institut A.-G. (Leipzig) wird die bekannte Monatsschrift: *»Atlantis«* übernehmen[87] und kündigt außer einigen lexikalischen Bänden vier Atlanten,[88] zwei neue Italienführer[89] und einen Reisebericht: *»Ata Kiwan«* des Frankfurter Völkerkundlers *Ernst Vatter* über seine Südsee-Expedition an.[90] Von der Forschungsarbeit in Portugiesisch-Guinea handelt *Hugo Adolf Bernatziks* Buch: *»Äthiop[i]en des Westens«* (Anton Schroll & Co.). Weitaus die meisten Reisen scheinen in die Tierwelt geführt zu haben. *Ernst F. Löhndorff* schildert in seinem Buch: *»Noahs Arche«* (Grethlein & Co.) die Jagd auf Walfische, *Karl Stemmler* veröffentlicht im selben Verlag: *»Das Buch der Adler«*, der Däne *Achton Friis* verzeichnet unter dem Titel: *»Wilde, weite Arktis«* (Engelhorn) Erlebnisse auf einer Grönland-Expedition.[91] Solche Bücher entsprechen wohl dem Geschmack einer breiten Leserschaft, die sich fortsehnt von hier und über der Lektüre abenteuerlicher Werke wie der von *Mikkjel Fönhus: »Die Löwen am Kilimatui«* (Becksche Verlagsbuchhandlung),[92] von *G.[erd] Heinrich: »Der Vogel Schnarch«* (Dietrich Reimer), von *Svend Fleuron: »Mit einem Stöberhund durch Wald und Heide«* (Diederichs)[93] und von *Hans Schomburgk: »Tiere im letzten Paradies«* (Reimar Hobbing) den gar nicht paradiesischen Alltag zu vergessen wünscht. Sie begleitet auch gerne den Gewohnheitsreisenden *Colin Roß*, der in seinem neuesten, bei F. A. Brockhaus erscheinenden Buch: *»Der Wille der Welt«* zu sich selbst zu reisen verspricht. Hoffen wir, daß er im Fall des Gelingens nicht vor Anker liegen bleibt. *Kasimir Edschmid*, der mit seinen früheren Reisebüchern einen neuen Typ der Reisebeschreibung geschaffen hat, läßt im

Societäts-Verlag erscheinen: *»Zauber und Größe des Mittelmeeres«*.[94] Dem Buch *Hans Quelings »Sechs Jungens tippeln nach Indien«* folgt ein zweiter Band, der von der abenteuerlichen Wanderung der Jungens durch ganz Indien bis zum Himalaya erzählt (Societäts-Verlag).[95]
(FZ vom 16. 10. 1932, Literaturblatt)

1 Agnes Miegel, *Herbstgesang*. Neue Gedichte. Jena: E. Diederichs 1932.
2 Ernst Paul, *Beten und Arbeiten*. Gedichte. München: A. Langen und G. Müller 1932.
3 Aldous Huxley, *Welt – wohin?* Übers. von Herberth E. Herlitschka. Leipzig: Insel 1932; engl. Orig.: *Brave New World*. London: Chatto & Windus 1932.
4 David Herbert Lawrence, *Apokalypse*. Übers. von George Goyert. Leizpig: Insel 1932; engl. Orig.: *Apocalypse*. Florenz: Orioli 1931.
5 Marcus Lauesen, *Und nun warten wir auf das Schiff*. Übers. von Mathilde Stilling. Leipzig: Insel 1932; dän. Orig: *Og nu venter vi paa Skib*. Kopenhagen: Gyldendal 1931.
6 Johann Bojer, *Der Verstrickte*. Übers. von Julius Sandmeier. München: C.H. Beck 1932; norw. Orig.: *Bergkallen og andre fortellinger*. Kristiania: Gyldendalske Boghandel 1920.
7 Maurice Roelants, *Maria Danneels*. Übers. von Elisabeth und Felix Augustin. Leipzig: R. Voigtländer 1932; niederl. Orig.: *Maria Danneels of het leven dat wij droomden*. Brüssel und Rotterdam: Manteau 1931.
8 Claire Spencer, *Die Sünderin*. Übers. von Marianne Trebitsch-Stein. Wien und Leipzig: F. G. Speidel 1932; engl. Orig.: *Gallow's Orchard*. New York: Cape & Smith 1931.
9 Jo van Ammers-Küller, *Der Apfel und Eva*. Übers. von Eva Schumann. Bremen: C. Schünemann 1932; niederl. Orig.: *De Appel en Eva*. Amsterdam: Meulenhoff 1932.
10 Ernst Zahn, *Der Fährmann Adrian Risch*. Stuttgart und Berlin: DVA 1932.
11 Paul von Hahn, *Parkplatz Grunewald*. Berlin: Drei Masken 1932; Kurt Lamprecht, *Krach im Club*. Berlin: Drei Masken 1932.
12 Paul Keller, *Die alte Krone*. Leipzig, Breslau und Wien: Bergstadtverlag W. G. Korn 1932. Zu Paul Keller siehe auch Nr. 640, Anm. 30.
13 Erwin Guido Kolbenheyer, *Raps, die Persönlichkeit*. München: A. Langen und G. Müller 1932; Wilhelm Schäfer, *Die Mißgeschickten*. München: A. Langen und G. Müller 1932; zu Paul Ernst siehe oben, Anm. 2.
14 Jarl Hemmer, *Gehenna*. Übers. von Pauline Klaiber-Gottschau. München: A. Langen und G. Müller 1933; schwed. Orig.: *En man och hans samvete*. Stockholm: Bonnier 1931.
15 Knut Hamsun, *Der Wanderer*. Romantrilogie. Übers. von Julius Sandmeier. München: A. Langen und G. Müller 1932. Der Band enthielt die Romane *Unter Herbststernen* (1908), *Gedämpftes Saitenspiel* (1910) und *Die letzte Freude* (1914); norw. Orig.: *Under høststjærnen*. Kristiania: Gyldendal 1906; *En vandrer spiller med sordin*. Kristiania: Gyldendal 1909; *Den siste glæde*. Kristiania: Gyldendal 1912.
16 In der Reihe »Die kleine Bücherei« des Münchener Langen-Müller Verlags erschienen für 80 Pfennige in regelmäßiger Folge Titel, die laut Verlagswerbung »die stärksten aufbauenden Kräfte der volkhaften deutschen Dichtung und ihrer nordischen Nachbarn« repräsentieren sollten.
17 Arnold Bronnen, *Roßbach*. Berlin: E. Rowohlt 1931.
18 Siehe Kracauers Rezension, Nr. 689; siehe auch Nr. 734.
19 Siehe Kracauers Rezension, Nr. 725.

20 Jean Giraudoux, *Die Abenteuer des Jérome Bardini*. Übers. von Hermann Kesten. Berlin: G. Kiepenheuer 1932; frz. Orig.: *Aventures de Jérôme Bardini*. Paris: Grasset 1930.
21 Karin Michaelis, *Die sieben Schwestern*. Berlin: G. Kiepenhauer 1932.
22 Hugo von Hofmannsthal, *Andreas oder Die Vereinigten*. Fragmente eines Romans. Mit einem Nachwort von Jakob Wassermann. Berlin: S. Fischer 1932. Es handelt sich um die erste Buchausgabe von Hofmannsthals nachgelassenem »*Andreas*«-Fragment, das in Auszügen bereits 1930 in der Zeitschrift *Corona* erschienen war.
23 Meyer-Graefes Roman *Der Vater* erschien zwischen dem 3. 2. (Nr. 88-90) und 10. 4. 1932 (Nr. 266-268) in 58 Fortsetzungen im Feuilleton der FZ. Siehe auch Nr. 734, Anm. 4.
24 Siehe Nr. 734. Der Vorabrdruck erschien in der FZ vom 25. 9. (Nr. 713-715) bis zum 12. 11. 1932 (Nr. 843-845).
25 Zu Kracauers Rezension siehe Nr. 687.
26 Sinclair Lewis, *Ann Vickers*. Übers. von Franz Fein. Berlin: E. Rowohlt 1933; engl. Orig.: *Ann Vickers*. London: Cape 1933.
27 Oskar Maria Graf, *Wir sind Gefangene*. München: Drei Masken 1927.
28 Charles Ferdinand Ramuz, *Farinet oder Das falsche Geld* [sic]. Übers. von Werner Johannes Guggenheim. München: R. Piper 1932; frz. Orig: *Farinet ou la fausse monnaie*. Paris: Grasset 1932.
29 *Frauen Schreiben: 12 Novellen Deutscher Erzählerinnen*. Hrsg. von Anna Charlotte Lindemann. Berlin: Hobbing & Dom 1932.
30 Hanns Heinz Ewers, *Horst Wessel*. Ein deutsches Schicksal. Stuttgart und Berlin: J. G. Cotta 1932.
31 Louis Bromfield, *Vierundzwanzig Stunden*. Übers. von Viktor Wallerstein. Berlin: E. Reiß 1933; engl. Orig.: *Twenty-four hours*. New York: Stokes 1930.
32 Siehe Kracauers Besprechung, Nr. 698.
33 Ilja Ehrenburg, *Moskau glaubt nicht an die Tränen*. Übers. von Rudolf Selke. Berlin: Malik 1932; die russische Ausgabe erschien 1933 u. d. T. *Moskva slezam ne verit* (Moskau: Sovet Literatura).
34 Siehe Nr. 734.
35 Der historische Brahms-Roman Kurt Arnold Findeisens *Lied des Schicksals* erschien 1933 bei Koehler & Amelang (Leipzig).
36 Heinz Grothe, *Klabund*. Berlin: J. Goldstein 1933.
37 Karl Hans Strobl, *Goya und das Löwengesicht*. Leipzig: L. Staackmann 1932.
38 Michael Bauer, *Christian Morgensterns Leben und Werk*. München: R. Piper 1933.
39 Theodore Dreiser, *Das Buch über mich selbst*. Übers. von Marianne Schön. Berlin u. a.: P. Zsolnay 1932; engl. Orig.: *A Book About Myself*. New York: Boni & Liveright 1922. Das *Zola*-Buch von Henri Barbusse erschien nicht bei Rowohlt, sondern 1932 in der Übersetzung von Lyonel Dunin im P. Zsolnay-Verlag (Berlin u. a.); frz. Orig.: *Zola*. Paris: Gallimard 1932.
40 Gerhard Bohlmann, *Die silberne Jungfrau* [sic]. Leipzig: Ph. Reclam 1932.
41 Stefan Zweig, *Marie Antoinette*. Bildnis eines mittleren Charakters. Leizpig: Insel 1932.
42 Die populäre Autobiographie Lily Brauns erschien u. d. T. *Memoiren einer Sozialistin* (München: A. Langen 1909).
43 Berta Schleicher, *Meta v. Salins Marschlins*. Das Leben einer Kämpferin. Erlenbach-Zürich und Leipzig: Rotapfel 1932.
44 Rudolf Kayser, *Spinoza*. Bildnis eines geistigen Heldens. Wien: Phaidon 1932.

45 Thomas Garrigue, *Masaryk erzählt sein Leben.* Gespräche mit Karel Capek. Übers. von Camill Hoffmann. Berlin: B. Cassirer 1936. Die Originalausgabe erschien in drei Teilen 1928, 1931, 1935, gesammelt 1936 u. d. T. *Hovory s T. G. Masarykem.* Prag: Borový 1936.
46 Bernhard Birk, *Dr. Ignaz Seipel.* Ein österreichisches und europäisches Schicksal. Regensburg: G. J. Manz 1932.
47 Felix Timmermans, *Franziskus.* Übers. von Peter Mertens. Leipzig: Insel 1932; fläm. Orig.: *De Harp van Sint-Franciscus.* Amsterdam: Van Kampen 1932. Der angeführte Titel von Conti konnte bislang nicht nachgewiesen werden.
48 *Paula Modersohn-Becker: Ein Buch der Freundschaft.* Hrsg. von Rolf Hetsch. Berlin: Rembrandt 1932.
49 Siehe Nr. 640, Anm. 8.
50 Otto Brandt, *Thomas Müntzer: Sein Leben und seine Schriften.* Jena: E. Diederichs 1932.
51 Theodor Mommsen, *Römische Geschichte.* Gekürzte Ausgabe. Leipzig und Wien: Phaidon 1932.
52 *Das Zeitalter der Gotik und der Renaissance.* 1250-1500. Hrsg. von Walter Goetz. Berlin: Propyläen 1932 (= *Propyläen-Weltgeschichte*, Bd. 4).
53 *Neue österreichische Biographie 1815-1918.* Abt. 1., Biographien Bd. 8. Mit den Bildnissen von Wettstein u. a. Begründet und geleitet von Anton Bettelheim. Wien: Amalthea 1935.
54 Kamil Krofta, *Geschichte der Tschechoslowakei.* Übers. von Camill Hoffmann. Berlin: E. Reiß 1932; tschech. Orig.: *Malé dějiny československé.* Prag: Nákl. Matice České 1931.
55 Deneys Reitz, *Aufgebot.* Freiheitskampf eines Volks. Übers. von Dagobert von Mukisch. Leipzig: P. List 1932; engl. Orig.: *Commando: A Boer Journal of the Boer War.* London: Faber & Faber 1929.
56 Alexander von Rußland, *Einst war ich ein Großfürst.* Übers. von Herberth E. Herlitschka. Leipzig: Paul List 1932; engl. Orig.: *Once a Grand Duke.* London: Cassell & Co. 1932.
57 Kurt Kersten, *1848: die deutsche Revolution.* Berlin: G. Kiepenheuer 1932.
58 Jean Prévost, *Geschichte Frankreichs seit dem Kriege.* Übers. von Karl Wilhelm Körner. Stuttgart: J. Engelhorns Nachfolger 1932; frz. Orig.: *Histoire de France depuis la guerre.* Paris: Rieder 1932.
59 Siehe Nr. 720.
60 Zu Nadler siehe auch Nr. 704.
61 1932/33 erschienen in den genannten Reihen folgende Titel: *Weltanschauung der Frühromantik.* Hrsg. von Paul Kluckhohn. Leipzig: Ph. Reclam 1932 (= Deutsche Literatur / Reihe 17: Romantik, Bd. 5); Robert Franz Arnold, *Fremdherrschaft und Befreiung.* 1795-1815. Leipzig: Ph. Reclam 1932 (= Deutsche Literatur / Reihe 3: Politische Dichtung, Bd. 2); *Oratorium.* Festspiel des Barocks. Hrsg. von Willi Flemming. Leipzig: Ph. Reclam 1933 (= Deutsche Literatur / Reihe 5: Barock / (b) Barockdrama, Bd. 6).
62 Friedrich Nietzsche, *Werke und Briefe.* Historisch-kritische Gesamtausgabe. Hrsg. von Karl Schlechta u. a. München: C.H. Beck 1933-1940.
63 André Gide, *Corydon.* Vier sokratische Dialoge. Übers. von Joachim Moras. Stuttgart und Berlin: DVA 1932; frz. Orig.: *Corydon.* Paris: Gallimard 1924.
64 Miguel de Unamuno, *Philosophische Werke.* Übers. von Otto Buek. Wien: Phaidon 1933.
65 Siehe Nr. 640, Anm. 16.

66 Alain (d. i. Émile Auguste Chartier), *Lebensalter und Anschauung*. Übers. von Lonja und Jacques Stehelin-Holzing. Berlin u. a.: P. Zsolnay 1932; frz. Orig.: *Les idées et les âges*. Paris: Gallimard 1927.
67 Gilbert Keith Chesterton, *Wie denken Sie darüber?* Untersuchungen und Betrachtungen, Tages- und Ewigkeitsfragen. Übers. von Curt Thesing. Bremen: C. Schünemann 1932; engl. Orig.: *Come to Think of It ...* A Book of Essays. London: Methuen 1930.
68 Isaia Nathan Zavadier, *Wien*. Ein Bilderbuch. Zürich, Leipzig und Wien: Amalthea 1932.
69 Albert Londres, *Terror auf dem Balkan*. Übers. von Alexander Benzion. Wien: Phaidon 1932; frz. Orig.: *Les comitadjis ou le terrorisme dans les Balkans*. Paris: A. Michel 1932. Der Journalist und Schriftsteller Albert Londres (1884-1932) wurde durch seine Recherchen und investigativen Reportagen bereits zu Lebzeiten zu einer Legende. Als Kriegsreporter und Auslandskorrespondent der Zeitung *Le Petit Journal* berichtete er während des Ersten Weltkriegs u. a. über die Bombardierung von Reims im September 1914 und über die Kämpfe in Serbien und der Türkei. Nach einer politischen Intervention durch Premierminister Clemenceau 1919 von *Le Petit Journal* entlassen, schrieb er für verschiedene Zeitschriften und Zeitungen und begann, seine Reportagen für den Verlag Albin Michel zu Büchern zusammenzustellen. Londres berichtete 1920 als einer der ersten westlichen Journalisten aus der Sowjetunion (*Dans la Russie des Soviets*, [1920]), reiste anschließend durch Japan, Indien und China (*La Chine en folie* [*1922*]), deckte den Terror der französischen Strafkolonien und Arbeitslager in Guyana (*Au bagne* [1923]) und Afrika (*Dante n'avait rien vu* [1927], siehe auch Nr. 533) auf und reiste mehrfach nach Palästina (*Le Juif errant est arrivé* [1929]). Londres kam am 16. 5. 1932 bei einem Feuer auf dem Ozeandampfer *Georges Phillippar* im Roten Meer ums Leben.
70 Das Buch erschien u. d. T. *Zukunft im Rohbau*, siehe Kracauers Rezension, Nr. 699.
71 Egon Erwin Kisch, *Asien gründlich verändert*. Berlin: E. Reiß 1932.
72 Paul C. Ettighofer, *Von der Teufelsinsel zum Leben: das tragische Grenzländerschicksal des Elsässers Alfons Paoli Schwartz*. Köln: Gilde 1932; Hermann Jung, *Armee auf Schleichwegen: Erlebtes und Erlauschtes vom Schmuggelkrieg im Westen*. Köln: Gilde 1932.
73 Elly Beinhorn, *Ein Mädchen fliegt um die Welt*. Berlin: Hobbing 1932. Zu Elly Beinhorn siehe auch Nr. 680.
74 Siehe Kracauers Besprechung, Nr. 683, dort auch Anm. 1.
75 Siehe Nr. 668, dort auch Anm. 1.
76 Siehe Nr. 683, dort auch Anm. 1.
77 Zu Kracauers Auseinandersetzung mit dem »Tat«-Kreis siehe Nr. 615, dort auch Anm. 1.
78 Die angekündigte Biographie *Hindenburg oder der Geist der preußischen Armee* des Journalisten und Rechtsanwalts Rudolf Olden erschien nicht bei Rowohlt, sondern 1935 im Pariser Exil beim Europäischen Merkur.
79 Siehe Nr. 709.
80 Frz. Orig.: *La Crise et le drame monétaire*. Paris: Gallimard 1932.
81 Das Buch konnte bislang nicht nachgewiesen werden.
82 *Das Bildungswesen in Deutschland*. Zusammengestellt von der Deutschen Pädagogischen Auslandsstelle Berlin und dem Deutschen Akademischen Austauschdienst Berlin. Leipzig: R. Voigtländer 1932; engl. u. d. T. *The German educational System*; frz. u. d. T. *L'Éducation en Allemagne*.

83 Ernst Robert Curtius, *Deutscher Geist in Gefahr*. Stuttgart und Berlin: DVA 1932; *Die deutschsprachliche Jugendbildung in ihren Grundlagen*. Handbuch der Erziehungswissenschaft. Hrsg. von Joseph Antz. IV. Teil, Bd. 2. München: Kösel und Pustet 1932.
84 *Praktisches Handbuch für Siedler und Eigenheimer*. Ein Ratgeber auf allen Gebieten der Massiv- und Holzbauweise, der Rechtsgrundlagen und Finanzierung des Hausbaus, der Gartenanlagen und Blumenzucht, des Obst- und Gemüsebaus, der Nahrungsmittel-Konservierung, der Haltung und Pflege von Kleintieren und Geflügel sowie der Bienenzucht; mit Grundrissen und Tabellen. Unter Mitarbeit von Georg Fischer. Berlin u. a.: Bong 1932; *Das Eigenheim*. Bau von Ein- und Mehrfamilienhäusern, Wochenendhäusern, Garten- und Wohnlauben, deren Anlage und Einrichtung unter Berücksichtigung des »wachsenden Hauses« und des »staatlich geförderten Selbsthilfebaus«, Berater für Bauführungen, Rechtsfragen, Finanzierungsmöglichkeiten und Kostenanschläge. Hrsg. von Johannes Grobler und Justus von Gruner. Berlin u. a.: Bong 1932; Martin Wagner, *Das wachsende Haus*. Ein Beitrag zur Lösung der städtischen Wohnungsfrage. Unter Mitarb. von Otto Bartning, der Architekten Bartning, Eiermann und Jaenecke. Berlin u. a.: Bong 1932. Zu Wagner siehe Nr. 494, Anm. 5.
85 *Die internationale Werkbundsiedlung, Wien 1932*. Hrsg. von Josef Frank. Wien: Anton Schroll & Co. 1932; *Kleine Einfamilienhäuser mit 50 bis 100 Quadratmeter Wohnfläche*. Hrsg. von Hans A. Vetter und Josef Frank. Wien: Schroll & Co. 1932.
86 Marcel X. Boulestin, *Almanach der feinen Küche*. Ein Tagebuch der besten französischen Rezepte: »wie kann man gut und reizvoll kochen«. Übers. von Paul Bourdin. Frankfurt a. M.: Societäts-Verlag 1932; frz. Orig.: *Petits & grands plats: ou, Le Trésor des amateurs de vraie cuisine*. Paris: Au Sans Pareil 1928.
87 *Atlantis*. Länder, Völker, Reisen. Eine Monatsschrift. Hrsg. von Martin Hürlimann, 1929-1964 (forgesetzt von 1964 bis 1966 u. d. T. *Du – Atlantis*. Kulturelle Montasschrift. Zürich: Conzett & Huber). Die Zeitschrift wurde im Oktober 1932 vom Atlantis-Verlag, Berlin, übernommen und im November 1938 an den Atlantis-Verlag Dr. Martin Hürlimann, Berlin und Zürich, zurückgegeben. Druck und Auslieferung erfolgten weiterhin durch das Bibliographische Institut.
88 *Der Große Weltatlas*. Bearbeitet und mit der Hand gestochen in der Kartographischen Abteilung des Bibliographischen Instituts mit Bemerkungen zu den Karten von Edgar Lehmann und einem Register mit 70000 Namen. Leipzig: Bibliographisches Institut 1933; *Der große Weltatlas (Kartenmaterial)*. Bearbeitet und mit der Hand gestochen in der Kartographischen Abteilung des Bibliographischen Instituts mit Bemerkungen zu den Karten von Edgar Lehmann und einem Register mit 70000 Namen. Leipzig: Bibliographisches Institut 1933; *Meyers großer Hand-Atlas*. 360 Haupt- und Nebenkarten nebst alphabetischem Namensverzeichnis, geographischen Kartenerläuterungen und einem Leseglas. Hrsg. von Nikolaus Creutzburg. Leipzig: Bibliographisches Institut 1933; *Meyers Volks-Atlas*. 101 Haupt- und Nebenkarten mit alphabetischem Namenverzeichnis und einer geographischen Einleitung von Edgar Lehmann. Leipzig: Bibliographisches Instiut 1933.
89 *Rom und Umgebung*. Leipzig: Bibliographisches Institut 1933; *Ötztal und Stubai*. Leipzig: Bibliographisches Institut 1933.
90 Ernst Vatter, *Ata Kiwan*. Unbekannte Bergvölker im tropischen Holland. Ein Reisebericht. Leipzig: Bibliographisches Institut 1932.
91 Achton Friis, *Wilde weite Arktis*. Aus den Aufzeichnungen eines Malers und Jägers.

Übers. von Friedrich Stichert. Stuttgart: Engelhorns Nachfolger 1932; dän. Orig.: *Arktiske Jagter*. Kopenhagen: Gyldendal 1925.

92 Mikkjel Fønhus, *Die Löwen am Kilimatui*. Übers. von Julius Sandmeier und Sophie Angermann. München: C.H. Beck 1932; norw. Orig.: *Løvene i Kilimatui*. Oslo: H. Aschehoug & Co. 1931.

93 Svend Fleuron, *Mit einem Stöberhund durch Wald und Heide*. Übers. von Thyra Jakstein-Dohrenburg. Jena: E. Diederichs 1932; dän. Orig.: *Historien om en Støver*. Kopenhagen: Gyldendal 1932.

94 Kasimir Edschmid (d.i. Eduard Schmid; 1890-1966) war als freier Schriftsteller und Mitarbeiter zahlreicher Zeitungen und Zeitschriften tätig. Mit seiner Novellensammlung *Die sechs Mündungen* (1915) und der Rede *Über den Expressionismus in der Literatur und die neue Dichtung* (1919) wurde er zu einem der wichtigsten Exponenten des Expressionismus. Er unternahm vor allem zwischen 1924 und 1930 zahlreiche Reisen nach Südeuropa, Südamerika und Afrika. In seinen reportageartigen Reisebüchern, wie *Afrika nackt und angezogen* (1929), mischte er detaillierte Landschaftsschilderungen mit ethnographischen Beobachtungen, anthropologischen Spekulationen und kulturhistorischen Reminiszenzen.

95 Band 1 erschien 1931, Band 2 u.d.T. *Sechs Jungens tippeln zum Himalaja* 1933 (Frankfurt: Societäts-Verlag).

## 682. Gestaltschau oder Politik?

Rez.: Ernst Jünger, *Der Arbeiter*. Herrschaft und Gestalt. Hamburg: Hanseatische Verlagsanstalt 1932.

*Ernst Jüngers* Buch: »*Der Arbeiter. Herrschaft und Gestalt*« ist aus dem Grunde wichtig, weil es nicht von fixen Parteiprogrammen und weltanschaulichen Formulierungen ausgeht, die vielleicht der heutigen Wirklichkeit gar nicht mehr angemessen sind, sondern diese Wirklichkeit selber ins Bewußtsein zu erheben sucht. Genauer gesagt: Jünger stellt, wenigstens seiner Absicht nach, keine freischwebenden Forderungen auf, die von außen her an unsere Situation heranträten und doch sie zu verändern beanspruchten – er leitet, gerade umgekehrt, aus dem Bild des gegenwärtigen Zustands das des künftigen ab. »Der Plan dieses Buches besteht darin, die Gestalt des Arbeiters sichtbar zu machen jenseits der Theorien, jenseits der Parteiungen, jenseits der Vorurteile als eine wirkende Größe, die bereits mächtig in die Geschichte eingegriffen hat und die Formen einer veränderten Welt gebieterisch bestimmt.« Wie immer

man die Erkenntnisse Jüngers beurteilen mag: sein Streben nach einer unbefangenen Betrachtung unserer faktischen Verhältnisse ist zu bejahen. Denn das ganze politische Leben krankt zur Zeit daran, daß alle möglichen Parteien und Gruppen mit Begriffen operieren, die längst von der Realität überholt worden sind, in der sie einzugreifen meinen.
Die Situationsanalyse Jüngers ist natürlich durchaus antiliberalistisch. Sie verwirft das bürgerliche Denken, sie läßt am 19. Jahrhundert kein gutes Haar. So wird dem Bürger nachgesagt, daß er »auch im Kriege jede Gelegenheit zur Verhandlung zu erspähen suchte, während er (– der Krieg –) für den Soldaten einen Raum bedeutete, in dem es zu sterben galt, das heißt, so zu leben, daß die Gestalt des Reiches bestätigt wurde ...« Eine Aussage, die an Sombarts: *»Händler und Helden«*[1] erinnert und die Beziehungen zwischen Bürger- und Soldatentum höchst willkürlich stilisiert. Es versteht sich von selbst, daß Jünger dem Bürger jedes Verhältnis zum Elementaren abspricht und die bürgerliche Vernunft des Verrats am Gefährlichen bezichtigt, das sie zur Sinnlosigkeit entwerte. Man kennt diese Sprache unter anderem vom »Tat«-Kreis[2] her, der sich in ähnlich vernichtenden Urteilen über die liberale Haltung ergeht. Ich habe hier nicht die Aufgabe, die großen Kategorien des Liberalismus aus der Verdammnis zu retten oder den Nachweis zu führen, daß Jünger ständig den Abhub der Bürgerlichkeit ihrem Urbild unterschiebt. Genug, wenn feststeht, daß seine Formulierungen einer Stimmung Ausdruck verleihen, die heute in den verschiedensten Lagern der Jugend herrscht.
Die Frage ist, zu wessen Gunsten der Bürger mit seinem Fortschrittsglauben, seinem Humanitätsanspruch usw. in Acht und Bann getan wird. Etwa zugunsten des kämpfenden Proletariats? Keineswegs. Jünger bemüht sich vielmehr zu zeigen, daß der historische Materialismus und der bürgerliche Idealismus zusammengehören, daß sie beide sozusagen Verfallserscheinungen sind. Er lehnt die marxistischen Bestimmungen ab, die den Arbeiter nur deshalb zum Angriff gegen die Gesellschaft herausforderten, um diese zu retten, er zählt das Klassenbewußtsein zu den »Resultaten des bürgerlichen Denkens«, er verneint die »Klassenpolitik alten Stiles«, die nichts anderes bedeute, »als sich dort in Teilergebnissen zu verzehren, wo es um letzte Entscheidungen geht«. Auch diese Kritik der Theorie des Sozialismus erfreut sich bekanntlich einer starken Anhängerschaft.

Beide: das liberale Bürgertum sowohl wie das klassenbewußte Proletariat haben also nach Jünger verspielt. Unter der Decke der ihnen zugeordneten Terminologien ist aber bereits ein neuer Träger der Geschichte herangewachsen, den Jünger als die »Gestalt des Arbeiters« begreift. »Wir finden ... aufs neue bestätigt«, erklärt er bündig, »daß unter dem Arbeiter weder ein Stand im alten Sinne noch eine Klasse im Sinne der revolutionären Dialektik des 19. Jahrhunderts zu verstehen ist. Die Ansprüche des Arbeiters greifen im Gegenteil über alle ständischen Ansprüche hinaus ...« Das heißt, Jünger entreißt das Wort Arbeiter seiner gewohnten Umgebung und verleibt es den eigenen Konstruktionen ein.
Ein Begriffsraub, der ihm durch die Tatsachen selber geboten zu sein scheint. Denn überall in unserer Zeit sind, wie er meint, Anzeichen sichtbar, die auf die kommende Herrschaft eines Typus hindeuten, der unter liberalen oder marxistischen Begriffen nicht mehr zu fassen ist. Dieser Typus, der sich schon heute durchsetzt, gilt hier aber darum als der des »Arbeiters«, weil ihm Arbeit nicht »Tätigkeit schlechthin« ist, »sondern der Ausdruck eines besonderen Seins, das seinen Raum, seine Zeit, seine Gesetzmäßigkeit zu erfüllen sucht«. Er lebt, den Gegensatz zwischen dem Individuum und der Masse aufhebend, in den »organischen Konstruktionen« der Aufmärsche, der Lager, der Gefolgschaften; er zieht dem Zustand einer Freiheit, mit der er nichts anfangen kann, einen Zustand vor, in dem Freiheit und Gehorsam zusammenfallen; er schließt das Elementare nicht aus, das (nach Jünger) durch den Idealismus und Materialismus außer Kurs gesetzt wird, verkörpert vielmehr einen »heroischen Realismus«. Verzicht auf Individualität, Maskenhaftigkeit, soldatisches Wesen, Bereitschaft zum Training jeder Art, Freude an der gemeinsamen Arbeitstracht usw.: das wären einige Merkmale, an denen man ihn erkennt. Im übrigen ist der Kintopp mehr sein Fall als das Theater, literarische Fragestellungen bedeuten ihm nichts, und von den zeitgenössischen Presseerzeugnissen interessieren ihn am meisten Photos und dokumentarische Berichte.
Aus den in der Gegenwart vorgefundenen Ansätzen entwickelt nun Jünger die Welt, die der von ihm charakterisierte Typus zu verwirklichen strebt. Ihrer ganzen Beschaffenheit nach drängt die Gestalt des Arbeiters darauf hin, die liberale Gesellschaftsdemokratie durch die Arbeits- oder Staatsdemokratie zu ersetzen und den Übergang von der heutigen

»Werkstättenlandschaft«, in der noch anarchisch und zusammenhangslos experimentiert wird, zur »Planlandschaft« zu vollziehen. Rußland und auch Italien sind wohl die vagen Muster dieses Zukunftsreiches. In ihm verwandelt sich die Technik aus einem seine Gebraucher mißbrauchenden Instrument ziellosen Fortschritts in ein Instrument planmäßiger Herrschaft. Sie erfüllt überhaupt erst dann die ihr zubestimmte Funktion, wenn sie nicht wie heute noch teilweise dem individuellen Belieben dient, sondern »ein Mittel zur Mobilisierung der Welt durch die Gestalt des Arbeiters« wird. Das ferne Ziel, auf das Jünger schaut, ist die planetarische Planung, die eines Tages die einzelstaatlichen Planungen ablösen mag. Je mehr wir auf einem durch furchtbare Kriege und elementare Ausbrüche gekennzeichneten Wege in die »Planlandschaften« einrücken, desto reiner wird sich die Gestalt des Arbeiters enthüllen. Bis sie, im vorgeahnten Endzustand, den gesamten Lebensstil bestimmt und kultische Bedeutung erlangt.
Soweit die Konstruktion Jüngers. Verschiedene Parteien täten gut daran, sich mit ihr zu befassen, nimmt sie doch ihren Ausgang von der Realität eines großen Teils unserer Jugend. Diese Jugend – vor allem die norddeutsche – ist in der Tat so, wie Jünger sie schildert. Sie hat eine besondere Beziehung zur Technik, ist dem bürgerlichen Milieu entglitten, ohne doch im spezifischen Sinne proletarisch sein zu wollen, und hegt Wunschträume, in denen das Nationale mit einer vagen Vorstellung von planmäßiger Wirtschaft verschmilzt. Stark ausgeprägt ist auch ihr Hang zu festen Zusammenschlüssen militärischer oder mehr bündischer Art, die den einzelnen von der jetzt nicht verwertbaren individuellen Freiheit befreien und ihm die Chance totaler Eingliederung eröffnen. Vorhanden ist nicht zuletzt die Lust am Elementaren und die Gegnerschaft gegen den Geist oder was man sich darunter denkt; aber mag selbst der Liberale oder der Marxist, der mit teuflischen Zügen an die Wand gemalt wird, völlig verzeichnet sein, so dient sein Zerrbild darum doch nicht minder der Bekräftigung eines greifbaren, sehr wirklichen Daseins. Diese Jugend, deren Existenz ja nur unsere allgemeinen wirtschaftlichen und sozialen Verhältnisse widerspiegelt, ist bisher gerade von *den* politischen Willensmächten kaum beachtet worden, gegen die sie sich wendet. So geht es nicht fort. Man wird das politische Vokabularium erweitern und sich mit ihr auseinandersetzen müssen.

Denn, wie auch die Konzeption Jüngers beweist: die Kräfte der hier gemeinten Jugend wissen sich in der politischen Sphäre nicht zu entfalten und werden immer wieder in eine unmögliche Richtung gedrängt. Der Hauptbegriff, mit dem Jünger operiert, ist die *Gestalt*. Unzählige Male heißt es, daß die »Gestalt des Arbeiters« realisiert werden solle, und schon die Nennung dieses Begriffs genügt seinem Benutzer beinahe, um das liberale oder marxistische Denken zu verfemen. Die Gestalt ist alles; sie erschließt eine Dimension, in der sämtliche von Jünger einfach dem 19. Jahrhundert zugeordneten Begriffe und Verhaltungsweisen hinfällig werden. Kein Gedanke daran, daß er sich etwa ernsthaft mit dem Prinzip des Fortschritts und der Klassenkampf-Theorie beschäftigt; er glaubt solche Prägungen vielmehr durch den schlichten Hinweis auf seine neue Gestaltsphäre kategorisch tilgen zu können.

Es wird also notwendig sein, den von Jünger so belasteten Begriff der Gestalt näher zu untersuchen. Die Denk- oder Schauweise, der er sich wie selbstverständlich einfügt, geht ersichtlich auf Spengler zurück.[3] Ja, Spengler hat bei diesem Buch Pate gestanden; bis in die Sprache hinein, die kriegerisch tut, über alle möglichen Dinge diktatorisch verfügt und manchmal an Tagesbefehle gemahnt. Man brauchte auf diese Beziehung weiter kein Gewicht zu legen, stimmte Jünger nicht mit Spengler in einem entscheidenden Punkt überein: darin nämlich, daß er die *Gestalt metaphysiziert*. »Eine Gestalt *ist*, und keine Entwicklung vermehrt oder vermindert sie ... Die Geschichte bringt keine Gestalten hervor, sondern sie ändert sich mit der Gestalt ... Ebenso wie die Gestalt jenseits des Willens und jenseits der Entwicklung zu suchen ist, steht sie auch jenseits der Werte; sie besitzt keine Qualität.« Sätze von Jünger. Ihr Inhalt entspricht durchaus dem kontemplativen Gestaltbegriff Spenglers. Nur daß dieser ihn, in seinem Hauptwerk wenigstens, vorwiegend auf die gewordenen, abgelaufenen Kulturen anwendet, die man tatsächlich mit einigem Recht so auffassen mag, als seien sie die Darstellung irgendeiner nicht ableitbaren Gestalt; während Jünger denselben Gestaltbegriff zum Zweck politischer Aktivierung gebraucht. Hier, genau hier steckt der eigentliche *Konstruktionsfehler* des Buchs. Denn wie könnte je eine Gestalt dadurch verwirklicht werden, daß man sie von vornherein als letzte, äußerste Größe setzt? Sie ist nicht etwas, das zu erstreben wäre, sondern ergibt sich allenfalls hinterher als Folge eines von Erkenntnissen, Werteinsichten und politischen Überlegungen gelenkten Handelns. Der marxistische Theoretiker Lenin hat den Arbeiterstaat der Sowjetunion geschaffen, und das Italien Mussolinis ist gewiß nicht aus irgendeiner Gestaltschau entstanden. In der ganzen Geschichte existiert keine »Gestalt«, die als Gestalt dem Blick vorgeschwebt hätte, und statt das Prinzip der Prinzipien zu sein, ist sie viel eher die Erdenspur großer Prinzipien. Indem Jünger die »Gestalt des Arbeiters« vergötzt, schlägt er daher auch nicht, um in einer ihm gemäßen Sprache zu reden, die feindlichen Begriffsheere in die Flucht, sondern hebt sich von ihnen ab und entweicht ins Imaginäre. Er stellt sich gar nicht den politisch wirksamen Lehren, die er bekämpft; er erklärt sie von einer Dimension aus für nichtig, die keine politische Realität hat. Sein Buch erhebt den Anspruch, ein Ziel zu weisen und politisch aktiv zu sein; es betrachtet faktisch das Werdende aus der Scheinperspektive des Gewordenen und verhält sich ästhetisch-kontemplativ.

Kurzum, die Schau Jüngers ist alles andere eher als eine politische Konstruktion. Ich sehe davon ab, das Sein zu kennzeichnen, dem sie entstammt. Es ist so geartet, daß es sich kultisch äußern möchte, ohne die Frage nach dem Sinn des Kults zuzulassen, und sich zu unausgegorenen Behauptungen wie diesen versteigt, man könne »bereits heute inmitten der Zuschauerränge eines Lichtspieles oder eines Motorrennens eine tiefere Frömmigkeit ... beobachten ..., als man sie unter den Kanzeln und vor den Altären noch wahrzunehmen vermag«. Wesentlicher als die Betrachtung dieses dumpfen und schwierigen Seins scheint mir hier der Nachweis zu sein, daß ihm die politische Selbstdarstellung gründlich mißlungen ist. Wahrhaftig, Jüngers Buch enthält Widersprüche, die sogar eine Gestalt sprengen müssen. Auf der einen Seite wird die Wendung zum Elementaren vollzogen und das Schlachtfeld als »der spezielle Fall eines totalen Raumes« vor Augen geführt; auf der anderen Seite wird der Eintritt in »Planlandschaften« angestrebt. Merkt Jünger nicht, daß die Tätigkeit des Planens den Einsatz einer Vernunft verlangt, die das Elementare zwar nicht auszulöschen, aber doch zu übergreifen und zu beherrschen hat? Ohne diese Vernunft entscheidend einzukalkulieren, vereint er naiv Tendenzen, die einander entgegengesetzt sind. Dergleichen mag metaphysisch sein; politisch praktizieren läßt es sich nicht. Und um einer derartigen politisch undurchkonstruierbaren Gestaltschau willen soll der Begriff des Arbeiters mit allen seinen Wurzeln aus dem Boden gerissen werden, in dem er noch immer haftet? Eine Verpflanzung, die am Ende auch vom Standpunkt Jüngers aus sehr bedenklich wäre. Denn da Jünger nicht anders als die Arbeiterparteien die Ablösung der kapitalistischen Privatwirtschaft im Sinn hat, handelt er seinen Interessen entgegen, wenn er durch die Ausweitung des Wortes Arbeiter zu einem politisch unverbindlichen Begriff diese Parteien zu schwächen sucht. Oder meint Jünger, daß die »Arbeitsdemokratie« uns gewissermaßen von selber zuwachse? Ich weiß nicht recht, was er meint und was er will. Er lehnt hier die Restauration ab und tut dort nichts, um ihr Kommen zu hindern. Er befürwortet die Planung und widerstrebt ihr haltungsmäßig zugleich. Diese Gestaltschau eröffnet nicht so sehr einen Weg in die Politik als eine Fluchtmöglichkeit aus ihr heraus. Sie ist zweifellos bis zu einem hohen Grad nichts weiter als der ideologische Ausdruck gewisser Schichten, die im Interesse ihrer sozialen Behauptung der Illusion bedürfen.

Und doch wird der von Jünger angesprochene und vertretene Typus früher oder später zur wirklichen Politik durchdringen müssen. An zwei Bedingungen ist die Fruchtbarkeit dieser Begegnung geknüpft. Die eine: daß die Jugend, deren Wortführer Jünger ist, sich nicht über politische Kräfte wie den Marxismus oder den Liberalismus hinwegsetzt, um schließlich im Leeren leer dazustehen, sondern die Tuchfühlung mit ihnen aufnimmt, die sie allein zur politischen Realisierung befähigt. Die andere: daß jene politischen Mächte, auf die es ankommt, die in dieser Jugend investierte Substanz zu fassen lernen.[4]

(FZ vom 16. 10. 1932)

1 Werner Sombart, *Händler und Helden*. Patriotische Besinnungen. München: Duncker und Humblot 1915. Zu Sombart siehe auch Nr. 211, Anm. 14.

2 Zum »Tat«-Kreis siehe Nr. 615, dort auch Anm. 1.

3 Siehe Oswald Spengler, *Der Untergang des Abendlandes*. Umrisse einer Morphologie der Weltgeschichte. Bd. 1: *Gestalt und Wirklichkeit*. Wien: W. Braumüller 1918; Bd. 2: *Welthistorische Perspektiven*. München: C.H. Beck 1922; zur Diskussion um Spengler siehe Nr. 11, Anm. 3, sowie Nr. 744.

4 Zu Jüngers *Arbeiter* siehe auch Nr. 742.

## 683. Großstadtjugend ohne Arbeit

### Zu den Büchern von Lamm und Haffner

Rez.: Albert Lamm, *Betrogene Jugend*. Aus einem Erwerbslosenheim. Berlin: B. Cassirer 1932; Ernst Haffner, *Jugend auf der Landstraße Berlin*. Berlin: B. Cassirer 1932.

Im Juli dieses Jahres haben wir in unserem Feuilleton einige Schilderungen *Albert Lamms* aus einem Erwerbslosenheim gebracht, durch die der Öffentlichkeit wohl zum ersten Mal ein wirklicher Einblick in das Leben der arbeitslosen Jugend gewährt worden ist.[1] Das Manuskript, dem die Schilderungen entnommen waren, ist jetzt endlich unter dem Titel *»Betrogene Jugend«* in Buchform erschienen.

Schon seines Stoffes wegen verdient dieses Buch Leser aller Richtungen und Parteien. Man hat sehr viel über die Not der erwerbslosen Jugend klagen gehört, ohne sich doch einen rechten Begriff von ihr machen zu können. Lamm stellt sie dar. Nicht so, als ob er die hier gemeinte Jugend statistisch zu erfassen suchte oder sie überhaupt wie irgendein Objekt der Wissenschaft betrachtete, dessen man sich mit Hilfe psychologischer, pädagogischer, sozialkritischer Kategorien bemächtigt – er begibt sich vielmehr mitten unter sie, um ihr Leben von innen her zu erfahren. Es ist eine Welt jenseits der unsrigen, in die er uns führt. Die Vierzehn- bis Zweiundzwanzigjährigen, von denen sie bevölkert ist, haben nicht die geringste Beziehung zum Arbeitsprozeß, erblicken im Gesetz ihren geschworenen Feind, leben meistens abgetrennt von der Familie und den proletarischen oder gar bürgerlichen Traditionen und entbehren den Genuß aller gesellschaftlichen Güter. Schlimmer noch: die Zukunft scheint ihnen versperrt. Wo halten sie sich in Wahrheit auf? Das Vakuum ist ihr Ort. Mit jener feinen Genauigkeit, die das Zeichen aktiver Anteilnahme ist, beschreibt Lamm die typischen Zustände, die sich in der Leere entwickeln. Sein Bericht macht das Bewußtsein transparent, das die Jugendlichen von sich und den sozialen Verhältnissen haben, analysiert ihre Verhaltungsweisen und lehrt erkennen, welcher Sinn sich hinter manchen abstoßenden oder unbegreiflichen Äußerungen verbirgt. Diebstähle, Laster, asoziales Benehmen und konfuses Rebellentum: das alles ist nicht nur schonungslos widergespiegelt, sondern auch auf seinen ei-

gentlichen Ursprung zurückgeführt. Und das Bild, das Lamm entwirft, wirkt darum doppelt erschütternd, weil es drastisch zeigt, daß diese Jugend ohne eigene Schuld bis zur Unkorrigierbarkeit entstellt wird, daß sie in Wahrheit voller guter Regungen steckt, die rein unter dem Druck der anormalen sozialen Bedingungen Rinnsalen gleich versiegen müssen.
Nicht jeder Beliebige hätte in die von der Zivilisation produzierte Wüste des Erwerbslosendaseins vordringen können. Indem Lamm sie erschließt, vermittelt er uns noch etwas anderes als notwendiges Wissen: die Bekanntschaft mit einer *humanen Natur*. Sie, die Empfindung mit Helligkeit vereint, Verständnis für das aktuell Richtige hat und über der Fähigkeit zur Hingabe nie das Urteilsvermögen verliert, bezeugt sich überall selber in diesem Bericht. Tatsächlich, er enthüllt nicht nur eine bestimmte Sache, er enthüllt auch das Angewiesensein der Sache auf eine bestimmte Person. Lamm hat, muß man wissen, die Funktion des Zeichenlehrers im Erwerbslosenheim aus dem Bedürfnis heraus übernommen, dort Hilfe zu leisten, wo sie am dringlichsten von ihm gefordert ist. Nicht Neugier treibt ihn zu der betrogenen Jugend, sondern ein Zwang, dem er besonnen und ausdauernd gehorcht. Wie dieser Zwang seine pädagogischen Erfolge bedingt, so enthebt er auch die im Buch verzeichneten Eindrücke und Beobachtungen der schlechten Zufälligkeit. Sie bleiben nicht an der Außenseite haften wie irgendeine gleichgültige Reportage, greifen vielmehr die mit der Erwerbslosigkeit junger Menschen aufgegebenen Probleme wirklich an. Und so [fruchtbar][2] ist die Begegnung der humanen Natur mit dem ihr zugeordneten Stoff, daß die Kenntnis des von Lamm gebotenen Materials geradezu eine unerläßliche Voraussetzung für alle künftigen Maßnahmen und Aktionen auf diesem Gebiet bildet.

Erkennt die in den leeren Raum ausgestoßene Jugend überhaupt noch Bindungen an? »Eine unheimlich, mystische Macht dieser Welt«, schreibt Lamm einmal, »ist ihre bedingungslose Solidarität; sie ist ihr Halt und ihre Hoffnung. Sie verkehren wahrlich ohne Sentimentalität miteinander; sie machen sich oft das Leben wechselseitig zur Hölle, meistens denkt jeder zuerst an sich. Aber wo sie an die Grenzen ihrer Welt kommen, wo irgendwer oder irgend etwas aus der Welt der fremden großen

Macht ihnen gegenübertritt, da halten sie zusammen, ohne danach zu fragen, ob der Angegriffene Recht oder Unrecht hat. Das gibt den feierlichen Schwung ihrer Bünde (der sogenannten ›Kliquen‹), das gibt die dunkle Macht ihrer Proteste und Demonstrationen ...« Über diese Jugend-Kliquen, auf die Lamm hier anspielt, sind bisher nur vereinzelte, meist sensationell aufgemachte Nachrichten in die Zeitungen gedrungen. Es ist daher sehr zu begrüßen, daß der Bruno Cassirer-Verlag mit Lamms Buch zugleich den Band: *»Jugend auf der Landstraße Berlin«* von *Ernst Haffner* herausbringt,[3] in dem das Kliquen-Wesen eingehend behandelt wird.

Haffner, der sich als Journalist lang zwischen Alexanderplatz und Schlesischem Bahnhof umhergetrieben hat, erzählt in Form einer Roman-Reportage die Geschichte der Jugendlichen-Klique: »Blutsbrüder«. Ich muß gestehen, daß ich selten Schilderungen des »Milieus« gelesen habe, die so spannend geschrieben sind. Sie spiegeln unbekannte Zustände naturgetreu wider, beruhen spürbar auf eigener Anschauung und begnügen sich zum Glück nicht mit unzusammenhängenden Wirklichkeitsausschnitten, sondern bringen das hier und dort Erlebte auf den Nenner einer Fabel, die uns zwanglos durch das unterirdische Großstadtlabyrinth führt. Wenn etwa ein Film aus dem Buch gemacht werden sollte, erhielte das Publikum einen Anschauungsunterricht, dessen Wert den der üblichen Unterweltsfilme weit überträfe.

Leben die Erwerbslosen Lamms immerhin im Frieden eines Tagesheims, so sind die jugendlichen Banden, von denen Haffner berichtet, den Gefahren der Welt ausgeliefert. Zweifellos scharen sie sich auch nur darum zusammen, weil jeder für sich allein nicht existieren könnte. Die entlaufenen Fürsorgezöglinge, die das Gros bilden, werden von ihren Anstalten gesucht, und die andern, die nicht aus den Anstalten kommen, haben gewöhnlich ebenfalls etwas auf dem Kerbholz. Kein Wunder, daß sich die Jungen zu Kliquen vereinigen, um den Daseinskampf zu bestehen. Man muß bei Haffner selber nachlesen, wie sich das Leben in solchen Kliquen vollzieht. Es ist voller trauriger Abenteuer, gipfelt in dunklen Orgien, geht von der Vagabundage unmerklich ins Kriminelle über und endigt in der Regel bei der Polizei, die als feindliche Großmacht den ganzen Hintergrund ausfüllt. Kneipen, Schlafstellen, Wärmehallen, Rummelplätze, Bahnhofswartesäle, Zimmer von Prostituierten, Straßen und wieder Straßen sind die typischen Aufenthaltsorte der Kliquen-Mitglieder. Geführt von ihrem »Kliquen-Bullen«, der sich durch Körperkraft und höhere Intelligenz auszeichnet, verschaffen sie sich auf eine mehr oder minder illegale Weise ihren Lebensunterhalt, der sich mit einwandfreien Mitteln allerdings nicht erwerben ließe, feiern nach geheimnisvollen, ziemlich anstößigen Riten romantische Dreigroschenoperfeste und verwickeln sich wie die Ringvereine der Erwachsenen in blutige Kämpfe mit anderen Kliquen. Der überwiegenden Mehrzahl bedeuten diese Bünde Heimat und Schutz, und kaum je findet sich einer aus ihnen ins normale Leben zurück.

Die Darstellung Haffners wird nicht nur der Kliquen-Jugend selber gerecht, sondern streift auch die Zustände, durch die sie heraufkommt. Man lernt die Erziehungsmethoden der Fürsorge-Anstalten kennen und erhält Aufschluß über manche unnötigen Schwierigkeiten, die den Jugendlichen von der Oberwelt der Ämter und Gerichte gemacht werden. Gerade in diesen Grenzgebieten, in denen es den versteckten guten Willen anzuerkennen und überhaupt individuell zu verfahren gälte, vermißt man bei uns häufig den Einsatz humaner Naturen. Vielleicht gelingt es dem Buch Haffners, einige Kräfte zu mobilisieren, die dem Treiben der Verwahrlosten-Banden produktiv zu begegnen wissen. Aber man darf sich keiner Täuschung darüber hingeben, daß eine durchgreifende Beseitigung des Kliquen-Wesens nur von der Besserung und Veränderung unserer allgemeinen Verhältnisse zu erwarten ist.

(FZ vom 23. 10. 1932, Literaturblatt)

1 Zum Vorabdruck siehe Nr. 668, dort auch Anm. 1; zu weiteren Hinweisen auf das Buch siehe Nr. 734 und 742.

2 Korrektur d. Hrsg.; im FZ-Druck: »furchtbar«.

3 Siehe auch Nr. 734 und 742.

## 684. K. Baschwitz: »Der Massenwahn«

Rez.: Kurt Baschwitz, *Der Massenwahn*. Ursache und Heilung des Deutschenhasses. 3., völlig neubearbeitete Aufl. München: C. H. Beck 1932.

In seinem Buch: *»Der Massenwahn. Ursache und Heilung des Deutschenhasses«*, das die völlige Neubearbeitung eines schon vor Jahren erschienenen und inzwischen vergriffenen Werkes ist,[1] entwickelt *Kurt Baschwitz* eine geistreiche Theorie jener Massenwahnvorstellungen, von denen die Völker wie von Seuchen erfaßt werden. Der Massenwahn tritt nach ihm immer als Begleiterscheinung von Vorgängen des Staatslebens und politischer Ereignisse auf, entsteht regelmäßig als Folge des Konflikts zwischen den Forderungen des Gewissens und einem nicht zu ändernden Tatbestand, der das Gewissen belastet, und ist nur durch die Aufhebung dieses Tatbestands, also durch die Wiederherstellung des Rechts, zu beseitigen. Die genau durchgeführte Strukturanalyse des Massenwahns zeitigt unter anderem die wichtige Erkenntnis, daß er ausnahmslos eine Spaltung des Bewußtseins mit sich bringt. Baschwitz exemplifiziert hauptsächlich an der Kriegspropaganda der Entente, wie überhaupt an den Begriffen, die sich die Völker der Alliierten über Deutschland machten und machen. Schade, daß nicht auch der nationalsozialistischen Bewegung ausführlicher gedacht worden ist.
(FZ vom 23. 10. 1932, Literaturblatt)

1 Erstausgabe: *Der Massenwahn: seine Wirkung und seine Beherrschung*. München: C. H. Beck 1923.

## 685. Akrobat – schöön

Die drei *Andreu-Rivel*,[1] die wieder in der *Scala* auftreten,[2] sind Clowns von einer hohen Vollkommenheit. Kaum merkt man ihnen noch an, daß der Clown dem Zirkus entstammt. Denn sie produzieren nicht einzelne Einfälle, die zwischen einer Raubtiernummer und einem Cowboyritt Platz hätten, sondern bauen ein ganzes Gebäude aus Einfällen auf, ein in sich zusammenhängendes Stück, das seinen Anfang, seinen Höhepunkt und sein Ende hat. Aber widerspricht nicht eine solche Gestaltung der dem Clown auferlegten Notwendigkeit zu improvisieren? Die Komposition der Andreu-Rivel zeichnet sich dadurch aus, daß sie eigentlich eine Folge von Zufälligkeiten ist und nur wie durch ein Wunder zur Einheit gedeiht. Indem die Clowns sich zur Durchführung eines gemeinsamen Werks vereinigen, betreiben sie in Wahrheit praktische Dialektik; das heißt, sie improvisieren nicht blank und von vornherein, sondern täuschen einen Werkwillen vor, den sie fortwährend desavouieren. So stellen sie die Gelegenheitsmacherei, die doch ihr Beruf ist, doppelt drastisch heraus.

Der in ein Silbergewand gehüllte Clown, der wie der ältere, schon gereifte Bruder seiner beiden Gefährten wirkt, kommt bald nach den einleitenden Späßen völlig grundlos auf den Gedanken, daß man sich akrobatisch betätigen könne. Es ist eine Laune, sonst nichts. Aber diese Laune setzt sich in den zwei anderen fest. *»Akrobat – schöön«*, sagen sie und schmücken dann das Thema so lange aus, bis es förmlich zur fixen Idee wird. Diese nimmt allmählich eine greifbare Gestalt an, verdichtet sich zu dem Projekt, eine *Brücke* zu bauen. Was nun folgt, ist eine richtige Handlung, die sich aus dem Leitmotiv des Brückenbaues entwickelt. Kein Theaterstück könnte eine geschlossenere Fabel haben, und während der rote Faden, der die Bilder einer Revue miteinander verbinden soll, gewöhnlich rasch abreißt, hält hier das Zwirnsfädchen des Brükkenbauplans sämtliche Aktionen bis zum lausbübischen Ende unzertrennlich zusammen. Der Witz ist nur der: daß die Brücke auf lauter Umwegen zustande kommt, die wesentlicher sind als das Ziel selber. Sie nehmen nicht nur die Hauptzeit in Anspruch, sie führen auch zu den entscheidenden Sehenswürdigkeiten hin. Im Vergleich mit diesen ist die Brücke, die von den drei Clowns mit Hilfe zweier Pagen errichtet wird, ein belangloses Abfallprodukt, das, wenn es mit rechten Dingen zuginge, nicht die geringste kompositionelle Belastung vertrüge. Es ist, als werde man in einem Barockpark dazu genötigt, die großartigen Perspektiven, um derentwillen er angelegt ist, zugunsten unbeabsichtigter Effekte zu vernachlässigen, die sich auf den Seitenpfaden vielleicht bieten.

Bewußter und dialektischer könnten die Clowns ihre Mission gar nicht erfüllen. Worin besteht diese Mission? In dem Nachweis, daß das, was wir gemeinhin für die Hauptsache halten, in Wirklichkeit die Nebensache ist. Es gibt keine echte Clownerie, die nicht die Bestimmung hätte, die herkömmlichen Weltverhältnisse umzukehren. Schon die Zirkusspäße dienen dem Zweck, den Ernst der Jongleure und Dressurkünstler ad absurdum zu führen (ohne ihn darum ganz[3] zu vernichten). Und wenn Grock[4] mit dem Flügel nicht umzugehen weiß oder Chaplin[5] aus allen üblichen Beziehungen zu den Dingen und Menschen heraustritt, so geschieht immer wieder das gleiche: die gewohnte Ordnung wird bagatellisiert und die scheinbare Bagatelle in die Mitte gerückt. Tiefste Bedeutung des Clowntums: die Akzente aufzuheben, die wir als Selbstverständlichkeit hinnehmen, und die Hierarchie der Werte in Frage zu ziehen, der wir im Alltag uns unterwerfen. Gerade das Wichtige gilt dem Clown als unwichtig, und das Unwichtige schwillt vor seinen Augen so riesengroß an, daß er es nicht mehr zu übersehen vermag. Durch diese Vertauschung der Proportionen gelingt es ihm aber, auf die Zweideutigkeit hinzuweisen, die unserem Tun innewohnt. Jenem vor allem, das auf die Errichtung von Werken, von ungemeinen Taten usw. bedacht ist. Denn wie kein anderes schnürt es uns vom Grunde des Wesens ab, spiegelt uns falsche Größe vor und mauert uns ein. Babylonische Turmbauten sind die der Clownerie zugeordneten Objekte.

Während die angebliche Hauptsache von allen geglaubt und gepriesen wird, nimmt die echte Hauptsache, die, auf die unser Leben wirklich bezogen ist, in der Welt den Charakter der Unscheinbarkeit an, der niemand so leicht Beachtung schenkt. Jene um dieser willen zu entthronen, ist daher eine Aufgabe, deren Bewältigung mitten in die Melancholie hineinführt, wenn sie nicht gerade die Komik heraufbeschwört. Nicht umsonst sagt man den Clowns nach, daß sie melancholisch seien. Melancholie und Komik sind nur zwei Ausdrucksformen desselben Verhaltens, das sie so notwendig bedingt, daß die eine ohne die andere kaum bestehen kann. In Sternes »*Tristram Shandy*«[6] treten sie denn auch gemeinsam auf und offenbaren ihre Zwillingsnatur. Die Andreu-Rivel drängen als Clowns, die sie sind, das melancholische Element begreiflicherweise in den Hintergrund ab und sabotieren ihr Brückenwerk auf eine rein komische Art. Und zwar gebärden sie sich mit Ausnahme des Silberclowns wie *Kinder*, die immerfort spielen und abschweifen müssen. Die Beschäftigung, der sie obliegen, erschöpft sich darin, durch lauter Einfälle, die nur Kindern in den Sinn kommen, den Zweck ihrer Zusammenkunft zu vergessen. Zu der unerhörten Komik dieser beharrlichen Nichterfüllungspolitik gesellt sich die der Einfälle selber. Sie wirken doppelt komisch: einmal, weil sie den Brückenbau stets von neuem unterbrechen, und zum andern, weil sie das kindliche Wesen so genau und ideal wiedergeben. Bald erschrecken sich die Clowns durch Maskeraden, bald verprügeln oder kitzeln sie sich usw. Die Situationen, in denen sich Kinder als Kinder bewähren, dürften hier vollständig inventarisiert sein, und jede von ihnen ist mit akrobatischer Sicherheit durchgestaltet. Daher muß man auch fortwährend lachen. Und dieses Gelächter der Kleinen und Großen bezieht sich sowohl auf die Kindereien als solche wie auf die durch sie erreichte Entwertung der geplanten Haupt- und Staatsaktionen. Die Kleinen können unbefangen lustig sein, und die Großen brauchen nicht melancholisch zu werden.

Andere Clowns, so die alten Fratellini,[7] nehmen ebenfalls ihre Zuflucht zum unverantwortlichen Kinderstreich. Von ihren Nummern unterscheidet sich aber die der Andreu-Rivel darin, daß sie auf eine musterhafte Weise den ganzen Vorstellungsablauf des Kindes reproduziert. Tatsächlich, diese drei Clowns begnügen sich nicht mit der Darbietung des einen oder anderen komischen kindlichen Zugs, sondern zeigen überdies, wie sich im Kind ein Zug[8] aus dem vorigen entwickelt. Der Erwachsene hält meistens die Kinder für geistesabwesend und zerstreut. Sie springen ununterbrochen vom Thema ab, handeln sprunghaft und leben scheinbar völlig im Augenblick. Ist es aber in Wahrheit nicht so, daß diese launischen Kinderassoziationen sich durchaus zusammenhängend und keineswegs launisch entfalten? Daß sie sich faktisch auf Grund einer Gesetzmäßigkeit vollziehen, die nur darum undurchschaut bleibt, weil sie nicht vom wachen Bewußtsein und den hochwichtigen Zwecken der Erwachsenen bedingt wird?[9] Die Andreu-Rivel unterstreichen besonders nachdrücklich die strenge *Logik*, mit der die kindlichen Einfälle sich folgen. Wunderbar ausgebaut ist sie in jenem Abschnitt, in dem die beiden Clowns sich nicht um alles in der Welt von ihrem reifen Silberbruder dazu bewegen lassen wollen, nun endlich mit dem Brückenbau zu beginnen. Jeder Einspruch des Silbrigen wird ihnen nur zum Anlaß neuer Spiele. Wenn dieser zum Beispiel wiederholt »Genug« sagt, so bewegen sie sich sofort im Rhythmus des Worts, statt seiner Bedeutung eingedenk zu sein, und wenn er sie anbrüllt, verfallen auch sie in ein Gebrüll, aus dem dann bald in unmerklichem Übergang irgendeine andere Tätigkeit hervorsprießt. Einmal kitzelt etwa der eine zufällig seinen Gefährten: es versteht sich von selbst, daß dieser Vorgang gleich systematisiert wird. Kurzum, die kindlichen Abschweifungen sind keine vereinzelten Willkürakte, sondern hängen dicht miteinander zusammen, die Eingebungen der Zerstreutheit stehen unter sorgfältiger Kontrolle, und der Fluß der Arabesken hat einen geregelten Lauf.

Durch den logischen Zusammenhang aber, in den die Andreu-Rivel ihre Ulkereien bringen, gewinnt die Szene eine außerordentliche Tiefe. Denn die Logik, um die es hier geht, ist nicht die normale, sondern am ehesten die des Märchens. Indem die Rivel diese Logik anwenden, heben sie nicht nur ihr seriöses, allzu seriöses Brückenwerk auf eine Weise aus den Angeln, deren Unsinnigkeit schon allein dem Clownwesen genügte; sie deuten vielmehr darüber hinaus auch noch einen Sinn in der Unsinnigkeit an. Der lustige Unfug ist bei ihnen mehr als ein bloßer Unfug, der die böse Verschlossenheit und den falschen Ernst sprengen soll; er erhält außer dieser, jeder Clownerie zukommenden Funktion eine andere, die ihm selber Bedeutung verschafft. Dank der sonderbaren Logik, der er untersteht, ruft er die Ahnung einer *Wirklichkeit* hervor, die mit der unsrigen nicht identisch ist; einer Wirklichkeit, die sich zu der alltäglichen so windschief wie die der Märchen und mancher Träume verhält. Auf sie weist die fanatische Systematik der Kindereien hin, zu ihr schlagen die Andreu-Rivel eine schwindelerregende Brücke, die kühner ist als die schließlich gebaute und von den aus der Verschlossenheit und dem Ernst entlassenen Menschen bei einiger akrobatischer Übung unschwer beschritten werden könnte.

(FZ vom 25. 10. 1932, wieder in: *Straßen*)

1 Zu den Brüdern Andreu-Rivel siehe Nr. 539, Anm. 4.
2 Zum Berliner Varieté Scala siehe Nr. 561, Anm. 1.
3 Im Typoskript: »darum allerdings«.
4 Zum Clown Grock siehe Nr. 437, dort auch Anm. 1.

5 Siehe u. a. *Werke*, Bd. 6.1, Nr. 186, Bd. 6.2, Nr. 336, 567 und 641.
6 Siehe Laurence Sterne, *The Life and Opinions of Tristram Shandy, Gentleman* (9 Bde., 1759-1767).
7 Die Fratellini-Brüder Paul (1877-1940), François (1879-1951) und Albert (1886-1961) stammten aus einer italienischen Artistenfamilie und gehörten nach ihrem Engagement im Pariser Zirkus Medrano in den zwanziger Jahren zu den berühmtesten Clowns von Paris. Die Geschwister arbeiteten nach dem Tod eines weiteren Bruders seit 1909 als Trio, Paul und Albert spielten den August, François den Weißclown. Zur Fratellini-Familie siehe auch Nr. 310, dort auch Anm. 1.
8 Im Typoskript: »der eine Zug«.
9 Im Typoskript: »bestimmt wird?«

## 686. Kellermann: »Die Stadt Anatol«

Rez.: Bernhard Kellermann, *Die Stadt Anatol*. Berlin: S. Fischer 1932.

*Bernhard Kellermann*, dessen wunderbar spannender Roman: »*Der Tunnel*«[1] sich noch so jung und frisch erhalten hat, als sei er nicht schon vor dem Krieg, sondern erst heute geschrieben, legt einen neuen Roman: »*Die Stadt Anatol*« vor, in dem wieder die Technik eine Hauptrolle spielt. Der Schauplatz ist das abgelegene Balkanstädtchen Anatol, das von Leuten bewohnt wird, die sich miteinander vertragen oder nicht vertragen, sehr südöstlich empfinden und beim Klang der Namen Paris, Berlin und London wollüstig erschauern. Mit dieser wild wuchernden menschlichen Fauna stellt nun Kellermann ein großzügiges Experiment an: er läßt das moderne Europa nach dem Türkenort vordringen und beobachtet, wie sich das Leben in Anatol unter den veränderten Bedingungen entwickelt. Die Entdeckung von Erdölquellen wird zum Aufbruchsignal. Kaum beginnen sie zu sprudeln, so ist es mit der bisherigen Schläfrigkeit Anatols endgültig vorbei. Anatol weitet sich zum Industriezentrum, Anatol nimmt die Lehren der zuströmenden Spekulanten, Glücksritter usw. begierig an. Die Schilderungen des Taumels, in den die ganze Bevölkerung gerät, sind interessant, ja bestrickend. Sie verfolgen einzelne Schicksale, weisen die Wandlungen nach, die durch den Einbruch der fremden Mächte hervorgerufen werden, und erstrecken sich auf die gesellschaftlichen Höhen und Tiefen. Zwei allgemeinere Er-

kenntnisse gehen wie von selber aus ihnen hervor. Die eine besagt, daß die Naturwüchsigkeit einer Bevölkerung dem Anprall der kapitalistischen Lebensformen nicht standzuhalten vermag. Die andere: daß die von der Industrialisierung bedrängte Natur sich doch auch innerhalb der kapitalistischen Wirtschaft kräftig weiterbehauptet. Aus den Bewohnern Anatols werden zwar Zeitgenossen und Kapitalisten, aber diese tragen in ihr neues Dasein die alten Leidenschaften hinein, die jetzt nur leichter ausschweifen und entarten. Der Roman veranschaulicht eine Fülle von solchen Metamorphosen, die sich aus dem Zusammenstoß zwischen Natur und Technik ergeben.
(FZ vom 30. 10. 1932, Literaturblatt)

1 Berlin: S. Fischer 1913.

## 687. Vivisektion der Zeit

Rez.: Erik Reger, *Das wachsame Hähnchen*. Polemischer Roman. Berlin: E. Rowohlt 1932.

Der Ausdruck: »Vivisektion der Zeit« stammt von *Erik Reger* selber. Und zwar empfiehlt er den Lesern in einer Art von Vorrede, diesen Ausdruck auf sein Buch: »*Das wachsame Hähnchen*« anzuwenden, wenn sie es etwa nicht für einen Roman halten sollten. Ich muß gestehen, daß mir die Frage nach der Form des Buches im Vergleich mit der nach seiner Haltung als ziemlich untergeordnet erscheint. Daher verzichte ich zunächst auf eine ästhetische Erörterung und stelle lieber gleich zu Anfang fest, daß hier tatsächlich eine Zeit bei lebendigem Leib seziert wird. Welche Zeit? Die *Epoche von 1927 bis 1931*, oder die »zweite deutsche Gründerzeit«, wie Reger sie nennt. Ein großes Thema, dessen Bearbeitung eine Fülle handgreiflicher Erfahrungen zur Voraussetzung hat. Reger besitzt nicht nur diese Erfahrungen, er hat auch eine Fabel gewählt, die ihm ihren Aufweis wirklich gestattet. Sie handelt vom Konkurrenzkampf der westdeutschen Städte Wahnstadt, Kohldorf und Eitelfeld, die alle drei gewaltige Anstrengungen machen, sich gegenseitig an Pracht und Ansehen zu überbieten. Wie die allzu symbolisch benannten Städte in Wahrheit heißen, ist um so leichter zu erraten, als ersichtlich die verschiedensten Personen und Ereignisse dem Leben entnommen worden sind. Dennoch ist das Buch kein Schlüsselroman. Es überblendet die Fakten im Interesse der Komposition und betreibt die Enthüllungen nie um ihrer selbst willen. Ehe ich aber auf die eigentlichen Absichten Regers eingehe, muß ich noch sein Material näher kennzeichnen, das von einem Umfang ist, der unter allen Umständen Anerkennung verdient. Die *ganze Kommunalpolitik wichtiger Provinzstädte* in jener auf die Inflation folgenden Ära der Scheinblüte und der kurzfristigen Kredite ist hier erfaßt. »Na Prosit!«, pflegt der Redakteur Reckmann zu sagen. »Auf eine gedeihliche Zusammenarbeit zwischen Stadtverwaltung, Bürgerschaft und Presse!« Eben diese Zusammenarbeit wird von Reger entfaltet. Er läßt die Bürgermeister der drei Städte auftreten, ihre Wirtschaftskapitäne und Stadträte, wohlassortierte Mitglieder der Fraktionen, Mittelstandsvertreter, rührige Geschaftlhuber, Typen der Provinzgesellschaft usw. Und zahlreich wie die Figuren sind die Aktionen, in die er sie verwickelt. Man erlebt noch einmal den Rauschzustand mit, in dem sich zu der geschilderten Zeit nicht nur Wahnstadt, Kohldorf und Eitelfeld befanden, ist Zeuge unsinniger Projektiersucht und hohlen Auftriebs und wird an Hand schlagender Beispiele über die Beziehungen zwischen Wirtschaft und Kommune, Führern und Genasführten, Illusionen und Profiten belehrt. Indem sich die Stoffmassen dank dem Konkurrenzkampf-Motiv nacheinander aufblättern, veranschaulichen sie mit außerordentlicher Treue einen Abschnitt deutscher Geschichte, dessen scheinhafte Großartigkeit schon den Kladderadatsch in sich beschloß.

Reger bildet diese Epoche nicht einfach ab, er schlitzt ihr den Bauch auf und seziert sie. Ich finde die Sachkenntnis erstaunlich, mit der er noch die verborgensten Eingeweide freilegt. Es ist eine verhältnismäßig kleine Mühe, typische Ideologien zu entlarven und hinter die Kulissen bedenklicher Transaktionen zu leuchten. Aber Reger begnügt sich nicht mit einer Sozialkritik hohen Allgemeinheitsgrades, sondern arbeitet im konkreten Material. So gelingt es ihm, Hüllen abzureißen, die weniger gewiegte Betrachter wahrscheinlich gar nicht als Hüllen empfänden. »Später ... versicherte der Minister«, heißt es einmal, »daß es einem verarmten Land nicht zieme, rauschende Feste zu feiern –; und das ›verarmte Land‹ wurde unter seinen Worten, die von Gläserklang und Tellergeklapper begleitet waren, zu einem Talisman, der langes Leben bei gefüllten Schüsseln verhieß, oder auch zu einem Fetisch, der immer da war, wenn man das Bedürfnis zum Beten fühlte.« An einem anderen Ort wird festgestellt: »... je weniger man die Erwachsenen zu ernähren vermochte, desto größere Fortschritte machte man in der Säuglingsernährung.« Diese aufs Geratewohl herausgegriffenen Randbemerkungen, deren das Buch voll ist, vermitteln immerhin einen Begriff vom soziologischen Wissen Regers und der Art seines Ausdrucks. Es bewährt sich bei der Analyse vertrackter Vorgänge, in denen sich Recht und Unrecht, sozial unableitbare Phantastik und kapitalistischer Geschäftssinn unzertrennlich mischen, es treibt richtige Darstellung bürgerlicher Typen hervor, deren Verhalten sich nicht ohne weiteres auf den Generalnenner der Klassenbedingtheit bringen läßt. Überhaupt hütet sich Reger davor, sämtliche Lebensäußerungen sofort zu Ideologien zu entwerten, und die Menschen nach bekanntem Muster rein als ein Produkt der Zustände aufzufassen. Menschen und Zustände stehen vielmehr in Wechselwirkung miteinander. Gustav Roloff etwa, Gaststättenbesitzer und Hauptfigur, verfügt über ein optimistisches Naturell, das wenigstens teilweise sein Handeln bedingt, und Brilon, Schwandt usw. haben stark individuelle Züge, die hingenommen werden müssen.

Daß Reger solche, von der üblichen sozialkritischen Romanliteratur vernachlässigten Bestände sorgfältig einbezieht, besagt aber nicht, daß er mit seiner eigenen Kritik vor ihnen haltmache. Hier bin ich am entscheidenden Punkt angelangt, jenem, um dessentwillen dem Buch eine besondere Beachtung gebührt. Obwohl Reger linksradikal eingestellt ist und auch nirgends verleugnet, daß er die gesellschaftlichen Verhältnisse von diesem Standpunkt aus erhellt, hält er sich doch keineswegs an die festgefahrene parteipolitische Terminologie, die zum Beispiel mit einer Begriffsschablone wie der des Kleinbürgers auf lange Strecken hin auskommen zu können glaubt. Im Gegenteil, er erklärt sich wider die typischen Anschauungen und Vertreter der Linksparteien genau so bestimmt wie gegen die Ideologien und Personen im anderen Lager. Der Sohn Roloffs, mit dem er sich wohl weitgehend identifiziert, erkennt nach einer Periode engerer Beziehungen zur Partei, daß es besser sei, ein Einzelgänger zu bleiben. Worauf gründet sich diese Erkenntnis Eugens? Auf Eindrücke wie die folgenden: »Man verlangte von ihm, daß er, wo es daheim drunter und drüber ging, sein Augenmerk auf die unterdrückten Chinesen richte ... – und es mutete ihm wie die Stimme seines Vaters an, die ›Zukunft‹ sagte. Man legte ihm den eisernen Divisionsgeneral Tschang Fakuei ans Herz – und es war ihm, als höre er Behmenburg von dem verworrenen indischen Spinner Gandhi erzählen. Man führte ihm die Kinder der Karl-Marx-Schule vor, wo Zehnjährige ihre Ansichten über aktuelle Probleme niederschrieben, als ob Zehnjährige etwas darüber mitzuteilen wüßten und als ob es, wenn sie es wußten, nicht um so schauerlicher gewesen wäre, und wo Dreizehnjährige in Theaterstücken schon Kaschemmenszenen wie die blasierten Kohldorfer Kunstschüler aufführten – und die Sensation, die daraus gemacht wurde, verwandelte sich vor seinen scharfsichtigen Augen in jene andere, die bürgerliche Blätter aus einem fünfjährigen Jungen machten, der mit dem Zeppelin nach Pernambuco fuhr ...« Kurzum, Eugen findet in den Kreisen, für die er doch eintritt, den gleichen faulen Zauber wieder, der ihn aus dem bürgerlichen Milieu herausgetrieben hat –, nur mit dem Unterschied, daß ihn statt der marmornen Siegesallee jetzt eine rote erwartet. Man merkt, worum es Reger geht. Um die *Haltung*, die bei uns dem politischen Handeln zugrunde liegt. Wahrhaftig, die polemischen Hiebe, die er rücksichtslos nach allen Seiten austeilt, gelten nicht so sehr einer schlechten sozialen und politischen Gesinnung als der Haltung, aus der alle Gesinnungen erwachsen. Reger rückt dieser Haltung, die unser gesamtes öffentliches Dasein bedingt, zu Leibe und stößt auf die alte, hier durch den City-Verein: »Das wachsame Hähnchen« illustrierte wilhelminische Großmannssucht, auf verblendete Vitalität und Angst vor der Wirklichkeit. »Alles malt er grau in grau«, so bricht Roloff einmal gegen seinen Sohn Eugen aus, »– na schön, mag ja sein, daß alles grau ist, aber dann ist es unsre verdammte Pflicht und Schuldigkeit, Rosenfarbe für 'ne komplette Morgenröte zu besorgen ... Wir Menschen von heute wollen verdammt nicht wissen, wo wir uns befinden und wie es uns geht. Wir wollen uns über unser armes Selbst erheben. Gottseidank gibt es neben der Wirklichkeit auch noch eine Überwirklichkeit, und das ist unser Fall, und das freut ein' denn ja auch.« Wir wollen nicht wissen, wo wir uns befinden: das genau ist die Haltung, die Reger in seinem Buch denunziert. Mit einer fanatischen Besessenheit greift er ihre Vernunftfeindlichkeit an, ihre Abneigung gegen eine aufgeklärte Existenz und ihre Irrealität, die immer wieder neue Katastrophen heraufbeschwört. Die Wichtigkeit und Aktualität dieses von ihm geführten Kampfes erblicke ich aber (in Übereinstimmung mit den Formulierungen meines kürzlich in unserem Feuilleton erschienenen Aufsatzes: »Über Arbeitslager«)[1] darin, daß er nicht unmittelbar politische Absichten verfolgt, sondern die Unwirklichkeit unserer politischen Aktionen beseitigen will. Sein Ziel ist der Umbruch unsres Wesens, die Realisierung deutscher Politik.

Könnte Reger dem von ihm Gemeinten das nötige Gewicht verleihen, so wäre die Gültigkeit dieses Buches besiegelt. Aber der Haken ist: daß er sein Ziel eben nur meint. Er hat nicht die Kraft, es zu bewahrheiten, er erkennt die schlechte Haltung, ohne von jener, auf die es ankäme, durchdrungen zu sein. Daher rührt es, daß seine Polemik sich nicht zu begrenzen weiß und sein Sarkasmus oft übers Ziel schießt. Dem Redakteur Reckmann werden Gemeinheiten zugeschrieben, die nicht die geringste enthüllende Funktion haben, da sie weder zu seiner Charakterisierung notwendig noch für seinen Stand bezeichnend sind. Von Röwedahl, dem Sekretär des Wahnstädter Oberbürgermeisters, heißt es an einer Stelle: »Er opferte sich bei vollem Bewußtsein. Er opferte sich für Schwandt, der nicht geopfert werden durfte. Er war als guter Deutscher zu jedem *Opfer* bereit.« Wozu diese grundlose Ironie? Ein Ton der Bitterkeit durchzieht das Buch, der nicht so sehr aus der Fülle als aus dem Mangel kommt. Man verstehe mich recht: ich wende mich nicht gegen die Negation, die durchaus den richtigen Gegenstand trifft; ich beklage nur, daß kaum je das Positive bezeugt ist, das die Negation zu unterbauen vermöchte. Es hätte gar nicht in Worte gefaßt, sondern in der Gestaltung mitgegeben sein müssen. Reger versagt jedoch gerade bei der Gestaltung; das heißt, er bringt es nicht zuwege, jene Substanz erscheinen zu lassen, die eine unentbehrliche Voraussetzung künstlerischer Gestaltung ist und seiner Kritik erst die hinreißende Gewalt schenkte. Die Menschen in seinem Buch haben nur eine Dreiviertelexistenz, sie sind mühsam durchgeführte Projekte von Menschen, denen häufig das Etwas fehlt, von dem das Menschsein abhängt. Frau Syndikus Eisenmenger zum Beispiel wird damit bestritten, daß sie alle Fremdworte eindeutscht. Gewiß, man kann eine Chargenfigur durch eine kleine Eigentümlichkeit andeuten; aber diese muß so eingesetzt sein, daß sie tatsächlich nicht mehr als eine Erkennungsmarke ist. Es verrät die Schwäche Regers, daß seine Menschen nicht Anlaß zu Kombinationen geben, sondern fast durchweg aus ihnen bestehen. So Reckmann, so Schwandt, die beide wie ausgeheckt wirken, wenn man sie etwa mit dem Redakteur Stuff und dem Bürgermeister Gareis in Falladas: *»Bauern, Bonzen, Bomben«*[2] vergleicht. Welch ein schwieriger Fall: die tiefe, ja eingreifende Haltungskritik, die Reger übt, bleibt in der Gestaltung unbestätigt. Sie sinkt ohnmächtig zurück, ist ein Wissen, dem es an Sein gebricht. Offenbar hat Reger diese Unzulänglichkeit selber gefühlt, denn er läßt Eugen kurzerhand zum Boxer resignieren. Ein Verzicht, der seine eigene Situation symbolisiert.

Es gibt heute erfolgreiche Romanautoren, die zweifellos sprachbegabter als Reger sind und sich auch besser auf die gestalterische Mache verstehen. Man nennt sie sogar gerne Dichter, weil ihre Bücher einen gewissen Glanz verbreiten und überdies einer Haltung entspringen, die kommod genug ist, um dem breiten Lesepublikum auf der Stelle einzugehen. Als ob der Dichter nicht im entscheidenden Sinne ein Erkennender wäre, als ob er sich nicht gerade durch die Unbestechlichkeit seiner Haltung manifestierte! Ich muß gestehen, daß ich das Buch von Reger, der vermutlich kein Dichter ist, weit jenen Erzeugnissen vorziehe, die gemeinhin als dichterisch gelten. Seine Aufrichtigkeit hilft über dürre Zonen hinweg, und seine Entzauberungsmethode entschädigt für verzaubernden Glanz. Es ist, wenn man will, ein polemischer Traktat; einer, der wirklich etwas meint. Das Gespräch, in das er ausklingt, ist so traurig wie schön. Der sterbende Roloff, der sich zum ersten Male seines Tuns bewußt geworden ist, sagt zu seinem Sohn: »Es war eine ungeheure Not ..., und daraus kam die Maßlosigkeit, und daraus wieder die ungeheure Not.« Eugen antwortet: »Ich glaube auch, daß es keine Lösung gibt. Keine Lösung, die nicht auch wieder in Sünden verstrickt würde. Statt der Lösung bleibt nur die Losung, nicht fahrlässig Sünden zu begehen, die bei Gebrauch der Vernunft vermeidbar wären ...«

Mir scheint, daß in diesen Zeiten noch mehr solcher wachsamer Hähnchen krähen sollten.
(FZ vom 6. 11. 1932, Literaturblatt)

1 Siehe Nr. 679.
2 Zu Kracauers Besprechung von *Bauern, Bonzen und Bomben* [sic] siehe Nr. 617.

## 688. Gestern – Heute – Morgen

### Zum Thema: Rundfunk

### I

Seit die neuen Herren des Rundfunks Gelegenheit gehabt haben, zu zeigen, was sie nicht können,[1] ist die Kritik am Rundfunk nicht mehr verstummt. Sie kann in der Tat nicht scharf genug sein. Und wenn ich sie nicht gleich mit vollziehe, sondern zunächst den *früheren* Zustand betrachte, der durch den blamablen neuen beseitigt wurde, so geschieht es nur in der Absicht, diese Kritik möglichst produktiv zu gestalten.
Der frühere Zustand; es wird sich noch herausstellen, daß und warum er befriedigender als der jetzige war. Aber man sollte sich im Interesse der Herbeiführung eines wirklich besseren Zustands gerade heute seine grundlegende Schwäche nicht verhehlen. Ich meine die Art der am alten Rundfunk geübten *Neutralität*.[2] Sie war freilich nicht allein für den Rundfunk bezeichnend, bestimmte vielmehr unser gesamtes öffentliches Leben.
Es gibt eine substantiell erfüllte Neutralität und eine, die sich formal verhält. Die bei uns herrschende war vorwiegend *formaler* Natur. Das heißt: ihr Wesen oder richtiger ihr Unwesen erschöpfte sich darin, die in Betracht kommenden Parteien, Verbände usw. tunlichst nicht zu verletzen, Vorstöße nach der einen Seite sofort durch solche nach der anderen aufzuheben und immer die Balance zwischen den Machtfaktoren zu wahren. Man lenkte nicht einem eigenen Ziel zu, man wurde von allen möglichen Rücksichten gelenkt. Am erschreckendsten enthüllte sich der

Charaktermangel dieser Neutralität in den häufig veranstalteten Weltanschauungsdiskussionen, die den löblichen Zweck verfolgten, die neutrale Zone mit Inhalten zu beleben, aber faktisch nur ihre Inhaltslosigkeit bewiesen. So erinnere ich mich einer Auseinandersetzung über die Arbeitsdienstpflicht, die von einem Jungdo-Mann und einem sozialdemokratischen Studenten geführt wurde. Sie vergegenwärtigte den Standpunkt des Jungdeutschen Ordens[3] und den der Sozialdemokratischen Partei und verlief im übrigen nach dem Schema: »Rechts sind Bäume, links sind Bäume und dazwischen Zwischenräume«. Je höher in solchen Diskussionen die Gesinnungsbäume himmelan wuchsen, desto deutlicher machte sich das Vakuum zwischen ihnen fühlbar. Wahrhaftig, die Rundfunk-Neutralität war nichts weiter als die Resultierende der jeweils im leeren Raum angreifenden Kräfte und Gegenkräfte.

Sie spiegelte damit nur die allgemeine Verfassung wider, in der wir uns während der Nachkriegszeit befanden. Was unser öffentliches Wesen von dem älterer Demokratien unterschied, war der Ausfall jedes auch noch so bescheidenen Consensus zwischen den Angehörigen verschiedener Parteien. Es war, als hätten bei uns die Parteien die Menschen mit Haut und Haaren geschluckt. Daß sie sich sofort zu ganzen Weltanschauungen oder zu deren Ersatz verdichteten, ließ sich zweifellos nicht umgehen, und ebenso mochte die Tatsache, daß sich Zentrum und Sozialismus, kapitalistische und antikapitalistische Prinzipien gegenseitig ausschlossen, ihre Richtigkeit haben. Das Merkwürdige war nur, daß diese Weltanschauungen und Prinzipien alle menschlichen Substanzen vollkommen aufsogen. So daß ein Zustand eintrat, in dem nicht mehr die Menschen Parteipolitik trieben, sondern die Parteipolitik Menschen vertrieb. Zwischen den Mitgliedern der einen und der anderen Partei schien nicht die geringste Gemeinsamkeit des Denkens und Fühlens zu bestehen, und noch die untergeordnetste Sache wurde nach den höchsten Partei- oder Verbandsgrundsätzen behandelt. Kein Wort über die gespenstische Irrealität dieses Zustands, in dem selbst die faktisch vorhandenen Bindungen und gemeinsamen Interessen zugunsten von parteipolitischen Konstruktionen unbeachtet blieben, die oft sehr unwirklich waren. Zwischen den hier und dort eingegliederten Menschen gähnte jedenfalls ein Abgrund, und ihren *vor-* und *außerpolitischen* Beziehungen fehlte die Sanktionierung, die sie lebensfähig gemacht hätte.

Angesichts dieser furchtbaren *Entleerung* des neutralen Gebiets mußte sich der Rundfunk tatsächlich damit begnügen, rein formale Ausgleiche zu finden.

Von den *Gegnern* des »Systems« ist der bisherigen Demokratie gerade die formale Beschaffenheit zum Vorwurf gemacht worden. Sie verdammen die Parteiherrschaft, sie maßen sich an, jene substantielle Einheit herzustellen, die wir noch nicht gehabt haben. Halbwegs im Sinne dieser Systemgegner erfolgte, als eine der ersten Handlungen des Präsidialkabinetts, die Umwandlung des Rundfunks. Man hob die politischen Überwachungsausschüsse auf, um den direkten Einfluß der Parteien zu brechen – ein Vorgang, den man auch »Entpolitisierung« nannte –, traf organisatorische Maßnahmen, die das autoritäre Prinzip über das parlamentarische stellten, und verkündete durch den Mund des jetzigen Reichskommissars *Scholz*: »Will der Rundfunk wirklich mehr als der flüchtigen Unterhaltung und oberflächlichen Zerstreuung dienen, so hat er sich die hohe Aufgabe zu setzen, Träger und Mittler deutscher Kultur und deutschen Geistes zu sein. Er soll und muß, um dieser Aufgabe zu genügen, die Seele des deutschen Volks zu erfassen suchen usw.«[4]

Der »reorganisierte« Betrieb funktioniert bereits so lange, daß man sich ein Urteil über ihn bilden kann. Wir fragen: Hat er dem Übel der nichtssagenden Neutralität abgeholfen? Sind jene Schäden beseitigt worden, die das parlamentarische Regime angeblich hervorgerufen hatte? Wird heute im Rundfunk deutsche Kultur und deutscher Geist getragen und vermittelt?

Die Antwort ist ein bündiges *Nein.* Und nimmt man erlaubterweise an, daß die neuen Männer nicht einfach Parteipolitik treiben, sondern wirklich das Vakuum ausfüllen wollen, das im »System« herrschte, so wird die Kritik am gegenwärtigen Rundfunk zur Kritik an den Bestrebungen der »nationalen« Systemgegner überhaupt.

## II

Ehe ich auf Grund des kulturellen Programms der *Berliner Funk-Stunde*[5] in der letzten Oktober-Woche einige für die gegenwärtige Rundfunk-Gestaltung typische Züge verdeutliche, schicke ich noch folgende Sätze aus der programmatischen Ansprache voraus, die Richard *Kolb* in seiner Eigenschaft als Programm-Direktor und stellvertretender Intendant des Berliner Senders gehalten hat: »Man sollte sich ... abgewöhnen, über den Geschmack seiner Nebenmenschen die Nase zu rümpfen. Die Programmleitung hat allen Wünschen nach Möglichkeit Rechnung getragen. Und wenn viele von uns ihre Freude und Erhebung an einem Dichtwerk oder an einer klassischen Komposition finden, so nehmen andere Erholung und neue Kraft aus den Klängen eines Walzers oder Schlagers. Deshalb sollte man auch leichte Sachen nicht zu leicht nehmen.«[6] Gewiß nicht. Aber schwer sollte man es nehmen, daß schon am Anfang der neuen Ära sich solche Widersprüche offenbaren wie die zwischen den Aussagen der Herren Scholz und Kolb. Während jener mehr will als flüchtige Unterhaltung und oberflächliche Zerstreuung, ermahnt dieser dazu, nicht die Nase über den Geschmack an flüchtiger Unterhaltung und oberflächlicher Zerstreuung zu rümpfen. Und will der eine den Hörern deutsche Kultur und deutschen Geist auftischen, so beabsichtigt der andere, allen Hörerwünschen nach Möglichkeit Rechnung zu tragen. In zwei wichtigen programmatischen Darlegungen finden sich also Äußerungen, die einander entgegengesetzt sind. Ihre Konfrontation verrät nicht nur den Unterschied zwischen »nationaler« Rundfunk-Ideologie und »nationaler« Rundfunk-Praxis, sie erhellt vor allem die Haltungslosigkeit in den Kreisen derer, die das »System« des Mangels an Haltung bezichtigen.

Welche Ergebnisse so verschwommene Grundeinstellungen zeitigen, kann man sich ungefähr denken. Aber es genügt nicht, sie sich nur auszudenken; denn die Gedanken, die man sich etwa über sie macht, werden durch die Wirklichkeit weit übertroffen. Hätte zum Beispiel irgendein Mensch aus der vom Reichskommissar erhobenen Forderung nach deutscher Kultur Köhns inzwischen allerdings desavouierte Wochenend-Ketzereien ohne weiteres ableiten können?[7] Oder die Bekenntnisse Dr. Kleo *Pleyers*, die anscheinend nicht gerügt worden sind?[8] Das Auftreten Dr. Pleyers darf aber eine um so größere Bedeutung beanspruchen, als mit ihm die neue Reihe: »Wir stellen vor ...« eröffnet wurde, in der später noch andere politische Persönlichkeiten sprechen sollen.[9] Der Herr, den vorzustellen man solche Eile bewies, ist Grenzdeutscher, Teilnehmer am Hitler-Putsch 1923, einstiger Nazimann, Führer der »bündischen Reichsschaft« und seit 1931 Dozent an der Hochschule für Politik. Ich muß mir leider versagen, seine Bekenntnisse hier ganz vorzuführen. Sie handelten von der volkserzieherischen Wirkung des Weltkriegs, die darin bestanden habe, daß man wieder in feste Bünde eingesperrt wurde, vom bündischen Urerlebnis, vom bündischen Bluts-erlebnis, von der bündischen Lebensform, vom bündischen Geist usw. Mögen sich die Bündischen (*diese* Bündischen) an ihrem Wesen erbauen. Wenn jedoch dieser bündische Geist in Gestalt von Herrn Pleyer am Rundfunk ungestraft erklären darf, daß unsere politischen Parteien undeutsch seien, undeutsch schon deshalb, weil sie undeutsche Namen trügen, dann beginnt der Skandal; um davon zu schweigen, daß bei diesen Faseleien von Geist überhaupt nicht die Rede sein kann. »Wir stellen vor ...« heißt die Veranstaltung. Jawohl, wir stellen ein Geschwätz vor, das sich in der wüsten Beschimpfung des »Systems« gefällt, ohne etwas anderes als Phrasen dagegen auszuspielen. Phrasen wie diese: daß sich der Deutsche seine Lebensform nicht vom Ausland vorzeichnen lassen solle; daß sich in der Partei Massen, im Bund aber »Kerle« zusammenfänden; daß aus der bündischen Lebensform das »Baubild des Reiches« erwachse usw. Niemand wird uns einreden wollen, daß der demagogische, heillos romantische Jargon des Herrn Pleyer mit deutscher Kultur zu verwechseln sei. Wird er uns dennoch vorgesetzt, so geht daraus nur hervor, daß man am Rundfunk entweder nicht weiß, was deutsche Kultur ist, oder unter dem Vorwand ihrer Förderung politische Hetzereien einschmuggeln möchte. Die formale Neutralität von ehedem ist sauberer, sachlicher, mit einem Wort deutscher gewesen.

Es versteht sich von selbst, daß nicht alle Manifestationen des neuen Rundfunk-Geistes so durchsichtig tendenziös sind. Immerhin ließ man sich innerhalb der angegebenen Zeitspanne die gute Gelegenheit des italienischen Regierungsjubiläums[10] nicht entgehen, um den Fascismus empfehlend in Erinnerung zu bringen, und macht auch sonst einige Versuche, den politischen Kurswechsel allgemein-geistig zu verklären. In einem Vortrag *Reinhold Schneiders*: »Die doppelte Wirklichkeit der Geschichte«[11] wurde zum Beispiel erläutert, daß die Geschichte ihre eigentliche Wirklichkeit dort habe, wo es sich um die Entscheidungen handle, die in der Brust des einzelnen, des Führers, ausgetragen werden. Nicht aufs historische Wissen komme es an, sondern auf die intuitive Versenkung in solche Entscheidungen; nicht auf Erfolge und Trophäen, sondern auf Opfer und Dienst. Zur Ergänzung dieses Vortrags sei gleich noch eine andere Stelle aus der erwähnten Ansprache des Programm-Direktors Kolb zitiert, in der von der Verpflichtung des Rundfunks, Volksbildung zu betreiben, die Rede ist. »Das geht jedoch nicht auf dem Wege der Wissensvermittlung, wozu der Rundfunk außerstande ist, sondern nur durch seine Umformung in eine unmittelbare Lebensnähe, die auch der letzte des Volkes imstande ist zu begreifen. So wird Wissen und Kunst zur Bildung. Es ist die Entakademisierung des Programms, die von einem … großen Teil der Hörerzuschriften verlangt wird.«[12] Formulierungen, die mit der Rede Schneiders darin übereinstimmen, daß sie eine der *Aufklärung abholde Gesinnung* bekunden. Schneider setzt das bloße Wissen um der moralischen Entscheidung willen außer Kraft und vergißt hinzuzufügen, daß eine Entscheidung um so begründeter (und keineswegs unmoralischer) ist, je mehr sie auf der genauen Kenntnis aller einschlägigen Umstände beruht. Kolb seinerseits will das Wissen solange umschmelzen, bis es in eine unmittelbare Lebensnähe rückt; wobei vom Wissen vermutlich nicht mehr viel übrigbleiben dürfte. Auch der Vortrag, den Paul *Alverdes* über das Thema: »Der Geistige in der Nation« hielt,[13] bewegte sich teilweise in derselben intelligenzfeindlichen Richtung; obwohl Alverdes, was ihm angesichts der heutigen Verhältnisse als ein Verdienst angerechnet werden muß, die »Herabwürdigung des Geistes« im nationalen Lager scharf, ja erbittert bekämpfte. Aber mit dem gleichen Atemzug, beinahe, mit dem er für die Rehabilitierung des »Geistes« eintrat, machte er sich die nationalistische Behauptung zu eigen, daß ein großer Teil der deutschen Intelligenz während des Krieges im geheimen mit unseren Feinden einverstanden gewesen sei und überhaupt Schuld und Schande auf sich geladen habe. Welcher große Teil der deutschen Intelligenz? Und wo ist die Schuld in Wahrheit zu suchen? Meine Aufgabe besteht indessen nicht darin, erbärmliche Verleumdungen zu berichtigen, sondern im Nachweis der sich heute am

Rundfunk vordrängenden Tendenzen. Wie bereits diese Beispiele zeigen, bevorzugt man dort jetzt Gedankengänge, die nicht so sehr ein Zeugnis deutscher Kultur, als ein Zeichen der Kulturreaktion sind. Man verdächtigt den Intellekt, der ein guter Geselle ist, schiebt das Wissen beiseite, das den unteren Schichten als Waffe dienen kann, und propagiert einen Heroismus, zu dessen Wesensmerkmalen Dummheit und Unwissenheit gehören. Wer den Profit davon hat, ist klar.

Herrschte noch ein Zweifel darüber, daß der deutsche Geist von den neuen Machthabern in eine Zwangsjacke gesteckt wird, so wäre er durch die literarischen Programme behoben. Sie sind von einer Dürftigkeit, der auch die Benutzung Paul Ernsts[14] und die Einbeziehung der paar namhafteren Dichter, die mit der Rechten sympathisieren, nicht aufzuhelfen vermag. Und wer sie abhören muß, hat das peinliche Gefühl, daß die Rundfunkleute erst jetzt verzweifelt nach den künstlerischen Offenbarungen jenes deutschen Geistes Umschau halten, den sie meinen. Ihr Finderglück ist gering. Ich nehme nicht einmal Anstoß daran, daß man das Hörbild: »Stein« von Hans Henning Freiherr von *Grote* aufführte,[15] eine historische Schwarte, die wie das Modell zu einem künftigen Ufa-Film wirkt und brav und gesinnungstüchtig ausgepinselt ist. Dergleichen wird in allen Parteilagern fabriziert. Viel verräterischer sind jene Erzeugnisse, die man uns als Proben heutiger Dichtung anzubieten wagt. Von Carl Heinz *Hillekamps* wurde die Geschichte eines Knaben gelesen, der in Gesellschaft eines Knechtes völlig einsam im Wald aufwächst, während der Pubertätszeit zum ersten Mal aus der Ferne ein junges weibliches Wesen erblickt, daraufhin in eine schwere Krankheit verfällt und nach einigen Umschweifen unheilbar geistesgestört wird.[16] Ich habe den mysteriösen Fall, der von einer »seltsamen Unwirklichkeit« ist, wie es oft in schlechten Besprechungen schlechter Bücher heißt, ohne die Poesie wiedergegeben, die ihn fortwährend umschwitzt und noch hoffnungsloser ist als der Fall selber. Daß diese Unwirklichkeit beim heutigen Rundfunk auf starke Nachfrage rechnen darf, bestätigen auch die Prosastücke, die Karl Nils *Nicolaus* las. In einem von ihnen fährt Jan nachts auf seinem Motorrad mit der Geige im Rucksack zum heimatlichen Meer, um sich über den Tod seiner Frau zu trösten. Dort auf den Dünen spielt er, wie Nicolaus es ausdrückt, »vom großen Leben, das göttlich ist, und vom großen Tod, der auch göttlich ist«.[17] Man bangt jeden Augenblick davor, daß diese geschwollene Sprache platzt, aber obwohl sie immer weiter mit Luft gefüllt wird, stößt ihr nie etwas zu. Die Luft ist die Innerlichkeit. Alle drei Geschichten haben Innerlichkeiten zum Thema, die im Vergleich mit den wirklichen Ereignissen dieser Welt so nichtig sind, daß sie sich schon kosmisch aufblähen müssen, um überhaupt gesehen zu werden. Hätte der Rundfunk nicht greifbarere Belege des deutschen Geistes aufstöbern können? Aber der wahre deutsche Geist verkörpert sich heute in Schriftstellern und Dichtern, die ihre Augen nicht zumachen, sondern sie öffnen, die sich um unsere sozialen und politischen Verhältnisse bekümmern, Kritik üben, wo es not tut, niemals pflichtvergessen ins Unirdische und Überirdische flüchten und jene Unruhe verbreiten, die der Feind des Nur-Bestehenden ist. Ich verzichte darauf, Namen zu nennen, die bekannt sind und uns zur Ehre gereichen. Genug, daß sie sich in ihrer Mehrzahl auf der anderen Seite befinden, dort, wo der jetzige Rundfunk sich aus guten Gründen zu tummeln weigert. Ihm und den hinter ihm stehenden Kreisen geht es ja gerade darum, die Gefahren auszuschalten, die von diesen Dichtern und Schriftstellern her drohen. Sie suchen nicht die Kunst an den Stellen auf, an denen sie anzutreffen ist, sie suchen eine künstlerische Stütze der von ihnen vertretenen Politik. So müssen sie freilich Ohnmachtsprodukte wählen, die nicht aktiv das wirkliche Leben angreifen, sondern zwischen der Scholle und den Sternen keine andere Bleibe haben als eine Innerlichkeit, der jede Beziehung zu unserem äußeren Dasein fehlt. Ins äußere Dasein will sich die Bürokratie eben nichts hereinreden lassen. Daher empfiehlt sie auch so dringlich die Pflege »landsmannschaftlicher Eigenarten«. Noch immer hat die Restauration die gegenwärtige Kunst, die dadurch, daß sie – unbekümmert um Stammeseigentümlichkeiten – der Gegenwart auf den Leib rückt, nur eine neue, zeitgemäße Form der Stammeseigentümlichkeiten entwickelt, zugunsten epigonaler und historisch gewordener Gestaltungen unterdrückt.

Dem starken Bedürfnis der für den Rundfunk verantwortlichen Mächte, unbeleuchtet schalten und walten zu können, entspricht nicht zuletzt die Art und Weise, in der die Aktualitäten bewältigt oder vielmehr nicht bewältigt werden. Schickt man nicht die Pleyers und andere Leute vor, die das Volk im »nationalen« Sinne bearbeiten und gegen das »System« mobil machen sollen, so ist man leisetreterischer, als es der alte Rundfunk je war. Die beschränkte Meinungsfreiheit, die sich damals im Rahmen der Neutralität entfalten durfte, hat der Angst vor Meinungen Platz gemacht. Wenn etwa die »Stimme zum Tag« ertönt,[18] darf man sich darauf verlassen, daß sie aus dem Tag ins Ungefähre und Irgendwo entführt. Während einer Woche, die voll von interessanten, einer Stellungnahme bedürftigen Ereignissen war, hörte ich sie zum Beispiel aus Anlaß eines Falschmünzerprozesses über Falschmünzerprozesse im allgemeinen sprechen; über eine Pinguinen-Insel, die in einem Film gezeigt wird; über einen Besuch in London, der mit dem Tag überhaupt nichts zu schaffen hatte. Sie drang nicht in den Tag ein, sie umging ihn wie einen heißen Brei. Der Herr aus London erzählte unter anderem, daß die Arbeiter dort ihren Platz im Leben kennten, daß man in den Straßen keine Hupen höre und der Hyde-Park von einem Gitter umgeben sei, das nachts geschlossen werde. Stimme zum Tag? Eine »Generalanzeiger«-Plauderei aus der Provinz. Übrigens besorgte derselbe Londoner Plauderonkel auch die Ketzereien am Wochenende. Und zwar ketzerte er zum Unterschied von Köhn nicht ungehemmt darauf los, sondern bemühte sich im Gegenteil, uns von der Neigung zur Ketzerei zu befreien. Wir möchten uns doch nicht immer gleich ärgern und um jeden Preis recht haben wollen! Wir möchten ein wenig Humor haben! Wir möchten uns gegenseitig Achtung entgegenbringen! Es fehlte nicht viel, und man wäre von dieser Ketzerei, die eine einzige Bußpredigt war, ergriffen gewesen. Schade nur, daß sie von einem Ort aus gesprochen wurde, an dem man neuerdings dem Gegner keine Achtung mehr entgegenbringt und um jeden Preis recht behalten will. Der Wolf im Schafspelz, der Frieden blökt ... Hält man diese unangebrachte Mahnung zur Versöhnlichkeit mit der geistesabwesenden Behandlung der Aktualitäten zusammen, so ergibt sich, daß die dem Rundfunk jetzt vorgeschriebene Aufbauarbeit am Staat im Abbau der Kritik an ihm und darüber hinaus in der möglichst weitgehenden Verdrängung unserer Zustände aus dem Blickfeld besteht. Je dunkler es um uns ist, desto besser verrichtet der autoritäre Staat die Aufbauarbeit allein. Und die des Rundfunks beschränkte sich darauf, mit Hilfe der Lautsprecher lauter Stille im Land zu züchten.

Dieser kleine Programm-Querschnitt genügt, wie ich glaube, um uns über die *negativen* Leistungen der »System«-Gegner aufzuklären. Sie, die sich in der Kritik der Demokratie gegenseitig überbieten, beweisen einstweilen im Rundfunk ihre Unfähigkeit, irgendetwas besser zu machen. Statt die frühere formale Neutralität aufzufüllen, treiben sie mit sturer Einseitigkeit Parteipolitik und berauben uns zugleich der Vorteile jener Neutralität. Statt den Kampf der Meinungen zu leiten, unterdrükken sie ihn. Statt eine Haltung zu vermitteln, predigen sie die Gesinnungen, die ihnen passen. Statt den deutschen Geist auszubreiten, hüten sie sich vor ihm. Merkt man, woher der Wind weht? Aber es weht gar kein Wind. Im luftigen Bürohaus an der Masuren-Allee herrscht vielmehr eine Stickluft wie niemals zuvor.

## III

Um wieviel überlegen war das »System« seinen vermeintlichen Überwindern! Vielleicht zeigt sich erst heute, daß die leere Neutralität, die es übte, auch einige Tugenden besaß. Sie erlaubte dem Rundfunk wenigstens, unbefangen zu experimentieren und bedeutende Köpfe und interessante Gegenstände aus den verschiedensten Sphären zu bieten. Und mochte sie ziellos sein und manchmal schlecht zu wählen verstehen, so ließ sie uns doch die Wahl und unterschlug nicht gerade das Beste. Jedenfalls steht nach diesen Monaten veränderter Rundfunk-Praxis fest, daß der alte Zustand dem jetzigen vorzuziehen ist, daß – in einem so gemischten Land wie Deutschland vor allem – jene Neutralität, die der einen und der andern Richtung Raum gibt, mehr taugt als das *unliberale und intolerante Verfahren* derer, die den deutschen Geist gepachtet zu haben glauben. Fast scheint aus ein paar schwachen Anzeichen der jüngsten Zeit gefolgert werden zu müssen, als ob sie, die neuen Machthaber, an der Richtigkeit ihres Kurses selber zu zweifeln begännen. Wenn sie aber nicht gründlich umschwenken, ist der *Bankrott des deutschen Rundfunks als eines Kulturinstrumentes* besiegelt.
Rede ich einfach einer Wiederherstellung des Früheren das Wort? Aber ein durchschauter Zustand kehrt nicht zurück. Und ist auch erwiesen, daß die jetzige Rundfunk-Bürokratie das bisherige »System« nicht nur nicht erledigt, sondern gegen ihre Absicht eher gerechtfertigt hat, so bleibt doch die Frage fortbestehen, ob nicht die formale Rundfunk-

Neutralität in eine *substantielle* verwandelt werden könne. Man verstehe mich recht: ich setze die heute doppelt einleuchtende Notwendigkeit ihrer Aufrechterhaltung voraus und erhebe eine Frage, die sich aufs außer- und vorpolitische Verhalten in Deutschland bezieht. Sie gilt dem Vakuum, das sich zwischen den Parteien dehnte und die inhaltlose Neutralität von sich aus bedingte.

Dieses Vakuum, dieses Nicht-bei-sich-Sein der Menschen, rührt von einem bei uns tief eingewurzelten Hang her, den auch der deutsche Idealismus bezeugte. Vom Hang, die wirkliche Existenz um irgendeiner Idee willen zu versäumen, das Allgemeine zu denken, ohne es mit dem Besonderen zu verknüpfen, in das eingesenkt es doch erst Dasein gewönne, und über der Weltanschauung die Realität zu vergessen, auf die sie hinzuweisen hätte. Nenne man es Romantik, Doktrinarismus oder wie immer – stets und überall wiederholt sich in Deutschland der Vorgang, daß sich die Menschen von ihrem Sein abheben und eine Doktrin aufsuchen, die sich zu jenem Sein meistens windschief verhält. Sie verlassen sich; sie leben hier und argumentieren dort. Alles Existenzmäßige muß so veröden; um ganz davon abzusehen, daß der Mangel an einer engen Fühlung zwischen vielen parteipolitischen Konstruktionen und der zu verändernden Realität die politische Durchgestaltung dieser Konstruktionen selber verhindert.

In seinem ausgezeichneten Aufsatz: »Der Turmbau von Babel. Zur Krise des deutschen Rundfunks«[19] bestimmt Alfons Paquet die Aufgabe des Rundfunks wie folgt: »Es gibt auf diesem Felde gar keine höhere Chance als die äußerste Intensität der künstlerischen, geistigen Leistung.« Vielleicht ist dem Rundfunk noch eine andere Chance eröffnet, die der Ausnutzung der von Paquet gemeinten gewiß nicht im Wege stünde; eine Chance auf lange Sicht. Wie kaum ein anderes Instrument könnte er dazu dienen, den *deutschen Menschen der von ihm immer wieder preisgegebenen Wirklichkeit zuzuleiten*. Ich bin mir dessen bewußt, daß nicht alle Parteien gleichmäßig an dieser Forderung interessiert[20] sind; trotz der politischen Konsequenzen, aber, die sie zweifellos in sich birgt, ist sie zunächst vorpolitischer Art. Den unseligen deutschen Doktrinarismus zu brechen, dem keineswegs die extremen Parteien allein frönen; der falschen Romantik die Auswege zu versperren; eine richtige Verbindung zwischen den theoretischen Begriffen und dem Wirklichkeitsstoff herzustellen, der mit ihnen korrespondieren müßte; das Gedachte jeweils dem Gelebten und das Gelebte umgekehrt dem Gedachten zu verpassen; die vorhandenen Existenzformen so ins Licht zu rücken, daß sie schlechterdings niemand mehr zu überspringen vermag: das ist die Aufgabe, die dem Rundfunk eine inhaltliche Funktion verliehe. Sie schreibt ihm eine bestimmte Richtung vor und läßt sich auf unzählige Weisen anpacken. Man kann ihr zum Beispiel dadurch gerecht werden, daß man verschiedene Urteile über ein Ereignis, einen Film usw. zusammenstellt und sie mit dem beurteilten Gegenstand selber, so gut es geht, konfrontiert; daß man bei gewissen Diskussionsveranstaltungen stets auf die Konkretion der geäußerten Absichten dringt; daß man drastische Fälle der Verblasenheit oder eines exemplarischen Wirklichkeitssinnes behandelt usw. Aber es ist hier weniger an den Beispielen als an der Anerkennung der Methode gelegen. Machte der Rundfunk sie sich zu eigen, so erhielte seine Neutralität endlich Substanz, und am Ende wäre dann auch eines Tages in Deutschland eine Politik möglich, die sich zwischen wirklichen Menschen und nicht zwischen Phantomen abspielte.

(FZ vom 9. 11. 1932)

1 Siehe »Zur Neuregelung des Rundfunks«, Nr. 672.

2 Siehe Nr. 476 und Nr. 534.

3 Zum Jungdeutschen Orden (Jungdo) siehe Nr. 527, Anm. 2.

4 Zum Manuskript der Rundfunkansprache, aus der Kracauer hier zitiert, siehe Wienfried B. Lerg, *Rundfunkpolitik in der Weimarer Republik.* München: dtv 1980, S. 480. Zu Erich Scholz siehe Nr. 672, Anm. 9.

5 Zur Berliner Funk-Stunde siehe Nr. 534, Anm. 4; zu Kracauers Beiträgen siehe Nr. 479, 484, 496, 513 und 638.

6 Der Rundfunkintendant und Hörspieltheoretiker Richard Kolb (1891-1945) war von 1924 bis 1930 zunächst als Rundfunkkritiker, bis 1932 als Schriftleiter der *Bayerischen Radio-Zeitung* tätig. Nach der Rundfunkreform wurde er im Oktober 1932 Sendeleiter der Berliner Funk-Stunde (siehe Nr. 534, Anm. 4). 1933 übernahm er die Intendanz, die er aber bereits im April 1933 aufgrund seiner Zugehörigkeit zum Strasser-Flügel der NSDAP wieder verlor. Von 1938 bis 1945 war er außerordentlicher Professor für Wehrwissenschaft in Jena. Kolb entwickelte u. a. in seiner Schrift *Horoskop des Hörspiels* (1932) eine Hörspieltheorie, die die Hörspielproduktion bis in die sechziger Jahre beeinflußte. Die zitierte Ansprache ließ sich nicht ermitteln.

7 Nähere Angaben waren nicht zu ermitteln.

8 Kleo Pleyer (d. i. Kleophas Pleyer; 1898-1942) studierte Philosophie, Geschichte und Germanistik in Prag, München und Tübingen. Bereits 1920 trat er der sudetendeutschen nationalsozialistischen Arbeiterpartei (DNSAD) bei und organisierte den Protest gegen

den jüdischen Rektor der Universität Prag. Aus Prag ausgewiesen, beteiligte er sich 1923 am Hitlerputsch in München.

9 Angaben zu dieser Sendereihe waren bislang nicht zu ermitteln.

10 Im Herbst 1932 fanden in ganz Italien Feierlichkeiten zum zehnten Jahrestag von Mussolinis »Marsch auf Rom« und der faschistischen Machtergreifung statt.

11 Reinhold Schneiders Vortrag wurde am 26. 10. 1932 von der Berliner Funk-Stunde gesendet.

12 Siehe oben, Anm. 6.

13 Der Vortrag beruhte auf dem Aufsatz von Paul Alverdes: »Geist und Nation«. In: *Deutsche Zeitschrift. Monatshefte für eine deutsche Volkskultur.* Bd. 46 (1932), S. 13-22. Der nationalkonservative Schriftsteller Paul Alverdes (1897-1979) stand der Jugendbewegung nahe, promovierte mit einer Arbeit über die Lyrik des Pietismus (1921) und gab von 1934 bis 1944 zusammen mit Karl Benno von Mechow *Das innere Reich. Zeitschrift für Dichtung, Kunst und deutsches Leben* heraus. Bekannt wurde Alverdes durch völkisch nationale Kriegsdichtungen, insbesondere durch Erzählungen wie *Die Pfeiferstube* (1929) und die Novellensammlung *Reinhold – oder die Verwandelten* (1931). Auf Kracauers Kritik reagierte er mit dem Artikel »Erbärmliche Verleumdungen?«. In: *Deutsche Zeitschrift*. Bd. 46 (1932), S. 176f.

14 Der Schriftsteller Karl Friedrich Paul Ernst (1866-1933) war nach seinem Studium der Volkswirtschaft zunächst als Journalist tätig und im linken sozialdemokratischen Flügel politisch aktiv, trat jedoch 1896 aus der SPD aus. Erste literarische Versuche unternahm Ernst, der mit Arno Holz befreundet war, im Umfeld des Naturalismus, wurde jedoch schnell Teil der sog. neuklassischen Bewegung, deren literarischen Wertmaßstab die absolute Sittlichkeit und formale Strenge bildete. Als Dramatiker erfolglos, war Ernst mit seinen Novellensammlungen, wie den *Spitzbubengeschichten* (1920) oder den *Geschichten von deutscher Art* (1928), größerer Erfolg beschieden.

15 Hans Henning Freiherr von Grote, *Stein.* Der Freiheitskampf eines Führers. Berlin: Brunnen 1931.

16 Carl Heinz Hillekamps, *Der Phantast.* Geschichten von Knaben und Jünglingen. Breslau und Schweidnitz: L. Heege 1928.

17 Siehe Karl N. Nicolaus, »Die Entführung«. In: *Mondstein.* Magische Novellen. Mit einem Vorwort von Franz Schauwecker. Berlin: Frundsberg 1930, S. 144-153.

18 Die Sendung »Stimme zum Tag« wurde von November 1931 bis Ende 1932 werktäglich von der Berliner Funk-Stunde ausgestrahlt.

19 Siehe FZ vom 29. 10. 1932, Nr. 809-811.

20 Text nach der handschriftlichen Korrektur Kracauers in den Klebemappen; im FZ-Druck: »beteiligt«.

## 689. Eine Märtyrer-Chronik von heute

Rez.: Anna Seghers, *Die Gefährten*. Roman. Berlin: G. Kiepenheuer 1932.

Das Buch: »*Die Gefährten*« von *Anna Seghers* ist eigentlich kein Roman, sondern eine Chronik. Eine Märtyrer-Chronik. Dargestellt wird in ihr das Leben (und Sterben) vieler Frauen und Männer, die während der Nachkriegszeit die Träger der revolutionären Bewegung gewesen sind. Ungarn, Polen, Italiener, Bulgaren, Chinesen: der Zug der Helden erstreckt sich von Land zu Land. Überall aber sind ihre Schicksale gleich. Sie werden verfolgt, gemartert, in die Gefängnisse geworfen; sie führen auch in der Emigration das Dasein von Kämpfern. Wer aktiv für die Sache der Revolution eintritt, nimmt in der Regel nicht sich selber wichtig, sondern die Sache. Es ist daher gut zu verstehen, daß die Taten und mehr noch die Leiden der Revolutionäre verhältnismäßig selten widergespiegelt werden. Anna Seghers hat keine Mühe gescheut, um diesen Lebensläufen bis in den Alltag hinein nachzuspüren. Mit einer Genauigkeit, deren nur der Beteiligte fähig ist, schildert sie die unmenschlichen Greueltaten ungarischer und bulgarischer Weißgardisten; die sadistischen Orgien, die bei der Gefangennahme roter Soldaten und bei Verhören begangen werden; die Entbehrungen der Flüchtlinge und die Tapferkeit ihrer Unterstützer; die langen Gefängnisjahre der »Politischen«; die Schwierigkeiten der Existenz in der Verbannung. Neben Gestalten, die man halb und halb zu erraten glaubt, tauchen anonyme Figuren auf, Namenlose, die niemand je kennen wird. Ihnen allen ist hier ein Denkmal gesetzt. Und hinter diesen Personen sind noch hunderte Ungenannte zu ahnen, die nicht anders wie sie zu handeln und zu sterben wissen.

Man wird in dem Buch vergeblich nach einem Wort über das Kampfziel und nach inhaltlichen Gesprächen suchen. Aber so muß es auch sein. Denn Anna Seghers beschreibt die Bewegung nicht von außen her, sondern spricht aus der Wirklichkeit der Revolutionäre heraus. Ich könnte mir einen dokumentarischen Bericht denken, der den Ereignissen objektiver und vollständiger gerecht würde; ich kenne indessen kein Buch, das die revolutionären Aktionen so ganz aus der Verfassung derer wiedergäbe, von denen sie bewirkt worden sind. Gestaltet ist hier weniger das revolutionäre Bewußtsein überhaupt als das Bewußtsein von Revolutionären. Rein durch die Art der Darstellung erfährt man, wie sie ihr Geschick auffassen und sich unter den verschiedensten Umständen verhalten. Es ist eine mit keiner andern vergleichbare Welt, in der sie leben. Ob sie nun nach Berlin, nach Bologna oder nach Paris verschlagen werden: diese Städte sind alle nur ein Provisorium für sie, gleichgültige Orte, an die der Zufall sie führt. Sie treffen sich in Wohnungen, die in jeder beliebigen Stadt liegen könnten, und sind mit dem Gedanken vertraut, am nächsten Tag weiterziehen zu müssen. So wären sie Nomaden ohne Zuhause? In der Tat ist ihnen Rußland höchstens der geheiligte Vorhof der Heimat und die Heimat selber ein Kampfplatz. Ihre richtige Heimat werden sie erst dann finden, wenn sie die Macht erobert haben und ihnen das Zuhause nicht mehr ein Martyrium bedeutet. Einstweilen aber schweifen sie durch die gegenwärtigen Verhältnisse wie Kometen, und halten sie sich auch zum Beispiel in Paris auf, so sind sie doch weiter von Paris entfernt als von Budapest oder Kanton. Sie verschmähen es, irgendwo einzuwurzeln, und befreien sich von sämtlichen Bindungen, wenn die revolutionäre Aufgabe sie ruft. Zwei chinesische Brüder, die sich Jahre hindurch nicht gesehen haben, begegnen sich einen Tag lang, um dann sofort wieder auseinanderzueilen. Die Familie zählt nichts, und es gibt nur eine Liebe: die zur Revolution. Von ihr erfüllt, beschreiben die Personen des Buchs irreguläre Bahnen durch den leeren Raum unserer Zeit.

Daß diese Welt leibhaftig heraufbeschworen wird, ist der Sprachkraft zu danken, über die Anna Seghers verfügt. Sie bedient sich einer Prosa, die im strengen Sinne gedichtet ist und die Vorstellungen der Kämpfenden, Leidenden, Exilierten getreu vermittelt. Man lese etwa einen Abschnitt wie diesen: »Eines von den Kindern kroch über die Toten ins Freie. Draußen war alles verändert. Der glänzende weiße Himmel war ganz tief gesunken. Die Hütten waren geschrumpft; den Weg hinauf schleifen sie fremde, schwere Bauern mit langen Schleppen. Neben der Tür hielten Soldaten ein großes, wildes Pferd. Sebös Hütte zuckte und lachte, ein schrilles, kreischendes Lachen, wie auf Hochzeit. Alle Hütten schrien und zitterten.« Oder die Szene, in der sich ein in Rußland lebender Chinese, der nach Hause muß, von seinem Kind trennt: »Kurz vor seiner eignen Heimreise fuhr er nochmal heraus, um das Kind zu sehen. Er stand am Fenster, zwei Hände voll Kind. – Ein wenig Wärme, Abfall des berauschenden, triumphierenden Glücks, das sein Vater über die Geburt seiner Söhne gespürt hatte. Das satte schläfrige Kind betrachtete ihn stumpf mit glänzenden Käferaugen. Er gab es zurück. Mögen es andere nehmen. Er würde es später tun. Aber er wußte; später war nie, und andre, das waren doch ebensolche wie er.« Diese Sprache hat die Gewalt, große Städte am Horizont vorbeiziehen zu lassen, das Ausharren der Kreatur zu vergegenwärtigen und auch die ungelebten, verdeckten Empfindungen sichtbar zu machen. Hinzu kommt die Kompositionstechnik des Buchs, die von sich aus auf einen wesentlichen Gehalt hinweist. Lauter kürzere Szenen sind sprunghaft aneinandergereiht, die bald in einem Gefängnis spielen, bald unter den Emigrierten, bald in irgendeinem revolutionären Kampfgebiet. Andere Autoren haben in ihren Büchern den häufigen Orts- und Handlungswechsel zu dem Zweck vorgenommen, um das sinnlose Nebeneinander in der Welt auch formal zu illustrieren. Hier dagegen verfolgt das mosaikartige Verfahren gerade die umgekehrte Absicht, das sinnvolle Ineinandergreifen von Vorgängen darzutun, die sich an mannigfaltigen Punkten ereignen. Die stets neue Veränderung der Szene soll mittelbar die Öde der gewohnten bürgerlichen Schauplätze enthüllen und die Einheitlichkeit einer die Welt umspannenden Bewegung bezeugen. Nur ein der Sache sicheres Bewußtsein vermag so folgerichtig, wie es in diesem Buch geschieht, das übliche Bezugssystem zugunsten eines fremden aufzuheben, und nur ein bedeutendes Gestaltungsvermögen kann derart entschieden sämtliche landläufigen Dinge um der entscheidenden willen unterdrücken.

Von den zahlreichen Emigranten-Schicksalen münden nicht alle wieder in die Revolution ein, die sie aus sich entließ. Ein Italiener wandert nach Amerika aus; ein Hochschullehrer, der an der ungarischen Räte-Revolution teilgenommen hat, läßt sich in einer kleinen deutschen Universitätsstadt nieder, in der er heiratet und sich zu habilitieren gedenkt. Die Seghers berichtet diese und andere Fälle, ohne sich ein Urteil über sie anzumaßen. Aus ihrer stummen Erzählung geht nur immer wieder hervor, wie unerträglich für die Kämpfer das Dasein in der Etappe ist und welche Anstrengung es sie kostet, fortwährend ein Feuer zu schüren, das aus Mangel an Nahrung zu erlöschen droht. Wunderbar durchschaut ist die Unruhe, die diese Entgleitenden von Zeit zu Zeit packt. Der Hochschullehrer geht manchmal auf den Bahnhof, ohne je in den Zug einzusteigen, der ihn zur Revolution zurückbringen könnte, und der in Rußland gefeierte Faludi trauert darüber, zum alten Eisen geworfen zu sein. Zweifellos verweilt die Seghers auch deshalb bei denen, die abwandern und verschwinden, um desto beweiskräftiger zu zeigen, daß die Kette der Revolutionäre dennoch nie abreißt. Wie sich Glied an Glied fügt, schildert sie in zwei Szenen ziemlich am Anfang und am Schluß des Buches, die selber gleich wie Kettenglieder sind. In der ersten wird berichtet, daß der alte Solonjenko – »er hatte die polnischen Kerker schon abgewohnt, als sie noch zaristisch waren« – dem jungen Janek, der zu ihm in die Zelle kommt, die Hand auf den Kopf legt und ihn dazu ermahnt, im Gefängnis zu arbeiten und zu lernen. »Ob man vier Jahre hier bleibt, wie du, oder acht wie ich, oder lebenslänglich – zwischen uns und draußen darf es nie eine Kluft geben, verstehst du, was ich dir sage?« Und in der Schlußszene legt der mittlerweile erprobte Janek seinerseits die Hand auf den Kopf des jungen Labiak, der ahnt, »daß die gleiche Kraft schon in ihm selbst drin war, während Janeks Hand noch auf seinem Kopf lag«. Die Kraft wird von den Gefährten weitergegeben – dieser Trost lebt in dem Buch.[1]

(FZ vom 13. 11. 1932, Literaturblatt)

1 Siehe zu Seghers Roman auch Nr. 689 und 734.

## 690. Anzug: Frack

Folgende Einladung liegt uns vor:

»Der Schutzverband Deutscher Schriftsteller
und der P. E. N.-Club (Deutsche Gruppe)
Geben am Donnerstag, dem 17. 11. 1932 ... ein Festbankett zu
Gerhart Hauptmanns siebzigsten Geburtstag.
Wir bitten unsere Freunde und unsere Mit-
glieder mit ihren Damen daran teilzunehmen.

Die Vorstände.
Preis des Gedecks für Mitglieder mit ihren Damen je Rmk. 3.–;
für Nichtmitglieder je Rmk. 4.– Anzug Frack ...«

Aus diesem Text geht unzweideutig hervor, daß der S.D.S. (Schutzverband Deutscher Schriftsteller)[1] den siebzigjährigen Gerhart Hauptmann nicht anders zu feiern gedenkt wie einen Minister, den er nicht zu feiern brauchte. Er hat gesellschaftlichen Ehrgeiz, der S.D.S. Er tut es nicht unter dem Frack.

Wer und was ist dieser Schutzverband, der des Fracks bedarf, um einen deutschen Dichter zu ehren? Jedenfalls ist er keine Vereinigung, die um der gesellschaftlichen Repräsentation willen gegründet worden wäre. Repräsentieren mag der P.E.N.-Club, wenn seine Mitglieder es können.[2] Der S.D.S. dagegen nennt sich selber im Untertitel: »Gewerkschaft Deutscher Schriftsteller« und verfolgt den Zweck, seinen Mitgliedern wirtschaftliche Hilfe und Rechtsschutz zu gewähren. Die meisten deutschen Schriftsteller haben Hilfe und Schutz auch nötiger als einen Frack, ja, sie befinden sich vermutlich nur im S.D.S., um Hilfe und Schutz zu erhalten. Daß sie heute bittere Not leiden und ihre Mahlzeiten nicht eben Festbankette sind, ist wahrhaftig nicht weiter sonderbar. Denn ihr Beruf ist der gleiche, den auch der Dichter der »*Weber*«[3] als den seinen ansah: Kraft des Worts, die Sache der Unterdrückten zu vertreten und – sagen wir es allgemein – für eine bessere Zukunft zu kämpfen. Vielleicht rührt es von dem Ernst her, mit dem viele deutsche Schriftsteller, bekannte und unbekannte, ihren Beruf betreiben, daß sie zwar allenfalls Lorbeeren ernten, aber nur im seltensten Fall Fräcke. Diese Tatsache dürfte sogar dem Vorstand des S.D.S. nicht verborgen geblieben sein. Kann er doch das Verdienst für sich in Anspruch nehmen, die »Künstlerkolonie« am Breitenbachplatz erbaut zu haben,[4] in der seine Mitglieder billige Unterkunft finden. Einige von ihnen sind allerdings schon so ins Elend herabgesunken, daß sie selbst den geringen Mietspreis nicht mehr aufzubringen vermochten.

Das alles weiß der Vorstand des S.D.S. Er weiß, daß sich auch Schriftsteller von Namen und Rang heute durch die Zeit hungern müssen, die sie bereichern, weiß um die Dürftigkeit Bescheid, die stolz und verschwiegen ertragen wird, und beharrt dennoch unnachgiebig auf dem Schein des Fracks, den er zweifellos hat. Seine Forderung verrät nicht

nur, daß er nicht weiß, was er weiß, sie stellt einen *offenen Hohn auf die deutschen Schriftsteller* dar, die in ihrer Mehrzahl möglicherweise gar keine Verbandsmitglieder wären, wenn sie die ihnen anbefohlenen Fräkke besäßen. Dieses Kleidungsstück als eine Selbstverständlichkeit bei ihnen vorauszusetzen, heißt ihre Notlage verkennen, die man kennt, und ihren Beruf mißachten, den man freilich nicht zu kennen scheint. Wie aus den jüngst veröffentlichten Briefen Holsteins zu ersehen ist, lehnte dieser einmal eine Einladung des Kaisers mit der Begründung ab, daß er leider über einen Frack nicht verfüge.[5] Was Holstein recht war, hätte dem Vorstand eines Schriftsteller-Schutzverbandes billig sein sollen; noch dazu bei einer Gelegenheit, die nicht so sehr den Prunk der Hemdbrüste als den der Geister verlangt. Oder ist es bereits wieder so weit, daß man sich mit den Damen um jeden Preis, und sei es um den der Würde, zu Hofe drängen will? Fehlt auch der Hof einstweilen, so sind doch offenbar die Höflinge vorhanden, die ihn am liebsten mit den Frackschößen herbeiwedeln möchten. Sie fragen nicht nach dem Geist, sondern nach seiner Ausstattung. Und statt, wie es ihre Pflicht wäre, dafür zu sorgen, daß das Licht hell strahlt, das die deutschen Schriftsteller verbreiten, stellen sie es unter den Scheffel eines gesellschaftlichen Glanzes, der es unfehlbar verdunkelt, obwohl er selber keineswegs glänzt.
Anzug: Frack. Dank der erbärmlichen Torheit dieser Vorschrift, zu der noch die hohen Kosten des Festbanketts kommen, werden wir das peinliche Schauspiel erleben, daß viele Schriftsteller, die ein Anrecht darauf hätten, Gerhart Hauptmann zu feiern, ihre Zuflucht zu Frackverleih-Instituten nehmen müssen, um den großen Kollegen überhaupt öffentlich feiern zu dürfen. Hoffen wir, daß sie, um die es geht, auch wenn es ihnen nicht gutgeht, auf ihre Mitwirkung an einem solchen Schauspiel verzichten. Und daß sie sich zu einer anderen Feier zusammenfinden, einer, die den Dichter besser ehrt als die tief beschämende des Verbandes.
Haltung: annähernd wie in »*Hanneles Himmelfahrt*« oder »*Fuhrmann Henschel*«.[6] Anzug: nach bestem Vermögen. Gedeck: Würstchen.[7]
(FZ vom 16. 11. 1932)

1 Zum Schutzverband Deutscher Schriftsteller siehe Nr. 611, Anm. 1.
2 Die Schriftstellervereinigung P. E. N. wurde im Oktober 1921 von der Autorin Catherine Amy Dawson Scott in London gegründet. 1925 erfolgte die Gründung des P. E. N.-Zentrums Deutschlands, das 1934 von den Nationalsozialisten aufgelöst und 1948 neu ins Le-

ben gerufen wurde. Das heutige Zentrum ist Mitglied im Internationalen P.E.N. und hat seinen Sitz in Darmstadt. Den Vorsitz des deutschen P.E.N.-Clubs hatte 1932 Alfred Kerr inne.

3 Hauptmann bearbeitete in seinem 1893 von der Freien Bühne uraufgeführten sozialen Drama den Aufstand der schlesischen Weber im Jahr 1844. Erste Buchausgabe: *Die Weber*. Berlin: S. Fischer 1892.

4 Die Künstlerkolonie am Breitenbachplatz entstand 1927/28 auf Initiative der Berufsgenossenschaft deutscher Bühnenangehöriger und des S.D.S. (siehe Nr. 611, dort auch Anm. 1). Auf dem erworbenen Areal wurden nach Entwürfen der Architekten Ernst und Günther Paulus drei Wohnblöcke mit preiswerten und komfortablen Wohnungen für Künstler und Schriftsteller errichtet.

5 Der Diplomat Friedrich von Holstein (1837-1909) wurde 1876 von Bismarck ins Auswärtige Amt nach Berlin geholt, wo er bis in die Mitte der achtziger Jahre die Außen-, aber auch die Innenpolitik des Reichskanzlers mitprägte. Kracauer spielt auf eine Einladung Holsteins zum Diner beim Kaiser im November 1904 an, zu dem Holstein trotz fehlenden Fracks erschien. Siehe Friedrich von Holstein, *Lebensbekenntnis in Briefen an eine Frau*. Berlin: Ullstein 1932, S. 236.

6 Siehe Gerhart Hauptmann, *Hanneles Himmelfahrt*. Traumdichtung in zwei Teilen. Berlin: F. Bloch 1894 (UA 1893); ders., *Fuhrmann Henschel*. Schauspiel in fünf Akten. Berlin: S. Fischer 1899 (UA 1898).

7 In der FZ vom 18. 11. 1932, Nr. 861-863, erschien unter der Überschrift »Gesellschafts-Anzug reicht aus!« aus der Feder Kracauers der folgende Nachtrag: »Zu der von uns vorgestern unter dem Titel *Anzug: Frack* gebrachten Glosse ist nachträglich noch hinzuzufügen, daß dem Vorstand des Schriftsteller-Schutzverbandes selbst Bedenken gegen die Frackvorschrift bei seiner Gerhart Hauptmann-Feier gekommen zu sein scheinen. Er hat eine Karte an seine Mitglieder verschickt, in der es heißt: ›Mehrfache Anfragen geben Ver[an]lassung mitzuteilen, daß zur Teilnahme am Gerhart Hauptmann-Bankett Gesellschaftsanzug ausreicht‹«.

## 691. Der neue Alexanderplatz

War der Alexanderplatz während seiner Bauzeit[1] ein formloser, offener Raum, durch den von allen Seiten her der Wind pfiff, so ist er jetzt ein Muster der Organisation. Der Wind pfeift natürlich immer noch. Gegen die Innenstadt abgegrenzt wird der Platz von zwei riesigen Büro-Hochhäusern, die wie eine Wallmauer aussehen.[2] Auch mit den modernsten Kriegsmitteln vermöchte bestimmt niemand den Wall zu erstürmen. So ist es ein Glück zu nennen, daß er sich dort öffnet, wo die Königstraße in den Platz einmünden will. Wahrhaftig, die Wallmauern unterbrechen

ihren Lauf, lassen die Königstraße passieren und geben zugleich einen wunderbaren Blick auf die Stadtbahn frei. Über die Gleise, die eine Art von Querverbindung zwischen den beiden Hochhäusern herstellen, rollen in einem fort die bunten Stadtbahnzüge, und die Eisenkonstruktion des Bahnhofs sieht gerade noch durch die Lücke hindurch.
Aber dieser Stadtbahnbetrieb hat nichts mehr in das Leben auf dem Platz selber dreinzureden, sondern wird von den Bürohaus-Massiven mit einer selbstherrlichen Gebärde in den Hintergrund zurückgedrängt. Sie schaffen Platz für den Platz, und das eine von ihnen flankiert ihn sogar ein Stück weit, damit er sich desto ungehemmter entfalten kann. Seine Fläche ist ungeheuer, sie gleicht einem See, dessen Ufer man stellenweise aus den Augen verliert. Wäre sie nicht von einem *Rondell* unterteilt, das die Platzmitte ausfüllt, so könnten sich Menschen und Fuhrwerke wahrscheinlich gar nicht orientieren und stießen immer wieder zusammen. Sie kommen ja aus den verschiedensten Richtungen und wollen nach den verschiedensten hin. Das Rondell aber, das sie nicht durchkreuzen dürfen, nötigt sie[3] rein durch sein Dasein dazu, sich hübsch artig im Kreis zu bewegen. Autos, Autobusse, Lastwagen, Passanten: alle umkreisen diese grüne Rasenfläche,[4] die wie ein Niemandsland daliegt und in regelmäßigen Abständen von Straßenbahnmasten und Verkehrsschutzleuten eingefaßt wird. Den unaussprechlichen Frieden, den sie ausströmt, können auch die gelben Straßenbahnen nicht stören. Im Gegenteil, indem sie ohne Aufenthalt über das Rondell hinwegrauschen, vertiefen sie nur den Eindruck, daß es ein Naturschutzpark ist.

Auch unter der Erde ist der Alexanderplatz einwandfrei organisiert. Drei *Untergrundbahnhöfe* liegen hier übereinander, zwischen denen ein Labyrinth von Gängen, Podesten und Treppen vermittelt. Sämtliche Räume und Raumteile glänzen wie Badezimmer, so daß man eigentlich nur noch die vernickelten Hähne der Brausen vermißt. Vielleicht wird die proletarische Bevölkerung, die in der Nachbarschaft wohnt, durch diesen hygienischen Glanz für die Dürftigkeit ihrer Stuben entschädigt, in denen er nötiger wäre. Die Bahnhöfe sind in verschiedenen Farben gekachelt und außerdem, der besseren Übersichtlichkeit wegen, mit Buchstaben bezeichnet. Obwohl aber die Farben und Buchstaben an allen möglichen Stellen auftauchen, um die Suchenden auf den rechten Weg zu führen, ist es doch außerordentlich schwierig, den gesuchten Punkt auch wirklich zu finden. Das System ist nämlich von einer künstlichen Vollkommenheit, die des improvisierten Zugriffs spottet und sich erst nach einem längeren Studium überhaupt fassen läßt. Aus einem an sich begreiflichen Ordnungsfanatismus heraus sind tatsächlich manche Linien und Ausgänge so gut versteckt, daß man sie einfach nicht auffinden kann. Man will nach A und gelangt nach D, von wo man wieder über B oder C zurück muß. Dafür hat man allerdings das große Vergnügen, ausgedehnte Rolltreppen[5] benutzen zu dürfen. Eine von ihnen weicht von den normalen insofern ab, als sie in die Tiefe statt nach oben befördert. Woher es übrigens rührt, daß die meisten Menschen solche Treppen, die sie doch aus Bequemlichkeit verwenden, erst recht hinan- oder herabstürmen, wäre noch zu ergründen.

In der unmittelbaren Nähe des Platzes und von ihm aus sichtbar erhebt sich ein *Bürohauskasten*, der von einem Warenhaus-Konzern errichtet worden ist.[6] Zwischen ihm und den beiden Büro-Hochhäusern an der Stadtbahn liegt nicht nur der Platz, sondern eine halbe Welt. Jenes Gebäude ist eine finstere Unternehmerfestung, deren Kolossalfront aus lauter Lisenen besteht, vor denen man unwillkürlich zittert. Sie endigen oben stumpf, jagen pausenlos über den Mittelturm hin und folgen einander in so unabsehbarer Menge, als gälte es einen Vertikaltrust von Lisenen zu bilden. Jede von ihnen ist ein senkrechter Gewaltakt. In den schmalen Zwischenräumen, die sie frei lassen, sitzen die Fenster wie in Rinnen, mangelhaft ernährte, eingeschüchterte Fenster, die an Angestellte erinnern. Ihre Tätigkeit ist völlig durchrationalisiert, ihr Gehalt entspricht genau dem Tarif. Bald werden sie abgebaut. Dann geht der Betrieb ohne sie weiter, und die Lisenen streichen noch brutaler über die blinde Fassade. Aber es könnte auch sein, daß der Betrieb eines Tages nicht mehr weiterginge ... Im Vergleich mit diesem Konzern-Gebäude, das eine einzige Drohung ist, tragen die beiden Bürohäuser am Platz selber eine freundlichere Gesinnung zur Schau. Sie sind nicht geradezu dem Größenwahn verfallen, sondern passen sich immerhin den Verhältnissen an. Und statt mit einem hochfahrenden Pfeilerwerk aufzutrumpfen, das die Knute über den Fenstern schwingt, schließen sie diese paarweise in

Kästchen ein, in denen sie sich wie in Eigenheimen ausleben dürfen. Häuser, die wenigstens für Menschen gebaut sind und nicht nur zum Ruhm anonymer kapitalistischer Mächte. Vorerst stehen sie freilich größtenteils leer. Das eine von ihnen enthält einen bekannten Restaurations-Betrieb,[7] der zwei Geschosse einnimmt und mit edlen Hölzern und modernen Beleuchtungskörpern ausgestattet ist. Die Kultur der Räume bildet eine Gratiszugabe zum Bier und den Würstchen.

Ist der Platz jetzt nach der Stadtbahn zu abgeschlossen, so steht er nach der anderen Seite zu noch weit offen. Ganze Stadtteile drängen aus dem Osten heran, und zu jedem gehört ein eigener Straßenzug, dem der Blick vom Platz aus[8] folgen kann. Diese Straßen graben sich immer tiefer ins graue Elend hinein, das sie zuletzt verschlingt. An der Stelle, von der sie ausstrahlen, ist ein Stück Vergangenheit übriggeblieben, ein *Kleinstadt-Idyll.* Es setzt sich aus ein paar niedrigen alten Häusern zusammen, die eine grellrote Backsteinkirche umgeben.[9] Je näher man der Gruppe[10] kommt, desto mehr entschwindet die Großstadt; bis man sich am Ende auf einem abgelegenen Plätzchen befindet, zu dem kein Laut von der Welt dringt. Mitten im Alexanderplatz-Gebiet, ist man Stunden weit von ihm fort, irgendwo in der Mark. Eines der Häuschen hat einen Biedermeier-Giebel, und die Kirche, die unzählige Backsteine verschlungen hat, ist zweifellos der Stolz der Gemeinde. Man sieht sie vom Plätzchen aus nur bis zur Hüfte, so hoch wächst sie über die Dächer hinan. Ihre Chöre runden sich üppig, ihre Backsteine bringen kunstvolle Ornamente zustande.[11] Hier, zwischen den Kirchenmauern und den Häuschen, wäre der geeignete Ort für einen malerischen Tümpel mit Enten und Weiden. Nach der Rückkehr ins Leben, die höchstens eine Minute währt, vergißt man sofort das stille Revier. Die Untergrundbahn rauscht durchs Bewußtsein, die tausend Geräusche des Platzes sind viel zu gegenwärtig, um Erinnerungen aufkommen zu lassen. Und erblickte man nicht aus der Ferne die Kirche, so glaubte man das an sie geschmiegte Gewinkel flüchtig geträumt zu haben.

Die Menschenmenge zieht sich an den Bauzäunen entlang, die noch immer ihre Kurven auf der Platzfläche beschreiben. Sie sind mit handgeschriebenen Zetteln beklebt, auf denen billige Mittagstische und günstige Gelegenheitskäufe angepriesen werden. Vor den Zetteln stehen Straßenhändler, deren Beredsamkeit schlechterdings nicht zu überbieten ist. Einer von ihnen hält eine kleine Schlange aus Drahtspiralen feil, die man nur in einer bestimmten Richtung streicheln muß, damit sie sich auf ihrem Papptellerchen ununterbrochen windet. Kitzelt man sie gar am Schwanz,[12] so gebärdet sie sich wie toll und reckt zornig den grünen Kopf empor. Der Händler begleitet ihre Manöver mit Ansprachen, die nicht der Zweideutigkeit entraten, zwingt durch seine Worte die Zuhörer dazu, die leblose Drahtspirale zu beseelen, und versichert alle die seiner Geringschätzung, die nicht einen Groschen für ein Ding anlegen wollen, das soviel Humor und Stimmung verbreitet.[13] Derart unter Druck gesetzt, kaufen viele die Kuverte, in denen das Papptellerchen mit der Schlange steckt. Sie werden hinterher um eine Enttäuschung reicher sein. Aber wie gerne sucht dieses Straßenpublikum der Erwerbslosen, der Arbeiter und Kleinbürger seine Zuflucht bei Illusionen, die es dem Alltag entrücken. Wo er ein Loch hat, schlüpft es hinein. An der Bretterwand, die eine Abwechslung nach der andern gebiert, lehnt auch eine Malerin mit dem Zeichenblock in der Hand. Schon ist das Polizeipräsidium, naturgetreu durchschattiert, auf dem Papier zu sehen, und die Büro-Hochhäuser werden bald folgen. Mädchen, Männer und Frauen umlagern die Künstlerin, blicken ihr nach, wenn sie die Höhen und Breiten visiert, und freuen sich über die gelungene Wiedergabe einer Wirklichkeit, die sie nur zu genau kennen. Sie mustern ihren Platz anders als sonst, sie entrinnen ihrem verzweifelten Dasein für einen Augenblick, indem sie in seinem Abbild versinken.

(FZ vom 18. 11. 1932)

1 Siehe Nr. 530.
2 Die beiden achtgeschossigen Skelettbauten Alexanderhaus und Berolinahaus (siehe auch Nr. 530, Anm. 3) wurden 1930/31 nach Entwürfen von Peter Behrens (siehe Nr. 123, Anm. 1) errichtet.
3 Im Typoskript (KN): »zwingt sie«.
4 Im Typoskript: »grüne runde Rasenfläche«.
5 Im Typoskript: »lange Rolltreppen«.
6 Gemeint ist das 1930/31 vom Karstadt-Konzern errichtete Verwaltungsgebäude, siehe Nr. 556, Anm. 5.
7 Im Typoskript: »enthält den neuen Aschinger-Betrieb«.
8 Im Typoskript: »vom Platz aus lang«.

9 Zur Georgenkirche siehe Nr. 530, dort auch Anm. 5.
10 Im Typoskript: »dieser Gruppe«.
11 Im Typoskript: »ihre Backsteine kreuzen sich vielfältig, um kunstvolle Ornamente zustande zu bringen.«
12 Im Typoskript: »Und berührt man sie gar am Schwanz«.
13 Im Typoskript: »das so viel Stimmung verbreitet.«

## 692. Wunschträume der Gebildeten

### Zu den Schriften von Lothar Helbing und Hans Naumann

Rez.: Lothar Helbing, *Der dritte Humanismus*. Berlin: Die Runde 1932; Hans Naumann, *Deutsche Nation in Gefahr*. Stuttgart: J.B. Metzler 1932.

Neues Leben regt sich wieder in den gebildeten Ständen. Ob es allerdings wirklich lebendig ist, wird sich noch zeigen. Nicht selten wähnt der Eklektizismus, daß er in die Zeit einzugreifen vermöge, und manche Ideen sind in der Tat nur Ideologien.

In seiner Schrift: *»Der dritte Humanismus«* verkündet *Lothar Helbing* einen Neuen Humanismus, der uns zum Unterschied vom ersten der Hutten, Erasmus usw. und vom zweiten der Klassik endlich das Heil bringen soll. Wie sieht dieser Humanismus, der dritte seines Zeichens, aus? Nach einer der vielen Bestimmungen Helbings ist er die »Einsicht in die bewirkenden Grundgewalten der eigenen Zeit, die ehrfürchtige Schau auf den geschichteschaffenden Täter, von dem aus jede anthropologische Betrachtung erst zu ihrem Maßstab kommt, die Bindung an die in unserem Blut wirkenden göttlichen Kräfte und schließlich Wille zum eigenen Raum, wie er im Staat sich ausdrückt ...« An einer andren Stelle heißt es: »Was am Humanismus eindeutig ist, ist sein Formungswille, ist sein Wissen um die echte Mittellinie jeden Gleichgewichts ...« Und wieder anderswo wird erklärt: »... humanistisch denken heißt konservativ, lebensgläubig, form- und gestaltgläubig denken.« Ich greife diese Stichproben nur heraus, um zu veranschaulichen, wie sehr sich Helbing rein im Ideellen bewegt. Zum Glück tut er auch manchmal weniger vor-

nehm. Und wer aus den angeführten Äußerungen den eigentlichen Sinn der neuhumanistischen Haltung noch nicht ganz erraten haben sollte, kann ihn der folgenden Bemerkung, in der sich Helbing von der dialektischen Theologie[1] abgrenzt, unschwer entnehmen. »Müssen notgedrungen Vertreter der dialektischen Theologie sich mit Gedankengängen verbinden, die an eine Lösung der staatlichen Ordnung von wirtschaftlichen Systemen her glauben, so wird sich der Humanismus, abgesehen von aller parteipolitisch bedingten augenblicklichen Auslegung, viel eher im Mythus des Dritten Reiches bestätigt finden ...«
Was sich hier, im Anklang an diesen »Mythus«, Dritter Humanismus nennt, ist faktisch nichts anderes als ein einziges Bemühen, die nationalistische Bewegung den sogenannten gebildeten Ständen kopf- und mundgerecht zu machen. Helbing kommt ihnen unaufhörlich mit Goethe und Nietzsche und betreibt überhaupt einen Bildungsaufwand, dessen Üppigkeit niemand so leicht verkennen wird. Leider zerstört er selber den geistig wohlhabenden Eindruck, den er zu erwecken sucht, wieder dadurch, daß er offenbar einige wichtige und durchaus zitierfähige Autoren wie etwa Max Weber oder Marx nicht gelesen hat. Hätte er sie gelesen, so könnte er zum Beispiel unter keinen Umständen dekretieren: »Wirtschaft und Technik sind nur periphere Ausdrucksformen unseres Seins ...« und damit Wirtschaft und Technik erledigt sein lassen; oder sich im Kampf gegen den Liberalismus und Sozialismus gerade jener Argumente bedienen, die zweifellos die ältesten Ladenhüter sind. Er greift das Prinzip der größtmöglichen Wohlfahrt mit der Begründung an, daß »seine Erfüllung die geistige wie wirtschaftliche Welt in eine uniforme Schrebergartenkultur verwandeln würde«, er macht Front »gegen den alles Schwergewicht in den sozialen Fortschritt oder ein sozialistisches Programm verschiebenden Materialismus, der die menschlichen, religiösen und volkhaften Substanzen zersetzt ...« Sollte man wirklich diesem neuhumanistischen Polemiker noch erläutern müssen, daß der von ihm gemeinte Zersetzungsprozeß nicht die Schuld des Materialismus ist, sondern anderen, höchst konkreten Ursachen entspringt und seinerseits erst den Materialismus emportreibt? Ich ziehe es vor, Herrn Helbing die gründliche Lektüre der Frühschriften von Marx zu empfehlen, damit er wenigstens erfährt, daß der Materialismus, den er so nebenbei und von oben herab zu erledigen glaubt, in einem »realen

Humanismus«[2] wurzelt, der tausendmal realer und humaner ist als sein dritter.
Bedürfte es noch eines Nachweises, daß der »Neue Humanismus« die *ideologische Verklärung des rechtsbürgerlichen, kulturreaktionären Fascismus* ist und nichts außerdem, so wäre er durch die Forderungen erbracht, zu denen Helbing am Schluß gelangt. Um ganz davon abzusehen, daß sie im wohlverstandenen Interesse eines bestimmten politischen Kurses von der keineswegs einwandfreien Behauptung ausgehen, der »Klassenstaat im alten Sinne« sei zerschlagen, stellen sie dem künftigen deutschen Staat Aufgaben, über deren praktische Bedeutung man sich nicht im Zweifel sein wird. Einmal müsse der Staat, meint Helbing, »die unter dem schon recht vieldeutig gewordenen Wort ›Sozialismus‹ zum Ausdruck kommenden Lebensrechte der Besitzlosen durch eine straffere und großzügigere Ordnung der Wirtschaft zu erfüllen wissen usw.«; zum andern habe er Sorge für die »Neubildung des Adels« zu tragen. Welche politischen Mächte im Staat herrschen sollen und wie sie es anfangen müssen, um die straffere und großzügigere Ordnung der Wirtschaft zu erzielen, sagt uns Helbing nicht. Aber er entschädigt uns doch für sein Schweigen durch eine Andeutung, die sich auf die Adelsbildung bezieht. »Wir erleben heute in der fascistischen Auslese um Mussolini und in der russischen kommunistischen Partei ... auf entgegengesetztem Boden gleicherweise den Versuch, eine neue Elite zu bilden.« Da die russische kommunistische Partei vermutlich nur um der theoretischen Vollständigkeit willen hier erwähnt worden ist, bleibt als Musterbeispiel unserer neuen Elite allein die fascistische Auslese übrig. Und mit [der] Analogie für die straffere und großzügigere Ordnung der Wirtschaft wird es nicht anders bestellt sein.
Neuer Humanismus? Alter Eklektizismus. Seine Funktion ist allenfalls die, einige gebildete Wände zu schmücken, die sonst ganz leer wären.[3]

Wie Helbing, so ist auch *Hans Naumann*[4] ideologisch befangen. In seiner Broschüre: *»Deutsche Nation in Gefahr«* entwirft er ein Bild der deutschen Geschichte, um aus seiner Betrachtung einige Folgerungen zu ziehen, die den gegenwärtigen Zustand betreffen. Er stellt das germanische Wesen dar, zu dessen Eigentümlichkeiten es u. a. gehöre, daß man eine Sache um ihrer selbst willen tue und der Held sich freiwillig zu seinem

Schicksal bekenne. Er arbeitet ferner die Struktur unserer staatlichen Verfassung heraus: ihre uralt-föderalistischen Züge und ihre ständische Gliederung, die sich vor allem im mittelalterlichen Deutschland ausprägte. »Es gab einen Gradualismus der Stände, erst Adel und Bauern, und dann nach der glücklichen, die Nation in ihrem Gefüge nicht erschütternden Eingliederung eines dritten Standes, Adel, Bürger und Bauern.« Diese Verfassung, deren Stabilität sich noch dadurch erhöhte, daß wir zum Unterschied von Frankreich weniger das Streben nach einem Nationaltyp als nach verschiedenen deutschen Standestypen hatten, wird von Naumann als eine Art von Erfüllung gepriesen. Sie beruht auf dem Miteinander von Ständen, deren Kämpfe »im allgemeinen nicht der Zerstörung, sondern dem Aufbau« dienten; sie war »ein irdisches Spiegelbild jenes großen metaphysischen Gradualismus, in welchem die Geschöpfe zu Gott hin geordnet waren ...«
Und heute? Naumanns Schilderung des Heute ist ein einziges *Klagelied*: Ein Klagelied über den Tod des Adels, die Gefährdung des Bürgertums, die Auslieferung des Bauerntums an den Vierten Stand, »der aber kein Stand mehr ist, sondern nur eine Klasse, eine Partei«, über die Heraufkunft eben dieser Klasse in Gestalt des Proletariats und nicht zuletzt über den Sturz des – Königtums. Man mag die jetzigen Verhältnisse als ein Chaos auffassen, unmöglich aber, oder richtiger: irreal und romantisch ist es, bei ihrer Deutung *Ursache und Wirkung zu verwechseln*. Genau das tut Naumann, wenn er erklärt: »... Seitdem es mit der Aufklärung des 18. Jahrhunderts wie eine Krankheit über Deutschland kam und seitdem dann besonders im 19. Jahrhundert Kapitalismus und Proletariat, Marxismus und wirtschaftliche Weltanschauung, Übervölkerung, politisches Massenbewußtsein und Maschinenzeit erwachten, alle miteinander aufs engste verschwistert und keines ohne die anderen denkbar, eine wirkliche Schar apokalyptischer Reiter, seitdem ist es langsam zu einer Auflösung und schließlich zu einer namenlosen Katastrophe in dem ständisch und kulturell so schön gegliederten Aufbau des deutschen Volkstums gekommen.« Ich gehe gar nicht darauf ein, daß hier Veränderungen der Wirklichkeit (Kapitalismus, Übervölkerung) mit Veränderungen des Bewußtseins (Aufklärung, Marxismus), die doch in einer bestimmten Weise an jene realen Veränderungen gebunden sind, einfach in einen Topf geworfen werden, sondern stelle nur fest, wie ge-

trübt der Blick dieses hervorragenden Kenners deutschen Volkstums für die tatsächliche Verkettung der geschichtlichen Ereignisse ist, sobald es sich um die politische Aktualität handelt. In Wahrheit verhält es sich keineswegs so, daß der schön gegliederte ständische Aufbau durch die Rezeption der Aufklärung, des Liberalismus und des Marxismus zerstört worden wäre; die Rezeption dieser Ideen ist vielmehr höchstens ein Zeichen dafür, daß die ständische Gliederung dem Strukturwandel der sie mitbedingenden sozialen Wirklichkeit nicht standzuhalten vermocht hat. Wenn solche Wandlungen überhaupt vom ärztlichen Standpunkt aus betrachtet werden sollen, so kann man jedenfalls nur die Altersschwäche des ständischen Organismus selber diagnostizieren; nicht aber geistige Bewegungen wie die Aufklärung usw., die den Platz der aus sehr realen Gründen absterbenden ständischen Vorstellungswelt einzunehmen suchen, fälschlich zu Krankheitserregern stempeln. Einmal scheint es, als ob Naumann der faktischen Beziehung zwischen Ursache und Wirkung doch inne würde. An jener Stelle, an der er zeigt, wie die »besitzlose und ethoslose Fabrik- und Lohnarbeitermasse« entstanden ist, äußert er sich wie folgt: »Die Nation, zur gleichen Zeit unglücklicherweise schwächer werdend in ihren drei wirklichen Ständen, hatte weder Männer noch Mittel bereit, sich diese neue Masse in ihr Gefüge wirklich einzugliedern ...« Was hier eingeräumt ist – die Tatsache nämlich, daß der Zerfall des ständischen Regimes von seinem eigenen (notwendigen) Versagen der veränderten Wirklichkeit gegenüber herrührt –, wird indessen sonst nirgends zugegeben.

Da Naumann die Gründe fürs Chaos dort sucht, wo sie nicht liegen, muß er natürlich auch eine *Lösung* erhoffen, die illusorisch ist. Statt sich nach der von ihm selber so schön geschilderten Art germanischer Helden freiwillig zum Schicksal zu bekennen, das die ständische Gliederung dahingerafft hat, schlägt er uns als Rettung die Restauration *eben dieser ständischen Gliederung* vor, das heißt: er lehnt sich blind gegen das Schicksal auf, das er in die Hand nehmen sollte, er bemüht sich nicht darum, die soziale Wirklichkeit zu verändern und damit die Voraussetzungen für ein neues, zweifellos auch volkshaftes Dasein zu schaffen, sondern möchte die Wirklichkeit in eine Form zurückbannen, die durch ihren Wandel längst zerbrochen ist. Die Realisierung seines Wunschtraumes verspricht er sich von der »romantisch-volkstümlichen Welle«, die schon die Jugendbewegung emporgetrieben habe, und nicht zuletzt von der *nationalsozialistischen* Bewegung mit ihrer »Idee einer Elite als eines neuen Adels, der Energie des Willens und der Tat, mit ihrer Heiligsprechung des rassisch-nordischen Typs, der Erhöhung von Blut und Geist über Verstand, Gefühl und Bildung ...« »Könnte sie«, so meint er von ihr, die er ausdrücklich als eine romantische Bewegung kennzeichnet, »das Proletariat endlich zu einem deutschen Stande machen, könnte sie unserem deutschen Bauerntum seinen deutschen Standescharakter wiedergeben, könnte sie einen neuen deutschen Adel schaffen, so würde sie für unser Volkstum von unendlichem Segen sein.« Könnte sie – aber sie kann nicht. Denn die Wirklichkeit ergibt sich nie und nimmer romantischen Wunschträumen, die ihrem Schein einen andern entgegensetzen.

(FZ vom 20. 11. 1932, Literaturblatt)

1 Siehe Nr. 744, Anm. 1.
2 Siehe u. a. Karl Marx und Friedrich Engels, *Die heilige Familie oder Kritik der kritischen Kritik.* In: Dies., *Werke.* Bd. 2. Berlin: E. Dietz 1980. S. 3-223, Zitat S. 7.
3 Zu Helbings Schrift *Der dritte Humanismus* siehe auch Nr. 742.
4 Zu Hans Naumann siehe Nr. 182, dort auch Anm. 2.

# 693. Zahl und Bild

In den Räumen des *Zentralinstituts für Erziehung und Unterricht*[1] ist zur Zeit eine interessante Ausstellung zu sehen. Sie nennt sich: *»Zahl und Bild«* und veranschaulicht an Hand zahlreicher Beispiele die verschiedenen Methoden, nach denen heute die Ergebnisse der Statistik bildmäßig dargestellt werden. Um gleich die nötigen Daten zu geben: veranstaltet worden ist die Schau vom Zentralinstitut selber unter Mitwirkung des Reichskuratoriums für Wirtschaftlichkeit, dessen Referent Dr. *Kurt H.[einrich] Busse* die Sachbearbeitung übernommen hat.[2] Für die gute Aufmachung zeichnet der Deutsche Lichtbild-Dienst verantwortlich.

Jedermann kennt die graphischen Vergegenwärtigungen, um die es hier geht, von den Reklamen in Schaufenstern her, aus den Zeitungen usw. Man sieht Männchen nebeneinander, deren Zahl oder Größe eine Vorstellung von der Bevölkerungsdichte in Deutschland gibt, erhält aus einer Kombination von Kreisen Aufschluß über die Bedeutung der Weltsprachen, wird durch Sinnbilder mannigfacher Art in die angenehme Lage gebracht, alles Wissenswerte über die Rassen der Erde zu erfahren. Der Zweck dieser Zahlenbilder ist immer der gleiche. Sie wollen das Verständnis gewisser Zahlenwerte dadurch erleichtern, daß sie diese Werte in einer Gestalt vorführen, die ihre sofortige Erfassung ermöglicht. Während die nackten Zahlen ein Nacheinander sind, das sich dem Leser nur schwer erschließt, setzt ihre Verbildlichung den Betrachter mit einem Schlag ins Bild. Ohne erst auf langwierige Beschreibungen angewiesen zu sein, hat er die von den Zahlen gemachten Aussagen über Zustände und Entwicklungen unmittelbar vor Augen. Das Zahlenbild illustriert ja nicht allein den reinen Zahlentext, sondern gibt zugleich den Kommentar dieses Textes figürlich wieder. Es ist die Gestalt einer Zahlenreihe zuzüglich ihres Sinnes.

Jeder quantitativ durchdrungene Stoff läßt sich selbstverständlich auf mannigfaltige Weisen versinnlichen. Man mag ihm mit Kurven beikommen, mit Säulen, mit Meßbildern, in denen Figuren verschiedener Größe auftreten, oder mit Zählbildern, in denen die Zahl und ihre Bedeutung durch bestimmte Mengen schematischer Bildchen repräsentiert werden. Die Ausstellung gestattet nicht nur einen lehrreichen Vergleich zwischen den Darstellungsarten, sie lehrt auch erkennen, daß jede ihre Vorteile und Nachteile hat. Und zwar entspinnt sich fast stets ein Konflikt zwischen Genauigkeit und Anschaulichkeit. Während bei Meßbildern, die verschieden große typische Bilder enthalten, der ziffernmäßige Wert des Bildes in der Regel zurücktritt, verkümmert bei Zählbildern gemeinhin der Inhalt des gewählten Symbols auf Kosten seiner Menge. Welche Methode sich als die beste empfiehlt, kann nur von Fall zu Fall entschieden werden und hängt nicht zuletzt von den mit der Verbildlichung jeweils verbundenen Absichten ab.

Die Tendenz zum häufigen Gebrauch des Zahlenbildes ist modernen Ursprungs. Ausgebildet worden ist sie zuerst in den großen *Ausstellungen*, in denen es darauf ankam, gewisse statistische Erkenntnisse dem breiten Publikum einzuhämmern. So hat zum Beispiel die Dresdener Hygiene-Ausstellung schon vor dem Krieg mit Zahlenbildern zu arbeiten begonnen;[3] aus dem Bedürfnis heraus, die Besucher möglichst schlagkräftig über die Entstehung von Volkskrankheiten, Unfällen usw. zu unterrichten. Und wer etwa die Berliner Ausstellungen der letzten Jahre besuchte, wird beobachtet haben, daß sie in steigendem Maße Sinnbilder zur Veranschaulichung von Quantitäten verwenden. Sie greifen zu Photomontagen, sie nehmen alle möglichen bekannten Zeichen und Vorstellungen zu Hilfe, um den Gehalt der Zahlen durch eine eingängige Bildersprache zu popularisieren. Da nun Ausstellungen nahezu durchweg dem Allgemeininteresse dienen oder doch ihm zu dienen vortäuschen müssen, ist dem Zahlenbild von Anfang an die Bestimmung mitgegeben, ein Wissen auszustreuen, das den Massen nützt. Die Hygiene-Ausstellung hat Propaganda für die Volksgesundheit gemacht, die Bau-Ausstellung[4] die Wohnkultur zu fördern gesucht. Seiner Herkunft nach ist also das Zahlenbild Instrument einer Aufklärung, die keineswegs nur müßige Ziele verfolgt, sondern die gesellschaftlichen Lebensbedingungen verbessern will.

Inzwischen hat sich die Neigung zum Zahlenbild längst verselbständigt und ist den verschiedensten Zwecken untertan gemacht worden. Obwohl hier vom wissenschaftlichen abgesehen werden soll, der die Zahlenbild-Methode weder heraufbeschworen hat, noch auch grundsätzlich auf sie angewiesen ist, möchte ich doch eines einzigartigen Beispiels gedenken, das die Ausstellung auf diesem Gebiet zeigt. Ich meine den im Aufbau befindlichen *Atlas der deutschen Volkskunde*, der von der Notgemeinschaft der deutschen Wissenschaft herausgegeben wird.[5] Dank der vorgelegten Proben erhält die Öffentlichkeit zum erstenmal Einblick in die Methodik des gewaltigen Werks. Es kommt auf Grund einer Enquête zustande, die über 20 000 Ortschaften umfaßt und das gesamte noch erhaltene Kulturgut zu inventarisieren sucht. In den sorgfältig aufgearbeiteten Fragebogen, deren Beantwortung meistens den ortsansässigen Lehrern obliegt, finden sich Fragen wie diese: Wer bevorzugt den

Montag als Hochzeitstag? Ist an den Häusern eine Dachrinne angebracht, und wie heißt sie? Nach wem wird der Erstgeborene genannt? Welche Namen trägt der Palmstrauß? Jeder Frage ist eine eigene Karte Deutschlands gewidmet, in die alle zur betreffenden Frage gehörenden Auskünfte mit Hilfe von Zeichen eingetragen werden; so daß man aus der Karte unverzüglich die Gegenden ablesen kann, in denen etwa die Katholiken den Montag als Hochzeitstag bevorzugen. Natürlich sind die Karten durchweg im selben Maßstab gehalten, um die rasche Herstellung von Beziehungen zwischen den einzelnen Befunden zu erleichtern. Wenn das Werk erst vollendet ist, wird unser Besitz an altem Kulturgut in einer bisher ungeahnten Weise erschlossen sein, und aus seiner geographischen Fixierung werden sich dann zweifellos neue Erkenntnisse ergeben.

Statistische Zahlen sind vieldeutig, und wer sie zu interpretieren hat, kennt ihre Gefahren. Aber stellt sich eine der vielen Bedeutungen, die ihnen innewohnen, bildlich dar, so treten die nicht illustrierten Bedeutungen gern in den Hintergrund zurück. Denn dem Bild eignet eine starke Verführungskraft, die vor allem kritiklose Menschen gefangennimmt. Es fordert ausschließliche Hingabe, es verdrängt die Möglichkeiten, die in ihm nicht einbegriffen sind. Kein Wunder, daß sich *Reklame und Propaganda* des Zahlenbildes bemächtigen. Die Berliner Städtischen Gaswerke lenken zum Beispiel dadurch die Aufmerksamkeit auf sich, daß sie die Größe ihres Betriebs demonstrieren. Ihre Rohrleitungen reichen, wie aus drastischen Abbildungen hervorgeht, von Berlin bis fast nach Neufundland, und unter der Last ihrer jährlichen Koksmenge erstickt das riesige Karstadt-Gebäude.[6] Nach ähnlichen Methoden verfahren die sozialhygienischen Reichsfachverbände, die Auto-Industrie oder die Berliner Elektrizitätswerke, die unter anderem ein interessantes »dreidimensionales Belastungsgebirge« zeigen – ein plastisches Modell, dem sich der Elektrizitätsverbrauch an jedem Tag des Jahres und zu jeder Tageszeit unschwer entnehmen läßt. Nett ist das Räderwerk, das für die Verwendung von Phosphorsäuredünger wirbt, und schlagend das bunte Plakat des Reichsmilchausschusses, das die Bauern dazu bestimmen möchte, ihrer Butter die marktgängige Qualität zu verleihen.

Kaum der Erwähnung bedarf, daß die Überredungsgewalt des Zahlenbildes von der *Agitation* nach bestem Vermögen ausgenutzt wird. Sind Zahlen nicht immer beweiskräftig, so liefert doch das Bild zum mindesten den kräftigen Schein des Beweises. Manchmal kommt dieser auch ohne Schein gar nicht aus, weil er sich sonst gleich als Scheinbeweis enthüllte. So bedient sich die Vereinigung der deutschen Arbeitgeberverbände eindrucksvoller Kurven, um das Verhältnis der Tariflöhne und der Großhandelspreise in eine ihr günstige Beleuchtung zu rücken. Aber die Kurven sind ziemlich willkürlich genullt und lassen einige Faktoren aus, die in diesem Zusammenhang wichtig wären. Sehr interessant ist die Kreis-Darstellung des Vereines deutscher Maschinenbauer, die den Reinproduktionswert der Industrie mit dem kleineren der Landwirtschaft konfrontiert und die Autarkie-Schwärmer sinnfällig widerlegt. An der Wand der Reichszentrale für Heimatdienst wird für die Ankurbelung der Wirtschaft gekämpft und mit vielen Teppichnägeln ein schauriges Bild unseres waffenlosen Zustands in die Köpfe genagelt.

Aber das Zahlenbild ist nicht nur zum Mittel aller dieser Zwecke geworden, sondern entfaltet sich weit über sie hinaus, einem noch verborgenen Ziel entgegen. Tatsächlich erfreut es sich heute einer Beliebtheit, deren Sinn sich nicht ohne weiteres erraten läßt. Es ist, als wolle man aus einer Art von Zwang heraus den ganzen statistischen Stoff unter die Massen bringen. Das statistische Reichsamt etwa gibt seiner kleinen Sonderschau den Titel: *»Popularisierung der Statistik«* und führt dem Publikum auf graphische Weise eine Menge von Daten zu, die man vielleicht nicht alle notwendig zu wissen brauchte. Der Eifer des Reichsamtes ist so groß, daß es sogar die Zukunft ziffernmäßig vorwegnimmt; jedenfalls entwirft es ein Zahlengemälde, das die schon geborenen und die noch ungeborenen schulpflichtigen Kinder im Alter von 6 bis 14 Jahren von 1880 bis 1940 enthält. Bezeichnend für den Zug zum Zahlenbild sind auch die in den Schulen veranstalteten bildstatistischen Übungen, deren Früchte in der Ausstellung farbig erglänzen. Zahlreiche Arbeiten veranschaulichen das Bemühen deutscher und japanischer Schüler, sich alle möglichen Quantitäten durch Kreise, Karten und Männchen ein für allemal einzuprägen. Der Gegenstand, auf den sich ihre Darstellungen beziehen, ist in der Regel die Volkswirtschaft und das staatliche Leben.

Woher dieser Vorstoß des Allgemeinbewußtseins ins Zahlengebiet? Andere Zeiten als die unsrigen haben das Wissen um die Zahlen, die unser gesellschaftliches Dasein betreffen, entweder verpönt oder als ein Geheimnis gehütet. Wenn solche Zahlen jetzt an die Öffentlichkeit getrieben werden, so kann das nur den Sinn haben, daß die Öffentlichkeit mit ihnen umgehen soll. Vielleicht steckt in der Tendenz zum Zahlenbild die zum planwirtschaftlichen Handeln. Denn eine Grundvoraussetzung dieses Handelns wäre allerdings die Vertrautheit des Volks mit den Zahlen, die es erzeugt.
(FZ vom 24. 11. 1932)

1 Das 1915 unter der Leitung des Archäologen und Pädagogen Ludwig Pallat (1867-1946) gegründete Zentralinstitut für Erziehung und Unterricht (ZI) fungierte als Vermittlungsinstanz zwischen staatlicher Bildungspolitik und Schulverwaltung einerseits, Erziehungstheorie und pädagogischer Praxis andererseits und war in der Weimarer Republik eine der wichtigsten Institutionen zur Verbreitung reformpädagogischer Konzepte.
2 Siehe Kurt H. Busse, »Zahl und Bild. Grundsätzliches zur Sonder-Ausstellung im Zentralinstitut für Erziehung und Unterricht in Berlin 1932«. In: *Pädagogisches Zentralblatt* Jg. 12 (1932), H. 11, S. 517-525.
3 Die erste Internationale Hygiene-Ausstellung in Dresden fand 1911 statt.
4 Zur Deutschen Bau-Ausstellung siehe Nr. 557, dort auch Anm. 1.
5 Siehe *Atlas der deutschen Volkskunde*. Hrsg. mit Unterstützung der deutschen Forschungsgemeinschaft von Heinrich Harmjanz und Erich Röhr. 6 Lieferungen. Berlin und Leipzig: S. Hirzel 1937-1939; neue Folge: *Atlas der deutschen Volkskunde*. Auf Grund der von 1929 bis 1935 durchgeführten Sammlungen im Auftrag der Deutschen Forschungsgemeinschaft hrsg. von Matthias Zender in Zusammenarbeit mit Heinrich L. Fox u. a. Marburg: Elwert 1958-1979.
6 Zum Karstadt-Warenhaus am Hermannplatz siehe Nr. 472, dort auch Anm. 1.

## 694. Das Leben Spinozas

Rez.: Rudolf Kayser, *Spinoza. Bildnis eines geistigen Helden*. Wien und Leipzig: Phaidon 1932.

In seinem Buch: *»Spinoza«* entwirft *Rudolf Kayser* ein Lebensbild des Denkers, das nicht nur deshalb zur rechten Zeit kommt, weil sich der Geburtstag Spinozas gerade jetzt zum 300. Mal gejährt hat.[1]
Unter den vielen Biographien, die während der letzten Jahre über uns

ausgeschüttet worden sind, stellt diese schon insofern eine Ausnahme dar, als sie nicht einem bewegten Dasein, sondern einem sehr verborgenen gilt. Kayser löst die fast unlösbare Aufgabe, die Biographie eines Philosophen zu schreiben, dessen biographisch erfaßbare Züge zu versinken scheinen, mit außerordentlichem Takt. Wichtig ist vor allem, daß er ausführlich bei den sozialen, politischen, religiösen Zuständen verweilt, die Spinozas Existenz und Werk mitbedingen. Er schildert die Situation der Marranen in Holland, den eingreifenden Charakter der Kämpfe, die sich zwischen den neuen Gedanken und den alten Glaubensbekenntnissen vollziehen, die Bedeutung der Regentschaft Jan de Witts usw. So gelingt es ihm, Spinozas Lehre in den historischen Raum einzubeziehen und die Umwelt herzustellen, die sein Leben begrenzt. Es ist ein Leben, das den Schauplatz der Ereignisse meidet, um im Denken zu vergehen. Indem Kayser seinen Stationen folgt, läßt er völlig die Psychologie aus dem Spiel, die hier noch unangebrachter wäre, als sie es sonst schon ist. Statt nach Art mancher beliebter Biographen das Wort aus irgendwelchen Strukturen des empirischen Daseins zu deuten, erklärt er eben umgekehrt den Ablauf des Daseins aus der Struktur spinozistischen Denkens. Seine Erzählung ist gegenständlicher Art, sie beschreibt dieses Leben von den Gehalten her, um derentwillen es sich verzehrt. Das wenige Private wird nicht unzulässig ausgeweitet und jede Episode auf ihren Sinn hin untersucht.

Dank diesem behutsamen Verfahren tritt der entscheidende Zug der Existenz Spinozas zutage: die *Einheit von Denken und Sein*, die in der Wirklichkeit seines Lebens nur die Attribute einer und derselben Substanz zu sein scheinen. Immer wieder weist Kayser darauf hin, wie sich hier Haltung und Lehre wechselseitig bewahrheiten. Seiner Aufgabe gemäß streift er natürlich nur die Gehalte des Werks. Aber bringt er auch keine Gedankenanalysen, so arbeitet er doch nachdrücklich jene Seiten des spinozistischen Schaffens heraus, die uns heute besonders zugewandt sind. Er leitet die Aufklärung aus Spinoza ab, kennzeichnet die Sprengkraft und Gefährlichkeit seines Denkens und erhellt die Beziehungen zwischen philosophischer Theorie und politischer Praxis. Ich kann mir nicht versagen, ein paar bei Kayser zitierte Sätze Spinozas wiederzugeben, die sich gegen die Vergewaltigung des Volks durch eine diktatorische Herrschaft richten: »Wenn aber Sklaverei, Barbarei und Einöde Frieden heißen sollen, dann gibt es für die Menschen nichts Erbärmlicheres als den Frieden. In der Tat gibt es gewöhnlich mehr und heftigere Streitigkeiten zwischen Eltern und Kindern als zwischen Herren und Knechten, und doch liegt es nicht im Interesse des Haushaltes, das väterliche Recht in Herrschaft umzuwandeln und damit die Kinder als Sklaven zu behandeln. Die Sklaverei, nicht der Friede fordert also, alle Gewalt einem zu übertragen: denn der Friede besteht wie gesagt nicht in einem Verschontsein von Krieg, sondern in der Einigung und Eintracht der Gesinnung.«

Ohne daß Kayser Spinoza je fälschlich zu aktualisieren suchte, zeigt er die Aktualität dieser Gestalt. Man muß nur die Verhältnisse zu transponieren verstehen.

(FZ vom 27. 11. 1932, Literaturblatt)

1 Baruch de Spinoza (gest. 21. 2. 1667) wurde am 24. 11. 1632 in Amsterdam geboren.

## 695. Seele ohne Ende

Rez.: Friedrich Torberg, ... *und glauben, es wäre die Liebe*. Roman unter jungen Menschen. Berlin u. a.: P. Zsolnay 1932.

Der Kreis junger Leute, den *Friedrich Torberg* in seinem Roman: *»... und glauben, es wäre die Liebe«* heraufbeschwört, scheint alten Schnitzler-Romanen entsprungen zu sein. Das heißt, ich bezweifele keineswegs, daß es solche jungen Menschen auch heute gibt, vor allem in Wien und anderen großstädtischen Enklaven; aber nicht alles Heutige ist wirklich von heute. Und diese kleine Clique gar kommt so aus dem Gestern, daß sie wie ein verschollenes Trüppchen in unserer Zeit anmutet. »Tanja saß da«, heißt es einmal, »mit sehr irdischem Interesse in ein Modejournal vertieft, und schon begann das kleine Dasein seine Tücken gegen mich zu mobilisieren: Leo Weil und Viktor Hellmer tauchten auf und hatten laute Stimmen, der Kellner schleppte Zeitungen herbei, und in balkendicken Lettern stand es da über der ganzen Breite: ›Zwölf Millionen Arbeitslose‹.« Wenn mich nicht alles täuscht, klopft die Gegenwart, die sich hier in Gestalt von zwölf Millionen Arbeitslosen schüchtern bemerkbar macht, sonst nur noch bei seltener Gelegenheit an.

Die jungen Leute sind überdies viel zu sehr mit sich beschäftigt, um auf das Klopfen überhaupt zu achten. Womit aber beschäftigen sie sich? Mit dem, was der auf der Umschlagseite enthaltene Waschzettel »die seelische Not und Sehnsucht der heutigen Jugend« nennt. Wahrhaftig, sie haben es so eilig, sich in ihr Innenleben zu stürzen, daß man kaum erfährt, wer die Betreffenden eigentlich sind. Studenten, ein Dichter, ein Räsoneur, ein Sportsmann, der offenbar im väterlichen Geschäft arbeitet, ein paar Bürgerstöchter, die keine pekuniären Sorgen zu haben scheinen, und nicht zuletzt Tanja: das ungefähr ist das vag bestimmte Ensemble. Seine Mitglieder bewegen sich vor Hintergründen, die völlig im Hintergrund bleiben, und interessieren sich weder für die Welt noch für ihre etwaigen Berufe, sondern einzig und allein für ihre »seelische Not«. Diese Not besteht natürlich in nichts anderem als in Liebeserlebnissen der verschiedensten Art. Der Sportsmann ist ein Don Juan, Ruth liebt Peter, Peter nimmt Inge und begehrt Hilde, Hilde vereinigt sich mit dem Dichter Walter, der Tanja liebt, die auch von Viktor geliebt wird. Entwickelten sich diese Beziehungen wenigstens einigermaßen glatt! Aber von den Liaisons des Sportsmannes abgesehen, sind sie beinahe durchweg so kompliziert, daß man nie recht weiß, ob sie sich überhaupt noch entwikkeln. Unnennbar schwierig ist vor allem das Verhältnis zwischen den beiden Hauptfiguren Walter und Tanja, dessen einzelne Phasen das Buch ausfüllen und die Welt mit ihren zwölf Millionen Arbeitslosen verdrängen. Die seelische Not Walters braucht freilich viel Platz. Denn wenn zum Beispiel die Gelegenheit für einen Kuß günstig wäre, küßt er nicht einfach die Geliebte, sondern reflektiert erst lang über die Problematik des Kusses. »Immer verfange ich mich an diesem Haken; ich begann wieder komplizierte Untersuchungen über die Wichtigkeit des Kusses anzustellen, ob ich Tanja nun küssen sollte oder warum lieber nicht, was geschehen würde, wenn ich sie küßte, und – da spürte ich, daß ihr Blick auf mich gerichtet war, und sah nach ihr hin: sie schien auf etwas zu warten, auf meine Entgegnung vielleicht, dann plötzlich glaubte ich klar zu wissen, daß es doch nur mein Kuß sein könne – aber da war es mir eben schon klar, und alles vorbei, es kann doch nur besinnungslos geschehen, der ganz große Rausch, der wahre Taumel muß sich doch vorher begeben, im wirren Entschluß.« Natürlich mag es unter Umständen nicht einfach sein, einen Kuß zustande zu bringen. Hier jedoch erlangt die mit dieser Aktion verbundene Mühe keine Bedeutung, die sie wirklich gehaltvoll machte, sondern kennzeichnet lediglich einen psychologischen Zustand. Den des Spätlings, der von den Zinsen des ererbten Seelenkapitals lebt.

Die Form, deren sich Torberg zur Gestaltung des psychologischen Stoffes bedient, ist die des *Tagebuchs*. Tatsächlich setzt sich der ganze Roman aus lückenlos ineinandergreifenden Tagebuch-Aufzeichnungen der Mehrzahl des beteiligten Personals zusammen. Gegen den etwaigen Vorwurf, daß Tagebücher doch heute selten geschrieben werden und ihre Verwendung daher leicht irreal wirken könnte, verwahrt sich namens des Autors der Dichter Walter, der aus seinen Erlebnissen ebenfalls einen Roman zu machen gedenkt. »Daß in diesem Kreise von ungefähr zehn Leuten gleich sieben auf einmal Tagebücher führen, käme mir ja selbst ein wenig unwahrscheinlich vor ... Aber daß in bestimmten Zeitabständen bestimmte Vorgänge rekapituliert und bestimmte Überlegungen daran geknüpft werden – das wiederum halte ich für so selbstverständlich, glaubhaft und sicher, daß eine solche Form der Einkleidung wohl gerechtfertigt erschiene.« Obwohl sich Walter alias Torberg in dieser Vermutung zweifellos irrt, oder doch jedenfalls die Rekapitulation vergangener Vorgänge, wenn sie überhaupt stattfindet, durchaus nicht tagebuchartig zu erfolgen pflegt, darf man die gewählte Tagebuch-Form um so eher passieren lassen, als sie mit gewissen Skrupeln zu unterbauen versucht wird. Walter hat das Tagebuch in der Absicht begonnen, Ehrlichkeit gegen sich selber zu üben, und kommt erst in dem Augenblick auf den Gedanken seiner literarischen Auswertung, in dem er sich von der Undurchführbarkeit jener Absicht überzeugt. Eine Begründung, die allerdings schon verrät, wie psychologisch das ganze Unternehmen gemeint ist. Es stammt aus der Betrachtung seelischer Relationen und mündet wieder ins Seelische ein. Immerhin ist das starke Talent anzuerkennen, mit dem Torberg die Überlieferungen psychologischer Erzählerkunst aufnimmt und fortgestaltet. Er hantiert mit seinen Tagebüchern wie mit Spiegeln, die ein und dasselbe Ereignis von verschiedenen Seiten her bannen, versteht sich auf die Schilderung der hinterbliebenen bürgerlichen Seeleninterieurs und folgt subtilen Schwingungen bis in den letzten Bewußtseinswinkel hinein. Das empfindliche Innere Tanjas zum Beispiel ist zart und reizend wiedergegeben. Ich habe zu erwähnen vergessen, daß Tanja eine Russin ist, wie sie in den heutigen russischen Romanen nicht mehr vorkommt; viel eher in manchen deutschen, denen solche russische Mädchen immer ein Stück Exotik bedeuten. Tanja liebt oder liebt auch nicht und führt verwickelte Gespräche darüber; was sie sonst noch tut, ist nicht zu ermitteln. Am wenigsten gelungen scheint mir der Sportsmann zu sein, der sich im Tagebuch, das gar nicht zu ihm paßt, fortwährend wie ein versierter Herzensbrecher ausdrücken muß.

Daß es Torberg inmitten der vielen seelischen Not nicht nur behaglich zumute ist, geht aus seinem gegen den Schluß hin gemachten Versuch hervor, das psychologische Milieu zu durchbrechen. Er läßt Walters Gewissen sich regen. Walter, der im allgemeinen rein von sich selber erfüllt ist, legt sich Rechenschaft von seinem Verhältnis zur Außenwelt mit ihren zwölf Millionen Arbeitslosen ab. Das Ergebnis ist freilich dies: daß er angesichts der zwölf Millionen nicht etwa sein eigenes millionenschweres Innenleben einzuschränken lernt, sondern, im Gegenteil, es noch weiter ausbauen will. Zwar wünscht er sich den Tag herbei, an dem die Klassen aufhören und niemand mehr hungern wird, aber er beklagt zugleich die »spießerische Engstirnigkeit«, mit der für solche Ziele gekämpft werde, und meint außerdem, daß ihre Verwirklichung weniger wichtig sei als das, was ihn, Walter, im Innern bewege. Er nennt das ihn Bewegende schlicht Liebe und schreibt von ihr ins Tagebuch: »Wenn die neue Ordnung von hier aus erst sich schaffen müßte und Boden gewinnen? Wenn ihr unbrauchbar wärt für sie, ehe ihr dieses nicht erkannt habt? Es kann doch nichts kollektives sein, was euch segnen soll, ehe ihr nicht frei geworden seid aus euch und zueinander könnt! Ihr seid doch jeder in eure eigene Not verstrickt, jeder, den es angeht, also jeder ... Jeder in seine Not. Seht ihr denn nicht die große Brücke, die sich wölbt über Hunger und Liebe? Beide, nur Pfeiler, beide, jetzt. Aber es wird keinen Hunger [geben] und dennoch Liebe, Stützpfeiler, starker und einziger. Und es wird eben erst dann keinen Hunger mehr geben, bis es die Liebe gibt. Ich glaube es so.« Ich muß gestehen, daß mir diese Brük-

kenkonstruktion nicht ganz klar ist und daß ich vor allen Dingen nicht einsehe, warum Walter den Kampf zur Abschaffung der Klassen um der von ihm angesprochenen Liebe willen deklassieren muß. Es fehlt ja keineswegs an Zeugnissen dafür, daß die Liebe sich mit einem derartigen Kampfe verbünden kann. Indem Walter (bzw. Torberg) diesen Bund verwirft, beweist er unzweideutig, daß es ihm bei der Auseinandersetzung mit der Tatsache der Arbeitslosen-Millionen nur um die Ehrenrettung seiner seelischen Not zu tun ist. Er bietet die Arbeitslosen auf, weil er sich ruhigen Gewissens wieder in seine Privatgemächer zurückziehen möchte. Aber das Argument, mit dessen Hilfe er sein Gewissen beschwichtigt, ist faktisch eine pure Ideologie. Denn einmal sind die Liebeserlebnisse, denen er obliegt, noch nicht mit Liebe identisch, und zum andern wüßte ich nicht, wie solche langwierigen psychologischen Abläufe zu jener eingreifenden Macht gelangen sollten, die er ihnen im Interesse ihrer Verteidigung doch beimißt. Kurzum, das Psychologische wird hier nicht durchbrochen, sondern bleibt in sich befangen. Auch ereignet sich nirgends seine Zersetzung; etwa nach dem Beispiel von *»Fräulein Else«*, einem Werk, in dem die Psychologie bis zum Ende ihrer selbst treibt.[1] Gewiß glaubt der junge Walter auf den letzten Seiten an der Wirklichkeit der Liebe in unseren Tagen verzweifeln zu müssen; diese fragwürdige, vom befreundeten Räsoneur nur lahm korrigierte Erkenntnis zwingt ihn jedoch nicht zur Abdankung bloßer Seelenhaftigkeit, ist vielmehr deren folgenloses Produkt.
Gespenster von ehedem. Solange sie das Wesen mit dem Verwesenden und ihre Welt mit der Welt verwechseln, werden sie sich niemals zum Heute durchfinden, in das sie sich verirrt haben.
(FZ vom 27. 11. 1932, Literaturblatt)

1 Siehe Arthur Schnitzler, *Fräulein Else*. Berlin u. a.: P. Zsolnay 1924. Die Novelle, eine psychologische Fallstudie, in der Schnitzler u. a. Erkenntnisse der Psychoanalyse aufgreift, ist durchgängig als innerer Monolog erzählt.

## 696. H. O. Hemel [sic]: »Die Kellnerin Molly«

Rez.: Hans Otto Henel, *Die Kellnerin Molly*. Berlin: Fackelreiter 1933.

Das Buch: »*Die Kellnerin Molly*« von *Hans Otto Henel* ist eine Sittenschilderung, in der die Lebensschicksale eines armen Mädchens vergegenwärtigt werden, das ohne eigene Schuld immer tiefer bergab gleitet. Aber nicht um dieses Mädchen selber geht es in dem Buch, sondern um jene Mächte, durch deren Zugriff oder Ohnmacht Molly so viel leiden muß. Die Schule und Kliquenwirtschaft der Provinzstadt, die Rechtspflege, die weiblichen Fürsorgeanstalten, die Hämischkeit der Kleinbürger, die Verbindungsstudenten: sie alle stehen hier vor Gericht. Schade, daß der Autor nicht immer zwischen schlechten Zuständen und menschlichen Schlechtigkeiten zu unterscheiden versteht; aber seine soziale Empörung ist echt und trifft auch häufig die Sache, die festgenagelt zu werden verdient. Durch das dilettantische Ungeschick, mit dem er bei der Erzählung verfährt, wird das Buch leider um einen Teil seiner Wirkung gebracht.
(FZ vom 4. 12. 1932, Literaturblatt)

## 697. Preußische Baukunst

Die *Preußische Staatshochbauverwaltung* veranstaltet im Verkehrs- und Baumuseum eine Ausstellung: »*Preußische Baukunst*«, in der an Hand ausgewählter Entwürfe, die zum überwiegenden Teil den Aktenböden und Archiven der Behörden entstammen, die künstlerische Entwicklung der Bauverwaltung vergegenwärtigt wird.[1] Dank der sorgfältigen Sichtung des Materials, die ein Verdienst von Ministerialdirektor Dr. Kießling und seines Mitarbeiters Ministerialrat Dr. Behrendt ist,[2] nötigt diese Sammlung wirklich zur Sammlung. Sie greift auf die frühen Traditionen der Staatsbauverwaltung (um 1800) zurück, führt über Heinrich Gentz und Friedrich Gilly zu Schinkel[3] und von diesem weiter bis zum Ende der sechziger Jahre. Hier, vor Beginn des Krieges 1870/71, bricht sie ab, so daß man ein geschlossenes Bild jenes wichtigen Zeitabschnittes *zwischen der Ära Schinkels und den Gründerjahren* erhält, in dem die klassizistisch-romantische Richtung zu Ende schwingt und der Industrialismus immer stärker nach eigenem Ausdruck verlangt.

Die Entwürfe aus den ersten Jahrzehnten des 19. Jahrhunderts verraten immer wieder, wie gut sich das Preußentum mit dem Klassizismus verträgt. Es werden einige Normal-Pläne für Amtswohnungen, Försterhäuser usw. aus der Zeit um 1800 gezeigt, deren nüchterne Strenge unmittelbar in die Formen Gillys überleitet. Jener Frühzeit gehören auch Zeichnungen von Gewächshäusern an, die bereits vom Geist moderner Sachlichkeit erfüllt zu sein scheinen. Allerdings wäre nichts verkehrter, als aus der äußeren Ähnlichkeit auf die Übereinstimmung der Baugesinnung schließen zu wollen. Denn während sich in den modernen Glasbauten das technische Wesen des Hochkapitalismus darzustellen sucht, verkörpern die damaligen eher die traditionellen Tugenden des preußischen Militär- und Beamtenstaates. Von Gilly selber sieht man ein Rittergut in Steglitz,[4] das trotz der üppigen Raumbemessung soldatisch straffe Züge aufweist. Sie werden auch nicht durch die im Hintergrund des Fassadenentwurfs angedeutete Landschaft gemildert, die mit Hilfe von Zypressen und Tempelchen den Berliner Vorort in ein nordisches Hellas verwandeln möchte. Eine Staffage von schöner Zaghaftigkeit, vor der die Lisenen und Fenster des Rittergutes exerzieren. Paradeplätze und Kasernen sind noch die Hauptpointen eines Stadtplanes von Schinkel, dessen Klassizismus auf dem reibungslosen Ineinander von militärischer Disziplin und dorischen Säulen beruht. Er ist nicht mit seinen bekannten Entwürfen, sondern mit ein paar Zweckbauten vertreten. Unter ihnen fällt der Leuchtturm von Arcona auf,[5] in dem der herkömmliche Stil zum Zweckstil durchzubrechen trachtet.

Aber trotz mancher Beziehungen zwischen sachlichem Preußentum und technisch-kapitalistischer Sachlichkeit ist noch ein weiter Weg bis zu den Industriebauten von heute. Wie weit er ist, geht aus der Darstellungsart Schinkels, seiner Vorgänger und Nachfolger hervor. [Ihre] Entwürfe vergegenständlichen zum Unterschied von den modernen ein *gebundenes* Bewußtsein, das nicht in Relationen zu denken geübt und insofern das Widerspiel der sozialen Situation ist, der sie entwachsen. Die Freitreppe in Gillys Ritterguts-Grundriß stößt von einem braun ausgepinselten Geländestreifen ab, der von Rechts wegen nur in einem Aufriß etwas zu suchen gehabt hätte. Daß er sich in den Grundriß verirrt, ist ein Zeichen des Gefühls für Bedingtheit. Das gleiche Gefühl spricht auch aus den säuberlich durchgeführten Pflastersteinen, die einen anderen Grundriß Gillys umgeben. Man verfügt noch nicht nach kapitalistischer Weise über den Raum, man ist in ihn eingeordnet und hängt von ihm ab. Schinkels Perspektiven und Fassadendetails sind wahre Wunder einer Genauigkeit, die sich nur daraus erklären läßt, daß sich der Künstler seiner Umwelt verhaftet weiß. Jeder einzelne Backstein in einer Wand korrespondiert mit der Landschaft, und die Barke im Fluß ist ein Element der Architektur, an der sie vorübergleitet. Das heißt aber nicht, daß Schinkel die Bauwerke im Sinne der Späteren dem Milieu anpaßte; er will sie vielmehr zu einem echten Bestandteil der Welt, seiner Welt, machen. Der Drang zur Eingliederung des Gebäudes in die Natur der Landschaft oder der Stadt tritt erst von der Zeit an auf, in der durch technische Erfindungen, soziale Veränderungen usw. die Beziehungen zur Natur lockerer werden.

Nach Schinkel bemächtigt sich die gleichzeitige Romantik mehr und mehr der Baukunst. Zwei kleinere Kirchenentwürfe, die nebeneinander hängen, veranschaulichen in lehrreicher Weise diese Entwicklung. Der eine von Schinkel selber steht an der Schwelle des Kommenden: antike Formen behaupten sich inmitten gotischer Vertikalen, vertrocknender Klassizismus bändigt gerade noch die romantische Schwärmerei. Der andere von Stüler,[6] der etwa zehn Jahre später entstanden ist, zeugt schon von fortschreitender Erweichung. Die festen Rundbogen Schinkels werden zugunsten launischer Wölbungen verdrängt und gut organisierte Wände, die für sich selber sprechen könnten, von englischer Gotik überzogen. Das Bürgertum glaubt, die blaue Blume zu suchen, und macht sich tatsächlich viel blauen Dunst vor. Eine schlesische Hochofenanlage aus dem Jahre 1850 sieht wie eine mittelalterliche Festung aus, von deren Wällen nur dann die Zugbrücke herabgelassen wird, wenn ein verbündeter Raubritter naht. Man steckt schon zu tief im Frühkapitalismus drin, um jene altpreußische Nüchternheit zu bewahren, die, ohne ihn zu meinen, doch durch ihre Ungeschminktheit sein wahres Wesen enthüllte. Gewiß, die Fabrikschlote sollen rauchen, aber niemand soll's wissen. So zieht man sich von den häßlichen Produktionsstätten des Profits in die Schönheiten christlicher Basiliken und italienischer Villeggiaturen zurück. Das Idyll wird Trumpf. Ihm huldigt der Potsdamer Hofarchitekt Ludwig Persius,[7] der die Symmetrie verwirft, den geschlossenen Baukörper auflöst und seine Architekturen in die unberührte Natur hineinkomponiert, aus der sich die Zeit entfernt hat. Die ideologischen Abläufe jener Jahrzehnte sind besonders deutlich den Entwürfen Carl Ferdinand *Busses* zu entnehmen, dessen Werk in dieser Ausstellung zum ersten Male vor Augen geführt wird (vergl. den interessanten Aufsatz von Walter Curt Behrendt über Busse im *Zentralblatt der Bauverwaltung*, Heft 53).[8] Er kommt aus der Strenge Schinkels und gibt sich dann der romantischen Strömung hin. Das Pfarrhaus zum Beispiel, das er für die Wiesenkirche in Soest entworfen hat,[9] wäre die geeignete Unterkunft für eine Spitzweg-Figur. Hinten schwebt die bläuliche Kirche und vorne wuchern die Lauben. Und doch kündigt sich trotz solcher Lieblichkeit in diesem Künstler die Ahnung der modernen Welt an. Sein Moabiter *Zellengefängnis*,[10] das heute noch zur Stadtbahn herüberdroht, hat sowohl die Romantik wie die klassizistische Verkleidung abgestreift. Kahl steht es in der rauhen Luft, eine angegraute Architektur, mit deren Unversöhnlichkeit ihre Illusionslosigkeit versöhnt.

Den Beschluß der Schau bildet die Emser Trinkhalle (1869),[11] die mit ihrem Renaissanceprunk schon auf den Zauber der Gründerjahre hindeutet. Doppelsäulen tragen die Bögen, Statuen frohlocken in den Nischen über die reichen Gewinne, und ein riesiger Glasbaldachin überdacht die Terrasse, auf der sich Geschäftsleute von den Strapazen ihres Berufes erholen. Noch sind die Stützen aus Gußeisen, die den Baldachin tragen, aber mit dem Fortschritt der Technik werden sie nach weiteren stürmischen Jahrzehnten ebenso verschwinden wie die Renaissanceornamentik und die Statuen, die der Anonymität der modernen Kapitalmächte nicht mehr entsprechen.

(FZ vom 8. 12. 1932)

1 Die Ausstellung fand im Dezember 1932 u. d. T. »Preußische Baukunst der Zeit vor und nach Schinkel« statt.

2 Zu Hanns Martin Kießling siehe Nr. 494, Anm. 6, zu Walter Curt Behrendt Nr. 494, Anm. 3.
3 Heinrich Gentz (1766-1811) und sein Schwager Friedrich Gilly (1772-1800), einer der Lehrer Karl Friedrich Schinkels (1781-1841), gehörten zu den wichtigsten Baumeistern und Stadtplanern ihrer Epoche. Als Mitarbeiter des Oberhofbauamtes, Mitglieder der Berliner Akademie der Künste und Professoren der 1799 gegründeten Berliner Bauakademie waren sie von maßgeblichem Einfluß auf die Entwicklung der klassizistischen Architektur in Preußen.
4 Das Gutshaus Beyme in Berlin-Steglitz wurde 1804-1808 nach Entwürfen von Gilly und Gentz gebaut.
5 Der Alte Leuchtturm auf Kap Arkona (Rügen) wurde 1826 errichtet; inwieweit Schinkel an dem Bau beteiligt war, ist heute umstritten.
6 Friedrich August Stüler (1800-1865), ein Schüler und Mitarbeiter Schinkels, wurde unter Friedrich Wilhelm IV. als »Architekt des Königs« zum einflußreichsten Baumeister Preußens. Er errichtete u. a. das Neue Museum (1843-1855) auf der Berliner Museumsinsel.
7 Auch Ludwig Persius (1803-1845) war ein Schüler und Mitarbeiter Schinkels. Nach dessen Tod fungierte er gemeinsam mit Stüler als maßgeblicher Bauberater Friedrich Wilhelms IV., wobei Persius vor allem für Bauten in Potsdam zuständig war.
8 Siehe Walter Curt Behrendt, »Carl Ferdinand Busse. Ein preußischer Baubeamter«. In: *Zentralblatt der Bauverwaltung vereinigt mit Zeitschrift für Bauwesen* Jg. 52 (1932), Nr. 53, S. 628-636. Carl Friedrich Busse (1802-1868) begann seine Laufbahn ebenfalls als Mitarbeiter Schinkels und war von 1845 bis 1866 Direktor der Berliner Bauakademie.
9 Der Entwurf ist vorläufig nicht zu ermitteln.
10 Das Zellengefängnis an der Lehrter Straße in Berlin-Moabit wurde 1842-1849 nach dem Modell der englischen Strafanstalt Petonvielle von Busse erbaut.
11 Die Trinkhalle für Ems wurde 1869 nach Entwürfen des Architekten Emil Flaminius (1807-1893) erbaut.

# 698. Prohibition

Rez.: Upton Sinclair, *Alkohol*. Übers. von Elias Canetti. Berlin: Malik 1932.

*Upton Sinclairs* Roman: *»Alkohol«*[1] erscheint bei uns in dem Augenblick, in dem Amerika wieder naß werden will.[2] Vielleicht ist dieses Zusammentreffen auf das Zögern des Autors zurückzuführen, den Kampf gegen den Alkohol aufzunehmen. Jedenfalls verhält sich Sinclair auch in seinem Buch selber wie ein Zögernder. Er greift die alkoholischen Ausschweifungen an, ohne durchaus für das Prohibitionsgesetz einzutreten. Man hat das Gefühl, daß die ganze Angelegenheit nicht unbedingt die seine ist.[3] Der Ton des Buches ist ziemlich gedämpft.

Die Handlung, die vor dem Krieg beginnt und tief in die Nachkriegszeit hineinreicht, ist natürlich durch die thematische Aufgabe bestimmt. Sie spielt in den Südstaaten und später in New York und umfaßt lauter Personen, die alle irgendeine Beziehung zum Trinken haben. In den meisten Fällen sind diese Beziehungen positiver Art. Kips Vater geht an Trunksucht zugrunde, und Maggie Mays Vater, ein reicher Zuckerrohrpflanzer, bringt sich sogar infolge des gleichen Lasters um. Sein Sohn Roger hat die Säuferanlage geerbt, die ihn vermutlich eines Tages ins Unglück stürzen wird. Daß das Prohibitionsgesetz ihn und die meisten anderen erst recht zum Genuß geistiger Getränke reizt, versteht sich von selbst. Ausgemachte Antialkoholiker sind eigentlich nur Maggie May und der arme Kip, zwei sympathische junge Menschen, die nach ihrer Heirat ein stilles normales Leben führen würden, wenn sie sich nicht durch die traurigen Schicksale in ihren Familien und ihrem weiteren Kreis dazu berufen fühlten, die Sache der Prohibition aktiv zu verfechten. Kip tritt in den Bundesdienst und wird bei einer Razzia gegen Alkoholschmuggler erschossen. Seine Frau hält Vorträge gegen den Alkohol, in denen sie den Untergang ihres Vaters schildert, wirbt zahlreiche Anhänger und ruft nach Kips Opfertod zum Frauenkreuzzug gegen die *Speakeasies*[4] auf.

Die Mattigkeit Sinclairs hat ihren Grund ersichtlich darin, daß es sich mit der Prohibitionsbewegung ähnlich wie mit dem Pazifismus verhält. Nicht anders wie der Krieg ist auch der amerikanische Alkoholismus keine isolierte Erscheinung, die für sich allein zu beseitigen wäre, sondern das Zeichen eines Schadens, an dem die ganze Gesellschaftsordnung krankt. Pazifismus und Prohibition: beide wenden sich gegen die *Symptome* eines Übels, statt das Übel selber an der Wurzel anzugreifen. Da sie aber die Herkunft der Symptome übersehen, können sie nicht einmal diese tilgen. Sie führen einen Kampf, der trotz mancher willkommener Einzelergebnisse aussichtslos ist; vorausgesetzt, daß er den Kämpfenden nicht zuletzt doch die Augen über den wahren Sitz des Krankheitsherdes öffnet. Wenn Sinclair, dem es, wie man weiß, um die Veränderung der gesamten Gesellschaftskonstruktion geht, sich in seinem neuen Buch auf die Abwandlung des Problems Alkohol beschränkt, so schließt er eher die Augen. Und seine Befangenheit rührt eben daher, daß er eine Aktion in die Mitte rückt, deren Vordergründigkeit ihm gewiß nicht verborgen ist. Er müßte aber ein größerer Künstler sein, als er ist, um dennoch die selbstgewählte Aufgabe bewältigen zu können. So lähmen ihn sachliche Skrupel, die sich ohne Zwischeninstanz in ein künstlerisches Versagen umsetzen. Gewohnt, seine Typen aus den sozialen Zuständen herauszukonstruieren und den Schwerpunkt auf die kapitalistische Struktur der Gesellschaft zu legen, bewegt er sich nur unsicher in den Räumen, in die ihn das Romanthema drängt. Hier gelten die üblichen Stilisierungen nicht; hier wird der soziale Standort durch das Verhältnis der verschiedensten Menschen zum Alkohol überdeckt. Kurzum, Sinclair ist durch seinen Stoff zur Darstellung menschlicher Züge genötigt, die sich nicht unmittelbar aus dem gesellschaftlichen Ort der betreffenden Figuren ergeben. Die Beschaffenheit des Koordinatensystems, auf das er diese Figuren beziehen muß, hat aber Charakterisierungsmängel zur Folge. Roger zum Beispiel soll ein charmanter Junge mit genialen dichterischen Fähigkeiten sein, gehört jedoch leider der upper class an und treibt sich dauernd unter Millionären herum. Sinclair fühlt sich daher verpflichtet, ihn einerseits zum Zyniker zu stempeln, um ihn nicht ironisch behandeln zu müssen, und ihn andererseits ironisch zu behandeln, weil er nur ein goldblonder Liebling ist. Auch das Heldentum, das Maggie May und Kip im Interesse der Prohibition entwickeln, erfährt keine klare Bewertung Auf ihre Tapferkeit fallen Schatten, und ihr Anstand wirkt etwas dürr.

Diese Unentschiedenheiten wären dadurch zu tilgen gewesen, daß Sinclair entweder seine Personen als volle Individuen durchgestaltet, oder die gesellschaftlichen Verhältnisse, in denen sie leben, ganz freigelegt hätte. Bei seinem geringen Zug zum Individuellen war er also in Wahrheit vor allem auf die scharfe Darbietung der sozialen Konstruktionen angewiesen. Tatsächlich aber gehorcht er der Notwendigkeit, die Kämpfe ums feuchte Element soziologisch und sozialistisch zu motivieren, nur stellenweise und nicht sehr energisch. Gewiß, er zeigt, wie reiche Bankiers zu Alkoholschmugglern werden, deckt die Heuchelei auf, die in den Lagern der Alkoholfreunde und ihrer Gegner herrscht, und läßt Maggie May in eine ausbaufähige Beziehung zur Arbeiterpartei geraten. Indessen, die Andeutungen dieser Art sind stets Gelegenheitsprodukte und bilden jedenfalls nicht die Hauptader des Romans. Es ist, als befürchte Sinclair, von seinem Thema abzulenken oder es zu bagatellisieren, wenn er die Scheinhaftigkeit des Prohibitionsstreites drastisch enthüllte. Lieber beschränkt er sich darauf, das Für und Wider in der Alkoholfrage umfassend miteinander zu konfrontieren und die Personen vorwiegend als Beispiele und Gegenbeispiele auftreten zu lassen. Kaum spürt man, daß sie Bürger sind. Sie haben es nicht zu richtigen Individuen und ebensowenig zu richtigen sozialen Typen gebracht. Als halbe Geschöpfe bleiben sie im Dazwischen stecken.

Der Vorteil der Halbheit ist, daß neutrale Schilderungen überwiegen, die unsere Kenntnis des amerikanischen Lebens vermehren. Man könnte Sinclairs Roman als einen *Sittenroman* ansprechen. Außerordentlich interessant sind etwa die Einblicke, die er ins Leben der Patrizierfamilien aus dem Süden bietet. Sie halten an ihren Traditionen und Konventionen fest, verfügen über ein gewisses Erbgut an Phantasie und identifizieren nicht ohne weiteres den Wert eines Menschen mit dem seines Besitzes. Die Beziehungen solcher Familien zu New Yorkern sind bis in alle Details hinein beschrieben. Ferner ist dargestellt: ein fixer Redakteur, der sich geschickt hochstapelt; der feudale Haushalt eines Finanzgewaltigen; das Treiben literaturbeflissener Gesellschaftskreise; der Alltag in einer großen Pension. Ein reichhaltiges Material, das Stichproben aus vielen sozialen Schichten vereinigt und fesselnd verarbeitet ist.
(FZ vom 11. 12. 1932, Literaturblatt)

1 Engl. Orig.: *The Wet Parade*. New York: Farrar & Rinehart 1931.
2 Von 1919 bis 1933 waren in den USA die Herstellung und der Verkauf von Alkohol gesetzlich verboten; die Prohibition wurde im Februar 1933 aufgehoben.
3 Zu früheren Romanen Sinclairs siehe Nr. 105.
4 Engl.: Flüsterkneipen, d. h. Lokale mit illegalem Alkoholausschank.

## 699. Bericht aus der Sowjetunion

Rez.: Franz Carl Weiskopf, *Zukunft im Rohbau.* 18 000 km durch die Sowjetunion. Berlin: Malik 1932.

In seinem Buch »*Zukunft im Rohbau*« berichtet F.[ranz] C.[arl] Weiskopf[1] von einer knapp halbjährigen Reise durch Rußland, die ihn unter anderem nach Magnitogorsk im Ural, nach Stalinsk im Kusnezbecken und ins Altai-Gebirge führte. Er hat – das muß vorausgeschickt werden – keine Ergebnisse wissenschaftlicher Art zurückgebracht, sondern Aufzeichnungen, in denen sich unmittelbare Eindrücke verdichten. Diese Reportagen, aus deren Reihe wir vor kurzem eine Probe in unserem Feuilleton veröffentlichten,[2] sind schon darum wertvoll, weil sie zum Unterschied von den Schilderungen der meisten Rußlandreisenden auf der Kenntnis der russischen Sprache beruhen. Da sie ferner eine Menge verschiedenartiger Gebiete und Lebensumstände betreffen, verschaffen sie uns wirklich eine lebendige Vorstellung von der gegenwärtigen Situation. Zugegeben, daß sie für ihren Gegenstand ein günstiges Vorurteil hegen und vielleicht manche Dinge unbeachtet lassen, die ein Andersdenkender kritisch erwähnte. Aber daraus Weiskopf einen Vorwurf zu machen, wäre um so verkehrter, als er selber seine Gesinnung nirgends verhehlt. Und überdies enthält das Bild, das er entwirft, so wesentliche Züge, daß die etwa unberücksichtigt gebliebenen zunächst ruhig ausgeschaltet werden dürfen.

Ein entscheidender Zug ist zum Beispiel der, daß man in der Sowjetunion nicht jene Angst kennt, die geradezu ein Bestimmungsmerkmal unseres neuen Nationalismus ist: die Angst, es könne *die Natur durch den Intellekt geschädigt* werden. Immer wieder erzählt Weiskopf von Bauern, Hirten, Steppenbewohnern, die sich wie ein Schwamm mit dem Wissen vollsaugen, das man ihnen jetzt bietet. Sie, deren viele vor absehbarer Zeit noch nicht einmal eine Eisenbahn mit eigenen Augen erblickt hatten, arbeiten an den Drehbänken, studieren technische Werke und bemühen sich leidenschaftlich um den Erwerb des rationellen Denkens, dessen Sinn ihnen durch die Existenz des großen Planes vergegenwärtigt wird. Kommt dabei ihre Natur zu kurz? Oder verlieren die Lernenden die nationalen Eigentümlichkeiten, von denen unser Rundfunk zur Zeit nicht genug zu schwärmen weiß?[3] Im Gegenteil, kraft der Natur, in deren selbstverständlichem Besitze sie sind, gelingt es ihnen, ihre Verstandeskräfte zu mobilisieren, und was an echten Eigentümlichkeiten vorhanden ist, muß des vermehrten Verstandesgebrauchs wegen wahrhaftig nicht untergehen. »Um ... das erste Metall aus ›ihrem‹ Hochofen tanzen die Komsomolzen und Komsomolzinnen der ersten Niederstoßbrigade einen wilden Tanz«, berichtet Weiskopf. Ebenso führt er Beispiele des Heroismus und der Opferbereitschaft an, die hinlänglich beweisen, daß die Natur hier ein gewaltiges Wort mitzureden hat. Wenn man sie bei uns gegen den Intellekt aufzuhetzen sucht, so geschieht es auf Grund einer ideologisch bedingten Verwechslung, auf die ich seinerzeit in meiner gegen den »Tat«-Kreis gerichteten Abhandlung: »Aufruhr der Mittelschichten« (vergl. die Reichsausgaben vom 10. und 11. Dezember 1931)[4] aufmerksam machte. Und zwar verwechselt man zwei Sorten von Intellekt: den, der selber ein schlechtes Naturprodukt ist, das sich blind und eigensüchtig entfaltet, und den, der dank seinem Ursprung in der Vernunft die menschliche Gesellschaft zu regulieren unternimmt. Dieser letzte Intellekt ist nicht der Feind, sondern der Freund jeder Natur, die sich überhaupt richten lassen will, und er allein ist auch von den Russen gemeint. Das geht aus ihrem Verhältnis zur Technik eindeutig hervor. »Man schreibt im Ausland immer wieder«, sagt ein baschkitischer Agro-Ingenieur, »wir berauschen uns an der Technik – aber das ist falsch. Seht ihr, was mich berauscht ... ist etwas ganz anderes. Ich sehe dann immer die Bauern vor mir, die ... nicht mehr diese unendlich langen, toten Stunden im Dunkeln durchdösen müssen ... sondern auch die Welt erkennen lernen, aufwachen, aus einem stumpfen Dasein in ein Leben, das sich zu leben lohnt!« Ähnliche Aussprüche finden sich wiederholt. Sie lehren, daß in der Sowjetunion statt des blinden Intellekts, der stumpf in die Technik einmündet, ein von der Vernunft her bestimmter angesprochen wird, der die Technik im Interesse der Gesellschaft umgreifen möchte. »Bei uns kann die Maschine nie zum wilden Tier werden«, erklärt ein junger Mann, »bei uns wird sie immer nur ein Gehilfe des Menschen sein.« Nicht anders begrenzt dieser Intellekt auch die Selbstherrlichkeit des nationalen Prinzips. Es gilt in den Diskussionen niemals als Ziel, ist vielmehr der natürliche, gar nicht weiter zu erörternde Ausgangspunkt von Betrachtungen und Konstruktionen, die sich auf die gesellschaftli-

chen Leistungen beziehen. Keine Rede davon, daß die Natur dadurch vergewaltigt würde; aber sie steht allerdings unter fester Kontrolle. Ohne daß es zur allgemeinen Formulierung solcher Erkenntnisse käme, schimmern sie doch durch die Porträtskizzen, Zustandschilderungen und Gesprächsprotokolle Weiskopfs hindurch. Im übrigen sind seine Darstellungen mehr dem Alltag zugewandt und dokumentieren vor allem das Lebensgefühl, das sich heute in den russischen Massen regt. »Ich hatte mich schon eingewöhnt und fühlte mich wohl«, erzählt eine ehemalige Prostituierte, »aber an diesem Geburtstag spürte ich auf einmal, daß das Leben neu ist, daß es einen Sinn hat, zu leben ... und daß es schön ist!« – »Es gibt ja jetzt so viel Neues in der Welt«, sagt einer, »wir sind in der besten und glücklichsten Zeit geboren ...« Und ein Arzt in Ulagan meint: »Das wächst schon alles in die Höhe. Von ganz unten her. Überall. Das wächst, sage ich euch, das wächst! Und wenn ihr in ein paar Jahren wiederkommt ...« Die Äußerungen dieser Zuversicht lassen keinen Zweifel darüber aufkommen, daß es in der Sowjetunion tatsächlich gelungen ist, die Kräfte des Volks zu befreien und zu produktivieren.
(FZ vom 11. 12. 1932, Literaturblatt)

1 Zu F. C. Weiskopf siehe Nr. 446, Anm. 9.
2 Franz Carl Weiskopf, »Adijok erzählt«. In: FZ vom 22. 11. 1932, Nr. 871-873.
3 Siehe Nr. 672 und 688.
4 Siehe Nr. 615.

## 700. Über weibliche Angestellte

Rez.: Josef Witsch, *Berufs- und Lebensschicksale weiblicher Angestellter in der Schönen Literatur*. 2., ergänzte Aufl. Köln: Verlag des Forschungsinstituts für Sozialwissenschaften 1932 (= Sozialpolitische Schriften des Forschungsinstituts für Sozialwissenschaften in Köln, Heft 2).

Die Schrift von *Josef Witsch*: *»Berufs- und Lebensschicksale weiblicher Angestellter in der Schönen Literatur«* ist eine methodologisch interessante Untersuchung, die auch auf andere literarische Gebiete ausgedehnt werden sollte. Witsch analysiert nach bestimmten sachlichen und sozial-

kritischen Gesichtspunkten alle Romane, die sich mit weiblichen Angestellten befassen, und erhebt so eine literarische Strömung ins Bewußtsein, über deren Stärke man sich bisher noch kaum Rechenschaft abgelegt hatte. Sie ist erst in der Nachkriegszeit entstanden, hängt aufs innigste mit dem Wachstum der Angestelltenschaft, der Veränderung ihrer Funktionen und ihrer zunehmenden Proletarisierung zusammen und hat bereits zahlreiche Werke emporgetrieben. Zu ihnen gehören die Romane von Rudolf Braune, Joseph Breitbach, Anita Brück, Irmgard Keun, Maria Leitner usw. – Autoren, denen neuerdings auch Martin Kessel beigetreten ist.[1] Selbstverständlich vergißt Witsch in seiner Zusammenstellung nicht jene Sorte von Unterhaltungsliteratur, der es weniger darauf ankommt, wirkliche Zustände zu beschreiben, als die unwirklichen Illusionen der Angestellten zu nähren. Am Schluß konfrontiert er das Ergebnis seiner Analysen mit den sozialen Tatbeständen und zeigt, wie sich Literatur und Realität wechselseitig erhellen.
(FZ vom 11. 12. 1932, Literaturblatt)

1 Siehe Irmgard Keun, *Gilgi, eine von uns.* Berlin: Universitas 1931; dies., *Das kunstseidene Mädchen.* Berlin: Universitas 1932; Martin Kessel, *Herrn Brechers Fiasko.* Stuttgart und Berlin: DVA 1932; zu den Büchern von Breitbach, Braune und Brück siehe Nr. 487, dort auch Anm. 2; zu *Hotel Amerika* von Maria Leitner siehe Nr. 525.

## 701. Der Verleger großen Stils

Mögen auch verschiedene Auffassungen vom Beruf des Verlegers zu Recht nebeneinander bestehen, so gibt es doch zweifellos einige Züge, die den wirklichen Verleger unter allen Umständen auszeichnen müssen. Zu seinen Bestimmungsmerkmalen gehören etwa: die Leidenschaft, neue Talente zu entdecken; literarisches Finderglück; die Fähigkeit, zwischen den richtigen und unrichtigen Erkenntnissen der Zeit, zwischen ihren echten Gehalten und ihren Scheinwerten zu unterscheiden; die Initiative zur tatkräftigen Förderung des als echt und richtig Erkannten. Daß heute die Mehrzahl der deutschen Verleger diesem Idealbild gliche, wäre zu viel behauptet. Ein Blick auf die deutsche Verlagsproduktion[1] klärt darüber auf, welche Anarchie innerhalb des Verlagswesens herrscht. Manche Verlage haben kaum noch ein Gesicht, sondern produzieren ein Kunterbunt, das an die gemischten Kuchenplatten in den Caféhäusern erinnert. Ist das eine Buch eine Niete, so ist das andere vielleicht ein Schlager. Man sucht nicht dadurch aktiv dem Zufall zu begegnen, daß man Autoren erzieht und ein wenig planvoll handelt – man läßt sich treiben und richtet sich höchstens nach der Konjunktur. Die Not ist allerdings groß.

Unter den Verlegern, die trotz der schwierigen Zeiten Haltung und Physiognomie bewahren, nimmt Bruno Cassirer einen Ehrenplatz ein.[2] Er, der einst wegen Wedekinds: *»Büchse der Pandora«* auf der Anklagebank saß,[3] als erster deutscher Verleger Tolstoi und Maxim Gorki herausbrachte[4] und einen Lektor wie Christian Morgenstern an sich zu fesseln verstand,[5] entspricht in der Tat dem Begriff, den man sich gern vom Verleger großen Stiles macht. Ich wüßte aber nicht, was ich ihm Schöneres nachrühmen sollte, als dies: daß er die Unabhängigkeit der Gesinnung mit dem Verantwortungsgefühl für unsere soziale Wirklichkeit vereinigt – zwei Tugenden, die nur selten zusammentreffen und gerade dem Verleger der Gegenwart eine besondere Bedeutung verleihen. Dank ihrer glücklichen Verbindung in der Person Bruno Cassirers gehen denn auch aus seinem Verlag mehr und mehr Werke hervor, die nicht nur ein Schmuck sein wollen, sondern den Ehrgeiz haben, in unsere Verhältnisse einzugreifen, um sie zu bessern.[6] Die Namen von Albert Lamm, Walter Bauer, Ernst Haffner usw.[7] bezeichnen eine Hauptrichtung dieses Verlages. Indem Bruno Cassirer aber Autoren um sich sammelt, denen die Sache der Aufklärung in einem entscheidenden Sinne am Herzen liegt, hilft er, wie wenige deutsche Verleger sonst, eine Zukunft vorbereiten, die wirklich Zukunft heißen darf.

Ich schätze mich glücklich, diesem Manne freundschaftlich verbunden zu sein. Und mein Wunsch zu seinem 60. Geburtstag wäre eigentlich nur der: daß er sein Werk noch lange Jahre fortführen möge. Ein Wunsch, der nicht nur ihm gilt, sondern beinahe mehr noch uns.

(*Vom Beruf des Verlegers: Eine Festschrift zum 60. Geburtstag von Bruno Cassirer*, 12. 12. 1932)

1 Siehe Nr. 640, 646 und 681.
2 Im Verlag von Bruno Cassirer sollte auch die Sammlung von Feuilletons erscheinen, die

Kracauer 1933 als »Straßen-Buch« zusammenstellte. Siehe Nachwort und editorische Notiz, S. 710.

3 Nachdem Franz Wedekinds *Büchse der Pandora* (Berlin: B. Cassirer 1903) im Juli 1904 von der Staatsanwaltschaft wegen »unzüchtiger Passagen« beschlagnahmt worden war, wurden Verleger und Autor der gemeinsamen Verbreitung »unzüchtiger Schriften« angeklagt. Das Gericht sprach Cassirer und Wedekind frei, das Drama blieb als »(objektiv) unzüchtige« Druckschrift aber zunächst verboten.

4 Jeweils in Erstübersetzungen von August Scholz publizierte der Verlag 1902 von Gorki *Ausgewählte Erzählungen* sowie die dramatische Skizze *Die Kleinbürger. Szenen im Hause Bessjemenows*, 1904 erschienen Tolstois *Drei Legenden.*

5 Christian Morgenstern (1871-1914) war seit 1903 als Lektor im Verlag von Bruno Cassirer tätig, wo u. a. seine Gedichtsammlungen *Galgenlieder* (1905) und *Melancholie. Neue Gedichte* (1906) erschienen.

6 Das literarische Programm des Verlags wurde zwischen 1928 und 1938 maßgeblich von dem Lektor Max Tau (siehe Nr. 409, dort auch Anm. 2) geprägt.

7 Zu Lamm und Haffner siehe Nr. 683, 734 und 743, zu Lamm auch Nr. 668. Von Walter Bauer (1904-1976) waren bis zu diesem Zeitpunkt die Romane *Ein Mann zog in die Stadt* (1931) und *Die notwendige Reise* (1932) erschienen.

## 702. Photographiertes Berlin

Im Lichthof des *Kunstgewerbemuseums* werden *1000 Berliner Ansichten* gezeigt, die von *A.[lbert] Vennemann* photographiert worden sind.[1] Sie kleben auf braven weißen Kartons und veranschaulichen alle möglichen Einzelheiten des Berliner Lebens, das der Öffentlichkeit zugewandt ist. Daß sie ein wenig starr wirken, so, als seien sie stehen geblieben, erklärt sich zweifellos aus der durch den Film veränderten Art unseres Sehens. Der Film hat uns daran gewöhnt, die Gegenstände nicht mehr von einem festen Standort aus zu betrachten, sondern sie zu umgleiten und unsere Perspektiven frei zu wählen. Was er vermag: die Fixierung von Dingen in der Bewegung, ist der Photographie versagt. Daher erscheint sie dort, wo sie noch Selbständigkeit beansprucht, als eine Form, die historisch zu werden beginnt. Sie löst sich langsam aus der Gegenwart und nimmt schon ein altmodisches Wesen an. Hierin gleicht sie der *Eisenbahn*, die sich zum Flugzeug wie die Photographie zum Filmstreifen verhält. Eisenbahn und Photographie: beide sind Zeitgenossen und einander darin verwandt, daß sich ihre Gestalten vollendet haben und längst die Vorstufe neuer Gestalten bilden. Wir haben uns heute von den Schienen nicht anders abgelöst wie von der einst für die Kamera unerläßlichen Ruhelage. Und gehört auch die Photographie noch durchaus dem Heute an, so fallen doch bereits jene Schatten auf sie, die alle fertigen Besitztümer umhüllen.

Aufgenommen sind fast lauter Objekte, die man vom Alltag her kennt. Altberliner Häuser, Schlösser und Paläste, Straßen und noch einmal Straßen, spielende Kinder, Restaurants, Werktätige der verschiedensten Berufe, Passanten, Weekend-Ausflügler, Parkanlagen und schöne Punkte der Umgebung, Bahnhöfe, Industriewerke und moderne Geschäftsbauten – das Inventar könnte schwerlich vollständiger sein. Diese vielen Bilder sprechen vor allem zur Erinnerung. Sie beschwören Eindrücke herauf, die wir gehabt haben, ohne uns Rechenschaft über sie abzulegen, sie bannen Altvertrautes, das die ganze Zeit über mit uns gegangen ist. Die Lichtreklamen sind unsere Abendgesellschaft, und ebenso ist uns schon manchmal der spielende Gassenjunge erschienen, der die Ritzen zwischen den Pflastersteinen auskratzt. Sämtliche Photographien rufen[2] eigentlich nur *die* optischen Bestände ins Gedächtnis zurück, die unserem Dasein einverleibt sind. Nichts aber ist mehr in Ordnung, als daß sie gerade jene Welt vergegenwärtigen, die wir besitzen. Denn sie und nicht die neue, erst zu erobernde Welt ist der rechtmäßige Gegenstand der Photographie. Tatsächlich vermag ein photographisches Bild keinen vollen Begriff von irgendeinem Ding zu verschaffen, das der Betrachter des Bildes noch nicht gesehen hat. Das Original einer Aufnahme läßt sich aus dieser niemals erschließen, und die zahllosen photographischen Reproduktionen von Kunstwerken verbreiten nicht etwa die Kenntnis der Werke, sondern beweisen nur, daß die reproduzierte Kunst ihre eingreifende Wirkung verloren hat. Eine unzulängliche Ansichtspostkarte, die man von einer Reise mitbringt, erfüllt die dem Lichtbild zukommende Funktion besser als eine Prachtphotographie unbereister Gegenden. Es wäre nützlich, einmal genauer zu untersuchen, bis zu welchem Grade die in den Illustrierten angeschwemmten Aufnahmen die Aufnahmefähigkeit des Publikums für die sichtbare Welt ersticken. Die Photographie gibt ja nicht die Bedeutungen mit, die erfahren sein müssen, um ein

Objekt zu unserem Objekt zu machen – sie spiegelt nur das aus allen Erfahrungszusammenhängen gerissene Objekt wider. Nicht das Äußere des Objekts, sondern eine unverbindliche Abstraktion von ihm geht ins photographische Bild ein. Statt also einen Gegenstand vorzustellen, ist die Photographie auf den bereits vorgestellten Gegenstand angewiesen, um ihn überhaupt darbieten zu können. Ihr Hauptfeld ist das versunkene Bekannte. In der Ausstellung dient sie auch wirklich als *Führer durch die Erinnerung*. Indem sie uns aber zu einer erstaunlichen Fülle von Wiederbegegnungen verhilft, erteilt sie uns endlich die Verfügungsgewalt über die Sachen und Figuren, mit denen wir unbewußt lebten.[3]

Besonders gelungen sind einige Bilder aus dem *Tiergarten*. Sie bringen das Teichhafte, Verschollene des Tiergartens dadurch heraus, daß sie kaum höher als bis zum Ansatz des Laubes dringen und den Himmel ganz unterschlagen. So wird die freie Natur draußen ferngehalten und der Binnencharakter des künstlichen Parks betont. Abgeschnürt von der Gegenwart, scheint er schon ins Vergangene eingerückt zu sein. Er wirkt wie ein Gleichnis der Photographie selber, und vielleicht folgt ihm diese darum so mühelos nach, weil auch sie an der Schwelle des Gestern weilt. (FZ vom 15. 12. 1932)

1 Nähere Informationen zur Ausstellung konnten bislang nicht ermittelt werden. Zum Berliner Kunstgewerbemuseum siehe Nr. 625, Anm. 1.
2 Im Typoskript (KN): »rufen uns«.
3 Im Typoskript: »unbewußt leben.«

## 703. Straße ohne Erinnerung

Scheinen manche Straßenzüge für die Ewigkeit geschaffen zu sein, so ist der heutige Kurfürstendamm die Verkörperung der leer hinfließenden Zeit, in der nichts zu dauern vermag. Am deutlichsten bin ich mir dieser Tatsache durch zwei Ereignisse bewußt geworden, die ungefähr ein Jahr auseinanderliegen und in sich zusammenhängen. Das erste: Ich will vor Antritt einer Reise noch rasch eine mir altvertraute Teestube aufsuchen,

um dort eine Kleinigkeit zu Mittag zu essen. Die Teestube gehört so durchaus zu meinem Stammbesitz an Lokalen, daß ich, ohne mich weiter umzusehen, automatisch das Vorgärtchen passiere und die Türklinke niederdrücke. Die Tür ist verschlossen. Erschrocken blicke ich auf und erkenne durch die Spiegelscheiben, daß das Innere geräumt ist. Es muß über Nacht geräumt worden sein, denn am Abend vorher war die Teestube noch erleuchtet gewesen. Oder täusche ich mich? Während ich mir den gestrigen Abend zu vergegenwärtigen suche, bemerke ich unmittelbar vor mir ein Schild an der Tür, auf dem erklärt wird, daß der Eigentümer des Lokals dieses bald an einer anderen Stelle aufzumachen gedenke. Da ich nicht so lange warten kann, kehre ich traurig um und besuche ein mir bisher unbekanntes Café an der nächsten Kurfürstendammecke.
Das zweite Ereignis, das sich, wie gesagt, ein Jahr später zugetragen hat, betrifft eben dieses Café. Vorauszuschicken ist, daß mein erster Aufenthalt in ihm zugleich mein letzter war. Der Glanz seiner Architektur erschien mir als übertrieben und steigerte noch dazu die Empfindlichkeit gegen den schlechten Geschmack seiner Getränke. Dennoch zählte das Café zu meinen bleibenden Straßeneindrücken. Ich kam hier fast jeden Abend vorbei, und mochte ich auch gerade zerstreut oder in ein Gespräch vertieft sein, so rechnete ich doch an diesem Punkt meines Weges fest mit den Lichteffekten, die das Lokal in verschwenderischer Fülle entsandte. Je heller die Lichter, desto trüber das Publikum. Eines Abends überfällt mich plötzlich eine Art Heimweh nach dem Café. Man hat solche Tage, an denen man vor der Gewohnheit ausrückt und die gemiedenen Orte begehrt. Schon bin ich bei der bewußten Ecke, aber wo ist ihr Glanz? Die Ecke leuchtet nicht mehr, und an Stelle des Cafés tut sich ein verglaster Abgrund auf, in den ich langsam hineingezogen werde. Er ist per sofort zu vermieten. Ich entschließe mich nur zögernd zu einem neu gegründeten Lokal, das zwischen dieser und der folgenden Straßenkreuzung liegt.

Nicht so, als ob ich bezweifelte, daß der Kurfürstendamm ein paar Läden und Betriebe enthält, die zur Seßhaftigkeit neigen: sie verschwinden jedoch in der Menge der übrigen, die wie eine Hafenbevölkerung kommen und gehen. Der Zeitpunkt, zu dem diese Lokalitäten jeweils auf der

Bildfläche erscheinen, ist grundsätzlich nicht zu ermitteln. Genug, daß sie von irgendeinem Termin an vorhanden sind, aus dem Nichts entstandene Restaurants, Cafés, Barinterieurs, Pensionen und Geschäfte, die sich durchweg so gebärden, als existierten sie wirklich. Dabei können sie nur durch Hexerei hergeweht worden sein. Ein leichtes Spiel für solche unheimlichen Winde sind vor allem die zahllosen Lädchen, die sich absichtlich klein machen, um nicht zu viel Platz einzunehmen. Man hätte sonst Schwierigkeiten bei ihrem Transport. Sie bieten Spezialitäten wie Parfüms, Täschchen und Leckereien an, die sich durch eine besondere Winzigkeit auszeichnen, und befassen sich überhaupt vorwiegend mit dem Vertrieb von Gegenständen, denen selber ein Hang zur Ortsveränderung innewohnt. Was bewegte sich zum Beispiel freudiger als ein schönes Abendkleid? Hinter jedem neuen Schaufenster beinahe erwarten uns neue Toiletten. Obwohl die Auslage schmal ist, treten sie doch mit dem Anspruch von Modeschöpfungen auf und wahren einen so aristokratischen Abstand voneinander, daß man ihnen die billigen Preise nicht glaubt, die vielleicht gar nicht so billig sind. Mit diesen Kreationen aus zweiter Hand wetteifern die Möbel, die heute vom reinsten Wandertrieb besessen zu sein scheinen. Alter Hausrat, der jahrzehntelang vor denselben Tapeten stand, hat seine Quartiere verlassen und blickt jetzt aus fremden Fenstern auf die Straße hinaus. Gleichen die Magazine, die ihn beherbergen, Asylen für Obdachlose, so sind die modernen Einrichtungsgeschäfte in der Nachbarschaft als Hotelhallen ausgebildet. Unabsehbare Schrankflächen blinken wie der Meeresspiegel, stählerne Tischbeine fahren unbeschwert durch die Luft. Ihre Wurzellosigkeit ist zum Vorbild aller dieser Geschäfte selber geworden. Viele von ihnen geben sich nicht einmal mehr die Mühe, wie ein festgegründetes Unternehmen zu wirken, sondern erwecken von vornherein den Eindruck der Improvisation. Stapellager voller Gelegenheitsware, die jeden Augenblick aufbrechen können. Aber sie sind nur die fliegende Vorhut eines Ladenheeres, das stets zum Nachrücken bereit ist. Den ausscheidenden Firmen folgen andere, die wie die verschwundenen sind. Manchmal verzichtet der Spuk auf die Maskerade und enthüllt mit seinem wahren Gesicht zugleich seine Vergänglichkeit. In einer möblierten Parterrewohnung, die offenbar Klubzwecken dient, versammeln sich seit kurzem Abend für Abend tanzende Paare. Man sieht in die Wohnung hinein, man hört von außen eine Konservenmusik, die ebenso gedämpft klingt wie das rötliche Licht der Kristallüster, das die Winkel nur streift. Aus den Schatten kommen private Lederfauteuils hervor, Rauchtischchen, Teppiche – eine verschollene Innenwelt, die von ihren Bewohnern längst preisgegeben worden ist. Stumm und mechanisch drehen sich die Paare im Kreis. Sie sind aufgezogen wie Marionetten, und klopfte man ans Fenster, so erstarrten sie gleich.

Der immerwährende Wechsel tilgt die Erinnerung. Ich wüßte diese Tatsache nicht besser zu veranschaulichen als durch die Ergänzung meines Berichts über die Teestube und das Café. Während ich in dem Abgrund versinke, der sich dort öffnet, wo die ganze Zeit über das Café gestrahlt hatte, entsinne ich mich zum erstenmal wieder der Teestube, die doch schon vor einem Jahr geschlossen worden war. Ihr grünes, verschlissenes Mobiliar, ihre altmodischen Stiche und ein paar kuriose Leute, die hier regelmäßig verkehrten: alle diese Einzelheiten entsteigen frisch dem Gedächtnis. Ich sehe sie vor mir, ich bin unter ihnen zu Gast. Aber um sie zurückzurufen, hat es erst der Wiederholung eines besonderen Ereignisses bedurft. In der Überzeugung, daß ohne diesen äußeren Anstoß das alte Lokal mir niemals mehr vorgeschwebt hätte, werde ich noch aus folgendem Grund bestärkt. Jene Teestube ist bald nach ihrer Schließung durch eine ziemlich betriebsame Konditorei ersetzt worden, die ich inzwischen nicht selten aufgesucht habe. Wäre nun der Raum mit der Kraft begabt gewesen, Erinnerungen entstehen zu lassen, so hätten sie mich in der Konditorei zwangsläufig überwältigen müssen. Statt dessen ist mir während der Stunden, die ich in dem Lokal zugebracht habe, seine frühere Daseinsform auch nicht im Traum nachgegangen. Der Konditoreibetrieb hat in Wirklichkeit die einstige Teestube nicht nur abgelöst, sondern sie so völlig verdrängt, als sei sie überhaupt nicht gewesen. Durch seine komplette Gegenwart ist sie in eine Vergessenheit getaucht, aus der sie keine Macht mehr erretten kann, es sei denn der Zufall, über dem sich der Alltag rasch wieder schließt. Sonst bleibt das Vergangene an den Orten haften, an denen es zu Lebzeiten hauste; auf dem Kurfürstendamm tritt es ab, ohne Spuren zu hinterlassen. Seit ich ihn kenne, hat er sich in knapp bemessenen Perioden wieder und wieder von Grund auf verändert, und immer sind die neuen Geschäfte ganz neu und die von ihnen vertriebenen ganz ausgelöscht. Was einmal war, ist auf Nimmerwiedersehen dahin, und was sich gerade behauptet, beschlagnahmt das Heute hundertprozentig. Ein Taumel, wie er in Kolonialgebieten und Goldgräberstädten herrscht, wenn auch Goldadern in dieser Zone kaum noch entdeckt werden dürften. Man hat vielen Häusern die Ornamente abgeschlagen, die eine Art Brücke zum Gestern bildeten. Jetzt stehen die beraubten Fassaden ohne Halt in der Zeit und sind das Sinnbild des geschichtslosen Wandels, der sich hinter ihnen vollzieht. Nur die marmornen Treppenhäuser, die durch die Portale schimmern, bewahren Erinnerungen: die an die Vorkriegswelt erster Klasse.

Wer sich zu tief mit der Zeit einläßt, altert geschwind. Ein Haus auf dem Kurfürstendamm beginnt dieses Schicksal zu spüren. In seinen Erdgeschoßräumen haben viele Restaurations- und Varietébetriebe ihr Glück probiert, ohne daß es einem von ihnen je gelungen wäre, sich über Wasser zu halten. Im Gegenteil, nach gewissen Fristen, die immer enger zusammenschrumpften, sind sie alle verkracht oder weitergewandert. Da sich schon seit längerer Zeit niemand mehr in das Haus hineintraut, ist es aus dem Veränderungsprozeß ausgeschieden und lungert jetzt beschäftigungslos herum. Noch prangen Schilder am Gitter. Aber sie sind unnütz geworden, und statt dem Haus Leben zuzuführen, bezeugen sie nur seinen frühen Verfall. Er läßt sich nicht aufhalten, weil das Haus am Gewesenen keine Stütze hat. Niemand widmet ihm einen Blick. Die Zeit nimmt es rasch mit sich fort.[1]

(FZ vom 16. 12. 1932, wieder in: *Straßen*)

1 Vermutlich im Zusammenhang mit der Vorbereitung seines »Straßen-Buchs«, das er 1933 im Verlag Bruno Cassirer veröffentlichen wollte (siehe Nachbemerkung und editorische Notiz, S. 710), hat Kracauer unter der Überschrift »Kurfürstendamm« (Typoskript KN) eine »Vorbemerkung« zu diesem Text verfaßt. Sie lautet: »Das Bild, das in den folgenden Zeilen entworfen wird, vergegenwärtigt den Berliner Kurfürstendamm aus einer Zeit, die nur wenige Monate zurückliegt und doch schon durch einen Abgrund von uns getrennt ist. So hat diese weltberühmte, vielgeliebte und vielgelästerte Straße vor dem Sieg Hitlers ausgesehen! Sie ist voller Unruhe, flieht aus Angst jede Dauer und kennt, auf der Jagd nach dem Vergessen, nur die beständige Veränderung. Blickt man heute auf sie zurück, so kann man sich nicht dem Eindruck entziehen, als seien in ihr bereits die Ereignisse vorgeahnt gewesen, die inzwischen über Deutschland hereingebrochen sind.«

## 704. Das Buch als Ware

Rez.: Josef Nadler, *Buchhandel, Literatur und Nation in Geschichte und Gegenwart.* Berlin: Junker und Dünnhaupt 1932.

*Josef Nadlers* Broschüre: *»Buchhandel, Literatur und Nation in Geschichte und Gegenwart«*, der ein Ende dieses Jahres vor dem Allgemeinen Deutschen Buchhandlungsgehilfenverband gehaltener Vortrag zugrunde liegt,[1] erörtert Fragen, die für das deutsche Buch lebenswichtig sind. Sie sollte schon darum nicht nur in Fachkreisen gelesen werden, weil sie die aktuellen Betrachtungen an einen historischen Rückblick anknüpft, der seines materialistischen Einschlags wegen unser besonderes Interesse verdient. Er kommt andeutungsweise einer Forderung entgegen, die Nadler wie folgt formuliert: »Schriebe man Literaturgeschichte einmal als Handelsgeschichte, um das Buch als einen Gegenstand des Begehrens, des Kaufes und Tausches [darzustellen], und suchte man von da aus den geistigen Akt des Schaffens zu beleuchten, so sähe die Literatur wesentlich anders aus, als sie heute gesehen wird.« In der Tat erschließt die kleine historische Skizze ein bisher verhältnismäßig unbekanntes Gebiet. Vom Warencharakter des Buches ausgehend, stellt sie die Beziehungen zwischen *wirtschaftlichen* und *kulturellen* Faktoren dar und arbeitet vor allem den Einfluß heraus, den der Buchhandel zu manchen Zeiten auf die geistige Entwicklung genommen hat. Einige Miniaturporträts großer Buchhändler veranschaulichen außerordentlich klar die oft entscheidende Bedeutung, die materielle Antriebe und Energien für den ideellen Überbau gewinnen. Es wäre zu wünschen, daß diese paar Hinweise, die sich zweifellos mit den stammesgeschichtlichen Untersuchungen Nadlers berühren,[2] zu einer Monographie ausgebaut würden. Eine solche methodisch streng durchgeführte Monographie könnte der rein ideologisch verfahrenden Literaturgeschichte zu Grund und Boden verhelfen und außerdem wesentliche Ergebnisse soziologischer Art zeitigen.

Die der Gegenwart gewidmeten Abschnitte leitet Nadler mit der Bemerkung ein: »Es gibt kein Mittel, die erwürgende Massenerzeugung künstlich zu drosseln, damit das Edelerzeugnis wieder Raum gewinne.« Da diese kapitalistische Situation als gegeben hingenommen wird, drängt sich von selber die Frage auf, wie das Buch in ihr seine kulturelle Funktion auszuüben vermag. Nadler erkennt durchaus richtig, daß der Buchhandel außerstande ist, den Verkauf des wertvollen Buches zu erzwingen, und legt daher den Nachdruck auf die *Erziehung der Käuferschaft*. »Den Schlüssel zur Lage hat nur der Käufer.« Die Analyse der an ihm zu leistenden Erziehungsarbeit wird leider von einem gewissen Formalismus gehemmt, der allerdings wohl zwangsläufig aus dem Standort Nadlers folgt. Formal wie die Bestimmung der mit dem Buch gesetzten »Gemeinschaftswerte« ist auch die Anweisung, daß die *Universität* sich um die Realisierung solcher Werte bemühen solle. »An jeder Universität«, erklärt Nadler in Übereinstimmung mit Kolbenheyer,[3] »müßten Jahr für Jahr die berufenen Männer vor Zuhörern aller Fakultäten Stand und Richtung der Gegenwartsliteratur furchtlos und kritisch prüfen.« Wer ist berufen? Und überdies ist die Stellung der Universität innerhalb der heutigen Gesellschaft viel zu problematisch, als daß man eine solche Aktion ohne weiteres gutheißen dürfte.[4] Was die Einflußmöglichkeiten der *Presse* betrifft, so befürwortet Nadler die freie Meinungskonkurrenz, sofern sie nicht zur Anpreisung des Schundes führt. Auch hier zögert er, die etwa zu fördernden Gehalte selber zu umreißen. Eine Zurückhaltung, die darum doppelt bedauerlich ist, weil an diesem Ort eine inhaltliche Kritik des buchkritischen Teiles der meisten Zeitungen nützlich gewesen wäre. Tatsächlich liegt die Literaturkritik der deutschen Presse so im argen, daß man sich ihr gegenüber schwerlich mit Äußerungen wie diesen begnügen kann: »Die Presse sündigt nicht durch scharfen Meinungskampf um das bedeutende Buch. Und da Irren menschlich ist, so fällt sie nicht in Schuld, weil sie sich von Fall zu Fall im Urteil vergreift.« Viele Irrtümer, die sie in der hier gemeinten Hinsicht begeht, sind nur allzu menschlich und darum doch eine Schuld. Über den Rundfunk und die etwaige Werbekraft seiner Bücherstunden äußert sich Nadler einstweilen abwartend; nicht ohne die Gefahrenmomente zu erwähnen, die der Bevölkerung von diesem Instrument her drohen. (»Der ärgste Zeiträuber aber ist der Rundfunk.«) Seine empirischen Beobachtungen sind überhaupt häufig sehr treffend. So verteidigt er mit den Volksbüchereien auch die Leihbibliotheken, die den Umsatz nur verlangsamten, und prägt bei dieser Gelegenheit den ausgezeichneten Satz: »Kauffeindlichkeit durch Leihgemeinden ist besser als Lesefeindlichkeit aus Ersatzbedürfnissen.«

Zum Schluß fordert Nadler eine großzügige Organisation der *deutschen Bücherausfuhr*, die ihm als nationale Lebensfrage gilt. Er ermahnt vor allem zur verständnisvollen Berücksichtigung der östlichen Randstaaten, die ein starkes Verlangen nach deutscher Kultur trügen. Nicht minder beachtenswert wie seine Kritik an den dort geübten Propagandamethoden ist die an der österreichischen Fahrlässigkeit. »Es ist darauf zu schwören«, versichert er, »daß es in keinem der nächstbeteiligten Wiener Ministerien eine Stelle gibt, die sich mit den geistigen Beziehungen Österreichs zu seinen östlichen Nachbarn beschäftigt.« Auch das großspurige Auftreten mancher deutscher Kreise Österreich gegenüber bleibt nicht ungerügt. Die ganze bittere Zustandsschilderung klingt in einen Appell an den deutschen Buchhandel aus, die bisherigen Versäumnisse durch eine vermehrte Pionierarbeit im Raum »von Reval bis Fiume« wettzumachen. Wobei man nur wieder gewünscht hätte, daß auch des Inhalts der über die Grenzen zu schickenden Literatur ein wenig gedacht worden wäre.

(FZ vom 18. 12. 1932, Literaturblatt)

1 Den Vortrag hielt Nadler bei einer öffentlichen Feier zum sechzigjährigen Jubiläum des Allgemeinen Deutschen Buchhandlungsgehilfenverbandes am 11. 9. 1932 in Leipzig.

2 Siehe Josef Nadler, *Literaturgeschichte der deutschen Stämme und Landschaften*. 3 Bde. Regensburg: Habbel 1912-1918. Die zweite Auflage erschien noch vor Vollendung des vierten Bandes, der 1928 veröffentlicht wurde (beide Auflagen wurden 1928 zudem durch ein Ergänzungsheft mit dem Titel *Raumzeittafel* erweitert); Josef Nadler, *Die deutschen Stämme*. Stuttgart: Fromann 1925.

3 Siehe Erwin Guido Kolbenheyer, »Aufruf der Universitäten«. In: *Deutsche Sängerschaft* 35. Jg. (1930), H. 4 vom April/Mai 1930, S. 115-122, bes. S. 118 f.

4 Zur Diskussion um die Universität siehe Nr. 616.

## 705. Durch den Schrank zur Südsee

Rez.: Erich Kästner, *Der 35. Mai oder Konrad reitet in die Südsee*. Berlin-Grunewald: Williams & Co. 1932.

*Erich Kästners* neues Kinderbuch: *»Der 35. Mai«* (mit reizenden Illustrationen von Walter Trier)[1] enthält lauter Abenteuer, die sich in der Tat nur an einem 35. Mai ereignen können.

Da der kleine Konrad nichts von der Südsee weiß, über die er doch einen Aufsatz schreiben soll, reist er am Nachmittag des unmöglichen Tages dorthin, in Gesellschaft seines Onkels Ringelhuth, der ein lustiger Knabe ist, und des ehemaligen Zirkuspferdes Negro Kaballo, das auf Rollschuhen läuft und wie geschmiert schwatzt. Die drei steigen einfach in einen alten Schrank ein, der plötzlich keine Rückwand mehr hat, und dann geht die Reise los. Wunderbar sind die Stationen, die sie unterwegs machen. So kommen sie zum Beispiel ins Schlaraffenland, in dem eine unbeschreibliche Faulheit herrscht, die entzückend ausgemalt wird, und später in die Burg zur großen Vergangenheit, die als ein modernisiertes Walhall aufzufassen ist. Die alten Helden wie Napoleon, Cäsar, Achilles treiben hier Sport oder spielen mit Soldaten. Besonders nett ist die verkehrte Welt, in der böse Eltern nochmals in die Schule gehen müssen und von den Kindern erzogen werden. Alle diese Einfälle einer munteren Phantasie vermischen auf eine liebenswürdige Weise Schulkenntnisse, Kinderträume und Jungenslust an übermütigen Späßen. Nicht verschwiegen sei, daß manchmal auch Lücken entstehen, die nur notdürftig verdeckt sind. Die Schilderung der Stadt Elektropolis verrät eine fragwürdige Beziehung zur Technik, und nicht selten tritt der gemachte Witz der Dialoge an die Stelle witziger Anschauung.

(FZ vom 21. 12. 1932, Literaturblatt)

1 Der Zeichner Walter Trier (siehe Nr. 655, Anm. 3) illustrierte zahlreiche Kinderbücher Erich Kästners, darunter auch *Emil und die Detektive* (1929) und *Das doppelte Lottchen* (1949).

## 706. Der neue Dolittle-Band

Rez.: Hugh Lofting, *Doktor Dolittle auf dem Mond.* Übers. von Edith Lotte Schiffer. Berlin-Grunewald: Williams & Co. 1932.

Die Kette der Dolittle-Bände reißt nicht ab. Im vorigen[1] war der gute Doktor auf dem Rücken eines Riesenfalters zum Mond geflogen, in diesem werden wir über die Abenteuer unterrichtet, die ihm nach der Landung begegnen. Der neue Band: »*Doktor Dolittle auf dem Mond*«, ist der achte der Dolittle-Geschichten und soll ihr letzter sein.[2] Aber wir halten die Phantasie ihres Erzählers *Hugh Lofting* für viel zu unerschöpflich, als daß sie jetzt plötzlich abbrechen könnte, und hoffen zum mindesten noch zu erfahren, wie Doktor Dolittle wieder zur Erde herunterkommt. Denn tatsächlich muß er am Ende des Buches auf dem Mond bleiben, und nur sein Sekretär Tommy Stubbins wird wieder erdwärts befördert. Dieser junge Mann berichtet uns die merkwürdigen Dinge, die er und der Doktor auf unserem Trabanten erlebten, in einem so nüchternen Ton, daß nicht der geringste Zweifel an ihnen gestattet ist. Man muß ihm glauben, daß auf dem von allen Liebenden so geschätzten Gestirn die Pflanzen Verständigungsmöglichkeiten besitzen; daß es der in sämtlichen Tiersprachen bewanderte Doktor dort oben dahin gebracht hat, auch die Sprachen dieser Pflanzen zu erforschen und zum Beispiel lange Unterhaltungen mit den Flüsterranken zu pflegen; daß der Mann im Mond nicht, wie wir bisher annahmen, ein Kindermärchen ist, sondern ein wirklich lebender Riese, der dem Steinzeitalter entstammt. Zu diesen Tatsachen kommen andere, die nicht weniger wunderbar sind. Ein Glück noch, daß Doktor Dolittle sich dank seiner innigen Beziehungen zur belebten und unbelebten Natur überall zurechtfinden kann und daher auch unter diesen schwierigen Umständen nicht in Verwirrung gerät. War er in früheren Geschichten, die auf der Erde spielten, häufig ein sanfter Protest gegen die Gewalttätigkeit der Unvernunft der Menschen, so ist er im menschenlosen Mondrevier vorwiegend der Forscher, der lauter unbekannte Gefahren besteht. Die Kinder werden ihn um so lieber durch die fremde Landschaft begleiten, als er sich wieder in Gesellschaft seiner drolligen Tiere befindet.

(FZ vom 21. 12. 1932, Literaturblatt)

1 Siehe Nr. 618.
2 Zu Lebzeiten Hugh Loftings (1886-1947) folgten noch die Bände *Gub-Gub's Book. An Encyclopaedia of Food* (1932; dt.: *Göb-Göb's Buch.* Übers. von Steffi Anton. Berlin-Grunewald: Williams & Co. 1933), *Doctor Dolittle's Return* (1933; dt.: *Doktor Dolittles Rückkehr.* Übers. von Edith Lotte Schiffer. Berlin: C. Dressler 1958), und *Doctor Dolittle's Birthday Book* (1936). Posthum veröffentlicht wurden: *Doctor Dolittle's Secret Lake* (1948; dt.: *Doktor Dolittles geheimnisvoller See.* Übers. von Edith Lotte Schiffer. Berlin: C. Dressler 1954), *Doctor Dolittle and the Green Canary* (1950; dt.: *Doktor Dolittle und der grüne Kanarienvogel.* Übers. von Ursula Lehrburger. Berlin: C. Dressler 1971), und *Doctor Dolittle's Puddleby Adventures* (1952; dt.: *Doktor Dolittles neue Abenteuer.* Übers. von Ursula Lehrburger. Berlin: C. Dressler 1973). Zu Kracauers früheren Dolittle-Rezensionen siehe Nr. 321, 397, 427, 457, 522 und 618.

## 707. Weihnachtlicher Budenzauber

Wo sich sonst glatte Straßen und Plätze hinziehen, tauchen vor Weihnachten wunderbare Jahrmarktsstädte auf, die aus Rollwagen, Buden und Tischen bestehen. Sie sind von Tannenwäldern eingebettet, deren entwurzelte Stämme den Ausblick auf die Asphaltflächen verdecken, und lassen den gemeinen Alltag nicht durch. Die Schaufenster weichen in den Hintergrund zurück, die Straßenbahnen rauschen jenseits der Tannen, die selber nicht rauschen können, eine unübersehbare Menschenmenge – Bazare und Fußgänger gehören zusammen – kommt aus dem grünen Dickicht hervor, bildet Knäuel, die zergehen, wälzt sich weiter und entschwindet wieder im Dickicht. Es ist, als sei das Gewimmel ein notwendiger Bestandteil der hölzernen Stadt.
Feilgeboten werden in ihr Dinge, die für gewöhnlich keine feste Unterkunft haben; es sei denn im Halbdunkel von Passagen.[1] Unnützer Krimskrams, der nicht zu ernster Beschäftigung, sondern allenfalls zum Zeitvertreib taugt. Hier in der Budenstadt wagt sich das Gelichter vollständig an den Tag. Es kriecht aus Ritzen und Schlupfwinkeln hervor und freut sich des Passierscheins, den man ihm in Erwartung der Feiertage gegeben hat. Solange sie dauern, währt seine Herrschaft. Ist doch diese Zeit die der kleinen Dämonen, die sich das ganze Jahr über nicht austoben dürfen. Jetzt endlich werden sie freigelassen, um ihre Satur-

nalien zu begehen. Kaum sind sie ausgeschwärmt, so tritt an die Stelle unserer Welt eine andere. Eine primitive Vorwelt, die so zusammengeschrumpft ist, daß sie, die einst aus Höhlentiefen bis zu den Sternen reichte, heute bequem in Zimmerecken Platz findet. Erwachsene gelten in ihr nicht mehr als die Kinder. Sie nehmen Angstträume in die Hand, spielen mit überwundenen Göttern und belustigen sich über die Miniaturverkörperungen elementarer Gewalten.

Den Sinnen, die ihre Lust büßen wollen, bietet sich eine ganze wilde Jagd von Gegenständen an. »Alles regt sich, alles bewegt sich«, schreien die Händler. In der Tat regen und bewegen sich diese Nachbilder des großen Natur- und Geisterplunders nach unserem Gefallen. Die Katze lupft ein Bein, der Esel streckt Zunge und Schwanz heraus, und die graue Maus, der »Schrecken der Damenwelt«, huscht pfeilgeschwind über den Boden. Es muß schön sein, wenn die Damen quietschen und sich hinterher alles in Wohlgefallen auflöst. Auch die Babys werden noch halb zum Tierreich gerechnet und wie aus Spaß zur immerwährenden Wiederholung der ihnen eigentümlichen Tätigkeiten genötigt. Das mechanische Krabbeln, Strampeln und Grimassieren wäre zum Fürchten, brächen sie nicht glücklicherweise eines Tages den Bann. Ihrem winzigen Maßstab sind viele Gebilde angepaßt, deren Originale sich manchmal wie besessen gebärden. Wahrscheinlich ist es nicht jedermanns Sache, sich einer Luftschaukel anzuvertrauen. Wenn aber die Schaukel auf einem Rollwägelchen sitzt, das nur gezogen zu werden braucht, damit sie sich zu drehen beginnt, bleiben sogar die zierlichen Figürchen bei Besinnung, die in ihren Kabinen durch die Luft sausen müssen. Nicht minder harmlos ist die Bergfahrt zu einem Gipfel, dessen schwindelerregende Höhe von der eines Fingers übertroffen wird, oder die Veranstaltung eines Pferderennens, das auf einer Tellerfläche gelaufen werden kann. Man zieht die Schraube an und gebietet über Kräfte, die kaum zu bändigen sind und oft Katastrophen entfesseln. Ja, die Erdkugel selber ist uns in Gestalt eines als Globus ausgebildeten Kreisels unterworfen. Ein Griff genügt, um sie so rasch rotieren zu lassen, daß sämtliche astronomischen Gesetze in Verwirrung geraten. Während sie auf der Schnur tanzt, werden ihre fünf Weltteile vom Kerzenlicht eines blechernen Leuchtturms beschienen. Dazu ertönt das künstliche Gegacker einer nicht vorhandenen Henne und eine sanfte Flötenmusik, die mit Hilfe eines Metallstücks kinderleicht zu bewerkstelligen ist.

»Alles regt sich, alles bewegt sich.« An die Oberfläche dringt auch ein Zeug, von dem wir nur mittelbar etwas wissen. Es trägt keinen Namen, fegt durch die Stuben und überfällt uns gern hinterrücks. Nachts wird es lebendig, ohne sich je zu zeigen, und im hellen Tag verstört es die Dinge, so daß sie bösen Schabernack treiben. Dadurch, daß diese Unwesen in den Buden sichtbare Formen annehmen, verlieren sie sofort die Macht, die sie über uns haben. Sie enthüllen sich zum Beispiel als Puppengeschöpfe aus Holz, Draht und Stoffresten, die unserer Laune so sehr zu Willen sind, daß sie auf den leisesten Druck hin durch den Hohlraum der Feiertagszeit hüpfen. Besonders kurios ist der Irrwisch ausgefallen, zu dem sich das verborgene Gesindel verdichtet. Weder hat er eine Spur von Menschenähnlichkeit, noch auch gleicht er sonst einer bekannten Kreatur. Seine Gliedmaßen sind Garnspulen und -rollen, und das ganze Gestell wird von einem Seidenstern gekrönt. Wehe, wenn ihn einer abwickelte. Dann verschwände die drollige Schrecklichkeit, und das Fadenmännchen wirkte zu unserem Verderben wieder hinter den Kulissen. Mitten unter diesen müßigen Artikeln machen sich Seifen, Krawatten, Parfümerien, Schals und andere handfeste Waren breit, die sich über ihre nichtsnutzige Nachbarschaft erhaben dünken. Sie liegen in Koffern zur Schau, die so billig sind wie sie selber, und fordern seriöse Beachtung. Aber wenn sie auch noch so wichtig tun, gehören sie darum doch nicht minder zur Bagage ringsum. Man hat sie aus den Geschäften vertrieben, und nun führen sie in der Budenstadt dieselbe Vagabundenexistenz wie das übrige Gelichter und die Verkäufer an Ständen und Tischen. Der Spuk aus Erdspalten und Möbeln verträgt sich ohne Schwierigkeit mit den Ausschußprodukten der Gesellschaft. Nicht umsonst drohen die Gesichter mancher Arbeitslosen, die hier für einige Tage einen Verdienst gefunden haben, ganz zu vergehen und dem Fadenmännchen zu folgen. Hinter einem Tannenwaldbündel sitzt ein Bettler, der sich ausdrücklich als einen »Zivilblinden« bezeichnet. Er bringt auf seinem Harmonium Melodien hervor, die das Hennengegacker und die Flötenimitation übertönen. Sie werden erst dann lustig klingen, wenn alle diese lebensgroßen Elendsfiguren klein geworden sind wie die springenden Püppchen, mit denen wir spielen.

(FZ vom 24. 12. 1932, wieder in: *Straßen*)

1 Siehe Kracauers Feuilleton »Abschied von der Lindenpassage«, Nr. 524.

# 708. Buchausstellungen in Berlin

Die *Deutsche Gesellschaft zum Studium Osteuropas* hat vor Weihnachten in ihren Räumen eine sehr lehrreiche Ausstellung: *»Die schöne Literatur in der Sowjet-Union«* veranstaltet.[1] Diese Schau sucht am Beispiel der ins Deutsche übersetzten Sowjetliteratur nicht nur einen Querschnitt durch die sowjetrussische Belletristik, sondern auch eine Einführung in das Verständnis des sowjetrussischen Lebens zu geben. Bilder und Karikaturen der bedeutendsten Autoren sowie Angaben über ihr Leben und ihre Arbeiten vervollständigen das Bild. In diesem Zusammenhang sei auch auf das soeben erschienene Werk der Gesellschaft: *»Die Sowjet-Union 1917-1932«* hingewiesen,[2] das eine systematische und mit Kommentaren versehene Bibliographie der wichtigsten deutschsprachigen Bücher und Aufsätze über die Sowjet-Union enthält.
Einen ausgezeichneten Überblick über den Stand des proletarischen Buches gibt die Ausstellung: *»Die Welt von heute und morgen«*,[3] an der sich außer den bekannten Verlagen für Arbeiterliteratur auch die Verlage S. Fischer, Rowohlt, Kiepenheuer usw. beteiligt haben. Sie ist unweit des Spittelmarktes untergebracht und stellt in sinnfälligen Arrangements die gesamte einschlägige Literatur zur Schau. Man erfährt in ihr z. B., daß dieser Tage der I. Band des *»Kapital«*, dem der II. und III. bald folgen werden, in einer Volksausgabe erscheint, die an Billigkeit ihresgleichen sucht.[4] Die Jahrgänge der Zeitschrift: *Unter dem Banner des Marxismus*,[5] von der das eine oder andere Heft nicht mehr erhältlich ist, sind dort vollständig zu haben. Natürlich fehlt auch die bekannte und unbekanntere Rußlandliteratur nicht, deren Romane und Reportagen sich mit dem theoretischen Schrifttum vermischen. Nur die Werke Trotzkis scheinen sogar in diesem Kreis das Schicksal ihres Verfassers teilen zu müssen, sind sie doch nirgends zu sehen. Die Ausstellung soll noch den Januar über geöffnet bleiben.
(FZ vom 24. 12. 1932)

1 Zur Deutschen Gesellschaft zum Studium Osteuropas siehe Nr. 519, Anm. 1. Die Ausstellung »Die schöne Literatur in der Sowjet-Union« wurde in Kooperation mit der universitären Slavistischen Arbeitsgemeinschaft veranstaltet und fand vom 16. bis 21. 12. 1932 statt.

2 *Die Sovet-Union 1917-1932*. Systematische, mit Kommentaren versehene Bibliographie der 1917-1932 in deutscher Sprache außerhalb der Sovet-Union veröffentlichten 1900 wichtigsten Bücher und Aufsätze über den Bolschewismus und die Sovet-Union. Hrsg. im Auftrag der Deutschen Gesellschaft zum Studium Osteuropas, bearbeitet von Klaus Mehnert. Königsberg u. a.: Ost-Europa-Verlag 1933.

3 Nähere Informationen zu dieser Ausstellung waren bislang nicht zu ermitteln.

4 Karl Marx, *Das Kapital*. Kritik der politischen Ökonomie. 3 Bde. Hrsg. vom Marx-Engels-Lenin Institut (Moskau). Wien: Verlag für Literatur und Politik 1932 f.

5 Die deutsche Ausgabe der sowjetischen Zeitschrift *Pod znamenem marksizma* (1921-1944) erschien von 1925 bis 1936 monatlich u. d. T. *Unter dem Banner des Marxismus. Wissenschaftliche Monatsschrift des Kommunismus in der Verlagsgenossenschaft ausländischer Arbeiter in der UdSSR* (Moskau u. a.) und bot der internationalen marxistisch-leninistischen Forschung ein Forum.

## 709. Gebändigter Nationalismus

Rez.: Hans Kohn, *Der Nationalismus in der Sowjetunion*. Frankfurt a. M.: Societäts-Verlag 1932.

Die Schrift von Hans Kohn: »*Der Nationalismus in der Sowjetunion*« unterscheidet sich von der üblichen Rußlandliteratur nicht nur dadurch, daß sie konstruierend statt berichtend verfährt, sie greift auch ein Problem heraus, das die europäische Politik zur Zeit vollständig beherrscht. Ich meine das Problem des Nationalismus. Es im Hinblick auf die Verhältnisse in der Sowjetunion zu behandeln, wäre vermutlich niemand besser geeignet gewesen als gerade Hans Kohn.[1] Er ist ein außerordentlicher Kenner der orientalischen Völker, vereinigt aufs glücklichste das theoretische Wissen mit dem empirischen und hat seit den Jahren der Kriegsgefangenschaft die Sowjetunion schon wiederholt bereist. Kraft dieser Voraussetzungen, zu denen sich noch die Unvoreingenommenheit des Denkens gesellt, gewinnt seine Schrift die Bedeutung eines politischen Dokuments. Indem sie einen Beitrag zur »Theologie« des russischen Kommunismus liefert, greift sie in unsere aktuellen Zustände maßgebend ein.

Wichtig ist sie vor allem deshalb, weil sie an Hand der Quellen und der Erfahrung den kommunistischen Lösungsversuch der nationalen Frage ausführlich darstellt. So unversöhnlich auch der Kommunismus jedem Nationalismus entgegentritt, der nach Art des neuen deutschen das nationale Prinzip zu verabsolutieren strebt, so wenig denkt er doch daran, die nationalen Bedingtheiten außer acht zu lassen. Man wirft in jenen Kreisen, die das Nationalgefühl gepachtet zu haben glauben, dem Kommunismus gern vor, daß er das Nationale zersetze und zur blanken Internationalität hintreibe. Faktisch hat Lenin schon lang vor dem Weltkrieg das nationale Problem in seiner Schwere begriffen. »Gegenüber allen Versuchen«, heißt es einmal, »die nationale Frage vom ›internationalen‹ Standpunkt aus zu bagatellisieren, wies Lenin mit seinem Blick für die Notwendigkeit einer Realpolitik, die von dem ausgeht, was da ist, und es voll in Rechnung setzt, stets darauf hin, daß man das nationale Problem ... gerade dann betrachten und nach seiner Lösung suchen müsse, wenn man es für die Zukunft seiner Schärfe und seines Ernstes entkleiden wolle.« Lenin verlangte in Wahrheit nicht die Destruktion des Nationalen, sondern seine Relativierung. Er war sich klar darüber, daß sich die Verschmelzung der Völker zu »erdumfassenden Verbänden und Wirtschaftseinheiten« nur auf Grund der Freiheit und Freiwilligkeit der einzelnen Völker vollziehen kann, und setzte in Übereinstimmung mit dieser Erkenntnis die verschiedenen Aufgaben fest, die den Sozialisten in der nationalen Bewegung herrschender und unterdrückter Nationen zufallen. Wie wenig er die nationale Frage unterschätzte, geht auch daraus hervor, daß er keineswegs glaubte, sie sei mit der kapitalistischen Ordnung zugleich zu liquidieren. Sein Standpunkt war vielmehr der, daß sie nach der Machtergreifung des Proletariats noch solange ihre Bedeutung behalte, bis »durch Erziehung und Wirtschaftspolitik die großen Unterschiede in Kultur und Lebensstandard der herrschenden und der beherrschten Völker vernichtet und die Massen im Geiste des Internationalismus und des brüderlichen Zusammenlebens der Völker erzogen sein werden«. Der Internationalismus ist also im Leninismus nicht einfach die Antithese des Nationalismus, sondern dieser wird als die Stufe eines historischen Prozesses durchschaut, der nach dem Sieg des Proletariats zum Internationalismus führt. Oder anders ausgedrückt: statt auf die unmittelbare Zertrümmerung der nationalen Gebilde abzuzielen, meint die Forderung der Internationalität den zu Ende gebrachten Nationalismus, der sich selber verzehrt.

Das Buch Kohns gilt in der Hauptsache dem Nachweis, daß dieser Theorie die sowjetrussische Praxis entspricht. Die Deklaration der Rechte der Völker Rußlands vom 15. November 1917[2] erkennt in der Tat allen Völkern der Sowjetunion das Recht auf volle Selbstbestimmung zu, hebt sämtliche nationalen und nationalreligiösen Privilegien und Beschränkungen auf und gewährleistet die freie Entwicklung der nationalen Minderheiten und ethnischen Gruppen. Rassehochmut wird nicht geduldet, und da es nur Umgangssprachen gibt, hört die Sprache auf, eine Angelegenheit der Politik oder eine Machtfrage zu sein. Entscheidend ist nun, daß der Kommunismus, durchaus im Sinne der Theorie, über diese formale Gleichheit hinaus eine inhaltliche anstrebt. Das heißt, die Partei wirkt auf die Industrialisierung der Länder hin, auf die Schaffung eines Proletariats überall dort, wo es noch nicht vorhanden ist, auf umfassenden Volksunterricht usw. Eine Kultur soll entstehen, die national in ihrer Form, aber proletarisch in ihrem Inhalt ist. Sie bringt jener nationalen Kultur den Tod, die sich im Zeitalter des bürgerlichen Nationalismus entfaltet hatte, und setzt an ihre Stelle die Gehalte der kommunistischen Lehre, deren theologische Funktionen Kohn sehr deutlich erkennt. Interessant ist zum Beispiel sein Nachweis, daß sie dem Fortschrittsgedanken des 19. Jahrhunderts durch seine Eindämmung ins »Bett der Planmäßigkeit« ein festes Ziel schenkt und damit die Zeit wieder im mittelalterlichen Sinne gliedert. Auch hebt er nachdrücklich ihre Rückkehr zur Ökumene hervor. Zum selbstverständlichen Träger dieser proletarischen Kultur werden »neue ›barbarische‹ Schichten, die zum erstenmal ... aus der Dumpfheit unvordenklicher Zeiten zu geschichtlichem Leben aufgerufen worden sind«.

Eine solche Nationalitätenpolitik muß freilich ungeheuren Schwierigkeiten begegnen. Sie setzt sich keine geringere Aufgabe als die: den Teufel des Nationalismus aus seinen Verstecken hervorzutreiben, um ihn im offenen Kampf zu erledigen. Oder wie Kohn diese Aufgabe formuliert: »So lief in einem dialektischen Prozeß die kulturelle Nationalitätenpolitik der Sowjetregierung die Gefahr, den Nationalismus der Völker zu wecken oder zu stärken. Doch erst aus der Erweckung kultureller Aktivität, aus der Einbeziehung der breitesten Massen in sie, aus ihrem innerlichen Reifwerden bei gleichzeitiger wirtschaftlicher und allgemeiner Hebung des Lebensniveaus konnten die Völker zur Aufnahme der neuen sozialistischen Kultur ... bereit werden.« Wie die kommunistischen Führer selber zugeben (vergl. Stalins Rechenschaftsbericht auf dem 16. Parteitag im Juli 1930)[3] hat die Durchführung der Nationalitätenpolitik tatsächlich zu einem gewissen Anschwellen der dumpf-nationalistischen Kräfte geführt. Und zwar bestehen zwei Abweichungen: die der »großrussischen Chauvinisten«, denen die Vielfältigkeit der nationalen Autonomie die Einheit des russischen Reiches zu bedrohen scheint, und die der »lokalen Nationalisten«, die sich in eigenen »bürgerlichen« Nationalstaaten von der Sowjetunion loslösen wollen. Es zeugt vom Weitblick der Parteiführung, die natürlich beide Abweichungen bekämpft, daß sie die großrussische darum für besonders gefährlich hält, weil ein Erstarken des russischen Nationalismus als Reaktion ein Erstarken des lokalen Nationalismus hervorrufen müsse.

Auszüge aus den Quellenwerken, die über die Grundlagen der kommunistischen Nationalitätenpolitik unterrichten, ergänzen in willkommener Weise das Buch, das zu keinem passenderen Zeitpunkt hätte erscheinen können. Denn je mehr der Nationalismus Europa überflutet, desto unentbehrlicher sind seine Analysen.

(Typoskript aus KN, [ca. 1932])[4]

1 Zu Hans Kohn siehe Nr. 608, Anm. 2.

2 Die Deklaration der Rechte der Völker Rußlands wurde von dem unmittelbar nach der Oktoberrevolution gebildeten Rat der Volkskommissare beschlossen und am 2. (15.) 11. 1917 mit Unterschriften von Lenin (Vorsitzender des Rats) und Stalin (Volkskommissar für Nationalitätenfragen) veröffentlicht.

3 Der XVI. Parteitag der KPDSU fand vom 25./26. 6. bis 13. 7. 1930 in Moskau statt. Der Rechenschaftsbericht Stalins hatte die »Wachsende Krise des Weltkapitalismus und die außenpolitische Stellung der UdSSR« zum Thema.

4 Das Typoskript ist undatiert. Aus einem Brief Kracauers an Hans Kohn vom 27. 2. 1934 (KN) geht hervor, daß Kracauer die Rezension Ende 1932 oder Anfang 1933 für »den Glossenteil der Neuen Rundschau« verfaßt hatte; der Artikel sei jedoch »nicht mehr erschienen«.

# 1933

# 710. Im »Fliegenden Hamburger«

Pressefahrt Berlin–Hamburg

## Abfahrt

Gegen ½11. In der Halle des Lehrter Bahnhofs steht der neue Schnelltriebwagen der Reichsbahn bereit, die Vertreter der Presse aufzunehmen, die zu einer Probefahrt eingeladen sind. Hell hebt sich der in Weiß und Violett gehaltene Wagen vom dunklen Hallenhintergrund ab. Er ist überaus schlank und wirkt so leicht, als schwebe er über den Schienen. Seine Formen sind von einer Eleganz, die technisch begründet ist. Um nämlich den Luftwiderstand möglichst zu verringern, der im Quadrat der Geschwindigkeit wächst, hat man die beiden Wagenenden stark abgerundet, die Wagendecken weit heruntergezogen und den Raum unter den Wagenkästen mit Blechschürzen umkleidet. So macht der Wagen einen ganz geschlossenen Eindruck. Wir steigen ein; nicht ohne daß vorher einige Jupiterlampen intensiv aufgeleuchtet hätten, in deren Licht das Fahrzeug doppelt unwirklich glänzte. Abfahrt: 10.35. Die Pünktlichkeit ist in diesem Fall besonders wichtig, weil unterwegs drei Personenzüge und noch viel mehr Güterzüge überholt werden müssen.

## Das Innere

Der Wagen zieht schnell an, fährt aber durch die Vororte noch so langsam, daß man Muße hat, sein Inneres zu betrachten. Zwischen den offenen Abteilen der beiden gleich langen Wagenhälften liegen in der Mitte die Toiletten und der Erfrischungsraum, der wie eine Bar ausgebildet ist. Alles II. Klasse; zusammen für 100 Passagiere. Um Platz zu sparen, sind nur seitliche Gepäcknetze angebracht, die durch Gepäckräume an den Wagenenden ergänzt werden. Rote Teppiche, die mit der übrigen Ausstattung harmonieren, dienen der Geräuschsdämpfung, für die überhaupt gut gesorgt ist. Das Surren der Motoren übertönt nie die Gespräche, sondern wirkt als eine angenehme Folie. Wer sich Bewegung verschaffen will, kann zwischen den Sitzen – drei auf der einen Seite und einer auf der andern des Mittelgangs – endlos spazierengehen. Der gegebene Ausruhpunkt dieser kleinen Binnenreise ist die Bar, in der sich alle Welt trifft.

## Schnelligkeit

Hinter Spandau beginn der Wagen seine volle Geschwindigkeit zu entfalten. An den Kopfenden des Wagens befinden sich, von jedem Platz aus sichtbar, zwei große Zeiger, die über die jeweilig erreichte Kilometerzahl aufklären. Sie werden von sachkundiger Hand gedreht und bewegen sich rasch von der Ziffer 100 zur Ziffer 150, ja noch darüber hinaus. Mehr als 150 Kilometer die Stunde – fassen die Sinne diese Schnelligkeit? Man spürt sie mit dem Gehör, dem Tastvermögen, den Augen. Das Surren schwillt an und wächst sich zu einem gleichmäßigen, wundervollen Ton aus, den man bald nicht mehr hört. (Wenn er bei langsamerer Fahrt nachläßt, vermißt man ihn schmerzlich.) Der Wagen bebt leise von rechts nach links, und es bedarf eines stärkeren Druckes, um die Mitteltür zu öffnen. Vervollständigt werden diese Empfindungen durch die Bilder der Landschaft. Zwar, das Flachland in der Ferne bewegt sich nicht mit, sondern grenzt stumm und reglos an den Horizont, aber dafür sind die Gegenstände im nahen Umkreis alle vom Geschwindigkeitstaumel ergriffen. Rasend wie nie bisher flutschen die Telegraphenmasten vorbei, und die Stationsgebäude werden zu langgezogenen verschwimmenden Flächen, deren Fenster Bänder, deren Namen unleserlich sind. Diese Geschwindigkeit auszukosten, ist einer der größten Genüsse. Bedeutet sie zu Beginn vielleicht eine erregende Sensation, so schenkt sie später dem Körper, der sich an sie gewöhnt hat, ein beinahe unirdisches Ruhegefühl. Es ist, als gehe man in fremde Räume ein, die voller Stille sind, und nie mehr möchte man wieder Fuß auf der Erde fassen.

## Im Führerraum

Der Führerraum, den wir während der Fahrt besuchen dürfen, gleicht in seiner nüchternen Phantastik dem Bestandteil eines jener technischen Zukunftsprojekte, die in manchen modernen Filmen so selbstverständlich auftreten, als ob sie schon Wirklichkeit seien. Dennoch ist er kein aus Kulissen gezimmerter Traum, sondern eine greifbare, zuverlässige Realität. Die Erinnerung ans Filmatelier wird zweifellos dadurch hervorgerufen, daß der Raum eine ungewohnte Form hat, die rein den technischen Bedürfnissen entspringt. Er ist vorne konisch abgerundet, und seine niedrigen Wände bestehen aus lauter Fenstern. Am Apparatentisch sitzt neben dem Führer ein Beobachter, der auch vorerst noch beibehalten werden soll. Der Führer selber hat nur eine einzige Kurbel zu bedienen, mit deren Hilfe er die Geschwindigkeit reguliert; seine Aufgabe ist also wesentlich einfacher als etwa die eines Lokomotivführers. Welch eine Aussicht: je komplizierter die Maschinen werden, desto leichter gestaltet sich ihre Lenkung. Übrig bleibt zuletzt eine Kurbel und ein Griff. Die Summe geistigen Aufwands, die außerdem dazu gehört, um den Triebwagen mit 150 Kilometer Geschwindigkeit vorwärtszutreiben, ist in seinen zwei Maybach-Dieselmotoren investiert. Nicht restlos allerdings; denn die Beobachtung der Signale kann dem Führer nicht abgenommen werden; wenn auch Sicherungen jeder Art getroffen sind, die ihn unterstützen. Er rückt von Zeit zu Zeit an der Kurbel und verfolgt angespannt die Strecke, die sich schnurgrad vor ihm dehnt. Sie verschwindet im Nu, sie wird von den Fenstern gefressen.

## Verschiedene Einzelheiten

Allmählich lullt die Schnelligkeit wie ein Narkotikum ein und einige Mitreisende schlafen sogar. Da sich auch sonst nichts Neues bietet, mögen ein paar Erläuterungen eingeschaltet werden, die von den Herren der Reichsbahn-Direktion gegeben worden sind; wobei ich freilich von den rein technischen Auskünften absehe, die nur den Fachmann interessieren. Was zunächst die Geschwindigkeit betrifft, so ist sie darum nicht bis zu dem an sich heute möglichen Höchstmaß gesteigert, weil sich ja der Triebwagen dem übrigen Zugverkehr anpassen muß. Man könnte vielleicht statt des einen Wagens Züge aus mehreren Wagen verwenden, zieht es aber zunächst vor, kurze Zugeinheiten unter Umständen öfter verkehren zu lassen. Wichtig ist der Hinweis darauf, daß durch die Benutzung der modernen Motoren die Dampfkraft keineswegs entbehrlich wird. Im Gegenteil, man hofft, daß, ähnlich wie beim Gas, die Konkurrenz des Motors zu Verbesserungen des alten Dampfantriebs führe. Die in wenigen Monaten erfolgende Korrektur einer Kurve vor Wittenberge soll die Verkürzung der Fahrzeit Berlin–Hamburg auf zwei Stunden ermöglichen. (Der FD-Zug benötigt für diese Strecke eine Zeit von drei Stunden.)

## Ankunft

Die Fahrt verlangsamt sich, die Häuser werden zu Häusern. Und waren schon auf der freien Strecke immer wieder Menschengruppen zu sehen, die stehenblieben, den Zug mit den Augen verschlangen und ihm zuwinkten wie einem Glücksboten oder einem Freund, so erweitern sich jetzt von Bergedorf an die Gruppen zu Massen. Wahrhaftig, die Balkone, die Straßenkreuzungen und die Bahnsteige der Vorortstationen sind dicht mit Menschen besetzt, die sich das Schauspiel des schimmernden Wagens nicht entgehen lassen wollen. Sie staunen ihn an wie die Erfüllung einer Sehnsucht, die in ihnen wohnt. Er läßt sich nicht halten, er gleitet an ihnen vorbei und über sie hinweg. Um 12.55 fahren wir in den Hamburger Hauptbahnhof ein. Hunderte erwarten auch hier den Wagen und huldigen ihm schweigend. Neu und unverbraucht, faßlich und doch kaum zu fassen, harrt er, ein blendender Triumphator, in der düsteren Halle.
Beim Ausgang höre ich im Gedränge einen Arbeiter sagen:
»Wer da mitfahren dürfte, könnte lachen.«
Nicht Neid spricht aus diesem Satz, keine Spur von Neid. Allenfalls enthält er den Wunsch nach Zeiten, in denen uns zu lachen erlaubt ist.
(FZ vom 1. 1. 1933, Reiseblatt)

# 711. Memoiren eines russischen Revolutionärs

Rez.: Aleksander Šapovalov, *Auf dem Wege zum Marxismus: Erinnerungen eines Arbeiterrevolutionärs*. Übers. von Maria Einstein. Berlin: Mopr 1930 (= Internationale Memoiren, Bd. 1); ders., *Illegal*. Übers. von Olga Halpern. Berlin: Mopr 1932 (= Internationale Memoiren, Bd. 4).

Die Lebenserinnerungen von *A.[leksander] Schapowalow* – erschienen sind bisher im Mopr-Verlag zwei Bände: *»Auf dem Wege zum Marxismus«* und *»Illegal«* –[1] gewähren einen außerordentlich aufschlußreichen Einblick in die Vorgeschichte der russischen Revolution. Sie reichen einstweilen bis zur Revolution des Jahres 1905 und schildern die Entwicklung der revolutionären Bewegung von ihrem Ursprung in terroristischen Arbeiterzirkeln an zur organisierten Massenpartei. Ein aktiver Arbeiterrevolutionär berichtet in ihnen über Theorie und Praxis der Narodniki, über die Ablösung dieser Gruppe durch die »Sozialdemokraten«, über die Spaltung der Marxisten in Menschewiki und Bolschewiki usw. Entscheidend ist aber nicht so sehr der dokumentarische als der persönliche Wert des Buches; genauer gesagt: sein unpersönlicher. Denn die Person Schapowalows geht so ganz in der Bewegung auf, daß sie mit ihr identisch wird. Es ist das Bild des *klassischen Arbeiterrevolutionärs*, das diese Biographie uns vermittelt.

Alle Etappen, die Schapowalow durchläuft, sind für die Gesamtbewegung typisch, alle seine Schicksale und Handlungen exemplarischer Art. Im Jahre 1871 geboren, wächst er in Leningrad als Metallarbeiter unter dem vollen Druck des zaristischen Regimes auf und flüchtet zunächst aus dem Elend zu den Repräsentanten der Religion. Bald erkennt er die soziale Funktion der Popen, die darin besteht, den Arbeiter zur passiven Ergebenheit anzuhalten, und verwirft mit den Kirchendienern die kirchlichen Institutionen selber. »Ich änderte schroff meine Lebensweise, hörte auf, die Kirchen zu besuchen, zu beten, vor Heiligenbildern die Mütze abzunehmen und mich zu bekreuzigen. Der Anblick von Kirchen, Kapellen, Popen und Mönchen flößte mir Ekel ein.« Er liest in diesen Jahren viel und wendet sich instinktmäßig gegen die herrschende Ansicht, daß die Kunst um der Kunst willen betrieben werden müsse.

Überhaupt reift er durch seine ganze Situation gewissermaßen von Natur aus jenen Lehren entgegen, die ihn später erfüllen. Wie die Pflanze nach dem Licht drängt, verlangt er nach der Bekanntschaft mit »Sozialisten oder Nihilisten«. »Wir durchirrten Straßen und Boulevards und betrachteten aufmerksam alle Studenten, denen wir begegneten ... Während die Revolutionäre aus der Intelligenz damals Arbeiter suchten, um mit ihnen in Verbindung zu treten, suchten ihrerseits die Arbeiter eifrig die Bekanntschaft mit der revolutionären Intelligenz.«
In den Kreisen der Narodowolzen beginnt er sich zum Berufsrevolutionär auszubilden. Hier kommt er auch endlich mit der Intelligenz in Berührung. Die Beziehung zu ihnen erweitert vor allem sein Gefühlsleben: kannte er bisher nur Haß gegen die Gewalthaber, so überträgt sich jetzt die Liebe der Intellektuellen zu den Unterdrückten auf ihn. Wichtig ist die Art seiner Begegnung mit der marxistischen Lehre. Sie kommt natürlich von außen an ihn heran, trifft aber auf ein vorbereitetes Bewußtsein, das schon praktisch erfahren hat, daß Begriffe wie »Volk« oder »Bauerntum« kein unteilbares Ganzes bezeichnen. Die gelebte Dialektik nötigt Schapowalow dazu, die marxistische wie selbstverständlich zu übernehmen. Vielleicht nirgends sonst als gerade im zaristischen Rußland ist der revolutionäre Marxismus so unmittelbar der gesellschaftlichen Realität zugeordnet gewesen. Mit der Aneignung der Theorie geht die revolutionäre Praxis Hand in Hand: beide sind nur die zwei Seiten desselben Prozesses. Schapowalow arbeitet in einer Geheimdruckerei; er beteiligt sich am Streik der Weber und Spinner im Jahre 1896; er sitzt an die zwei Jahre in der Peter-Pauls-Festung ab. Empfindet er die Qualen, die er im Gefängnis erleidet, als tragisch? Aber er gäbe ja nicht einmal zu, daß sein Leben heroisch sei. Es ist einer Sache geweiht, an die er glaubt, und was immer ihm widerfährt, gehört nicht anders zu ihm wie sein Rock oder die Luft, die er atmet. Alle individuellen Reaktionen scheiden in diesem Dasein aus, das einer objektiven Aufgabe untersteht und nur ein objektives Pathos kennt. Die Theorie von der Eroberung der Macht durch die organisierte Masse des Proletariats erhöht die Masse und verwandelt den Revolutionär in ihren Diener. Durchdrungen von seiner Mission, erweist sich Schapowalow als widerstandsfähig gegen die Versuchungen, die im Gefängnis und später in Sibirien an ihn herantreten. Wie er die erotischen Bedürfnisse ausschaltet, die sich der intel-

lektuellen Genossen in der Einsamkeit bemächtigen – betrübt stellt er fest, daß in ihren Liedern mehr von Liebe als von Revolution die Rede ist –, so verhärtet er sich gegen die Tränen der Mutter. »Wir Arbeiter kämpfen dafür, daß alle schmerzgebeugten Mütter, die um ihre Kinder weinen, um ihre Söhne und Töchter, die wie meine Schwester Darja, wie meine Brüder zugrunde gehen, daß alle diese unglücklichen, elenden Mütter sich aufrichten, die Not und den Hunger überwinden.«
Nach der Rückkehr aus Sibirien (1901) folgen Jahre höchster Aktivität. Hauptstationen: illegale, konspirative Tätigkeit in den verschiedensten Industriedistrikten; Arbeit in Odessa im Zusammenhang mit der »Patjomkin«-Episode; führende Teilnahme an den Barrikadenkämpfen in Charkow; dazwischen Haussuchungen, Gefängnisse usw. Diese Berichte aus der Zeit beginnender Auseinandersetzung mit den Menschewiki und erstarkter Parteiorganisation lesen sich fast wie ein Heldenepos, als das sie wahrhaftig nicht gemeint sind. Man kann ihnen wesentliche Auskünfte über die Lebensform der Berufsrevolutionäre entnehmen, jener Schicht, der die russische Revolution zum guten Teil ihren durchgreifenden Erfolg verdankt. In dem angegebenen Zeitabschnitt haben die Mitglieder dieser Avantgarde bereits bestimmte Traditionen, die in der Verbannung, in den Gefängnissen und im Verlauf der gemeinsamen Aktionen ausgebildet worden sind. Sie kennen sich, sie wissen, wo jeder von ihnen am besten einzusetzen ist. Wandermissionaren ähnlich, sind sie an keine feste Stätte gebunden, sondern ziehen von Ort zu Ort. Schapowalow sucht Gebiete auf, die von der Bewegung noch kaum erfaßt worden sind, um dort Propaganda und Agitation zu treiben. Fixpunkte innerhalb der Landschaften und Städte sind die Adressen von Genossen, die alle einen Decknamen haben. Ob man sie freilich erreicht, ist ungewiß, weil ihre Unterkünfte schon längst aufgehoben und sie selber verhaftet sein können. Die Spitzelorganisationen der Ochrana[2] nötigt zu einer Wachsamkeit, mit der verglichen die des Soldaten ein Kinderspiel ist. Jeder Augenblick birgt andere Gefahren, jede Situation muß neu analysiert und plötzlich abgebrochen werden. »Die Geschichte verschweigt«, erzählt Schapowalow, »wo ein Revolutionär gezwungen war, zu übernachten, wenn er spät in der Nacht in Twerj ankam ... Der Revolutionär konnte nicht mit einem Wagen in die Stadt fahren, da man von ihm im Hotel oder im Gasthof den Paß ver-

langt hätte. Die Nacht auf dem Bahnhof zu verbringen, war auch unmöglich, weil einerseits der Bahnhof in Twerj sofort nach Abfahrt des Schnellzuges ... geschlossen wurde, andererseits aber die nur sehr wenigen Passagiere von den Gendarmen aufgefordert wurden, ihre Papiere zu zeigen.« Hinzu kommt die Arbeit der Instruktion, der Beschlußfassung über aktuelle Losungen, der Berichterstattung an die im Ausland weilenden Parteispitzen. So dicht die geistige Kontinuität ist, so wechselvoll, unzuverlässig und abenteuerlich gestaltet sich die Empirie. Das Vaterland steht noch bevor, die Heimat liegt jenseits der vollzogenen Revolution.

Der »Alte«, so hieß *Lenin* schon unter den Revolutionären, als er noch nicht dreißig war. Schapowalow trifft ihn in Sibirien und entwirft ein einleuchtendes Bild von ihm. »Lenin sprach lange mit jedem einzelnen Arbeiter«, heißt es unter anderem, »überhaupt mit jedem neuen Genossen, als wolle er dessen spezifisches Gewicht für die kommende revolutionäre Arbeit feststellen. Von diesem Tage an hatten wir alle, ganz besonders ich, das größte Vertrauen zu ihm als Führer der Partei.« Gepriesen werden ferner seine Gabe, dem Arbeiter Vertrauen einzuflößen, sein eiserner Wille, seine Tätigkeit zur methodischen Einstellung der Arbeit, »wie sie sonst nur Deutschen eigen ist«, und sein Glaube an die Kraft der menschlichen Vernunft. Die Rolle, die er in jenem Kampfstadium spielte, geht aus den ihm gewidmeten Seiten eindeutig hervor. Es ist die des Erziehers eines noch ungeborenen Volkes.

(FZ vom 8. 1. 1933, Literaturblatt)

1 Die erste deutsche Ausgabe von *Auf dem Wege zum Marxismus* erschien in der Übersetzung von Maria Einstein 1926 im Verlag für Literatur und Politik (Wien und Berlin); russ. Orig.: *Po doroge k marksizmu*. Zapiski rabocego revoljucionera. Leningrad: Priboj 1926; *V podpol'e*. Moskau und Leningrad: Gosudarstvennoe Izdat 1927. Weitere Bände der »Lebenserinnerungen« sind nicht erschienen.

2 Die Ochrana (offiziell: Ochrannoje Otdelenie) wurde 1881 als Geheimpolizei des zaristischen Rußland gegründet.

# 712. Gegen die Reaktion im Rundfunk

Der Abwehrwille der Rundfunkhörer scheint zu erwachen. Beweis hierfür: eine *Kundgebung*, die von der Freien Funkzentrale in Verbindung mit den großen Arbeiterkulturorganisationen veranstaltet wurde.[1] Diese von sozialdemokratischer Seite einberufene Versammlung war eine Demonstration gegen das jetzige Rundfunk-Regime und verfolgte zugleich den Zweck, die mit ihm unzufriedenen Konsumenten zu aktivieren. Wobei man unter Konsumenten selbstverständlich nicht nur die Arbeiterhörer verstand, sondern auch jene breiten Schichten des Bürgertums, die durch den herrschenden Kurs außer Kurs gesetzt werden.

Redner des Abends waren der sozialdemokratische Reichstagsabgeordnete *Aufhäuser* und *Dr. Alfons Paquet*.[2] Sie stimmten in einigen Gesichtspunkten überein, die von allgemeinem Interesse sind.
Wichtig zunächst die unbedingte Anerkennung des Rundfunks in technischer Hinsicht. Soviel Mißbräuche auch mit diesem Instrument getrieben werden: maschinenstürmerische Neigungen sind der geschulten Arbeiterschaft heute fremd. Aber indem sie den Rundfunk bejaht, will sie ihn in einem Sinn angewandt wissen, der ihm wirklich entspricht. Da er eine Erfindung ist, die das gesprochene Wort überall hinträgt, wird es seine Hauptfunktion sein, *Leistungen für die Massen* zu vollbringen. Er kann sich überhaupt nur im Zusammenhang mit den Massen entwickeln und muß notwendig verkümmern, sobald man ihn künstlich von ihrem Leben trennt.
Aus dieser grundsätzlichen Einsicht lassen sich verschiedene inhaltliche Folgerungen ziehen. Eine, die besonders betont wurde, ist die: daß ein bornierter Nationalismus den Eigentümlichkeiten des Rundfunks zuwiderläuft. Machen die Wellen nicht an der Landesgrenze halt, so müssen sich auch die durch den Äther gesandten Programme dieser Tatsache fügen. Ein Instrument, das seiner Natur nach jede Erdenschranke aufhebt, duldet von sich aus keine Benutzung zu Mitteilungen, die am liebsten neue Schranken errichteten. Der Rundfunk ist, so meinten beide Redner, auf die Verbindung der Nationen eingestellt, die ihm zugeordneten Gehalte müssen *übernationaler* Art sein.

Die von solchen Erkenntnissen geleitete Kritik am gegenwärtigen System kann sich schon auf die Erfahrung berufen, daß die Papen-Regierung durch ihre Maßnahmen die Weltgeltung des deutschen Rundfunks beeinträchtigt hat. Mit der Ära Scholz[3] ist eine Hörerflucht im Ausland eingetreten, das die Erzeugnisse eines unbekümmerten Nationalismus als provinziell empfindet und ihnen die Passage verweigert. Nun ist gewiß nicht zu verkennen, daß seit dem Rücktritt des glorreichen Rundfunk-Kommissars die allzu drastischen Mißgriffe ausgemerzt worden sind.[4] Aber herausgebildet hat sich eine *Diktatur der Bürokratie*, die beinahe noch bedenklicher ist als die unverhüllte Aggressivität unter Papen. Sie verleugnet in ihren Darbietungen die Änderungsbedürftigkeit der Zustände, ersetzt berufene Führung durch Verwaltungsdekrete und versteckt den Tendenzbetrieb hinter den Kulissen gehobenen Niveaus. Daß sich ihr, aus materiellem Zwang heraus, manche namhafte Künstler und freidenkende Gelehrte zur Verfügung stellen, wandelt nicht den Charakter dieses Regimes, sondern verfestigt ihn nur. Bezeichnend für ihn ist unter anderem die geringe Experimentierlust (etwa auf musikalischem Gebiet); die unfruchtbare Art der Verwendung historischen Bildungsgutes, der Mangel an Beziehung zur eigentlichen Aktualität, die Vernachlässigung vitaler Interessen der Massen. Feststellungen, die durch konkrete Beispiele hinreichend erhärtet wurden. (In diesem Zusammenhang sei auch auf die kritische Auseinandersetzung unseres Feuilletons mit dem Rundfunk hingewiesen. Vergl. die bisher erschienenen großen Aufsätze von A. Paquet und S. Kracauer, Reichsausgabe vom 29. Oktober und 9. November 1932.)[5]

Gefordert wird von beiden Rednern die Mobilisierung der Hörer zum Zweck der Beseitigung des am Rundfunk herrschenden Systems. Nicht so, als ob man einfach zum alten Zustand zurückkehren wolle – Aufhäuser rügte mit Recht die »Hyperobjektivität« der republikanischen Regierung vor Brüning –, aber man erstrebt doch die Wiederherstellung der Parität und auf ihrer Grundlage, wie Paquet es ausdrückte, die *leidenschaftliche Mitbeteiligung des Rundfunks* an den Interessen der Gesamtheit. Soll der Rundfunk weiter ein Instrument kulturreaktionärer Behörden-Diktatur sein oder jene Freiheit erhalten, in der er dem »Geist« dienen kann? Nur im zweiten Fall ist seine Entwicklung verbürgt. Sie weist ihn darauf hin, ein Freund der Massen zu werden.

Zum Schluß des Abends wurde eine *Entschließung* angenommen, in der es unter anderem heißt: »Wie kein anderes Organ besitzt der Rundfunk die Eignung zur kulturellen und politischen Massenpropaganda. Sie mit Erfolg zu betreiben, kann nur gelingen, wenn eine starke Vertrauensbasis zwischen Rundfunkleitung und Hörerschaft hergestellt wird. Zur Zeit fehlt dieses Vertrauen in den weitesten Kreisen der werktätigen Rundfunkhörer, weil sich die Sendeleitungen lediglich als die Beauftragten von Regierungen fühlen, deren Maßnahmen sich im Sinne einer sowohl dem Ansehen des deutschen Rundfunks als auch der kulturellen Entwicklung des deutschen Volkes schädlichen geistigen und politischen Reaktion auswirken müssen. Ihr gilt der schärfste Kampf aller in den Spitzenorganisationen der Freien Funkzentrale vereinigten Rundfunkhörer ... Im Rundfunk müssen alle politischen Auffassungen und Weltanschauungen zum Wort kommen. Unbedingt erforderlich ist daher die Mitarbeit der großen Hörerorganisationen bei der Programmgestaltung sowie bei der fortschrittlichen Entwicklung des gesamten Rundfunkbetriebes. Vor allem die Menschen der schaffenden Arbeit haben ein Anrecht auf die Behandlung der Zeitprobleme im Rundfunk, von deren Lösung die Gestaltung ihres Eigenlebens ausschlaggebend beeinflußt wird ...«[6] Die Resolution klingt in einen Appell an alle »freiheitlich gesinnten« Rundfunkhörer aus, sich den Organisationen anzuschließen, die gegen die Reaktion im Rundfunk kämpfen.

Zu ergänzen wäre der Bericht noch durch eine allgemeine Bemerkung. Sie betrifft die *sozialdemokratische Kulturpolitik*. Es scheint uns keinen Zweifel zu dulden, daß diese Kulturpolitik zur Zeit ihrer Teilherrschaft mit bestimmten Mängeln behaftet gewesen ist, die den Vertretern des autoritären Prinzips das Spiel leichter gemacht haben. Das naive Verhältnis der hier gemeinten Kulturpolitik zum Fortschrittsgedanken, ihre zu formale Auffassung geistiger Leistungen usw. – das alles sind Punkte, die einer Revision unstreitig bedürftig wären. Es ließe sich denken, daß die Sozialdemokratie die jetzige Oppositionsstellung dazu benutzte, gerade ihr kulturpolitisches Bewußtsein einer durchgreifenden Prüfung zu unterziehen. Hiervon hätte nicht zuletzt auch ein künftiger Rundfunk Gewinn.

(FZ vom 12. 1. 1933)

1 Nähere Informationen zur Kundgebung waren vorläufig nicht zu ermitteln.
2 Zu Alfons Paquet siehe Nr. 78, Anm. 13. Der Sozialdemokrat Siegfried Aufhäuser (1884-1969) war von 1924 bis 1933 Abgeordneter im Reichstag und von 1920 bis 1933 geschäftsführender Vorsitzender der Arbeitsgemeinschaft freier Angestelltenverbände (AfA). Er veröffentlichte u. a. *Die freie Angestellten- und Arbeiterbewegung* (1920), *Gewerkschaften und Politik* (1924) und *An der Schwelle des Zeitalters der Angestellten* (1963).
3 Zu Erich Scholz siehe Nr. 672, dort auch Anm. 9.
4 Scholz wurde im August 1932 zum Reichsrundfunkkommissar ernannt, trat aber bereits im November von dem Amt zurück.
5 Zum Aufsatz Kracauers siehe Nr. 688, zum Aufsatz Paquets dort Anm. 19.
6 Die Resolution konnte bislang nicht nachgewiesen werden.

## 713. Theologie gegen Nationalismus

Wie unzutreffend die häufig gehörten Klagen über die wachsende Veroberflächlichung und Sensationslust unserer Zeitgenossen sind, scheint mir durch eine von der Gesellschaft für deutsches Schrifttum arrangierte Veranstaltung erwiesen, die dieser Tage in der Berliner Singakademie stattfand. Die Ankündigung, daß in ihr Friedrich Hielscher, P.[ater] Erich Przywara und Prof. Günther Dehn über das Thema: *»Reich und Kreuz«* sprechen würden,[1] hatte so viele Menschen herbeigelockt, daß der große Saal mit seinen Balkonen und Emporen bis auf den letzten Platz gefüllt war. Und nicht genug damit: das Publikum erlahmte keineswegs im Verlauf des Abends oder verflüchtigte sich gar nach der eingelegten Pause, sondern folgte knapp drei Stunden lang mit unverminderter Aufmerksamkeit Ausführungen, die an Schwierigkeit nichts zu wünschen übrigließen. Da sage noch einer, daß die eigentlichen Attraktionen der Gegenwart Kinos und Boxkämpfe seien! Allerdings galt die Aussprache den letzten Dingen, und vielleicht ist überhaupt eine Anekdote nicht ganz unrichtig, die von Heinrich Wölfflin herrühren soll. Wenn ein Deutscher, habe Wölfflin gesagt, auf eine Weggabelung stößt, und an einem Weg steht eine Tafel mit der Aufschrift: »Hier geht es zum Paradies«, am anderen Weg aber eine mit der Aufschrift: »Hier geht es zu einem Vortrag über das Paradies«, so wählt der Deutsche unweigerlich den Weg zum Vortrag über das Paradies. Daher sind wir auch noch immer so weit von paradiesischen Zuständen entfernt.

Man weiß, daß *Friedrich Hielscher* einer der Verkünder des neuen Nationalismus ist.[2] Er hat das Buch *»Das Reich«* geschrieben und gibt eine Zeitschrift gleichen Titels heraus, zu deren Mitarbeitern unter anderem Ernst Jünger, Franz Schauwecker, F.[riedrich] W.[ilhelm] Heinz und Ernst von Salomon gehören.[3] In seinem Referat, das den Abend einleitete, entwickelte er, was er unter dem »Reich« versteht, und hielt überhaupt mit weltanschaulichen und weltgeschichtlichen Perspektiven nicht hinter dem Berg zurück. Um das Ergebnis der Aussprache gleich vorwegzunehmen: der protestantische und der katholische Theologe hoben Hielscher mit Leichtigkeit aus dem Sattel, in dem er nicht sitzt.
Denn sein Weltbild ist gar kein Weltbild, sondern nichts weiter als ein Gemenge halbverdauter Begriffe, die aus unkontrollierten Bedürfnissen des Gemüts heraus zu sturen Zwecken umgerührt werden. Worin besteht diese Schau des »Reichs« ? Hielscher glaubt aus Luther – einem Luther, wie er ihn begreift – die Auffassung beziehen zu können, daß die Welt, die in Spannung zwischen Krieg und Frieden lebt, Gottes sei und daher gutgeheißen werden müsse, wie sie ist. Ferner: daß der Staat die Befugnis habe, den Anspruch auf absolute Macht zu erheben. Daß für diese Einsichten auch Nietzsche und Hegel als Kronzeugen reklamiert werden, bedarf kaum einer Erwähnung; große Gedanken sind stets der Gefahr privaten Mißbrauchs ausgesetzt, der freilich auch seine Grenze haben sollte. Träger der verabsolutierten Staatlichkeit ist nach Hielscher natürlich das Preußentum, das weniger einen Stamm unter den Stämmen darstelle als die Verkörperung der Macht. Nimmt man nun noch den Begriff der Innerlichkeit hinzu, der dem der Macht korrespondiert, so sind die Baumaterialien fürs Reich nahezu beisammen. Deutscher wird man, wie Hielscher erklärt, nicht durch Herkunft, landschaftliche Verbundenheit usw., sondern allein durch die innere Entscheidung. Die Rasse bildet also keine Voraussetzung des Deutschtums, kommt vielmehr erst am Ende herauf. Tritt Hielscher damit auch in Gegensatz zu anderen nationalistischen Kreisen, so gelingt es ihm doch durch diesen kühnen idealistischen Dreh, den künftigen Typus des Deutschen zu dem des Menschen überhaupt zu verallgemeinern. Er gilt ihm als der Bürger des »Reichs«, das sich eines Tages von der Rheinmündung bis nach Siebenbürgen dehnen werde. Es ist »ewig«, es ist dem Kreuz überlegen. Seine Funktion ist: die Macht um der »Innerlichkeit« willen zu »tun«.

Die dogmatischen Erörterungen der Theologen hatten mit dieser dilettantisch zusammengezimmerten Gedankenbaracke ein leichtes Spiel. Ich schicke einen Hinweis auf die Rede Pater *Przywaras* voraus,[4] deren geistreiche Konstruktionen sich nicht eigentlich unmittelbar mit Hielscher und dem modernen Nationalismus befaßten. Vom Standpunkt katholischer Theologie aus ist nach Pater Przywara der Begriff des Reiches mit dem Gottes synonym und die Kreatur der Ort sich kreuzender Spannungen. Gewiß wird die Kreatur in Gott hineingeboren und hat an seiner Herrlichkeit und Fülle teil – hier unterscheidet sich die katholische Lehre von der protestantischen –, aber gerade durch diese Teilhabe erfährt sie nur immer deutlicher den Abstand von Gott und die Unmöglichkeit, sich seiner magisch zu bemächtigen. Das heißt nichts anderes, als daß ein Nationalismus à la Hielscher zu verwerfen sei. Die civitas Dei, deren letzte Darstellung das Heilige Römische Reich Deutscher Nation war, ist durchaus im Zeichen des Kreuzes konzipiert. Was die deutsche Gegenwart betrifft, so gelangte Przywara zu einer merkwürdigen Deutung, die jedenfalls den nationalistischen Wahn in tiefe Schatten taucht. Deutschland habe die Anwartschaft aufs Reich insofern, als es das Volk der furchtbarsten Spannungen sei, die sich bis in die Formen des Denkens hinein kreuzten.

Angesichts der Tatsache, daß der neue Nationalismus zweifellos protestantische Einschläge hat, waren die Darlegungen Prof. *Günther Dehns* besonders wichtig.[5] Dehn, um dessentwillen seinerzeit der unrühmliche Hallenser Universitätsskandal entstand,[6] gehört dem Kreis der radikalen protestantischen Theologen an. Seine Rede wirkte außerordentlich stark; nicht nur darum, weil sie fundierte Überzeugungen schlagend formulierte, sondern auch der seltenen Einheit von Person und Sache wegen, die sie vermittelte. Schon die von ihm vorausgesandte Erklärung, daß er nicht aus einer unkontrollierbaren Schau heraus spreche, in der jeder seine private Innerlichkeit gestalten dürfe, war ein Gericht über das Schaubudenwesen Hielschers. Luther ist nach Dehn der »Theologe des Kreuzes«, dem Gott alles bedeutet und der Mensch nichts. Und da die Auffassung, daß man Gott nur im Wagnis des Glaubens, nicht aber realiter haben könne, das Kernstück lutherischer Lehre bildet, ist der Versuch Hielschers, Luther in den Pantheismus hineinzuziehen, ein vollendeter Widersinn. Die Welt ist für den Protestanten Gottes nicht voll. Wie hätte also Luther den Staat, der von dieser Welt ist, heiligen oder gar ein »ewiges Reich« anerkennen sollen? Der Staat steht bei ihm eindeutig *unter* dem Kreuz, er gehört mit der von Gott abgefallenen Menschheit zusammen und hat Funktionen auszuüben, die sich vom Evangelium her eine Begrenzung gefallen lassen müssen. So gewiß der Staat souverän ist, über die Mittel der Macht und der Gewalt verfügen muß und Anspruch auf die ihm eigentümliche Würde und Ehre hat – ebenso gewiß ist er nicht unumschränkt über die Menschen gesetzt, sondern hat ihnen, die ihm übergeben sind, zu dienen. »Herrschaft zum Dienst« lautet die Formel für ihn: sie bestimmt den Ort des Staates und weist zugleich auf die Wächterrolle hin, die der Kirche ihm gegenüber zukomme. Die Folgerungen aus diesen theologischen Erkenntnissen wurden von Dehn ausdrücklich gezogen. Und zwar verurteilte er nicht nur bündig das Gerede vom »totalen Staat« und der »totalen Mobilmachung«, sondern kennzeichnete auch sehr richtig die Leere solcher Aspirationen. Im Staatsbegriff des modernen Nationalismus gibt sich, wie er betonte, nichts anderes kund als das Verlangen nach dem reinen *Herrschaftsstaat*, der von keinem übergeordneten göttlichen Gebot mehr getroffen wird. Hielschers »Innerlichkeit« sowohl wie sein »ewiges Reich«: im Wesen sind sie *willkürliche und gigantische Selbstsetzungen vitaler Kräfte*. Und die mystischen Schauer, mit denen der Erschauer des Reichs dieses umgibt, sollen in Wahrheit nur den Willen zur Macht einhüllen, der das Wahngebilde des »Reichs« emportreibt. Er bedarf aber des Gewandes, weil er den Anblick seiner eigenen Kläglichkeit nicht ertrüge.

Soweit die Theologen. Ihre Kritik der imperialistischen »Vision« Hielschers ist durch die *profane* zu vervollständigen. Die Absage an die kirchliche Theologie spricht an sich noch keineswegs gegen eine große politische Konzeption, wäre vielmehr durchaus zu rechtfertigen, wenn diese Konzeption an die Stelle der theologischen Gehalte solche setzte, die den (von je) geforderten revolutionären Eingriff in unsere gesellschaftliche Wirklichkeit heute und hier gestalteten. Das meinte wohl Dehn, als er feststellte, daß Hielscher die Ideen des Friedens und der Gerechtigkeit nirgends berücksichtige, und gegen die Öde seines Reichsbegriffs die kommunistische Lehre ausspielte, in der doch heilsgeschichtliche Erwartungen nachklängen. Zum Unterschied von einem Begriff wie z. B.

dem der klassenlosen Gesellschaft, bei dem es sich nicht zuletzt auch um die aktuelle Transformation theologischer Fixierungen handelt, ist in der Tat das »ewige Reich« (so gut wie das »dritte Reich«) bar jeden wirklichen Inhalts. Es läßt sich nicht substantiieren, es kommt aus dem Dunkel der Triebe und geht wieder ins Dunkel ein; trotz oder gerade wegen seines magischen Glanzes, der nur die Verblendeten blendet. »Macht« und »Innerlichkeit«: zwei formale, sinnleere Begriffe, die in der ihnen von Hielscher zudiktierten Isolierung überhaupt keinen Bestand haben. Wenn aber die Konstruktion des neuen Nationalismus, den strengen Bestimmungen der Theologen zufolge, Ausgeburten eines blinden Machtverlangens sind, so ist damit zugleich ihr *ideologischer* Charakter getroffen. Indem sie sich als Leerläufe enthüllen, die eine Sache weder haben noch meinen, verraten sie ihre eigentliche Funktion: die der Glorifizierung gewisser Interessen. Es wäre nicht allzu schwer, jene Bevölkerungsgruppen, Wirtschaftsformen und Daseinsweisen näher zu bezeichnen, die sich kraft der nationalistischen Ideologien wieder in den Besitz der Macht bringen wollen. Doch die Erledigung dieser Aufgabe führte zu weit. Genug, wenn erwiesen ist, daß das »ewige Reich« Hielschers nichts sonst darstellt als einen windigen Überbau, der einstürzt, kaum daß man ihn anrührt. Die Macht des »Reichs« ist nur Macht, seine Innerlichkeit ein abstraktes Gedankending, seine Mystik faktisch eine (unbewußte) Mystifikation. Nicht ohne Grund sagte Dehn einmal, daß ein Reich nur aus geschichtlicher Notwendigkeit entstehen könne. Durch ihre Gegenstandslosigkeit widerlegt die Schau Hielschers unfreiwilligerweise das historische Recht der von ihr vertretenen Interessen.
(FZ vom 14. 1. 1933)

1 Das öffentliche Gespräch Friedrich Hielschers (siehe unten, Anm. 2) mit Erich Przywara (siehe Nr. 252, Anm. 18) und Günther Dehn (siehe unten, Anm. 7) fand am 10. 1. 1933 in der Singakademie in Berlin statt, eingeleitet wurde es vom Publizisten Curt Hotzel.

2 Der Publizist Friedrich Hielscher (1902-1990) arbeitete u. a. an der von Ernst Jünger herausgegebenen Zeitschrift *Arminius* und der Zeitschrift *Vormarsch* mit, dessen Schriftleitung er 1928 übernahm. Im Oktober 1930 gründete er den Verlag *Das Reich* als Unterverlag des mit dem Stahlhelm verbundenen *Frundsberg*-Verlags, in dem er 1931 seine Programmschrift *Das Reich* veröffentlichte. Die von Hielscher herausgegebene gleichnamige Zeitschrift erschien von 1930 bis 1933 und bot Autoren des nationalrevolutionären Spektrums ein Forum. Von den Nationalsozialisten als regimefeindlich eingestuft, versammelte Hielscher mit der 1933 gegründeten konspirativen Glaubensgemeinschaft *Unabhängige Freikirche* (UFK) einen Kreis um sich, der sich im Widerstand engagierte. Nach

dem Attentat vom 20. Juli 1944 wurde Hielscher verhaftet, kam aber nach Interventionen wieder frei. Die *Unabhängige Freikirche* blieb über den Zweiten Weltkrieg hinaus bestehen.

3 Zu Ernst Jünger siehe Nr. 682. Der Schriftsteller Franz Schauwecker (1890-1984), der sich 1914 als Kriegsfreiwilliger meldete, wurde 1919 mit seinem »Frontbuch« *Im Todesrachen. Die deutsche Seele im Weltkriege* bekannt. 1925 gründete er das Stahlhelm-Kampfblatt *Die Standarte – Beiträge zur geistigen Vertiefung des Frontgedankens*, das er in enger Zusammenarbeit mit Ernst Jünger herausgab. Nach dem Bildband *So war der Krieg* (1927) hatte er seinen größten Erfolg mit dem Kriegsroman *Aufbruch der Nation* (1930). Zusammen mit 87 anderen Schriftstellern unterzeichnete er 1933 das »Gelöbnis treuester Gefolgschaft« für Hitler. Ernst von Salomon (1902-1972) wurde nach dem Ersten Weltkrieg als Freikorps-Kämpfer im Baltikum und Oberschlesien aktiv und war an der Ermordung Rathenaus beteiligt (siehe Nr. 81, dort auch Anm. 1, und Nr. 82), für die er 1922 zu fünf Jahren Zuchthaus verurteilt wurde. Über beides berichtete er in dem Roman *Die Geächteten*, mit dem er 1930 als Schriftsteller bekannt wurde. Es folgten die Romane *Die Stadt* (1932), der von der Landvolkbewegung handelt, der Salomon sich nach seiner Entlassung aus dem Gefängnis anschloß, sowie *Die Kadetten* (1933). Während des Nationalsozialismus wechselte Salomon ins Filmgeschäft und schrieb Drehbücher für die UFA, in der frühen Bundesrepublik trat er mit seinem umstrittenen Erfolgsbuch *Der Fragebogen* (1951) – einer fiktionalen Bearbeitung des Fragenkatalogs der Entnazifizierungsbehörde – wieder als Romancier an die Öffentlichkeit.

4 Zu Erich Pzywara siehe Nr. 252, Anm. 18.

5 Der protestantische Theologe Günther Dehn (1882-1970), ab 1911 Pfarrer an der Reformationskirche in Berlin-Moabit, gründete 1919 den Bund sozialistischer Kirchenfreunde und übernahm 1923 die Leitung des Berliner Kreises des Neuwerks (siehe Nr. 47, Anm. 3); 1929 erschien seine Schrift *Proletarische Jugend. Lebensgestaltung und Gedankenwelt der großstädtischen Proletarierjugend.* Als christlicher Sozialist engagierte er sich nach 1933 in verschiedenen Funktionen für die Bekennende Kirche und wurde 1941 zu einer einjährigen Haftstrafe verurteilt. Von 1942 bis 1945 war er Pfarrverweser in Ravensburg, von 1946 bis 1954 lehrte er als ordentlicher Professor für Praktische Theologie an der Universität Bonn.

6 Nachdem Dehn im November 1928 in Magdeburg einen Vortrag über »Kirche und Völkerversöhnung« gehalten hatte, wurde er zur Zielscheibe einer von völkischen Kreisen organisierten, überregionalen Hetzkampagne, durch die in den folgenden Jahren sowohl Dehns Berufung auf einen Lehrstuhl für Praktische Theologie in Heidelberg als auch seine Berufung an die Universität Halle verhindert wurden. Der Vortrag erschien u. d. T. »Kirche und Völkerversöhnung. Vortrag in der Ulrichskirche zu Magdeburg am 6. November 1928« in: Günther Dehn, *Kirche und Völkerversöhnung*. Dokumente zum Halleschen Universitätskonflikt. Berlin: Furche-Verlag 1931, S. 6-23.

## 714. Aus der russischen Revolution

Rez.: Aleksandr Ignat'evič Tarasov-Rodionov, *Juli*. Übers. von Olga Halpern. Berlin: Neuer Deutscher Verlag 1932.

Ein Memoirenwerk nach dem andern kommt jetzt aus Rußland zu uns herüber.[1] Die Funktion dieser Werke ist: jene großen Ereignisse, die schon historisch zu werden beginnen, dokumentarisch zu belegen und in abschlußhafter Weise dem Gedächtnis einzuverleiben. Diese Aufgabe sucht auch *Tarassow-Rodionow* in seinem Buch: *»Juli«*[2] – es ist der zweite Teil der Roman-Trilogie: *»Schwere Schritte«*[3] – gewissenhaft zu erfüllen. Der Band enthält autobiographische Erinnerungen eines aktiven Revolutionskämpfers an die verworrenen Monate, die der Machtergreifung durch die Bolschewiki vorangingen. Seine in Romanform gehaltenen Schilderungen als Roman aufzufassen, wäre völlig verkehrt. Denn sie sind nicht nur kunstlos geschrieben, sondern verfolgen außerdem eingestandenermaßen bestimmte Absichten, die denen der echten Gestaltung von vornherein widerstreiten. Um ganz davon abzusehen, daß der Verfasser Gewicht auf urkundliche Genauigkeit legt, so erklärt er im Vorwort: »Ich genierte mich nicht, meine eigene Person als Beobachtungsobjekt vom Standpunkt unserer heutigen bolschewistischen Einstellung zu nehmen …« Was aber will er am eigenen vergangenen Subjekt beobachten? Antwort: »Die Schwankungen, die Zweifel, die tiefen Verzweiflungsausbrüche, die in der Entwicklung dieser Persönlichkeit Raum fanden, sollen jene typischen Eigenschaften der Kleinbourgeoisie noch greller und schärfer unterstreichen, ohne deren bis auf die Wurzel gehende Überwindung usw.« Es handelt sich also um eine stilisierte Autobiographie; um einen Bericht jedenfalls, der die ausdrückliche Tendenz hat, kleinbürgerliche Züge kritisch zu treffen. Da diese tendenziöse Haltung gleich zu Anfang betont wird, kann man sie wenigstens immer einkalkulieren.

Das ist freilich auch nötig. Wie sehr das Buch vom »Standpunkt unserer heutigen bolschewistischen Einstellung« aus geschrieben ist, geht zum Beispiel daraus hervor, daß *Trotzki* dort, wo er überhaupt erwähnt wird, äußerst schlecht wegkommt. Lenin schimpfe über seine »aufgeblasenen

Phrasen«, heißt es einmal, und ein andermal charakterisiert ihn ein Bolschewik wie folgt: »Ein eigensinniger, in sich verliebter Individualist, nicht das geringste Gefühl für das Kollektive ist in ihm. Ewige Ausreden und eine Leidenschaft zu den unnatürlichsten, prinzipienlosesten Blocks. Und überhaupt ... ein Poseur und Schwätzer!« So geht es durchs Buch. Trotzkis moderner grauer Anzug wird ebenso spöttisch vermerkt wie seine »lebhafte Zunge«, seine Spekulation auf die Revolution im Westen als »kleinbürgerliche Rückgratlosigkeit« gebrandmarkt. Auch Lunatscharski[4] hat nichts zu lachen. Im Gegensatz zu diesen Figuren ist natürlich Stalin durchaus positiv gezeichnet. Er tritt ein paarmal auf, immer mit der Pfeife im Mund, immer als der unbeirrbare Sachwalter der von Lenin geführten Revolution. Kurzum, die Geschichtsschreibung Tarassows ist durchaus offiziell. Gerade dadurch erfährt aber der europäische Leser, welches Bild von der revolutionären Entwicklung sich in der Sowjet-Union herauskristallisiert hat.

Tarassow-Rodionow, der als Leutnant bei einem Maschinengewehr-Kommando in Oranienbaum steht, setzt sich nicht nur in jeder Phase der Revolution rückhaltlos ein, sondern hat auch die unvergleichliche Chance, die umstürzenden Vorgänge in Petrograd als Handelnder sowohl wie als Augenzeuge aus nächster Nähe mitzuerleben. Seine persönlichen Erinnerungen verwandeln sich damit von selber in einen weit ausgreifenden historischen Bericht. Eine sonderbare Ironie will es nun, daß sein Buch sich beinahe wie ein Kommentar zur »*Geschichte der russischen Revolution*« des von ihm angefeindeten Trotzki liest.[5] Was dieser wieder und wieder hervorhebt: daß die bolschewistische Oktober-Revolution nicht von oben her gemacht ist, sondern von unten kommt, wird in Tarassows Darstellung detailliert bestätigt. »Es wurde mir auf einmal klar«, äußert er an einer Stelle, »daß all das, was jetzt in Oranienbaum vorging, sich überall im ganzen großen Rußland wiederholte; in Peterhof, in Strelna, in Kraßnoje Selo, in Samara, in Rjaschsk und in Omsk.« Und nicht anders wie Trotzki beurteilt Tarassow auch die Kerenski-Regierung und die Gründe für die Unhaltbarkeit der Koalition. Erfahrungen und Perspektiven sind hier und dort annähernd dieselben; nur daß jener als einer der Führer die Bewegung fortlaufend analytisch durchdringt, während dieser als einer der Teilnehmer sie mehr fragmentarisch und im Nacheinander vergegenwärtigt. Dafür tritt bei ihm die Einzelheit deutlicher heraus. Die vielen Kongresse, das Treiben in der Parteizentrale, das Hin und Her zwischen den radikalen und opportunistischen Richtungen, die bolschewistische Strategie während der Julidemonstration: alle von Trotzki bewundernswert gestalteten Abläufe und Kampfphasen gehören einer unbegrenzten Realität an, die in Tarassows rein empirisch verfahrender Autobiographie breit hereingenommen wird. So schrankenlos, wie sich der Erzähler der Revolution hingibt, beschreibt er auch die Empirie, die durch ihn hindurchgeht. Ein Versammlungsbericht reiht sich an den andern, und selbst gleichgültige Begegnungen sind treulich notiert. Man könnte nicht behaupten, daß diese Ausgeburten eines chronologischen Gedächtnisses immer sehr spannend wären. Aber sie sind ein unschätzbares Material.

Nicht nur für den Historiker, sondern beinahe mehr noch für den Politiker. Denn Tarassow reproduziert zahllose Gespräche, deren Bedeutung sich keineswegs auf die dokumentarische beschränkt. Konstellationen, wie sie damals in Rußland herrschten, kehren auch in anderen Ländern wieder, und es ist daher wichtig, die Meinungen kennenzulernen, die in solchen Zeiten aufsteigen und sich bekämpfen. Besonders ausführlich verweilt Tarassow bei den Argumenten der Sozialrevolutionäre und der Menschewiki. Er steht nicht an, die Verführungskraft zu schildern, die ihnen manchmal innewohnt, und veranschaulicht überhaupt recht gut jenes *Durchgangsstadium* der Revolution, in dem auch der entschlossene revolutionäre Kämpfer nur mit Mühe die Ideologie von der sachlich geforderten Ansicht, die demagogische Behauptung vom wirklich zutreffenden Urteil unterscheiden kann. Als Träger der ewigen Debatten tauchen die verschiedenartigsten Typen auf, die wohl mit Absicht so gewählt sind, daß jede Nuance ihre Personifikation findet. Interessant ist die Erscheinung eines alten Bolschewiken, der die frühere Schärfe verloren hat und mehr und mehr »demokratische« Allüren annimmt. Wie häufig solche Zwischenfiguren sind, wird nicht zuletzt dadurch bewiesen, daß Tarassow immer wieder enttäuscht den Abfall ehemaliger Gesinnungsfreunde verzeichnen muß. Dank der Fülle der Gestalten sind in der Tat die öffentlichen und privaten Redeschlachten des behandelten Zeitabschnitts, die selbstverständlich auch die Interventionsversuche Vanderveldes, die Diskussion über die Tat Friedrich Adlers usw.[6] umfassen, ziemlich vollständig inventarisiert. Hingewiesen sei hier vor allem auf die Aussprachen über die Stellung der Parteien zum Krieg und zur Front. Wenn Tarassow sich rückblickend kleinbürgerlicher Neigungen bezichtigt, so tut er das gewiß nicht deshalb, weil er etwa sein Verhalten zur Familie als unrevolutionär empfände. Im Gegenteil, er weist einmal die Mahnung seiner Frau, um der Kinder willen vorsichtig zu sein, spöttisch zurück. »Was heißt das, ›ihretwegen‹ ... Und warum muß ich gerade wegen der beiden Kinder vorsichtig sein? Und wie ist dieses ›vorsichtig‹ zu verstehen? Soll ich nicht dorthin gehen, wo Gefahr ist? Soll ich es vorziehen, die anderen in die Gefahr zu jagen und mich selbst hinter ihren Rücken zu verstecken? Zu welch naivem Verbrechertum kann doch Anhänglichkeit und Liebe führen!« Aus diesen Sätzen erkennt man zugleich, daß er sich auch schwerlich einen Mangel an Heroismus vorwerfen kann. Es ist der an revolutionärer *Einsicht*, den er im Buch bloßstellt und, allerdings etwas willkürlich, kleinbürgerlich nennt. (Überhaupt wendet er den Begriff »Kleinbürger« recht großzügig an; ein Verfahren, das selber kleinbürgerlich heißen müßte, wenn es nicht einfach denkfaul wäre.) Durch seine Unbesonnenheit kommt es einmal zu einem Zusammenstoß zwischen ihm und Lenin. Er hat es versäumt, im Oranienbaumer Sowjet ein Exekutivkomitee zu bilden, das der neuen bolschewistischen Mehrheit entspricht, und muß sich für dieses Vergehen eine scharfe Rüge gefallen lassen. Lenin erklärt ihm, daß er das Wichtigste verschlafen habe, beschuldigt ihn »großmäuliger Schwätzereien« usw. – Übrigens finden sich außer dieser sehr charakteristischen Lenin-Episode noch andere, die eine auf unmittelbarer Erfahrung beruhende Vorstellung von seinem Wirken vermitteln.

(FZ vom 22. 1. 1933, Literaturblatt)

1 Siehe Nr. 676, 711, 718 und 720.
2 Russ. Orig.: *Ijul*. Moskau: Gosudarstvennoe Izdat 1930.
3 Teil 1: *Februar*. Übers. von Olga Halpern. Potsdam: G. Kiepenheuer 1928; russ. Orig.: *Fevral*. Roman-chronika. Moskau: Gosudarstvennoe Izdat 1928. Ein dritter Teil ist nicht erschienen.
4 Siehe Nr. 608, Anm. 1.
5 Siehe Nr. 720, dort auch Anm. 2.
6 Der belgische Sozialdemokrat Émile Vandervelde (1866-1938) übernahm 1900 den Vorsitz der 1889 gegründeten Zweiten Internationale, zu der sich 1889 die sozialistischen und

sozialdemokratischen Bewegungen zusammengeschlossen hatten; vom Ersten Weltkrieg bis zu seinem Tod war er als Minister verschiedener Ressorts und Vorsitzender der Sozialdemokratischen Partei (ab 1928) einer der maßgeblichen Politiker Belgiens. Der österreichische Sozialdemokrat Friedrich Adler (1879-1960), Sohn von Victor Adler (1852-1918), dem Gründer und ersten Vorsitzenden der österreichischen Sozialdemokratischen Arbeiterpartei (SDAP), verübte aus Protest gegen den von der Sozialdemokratie mitgetragenen Kriegskurs Österreichs am 21. 10. 1916 ein Attentat auf den Ministerpräsidenten Karl Stürgk (1859-1916), für das er zum Tode verurteilt wurde. Im Jahr 1918 amnestiert, versuchte er, die durch den Zerfall der Zweiten Internationale im Ersten Weltkrieg ausgelöste und durch die Gründung der Dritten (kommunistischen) Internationale verschärfte Zersplitterung der internationalen Arbeiterbewegung mit der Gegengründung einer Internationalen Arbeitsgemeinschaft Sozialistischer Parteien (IASP) entgegenzuwirken. Nach dem Scheitern dieses Einigungsversuchs war Friedrich Adler von 1923 bis 1940 Generalsekretär der reformorientierten Sozialistischen Arbeiterinternationale und von 1938 bis 1945 Wortführer der Exilorganisation österreichischer Sozialisten (AVOES).

## 715. Lokomotive über der Friedrichstraße

Wenn man über die Friedrichstraße in der Richtung auf den Bahnhof zu geht, sieht man oft eine mächtige D-Zugslokomotive in der Höhe halten. Sie steht genau oberhalb der Straßenmitte und gehört zu irgendeinem Fernzug, der aus dem Westen kommt oder nach dem Osten fährt. Erregt sie das Aufsehen der Menge? Niemand blickt zu ihr hin. Cafés, Schaufensterauslagen, Frauen, Automatenbüfetts, Schlagzeilen, Lichtreklamen, Schupos, Omnibusse, Varietéphotos, Bettler – alle diese Eindrücke zu ebener Erde beschlagnahmen den Passanten viel zu sehr, als daß er die Erscheinung am Horizont richtig zu fassen vermöchte. Schon die ersten Stockwerke in dieser Straße verflüchtigen sich: die Karyatiden an den Fassaden sind ohne Gegenüber, die Erker könnten aus Pappe sein, und die Dächer entschwinden im Nichts. Kaum anders ergeht es der Lokomotive. Obwohl sie mit ihrem hochgelagerten, langgezogenen Leib, ihrem funkelnden Gestänge und ihren vielen roten Rädern wunderbar anzuschauen ist, harrt sie doch verwaist über dem Gewimmel der Fuhrwerke und Menschen, das sich durch die Unterführung ergießt. Ein fremder Gast, der so unbemerkt im nächtlichen Dunst eintrifft und fortschwebt, als sei er immer oder überhaupt nicht vorhanden.

Welch ein Schauspiel aber bietet die Friedrichstraße selber dem Mann auf der Lokomotive! Man muß sich vorstellen, daß er die Maschine vielleicht stundenlang durchs Dunkel geführt hat. Noch dröhnt die freie Strecke in ihm nach: Schienenstränge, die auf ihn zurasen, Signale, Bahnwärterhäuschen, Wälder, Ackerflächen und Wiesen. Er ist an kleinen Stationen vorbeigefahren und hat in düsteren Bahnhofshallen den Zug für wenige Minuten zum Stehen gebracht. Güterzüge, Personenzüge, erleuchtete Stuben, Kirchtürme, Rufe. Aber dieses Leben ist immer wieder von der Erde geschluckt worden und im Himmel vergangen. Städte: kurzfristige Unterbrechungen; Dörfer: zerstreute Grüppchen im Land. Von Dauer sind nur die Böschungen und Telegraphenstangen gewesen, die Bodenmuster, die endlosen Räume. Mitunter ist das Feld hinter dem Kesselfeuer zurückgewichen, das später von einem Flußlauf abgelöst worden ist. Karren und Wagen haben an den Wegkreuzungen gewartet. Schornsteine das Gelände durchschnitten und Kinderhändchen emporgewinkt. Und stets von neuem das rasche Größerwerden schwarzer Massen und dann ihr sofortiger Untergang.
Von dorther kommt der Mann auf der Lokomotive. Nach einer Fahrt, auf der außer Erde und Himmel alle Dinge vor ihm flohen, hält er plötzlich über der Friedrichstraße, die ihrerseits Himmel und Erde verdrängt. Sie muß ihm als die Weltachse erscheinen, die sich schnurgerad und unermeßlich nach beiden Seiten hin dehnt. Denn ihre Helle tilgt seine Erinnerungsbilder, ihr Gebraus übertönt das der Strecke und ihr Betrieb ist sich selber genug. Hier passiert man nicht eine Durchgangsstation, sondern weilt in der Mitte des Lebens. Als ein fremder Gast blickt der Mann droben wie durch einen Spalt in die Straße hinein. Sind auch seine an die Dunkelheit gewöhnten Augen noch außerstande, Einzelheiten zu unterscheiden, so erkennt er doch den Trubel, der die enge Häuserschlucht sprengt, nimmt den Glanz auf, der röter ist als die Räder seiner Maschine. Glanz und Trubel vermischen sich ihm zu einem einzigen ausschweifenden Fest, das wie die Reihe der Bogenlampen keinen Anfang hat und kein Ende. Es nähert sich aus dem Hintergrund, umfaßt Arme und Reiche, Dirnen und Kavaliere und zieht sich, ein glühender Buchstabentaumel, an den Fassaden entlang bis zu den Dächern. Dem Mann ist zumute, als habe er eine Tarnkappe auf und die Straße der Straßen woge über ihn weg. Eine Kette, die niemals abreißt. Ein Menschenband, das sich

unaufhörlich durch die flimmernde Luft zwischen Acker und Acker entrollt.
Fährt er weiter, so scheint ihm die Nacht finsterer als je. Vor sich und hinter sich: überall sieht er eine lodernde Linie. Sie umgaukelt ihn, ist bald nicht mehr in Zeit und Raum zu bannen und wird zum Gleichnis rötlichen Lebens. Auf der Friedrichstraße hat niemand die Lokomotive bemerkt.
(FZ vom 28. 1. 1933, wieder in: *Straßen*)

## 716. Almanach der jungen Generation

Rez.: *Jugend in Front vor dem Leben.* Unter Mitwirkung von Otto Gillen hrsg. von Erich Otto Funk. Wiesbaden: Der Weg 1933.

Im Wiesbadener Verlag Der Weg, einem neuen Unternehmen, das sich vor allem des jungen Schrifttums annehmen will, ist ein Almanach: *»Jugend in Front vor dem Leben«* erschienen. Für die Herausgabe dieser im Auftrag der »Notgemeinschaft junger Autoren«[1] veröffentlichten Anthologie zeichnet *Erich Otto Funk* verantwortlich, der in einem zu Beginn abgedruckten Vortrag: »Die Dichtung und die Politik«[2] einige programmatische Gedanken darlegt, die leider nicht folgerichtig zu Ende entwickelt werden. Nachdem er nämlich den Begriff der unpolitischen Dichtung abgelehnt hat, gelangt er schließlich doch wieder zu Bestimmungen, die jenen Begriff sanktionieren. Er verallgemeinert das Politische so sehr, bis es seinen spezifischen Sinn verliert, spielt die innere Schau gegen die »Kälte soziologischer Betrachtung« aus usw. Tatsächlich kommen auch in der Sammlung Gedichte und Prosastücke zu ihrem Recht, die weder direkt noch indirekt politisch gemeint sind. Trotz dieser Weitherzigkeit der Auswahl scheint man im Kreis der Mitarbeiter nicht ganz mit ihr einverstanden gewesen zu sein. Denn Otto Heuschele bemerkt in einem als Nachwort angehängten Brief an den Herausgeber: »Ich sagte es wohl schon, daß die Stimme eines Teils der neuen Jugend nur verhältnismäßig wenig vernehmlich ist in Ihrer Sammlung, es ist das jene Jugend, die in der Dichtung nicht nur eine Möglichkeit sieht, ihr

persönliches Glück oder Leid mitzuteilen, welche die Dichtung nicht als Mittel nützt, die Wirklichkeit einseitig zu schildern, parteimäßig zu bekämpfen oder zu verherrlichen, die nicht sich selbst und ihren selbstischen Zwecken dient, die vielmehr, begnadet und auserwählt, der reinen Dichtung ihres Lebens Dienst weiht.«[3] Der Satz mag veranschaulichen, welch ein abgezogener Begriff von »reiner« Dichtkunst noch immer in manchen Köpfen spukt. Aus Heuscheles eigener Erzählung,[4] die gar nicht ungekonnt, wenn auch durchaus epigonal ist, geht annähernd hervor, was man faktisch unter dieser dichterischen Reinheit zu verstehen hat: den romantischen Rückzug in geschützte Binnenbezirke, das poetische Verweilen bei isolierten Seelenbeständen. So wird der Name der Dichtkunst, die im Zeichen der Erkenntnis zu stehen hätte, zu Fluchtversuchen vor der Erkenntnis mißbraucht.
Der Almanach ist insofern recht instruktiv, als er den verschiedensten Spielarten zwischen politischem Bekenntnis und unpolitischer Darstellung Aufnahme gewährt. Erstaunlich genug, wieviele Haltungen und Richtungen sich in ihm nebeneinander dokumentieren. Natürlich fehlt der soziale Einschlag nicht. Einige Beiträge appellieren in Poesie und Prosa ans Kollektivgefühl und verraten mehr oder minder deutlich die Hinwendung zum Proletariat. Aber sie drängen sich keineswegs in den Vordergrund, sondern werden von lauter Äußerungen umringt, die längst nicht so eindeutig auf die Zeit reagieren. Einer preist den Pazifismus, ein andrer beruft sich auf George, ein dritter ermahnt zur Ehrlichkeit, Sauberkeit, Ordnung. Ererbte Anschauungen, die teilweise mit unseren gesellschaftlichen Verhältnissen nicht mehr korrespondieren, herrschen im allgemeinen noch vor. So muß es auch sein. Die überlieferten Grundvorstellungen und Idealtypen sind zu tief eingewurzelt, als daß sie ohne weiteres verwandelt werden könnten, und außerdem durchläuft der junge Mensch zunächst gewöhnlich die Daseinsform früherer Geschlechter. Daher bleiben selbst solche Autoren in den weltanschaulichen Konventionen befangen, die durch die Krise empirisch aus ihnen herausgestoßen worden sind. Harte Lebensschicksale führen nicht so sehr zur Einsicht in unsere Zustände als zum persönlichen Rebellentum, zur Elegie und zur Ichbetrachtung. Das Individuum ist in den meisten Leseproben Anfang und Ende. Es lebt sich in Gedichten und Beschreibungen aus, spiegelt sich in autobiographischen Gestaltungen wider und

sucht sich der Gefahren ringsum zu erwehren. Im Dienst seiner Fortbehauptung werden Stimmungen überbetont, Unglücksfälle blind ins Tragische hineingesteigert und innere Situationen schwelgerisch ausgekostet. Gewiß finden sich neben dem Ausdruck gegenstandslosen Ichlebens auch Beispiele realistischer Bemühung. Aber die Mehrzahl der Beiträge zeugt doch von der Zähigkeit, mit der die romantischen und idealistischen Traditionen weiterschwingen. Und wenn der Almanach etwas lehrt, so dies: daß man ihnen nicht von außen her beikommen kann, sondern sie durch die stete immanente Analyse umbilden muß. Ein paar bekanntere Namen mischen sich mit vielen unbekannten, und typische Durchschnittsleistungen überwiegen. Da es unmöglich ist, an Hand der dargebotenen Stücke besondere Talente zu diagnostizieren, seien auf gut Glück verschiedene Beiträge herausgegriffen, die aus dem einen oder anderen Grund das Interesse erregen. Mit dabei ist selbstverständlich Klaus Mann,[5] der sein Ziel darin erblickt, »als Individualist, nichts repräsentierend als das eigene gottgewollte Schicksal, durch ständige Arbeit, ständige Bemühung teilzuhaben an der geheimnisvollen Vorwärtsbewegung der Menschheit, deren Endziel man ebensowohl das Goldene Zeitalter als das Nichts nennen kann.« Eine Identifizierung, die nun wirklich sehr geheimnisvoll klingt. Erwähnenswert ferner: ein Abschnitt aus Ernst Erich Noths Roman: *»Die Mietskaserne«*[6] und eine Skizze von Gerhart Pohl.[7] Walter Steinbach und Alfred Geyer formulieren Erfahrungen in Versen, Theodor Kramers Gedichte verraten Sprachkraft und Substanz.[8] Nicht ohne Zustimmung liest man die erzählende Prosa von Lina Staab, Herbert Oertel, Wolfgang Paulsen; mit Beteiligung die Vignette: »Kleines Impromptu im Herbst« der frühverstorbenen Maria Luise Weißmann.[9] Die einem unveröffentlichten Drama Ernst Rathgebers entnommene Szene zwischen Jungarbeitern enthält einen frischen Dialog.[10]

(FZ vom 29. 1. 1933, Literaturblatt)

1 Der Förderverein Notgemeinschaft junger Autoren (NGJA) wurde 1931 von Hermann Böhme gegründet.

2 Erich Otto Funk, »Die Dichtung und die Politik«. In: *Jugend in Front vor dem Leben*, S. 14-25.

3 Otto Heuschele, »Jugend in Front vor dem Leben«. In: Ebd., S. 238-243.

4 Ders., »Agnes und Joachim.« In: Ebd., S. 132-152.

5 Klaus Mann, »Woher wir kommen – wohin wir müssen«. In: Ebd., S. 11-14.

6 Ernst Erich Noth, *Die Mietskaserne*. Roman junger Menschen. Frankfurt a. M.: Societäts-Verlag 1931. Ein Auszug aus dem Roman erschien u. d. T. »Einmal am Ende und dennoch am Anfang«. In: *Jugend in Front vor dem Leben*, S. 64-71.
7 Gerhart Pohl, »Die Letzte der Familie Bittner«. In: Ebd., S. 35-42.
8 Walter Steinbach, »Song vom Überfluß der Welt / Lied von der Not / Menschen«. In: Ebd., S. 87-89; Alfred Geyer, »Streik / Politik«. In: Ebd., S. 42 f.; Theodor Kramer, »Die letzten Herbergen / Ziegeljunge / Strolch und Prolet«. In: Ebd., S. 96 f.
9 Lina Staab, »Kleine Nachtmusik«. In: Ebd., S. 54-64; Herbert Oertel, »Zwischenakt im Dorf«. In: Ebd., S. 198-206; Wofgang Paulsen, »Lebenzenberg«. In: Ebd., S. 189-198; Marie-Luise Weißmann, »Kleines Impromptu im Herbst«. In: Ebd., S. 128-131.
10 Ernst Rathgeber, »Was wollt Ihr denn? Arbeiten! Szene aus dem unveröffentlichten Drama der Nachkriegsjugend ›Die Lösung‹«. In: Ebd., S. 43-49.

## 717. Anmerkung über Porträt-Photographie

Eine in Berlin gezeigte Ausstellung guter *Bildnisphotos*[1] bietet die Gelegenheit zu einer grundsätzlichen Betrachtung über die Chancen photographischer Porträtkunst. Warum sind sehr viele Bildnisse, und gerade die sogenannt künstlerischen, so verkehrt? Ich denke an Porträts, wie man sie häufig hinter Glas und Rahmen an den Eingängen photographischer Ateliers hängen sieht. Irgendein renommierter Männerkopf taucht aus mystischem Dunkel auf, oder eine beliebte Schauspielerin muß sich dämonisch gebärden. Gibt eine der normalen Ansichten nach den Begriffen der Beteiligten nicht genug her, so werden ungewohnte verewigt. Das Gesicht erscheint in kühnen Perspektiven, die etwas Bedeutendes ausdrücken sollen, die Kinn- oder Stirnpartien erhalten ein Übergewicht, das sie im Alltagsgebrauch vermutlich gar nicht besitzen, und Brillenreflexe werden zum optischen Hauptelement. In allen diesen Fällen handelt es sich immer um das gleiche Gebrechen. Es besteht darin, daß die Photographie nicht die zu porträtierende Physiognomie vergegenwärtigt, sondern sie als Mittel zu Zwecken benutzt, die außerhalb des Objekts liegen. Welche photographischen Möglichkeiten enthält der Kopf? Das ist die Frage, die in solchen Bildnissen aufgeworfen und beantwortet wird. Mit anderen Worten: sie erstreben von vornherein weniger die Wiedergabe ihres Gegenstandes als die Vorführung sämtlicher

Effekte, die aus ihm etwa herausgelockt werden können. Entscheidend sind natürlich jene, die dem Handwerk entsprechen: also Licht- und Schattenwirkungen besonderer Art. Wehe dem Typ, der zu ihrer Ausgestaltung anzuregen vermag. Ohne Rücksicht auf die mit ihm vielleicht gesetzten Gehalte wird er bestrahlt oder verfinstert, und was dann von ihm übrigbleibt, ist eine Schwarz-Weiß-Komposition. Sie beschränkt sich oft genug nicht auf ornamentale Reize, sucht vielmehr, schlimmer noch, eine künstlerische »Auffassung« zu dokumentieren. Tatsächlich setzen manche Bildnisphotographen ihren Ehrgeiz darein, über das Technische hinaus auch Kunstwerke zu liefern und die Physiognomie gewissermaßen zu beseelen. Statt nun aber aus dem Objekt heraus eine ihm sachlich zugeordnete Auffassung zu entwickeln, fügen sie ihm diese zu wie eine Sauce. Ob es dem Kopf recht ist oder nicht: er muß sich von ihr übergießen lassen. Hier wäre der Ort für einen soziologischen Exkurs, der sich mit der in zahlreichen Bildnisphotographien investierten Mentalität zu beschäftigen hätte. Diese Mentalität weist zweifellos einige typische Züge auf, die nicht so sehr den Porträtierten als den Porträtkünstlern eignen. Und zwar führt deren unausgesprochene Mittelstellung zwischen reproduzierender Technik und produzierender Kunst ganz von selber zur Übernahme gerade modischer Qualitäten. Wer nicht zur schaffenden Avantgarde gehört, muß die Neuheiten verwenden, die in der Luft liegen; vorausgesetzt, daß er um jeden Preis Kunst machen will. Bestimmte seelische Haltungen drängen sich so in den Vordergrund, bestimmte Posen kehren in Bildnissen wieder, die durchaus verschiedene Gegenstände betreffen. Sie werden dem Besteller aufoktroyiert, der allerdings nicht selten Ursache hat, sich über eine solche schmückende Zutat zu freuen.

Die in der erwähnten Ausstellung befindlichen Bildnisse unterscheiden sich von den eben gekennzeichneten dadurch, daß sie ohne »Auffassung« sind. Welch ein Vorzug! Während nach dem üblichen pseudokünstlerischen Verfahren die Physiognomie zu einem Lichterspiel wird oder gar hinter etlichen von ihr unabhängigen Meinungen und Vorstellungen verschwindet, ist sie hier echter Selbstzweck. Der Photograph hat sich ersichtlich darum bemüht, ihre Eigentümlichkeiten zu studieren und ihnen dann bildmäßige Geltung zu verschaffen. Er dankt zugunsten des Gegenstands ab, den er möglichst charakteristisch zu vermitteln

sucht. Ein deutlicher Beweis hierfür ist der Wegfall des Dekorativen, das in der Regel sonst eine Hauptrolle spielt. Gehalt und Geste stimmen in diesen Bildern wie selbstverständlich miteinander überein. Statt daß das Gesicht in eine fremde Perspektive gezwungen würde, ergibt sich diese jeweils aus seinem Wesen; statt daß ein subjektiver Stilwille sich die Alleinherrschaft anmaßte, bedingt die Essenz der Porträtierten von sich aus den Stil. Die Profile entspringen keiner Laune, die Frontalansichten sind Erfordernisse des Stoffes. Im Einklang damit verfolgen auch die Licht- und Schattenmodellierungen nicht eigensüchtige Sonderziele, sondern erfüllen die Funktion, den Text des Gesichts zu kommentieren. So verhält es sich wenigstens im Prinzip. Unstreitig sind Photographien dieser Art die einzigen, die Bildnisse heißen dürfen. Indem sie sich in die darzustellende Person hineindehnen, stoßen sie freilich auf eine Grenze, die allein der Maler zu überschreiten vermag. Er kann kraft seiner aktiven Eingriffe das Urbild, das er vor Augen hat, wirklich objektivieren; die Kamera dagegen, die nur passives Aufnahmeorgan ist, müßte sich in ihm zuletzt verlieren. Da diese theoretische Konsequenz aber ausscheidet, rückt auch die gute Bildnisphotographie, die es ernst mit dem Gegenstand meint, in eine gefährliche Nähe zum Gemälde, dem sich die schlechte vorschnell angleichen will. Sache des photographischen Taktes ist es: jene unerläßlichen Stilisierungen, die gemäldeähnliche Wirkungen zeitigen, auf ein Minimum einzuschränken.
(FZ vom 1. 2. 1933)

1 Nähere Angaben waren bislang nicht zu ermitteln.

## 718. Erinnerungen eines Duma-Abgeordneten

Rez.: Alexej Egorovič Badajev, *Die Bolschewiki in der Reichsduma*. Erinnerungen. Berlin: Mopr 1932.

Innerhalb der Memoirenliteratur, die jetzt aus den Kreisen der alten bolschewistischen Garde hervorgeht, nehmen die unter dem Titel: *»Die Bolschewiki in der Reichsduma«*[1] erschienenen Erinnerungen *A.[lexej]*

*E.[gorovič] Badajews* einen wichtigen Platz ein. Sie beziehen sich in der Hauptsache auf die Jahre 1912 bis 1914 und legen einen umfassenden Rechenschaftsbericht über die Tätigkeit der bolschewistischen Fraktion der 4. Reichsduma ab. Ein gewaltiges Material wird in dieser zweifellos parteioffiziösen Darstellung verarbeitet. So schildert Badajew ausführlich das schikanöse zaristische Wahlrecht, das es den Arbeitermassen nahezu unmöglich machte, ihre Abgeordneten durchzubringen; verweilt bei den mannigfachen Schwierigkeiten, denen die bolschewistische Sechsmänner-Fraktion ausgesetzt war; kennzeichnet die entscheidende Rolle, die der kleinen parlamentarischen Gruppe in der revolutionären Bewegung zufiel. Im Rückblick hat jene Epoche ein doppeltes Gesicht: sie ist zum einen Teil ein Stück wesenlos gewordener Vorgeschichte und zum anderen Teil das Heroenzeitalter der Revolution, das noch unmittelbar in die Gegenwart hineinragt. Der Zarismus tritt im Bewußtsein der ihm drohenden Gefahr immer provokatorischer gegen die Arbeiterschaft und ihre legalen Organisationsversuche auf, und die Arbeiterschaft ihrerseits wird durch den fortgesetzten Druck von oben zu stets erneutem Widerstand gereizt. Repressalien und Streiks erfüllen diese Jahre. Dazwischen oder richtiger: nicht dazwischen die Duma; denn je ernster sich die Auseinandersetzungen zuspitzen, desto deutlicher enthüllt sie ihren scheinparlamentarischen Charakter. Badajew selber steht durchweg im Mittelpunkt der Ereignisse. Er spricht und agiert in der Duma, der Parteiinstruktion gemäß, rein zu Agitationszwecken, leitet die *Prawda*, pflegt die Verbindung mit den Arbeitermassen, entfaltet eine vielseitige konspirative Tätigkeit usw. Sein Abgeordnetenmandat ist ihm dabei nur ein ungenügender Schutz. Wenn er verreist, begleiten ihn Spitzel, und das legale Wirken wird auf Schritt und Tritt von der Behörde erschwert. Den abrupten Abschluß dieser parlamentarischen Laufbahn bildet die Verhaftung der bolschewistischen Duma-Mitglieder bald nach Kriegsbeginn.

Nicht zuletzt ist Badajews Buch ein lehrreicher Beitrag zur *inneren Geschichte der Partei*. Vor allem darum, weil es sich eingehend mit den Vorgängen befaßt, die zu der im Oktober 1913 erfolgenden Spaltung der sozialdemokratischen Fraktion führten. Der in der Arbeiterschaft damals vielbeklagte Bruch entspringt der Überzeugung der Bolschewiki, daß die Gegensätze zwischen ihnen und den Menschewiki schon zu weit gediehen sind, um noch unter einen Hut gebracht werden zu können. Ein wesentliches Merkmal der theoretischen Verschiedenheit ist die der Organisationsform. Während die menschewistischen Abgeordneten sich häufig von der Partei zu emanzipieren suchen, fühlen sich die bolschewistischen von vornherein als Funktionäre der Parteizentrale. »Diese Unterordnung, dieses streng zentralisierte System waren die Hauptbedingung für den Erfolg der revolutionären Arbeit.« Gerade die Abschnitte, die von den engen Beziehungen der Fraktionsmitglieder zur Parteiführung handeln, sind besonders interessant. Hier taucht auch immer wieder der Name Lenins auf. Er läßt sich von den Abgeordneten Bericht erstatten, beruft sie zu Beratungen des Zentralkomitees zweimal nach Galizien, analysiert mit ihnen die Lage, erteilt ihnen Direktiven und wacht über jedem Detail. Dieser Teil der Arbeit Badajews ist streng illegaler Art. Wie nötig die Vorsichtsmaßnahmen sind, die man zur Verschleierung der Parteizusammenkünfte, der Geheimhaltung des Briefwechsels usw. trifft, beweist u. a. der Fall Malinowski. Das ihm gewidmete Kapitel läßt an Spannung nichts zu wünschen übrig. Malinowski, der ein Spitzel vom Schlage Asows ist,[2] bringt es (mit Unterstützung der Polizei) zum bolschewistischen Duma-Abgeordneten und fügt dank seiner intimen Kenntnis aller Parteiangelegenheiten der revolutionären Sache jahrelang einen unberechenbaren Schaden zu. Durch die Beschreibung dieser Episodenfigur illustriert Badajew höchst anschaulich die Tücken des Kampfes, den die Revolutionäre haben ausfechten müssen. (FZ vom 5. 2. 1933, Literaturblatt)

1 Russ. Orig.: *Bolsevîki v gosudarstvennoj dume.* Bolševistskaja frakcija 4 Gosud. Dumy i revoljucionnoe dviženie v Peterburge. Vospominanija. Leningrad: Priboj 1929.

2 Gemeint ist Jewno Asef (1869-1918), der bis zu seiner Enttarnung und Flucht nach Deutschland im Jahr 1909 sowohl als Mitglied der Sozialrevolutionären Partei und politischer Attentäter gegen das zaristische Rußland als auch als Polizeispitzel tätig war. Vergleichbar war die politische Biographie von Roman Malinowski (1876-1918), der als Mitglied der Sozialdemokratischen Partei 1910 verhaftet wurde und anschließend als Geheimagent der Ochrana (siehe Nr. 711, Anm. 2) in der bolschewistischen Partei im nächsten Umkreis Lenins Karriere machte.

## 719. Jugend in dieser Zeit

Rez.: Georg Glaser, *Schluckebier*. Berlin und Wien: Agis 1932.

*Georg Glasers* Buch: *»Schluckebier«* behandelt einen Stoff, der schon wiederholt literarisch dargestellt worden ist; so in Lampels Stück: *»Revolte im Erziehungsheim«* und in den beiden Büchern von Albert Lamm (*»Betrogene Jugend«*) und Ernst Haffner (*»Jugend auf der Landstraße Berlin«*).[1] Aber es ist wichtig, daß die Öffentlichkeit von den verschiedensten Seiten her auf die Verhältnisse aufmerksam gemacht wird, unter denen viele junge Menschen, halbe Kinder noch, heute leben und – verwahrlosen müssen. Denn wie sollten änderungsbedürftige Zustände je gewandelt werden, wenn sie nicht ins allgemeine Bewußtsein dringen? Ihre Beschreibung erfüllt zum mindesten den Zweck, Gegenkräfte zu wecken.

Am Beispiel seines Helden Schluckebier will Glaser ein typisches Schicksal vergegenwärtigen. Schluckebier ist ein Kriegsjunge aus ärmlichem Kleinbürgermilieu, der sich nach einigen belanglosen Verfehlungen der harten väterlichen Gewalt durch die Flucht entzieht. Nun beginnt eine Laufbahn, deren einzelne Etappen sich folgerichtig auseinander entwikkeln. Der Minderjährige, dessen Hauptverkehr ein Trupp verwahrloster Jungen bildet, kommt zunächst in einer Fabrik unter, in der die Arbeiter offenbar besonders rücksichtslos behandelt werden. Gelegentlich einer spontanen Protestaktion gegen die dort herrschenden Mißstände fliegt auch er auf die Straße und ist fortan arbeitslos. Nach dem Bericht des Verfassers hat Schluckebier schon um diese Zeit ein ziemlich klares Bewußtsein von seiner Situation. Der Zwang der Verhältnisse, deren Produkt er ist, treibt ihn dazu, sich dem offiziellen Denken zu widersetzen und manche von den Lehrern und Pastoren empfangenen Weisungen als Ideologien zu durchschauen. Eine Gesellschaftskritik, die sich desto mehr vertieft, je deutlicher er die Ausweglosigkeit seines Daseins erkennt. Die Gänge zum Arbeitsamt sind vergeblich, und der Hunger ist groß. In Schluckebier speichert sich eine Unmenge von Haß an, der zu rebellischen Ausbrüchen führt. Sie ziehen Gefängnisstrafen und zuletzt das Erziehungsheim nach sich, in dem schlecht entlohnte und noch schlechter instruierte Lehrer mit der Knute regieren. Das barbarische

Erziehungssystem ruft eine Revolte der mißhandelten Jungen hervor, die als Notwehraktion aufzufassen ist und in eine verzweifelte Orgie einmündet. Der Empörer Schluckebier wird von einer Kugel der eindringenden Polizeisoldaten zu Tode getroffen.

Diese Geschichte einer furchtbaren Jugend ist nicht einfach reportiert, sondern zum Roman ausgestaltet. Es lohnt sich, ihn abgelöst von seinem Inhalt zu betrachten; verrät er doch ein Erzählertalent, das um so auffälliger ist, als der einundzwanzigjährige Verfasser den vorgedruckten Angaben zufolge selber aus der Fürsorge hervorgegangen sein soll.[2] Angesichts solcher Herkünfte wirkt sein Buch doppelt erstaunlich (vorausgesetzt, daß man die Niederschrift nicht überarbeitet hat). Natürlich hält sich Glaser an stilistische Vorbilder; aber er überrascht durch den kunstgerechten Gebrauch der Argot-Ausdrücke, gedrängte Schilderungen, in denen kein Wort zuviel ist, und geschickte Einzelheiten der Komposition. Stark ist vor allem die Szene im Arbeitsamt: wie Schluckebier dem kleinen Angestellten gegenübersitzt und nicht weichen will. Beide bedrohen einander; dieser, weil er auf Unterstützung angewiesen ist, jener, weil er aus Angst vor Entlassung keine Unterstützung gewähren darf. Durch die Art der Erzählung ersteht die ganze groteske Jämmerlichkeit des sinnlosen Duells, das hier unter dem Druck der sozialen Abhängigkeiten ausgefochten wird. Eindrucksvoll auch die Gestaltung der Singstunde kurz vor der Revolte. Der Direktor intoniert wiederholt ein Lied, ohne daß die aufsässigen Jungen mitsängen, und erfährt dabei das Schwinden seiner Autorität. »Es half ihm nicht. Wir hatten Mitleid, ja, aber wir hätten das dritte Mal nicht mitsingen können, selbst wenn wir gewollt hätten. Und dieses dritte Mal sang der Alte so falsch und so laut, daß es fast wie ein Heulen klang und sich schrecklich einprägte. Mitten in der Strophe brach er wieder ab. Er stand auf. Sah uns an und ging. Er schleifte über den Hof durch das gelbe Laub der Bäume …« Eine treffende Beschreibung des Zusammenbruchs purer Macht.

Dieser Begabungsproben ungeachtet rückt indessen das Buch gerade durch die Romanform in ein zweifelhaftes Licht. Die Hauptfunktion der Aufzeichnungen kann doch nur die sein: erschütternde Schicksale und Zustände im Interesse ihrer Änderung möglichst wahrheitsgetreu vorzuführen. Glaser kommt aus der Fürsorge und ist wohl von den meisten Ereignissen persönlich betroffen gewesen; um so eher müßte er das entscheidende Gewicht auf die dokumentarische Wiedergabe der Tatsachen legen. Der Stoff und die mit seiner Darbietung zu Recht verbundenen Absichten drängen hier von sich aus zur Reportage. Indem aber Glaser die romanhafte Gestaltung dem Wirklichkeitsbericht vorzieht, schwächt er gerade jenen Tatsachencharakter ab, der den im Buch veranschaulichten Vorgängen erst die eigentliche Stoßkraft verliehe. Sind die Szenen im Erziehungsheim Fakten oder auf Grund einiger Fakten stilisiert? Die vielen Gestaltungsmanöver rauben dem Gegenstand seine unbezweifelbare Realität und zwingen den Leser dazu, zwischen sachlicher Teilnahme und ästhetischer Kontemplation hin und her zu pendeln. Und doch wäre in diesem Fall nichts notwendiger gewesen, als das Ästhetische dem Berichtsmäßigen, das frei Geformte dem Kontrollierbaren unterzuordnen. Denn das Buch soll ja die Öffentlichkeit aktivieren. Nun versucht Glaser gewiß, die Empörung über die Zustände auf künstlerische Weise zu wecken, und es ist auch keineswegs zu bestreiten, daß eine echte epische Gestaltung die Menschen unter Umständen nachhaltiger aufzurütteln vermag als ein Tatsachenprotokoll. Aber im *»Schlukkebier«* handelt es sich gar nicht um ein Romanwerk, dem eine eigene Wirklichkeit innewohnte, sondern um das Bemühen, die Wirklichkeit romanhaft zu überhöhen. Trotz des Talents, das Glaser beweist: eben dieses Bemühen beeinträchtigt seine Leistung. Es verrät einen literarischen Geltungsdrang, der einer solchen Wirklichkeit gegenüber nicht hätte aufkommen dürfen. Das Manko, dem er entspringt, prägt sich denn auch innerhalb der Erzählung deutlich aus. Sie ist nicht frei von Ausschmükkungen und einer gewissen Effekthascherei, die sich oft, dem Zweck des Buches entgegen, in den Vordergrund schiebt. Statt die Tatsachen sprechen zu lassen, spricht Glaser lieber selber. So kann das Buch nicht seinen vollen Nutzwert entfalten. Es wird sich noch zeigen müssen, ob die Begabung des jungen Autors groß genug ist, um seiner fragwürdigen Mentalität nicht zu erliegen.[3]

(FZ vom 5. 2. 1933, Literaturblatt)

1 Georg Lampel, *Revolte im Erziehungsheim*. Schauspiel der Gegenwart in drei Akten. Berlin: G. Kiepenheuer 1929 (UA 1928). Zu den Büchern von Lamm und Haffner siehe Nr. 683, 734 und 742, zu Lamm siehe auch Nr. 668.

2 Der aus Rheinhessen stammende Schriftsteller Georg K. Glaser (1910-1995) besuchte in Worms die Volksschule und floh als Vierzehnjähriger vor den Mißhandlungen seines Va-

ters von zu Hause. Mehrfach wurde er aufgegriffen und in Fürsorgeanstalten gebracht, 1929 wurde er wegen Landfriedensbruch zu einer Gefängnisstrafe verurteilt. Nach seiner Entlassung verdiente er seinen Unterhalt als Fabrikarbeiter, schrieb Gerichtsreportagen für die KPD, der er Ende der zwanziger Jahre beigetreten war, und veröffentlichte Artikel u.a. in der FZ und der *Linkskurve*. 1933 ging Glaser zunächst in den Untergrund und setzte sich dann nach Frankreich ab, wo er sich unter dem Eindruck des Stalinismus vom Kommunismus zu distanzieren begann. Durch Heirat zum französischen Staatsbürger geworden, wurde er zum Militärdienst eingezogen, geriet (unter falschem Namen) in deutsche Kriegsgefangenschaft und wurde als Zwangsarbeiter verschleppt. 1945 kehrte er nach Paris zurück, wo er eine Kupfer- und Silberschmiede betrieb und sein autobiographisches Hauptwerk *Geheimnis und Gewalt. Ein Bericht* (2 Bde., 1951) schrieb, das aufgrund der Ablehnung deutscher Verlage zuerst in französischer Übersetzung erschien.

3 Zu Glasers *Schluckebier* siehe auch Nr. 734 und 742.

## 720. »Oktoberrevolution«

### Revolutionärer Realismus[1]

Rez.: Leo Trotzki, *Oktoberrevolution.* Geschichte der russischen Revolution. Bd. 2. Übers. von Alexandra Ramm. Berlin: S. Fischer 1933.

In seinem Werk: »*Oktoberrevolution*«, dem zweiten Band der »*Geschichte der russischen Revolution*«,[2] schildert *Leo Trotzki* die Entwicklung der Revolution von der Julireaktion an bis zur Ergreifung der Macht durch die Bolschewiki. Monate, die der Vorbereitung des Oktoberaufstandes dienen und nach seinen eigenen Worten durch folgende Etappen bestimmt werden: durch die »zunehmende Unzufriedenheit der Arbeitermassen, den Übergang der Sowjets unter das bolschewistische Banner, das Meutern der Armee, den Feldzug der Bauern gegen die Gutsbesitzer, das Überschwemmen der Volksbewegung, die wachsende Furcht und Verwirrung der Besitzenden und Regierenden, endlich den Kampf innerhalb der bolschewistischen Partei um den Aufstand«. Schon allein die *Methode der Darstellung* dieser gewaltigen und kaum übersehbaren historischen Ereignisse wäre einer ausführlichen Analyse wert. Und zwar müßte in ihr gezeigt werden, worin das besondere Wesen der Geschichtsschreibung Trotzkis besteht. Sie wird natürlich durch die

Tatsache mitbedingt, daß der *Betrachter zugleich ein Hauptakteur* ist. Aber diese einzigartige Personalunion verführt den Autor nicht etwa zu einem naiven Subjektivismus, sondern nötigt ihn nur zu desto strengerer Selbstkontrolle – bezeichnend für sie, daß Trotzki von sich in der dritten Person spricht – und hat wohl überhaupt keine andere Konsequenz als die der wissenderen Durchdringung des Geschehens. Dessen Darbietung erfolgt durchaus von der Grundlage des *historischen Materialismus* aus, der seit den Tagen von Marx gewiß noch nie in so großem Maßstab und mit solchem Realitätssinn angewandt worden ist. Trotzki benutzt ihn nicht zu plakathaften Vergröberungen des Geschichtsverlaufs, wie sie im Vulgärmarxismus üblich sind, sondern macht die Gültigkeit materialistischer Interpretationen im konkreten Material selber evident. Statt sich von Begriffsfetischen her dem Stoff zu nähern, weist er die in der Empirie sich auswirkenden Gesetzmäßigkeiten auf; statt um irgendwelcher Maximen willen das Detail zu vernachlässigen, enthüllt er seine jeweilige Bedeutung; statt die Rolle der individuellen Faktoren von vornherein zu verkürzen, bemüht er sich stets darum, ihre Funktion voll zu erfassen. So entsteht ein Geschichtsbild, das weder eine weitmaschige Konstruktion ist, der die Tatsachen entgleiten, noch eine dokumentarische Betrachtung, die in der Fülle der Tatsachen versinkt. Vielmehr wird der Stoff hier erkenntnismäßig bewältigt und jede Erkenntnis dem Stoff entnommen. Nicht umsonst nennt Trotzki einmal Lenin seinen Lehrer. Hat er auch eine sehr persönliche Art des literarischen Auftretens, die ihn vom Lehrer stark unterscheidet, so verfährt er doch insofern leninistisch, als er sich der gesellschaftlichen Realität im revolutionären Interesse *dicht an die Fersen* heftet. »Ein riesiger Vorteil der Bolschewiken ... war«, meint er an einer Stelle, »daß sie ihre Gegner sehr gut verstanden, man kann sagen, ganz durchschauten.« Die Ausnutzung dieses der materialistischen Methode zu dankenden Vorteils durch Trotzki verhilft den von ihm in doppeltem Sinne gestalteten Ereignissen zu einer Transparenz ohnegleichen. Und wie jede Darstellung, die einen Gegenstand wirklich erschöpft, über ihn hinausgreift, so trifft auch dieses Werk nicht nur das Thema, dem es gilt. Mit gutem Recht darf Trotzki behaupten, sein Buch lehre, »wie eine Revolution vorbereitet wird, wie sie sich entwickelt und wie sie siegt«.

Sie kann nur siegen, wenn sie *von unten* kommt: das ist Voraussetzung und Ergebnis des Werks. Bezeichnend für diese Erkenntnis ist schon die Auswahl der Zitate. Berichte von Arbeitern, Matrosen und Parteimitgliedern, die keine Intellektuellen sind, bilden zum nicht geringen Teil das Rohmaterial, das Trotzki verwendet. Bei der Beschreibung der großen Oktoberdemonstration heißt es unter anderem: »Das Bild der vergeistigten und in ihrer Unbezähmbarkeit verhaltenen menschlichen Lava hatte sich für immer ins Gedächtnis der Augenzeugen eingeprägt.« So erscheint ihm die Masse im Stadium des revolutionären Kampfes. Ihre Bewegungen haben Rechtskraft, und die Urteile, zu denen sie gelangt, sind von vornherein gewichtiger als die von den anderen Parteien vertretenen Meinungen, die den »Bedürfnissen des Augenblicks« entspringen. Wieder und wieder weist Trotzki nach, daß eine Revolution nicht von oben gemacht werden kann, sondern aus elementaren Tiefen kommen muß. »Die Matrosen waren in hohem Maße die Inspiratoren der Julidemonstration gewesen«, erklärt er, »ohne und zum Teil gegen die Partei, die sie der Lauheit und fast des Versöhnlertums verdächtigten.« Ferner: »Die politische Wiederauferstehung der Sowjets, die mit deren Bolschewisierung zusammenfiel, begann von unten.« Und gegen Masaryk,[3] der behauptet, daß die Oktoberumwälzung das Werk von Führern gewesen sei, wird ausdrücklich festgestellt: »In Wirklichkeit hatte dieser Aufstand von allen Aufständen in der Geschichte am stärksten den Charakter einer Massenbewegung.« Darum ist Trotzki natürlich nicht der Spontaneitätstheorie Rosa Luxemburgs verfallen,[4] sondern kalkuliert die organisatorische Arbeit der Partei voll ein. Indem er ihren Anteil an der Revolution herauskristallisiert, legt er aber stets den Akzent darauf, daß nur der enge, besonders von Lenin gepflegte Kontakt der Partei mit den primären Regungen der Masse zum Oktobersieg führte. »Dem Bolschewismus war die aristokratische Verachtung für die selbständige Erfahrung der Massen absolut fremd. Im Gegenteil, die Bolschewiki gingen von dieser aus und bauten auf ihr. Darin lag einer ihrer großen Vorzüge.« Die Art der von Trotzki gemeinten und für richtig erachteten Beziehung zwischen den Massenkräften und ihrer politischen Avantgarde wird am deutlichsten in seinen Ausführungen über die »Kunst des Aufstands«. Er diskutiert hier die Frage, wie Parteipolitik und elementare Bewegung zusammenwirken müssen, damit es zur Machteroberung kommt. So selbstverständlich es ihm ist, daß der Sieg eines sozialen Regimes über ein anderes nur durch den Massenaufstand erfolgen kann, so wenig unterschätzt er die Rolle *planmäßiger Verschwörung*. Welche Aufgaben ihr zufallen, erörtert er im Verlauf einer wichtigen Auseinandersetzung mit dem Blanquismus am Beispiel des von den Bolschewiki geführten Sowjets. Worin besteht seine Leistung? »In Übereinstimmung mit den Veränderungen der politischen Situation und der Massenstimmungen bereitet er Stützpunkte des Aufstandes vor, verbindet die Stoßtruppen durch die Einheitlichkeit des Zieles, entwirft im voraus den Plan des Angriffs und des letzten Ansturms: dies eben bedeutet, organisierte Verschwörung in den Massenaufstand hineinbringen.« Diese und andere Aussagen über das theoretisch zu fordernde Verhältnis zwischen den unteren und den oberen Kräften sind durch die Praxis bestätigt worden.

Die ganze Darstellung ist von solchen grundsätzlichen Betrachtungen durchzogen. Sie dienen der Organisation des Stoffes, sie ermöglichen Synthesen, deren Durchsichtigkeit für ihren Wahrheitsgehalt zeugt. Mit welcher zwingenden Kraft sind etwa die Strukturen der Kornilow-Episode bloßgelegt![5] Daneben finden sich eine Reihe allgemeiner Glossen, die zwar nicht so tief in die Gestaltung eingreifen, aber als Äußerungen einer ungemeinen revolutionären Erfahrung gerade für europäische Leser oft von aktuellem Interesse sind. So bemerkt zum Beispiel Trotzki über die gewaltige Expansion der Sozialrevolutionäre im Dorf: »Wie es in der Regel zu sein pflegt, besonders in revolutionären Epochen, fiel das Maximum der organisatorischen Erfassung mit dem Beginn politischen Niedergangs zusammen.« Eine Deutung, die auf den *Nationalsozialismus* haargenau zutrifft. Über unsere eigenen Zustände klärt auch, gewisse Korrekturen vorausgesetzt, ein kurzer Abschnitt auf, der dem Verhalten der *Kleinbourgeoisie* in Krisen gewidmet ist. »Ist die proletarische Partei nicht genügend entschlossen, um die Erwartungen und Hoffnungen der Volksmassen rechtzeitig in revolutionäre Handlung umzusetzen, wird die Flut schnell von der Ebbe aufgelöst: die Zwischenschichten wenden ihre Blicke von der Revolution ab und suchen die Retter im feindlichen Lager. Wie während der Flut das Proletariat die Kleinbourgeoisie mitreißt, so reißt während der Ebbe die Kleinbourgeoisie bedeutende Schichten des Proletariats mit. Dies ist die Dialektik der kommunistischen und faschistischen Wellen in der politischen Evolution Europas nach dem Kriege.« Nicht minder enthüllend ist die Analyse des *Bonapartismus*, das heißt einer Regierung, die sich diktatorische Befugnisse anmaßt, um der Zerklüftung der Nation Einhalt zu tun, und dabei *über den Klassen* zu stehen behauptet. »Auch der Bonapartismus«, so kennzeichnet Trotzki das Kerenski-Kornilow-Regime, »war nicht Schiedsrichter zwischen Proletariat und Bourgeoisie; er war in Wirklichkeit die konzentrierteste Macht der Bourgeoisie über das Proletariat.« Gleich diesen Formulierungen gibt es viele, die sich als Kommentar der Vorgänge auffassen lassen, in die wir verwickelt sind. Vielleicht wird der Kommentar nicht immer den inneneuropäischen Verhältnissen ganz gerecht; ihn zu *studieren* und Nutzanwendungen aus ihm zu ziehen, ist jedoch unerläßlich. Sogar für jene, die Trotzki am liebsten auch aus der Weltgeschichte streichen möchten.

Wollte man das Verfahren, das diesem Geschichtswerk zu Grunde liegt, näher bestimmen, so müßte man es als *revolutionären Realismus* definieren. Trotzki selber verwendet den Ausdruck, um das Wirken Lenins zu charakterisieren. »Lenins Schule war die Schule des revolutionären Realismus.« Oder: »Es genügt nicht zu sagen, dem Bolschewismus war Phantasterei fremd: Lenins Partei war die einzige Partei des politischen Realismus in der Revolution.« Was meint diese Formel vom Realismus? Nicht zuletzt ein *Verhalten*. Welches, das geht aus einer Reflexion über Lenins »Kleinmut« hervor, der ihn etwa nach dem Juli zur irrigen Annahme verführt, die Sowjets seien demoralisiert. Trotzki äußert sich über diese allzu pessimistische Vermutung Lenins wie folgt: »Mit der Lösung eines strategischen Problems beschäftigt, stattete er den Feind im voraus mit der eigenen Entschlossenheit und dem eigenen Weitblick aus. Lenins taktische Fehler waren am häufigsten Nebenprodukte seiner strategischen Stärke. In diesem Falle ist es wohl überhaupt kaum am Platze, von einem Fehler zu sprechen: wenn ein Diagnostiker an die Feststellung einer Krankheit herangeht vermittels konsequenten Ausscheidens alles Falschen, stellen seine hypothetischen Annahmen, beginnend mit den schlimmsten, nicht Irrtümer dar, sondern die Methode der Analyse.« Der letzte Satz spricht es schon aus: das Verhalten Lenins ist eine Funktion seiner revolutionär-realistischen Erkenntnismethode. Sie bewährt sich unter anderem bei der Abfassung des denkwürdigen *Boden-Dekrets*,[6] das unmittelbar nach der Machtergreifung erlassen wird. Es verschweigt im kurzen Haupttext die neue Form des Bodeneigentums und greift auch in der beigegebenen Instruktion, die restlos den Bauern selbst entlehnt ist, späteren Entwicklungsmöglichkeiten nicht vor. »Lenin wollte so wenig wie möglich«, bemerkt Trotzki hierzu, »Partei und Sowjetmacht auf dem noch unerforschten historischen Gebiet a priori binden. Mit beispielloser Kühnheit vereinigte er auch hier äußerste Vorsicht. Es stand erst noch bevor, aus der Erfahrung zu erkennen, wie die Bauern selbst den Übergang des Bodens ›in Volkseigentum‹ verstehen.« Und sich auf eine Rede Lenins beziehend, in der dieser im Hinblick aufs Boden-Dekret erklärt, daß man den Volksmassen »vollste schöpferische Freiheit« lassen müsse, fragt und antwortet er: »Opportunismus? Nein, revolutionärer Realismus.« Dieser besondere Realismus, der, wie kaum noch gesagt werden muß, mit dem vieler sogenannter »Realpolitiker« nicht zu verwechseln ist, objektiviert sich in Trotzkis Buch und wird trotz subjektiver Restbestände nirgends verleugnet. Von ihm betroffen zu sein, wäre der entscheidendste Gewinn, den deutsche Leser aus dem Werk ziehen könnten.

(*Deutsche Republik*, 5. 2. 1933)

1 Im Erstdruck dieses Aufsatzes in der Zeitschrift *Deutsche Republik* war der Untertitel mit der Ziffer »I.« versehen; eine Fortsetzung oder ein zweiter Teil sind nicht erschienen.

2 Der erste Band der *Geschichte der russischen Revolution* erschien 1931 u.d.T. *Februarrevolution* (übers. von Alexandra Ramm. Berlin: S. Fischer).

3 Tomáš Garrigue Masaryk (1850-1937), der Mitbegründer und erste Staatspräsident der Tschechoslowakei, organisierte 1917 die tschechoslowakische Exilarmee in Rußland und erlebte die Oktoberrevolution aus nächster Nähe. Trotzki zitiert Masaryk mit der Bemerkung: »Die Oktoberrevolution war ... keineswegs eine Bewegung der Volksmassen. Die Umwälzung war das Werk von Führern, die hinter den Kulissen von oben herab arbeiteten« (Leo Trotzki, *Oktoberrevolution*. Geschichte der russischen Revolution. Bd. 2. Mehring Verlag: Essen 2010, S. 497).

4 Nach Rosa Luxemburg beruht das initiale Moment revolutionären Klassenbewußtseins auf der Spontaneität der Massen. Revolutionäre Bewegungen entstehen aus dem Proletariat heraus und nicht durch eine Organisation.

5 Zu Kornilov siehe Nr. 535, Anm. 2.

6 Das von Lenin ausgearbeitete Dekret über den Grund und Boden wurde am 26. 10. 1917 erlassen. Es sicherte jedem Landbewohner ein Recht auf Anteil am Boden zu und stellte die rechtliche Grundlage für die entschädigungslose Konfiszierung des privaten Grundbesitzes dar.

## 721. Vor dem Sturm

Rez.: Semjon Rosenfeld, *Rußland vor dem Sturm*. Übers. von Werner Bergengruen. Berlin: Verlag der Bücherkreis 1933.

In der guten Übersetzung Werner Bergengruens ist der autobiographische Roman *Semjon Rosenfelds*: *»Rußland vor dem Sturm«*[1] erschienen. Wenn auch wohl keine unbedingte Notwendigkeit dazu vorlag, dieses Buch bei uns einzuführen, so ist es doch insofern sehr interessant, als es durchaus unpolitische Erinnerungen an die letzten Jahre des Zarismus enthält. Sein Verfasser, ein junger russischer Intellektueller, erzählt die harten Schicksale, die ihm auf dem Schub nach Sibirien, während seiner dortigen Militärzeit und später im Krieg widerfuhren. Erschütternd ist besonders der erste Teil, der von der Leidensfahrt durch die russischen und sibirischen Gefängnisse handelt. Diese Berichte über das Leben der Landstreicher und Kriminellen, über den Schmutz in den Quartieren und über zahllose Grausamkeiten und Demütigungen rufen Dostojewskis *»Memoiren aus einem Totenhaus«*[2] ins Gedächtnis zurück und sind eine einzige Abrechnung mit dem alten System. Nicht so, als ob Rosenfeld sich jemals ausdrücklich mit der Revolution identifizierte. Im Gegenteil, er beschränkt sich darauf, seine eigenen Erlebnisse in einfacher Sprache zu schildern, ohne irgendeine Folgerung aus ihnen zu ziehen. Aber gerade dadurch, daß er nie urteilt oder verallgemeinert, wird seine Reportage zur Anklageschrift. Sie gewährt Einblick in Zustände, die sich selber richten, verzeichnet das Ineinandergreifen typischer Mißbräuche und enthüllt die Verzweiflung der unteren Schichten. Weniger belangvoll sind die dem Militärdienst und dem Schützengraben gewidmeten Kapitel. Aber auch sie vermitteln eine Reihe von Tatsachen, aus denen einwandfrei hervorgeht, warum sich die russische Revolution mit solcher Zwangsläufigkeit entwickeln mußte.
(FZ vom 12. 2. 1933, Literaturblatt)

1 Russ. Orig.: *Gibel'*. Berlin: Petropolis 1931.
2 Fedor M. Dostoevskij, *Memoiren aus einem Totenhaus*. Leipzig: Ph. Reclam 1890; russ. Orig.: *Zapiski iz mertvogo doma* (1860-1862).

## 722. Ein jüdischer Julien Sorel

Rez.: Albert Cohen, *Solal*. Übers. von Franz Hessel und Hans Kauders.
Berlin: Drei Masken 1932.

Ein kurioseres Buch als der französische Roman *»Solal«*[1] von *Albert Cohen* dürfte im weiten Umkreis schwerlich zu finden sein. Er ist ein Unikum. Nicht allein seiner Fabel wegen, die zwischen griechischen Gettojuden und französischen Aristokratenfamilien krause Schicksalsfäden schlingt, sondern auch darum, weil sich in seiner Gestaltung alle möglichen Stilelemente höchst unbefangen vermengen. Seitenlange, direkt von Joyce bezogene Assoziationsketten verbinden sich mit Worthäufungen, bei denen Rabelais Pate gestanden hat, hergebrachte Schilderungen südlicher Leidenschaften schlagen vehement in eine Prosa um, deren Optik und Humor nicht moderner sein könnten, und mitten im Schwulst der Kolportage finden sich wieder und wieder berückende Passagen, die unmittelbar an Stendhal erinnern. Dieser Mischmasch der Formen und Dimensionen wäre wahrscheinlich unerträglich, wenn er nicht durch einen abenteuerlichen Glanz verdeckt würde, der sämtliche Inhalte des Buches wie eine Art von Lasur einheitlich überzieht. Es tut seiner Helle keinen Abbruch, daß er nicht immer ganz zuverlässig ist.

Solal, so heißt der Held, entstammt der griechischen Insel Kephalonia, wo er die Knabenzeit im Schutz der würdigen und unwürdigen Vertreter seiner weitverzweigten Familie verbringt. Er hat tiefschwarze Haare und ist ein Wunder an Schönheit. Im Alter von 16 Jahren verläßt er das Gettomilieu der sephardischen Juden, um mit der Frau des französischen Konsuls, die von so viel Schönheit nicht unberührt geblieben ist, nach Florenz zu entfliehen. Nun beginnt eine Laufbahn, deren verwegene Kurven nur daraus zu erklären sind, daß Solals geistige und körperliche Fähigkeiten ihresgleichen suchen. Seinc sportliche Gewandtheit überbietet die von Douglas Fairbanks,[2] sein Wesen ist nicht minder passioniert wie das Julien Sorels.[3] »In Marseille hat er mehrere Wochen im Hotel du Louvre verbracht. Hatte auf dem Bett gelegen und drcihundert großartige Gedichte geschrieben, dic in einem Schrank liegenblieben – um später einen anderen berühmt zu machen. Die russische Fürstin, die im Hotel wohnte, verfügte über einen fabelhaften Hüftenschwung, aber er war all dieser Frauenlippen und Frauenzungen müde ... Er hatte das Hotel und die schöne blonde, schmutzige Russin verlassen, die ihn aushalten wollte ... Er hatte im Alten Hafen Orangen ausgeladen. Mit zwei Italienern, Gipsfigurenverkäufern, zusammen gesottene Saubohnen gegessen und ihnen Hymnen des Aufruhrs vorgelesen, geschrieben auf Packpapier.« Dies während des Weltkrieges. An Episoden aus Solals späterem Dasein wären zu erwähnen: ein Raubüberfall in Genf; ein Duell; der Kampf mit einem Tiger im Zirkus; der Eintritt in die Politik und ein erfolgreiches diplomatisches Intermezzo in London; die romantische Entführung seiner Geliebten Aude von Maussane knapp vor ihrer Hochzeit. Und so weiter. Märchenhafte Glücksfälle sind indessen durchaus nicht die Regel. Denn wie Solal durch Frauengunst und Talent bis zum Zeitungsbesitzer, ja bis zum Minister ansteigt, so sinkt er durch die Bindung ans Herkommen immer von neuem aus der sozialen Höhe herab. Die Verwandtschaft besucht ihn zweimal in Paris, kompromittiert ihn und zieht ihn in ihren Bann. Nicht so, als ob er aus freien Stükken auf Liebe, Stellung und Einfluß verzichtete; aber die Traditionen des Gettojudentums, die in seinem Innern fortleben, besiegen zuletzt den gesellschaftlichen Ehrgeiz und die erotische Glut. Er sträubt sich gegen die uralten Kräfte und kann ihrer Macht doch nicht widerstehen. »Ich bin ganz wie sie«, sagt er zu Aude von den Glaubensgenossen aus Kephalonia. »Du hast sie nicht richtig gesehen, nicht die Richtigen gesehen, die vom Geist, die vermischt waren mit den anderen gestern abend ... Und dann sind sie alle, die wahren und die andern, Äußerste, Glühende. Begreif doch. Ein Dichtervolk. Ein äußerstes Volk. Bei uns ist das Groteske übertrieben grotesk ... Wir sind das Volk des Übermaßes. Das alte Volk des Geistes, schmerzgekrönt, von königlichem Wissen und tief enttäuscht. Das alte irre Volk, das allein wandert durch den Sturm und trägt seine klingende Harfe durch die dröhnende Nacht der Jahrhunderte und seinen unsterblichen Größenwahn und Verfolgungswahn.« Die schwierige Legierung, aus der sich der Held zusammensetzt, ist ausgezeichnet geschildert. Sein Feuer erträgt es nicht, eingehegt zu werden, seine maßlose Eitelkeit kämpft mit dem Unglauben ans Heil der Karriere, seine Rastlosigkeit zerstört die Dauer der Liebe, sein Pathos wird durch einen Zynismus unterminiert, der aus utopischer Frömmigkeit kommt, die sich nicht bewahrheiten kann. Am Ende erkennt Solal, daß

er sich zwischen Aude und dem Geist der Vorfahren entscheiden muß. Bricht mit beiden, wird katholisch, irrt verarmt durch die Straßen von Paris und erdolcht sich, sein Kind auf dem Arm. (Die kitschige Auferstehungsszene, die angehängt ist, wäre zu missen gewesen.)
Am besten gelungen ist unstreitig die Schilderung der griechischen Juden. Die ihnen gewidmeten Abschnitte beschwören eine Welt herauf, die uns unbekannt ist. Hier, merkt man, ist der Verfasser zu Hause. Er gibt den eigentümlichen Zauber der Insellandschaft wieder, er gestaltet mit Pietät und Witz die Typen, die in ihr umgehen. Sie verdienen wahrhaftig das Bürgerrecht in der europäischen Literatur. Eine wunderbare Figur ist zum Beispiel Onkel Saltiel, der weniger aus dem Geschlecht der Solal als aus dem der Schelme zu stammen scheint. Ein Männchen, das gern im Kreis der Freunde phantastische Geschichten erzählt, seinen eigenen Übertreibungen glaubt, die zivilisierte Welt wie eine Wildnis durchreist und schließlich in der Wahlheimat Palästina im Kampf gegen die Araber fällt. Seine Lust an Abenteuern wetteifert mit der an Gaukeleien, seine Schläue ist nie um einen Ausweg verlegen und seine Kläglichkeit ist eine Maske ererbter Kraft. Odysseus, Tartarin,[4] Don Quichotte, Eulenspiegel: sie alle gehören zu seinen Ahnen.
Zum Schluß sei nicht hinzuzufügen vergessen, daß die deutsche Übersetzung von Franz Hessel und Hans Kauders mustergültig besorgt worden ist.

(FZ vom 12. 2. 1933, Literaturblatt)

1 Frz. Orig.: *Solal*. Paris: Gallimard 1930.

2 Der US-amerikanische Schauspieler Douglas Fairbanks (1883-1939) glänzte als ritterlicher Held in zahlreichen frühen Mantel-und-Degen-Filmen. Siehe *Werke*, Bd. 6.1, Nr. 172, 185 und 244, sowie Bd. 6.2, Nr. 426.

3 Siehe Nr. 648, Anm. 3.

4 Der gleichnamige Protagonist von Alfred Daudets Romantrilogie *Aventures prodigieuses de Tartarin de Tarascon* (1872; dt.: *Die wundersamen Abenteuer des Herrn Tartarin von Tarascon*, 1882), *Tartarin sur les Alpes* (1885; dt.: *Tartarin in den Alpen*, 1886) und *Port Tarascon* (1890; dt.: *Port Tarascon*, 1890), ein bürgerlicher Nachfahre Don Quijotes, wurde zum Inbegriff des Provencalen. Nach dem Mittelteil der Trilogie hat Kracauer 1933 einen »Ideen-Entwurf zu einer ›großen Filmkomödie‹« geschrieben. Siehe *Werke*, Bd. 6.3, S. 518-522.

# 723. Berliner Nebeneinander [Teil I-III]

## Kara-Iki – Scala-Ball im Savoy[1]

Soiree des Experimental-Psychologen und Herrschers A.[dolph] M.[aximilian] Langsner, der sich auch *Kara-Iki* nennt, was gleich viel geheimnisvoller klingt.[2] Er spricht fließend ein gebrochenes Deutsch, so zwischen Ungarn und Amerika, mit noch ein paar anderen Einschlägen dazwischen. Kein Wunder; denn Kara-Iki hat, wie er im Programm erzählt, mit drei Automobilen eine über fünfjährige Weltreise gemacht, um die okkulte Wissenschaft aller Völker, ihre Psychologie, ihre Religionen usw. zu studieren. Allein in Britisch-Indien, heißt es ebendort, sei er mehrere Jahre geblieben; desgleichen in Siam und Straits Settlements; ferner in Sumatra, Singapore usw. Addierte man die Jahre zusammen, so käme zweifellos eine ganz stattliche Summe heraus. Aber vielleicht ist es schon eine Frucht von Kara-Ikis Studien, daß er trotz dieser langen Aufenthalte in den okkulten Gegenden die ganze Expedition in so kurzer Zeit zurückgelegt hat. Ihre Ergebnisse sind jedenfalls wunderbar. So findet der Forscher rein durch Gedankenübertragung versteckte Gegenstände, die nicht größer als eine Nadel zu sein brauchen. Wenn sich der Erfolg nicht sofort einstellt, hat die Person, die ihn hinführen soll, einfach nicht konzentriert genug gedacht. Die Hauptattraktion bildet natürlich das Hellsehen im engeren Sinn, das Kara-Iki auf Grund von Zettelchen ausübt, die ihm während der Pause vom Publikum übergeben werden. Jedes Zettelchen muß Tag, Stunde und Ort des zu erratenden Ereignisses enthalten. Nachdem sich Kara-Iki mit Hilfe eines Pendels in einen sogenannten »neutralen« Zustand gebracht hat, läßt er sich von einer Vertrauensperson die Zettelchen vorlesen, sitzt düster da und sieht hell. »Ich sehe eine Frau«, sagt er, »die gerade gestorben ist ...« Oder er sieht eine Gerichtsszene, oder sonst etwas. Die Zettelschreiber bestätigen seine Angaben, froh darüber, nun endlich erfahren zu haben, was ihnen passiert ist. Meistens entläßt Kara-Iki sie mit einem unverbindlichen Trost für die Zukunft. Jene Frau hat keinen Selbstmord begangen, und der Erbschaftsprozeß wird gut ausgehen. Interessanter als dieses Orakeln ist das *Publikum*, das alle Verkündigungen begierig aufsaugt. Es besteht vorwiegend aus den Vertretern jener Schichten, die heute leidenschaftlich ein Wunder erhoffen. Ältere Privatiers beschlagnahmen die Sitze, Herren und Damen aus Mittelstandskreisen drängen sich nach vorne aufs Podium. Sie fliehen aus der Verzweiflung in den Rausch, schieben die Vernunft beiseite, die sie nur quält, und vertrauen sich einem Hellseher an, um selber nichts mehr hell sehen zu müssen. Niemals sind so günstige Zeiten für Medizinmänner gewesen. Eine Traktätchenluft weht im Saal, und die Atmosphäre ist mit Glaubensdünsten gesättigt. Von solcher Bereitschaft getragen, hat Kara-Iki ein um so leichteres Spiel, als er die Empfänglichkeit der Menge noch durch eine richtig dosierte Mischung herrischer und schmeichlerischer Gesten zu steigern weiß. Zuckerbrot und Peitsche: das alte Rezept. Schade nur, daß Fragen, die sich aufs politische Gebiet erstrecken, ausdrücklich untersagt sind. Man hätte gar zu gern gehört, wohin der Weg geht und wie das Programm für die nächsten Jahre beschaffen ist. Aber Kara-Iki denkt nicht daran, seinem in politischer Hinsicht so findigen Berufskollegen *Hanussen* nachzueifern,[3] sondern grast lieber das Privatleben ab, das noch dazu den Vorzug hat, daß sich seine Befunde der allgemeinen Kontrolle entziehen. Der Weizen blüht ja auch hier, und wer öffentlich hellsieht, kann sich nicht genug vorsehen.

In den *Varietés* haben sich sonderbare Zwischenformen verfestigt. Man macht regelmäßig Anleihen beim Kabarett und Theater und ergänzt die rein artistischen Nummern durch Leistungen, die halb und halb literarisch und künstlerisch gewertet zu werden verlangen. Das neue *Scala*-Programm zum Beispiel bietet einen Sketch mit Felix Bressart und die Conférence von *Werner Finck*.[4] Unter den Gründen, aus denen sich diese veränderte Struktur des Programms erklärt, wären etwa zu nennen: der durch den Druck unserer wirtschaftlichen und politischen Zustände vermehrte Drang des Publikums nach Abwechslung; die schwierige Lage der Theater; die Stoßkraft der Tendenz, die auf Demokratisierung gewisser, einst privilegierter Kunstgenüsse abzielt. Ökonomische und ideologische Gründe greifen hier ineinander. Im großen und ganzen steht fest, daß das gemischte Varieté-Programm von heute ein getreuer Spiegel des sozialen Mischprozesses ist, in dem wir uns befinden. Wie dieser noch des Abschlusses harrt, so sind auch die Nummern-Kombinationen auf der Bühne einstweilen ein provisorisches Gemenge. Dem Übergangscharakter der gegenwärtigen gesellschaftlichen Verhältnisse entspricht jedenfalls genau das Kunterbunt der Darbietungen, das die hierarchische Gliederung völlig vermissen läßt. Man könnte die Übereinstimmung zwischen dem Varieté-Betrieb und der Situation der Besucher sogar spezifizieren. Die Zusammensetzung des Programms gleicht nämlich haarscharf der des jetzigen mittelständischen Bewußtseins, das die aus einer nahezu proletarisierten Existenz erwachsenden Forderungen mit den Ansprüchen zu vereinigen sucht, die den bürgerlichen Traditionen entstammen. So muß es eine Vorführung bejahen, die das Selbstgefühl dadurch stärkt, daß sie in den Rahmen des Varietés Attraktionen einbezieht, die eigentlich in der gehobenen bürgerlichen Sphäre beheimatet sind. Dem Geltungsbedürfnis der sozial gefährdeten Zwischenschichten ist gerade diese Sprenkelung besonders gemäß. Allerdings bedeutet die Übernahme kabarettistischer und theatralischer Leistungen ins Varieté eben nur einen Kompromiß. Jene Leistungen werden ja nicht nur aus ihrer ursprünglichen Umgebung herausgerissen, sondern haben sich außerdem den Notwendigkeiten des Varietés anzupassen, dessen Voraussetzungen nicht die ihren sind. Es duldet zum Beispiel keinen Zweifel, daß eine Conférence, die sich ans breite Varieté-Publikum wendet, nicht so durchpointiert sein kann wie die im intimen Kabarett. Vergröberungen sind unausbleiblich, und sie wirken um so peinlicher, als man dazu genötigt ist, sie mit den oft vollendet ausgearbeiteten artistischen Nummern zu konfrontieren. Was diese betrifft, so ist, von der *Teresina* abgesehen,[5] *Fred Sanborn* der Glanz des Scala-Programms.[6] Ein exzentrischer Londoner Xylophonist, der wie eine E. T. A.-Hoffmann-Figur mit seinen Klimperstöckchen über das Podium geistert. Auch das Instrument, auf dem er, ständig in Bewegung begriffen, blinkende Tonskalen erzeugt, ist aus den Fugen geraten. Es birgt in seinem Innern Bananen, und manchmal entfährt ihm eine Taste, die gesondert angeschlagen werden will. Roß und Reiter sind nicht ganz bei Sinnen und insofern ein waschechtes Produkt unserer Tage.

Die Rotter-Bühnen sind zwar verkracht,[7] aber aus den Ruinen sprießt noch immer das von den flüchtigen Brüdern erweckte Leben. Abend für Abend strömt das Publikum in die Tropfsteingrotte des »*Großen Schau-*

*spielhauses«*,[8] um sich hier die Freude zu verschaffen, die es draußen nicht finden kann. Je unsicherer die Zeiten sind, desto begehrter ist vermutlich eine Operette wie: *»Ball im Savoy«*.[9] Sie beansprucht nicht, ein Dauerwert zu sein, den man unter den jetzigen Umständen ja auch kaum zu realisieren vermöchte, sondern gleicht viel eher einer Injektion, die sofort in einen Zustand der Beschwingtheit versetzt. Die momentanen Reize, die sie ausübt, sind größtenteils der Inszenierung zu danken. Diese appelliert sehr geschickt an die *Massengefühle* des Publikums, die durch den amphitheatralisch ausgebauten Zuschauerraum erst recht ins Bewußtsein gehoben werden. Das Ballett etwa besteht aus einer Reihe von Girls und Boys, die wie ein Gleichnis der Masse wirken. Sind die Trüppchen auch nicht wie in Amerika eine Selbstdarstellung der dem Mechanisierungsprozeß unterworfenen Massen, so lassen sie sich doch ebenso wenig aus einzelnen Individuen zusammensetzen. Man erhält sie überhaupt nicht durch die Addition individueller Einheiten, sondern kann sie höchstens in kleinste Bestandteile zerlegen, in Girl- und Boy-Atome, die aber für sich allein keinen Eigenwert haben. Wie ein ins Freundliche gewendetes Widerspiel der Massen treten diese Tanzkompanien auf. Sie sind harmlose Kulissen und vollführen ein paar nette Pauschalbewegungen, bei denen dem Publikum ganz leicht zumute wird. Wenn so die Welt wäre ... Das Glück erfährt eine letzte Steigerung in der Schlußapotheose, die eine einzige Massenverbrüderung ist. Zur Feier Madeleines durchmißt das Ensemble den Zuschauerraum und verschmilzt so mit der nun vollends aktivierten wirklichen Masse des Publikums. Um sie anzusprechen, unterstreicht die Regie auch noch das *Groteske*. Aus den gleichen Gründen, aus denen sich das Varieté dem Theater annähert, kommt das auf breite Konsumentenschichten berechnete Theater dem Varieté entgegen. Der Hauptakzent liegt nicht nur auf der bezaubernden Stimme und den schönen Toiletten *Gitta Alpárs*, sondern auch auf dem Paar *Rosy Barsony* und *Oscar Dénes*, deren Leistungen zum Teil artistische Solonummern sind.[10] Ihre Grotesktänze, ihre komischen Zungenverrenkungen usw.: das alles sind Produktionen, die in der Scala nicht minder zu Hause wären wie im »Großen Schauspielhaus«. Der Aktionsradius der Operette wird durch sie unstreitig erweitert. Die Groteske schlägt gewissermaßen die Brücke zwischen dem hergebrachten Operettenstil und jenem Stil, den die heutigen Zwischen-

schichten verlangen, deren Dasein sich tief in das der Massen hinein erstreckt. Sie haben ihre Sprache noch nicht gefunden und neigen eben darum zur ausdrucksvollen Stummheit der Groteske.
(FZ vom 17. 2. 1933)

1 Zu der Reihe »Berliner Nebeneinander« siehe auch Nr. 549 und 556 sowie *Werke*, Bd. 6.3, Nr. 708. Der vollständige Untertitel dieses Feuilletons lautete im Original »Kara-Iki – Scala-Ball im Savoy – Menschen im Hotel«; zu dem hier nicht abgedruckten dritten Abschnitt, in dem Kracauer die Uraufführung des Films MENSCHEN IM HOTEL (Edmund Gouldin. US 1931/32) bespricht, siehe *Werke*, Bd. 6.3, Nr. 708.

2 Der aus Wien stammende Adolph Maximilian Langsner reiste nach dem Ersten Weltkrieg nach Indien, um Telepathie und Bewußtseinskontrolle zu studieren, erwarb einen PhD an der Universität von Calcutta, trat als Gedankenleser und Zauberer auf und war u. a. in Persien, Deutschland und Kanada an Ermittlungen in mysteriösen Kriminalfällen beteiligt.

3 Zu Hanussen siehe Nr. 651, dort auch Anm. 3.

4 Zum Berliner Varieté Scala siehe Nr. 561, Anm. 1. Felix Bressart (1892-1949) trat in den zwanziger Jahren an verschiedenen Berliner Bühnen als Komiker und Kabarettist auf und machte sich auch als Filmschauspieler einen Namen, u. a. in DIE PRIVATSEKRETÄRIN (Wilhelm Thiele. DE 1930/31; siehe *Werke*, Bd. 6.2, Nr. 630) und BLOSSOMS IN THE DUST (Mervyn LeRoy. US 1941; siehe *Werke*, Bd. 6.3, Nr. 778); 1933 emigrierte er über Paris in die USA. Werner Finck (1902-1978) gehörte 1929 zu den Mitbegründern des Kabaretts Katakombe (siehe Nr. 498, Anm. 5), an dem er bis zum Verbot 1935 als Conférencier auftrat.

5 Oscar Straus, *Die Teresina*. Operette nach einem Libretto von Rudolph Schanzer und Ernst Welisch (UA 1925).

6 Der US-amerikanische Schauspieler und Musiker Fred Sanborn (1899-1961) war Anfang der dreißiger Jahre Mitglied in der Gruppe um Ted Healy, die später als *The Three Stooges* berühmt wurden. Er trat bis in die vierziger Jahre auch am Broadway und in verschiedenen Filmen auf, u. a. in der Komödie HELLZAPOPPIN' (Henry C. Potter. US 1941).

7 Die Brüder Alfred (1886-1933) und Fritz Rotter (d. i. Alfred und Fritz Schaie; 1888- ?) betrieben in den zwanziger Jahren teils als Direktoren, teils als Pächter mehrere Theater in Berlin, darunter das Theater des Westens, das Centraltheater, das Lessingtheater und das Metropol-Theater. Der verschachtelte Rotter-Konzern, der aus mehreren GmbHs und Aktiengesellschaften bestand, geriet Anfang der dreißiger Jahre zunehmend unter finanziellen Druck und zerbrach im Januar 1933. Die Brüder entzogen sich dem Konkursverfahren durch die Flucht nach Liechtenstein. Bei einem Entführungsversuch durch eine Bande von Nationalsozialisten im April 1933 verunglückten Alfred Rotter und seine Frau Gertrud tödlich, Fritz Rotter überlebte und entkam nach Frankreich, wo er zum letzten Mal 1939 in Paris gesehen wurde.

8 1919 übernahm der Architekt Hans Poelzig (siehe Nr. 14, Anm. 1) im Auftrag von Max Reinhardt den Umbau des alten Berliner Zirkus Schumann zum Großen Schauspielhaus, das im Dezember desselben Jahres eröffnet wurde. Um die Akustik der Kuppel zu verbessern, versah Poelzig diese mit einer Reihe hängender Zapfen (»Stalaktiten«), die motivisch auch in der Verkleidung der Stützen wieder aufgenommen wurden, was dem Theater im Berliner Volksmund zu dem Beinamen »Tropfsteinhöhle« verhalf.

9 *Ball im Savoy.* Operette von Paul Abraham; Libretto von Alfred Grünwald und Fritz Löhner-Beda (UA 1932).

10 Die aus Budapest stammende Sängerin und Schauspielerin Gitta Alpár (d.i. Regina Alpár; 1903-1991) machte sich zunächst als Sopranistin an der Wiener und Berliner Oper einen Namen; nach ihrem Erfolg am Berliner Metropol-Theater in Millöckers *Bettelstudent* wechselte sie ins Operettenfach und war in der Folgezeit auch auf der Leinwand zu sehen, u.a. in GITTA ENTDECKT IHR HERZ (Carl Froehlich. DE 1931) und THE FLAME OF NEW ORLEANS (René Clair. US 1941); 1933 emigrierte sie zunächst nach Österreich und 1936 in die USA. Das ungarische Ehepaar Rosy Barsony (1909-1977) und Oscar Dénes (1894-1950) trat in den zwanziger und frühen dreißiger Jahren in Berlin, Wien und Budapest auf und hatte vor allem mit den Operetten Paul Abrahams und deren Verfilmungen, u.a. *Viktoria und ihr Husar* (Operette nach einem Libretto von Alfred Grünwald und Fritz Löhner-Beda, UA 1930; gleichnamige Verfilmung durch Richard Oswald. DE 1931) und *Ball im Savoy* (Operette nach einem Libretto von Alfred Grünwald und Fritz Löhner-Beda, UA 1932; gleichnamige Verfilmung durch Stefan Szekely. AT 1934) großen Erfolg. 1935 mußte das Paar Deutschland verlassen und gab Gastspiele u.a. in Italien, England und den USA.

## 724. Reichsehrenmal

In der Technischen Hochschule Charlottenburg sind jetzt die Ergebnisse des engeren Wettbewerbs zur Erlangung von Vorschlägen für das bei Bad Berka geplante *Reichsehrenmal* ausgestellt. Zur Beteiligung aufgefordert waren die Schöpfer der beim ersten Wettbewerb ausgezeichneten Entwürfe, über die wir hier seinerzeit berichtet haben (vgl. *Frankfurter Zeitung* vom 18. Juni 1932).[1] Im Preisrichterkollegium, dessen Zusammensetzung annähernd erhalten blieb,[2] saß diesmal an Stelle eines ausgeschiedenen Herrn auch Prof. Schultze-Naumburg.[3]
Unter den drei preisgekrönten Entwürfen befindet sich der von *Wackerle* und *Bieber* (München) an der Spitze.[4] Er unterscheidet sich von der Mehrzahl der Projekte dadurch, daß er die große Waldlichtung, die in den meisten Fällen als eine Art natürlicher Vorhof aufgefaßt wird, mit einer Architektur erfüllt. Treppen führen zu einer riesigen Plattform, auf der sich eine Gebäudekomposition erhebt, die aus einem Glockenturm, einer Ehrenhalle und einem Kriegerheim besteht. Diese architektonische Anlage, die sich von dem wichtigsten Blickpunkt aus als geschlos-

senes Ganzes darstellt, ermöglicht zweifellos eine klare, wirkungsvolle Gruppierung der Besucher. Unverkennbar ist auch, daß sie sich sowohl im Äußern wie im Innern um Schlichtheit bemüht. Die Silhouette ist unpathetisch, die rechteckige Ehrenhalle ein einfacher, von einer Balkendecke überdachter Raum. Dennoch erregt der Entwurf gewisse Bedenken. Um davon abzusehen, daß er den Wald architektonisch kaum mitreden läßt, so wirkt er nicht eigentlich wie ein Ehrenmal, sondern eher wie ein Kloster. Rein durch die Anordnung der Bauten erinnert die Ehrenhalle an eine Kirche, und das Kriegerheim, dessen Zimmer um einen Mittelhof gelagert sind, an ein Wohngebäude für Mönche. Es fragt sich überhaupt, ob das Heim hier sinnvoll untergebracht ist; wenn auch manche Erwägungen für seine Einbeziehung sprechen mögen. Jedenfalls sollten Assoziationen ferngehalten werden, die mit einem Ehrenmal unmittelbar nichts zu tun haben.

Im Entwurf der Stuttgarter Professoren *U.[lfert] Janssen* und *H.[einz] Wetzel*[5] wird die Architektur auf ein Minimum beschränkt und der Bedeutung des Waldes bewußt untergeordnet. Auf der Lichtung ist am Schnittpunkt der drei in sie einmündenden Wege ein Glockenturm vorgesehen; ferner eine längliche, das abgestufte Naturgelände bekrönende Ehrenhalle; schließlich eine auf diese Halle ausgerichtete Zuschauertribüne. Von dem Hauptplatz aus geleiten kurze Waldwege zum »Allerheiligsten«, einem mit symbolisch gemeinter Architektur ausgestatteten Rondell, und zum Denkmal der »Mutter«. Der Reiz dieses Projektes ist, daß es den Stimmungswert der Landschaft voll ausnutzt und jedes künstliche Pathos vermeidet. Die Ehrenhalle entfaltet sich unterhalb der Baumwipfel, und die Gegebenheiten des Terrains spielen eine aktive Rolle. Allerdings bringt die architektonische Selbstbescheidung den Nachteil mit sich, daß das Ehrenmal gar zu sehr ins Idyll entgleitet. Nicht so, als ob eine pompöse Monumentalität zu fordern wäre; aber der Gedanke des Mals kann doch nur durch eine Gestaltung verkörpert werden, die sich vom natürlichen Hintergrund deutlich abgrenzt. Hier dagegen ist das Architektonische so aufgelockert, daß es fast schon als Nebenwerk erscheint. Es ist sozusagen in einen Naturpark zerstreut hineingesetzt, statt aus diesem gesammelt aufzusteigen. Daran ändert auch nichts die Tatsache, daß die Rundung, die sich das »Allerheiligste« nennt, einen besonderen architektonischen Akzent erhält. Im Gegenteil,

durch die betonte Ausbildung dieses abseits gelegenen Punktes tritt der bloße Naturcharakter des zentralen Platzes nur desto stärker hervor.
Am genauesten durchdacht ist entschieden das Projekt von Prof. *Wilhelm Kreis* (Dresden),[6] das wirklich allen Notwendigkeiten eines Reichsehrenmals gerecht zu werden sucht. Unstreitig hat es einen viel monumentaleren Zug als die beiden anderen Entwürfe, einen Hang zur ungebrochenen Großartigkeit, der zum mindesten fragwürdig ist. Die nun einmal gestellte Aufgabe drängt jedoch schon von sich aus zu einer wuchtigen Lösung, und außerdem legt sich Kreis eine kluge Mäßigung auf. (Wir erkannten bereits beim ersten Wettbewerb die von ihm geübte Zurückhaltung an.)[7] Er gibt der Idee des Reichsehrenmals, was ihr gebührt, ohne darum in leere Phrasen zu verfallen. Das gelingt ihm zunächst durch die straffe architektonische Organisation. Von einem Sammelplatz aus, der vor dem großen Freigelände liegt, zieht sich durch ein aus drei Kreuzen gebildetes Tor eine abgetreppte Waldschneise zum Ehrenhof hinan, der das Grabmal enthält. Sechzehn schwere Pfeiler umgeben die Stätte, die der Mittelpunkt der Feiern ist. Erst der Rückweg von hier führt dann zum Freigelände selber. Es ist als Ausklang der Wanderung gedacht und mit einer plastischen Gruppe geschmückt, die das Lied vom Kameraden versinnlichen soll. Dank dieser Gesamtkomposition erreicht Kreis aber noch etwas anderes: die sonst nirgends so gut geglückte Verbindung von Monument und Natur. Der Kommende nähert sich auf einem architektonisch ausgeformten Weg dem Monument des Ehrenhofs; der Gehende wird allmählich wieder in die Natur entlassen. So untersteht er von Anfang bis zu Ende einer sinnreichen Leitung. Schließlich schweift Kreis dort, wo er monumental sein muß, nicht willkürlich aus, sondern hält sich nach Möglichkeit an die vom Thema bedingten Symbole. Wie die Kameradengruppe den Abschluß bildet, so bezeichnet ein Mauerrelief, das die 1914 ausmarschierenden Truppen darstellt, den Beginn des Aufstiegs zum Grab. Kurzum, der Kreissche Entwurf ist ein reifes, klar aufgebautes Projekt, das der immanenten Kritik standhält. Die Kritik, die gewiß an ihm geübt werden könnte, hatte von außen her zu erfolgen und sich auf die in diesem Projekt dokumentierte Auffassung der geschichtlichen Wirklichkeit zu beziehen; eine Auffassung, die freilich durch den Plan eines Reichsehrenmals von vornherein mitgesetzt ist.
Alle übrigen Vorschläge, auch die angekauften, bleiben hinter den drei

genannten weit zurück. Einer, der vom Verfasser des Tannenberg-Denkmals herrührt,[8] trumpft mit einem gigantischen Standbild auf, das seine Beschauer in Liliputaner und die Bäume in Zwerggewächse verwandelte. In einem anderen Entwurf wird ein Circus maximus angeordnet, aus dessen Mitte eine Pyramide emporsteigt. Außer solchen nicht eben begründeten Formenspielen finden sich Projekte, die mit Symbolen hantieren, ohne sie sich einverleiben zu können. So ist in einer Ehrenhalle eine Riesenglocke untergebracht, die jede Minute anschlägt, um an die Gefallenen zu erinnern. Ein literarisches Aperçu; denn die Glocke paßt nicht zum Raum. Der vorzüglich durchgearbeitete Entwurf Ernst Zinssers, der seiner anständigen Haltung wegen schon beim ersten Wettbewerb gerühmt wurde,[9] krankt daran, daß er eine monumentale Treppe enthält, die keinen richtigen Abschluß hat.

Im Zusammenhang mit dieser Ausstellung wird auch eine ergreifende Sammlung von *Soldatenfriedhöfen* und *Kriegergräbern* gezeigt. Einfache Kreuze stehen auf einem Hugel oder, von einem Zaun umhegt, unter einem Baum. Manche dieser schmucklosen Gebilde sind ganz in die Landschaft eingegangen; oder vielmehr: die Natur ist durch sie neu bestimmt worden.[10]

(FZ vom 19. 2. 1933)

1 Siehe Nr. 658, dort auch die Anm.

2 Zum Preisgericht siehe Nr. 658, Anm. 4.

3 Der Architekt und Maler Paul Schultze-Naumburg (1869-1949), Gründer der Saalecker Werkstätten (1903) und bis 1927 Mitglied des Deutschen Werkbundes, übernahm 1928 den Vorsitz der konservativen Architektenvereinigung Der Block. 1930 trat er in die NSDAP ein und wurde zum Direktor der Weimarer Kunsthochschule ernannt, ab 1931 leitete er den Kampfbund der deutschen Architekten und Ingenieure, eine Abteilung von Alfred Rosenbergs Kampfbund für deutsche Kultur. In seinen Schriften vertrat er seit Mitte der zwanziger Jahre eine von rassistischen Ideen geprägte Bau- und Kunstauffassung und wurde mit seinem Buch *Kunst und Rasse* (1927) einer der Wegbereiter der Ausstellung »Entartete Kunst« (1937).

4 Der Architekt Oswald Eduard Bieber (1876-1955), Mitglied im Werkbund und seit 1922 Ehrenmitglied der Bayerischen Akademie der schönen Künste, gehörte ab 1924 auch der Berliner Akademie der Künste an. Seit 1933 erhielt er vermehrt öffentliche Aufträge, darunter die Planung des Hauses des Deutschen Rechts (1936-1939) in München; Bieber zählte zu den Vertrauensarchitekten des Generalbaurats für die Hauptstadt der Bewegung unter der Leitung Hermann Gieslers. Der Bildhauer Josef Wackerle (1880-1959) lehrte von 1924 bis 1950 an der Münchener Akademie der bildenden Künste Bildhauerei. Zu seinen Werken gehören u. a. der Rosseführer am Marathontor des Berliner Stadions (1936),

der Neptunbrunnen im Alten Botanischen Garten München (1937) und der Drei-Nornen-Brunnen in Dublin (1954).

5 Ulfert Janssen (1878-1956) war seit 1911 Professor für Modellieren und Aktzeichnen an der Technischen Hochschule in Stuttgart. Zu seinen Werken zählen u.a. der Jahrhundertbrunnen in Essen (1907) und die Pfeilerfiguren Prometheus und Herakles in der Aula der Ludwigs-Maximilians-Universität München (1909). Der Architekt Heinz Wetzel (1882-1945) lehrte von 1925 bis 1945 als Professor für Städtebau und Siedlungswesen an der Technischen Hochschule Stuttgart.

6 Zu Wilhelm Kreis siehe Nr. 492, Anm. 2.

7 Siehe Nr. 658.

8 Das Tannenberg-Nationaldenkmal in Ostpreußen wurde 1927 in Erinnerung an die unter General Paul von Hindenburg 1914 errungenen Siege bei Tannenberg und an den Masurischen Seen eingeweiht, wobei der Name eine Kontinuität mit der mittelalterlichen »Schlacht bei Tannenberg« (1410) suggerierte. Der Entwurf zu diesem größten deutschen Kriegsdenkmal, das nach 1933 kultische Bedeutung erlangte und 1945 auf Befehl Hitlers von der zurückweichenden Wehrmacht weitgehend zerstört wurde, stammte von Walter Krüger (1888-1971) und seinem Bruder Johannes (1890-1975), die auch eine Broschüre zu dem Bauwerk verfaßten. Siehe Walter und Johannes Krüger, *Das Tannenberg-National-Denkmal.* Eine Erläuterung von den Erbauern. Allenstein: Südostpreußisches Verkehrsbüro o. J. [1928].

9 Siehe Nr. 658, dort auch Anm. 5.

10 Das Tannenberg-Denkmal wurde 1934/35 von Walter und Johannes Krüger umgestaltet und unter anderem mit einer Gruft versehen, in die die Särge Hindenburgs und seiner Frau im Oktober 1935 überführt wurden. Bei diesem Anlaß wurde das Denkmal von Hitler zum Reichsehrenmal geweiht. Die Planungen zur Errichtung des Reichsehrenmals in Bad Berka wurden damit endgültig ad acta gelegt.

## 725. Angst

### Zu dem Roman: »Treibgut« von Julien Green

Rez.: Julien Green, *Treibgut*. Übers. von Friedrich Burschell. Berlin: G. Kiepenheuer 1932.

*Julien Greens* Roman: *»Treibgut«*, der von Friedrich Burschell ausgezeichnet verdeutscht worden ist,[1] liegt nach seinem Erscheinen in unserem Feuilleton[2] jetzt als Buch vor. Das mehrfach abgewandelte Thema dieses Romans ist die Angst. Und zwar weist Green sie in ihrer entscheidendsten Gestalt auf: als *Angst der bürgerlichen Welt* vor ihrer eigenen Leere und dem Einbruch der Wirklichkeit.

Gesichert gegen diese lebt Philipp mit seiner Frau Henriette und der Schwägerin Eliane dahin. Der Einunddreißigjährige, der den väterlichen Reichtum geerbt hat, wird als Repräsentant eines späten, kraftlos gewordenen Bürgertums geschildert, das sich durch tausend Schutzmaßnahmen zu bewahren sucht. Es gedeiht hinter überladenen Hausfassaden, die wie Bollwerke sind, und schlägt seine Residenz in Wohnungen auf, in denen jedes Wort gedämpft klingt. Der »kleine Salon« Philipps ist mit lauter Gegenständen von »einer aufreizenden Vollkommenheit« gefüllt, und fiele nicht der störende Strahl einer Lichtreklame ins Zimmer Elianes, so wäre diese im Plüschkissen am Kaminfeuer ganz von der Außenwelt abgetrennt. Wie die Wohnung, so wird auch das Dasein selber vor Überfällen behütet. »Die genaue Kontrolle seiner Bewegungen ...«, heißt es von Philipp, »hatten aus ihm einen ruhigen, müden Mann gemacht ...« Gewiß, er ahnt die Liebe Elianes zu ihm; aber sein Behagen ist ihm so teuer, daß er vor der unterdrückten Leidenschaft des Mädchens die Flucht ergreift. Verstecke sind hinreichend vorhanden; denn »dank der nützlichen Konventionen, aus denen das Dasein der Bourgeoisie besteht, kam niemand auf den Gedanken, darüber zu sprechen«.
Die einer solchen Existenz notwendig zugeordnete Angst tritt eines Tages überraschend hervor. Philipp beobachtet am Seine-Ufer einen Streit zwischen einem Mann und einer Frau, der damit endet oder doch enden kann, daß diese von ihrem Bedränger in den Fluß gestürzt wird. Rettet der Zuschauer die Bedrohte? Ohne zu helfen, läuft er davon. Das Ereignis hat indessen die Folge, daß er zum erstenmal sich selber gegenübergestellt wird. »In allen großen Städten gibt es Gegenden, die erst im Halbdunkel ihr wahres Gesicht bekommen.« Den Städten entsprechen die Menschen. Im Halbdunkel erkennt Philipp, was er elf Jahre hindurch nicht wußte: daß sein wahres Gesicht das des Feiglings ist.
Die verschiedensten Anzeichen verraten, daß es hier nicht um eine individuelle, psychologisch zu erklärende Angst geht, sondern um die des Bürgers. »Wie allen wirklich reichen Leuten«, sagt Green an einer Stelle von Philipp, »jagte ihm die Armut Angst ein.« Überhaupt sind die Widersacher dieses Menschen, sie, die ihm als furchtbare und furchterregende Wirklichkeit entgegentreten, durchweg Leute aus dem Volk, seien es Arbeiter oder Diebe. Der mit der Frau streitende Mann, den Philipp dort trifft, wo »das bürgerliche Paris zu Ende« ist, wird als Erdarbeiter cha-

rakterisiert. Bald nach dem Vorfall an der Seine begegnet er in Grenelle einer Gruppe von Arbeitern, die ihm ebenfalls Schrecken einflößen. »Sie sprachen untereinander und sahen ihn nicht. Aber als sie ihn erblickten, entstand ein Schweigen, und die Augen der Männer zielten auf ihn wie eine Waffe. Einer von ihnen hatte ein Lächeln auf den Lippen, das noch mörderischer war.« Und wieder ein andres Mal zittert er vor einem Vagabunden, der es auf seine Brieftasche abgesehen hat. Alle diese Szenen beweisen die soziale Bedingtheit der hier gemeinten Angst, die so abgrundtief ist, daß ihr Strolche und Proletarier identisch zu sein scheinen. Daß sie einen genau zu definierenden gesellschaftlichen Ort hat, erhellt auch aus dem Verhalten der Familienmitglieder, das mit dem Philipps teilweise übereinstimmt. Dessen kleiner Sohn Robert sehnt sich im reichen elterlichen Haus, in dem er die Schulferien verbringt, nach seinem Internat zurück und denkt angesichts der vielen Messer und Gabeln auf dem Tisch mit Verlangen »an den großen dunklen Speisesaal und an die eine Gabel aus Blei neben dem biederen Löffel aus gleichem Metall, der zugleich für die Suppe wie für den Nachtisch da war«. Die Unruhe, die den Jungen quält, wird von seiner Mutter Henriette geteilt und treibt sie zu einem armen Geliebten. »An manchen Tagen fühlte sie sich nur in Viktors Wohnung wohl, wo es nach Elend roch, in der Nähe dieses Mannes, dem der Bankrott auf dem Gesicht stand.« Ein paar Zeilen weiter findet sich die noch aufschlußreichere Bemerkung, »daß sie diese Armut gegen ihren Willen liebte und daß sie nie an den Gedanken sich gewöhnen würde, im Reichtum zu leben«. Es ist die in der hohlen Privatier-Existenz endigende Bürgerlichkeit, die Roberts Sehnsucht erweckt, Henriette aus dem Haus lenkt und Philipps Wesen prägt. Ihre Scheinhaftigkeit verkörpert sich gleichsam in diesem und macht aus ihm die Figur der Angst.

Die Darstellung einer so beschaffenen Angst schließt nun von selber die Frage mit ein, ob es eine *Rettung* vor ihr, der Angst, gebe. Jedenfalls wäre die Gestaltung des im Roman vergegenwärtigten Zustands erst dann wirklich sinnvoll, wenn sie auf diese Frage eine gültige Antwort erteilte. Indem Green von ihr abbiegt, verringert er das Gewicht seines Buchs. Es erfüllt nicht die Erwartungen, zu denen der Ansatz der Handlung berechtigt.

Getrübt wird die Reinheit des Romans schon dadurch, daß Green die Angst des Bürgers ins Pathologische hineindehnt und so überbestimmt.

Psychische Impotenz während der Hochzeitsnacht erweckt in Philipp eine solche Abneigung gegen die Vereinigung mit Henriette, daß er bald nach der Heirat auf jede eheliche Gemeinschaft verzichtet. Damit nicht genug, treten der in der Situation Philipps begründeten Angst zwei andere Formen der Angst zur Seite, die sich beide so stark vordrängen, daß sie das Hauptmotiv der entleerten Bürgerlichkeit zu verdunkeln drohen. Sie sind personenhaft-mythischer Art und nicht durchaus ans bürgerliche Leben gebunden. Die eine belastet das Dasein Elianes. Diese unterjocht ihre Begierden, die sie zu Philipp treiben, auf Befehl eines blinden *Gewissens*, in dem sich die naturale Komponente der Moral verabsolutiert. Seine Macht ängstigt das Mädchen, das dem Bann zu entrinnen strebt. »Die negative Vollendung, zu der ihr das Gewissen riet«, wird einmal von Eliane gesagt, »jagte ihr plötzlich Entsetzen ein.« Und wie hart der Druck ist, gegen den sie anzukämpfen versucht, geht aus der lang danach abgegebenen Erklärung hervor, daß sie Philipp nicht zu nehmen wagt »aus Furcht, einem tyrannischen Gewissen zu mißfallen«. Nicht minder unbedingt ist die Tyrannei, mit der die Nachfahren der alten Schicksalsgottheiten Henriette versklaven. Sie existiert in der Angst des *Aberglaubens* und wird als »kleine egoistische und launenhafte Person« hingestellt, die sich gegen das Schalten und Walten der unbekannten Elementarkräfte durch zeremonielle Vorkehrungen zu sichern hofft. Bezeichnend für sie ist, daß sie den Weg zu ihrem Geliebten nach einem streng innegehaltenen Ritus zurücklegt, der die bösen Geister verscheuchen soll. »Die junge Frau rannte aus dem Haustor, doch trotz ihrer Eile und der späten Stunde zögerte sie keinen Augenblick, den Weg einzuschlagen, den ihr eine abergläubische Gewohnheit vorschrieb und der mit den geringsten, vom Zufall bestimmten Einzelheiten nun für alle Zeiten einem unabänderlichen Gesetz entsprach.«

Durch die übermäßige Akzentuierung der beiden Frauen und ihrer Ängste lenkt Green vom eigentlichen Romanthema ab; durch den Verzicht darauf, die Rettungschance sichtbar zu machen, die dem gepeinigten Philipp verbliebe, läßt er es vollends im Stich. Dabei ist er bereits bis zu einem wichtigen Punkt vorgedrungen. Nachdem Philipp den Grund seiner Angst erkannt hat, fällt ihm ein, daß er die unbürgerlichen Elemente, die seine Gegenspieler sind, jahrelang summarisch als »die andern« bezeichnet [hatte], »mit der ganzen Verachtung, die in diesem

Ausdruck liegt«. Im selben Augenblick bemerkt er aber auch die Lächerlichkeit seines bisherigen Verhaltens. »Er war nicht einmal den andern ebenbürtig, und der Junge, der ihn ausgeplündert hatte, war mehr wert als er.« Hier, genau hier ist die wahre Achse des Romans. Denn wenn Philipp die nötigen Folgerungen aus dieser seiner Einsicht zöge, müßte er von der Angst befreit werden können. Die Angst, die ihn besitzt, ist als ein Phänomen der Bürgerlichkeit gestaltet; also gibt es auch einen Ausweg aus ihr. Er hätte darin zu bestehen, daß der seiner sozialen Lage halb und halb innegewordene Philipp diese zu Ende dächte und der Wirklichkeit Zutritt gewährte, die ihm durch »die andern« vor Augen geführt wird. Und wäre ein solcher Ausweg nicht zu realisieren, so verlangte doch die Anlage des Romans zum mindesten: daß er sich als Möglichkeit darböte. Statt aber diese von der Gestaltung selber erhobene Forderung zu berücksichtigen, weicht Green ihr beharrlich aus. Er mischt gesellschaftliche Verhältnisse ins Spiel, von denen er nachher nichts mehr wissen will; er unterstreicht die Bedingtheit der Angst Philipps und tut dann so, als sei sie rein seelischer Art. Charakteristisch ist das Bild, das er von der *Seine* entwirft. Sie erscheint im Buch nicht als eine Hauptader der arbeitenden Stadt, als eine deutlich begrenzte Wasserstraße, die in bestimmter Richtung verläuft, sondern wird zum Fluß ohne Konturen. Da er immerwährend in Nebel gehüllt ist, nimmt ihn Philipp ebensowenig wahr wie die Wirklichkeit, die ihn schreckt. Was er am Ufer spürt, ist vielmehr einzig und allein das Fließen des Flusses. Zu Robert sagt er denn auch von der Seine: »Sie fließt rascher, als ein Mensch geht. Alles, was man hineinwirft, verschwindet und wird von ihr fortgetragen. Ihretwegen benehmen sich diese Diebe so frech.«

Das heißt aber nichts anderes, als daß Green, seiner Konzeption entgegen, Philipp in den Bereich des Mythischen zurücknimmt, in dem Eliane und Henriette von Anfang an sind. Gewiß malt er die Zustände der drei Personen großartig aus. Die Vision der ohnmächtigen Eliane, die in grader Linie von Adrienne Mesurat abstammen könnte; die Straßengänge Henriettes; die wesenhaften Zusammenhänge zwischen der Grundangst Philipps und der Sorge, mit der er sein Gesicht im Spiegel studiert oder seine Gewichtszunahme verfolgt: das alles ist mit einem eingeborenen Wissen um die Modellierarbeit gestaltet, die Schicksale und Leidenschaften im Material der Seele verrichten. Green ist ein Spezialist für mythische Konfigurationen. Freilich kehren in diesem neuen Buch manche Züge aus seinen früheren wieder;[3] wie er überhaupt nicht immer der Gefahr eines gewissen Manierismus entgeht. Außer den Zustandsgemälden sind auch noch die Schlußformeln für die beiden Frauen zu bestätigen, die ganz in sein Herrschaftsgebiet gehören. Als mythisch bestimmten Wesen wird ihnen keine Erlösung zuteil. Der abgezirkelte Weg, den Henriette in abergläubischer Angst beschreitet, muß im stummen Tod münden, und eine Gnade bedeutet es schon, wenn ihr auf ihm, einer Luftspiegelung gleich, das Glück der ahnungslosen Kindheitsjahre erscheint. Träumend erblickt sie verlorene Freuden, da ihr die zukünftigen versagt sind. Und Eliane? Sie findet zwar zuletzt den Mut, sich auf den als Feigling entlarvten Philipp zu stürzen und die Gier nach ihm zu sättigen, aber ihre Angst vor dem Gewissen ist so groß, daß sie sich hinterher für gebrandmarkt hält. »Keine Freude lag auf ihren Zügen, die in der Mühsal der Lust sich verhärtet hatten ... So verharrte sie einige Sekunden ... gleich einer Verbrecherin.« Daß Philipp selber, den die Angst des Bürgers bedrückt, dem magischen Zirkel nicht entrinnen kann, der die Frauen umfängt, ist die eigentliche Schwäche dieses Romans. Mit einer Verstocktheit, die nicht nur mythisch, sondern auch reaktionär genannt werden muß, weigert sich Green, von einer sozial fundierten Unwirklichkeit aus auf eine sozial fundierte Wirklichkeit hinzudeuten. So bleibt der Privatier Philipp ewig ein unerlöster Privatier, der lauter unmögliche Ausflüchte macht, statt sich durch die mögliche Veränderung seiner Existenz von der Angst zu befreien. Er sucht in einer unhaltbaren Lebensphilosophie Trost – die Seine als Gleichnis eines vagen Bedürfnisses zu leben! –; er rebelliert ziellos und töricht gegen die bürgerliche Sicherheit; er spielt am Ende mit Selbstmordgedanken, die ihm die Illusion eines Asyls gewähren. Kurzum, der Bürger Philipp wird zusehends zu einem menschlichen Wrack, dessen untypisches Verhalten höchstens psychologisch interessiert und die mit der Bürgerlichkeit gesetzte Angst keineswegs aufhebt. Das ist die Rache, die Green für seinen Mangel an Erkenntniskraft ereilt.

(FZ vom 19. 2. 1933, Literaturblatt)

1 Frz. Orig.: *Épaves*. Paris: Plon 1932.
2 Siehe Nr. 667, Anm. 2.
3 Siehe Nr. 408, 422, 456 und 667.

## 726. Die bürgerliche Nachkriegsgeneration

Rez.: Claire Bergmann, *Was wird aus deinen Kindern, Pitt?* Berlin: Sieben-Stäbe 1932.

Der Name der Familie Deutsch, deren Geschichte *Claire Bergmann* in ihrem Roman: »*Was wird aus deinen Kindern, Pitt?*« erzählt, ist symbolisch gemeint. Diese Familie will, wie die Verfasserin selber im Vorwort sagt, »nichts weiter als ein ... Spiegel der Zeit über eine etwas größere Spanne sein ...« In der Tat entwirft der Roman ein Zustandsbild, das aus der Vorkriegszeit bis zum Jahr 1932 reicht und vor allem die Schicksale der *bürgerlichen Nachkriegsgeneration* umfaßt. Seine Darstellung ist mit einer bestimmten Tendenz verbunden.
Daß der Roman als solcher keinen Kunstwert beansprucht, sei gleich von vornherein bemerkt. Die Prosa ist ungeschickt, die Wiedergabe der Ereignisse meistens im Rohmaterial steckengeblieben. Dennoch spricht das Buch den Leser an. Um ganz davon abzusehen, daß es als Bestandsaufnahme typischer Verhältnisse eine nicht unwichtige Funktion erfüllt, so berührt es gerade durch seine Unbeholfenheit. Sie ist in diesem Fall das Zeichen einer lauteren Gesinnung, die den Stoff ernsthaft durchdringen und sich Rechenschaft über unsere Situation ablegen möchte. Der Stoff ist nur eben trüb, verschlungen und zäh.
Die Erzählung beginnt um 1900 beim Vater Pitt, einem ehrsamen Vorkriegstyp, der sich vom Arbeiter zum Werkzeugfabrikanten und Millionär emporarbeitet und während der Inflation wieder auf den Hund kommt. Aus dieser Vorgeschichte entwickelt sich dann die eigentliche Handlung, die sofort in die Gegenwart vorstößt und dem schwierigen Leben der Familienjugend gilt. Die Verfasserin hat es verstanden, ihre jungen Menschen so auszuwählen, daß sie für das Dasein des notleidenden Mittelstandes wirklich exemplarisch sind. Und indem sie seine Vertreter vor Augen führt, erklärt sie zugleich die Gemütsverfassung, in der

sich ein Teil unserer bürgerlichen Jugend befindet. Da ist Klara, die durch den Existenzkampf vor der Zeit alt und verbraucht wird; da ist Susi, die einen reichen Geliebten hat, von dem auch für die Familie manchmal etwas abfällt; da ist Elsa, die noch am längsten in Stellung bleibt, weil sie sich bewußt den Erfordernissen der Zeit anpaßt. Die Figur dieses Mädchens ist besonders interessant. Wie Elsa, so gibt (oder gab) es Hunderte von weiblichen Angestellten, die mit allen möglichen Aufpulverungsmitteln den gewünschten jungen und frischen Eindruck zu erzielen suchen. Nicht aus Gründen der Koketterie, sondern um sich konkurrenzfähig zu erhalten. »Sie schluckt in Massen Hormon Dragees Regeneré«, heißt es von der Elsa im Roman, »sie übt Gymnastik und nimmt Höhensonne, die ihr noch die meisten Dienste leistet und für Tage wirkliche Frische zurückgibt. Sie erreicht, daß sie immer noch fabelhaft aussieht, obwohl sie mehr als zwölf Stunden am Tage arbeitet, aber sie ist, wenn sie für ihre Gymnastik und Höhensonne mal keine Zeit findet, so grenzenlos müde.« Natürlich wird Elsa[1] trotz dieser Anstrengungen später zuletzt abgebaut. Arbeitslosigkeit ist auch das Schicksal der vier Brüder, deren Beziehungen zur Politik glaubhaft geschildert werden. Während die beiden älteren, die studiert haben, noch über einen traditionsgebundenen individuellen Anstand verfügen, der sie vor dem Ausbruch der besinnungslosen Raserei bewahrt, erliegt der schwächere Jürgen in seinen Zweifeln den Stimulatien einer Bewegung, die ihm das Heil zu verbürgen scheint; Helmut, der jüngste,[2] bleibt als Opfer eines Straßenkampfes auf der Strecke zurück.

Politische Gespräche füllen das Buch. Sie sind Überblendungen der typischen Diskussionen unserer Zeit und verfolgen nicht zuletzt den Zweck, die Meinung der Verfasserin zum Ausdruck zu bringen. Diese wendet sich gegen Diktatur und Bürgerkrieg und ist auf Ausgleiche bedacht, die in die Richtung einer bürgerlichen Demokratie weisen. Eine kritische Beschäftigung mit ihren politischen Begriffen und Idealen erübrigt sich hier um so mehr, als sich sämtliche Auseinandersetzungen des Buches zwischen den Repräsentanten der bürgerlichen Schichten vollziehen. Innerhalb dieses nun einmal gegebenen Rahmens erhält, was heute besonders anerkannt werden muß, jenes republikanische Bürgertum den Vorrang, das weder auf den Gebrauch der Vernunft noch auf seine Freiheit verzichten will. Der alte Pitt, der früher den Kaiser ange-

betet hatte, sagt sich gegen Ende des Buchs von seinen einstigen Idealen los. Ferner wird der Rassenhaß verworfen und für die Achtung des politischen Gegners plädiert. Charakteristisch ist die Episodenfigur eines Großindustriellen, dem es wie Goethes Zauberlehrling ergeht, der die Besen wieder in die Ecke zurückbannen möchte, aus der er sie herausgelockt hatte. Einem Deus ex machina gleich, verschafft dieser Industrielle Jürgen endlich einen bezahlten Anfängerposten, unter der Bedingung, daß der junge Parteigänger von seiner politischen Betätigung abzulassen verspricht. So mahnt die Verfasserin überall, Vernunft, Mäßigung und Versöhnlichkeit an die Stelle verblendeter Leidenschaften zu setzen. Im jetzigen Augenblick gewinnen solche Tendenzen unstreitig erhöhte Aktualität. Ohne daß das Buch in ein Happy end einmündete, klingt es doch mit einem gewissen Optimismus aus. Max, der erklärte Liebling der Autorin, zieht durch sein ungebrochenes tüchtiges Wesen günstige Zufälle herbei. Wie er dem Bruder zu einer aussichtsreichen Erfindung verhilft, so erobert er sich kraft eigenen Einsatzes sein künftiges Liebesglück. Es entspricht durchaus der im Roman vertretenen Grundhaltung, daß das Mädchen, das er auf der Straße vor rohen Angreifern rettet, eine Jüdin ist. In der Gestalt dieses redlichen, nicht leicht um einen Ausweg verlegenen jungen Mannes hat die Verfasserin gewiß nicht nur den Genius der Familie Deutsch, sondern auch die besten Eigenschaften des deutschen Volkes verkörpern wollen.[3]
(FZ vom 26. 2. 1933, Literaturblatt)

1 Text nach der handschriftlichen Korrektur Kracauers in den Klebemappen; im FZ-Druck: »sie«.
2 Korrektur d. Hrsg.; im FZ-Druck: »jüngere«.
3 Zu Claire Bergmanns Roman siehe auch Nr. 742.

# 727. Rund um den Reichstag

Die ganze Gegend um das Reichstagsgebäude ist heute durch Schupoposten abgesperrt, und man muß schon einen weiten Bogen schlagen, wenn man das Haus überhaupt zu Gesicht bekommen will. Ein Stück Unter den Linden, die Neue Wilhelm-Straße, der Schiffbauerdamm bis zum Lessing-Theater, dann durch die Roonstraße über die westliche Seite der Sieges-Allee zurück ans Brandenburger Tor: das ist die engste zulässige Route. In der Mitte steht einsam der Reichstag. Von allen vier Seiten hat man den gleichen Blick auf seine Kuppel, die jetzt ziemlich trostlos in die Luft ragt. Sie sieht aus, als ob sie zerzaust worden wäre. Ihre Glasflächen sind zum großen Teil ausgebrannt, und immer wieder klaffen schwarze Lücken zwischen dem hellen Skelett der Rippen. Es trägt die prunkvolle Goldlaterne, die unversehrt geblieben ist, und nun einem Triumphator gleicht, den seine Gefolgschaft verlassen hat. Noch funkelt sie stolz im Winterhimmel, aber der Unterbau, dem sie entsteigt, ist lädiert. Sonst scheint das Äußere nicht gelitten zu haben. Die Säulen schimmern wie alle Tage, und auch die Bronzereiter auf dem Dach sind den Flammen entgangen.
Eine endlose Prozession von Menschen zieht sich um das isolierte Gebäude herum. Angestellte, Bürger, Arbeiter, Arbeitslose, Reichswehrsoldaten, Schuljugend – sie alle wollen die Spuren des Brandes sehen, der mehr war als ein gewöhnlicher Brand. Aus den Straßenbahnen und Autobussen steigen sie aus, um die Besichtigungsrunde zu machen. Was an ihnen befremdet, ist ihr beharrliches Schweigen. Es berührt aber darum so merkwürdig, weil Fälle öffentlichen Unglücks in der Regel gerade das Mitteilungsbedürfnis der Massen erwecken. Menschen, die sich nicht kennen, gesellen sich zueinander, bilden Gruppen und diskutieren lang und breit das Ereignis. Dieser Brand dagegen läßt die Menge verstummen. Ohne zu reden, gehen die Passanten ihres Weges oder starren auf den Reichstag, an dem nichts zu entdecken ist. Höchstens hört man zuweilen ein Flüstern. Aber es unterbricht nur selten die Betrachtung des verödeten Bauwerks, das mit der magischen Kraft eines angegriffenen Symbols aller Augen fesselt. Die Blicke dringen durch dieses Symbol hindurch und tauchen in den Abgrund nieder, den seine Zerstörung eröffnet.

Ein Flieger kreist über dem Gebäude, aus dem noch immer leichte Rauchwölkchen aufsteigen. Vor einem der Portale halten Feuerlöschwagen. An einer Ecke der Sieges-Allee, dort, wo sich die Menschen am dichtesten drängen, verkauft ein findiger Straßenhändler Eukalyptus-Bonbons. »Gegen Schnupfen und Heiserkeit«, schreit er unaufhörlich. Obwohl in der Tat ein richtiges Erkältungswetter herrscht, achtet aber niemand auf die Temperatur, den Schnupfen und den Mann. Immer neue Trupps von Schulkindern mischen sich unter die Erwachsenen. Sie wittern Erregung und freuen sich ahnungslos über die Sensation. Wenn sie einmal groß sind, werden sie aus der Geschichte erfahren, was der Reichstagsbrand in Wirklichkeit zu bedeuten hatte.[1]
(FZ vom 2. 3. 1933)

1 Am 28. 2. 1933, dem Tag nach dem Reichstagsbrand, flohen Kracauer und seine Frau aus Berlin. Nach einer Zwischenstation in Frankfurt a. M. trafen sie am 2. 3. 1933 in Paris ein.

## 728. Ein internationaler Nachkriegsroman

Rez.: Franz Ferenc Körmendi, *Versuchung in Budapest*. Übers. von Mirza v. Schüching. Berlin: Propyläen 1933.

Der Roman des Ungarn *Franz Körmendi*: »*Versuchung in Budapest*«[1] ist aus einem von zwei englischen und amerikanischen Verlagen veranstalteten Preisausschreiben als bester internationaler Nachkriegsroman hervorgegangen. Tatsächlich ist er ein flüssig, ja gut geschriebenes Unterhaltungsbuch, in dem viele Schicksale aus der Nachkriegszeit auf geschickte Weise miteinander verbunden werden.
Die Handlung beginnt und endigt in Budapest. Ihr Träger: ein Kreis jüngerer, ziemlich desillusionierter junger Leute, die von Zeit zu Zeit im Café gemeinsame Schulerinnerungen austauschen und es in ihren Berufen nicht sonderlich weit gebracht haben. Sie alle sind vom Katzenjammer der Kriegsgeneration befallen und können sich nicht wieder ans bürgerliche Leben gewöhnen. Budapest bietet ihnen auch keine Chancen, die ihre Phantasie anzuregen vermöchten. So vertrödeln sie, von der

Sehnsucht nach Europa und dem großen Leben erfüllt, ihre Tage mit der Ausnutzung kleiner Vorteile, mit Geschwätz und belanglosen Flirts. Bis Kelemen, ein Mitglied des Kreises, einmal in einem englischen Magazin ein Bild von A. T. Kadar entdeckt, der, nach den Angaben der Zeitschrift zu schließen, in Südafrika als Architekt zu Ruhm und Reichtum gelangt ist. Kadar: das war doch ein Schulkamerad Kelemens und der andern. Man schreibt an ihn vom Café aus und verknüpft schon gewisse Hoffnungen mit seiner Existenz. Im eigentlichen Hauptteil des Buches wird nun die Geschichte Kadars erzählt: wie er in den ersten Jahren nach dem Krieg hin- und hergestoßen wurde, später in kümmerlichen Verhältnissen am Wiener Polytechnikum studierte, dann mit seinem Freund und Zögling Paul nach London reiste, dort allein im Elend zurückblieb und schließlich auf Hochstaplermanier seine künftige Frau erobert, die Mitinhaberin einer bedeutenden Architektenfirma, der er bald als einer der Chefs vorstand. Diese Laufbahn ist das Produkt realistisch beschriebener Zufälle und von den verschiedensten Liebesbeziehungen durchzogen. Der nach dem fernen Südafrika geschickte Brief des Kreises lenkt den Roman zu seinem Ausgangspunkt zurück. Kadar wird von den Heimatgrüßen dazu bestimmt, auf seiner Europareise im alten Budapest Station zu machen, und versetzt durch seinen Entschluß die ganze Clique in eine unbeschreibliche Erregung. Die jungen Leute schmieden Pläne für geschäftliche Transaktionen oder versprechen sich gar, soweit sie mittellos sind, von dem Südafrikaner eine entscheidende Verbesserung ihres Loses. Kadar kommt an und beginnt auch wirklich den Einflüssen der Heimat zu erliegen. Vor allem Kelemens Schwester bedeutet eine Versuchung für ihn. Er ist ihr nach kurzer Frist so verfallen, daß er Gefahr läuft, Ehe und Beruf zu vergessen. Aber bevor er noch die Brükken hinter sich abgebrochen hat, stellt sich heraus, daß die Bindung an seine Frau doch stärker ist als sämtliche Reize Budapests. Ohne irgendeine Erwartung des Kreises zu erfüllen, reist Kadar ab. Ein dunkler Schatten fällt auf die Zurückgebliebenen, die in der großstädtischen Provinzstadt weiterleben müssen. Der arme Kelemen, der besonders tief enttäuscht worden ist, bringt sich um.

Diese Andeutungen des Inhalts sind darum notwendig gewesen, weil das Hauptgewicht auf dem Stoff selber ruht. Körmendi ist entschieden ein Erzählertalent, vermag jedoch sein Material nicht ausreichend zu ge-

stalten. In dem ganzen Roman ist nirgends auf einen wesentlichen Gehalt hingewiesen. So und so sind diese Menschen und ihre Schicksale beschaffen, und damit Schluß. Die Entwicklung Kadars könnte auch anders verlaufen sein, und die Komposition ist nicht mehr als ein Dreh. Dabei hätte der Autor die Möglichkeit gehabt, bestimmte Züge schärfer herauszuarbeiten und ihnen Bedeutung zu verleihen. Es wäre zum Beispiel nicht allzu schwer gewesen, dem Motiv des Zufalls, das hier schon sowieso eine gewisse Rolle spielt, eine ausschlaggebende Funktion zuzuerteilen. Aber Körmendi läßt alle richtigen Motive unter den Tisch fallen und erzählt einfach drauf los. Die wichtigste Figur ist noch Kelemen, der immerhin einen Typus des Schlechtweggekommenen verkörpert. Kurzum, der Wert des Romans beschränkt sich darauf, daß er durch die Mitteilung vieler mitunter interessanter Lebenszustände ansprechend unterhält. Weitaus am besten gelungen sind die Budapester Milieuschilderungen: wenn auch den Ressentiments der jungen Leute ein übertriebener Raum gegönnt ist.
(FZ vom 5. 3. 1933, Literaturblatt)

1 Ung. Orig.: *A budapesti kaland*. Budapest: Pantheon 1932. Der internationale Romanwettbewerb, auf den Kracauer sich bezieht, wurde 1932 vom Londoner Verlag Chapman & Hall und dem New Yorker Verleger William Morrow veranstaltet, bei denen Körmendis Roman 1933 u. d. T. *Escape to Life* erschien.

## 729. Zu einem Buch über deutsche Jugend

Rez.: Jonas Lesser, *Von deutscher Jugend*. Berlin: P. Neff 1932.

*Jonas Lesser* sucht in seinem Buch: »*Von deutscher Jugend*« die Haltung und Lebensanschauung jener Jugend zu kennzeichnen, die ihm als die beste erscheint. Solcher Bücher gibt es schon mehrere, und überhaupt besteht ein gewisser Widerspruch zwischen dem von den meisten Autoren gepriesenen unliterarischen Wesen der heutigen Jugend und der Häufigkeit seiner literarischen Fixierung. Dieses Wesen ist nicht nur ein beliebtes Thema der Alten, sondern wird auch von den Jungen selber gern schriftlich bekannt. An welche Jugend ist hier gedacht? Ihre Avantgarde findet sich in den Bünden zusammen, und ihre Wegbereiter, Vorbilder, Götter sind drei Männer, die Lesser jedesmal so in Ekstase versetzen, daß er die Worte kaum noch bei sich behalten kann. »Nietzsche, George und Pannwitz, Mittler des Göttlichen in heutiger Zeit, sind die einzigen wahren Führer, die Schöpfer der neuen Welt und der neuen Werte. Mit ihnen hat ein neues Weltalter begonnen ...« Anderswo wird erklärt: »*Nietzsche, George* und *Pannwitz* haben vollbracht und geleistet, was nötig ist: sie haben die alte Welt aufgehoben und die neue gegründet. In ihnen hat das unvergängliche, unalternde Göttliche heute irdische Gestalt gewonnen. Diese drei Bildner ... diese drei Welterneuerer, von denen der erste schon zu mystischer Schöpfergröße gediehen ist usw.« Komisch, daß Pannwitz auch dazugehört,[1] aber er wird immer mit den beiden andern genannt. Zitiert ist allerdings gewöhnlich nur George, der im Jargon des Kreises einfach »der« Dichter heißt. Als ob keiner sonst existiere.

Aus dieser Ortsbestimmung ergeben sich Wesenszüge, die in der Tat einem großen Teil der deutschen (bürgerlichen) Jugend eignen mögen. Vielleicht der entscheidendste ist nach Lesser der: daß ihr der große Führer als der Stellvertreter des Absoluten gilt. »Alles Leben ... muß sich speisen aus dem gesetzhaften Leben der großen Menschen ...« Ferner: »Denn der mythosschaffende große Mensch gibt das allverbindliche Maß.« Und ganz unmißverständlich: »Diese geistige Jugend erlebt es mit der Gewißheit göttlicher Gnade, daß nur der große Mensch das Heil der Welt ist ...« Mit anderen Worten: die Jugend, um die es hier geht, *lehnt den Primat des Logos* ab, sie sieht nicht ein, daß richtige Erkenntnis den Führer zum Führer macht, sondern glaubt, »daß der gottbegnadete Mensch die Wahrheit aussagt, weil die Wahrheit in ihm verleibt ist«. Alle weiteren Züge könnten aus diesem einen entwickelt werden. Der Verabsolutierung des großen Einzelnen entspricht zum Beispiel das unbedingte Vertrauen in die Gemeinschaftskräfte des Bundes. Statt daß man sie in Erkenntnissen zu begründen suchte, faßt man sie als den Ursprung von Erkenntnissen auf, und der Führer »muß natürlich in Geduld und Ausdauer seine Schar aus sich selbst heraus zu allem kommen lassen ...« Viel säkularisierte Mystik geht hier um. Im Einklang mit ihr herrscht eine ausgeprägte Feindschaft gegen das »Massenwesen«, ohne daß man sich allerdings Rechenschaft darüber abgelegt hätte, wie es heraufgekommen ist. Daß der *Fortschrittsglaube verworfen* wird, bedarf kaum einer Erwähnung. Der ihn verneinenden Jugend »heißt ein Zeitalter groß und um so größer, ... je mehr es ›geprägte Form‹ war, ›die lebend sich entwickelte‹, geprägt von der Urgewalt des Genius und von seinem gesetzgeberischen und herrscherlichen Leben erfüllt, nicht aber von einem Gewirr beziehungsloser Interessen und Willensbestrebungen«. (Zweifellos würde sich die betreffende Jugend wundern, wenn sie erführe, welchen starken Anteil Interessen an der Inthronisierung von Führern und ihrem etwaigen Sturze haben.) Natürlich geht es auch der Aufklärung nicht gut. Und zwar bemüht man sich gar nicht erst darum, ihre Leistungen zu prüfen, dekretiert vielmehr einfach, daß sie eine »Afterbildung« sei. So ähnlich steht es in den Heiligen Texten des Dichters geschrieben. Hinzugefügt sei noch, daß Lesser von der »Dürre des Intellektualismus« angewidert ist, und vom Rationalismus mit einer solchen Verachtung spricht, als ob er abgelegte Kleider berühre.

Kurzum, man hat seine Haltung und ist nicht wenig stolz auf sie. Die Frage ist, wie sie sich *politisch* bewährt. Denn meint auch Lesser an manchen Stellen, daß die Jugend sich nicht in den Tageskampf hineinzerren lassen solle, so traut er ihr doch eingreifende politische Gestaltungskräfte zu. »Nicht daß die Jugend sich politisiert hat«, erklärt er gesperrt gedruckt, »sondern wie sie sich politisiert hat, das ist das Verhängnis.« Ich schicke voraus, daß verschiedene Überzeugungen der von Lesser erfaßten Jugend durchaus annehmbar sind. Ihre Bejahung des Sports geht nicht so weit, daß sie dem Rekordfieber verfiele, das den Durchschnitt heimsucht. Ebenso deutlich sondert sie sich vom extremen Nationalismus. »Die Forderung nach einer deutschen Religion ist kindisch«, heißt es einmal, und die Vergötzung deutschen Wesens wird in einem Satz wie diesem unmißverständlich verdammt: »Sich seiner nationalen Eigenart ohne Dünkel freuen, sie ohne Engherzigkeit bejahen und lieben, das ehrt einen jeden jungen Menschen ...; aber ein orgiastischer Kult mit der Nation ist ebenso unfruchtbar wie unschön.« Eine Besonnenheit, die sich auch dahin auswirkt, daß man dem Irrationalismus Grenzen setzt und für eine vernunftgemäße Regelung der europäischen Angelegenheiten zu haben ist. Das Wort Nietzsches vom *»guten Europäer«*[2] erhält in diesem Zusammenhang seinen Gebrauchswert. Die Konzeption des einigen Europa – der »gemeineuropäische Gedanke ist die wichtigste Voraussetzung auch für eine wirtschaftliche Neuordnung Europas« – schließt nicht zuletzt jede Kriegshetze aus. »Der Maschinenkrieg«, so argumentiert Lesser unter Berufung auf den Dichter, »ermöglicht nicht mehr das Pathos früherer Geschlechter. Es ist darum Wahnsinn, von ihm zu schwärmen.« Unterbaut wird diese Position auch durch die antikapitalistische Stimmung der Jugend, aus der heraus sie immerhin erkennt, daß »ein Krieg, wie die Dinge der Wirtschaft heute liegen, kein nationaler Krieg mehr ist«.

Aber Überzeugungen haben und sie politisch vertreten ist zweierlei. Und Lessers Buch bestätigt nur, was wir aus der Praxis schon wissen: daß die hier angesprochene Jugend *nahezu jeder politischen Begabung ermangelt.* Sie ist mit dem Erbübel deutscher Intelligenz behaftet, einer tragisch zu nennenden Wirklichkeitsfremdheit, die sie an der Realisierung ihrer Absichten durchgängig verhindert. Das genaue Kriterium ihrer Irrealität ist aber dies: daß sie es verschmäht, sich mit den Sachen einzulassen, die verändert werden sollen. Fühlt sich Lesser etwa auf Grund seiner antikapitalistischen Haltung dazu genötigt, den Kapitalismus zu analysieren? Oder versucht er überhaupt jemals, auch nur annäherungsweise das Schwergewicht der Zustände abzuschätzen, die er ummontieren will? Keineswegs. Nicht anders wie die Jugend, die er vertritt, macht er über die bestehenden politischen Verhältnisse Aussagen, die von einer sträflichen *Ahnungslosigkeit* sind, und gefällt sich in einer rein *emotional* bedingten Radikalität, der die Beziehung zu ihrem Gegenstand völlig fehlt. Kein Hebelgriff ist ihm vertraut. Seine Verdikte sind ohnmächtig, seine Forderungen Plakate. Typisch für diese Art ist eine Bemerkung wie die folgende: »Die Jugend erträgt es nicht, daß man immer noch am Alten herumflickt ..., daß man mit Mätzchen und Mittelchen ... sich behelfen zu können glaubt, wo ganze Arbeit nötig ist, um endlich ... aus dem Dreck herauszukommen.« So zu reden, hätte allenfalls dann einen Sinn, wenn die politische Situation wirklich durchdacht worden wäre. Lesser jedoch schwatzt über ihre Inhalte wie über Gerüchte. »Religiöse Jugend ... glaubt nicht, daß die Menschen nur durch soziologisch-ökonomische Gesetze zusammengehalten werden«, äußert er einmal, und damit ist für ihn der historische Materialismus, den er längst überwunden wähnt, gedanklich erledigt. Die Kapitalisten nennt er oft »Geldmenschen«, »rechts« und »links« sind ihm »Modeworte«, den Liberalismus wirft er zum alten Eisen, und die Parteien hat er gründlich satt. Sie »sind von der Jugend gar nicht erschüttert worden, dafür aber mißbrauchen sie die edelsten Kräfte der Jugend für ihre ›Politik‹ und ihre Intrigen ...« Statt dieser Parteipolitik ernsthaft zu Leibe zu gehen, setzt er sie zwischen Anführungszeichen und erklärt von außen und oben her, daß sie ihn nicht erfreue. Der Mensch, den der Kommunismus erstrebe, sei »der Mensch von gestern, nicht von morgen«, und die Erneuerung, die der Nationalsozialismus ersehne, sei eine »widergeistige Vereinfältigung«. So wird in einem fort alles mögliche angeprangert oder proklamiert; ohne daß man irgendwann vernähme, wie denn das Schlechte ausgeschieden und das Wünschenswerte verwirklicht werden könne. Man schimpft und bekennt; man tut nichts, aber auch gar nichts, um ins politische Medium selber einzudringen. Ein Abgrund gähnt zwischen Überzeugung und Praxis.

Die Tatsache seines Vorhandenseins desavouiert aber nachträglich die ganze von Lesser gekennzeichnete Haltung. Und zwar ist ihre Wirkungslosigkeit ein untrüglicher Beweis dafür, daß sie vorwiegend ideologische Funktionen zu erfüllen hat. Des Mangels an Realität wird sie übrigens auch durch die Sprache bezichtigt, die sich manchmal zu einer einzigen Urerei auswächst. »Der Bund ist eine zeugungs- und empfängniswillige Gemeinschaft, und wie er aus einem Urerlebnis entstanden ist, so wird er durch ein Urerlebnis zusammengehalten.« Oder: »Volk ist eine metaphysisch-religiöse Wesenheit, schöpferischer Urgrund, mythischer Urschoß ...« Und so weiter; der Urwald hat kaum eine Lichtung. Am Schluß faselt Lesser: »Die Erneuerung wird nicht durch diese oder jene politische Partei kommen ..., die Erneuerung wird durch die Jugend kommen, oder sie wird überhaupt nicht kommen.« Um davon abzusehen, daß die Jugend als solche keine politische Größe ist, so käme die Erneuerung tatsächlich überhaupt nicht, wenn diese Jugend die Jugend wäre. Zum Glück ist sie es nicht. Eine Chance, uns zu erneuern, hätten wir höchstens unter der Voraussetzung, daß die Jugend den Urwald ausrodete, der hier die Welt verdunkelt, und ihre Meinungen nicht unverbindlich aufdeklamierte, sondern sie in engster Tuchfühlung mit den politischen Gegebenheiten zu realisieren bezw. zu verwandeln suchte.

(*Deutsche Republik*, 5. 3. 1933)

1 Der von Nietzsche und Stefan George beeinflußte Pädagoge, Schriftsteller und Philosoph Rudolf Pannwitz (1881-1969), der zunächst als Privatlehrer, u. a. im Haus Georg Simmels, arbeitete, gründete 1904 zusammen mit Otto zur Linde die Literaturzeitschrift *Charon*. Pannwitz verfaßte eine große Anzahl an lyrischen, dramatischen und kulturphilosophischen Schriften, u. a. *Landschaftsmärchen aus Crossen an der Oder* (1902), *Der Volksschullehrer und die deutsche Sprache* (1907), *Dionysische Tragödien* (1913), *Kosmos atheos* (1926), zeitgenössisch viel gelesen und gerühmt war vor allem seine Abhandlung *Die Krisis der europäischen Kultur* (1917). Er gehörte im März 1933 zu den Mitgliedern der Akademie der Künste, die sich weigerten, die von Gottfried Benn aufgesetzte Loyalitätserklärung gegenüber dem nationalsozialistischen Regime zu unterschreiben, und aus der Akademie austraten. Zu Pannwitz siehe auch Nr. 367.

2 Siehe u. a. Friedrich Nietzsche, *Jenseits von Gut und Böse* (1886), »Vorrede«. In: Ders.: *Werke*. Kritische Gesamtausgabe. Hrsg. von Giorgio Colli und Mazzino Montinari. VI. Abt., 2. Bd.: *Jenseits von Gut und Böse. Zur Genealogie der Moral*. Berlin und New York: W. de Gruyter 1968, S. 5; ders., *Menschliches, Allzumenschliches I* (1878), VIII, § 475. In: Ebd. IV. Abt., 2. Bd. (1967): *Menschliches, Allzumenschliches I. Nachgelassene Fragmente (1876 bis Winter 1877/1878)*, S. 319.

## 730. Pariser literarische Notizen[1]

Der französische »Touring-Club« hat einen literarischen Preis in Höhe von 5000 Francs gestiftet, der Herrn *Tristan Bernard* für sein Buch: »*Voyageons*«[2] zugesprochen worden ist.[3] Die Frage, ob es sich hier mehr um eine Huldigung für die Dichtkunst oder für die Touristik[4] handelt, mag unentschieden bleiben.

Der Verlag: »Mercure de France« bereitet ein literarhistorisch interessantes Buch vor, das spätestens im Juni erscheinen soll. Es wird den Beziehungen zwischen *Rimbaud* und *Verlaine* gewidmet sein. Als Herausgeber zeichnet Jules Mouquet.[5]

Der Ruhm und vielleicht mehr noch das Einkommen von Edgar Wallace, der auch nach seinem Tod[6] nicht aufhört, Kriminalromane zu produzieren – jedenfalls sind unter seinem Namen noch bis in die letzte Zeit hinein fortwährend neue Bücher in Deutschland herausgekommen –, scheint die französischen Autoren nicht schlafen zu lassen. Warum sollte ein guter Schriftsteller nicht gute Detektivromane zu schreiben verstehen? Schon im vorigen Jahr hatte sich Claude Aveline mit seinem Buch: *»La double mort de M. Belot«*[7] darum bemüht, diese Gattung literaturfähig zu machen. Jetzt ist ihm kein Geringerer als *Emmanuel Bove* gefolgt, dessen neues Buch bereits durch seinen Titel: *»Le meurtre de Suzy Pommier«*[8] die höchsten kriminalistischen Erwartungen zu befriedigen verspricht.

Findige Leute sind dahintergekommen, daß nach den Angaben der neuen Ausgabe des *»Wörterbuchs der Französischen Akademie«*[9] eine Stunde nur 40 Minuten beträgt oder doch betragen kann. Im Diktionnär ist das Wort Stunde wie folgt erklärt: Zeitraum, der den 24. Teil des natürlichen Tages bildet. Und die Definition für den natürlichen Tag seinerseits lautet: Zeit, die sich vom Aufgang bis zum Untergang der Sonne erstreckt. Bedenkt man nun, daß etwa im Juni die Sonne um 3.48 Uhr aufgeht und um 19.55 Uhr untergeht, so gewinnt man tatsächlich das Ergebnis, daß die Stunde im Wörterbuch der Akademie nicht zu ihrem vollen Rechte kommt. Eine Feststellung, die in der Zeitschrift: *Mercure de France* mit aller wissenschaftlichen Genauigkeit gemacht worden ist.[10]

*Jean Rostand*, der Sohn des großen Dichters,[11] ist zwar auch Schriftsteller, widmet sich aber nicht ganz den gleichen Themen wie sein Vater. Soeben veröffentlicht er ein Buch: *»Das Leben der Kröten«*,[12] das, wie es heißt, eine sehr verdienstvolle und mit vielen eigenen Beobachtungen versehene naturwissenschaftliche Spezialstudie ist. Er unternimmt in ihr eine Art Ehrenrettung dieser unpopulären Tiere, »deren Verbrechen es ist, häßlich zu sein«.

In der Zeitschrift: *Toute l'édition* findet sich eine von unterrichteter Seite zusammengestellte Statistik,[13] die über den Verkauf *französischer Bücher in Deutschland Auskunft* gibt. Danach hat die Bücherausfuhr im Jahre 1928 ihren Höhepunkt erreicht und ist dann, der allgemeinen ökonomischen Entwicklung folgend, wieder gesunken. Der Export im Jahre 1931 entspricht annähernd dem von 1926.

Das Gerichtsurteil, das seinerzeit gegen *Baudelaires* Buch: »*Die Blumen des Bösen*« wegen Verstoßes gegen die guten Sitten gefällt worden ist, soll jetzt einer Revision unterzogen werden.[14] Die posthume Aufhebung jenes von der Geschichte längst revidierten Urteils wird dem Kassationsgerichtshof obliegen, der auf einen Vorschlag von Herrn Louis Barthou[15] hin alle Verdikte ähnlicher Art nachzuprüfen haben wird, die über zwanzig Jahre zurückliegen.

Die Mitglieder des Komitees, das den Preis für den besten »roman populiste« zu verteilen hat[16] – der »Populisme« ist eine Richtung, die der literarischen Darstellung des Volkslebens Geltung verschaffen möchte –, sind sich nicht einig darüber, ob sie den schnell berühmt gewordenen Roman von Céline: »*Voyage au bout de la nuit*« (»*Reise ans Ende der Nacht*«) auszeichnen sollen. Allerdings haben die Widersacher Célines noch keinen Kandidaten gefunden, den sie dem von ihnen abgelehnten Autor entgegenstellen könnten. Über das Buch selber, um das ein heftiger Meinungsstreit entbrannt ist, werden wir ausführlicher berichten.[17]

In diesen Tagen gelangen drei Briefe zum Verkauf, die eine unbekannte Frau an Flaubert geschrieben hat. In ihnen hallt die Erregung nach, die durch das Erscheinen von »*Madame Bovary*«[18] ausgelöst worden ist. »Wie viele leidenschaftliche Diskussionen und rauchende Köpfe«, schreibt die Absenderin, die ihren Namen nicht preisgeben will, »wie viele Familienzwiste, wie viele heftig umgeworfene Stühle, wie viele voller Zorn geschlossene Türen – und alles wegen dieses seltsamen Buches!« Was nicht heißen soll, daß jedes Ereignis, das die Öffentlichkeit in Wallung versetzt, dieses Aufruhrs der Gemüter so würdig wäre wie Flauberts Werk.

In Frankreich hat jetzt ein *literarischer Prozeß* stattgefunden, der an einen ähnlichen in Deutschland erinnert.[19] Ein junger Autor, René Trintzius, ist vor Gericht zitiert worden, weil er die »Unvorsichtigkeit« begangen hat, einer seiner Romanfiguren, die sich durch ein lächerliches

und unmoralisches Benehmen auszeichnet, den Namen einer wirklich lebenden Persönlichkeit zu geben.[20] Obwohl man der Versicherung des Autors Glauben schenkte, daß er von der Existenz dieser Persönlichkeit gar nichts wußte, wurde er doch dazu verurteilt, die Gerichtskosten zu tragen. Die Romanschriftsteller haben es heute nicht leicht.[21]
(FZ vom 22. 3. 1933)

1 Das Typoskript (KN) dieses Artikels hat den Titel »Pariser Notizen«.
2 Tristan Bernard, *Voyageons*. Paris: A. Michel 1933.
3 Das Typoskript beginnt mit den Sätzen: »Sport und Literatur begegnen sich in Frankreich. Der französische ›Touring-Club‹ hat [...].«
4 Im Typoskript: »für den Sport«.
5 Siehe Jules Mouquet, *Rimbaud raconté par Verlaine*. Paris: Mercure de France 1934.
6 Zu Kracauers Nachruf auf Wallace siehe Nr. 631.
7 Claude Aveline, *La double mort de Frédéric Belot*. Paris: Grasset 1932.
8 Emmanuel Bove, *Le meurtre de Suzy Pommier*. Paris: E. Paul 1933.
9 *Dictionnaire de l'Académie Française*. 8. Aufl. Paris: Hachette 1932-1935.
10 D'Olivet: »Une heure égale 40 minutes, ou les drôleries du Dictionnaire«. In: *Mercure de France* Jg. 44 (1933), Bd. 242, Nr. 833 vom 1. 3. 1933, S. 510f.
11 Der französische Biologe und Philosoph Jean Rostand (1894-1977) war Sohn des Dramatikers Edmond Rostand (1868-1918), der u. a. durch das Theaterstück *Cyrano de Bergerac* (1897) berühmt wurde.
12 Jean Rostand, *La vie des crapauds*. Paris: Stock 1933.
13 Die Statistik ließ sich bislang nicht ermitteln.
14 Nach der Erstausgabe der Gedichtsammlung *Les Fleurs du mal* im Jahr 1857 wurde Baudelaire wegen »Beschädigung der öffentlichen Moral« zu einer Geldstrafe verurteilt; die Veröffentlichung von sechs Gedichten der Sammlung wurde verboten. Ein 1929 durch den damaligen Justizminister Louis Barthou (siehe unten, Anm. 15) initiierter Gesetzentwurf, der die Wiederaufnahme von vergleichbaren Verfahren ermöglichen sollte, wurde erst 1946 umgesetzt; die offizielle Rehabilitation Baudelaires sowie seiner Herausgeber erfolgte 1949.
15 Der Jurist, Journalist und parteilose Politiker Louis Barthou (1862-1934) bekleidete ab 1894 verschiedene Ministerposten, darunter das Amt des Kriegs-, Innen-, Justiz- und Außenministers, 1913 wurde er Premierminister. Bei einem Attentat auf den jugoslawischen König Alexander I., den er als Staatsgast empfing, wurde er im Oktober 1934 ermordet.
16 Der französische Literaturpreis »Prix du roman populiste« wurde 1930 von der französischen Schriftstellerin Antonine Coullet-Tessier ins Leben gerufen und wird bis heute vergeben; 1933 erhielt Henri Pollès den Preis für seinen Roman *Sophie de Tréguier* (Paris: Gallimard).
17 Siehe Kracauers Rezension Nr. 732.
18 Gustave Flaubert wurde nach der ersten, zensierten Veröffentlichung von *Madame Bovary* in der Zeitschrift *La Revue de Paris* (1856) vor einem Pariser Gericht angeklagt »gegen die öffentliche Moral, die guten Sitten und die Religion« verstoßen zu haben

Nach dem Freispruch erschien die erste vollständige Buchausgabe von *Madame Bovary* im April 1857.

19 Vermutlich ist der mehrjährige Prozeß gegen den Schriftsteller Ernst Penzoldt gemeint; siehe Nr. 544, Anm. 4.

20 Vorläufig nicht zu ermitteln.

21 Im Typoskript folgt hier ein weiterer Absatz, der im FZ-Druck fehlt: »So hoch die moralische Erscheinung Romain Rollands auch in Frankreich eingeschätzt wird: als Romanautor begegnet er hier strenger Kritik. Seinem neuen Buch: ›*L'Annonciatrice*‹ [1933/34; dt.: *Die Verkünderin*, 1935/36] das dem Romancyclus: ›*L'âme enchantée*‹ [4 Teile in 7 Bdn., 1922-1934; dt.: *Die verzauberte Seele*, 6 Bde., 1924-1936] angehört, wirft man hauptsächlich vor, daß es die Wirklichkeit des Lebens verfehle. Das Buch enthält satirische Sittenschilderungen aus dem Milieu der Zeitungsredaktionen der Modenhäuser usw., die sich nach der Meinung der Beurteiler auf ungenügende Beobachtungen stützen.«

# 731. Der Buchladen

Am linken Ufer der Seine liegt ein kleiner Buchladen, der kein gewöhnlicher Laden ist, sondern ein Schrein. Man stelle sich eine Schmuckkassette vor, in der lauter Kostbarkeiten blitzen: genau so ist dieser Laden. Die Schätze, die er enthält, sind zahllose Bücher. Nicht etwa einzelne Bücher, die man beliebig herausnehmen und wieder einordnen könnte – Bücher vielmehr, die zu Korallenriffen zusammengewachsen sind und nicht die geringste Lücke zwischen sich dulden. Sie bilden an Stelle des Mauerwerks die drei Wände des Ladens, füllen den Querbalken aus, der die niedrige Decke trägt, schichten sich vom Fußboden an um unsichtbare Tische auf und lagern, eine dichte, einheitliche Masse, vor und hinter den Spiegelscheiben, die das Innere von der Straße trennen. Ein Wunder noch, daß sie nicht den Eingang versperren. Denn es ist, als wucherten diese Bücher wie Pflanzen selbsttätig weiter, dräng[t]en, von den ihnen innewohnenden Kräften getrieben, durch den Plafond und dehnten sich nach allen Seiten hin grenzenlos aus. Die Buchrückenflächen aber, die sich so, nur durch äußere Widerstände gehemmt, strotzend entfalten, verbreiten einen herrlichen Glanz. Wahrhaftig, der ganze Laden schimmert in Rot und Gold, ein einziger Schimmer, der aus der Höhe und der Tiefe kommt, von den Wänden, dem Querbalken, der Auslage, den Tischen. Er teilt sich der Luft mit und verklärt den dunklen, hinfälligen Raum. Da seine warme, gute Helle den der Einbände noch überbietet, ist sein Ursprung ein Rätsel. Möglich wäre immerhin, daß das Gefunkel auch von dem Leben herrührte, das in den Büchern selber aufgespeichert ruht, daß der Geist seine Strahlkraft mit den Ornamenten der Buchdeckel vereinigte, die ihn bergen.

Buffon, Racine, Diderot, Corneille – erst wenn man näher tritt, ganz nahe, entziffert man die Namen auf den Rücken. Jeder von ihnen schmückt eine große Reihe von Bänden, kehrt dreißig-, vierzig-, fünfzigmal wieder. Statt sich mit einem schmalen Buch zu begnügen, haben die Träger dieser Namen ihre Weisheit freigebig verströmen lassen und Werke geschrieben, deren nach Metern zu bemessende Länge schon anzeigt, daß in ihnen die Fülle der Welt eingefangen ist. Wie nun die dünnen Goldbuchstaben mit den Arabesken verschmelzen, von denen sie umgeben sind, so gehen auch die verschiedenen Werke unmerklich ineinander über. Der Name wechselt, die Bände verändern sich nicht. Gleich hoch und mit den gleichen Zieraten ausgestattet, verwahren sie eine Literatur die alles andere eher als einförmig ist. Gerade dadurch aber, daß sie ein und dasselbe Gewand trägt, wird das Gemeinsame ihrer Erzeugnisse den Sinnen unmittelbar faßbar. Geister, die in der Welt oft unversöhnlich geschieden waren, finden sich, eben als Geister, in der Nachwelt zusammen, wie Edelsteine in einem Geschmeide. Und der goldene Glanz, der sie vereint aussenden, ist nur die Offenbarung ihrer Zusammengehörigkeit.

Aus der Tatsache, daß alle diese Werke innig miteinander verbunden sind, erklärt sich auch die folgende auffallende Erscheinung. Obwohl der Laden ersichtlich zu Verkaufszwecken eingerichtet ist, wird er doch niemals von Kunden im strengen Sinne des Worts betreten, sondern höchstens von Gästen. Meistens steht er ganz leer. Empfängt er aber wirklich einmal Besuch, so kann man durch die Spiegelscheiben beobachten, daß der Eindringling, irgendein bejahrter Herr mit breitrandigem Hut und grauem Bart, untätig zwischen den Büchern weilt. Er genießt ihre Oberfläche, dreht sich zögernd um, tauscht schweigend einen Blick mit dem Ladeninhaber aus und verfällt wieder in einen Zustand völliger Verzückung. Weder begeht er je den Frevel, nach einem der Bücher zu greifen, noch ist ihm überhaupt etwas an ihrem Inhalt gelegen

Der Inhalt wäre ja immer nur ein einzelner und bedeutete daher längst nicht so viel für ihn wie das Miteinander der Einbände, das die Gemeinsamkeit sämtlicher Inhalte bezeugt. Selig versinkt er in der glitzernden Flut der Deckel und Rücken, und indem er sich von ihr treiben läßt, erfährt er mehr Geheimnisse als durch einen Text. Wie sollte er, ihnen hingegeben, sich dazu entschließen können, die Bücher ihrem wunderbaren Zusammenhang zu entreißen? Sie sind um ihrer selbst willen da, und das Lädchen ist ein Schaukabinett. Unfähig, Abschied zu nehmen, harrt der Gast inmitten des Bücherschreins, der in der Dämmerung erst recht zu glühen beginnt. Auch der graue Bart wird zu Gold.
Der Laden befindet sich in einem alten Haus, und wenn ihn einer ausräumte, wäre sofort zu erkennen, wie morsch und gering er ist. So aber bietet er ein Bild der Unvergänglichkeit. Und fielen selbst die Mauern zusammen, schwände die Decke und verginge das Haus – die Buchrükkenflächen überdauerten die Zerstörung, blieben beieinander und hörten nicht auf zu leuchten.
(FZ vom 25. 3. 1933)

## 732. Reise ans Ende der Nacht

Rez.: Louis-Ferdinand Céline, *Voyage an bout de la nuit*. Paris: D. Esteele 1932.

Der Roman: *»Reise ans Ende der Nacht«* von *Louis-Ferdinand Céline* ist in Frankreich viel gerühmt und geschmäht worden. Beklagen die einen, daß er nicht den Goncourt-Preis erhalten hat,[1] so fallen die andern über seine niedrige Gesinnung her und erklären ihn für ein Gesudel. Inzwischen hat er schon eine Auflage von 150000 Exemplaren überschritten, ohne daß die um seinetwillen entbrannten literarischen Feldzüge mit einem Waffenstillstand abgeschlossen worden wären.

In der Tat, dieser Roman, dessen deutsche Ausgabe übrigens, wie man hört, vom Verlag Piper vorbereitet wird,[2] fällt aus dem Rahmen des hergebrachten französischen Schrifttums heraus. Er beginnt im Krieg und endigt irgendwann in der Nachkriegszeit. Allerdings ist dieses zufällige

Ende nicht gleichbedeutend mit dem der hier gemeinten Nacht. Ihr Dunkel, das nur der Tod erhellen könnte, erklärt sich aus der Illusionslosigkeit des Erzählers, die ihn der Möglichkeit beraubt, die Brutalität des Daseins zu beschönigen. Nackt und unbarmherzig zeigen sich ihm die Dinge. Diese Unfähigkeit, sich einem Wahn hinzugeben, und werde er von Millionen geteilt, oder Gefühle anzunehmen, die ihm unwahr zu sein scheinen, bestimmt sein Erlebnis des Kriegs. Er macht ihn bei der Kavallerie mit und erfährt, was man eben in einem Krieg erfahren kann. Aber das Schwergewicht ruht nicht so sehr auf der Schilderung von Schreckensszenen als auf der Darstellung des Widersinns, der den Kriegsereignissen anhaftet. Der im Ichton sprechende Erzähler kann sie nicht fassen, und da sich alles in ihm gegen ein Geschehen sträubt, das viele andere als Schicksal bejahen, vermag er sich auch nicht in den Heroismus oder ins Pflichtbewußtsein zu retten, sondern kennt nur das Grauen vor dem unbegründeten Tod. Als einzelnes Individuum, das einen gültigen Maßstab zu besitzen glaubt, befindet er sich in der Zwangsgemeinschaft von Massen, die er für verblendet hält. Vielleicht hat seine machtlose, in die Isolierung gedrängte Vernunft ein Gebrechen, vielleicht ist sie zu einsam, um ganz vernünftig zu sein; der bittere Abstand indessen, den er von sämtlichen Zeitgenossen wahrt, erlaubt ihm jedenfalls, ihr problematisches Verhalten zu durchschauen. Romane in allen Weltsprachen setzen sich mit dem Krieg auseinander; kaum einer ist so unerbittlich wie dieser. Indem der Erzähler einfach konstatiert, enthüllt er zugleich das Menschliche-Allzumenschliche, das sich im Krieg unter tausend Masken ausgelebt hat. Nichts läßt er passieren: weder den Geiz der Bäuerin, die den Soldaten nur unter der Bedingung Wein geben will, daß sie ihn teuer bezahlen, noch die hohle Frankreich-Schwärmerei der kleinen Lola aus Amerika, noch die peinlichen Tiraden eines leitenden Arztes, der den Krieg als wissenschaftliches Experiment preist, noch den bürgerlichen Egoismus, auf den die Urlauber im Hinterland stoßen. »Sogar die Verräter sind falsch«, sagt er einmal in einem größeren Zusammenhang, der die Schwindelmanöver während der Kriegsjahre geißelt. Das Verlangen nach Wahrheit und richtigen Verhältnissen, aus dem dieser ingrimmige Satz kommt, bedingt durchweg die Gestaltung des Stoffs.

Trotz seiner dem Krieg gewidmeten Abschnitte ist das Buch in keinem

Sinne ein »Kriegsroman«. Vor allem darum nicht, weil es den Krieg zum Unterschied von diesem nicht als einen außergewöhnlichen Zustand auffaßt, sondern als ein Geschehen, das sich vom friedlichen Alltag nur wenig abhebt. Der Krieg unterbricht bei Céline nicht den Frieden; vielmehr: der Friede ist eine andere Form des Krieges. Diese Erkenntnis prägt sich auch formal aus; gleitet doch die Handlung unmerklich und sprunglos von den militärischen Erlebnissen zu den zivilen hinüber, die denselben Kriegsgeruch ausdünsten wie jene. Der als untauglich entlassene Erzähler reist nach Afrika und findet hier die Misere wieder, die er in Europa verlassen hat. Die Urwälder nehmen es mit den Schlachtfeldern auf, und die menschliche Grausamkeit verändert sich nicht. Vom Kongogebiet geht es nach Amerika, wo er sich durchhungern muß, der Pariser Freundin Lola mit Mühe 100 Dollar ablistet, die auch nicht lang reichen, und zuletzt in Detroit bei Ford schuftet. Seine Freizeit verbringt er mit Molly, die er in einem öffentlichen Haus kennen gelernt hat – dem einzigen amerikanischen Ort, an dem man ihn, wie er erklärt, freundlich begegnet sei. Molly liebt ihn; aber die Unruhe treibt ihn in die Heimat zurück.

Die Pariser Nachkriegszeit füllt die zweite Hälfte des Buches aus. Nachdem der Erzähler sein ärztliches Studium erledigt hat, siedelt er sich in einem Vorort an. Der Krieg ist zu Ende, der Krieg tobt verwandelt fort: als Kampf um den Futterplatz, als Exzeß der Leidenschaft und Folge der Gleichgültigkeit, als die übliche Art menschlichen Zusammenlebens überhaupt. Sein eigentliches Opfer ist Robinson, der in jeder Phase neu auftaucht und gegen Schluß die Hauptfigur wird. Robinson ist der arme Teufel, die leidende Kreatur in unserer Zeit. Zuerst trifft ihn der Erzähler, der sich immer unentrinnbarer an ihn gekettet fühlt, bei einer Nachtpatrouille mitten im Wald und knüpft mit ihm ein Gespräch an, aus dem hervorgeht, daß Robinson desertieren will. Von nun ab entwickelt sich dieser Unglückswurm zum notwendigen Übel. Er scheint im Urwald zu spuken, stellt sich pünktlich in Amerika ein und zeigt sich erst recht in Paris. Seine Abenteuer mit der Familie Henrouille sind ein Roman für sich. Diese Familie, die zur Kundschaft des Arztes zählt, besteht aus einer bösen alten Person und einem jungen Ehepaar, das die Großmutter gern los sein möchte. Im Auftrag der Jungen unternimmt Robinson ein Attentat gegen die Alte, das natürlich scheitert und ihn nur selber aufs

Krankenbett wirft. Durch das Eingreifen eines Abbés wird die Sache vertuscht und der gestrafte Verbrecher mit der unverwüstlichen Großmutter nach Toulouse geschickt.
Die Geschichte zieht sich noch lang hin, und je unabsehbarer sie sich dehnt, desto mehr feiern Not, Sinnlosigkeit und Kleinbürgergraus ihre trüben Orgien. Der Erzähler gibt seine Praxis aus Mangel an Patienten auf, spielt vorübergehend in einer Revue mit und arbeitet später in einer Irrenanstalt. Zu ihm gesellt sich ein heruntergekommener Medizinprofessor, der sich allzuviel mit den Schulmädchen eingelassen hatte. Hotelbilder vermischen sich mit Anstaltsszenen, Zufälle mit Fügungen, Gesunde mit den Verrückten. Die Welt ist vollends ein Chaos geworden. Sie spottet der Vernunft, erhebt und zerstört nach Laune ihre Geschöpfe und verschlingt am Ende auch Robinson. Madelon, mit der er in Toulouse glücklich zu werden hoffte, ist die Ursache seines Untergangs. Durch die Drohung, daß sie ihn des Mordes an der mittlerweile liquidierten Großmutter wegen anzeigen werde, sucht sie ihn zu einer Heirat zu zwingen. Aber er begehrt Liebe und flieht vor der Erpresserin. So hatte er immer noch fliehen müssen. Diesmal hilft ihm nur die Flucht nichts; denn Madelon entdeckt schließlich seinen Aufenthaltsort und erschießt ihn in einem Anfall von Raserei. Der Freund, der an allen Vorgängen mitbeteiligt gewesen ist, weilt am Sterbelager des Freundes. Die Erzählung bricht ab.

Robinson äußert an einer Stelle, daß er nicht übel Lust gehabt hätte, Krankenpfleger zu werden. Auf die Frage nach dem Grund antwortet er: »Weil die Menschen, siehst du, wenn sie sich wohl fühlen – das ist ausgemacht – unsereinem Angst einflößen ... besonders seit dem Krieg ... Was mich betrifft, so weiß ich, woran sie denken ... Sie legen sich selber darüber nicht immer Rechenschaft ab ... Aber ich – ich weiß, woran sie denken ... Wenn sie aufrecht stehen, denken sie daran, uns zu töten ... Während sie, wenn sie krank darniederliegen, weniger zu fürchten sind ...« Diese entsetzliche Gewißheit drückt sich im ganzen Roman aus.
Mag das Bild, das Céline in ihm von der Kriegs- und Nachkriegswelt entwirft, auch einiger Korrekturen bedürfen: entscheidend geformt wird es doch von zwei großen und echten Motiven. Das eine ist das von

der Hilflosigkeit der Armen. Wieder und wieder deutet Céline darauf hin, daß das Dasein gerade den Armen so erscheinen muß, wie er es hier schildert: als der Ausfluß schlimmer Instinkte und eine mißratene Angelegenheit. Er behauptet, daß Lola jenen Optimismus ausstrahle, der die selbstverständliche Mitgift der Privilegierten sei, und bedauert, nicht früh genug erkannt zu haben, daß zwei sehr verschiedene Wesensarten nebeneinander existierten: die der Armen und die der Reichen. Nirgends aber versinnlicht er den Zustand der Ausgestoßenheit des Armen drastischer als an einer kleinen Stelle aus dem amerikanischen Teil. Von dem Fenster seines Zimmers, das sich hoch oben in einem New Yorker Wolkenkratzerhotel befindet, schreit der Erzähler: »Zu Hilfe! Zu Hilfe!« herab; rein um zu erproben, ob ihn überhaupt einer höre. Niemand hört ihn, niemand blickt zur Fassade empor. »In dem Lärm«, meint er, »den sie selber machen, verstehen sie nichts.« Derselbe Lärm, der ins Ohr der Armut gellt, dröhnt auch durch dieses Werk. Es ist aus der Perspektive der Habenichtse geschrieben, die vor versperrten Zugängen harren müssen und zusammenhanglosen Gewaltaktionen ausgesetzt sind.
Das andere Motiv ist das der Aufrichtigkeit. Genauer: der Aufrichtigkeit des Armen, des Outsiders, der nichts zu verlieren hat. Zynismus ist die Waffe, mit der sie sich Gehör verschafft. Wie der Erzähler seine Geliebten beschreibt, wie er Widersprüche festnagelt, die sonst anstandslos hingenommen werden, wie er die fragwürdige Legierung vieler menschlichen Naturen bloßstellt – das alles ist, wenn man will, schlechterdings zynisch. Sich selber behandelt er freilich keineswegs besser. Er verhält sich passiv gegenüber der Gemeinheit, die er erkennt, läßt sich ohne Eigenliebe sinken und setzt die Miene des abgebrühten Mannes auf. »Du solltest heiraten«, sagte er zu Robinson, der wie eine Klette an ihm hängt, »das gäbe dir vielleicht Geschmack am Leben ...« Dann fährt er fort: »Wenn er sich eine Frau genommen hätte, wäre ich seiner etwas ledig gewesen.« Aber dieser Zynismus ist nicht nur ein Mittel, den Schein als Schein zu entlarven, sondern dient auch der ungeborgenen Güte als Schutz. Um sich in dem verstellten Dasein behaupten zu können, muß sich der Erzähler mit einem Panzer umgeben. Verschiedene Äußerungen beweisen, daß seine Aufrichtigkeit ungeachtet ihrer destruktiven Gebärde die Rekonstruktion lauterer Zustände bezweckt. Mit welcher scheuen, gar nicht zynischen Verehrung spricht er von dem kleinen un-

bekannten Sergeanten Alcide, der seine Nichte auf eigene Kosten erziehen läßt, mit welcher zarten Bewunderung zeichnet er die Figur Mollys, in der sich die selbstlose Liebe verkörpert! Schreckt die Aufrichtigkeit hier vor keinem Sakrileg zurück, so weiß sie doch auch Altäre zu errichten.

Es ist die Sprache, in der sich diese Haltung vergegenständlicht. Manchmal erinnert der Ton Célines an den von Hemingway[3] oder an den, der im letzten Buch von Dos Passos[4] vorherrscht. Eine Ähnlichkeit, die daher rührt, daß in allen drei Fällen die Sprache eine Reaktion des Individuums auf den Zustand der Nachkriegsgesellschaft ist. Die Bindungen, die mit dem schlechten auch den guten Individualismus gewährleisteten, sind zerfallen, und so sieht sich der Einzelne einer Welt überantwortet, die ihm sinnlos und ungeheuerlich dünkt. In einem gewissen sprachlichen Nihilismus gestaltet sich diese Grunderfahrung aus. Céline zerstückelt die Perioden und brüskiert das traditionelle Stilgebaren mit seinen sauber konstruierten, vernunftgemäß hinschwingenden Sätzen. Indessen unterscheidet er sich von den genannten amerikanischen Autoren in einem wichtigen Punkt. Seine Sprache ist nicht etwa wie bei jenen ein Kunstprodukt, das im wesentlichen die Situation des Intellektuellen bezeugt, sondern kommt auch aus der gesprochenen Sprache des Volkes. Sie verwendet Argot-Ausdrücke, liest Worte von der Straße auf und benutzt die Redeweise des kleinen Mannes. Diese ungewollte und ungebrochene Einbeziehung der gewordenen Natur verrät aber, daß hier jemand spricht, der wirklich einer Art mit den Armen ist. Über den zynischen und amoralischen Demonstrationen Célines darf nicht die naive Kraft vergessen werden, die seinem sprachlichen Verhalten innewohnt. Sie gibt sich in einer unbefangenen Sachlichkeit kund und in dem raschen Kindergriff, mit dem sich die Worte der Dinge bemächtigen. Intellektualität und volkshafte Natürlichkeit gehen in dem Roman eine so glückliche Verbindung ein, daß man aus ihr beinahe Hoffnung schöpfen kann für den Geist.

(FZ vom 9. 4. 1933, Literaturblatt)

1 Zum Goncourt-Preis siehe Nr. 385, Anm. 9. 1932 wurde Guy Mazelines *Les Loups* (1932) ausgezeichnet, 1933 André Malraux für seinen Roman *La condition humaine* (siehe Nr. 740).

2 Die erste deutsche Ausgabe erschien in der Übersetzung Werner Rebhuhns 1933 im Ver-

lag Kittl (Leipzig, Mährisch-Ostrau). Die deutschsprachigen Zitate, die Kracauer im folgenden anführt, dürften von ihm selbst und/oder seiner Frau übersetzt worden sein.
3 Siehe Nr. 676.
4 Siehe Nr. 640, Anm. 13.

# 733. Farben, Farben ...

In einer von Bernheim Jeune (Paris) veranstalteten Ausstellung der Werke *Auguste Giacomettis* ist auch ein Selbstbildnis des Künstlers zu sehen.[1] Sein Kopf besitzt eine außerordentliche Stabilität. Sicher und fest rundet er sich, ein Massiv wie die Alpen, das jeder Erschütterung widersteht. Die Augen darin entsprechen der tektonischen Kraft des gesamten Gefüges. Sie sind groß, leuchten beharrlich und verraten die Ruhe des Schauenden. Dieses Gebilde, das so geschlossen, unverletzlich, ja heiter ist, kann nur einem Untergrund von großer Zuverlässigkeit entwachsen sein. Man ahnt die Schweiz dahinter und ihren Frieden. Ein jahrzehntelanger Friede ist zweifellos dazu nötig gewesen, um ein solches Gesicht zu schaffen, in dem die über uns anderen hereingebrochenen Ereignisse keine deutlichen Spuren hinterlassen haben.

Das Bekenntnis des Selbstbildnisses wird durch die Werke bestätigt. Von einigen Überbleibseln aus der Zeit des Jugendstils und des Pointillismus an entwickeln sie sich stetig und scheinbar kampflos zu den Kompositionen der späteren Jahre. Schon die ersten Bilder bezeugen nicht nur die Neigung zum Dekorativen, die sich immer mehr in den Fresken und der Glasmalerei auslebt, sondern enthalten auch die beiden Tendenzen der sich allmählich entfaltenden Flächenkunst. Die eine Tendenz ist die zeichnerische. Einflüssen sich hingebend, die etwa durch die Namen von Fra Angelico und Puvis de Chavannes[2] zu bezeichnen sind, folgt Giacometti dauernd dem Zug zur linearen Gestaltung, zur Beherrschung des Geviertes durch klar ausgeformte Strukturen. Ein gerader Weg führt von den frühen Bildern zu den Fresken im Amthaus, in denen ein streng konturierter Astronom und stilisierte Maurer auftreten.[3] Auch in den

Gewandstudien drückt sich die zeichnerische Lust des Künstlers aus.[4] Die Formen sind allerdings nicht aus unserer Zeit, sondern eher aus dem Lebensgefühl vergangener Epochen entnommen, mit dem das Giacomettis verwandt sein mag. Nicht umsonst schreitet er ohne spürbare Konflikte und Umbrüche von Bild zu Bild. Aber das Schwergewicht ruht bei ihm überhaupt nicht so sehr auf der Linie als auf dem farbigen Glanz. Die Tendenz zur Farbe, die sich z.B. in dem Vorkriegsbild *Stampa* ankündigt,[5] bestimmt ihn entscheidend, und indem er sie kundgibt, schafft er die Werke, die ihm allein eigentümlich sind.

Farbe sind seine Stilleben, seine Interieurs, seine Städtebilder. In ihnen allen weicht die Formsprache, die den Gegenstand ausdrücklich benennt, einem Schwelgen in der Buntheit, das zu Gleichnissen musikalischer Art herausfordert. Es sind optische Klänge und Rhythmen, die hier den Erscheinungen entlockt oder ihnen übergeordnet werden. Gewiß bleiben die Sachen erhalten; aber sie stehen nicht selber im Mittelpunkt, sondern dienen nur als Anlaß zum Gefunkel der Fläche. Da ist das nächtliche Paris:[6] die gelbe Flut der Bogenlampen und Lichtreklamen vermischt sich mit roten Zitterbuchstaben, und diese vielgestaltige Helle erringt herrliche Siege über die blaue Finsternis. Da ist Algier: Akkorde in grünen Tinten, die vom Wasser, den Schiffen, der Küste ausstrahlen, schwelen sanft durch den Raum. Da ist Sidi-Bou-Said: eine weiße Stadt schimmert über dem grünen Meeresspiegel, der selber ein einziger Schimmer ist. Überall triumphiert das Glück der Farbe, ein Glück, das der Natur des Künstlers entstammt und nie durch Not gebrochen worden zu sein scheint. Dem durch keinen Kummer getrübten Blick verwandelt sich die Bar Olympia in eine rote Orgie und die Steinbastion des Marseiller Hafens in ein rosa Gewölk. Oft schwinden so im seligen Taumel die Umrisse der Objekte. Der Elefant hinter den Gitterstäben wird zur gestaltlosen Folie für grelle Kostüme, der Flammenstrom, den der Ätna ausspeit, lodert in einer schwarzen Welt, deren Beschaffenheit unbestimmbar ist. Dem Feuermeer gleichen die Blumen darin, daß sie die Träger einer kaum durch sie eingeengten Farbenpracht sind. In wunderbaren Stilleben sammelt Giacometti das Lila der Rhododendrons und das Weiß der Pfingstrosen ein. Die Orchideen, die er zweimal gemalt hat, wirken wie die Verkörperung sich verzehrender

Leidenschaft. Aus dem Innern ihrer Kelche dringt ein blutiges Rot, das von den fahlen Blättern düster absticht.

Von einem seiner Pastelle sagt Giacometti einmal: »Ich habe es wie ein Blumenbild angefangen, und ich habe damit geendigt, daß ich nur noch die abstrakte Farbe beibehielt«.[7] Nicht so, als ob der Maler die Form verleugnete – er meistert sie nicht minder sicher wie die Abstufungen des Kolorits –, doch es drängt ihn von ihr weg oder über sie hinaus zur Farbe, die sonst nichts als Farbe ist. Dieser Prozeß ist aber keineswegs ein Gewaltakt, der sich gegen die Form als solche richtete und sie verzweifelt sprengte, um dann aus ihren Trümmern die reine Farbe zu gewinnen; das Geformte wird einfach beiseite geschoben, ohne daß eine Auseinandersetzung mit ihm erfolgte. Es ertrinkt lautlos in den bunten Wogen. Dem Kriegsjahr 1917 gehören zwei farbige Phantasien an, die von Blumeneindrücken herrühren und in abstrakte Kombinationen einmünden.[8] Grüne, blaue, rote Kreise tanzen im Leeren, rote und blaugrüne Massen quellen aus dem Dunkel hervor. Dem liegt durchaus nicht ein Protestwille zugrunde oder eine aus der Tatsache des Kriegs leicht zu erklärende Sucht, die Dinge und Menschen im Bild gleichnishaft aufzuheben, sondern das Bedürfnis, sich in eine neutrale Zone jenseits der Form zurückzuziehen. Die Form bleibt, wie sie ist, und wird nur ausgeschaltet oder überflutet. Dank seiner eingeborenen und souverän durchgebildeten Beziehungen zu den Farben vermag der Künstler diese freilich so zu behandeln, daß sie noch den letzten stofflichen Reiz hergeben. Ihr bloßes Sein teilt der Fläche ein solches Leben mit, daß man darüber manchmal die Inhaltsarmut der Phantasien vergißt.

Dabei haben die verschiedensten Gemälde einen Gehalt, der anzeigt, daß Giacometti gar nicht mit der Farbe Raubbau zu treiben brauchte. Das anspruchslose Bild des Hotelzimmers in Biskra etwa ist von einem bestrickenden Zauber.[9] Es enthält nichts weiter als einen grünen Laden, der in einer hellen, bräunlichen Fläche sitzt, die sich allmählich als das Stubeninnere entpuppt. Mit einer bewundernswerten Knappheit der Mittel ist hier die Mittagsglut dargestellt, die nur durch ein paar Ladenritzen dringt, und die kühle Binnenwelt des Hotelzimmers selber. Es erscheint so, als sei es von einem gesehen, der während der Hitze auf dem

Bett liegt und einen Wachtraum hat. Die Stühle werden zu Bestandteilen der Wand, und der Fensterladen fliegt langsam davon. Auch das Fresko der Erdkarte in der Züricher Börse[10] zählt zu den Arbeiten, die der Farbe nur einen genau begrenzten Spielraum gewähren. Dieses Gemälde ist darum besonders interessant, weil sich in ihm die zeichnerische Tendenz mit der malerischen begegnet und beide sich sehr besonnen vereinen. Betrachtet man das Bild aus der Ferne, so macht es den Eindruck einer freien farbigen Komposition, und erst, wenn sich der Abstand vermindert, erkennt man, daß es die Erdkarte vorführt. Die Umrisse der Kontinente sind dünn aufgetragen, die Symbole der einzelnen Länder (Tempel, Stier usw.) mit zarter Akkuratesse vergegenwärtigt. Da aber der Hauptton, das Blau, nicht schematisch die Ozeane bedeckt, sondern gewissermaßen nach Laune an der Küste entlangstreicht und sich über den Wasserspiegel verteilt, wird die geographische Exaktheit ständig um ihr Vorrecht betrogen. Ein schönes dekoratives Spiel zwischen Farbe und Kontur, das eine sinnvolle Spannung zwischen jener und dieser enthält.

Farben, Farben ... Sie leuchten verführerisch, ohne daß sie ganz zu verführen vermöchten. Die Hemmung, die man ihnen gegenüber empfindet, hat aber ihren Grund darin, daß diese Farbenräusche sich's mit den Sachen zu leicht machen. Tatsächlich gründet das Glück, das Giacometti durch den Schmelz und die Tiefe seines Kolorits vermittelt, in Voraussetzungen, die er wie selbstverständlich hinnimmt, und die doch nicht selbstverständlich sind. Er hat Visionen, denen unsere harten Erfahrungen widerstreben, er erliegt einer Trunkenheit, die nur einem befriedeten Dasein vergönnt ist, er genießt die Wonne eines Schauens, das über viele Dinge hinweggleitet, die uns den Weg versperren. Eines der farbenreichsten Bilder gibt den Hamburger Hauptbahnhof wieder.[11] Was aber hätte dieses süße Idyll in Violett mit Hamburg zu schaffen? Seine Schönheit sieht von der häßlichen Wirklichkeit ab, die doch einkalkuliert werden müßte. Nahezu durchweg verzichtet so Giacometti darauf, sich um die Gegenstandswelt zu bemühen. Die paar Frauenköpfe, die er festhält, haben kaum ein eigenes Leben, und die Dinge sind ihm nur selten mehr als bunte Phänomene. Aus jener naiven Unerschütterlichkeit heraus, die sich in seinem Selbstporträt darstellt, läßt er die Fundamente ungeprüft, von denen er sich aufschwingt. Indessen, die Fundamente haben mittlerweile Sprünge bekommen. Daher triumphiert bei ihm wohl die Farbe, aber sie bewältigt doch nicht das Dunkel, das uns mitgegeben ist. Durch ihren höchsten Glanz schlagen noch die schwarzen Flecke unseres Daseins hindurch.

(FZ vom 14. 4. 1933)

1 Die Ausstellung fand vom 20. 3. bis zum 14. 4. 1933 in der Pariser Galerie Bernheim Jeune statt. Bei dem erwähnten Selbstbildnis handelt es sich um Auguste Giacomettis *Portrait de l'artiste* (1927).

2 Der französische Maler Pierre Puvis de Chavannes (1824-1898) wurde vor allem durch seine großen, in strengem Monumentalstil ausgeführten Wandmalereien für öffentliche Gebäude bekannt, so u. a. für das Panthéon (1874-1878, 1898), die Sorbonne (1887) und das Pariser Rathaus (1889-1893).

3 Es handelt sich um die Fresken *L'astronome* (1925) und *Le maçon* (1925).

4 Gemeint sind *Dix études de draperies* (1930).

5 Gemeint ist *Stampa* (1912).

6 Kracauer bezieht sich im folgenden auf die Gemälde *Paris* (1927), *Alger* (1932), *Sidi Bou Saïd* (1932), *Le bar Olympia* (1928), *Marseille* (1929), *L'éléphant* (1927), *L'éruption de l'Etna* (1929), *Rhododendrons* (1926), *Pivoines* (1932) sowie *Orchidées* (1931 und 1932).

7 Das Zitat ließ sich bislang nicht ermitteln.

8 *Vision* (1917) und *Fantaisie sur une fleur de pomme de terre* (1917).

9 *Ma chambre d'hôtel à Alger* (1932).

10 *Esquisse pour une peinture murale à la Bourse de Zürich* (1930).

11 *Hambourg* (1927).

## 734. Neue deutsche Literatur

### Ein kurzer Überblick[1]

Der Roman: »*Ein ernstes Leben*« von *Heinrich Mann*[2] erzählt die Geschichte eines einfachen Mädchens aus dem Volk, das allen möglichen Verführungen ausgesetzt ist und noch aus der schlimmsten Erniedrigung rein hervorgeht. Das Mädchen gerät in den Dschungel der Großstadt, bekommt ein uneheliches Kind und wird wider Willen und Absicht in trübe Affären verwickelt. Von einer haltlosen, entarteten Jugend mißbraucht, droht sie im Sumpf zu ersticken. Sie ginge auch wirklich unter, wenn sie nur ein naives Gretchen wäre. Der Dichter indessen verkörpert in ihr nicht irgendein Unschuldswesen, sondern die unverfälschte Natur des Volkes, die bildsam ist, sich immer neu zu regenerieren vermag und sich am längsten behauptet. Selten ist ein happy end schöner und triftiger begründet als dieses. Der Roman gehört zu den reifsten Heinrich Manns, und seine knappe, ja karge Sprache ist ein gültiger Beweis der Meisterschaft.[3]

Meier-Graefe, den man in Frankreich vorwiegend als Kunstschriftsteller kennt, ist auch ein bewundernswerter Erzähler. Sein Roman: *»Der Vater«*[4] offenbart alle Vorzüge, die ihm eigentümlich sind: eine souveräne Beherrschung der sprachlichen Mittel, ein großes Wissen um die äußeren Lebensumstände und die inneren Spannungen und eine vielerprobte menschliche Haltung. Die Beziehungen zwischen Vater und Sohn – hier werden sie an Hand eines in jeder Hinsicht interessanten Beispiels so dargestellt, daß der Sonderfall allgemeine Bedeutung erhält. Der Glanz, der über dem Buch liegt, bezeugt noch einmal das glückliche Ineinandergreifen von Sprache und Gegenstand. – Demnächst will Meier-Graefe eine Sammlung: *»Geschichten um die Kunst«* herausbringen, der man mit besonderen Erwartungen entgegensehen darf.[5]

Erik Reger, der für sein erstes Buch den Kleistpreis erhalten hat,[6] wendet sich in seinem neuen Roman: *»Das wachsame Hähnchen«*[7] der Epoche von 1927 bis 1931 zu; der »zweiten deutschen Gründerzeit«, wie er selber sie nennt. Die Fabel handelt vom Konkurrenzkampf zweier großer westdeutscher Städte und erfaßt die bedenkliche Kommunalpolitik in jener auf die Inflation folgenden Ära der Scheinblüte und der kurzfristigen Kredite. Man erlebt den Rauschzustand mit, in dem sich damals alle Welt befand, ist Zeuge unsinniger Projektiersucht und hohlen Auftriebs und wird durch schlagende Beispiele über die Beziehungen zwischen Wirtschaft und Kommune, Führern und Genasführten, Illusionen und Profiten belehrt. Es gibt sprachbegabtere Romanautoren wie Reger; aber nicht viele sind so ehrlich und kritisch wie er. Seine Aufrichtigkeit hilft über manche dürre Gebiete innerhalb des Romans hinweg, und sein Drang zur Entzauberung entschädigt für verzaubernden Glanz. Man kann dieses Buch auch als einen polemischen Traktat bezeichnen, der mit einer bestimmten Epoche und ihren Menschen sehr streng verfährt; in der ausgesprochenen Absicht, durch Erkenntnis zu bessern.

*Lion Feuchtwangers* neuer historischer Roman: *»Der jüdische Krieg«*,[8]

der, wie man hört, in Deutschland auf den Index gesetzt worden ist, kreist um die Gestalt des jüdischen Geschichtsschreibers Flavius Josephus, die sich wie ihr Nachfahr Jud Süß[9] den Reichen und Mächtigen der Erde beigesellt und von ihnen ihres Judentums wegen bald mehr gehaßt als geliebt wird. Im Hintergrund ersteht das antike Rom, die Zerstörung des Tempels von Jerusalem usw. Ein kulturhistorisches Sittengemälde, in dem es von Akteuren nur so wimmelt. Über die lang zurückliegenden Ereignisse und Zustände wird in einer unpathetischen Sprache berichtet, die ganz von heute ist und das Vergangene ersichtlich in unser aktuelles Leben einbeziehen möchte.
*Arnold Zweigs* jüngster Roman: *»De Vriendt kehrt heim«*[10] spielt in Palästina. Seine Fabel ist beinahe die eines Kriminalromans. Der Rabbi und holländische Publizist De Vriendt, der als Führer des orthodoxen jüdischen Flügels den politischen Zionismus bekämpft, wird in Jerusalem auf offener Straße erschossen, und es bedarf erst schwieriger Ermittlungen, bis man seinen Mörder entdeckt. Fesselnder als die Handlung selber ist die Schilderung des modernen Palästina: seiner Landschaft, seiner Menschen, seiner nationalen Strömungen. Vor allem in der Erzählung des Araberaufstands entfaltet Zweig seine starke Darstellungskunst. Manchmal mutet die Wiedergabe der politischen Leidenschaften im Vorderen Orient wie ein Bericht aus dem heutigen Deutschland an.[11]
In seinem großen Roman: *»Herrn Brechers Fiasko«*[12] schildert der begabte junge Dichter Martin Kessel das Leben der Angestellten. Der Ort der Handlung ist ein Berliner Großbetrieb, ihr Held ein junger Mann, der seinem Angestelltendasein vergeblich einen Sinn abzugewinnen sucht. Daß er sich dem Leerlauf nicht anpassen kann, in dem er steckt: das eben ist sein Fiasko. Das Los einer breiten Schicht wertvoller Menschen, die zur Abhängigkeit verdammt sind, wird in dieser Figur Gestalt. Darüber hinaus gibt der Roman, der von Satiren und eigenwilligen Monologen durchsetzt ist, noch einen Begriff vom Alltag der in den modernen Büros beschäftigten Großstadtmenschen.
Das Buch: *»Die Gefährten«* von *Anna Seghers*[13] ist nicht eigentlich ein Roman, sondern eine Märtyrerchronik. Dargestellt wird in ihr das Leben (und Sterben) vieler Frauen und Männer, die während der Nachkriegszeit die Träger der revolutionären Bewegung gewesen sind. Ungarn, Polen, Italiener, Bulgaren, Chinesen: der Zug der Helden erstreckt

sich von Land zu Land. Sie werden verfolgt, gemartert und ins Gefängnis geworfen, sie führen auch in der Emigration das Leben von Kämpfern. Anna Seghers bedient sich einer Prosa, die im strengen Sinne gedichtet ist und die Vorstellungen der Kämpfenden, Leidenden, Exilierten getreu vermittelt. Das kühn durchgestaltete Buch hinterläßt einen tiefen Eindruck.[14]

Der vor kurzem erschienene Band von Hans Kohn: *»Der Nationalismus in der Sowjetunion«*[15] klärt ausgezeichnet darüber auf, wie das schwierige Nationalitäten-Problem in Rußland angepackt worden ist. Hans Kohn, der seit langen Jahren in Jerusalem lebt, ist einer der besten Kenner der asiatischen Verhältnisse. Die englische Ausgabe seines Buchs ist bereits im Londoner Verlag George Routledge & Sons erschienen. Eine französische und eine tschechische Ausgabe befindet sich in Vorbereitung.[16]

Aufmerksam gemacht werden muß auf das Buch: *»Das Geheimnis des Kunstwerks«*,[17] dessen Verfasser Ferdinand Lion einer der geistreichsten Schriftsteller Deutschlands ist. Lion untersucht in seiner neuen Schrift die Beziehungen zwischen den Elementen eines Kunstwerks und zeigt anschaulich, wie diese kleinsten Teilchen zur lebendigen Gestalt zusammenschließen. Das zarte Gewebe von Kräften und Motiven, aus denen jedes Kunstwerk besteht, wird hier umsichtig ausgebreitet. Zahlreiche Einzelanalysen und treffende Formulierungen erhöhen den Wert des Buchs.

*»Sechs Jungens tippeln zum Himalaja«*: ein reizendes Jugendbuch von Hans Queling.[18] Es enthält nicht wie die Jugendbücher früherer Zeit einen Helden, der phantastische Abenteuer besteht, sondern läßt die Taten, die es beschreibt, von der Jugend selber verrichten; hierin dem bekannten Kinderbuch: *»Emil und die Detektive«* von Erich Kästner verwandt. Die kleine Knabengesellschaft wandert von Bombay bis zu den Vorbergen des Himalaja und erlebt während ihrer Indienfahrt Dinge, deren eines aufregender und wunderbarer als das andere ist. Man dringt in einen geheimnisvollen unterirdischen Gang, beobachtet, wie wilde Elefanten eingefangen werden usw. Einer der Jungens ist mit einem photographischen Apparat ausgerüstet gewesen und hat Bilder beigesteuert, auf denen man Rabindranath Tagore antrifft, und Gandhi, der gerade Gemüse putzt.

Eine gute Kenntnis der Verhältnisse im deutschen Mittelstand, durch dessen Proletarisierung die jüngsten Ereignisse in Deutschland teilweise herbeigeführt worden sind, vermittelt der Roman von Claire Bergmann: »*Was wird aus Deinen Kindern, Pitt?*«.[19] Der Wert des ganz kunstlos geschriebenen Buches besteht darin, daß es das harte Dasein der jungen Generation in dieser Zeit wahrheitsgetreu schildert. Ist in ihm von Liebe, von seelischer Not die Rede? Der nackte Existenzkampf und politische Auseinandersetzungen drängen alles Übrige in den Hintergrund ab.

Annähernd dem gleichen Thema sind wichtige Bände gewidmet, die dokumentarische Berichte über die arbeitslose deutsche Jugend enthalten (beide im Bruno Cassirer Verlag, Berlin, erschienen). Im einen: »*Jugend auf der Landstraße Berlin*«[20] erzählt *Ernst Haffner*, ein junger Journalist, von seinen Erlebnissen in den sogenannten »Jugend-Cliquen«, die im Norden und Osten Berlins ihr Unwesen trieben. Diese Cliquen oder auch Bünde, die von fern an die Horden verwahrloster Jugendlicher aus dem ersten Jahrzehnt der russischen Revolution erinnern, sind nach dem Vorbild der Verbrechervereine gebildet und setzen sich hauptsächlich aus entlaufenen Fürsorgezöglingen und arbeitslosen Halbwüchsigen zusammen. Man stiehlt, um nicht zu verhungern, und übt eine falsch verstandene Solidarität. Schuld an dem Aufkommen dieser Banden tragen die Arbeitslosigkeit, das häusliche Elend und verwirrte Instinkte. – Der andere Band nennt sich: »*Betrogene Jugend*«.[21] Sein Verfasser *Albert Lamm* ist einer jener wunderbaren Menschen, die ihr Leben dafür einsetzen, um den Armen und Entrechteten zu helfen. Er hat in dem Buch die Erfahrungen gesammelt, die er als Zeichenlehrer an einem Erwerbslosenheim machte. Zart, besonnen und dabei ganz unsentimental legt er von einer Jugend Zeugnis ab, die tatsächlich um ihr Lebensglück betrogen ist. Eine Niederschrift, die um so mehr ergreift, als sie zugleich ohne Absicht ein Selbstbildnis dieses reinen, tätigen Mannes entwirft.

*Georg Glasers* Buch: »*Schluckebier*«[22] bestätigt zum Teil die Berichte von Haffner und Lamm. Schluckebier ist ein Kriegsjunge aus ärmlichem Kleinbürgermilieu, der sich der väterlichen Gewalt durch die Flucht entzieht, bald darauf im Meer der Arbeitslosigkeit versinkt und in einem Erziehungsheim endigt. Einer von den vielen Opfern der deutschen Krise. Der gut erzählte Roman erzeugt dadurch ein gewisses Mißbehagen, daß man nicht recht weiß, was Erfindung und was Wirklichkeit ist. (Typoskript aus KN, undatiert [1933])

1 Bei dem folgenden Text handelt es sich um die deutschsprachige Originalfassung (Typoskript, KN) des Aufsatzes, der gekürzt und in französischer Übersetzung u. d. T. »L'Actualité Littéraire. Livres Allemands« am 19. 4. 1933 in der Zeitschrift *Marianne* erschien.
2 Heinrich Mann, *Ein ernstes Leben*. Berlin u. a.: Zsolnay 1932.
3 Die beiden folgenden Absätze (von »Meier-Graefe, den man [....]« bis »[...] durch Erkenntnis zu bessern.«) fehlen in der publizierten französischen Fassung.
4 Julius Meier-Graefe, *Der Vater*. Roman. Berlin: S. Fischer 1932; siehe Nr. 681, Anm. 23.
5 Ders., *Geschichten neben der Kunst*. Novellen. Berlin: S. Fischer 1933.
6 Siehe Nr. 666, Anm. 2.
7 Siehe Nr. 687.
8 Lion Feuchtwanger, *Der Jüdische Krieg*. Berlin: Propyläen 1932. Nachdem sich der Propyläen-Verlag im März 1933 in einer ganzseitigen Anzeige von seinem Autor Feuchtwanger getrennt hatte, erschien der zweite Band der Josephus-Trilogie, *Die Söhne*, 1935 in Amsterdam bei Querido, der dritte Teil zunächst in englischer Übersetzung u. d. T. *The Day Will Come* (übers. von Caroline Oram. London und New York: Hutchinson 1942); das deutsche Original, *Der Tag wird kommen*, wurde 1945 in Stockholm bei Bermann-Fischer veröffentlicht.
9 Siehe Lion Feuchtwanger, *Jud Süß*. München: Drei Masken 1925. Vorbild für die Romanfigur war die historische Gestalt des württembergischen Hofbeamten Jud Süß Oppenheimer (1698-1738).
10 Arnold Zweig, *Da Vriendt kehrt heim*. Berlin: G. Kiepenheuer 1932.
11 In der publizierten französischen Fassung fehlt der folgende Absatz.
12 Martin Kessel, *Herrn Brechers Fiasko*. Roman. Stuttgart und Berlin: DVA 1932.
13 Zu Kracauers Rezension siehe Nr. 689.
14 In der französischen Publikation fehlen die folgenden vier Absätze (von »Der vor kurzem erschienene Band [....]« bis »[...] in den Hintergrund ab.«).
15 Siehe Nr. 709.
16 Eine tschechische oder französische Ausgabe konnten nicht nachgewiesen werden.
17 Ferdinand Lion, *Geheimnis des Kunstwerks* [sic]. Stuttgart und Berlin: DVA 1932.
18 Siehe Nr. 681, Anm. 95.
19 Siehe Nr. 726.
20 Siehe Nr. 683, dort auch Anm. 3.
21 Siehe Nr. 668 und 683, dort auch Anm. 1.
22 Siehe Nr. 719, dort auch Anm. 4.

## 735. »Blaubart in Flandern«

Rez.: Philipp de Pillecyn, *Blaubart in Flandern*. Roman. Übers. von Elisabeth und Felix Augustin. Leipzig: J. Hegner 1933.

Wie sein Landsmann de Coster[1] so greift auch *Philipp de Pillecyn* in seiner Prosadichtung: *»Blaubart in Flandern«*[2] auf den alten Legendenschatz zurück. Das Buch, das von Elisabeth und Felix Augustin aus dem Flämischen in ein sehr gepflegtes Deutsch übertragen worden ist, erweitert die Historie vom Ritter Blaubart zum Bild mittelalterlichen Denkens und Fühlens. Der isolierte Held der Legende wird wieder in jene versunkene Welt hineingestellt und aus ihren Begriffen und Visionen heraus neu erzeugt. Als einer von drei Söldnern, die das Kriegsleben satt haben, zieht Blaubart in die Geschichte ein. Das Blut kreist ihm dick und schwer durch die Adern, der Mord ist ihm zur Gewohnheit geworden. Nachdem er mit den beiden Genossen einen Herbergswirt beraubt und getötet hat, beseitigt er noch die Kameraden selber. Allein in der Kammer, erfährt er nun zum ersten Mal den geheimnisvollen Zusammenhang von Blut und Gold. »Seine Finger klebten von Blut. Er wollte sein Gold zählen, um zu wissen, wie reich er war. Er nahm ein Stück auf, ein fein glänzendes, abgegriffenes, und es fielen zwei aus seinen Fingern: er nahm es zurück, und wieder rollten zwei Stücke über den Schlafsack. Einen Augenblick sah er starr nach dem Gold, in törichtem Erschrecken sah er auf seine Finger. Die bräunlichen Stellen an ihnen hatten kleine, matte Spuren auf den Goldstücken zurückgelassen.« Mit dem durch diese blutige Alchimie vervielfachten Gold kauft sich Blaubart einen Adelstitel und wird Schloßherr an der Schelde. Von jetzt an ereignet sich in stets anderen Formen dies: daß er durch die dunkle Kraft, die von ihm ausstrahlt, eine Frau bestrickt, friedlich mit ihr zusammenlebt und sie dann eines Tages ermordet. Ist es die Goldgier, die ihn zu seinen Untaten drängt? Eher ist es die Gier überhaupt, die Wollust, die sich im Tod besiegelt. Der Dichter erlahmt nicht darin, die Legende in satten Farben auszumalen, zu schildern, wie beruhigt [sic] Blaubart als Liebender ist und wie sich seiner zuletzt der Überdruß bemächtigt, der den Blutrausch erzeugt. Da seine Liebe nicht erlöst werden kann, will sie gewaltsam sich löschen. Und immer wieder geschieht es, daß dem Acker der blutigen Hände Goldstücke entsprießen.

Die Handlung entfaltet sich vor einem reichen Hintergrund mittelalterlicher Szenen und Motive. Alchimisten treiben ihr Handwerk, das, verglichen mit dem Blaubarts, eitel Pfuscherei ist. Ritter trinken sich unter den Tisch, aufsässige Bauern werden gebrandschatzt, Hexen, die keine sind, erdulden die Folter. Auch der verschollene Raum gewinnt Leben. Die Erde ist leer, die Figur der Landschaft prägt sich den Sinnen ein, das gesprochene Wort pflanzt sich mit magischer Kraft fort, und die wenigen Städte sind ferne Gebilde am Horizont. Manche der Bilder glühen wie Kirchenfenster. Dennoch redet der Dichter nicht eigentlich aus dem Geist des Mittelalters heraus, sondern stellt einen Traum davon dar. Es ist, als habe sich ein Mensch unserer Zeit so lange in jene Epoche versenkt, bis er sie wirklich durchwandeln kann. Aber er betrachtet sie doch mit Augen, die von heute sind, und verschmilzt niemals ganz mit einer ihrer Gestalten. Modernem Naturgefühl entstammen die Beschreibungen des Schelde-Wassers, das als Inkarnation der Elementarkräfte wiederholt in die Handlung eingreift. Nicht anders wird die Hexe mit Zügen begabt, die auf Grund aktueller Erfahrungen gefunden sind. Die unschuldig Angeklagte beginnt, nach entsetzlichen Martern, alle Sünden zu gestehen, die das Gericht zu hören verlangt, ja, sie schwelgt in Bekenntnissen nicht befriedigter Gelüste. »Was so lange ungeweckt geschlummert hatte in ihrem Leben, dem Leben einer ... biederen Hausfrau, wurde nun ins Bewußtsein gerissen, und ihr Leib schien zu erglühn unter den Küssen eines unsichtbaren Geliebten. Die Geschichte, die sie erzählte von ihren teuflischen Umarmungen und ihrem brennenden Glück, war ein Hohelied der Wollust: sie sah nicht nach den Richtern, sie sah über sie hinweg, weit fort, und ihr Mund zitterte.« Psychologische Deutungen dieser Art tauchen nicht selten auf. Überhaupt erscheint das mittelalterliche Dasein wie durch einen Schleier hindurch, der mitunter die Konturen verdeckt. Er ist jedoch zart genug, um alle jene Formen ahnen zu lassen, die vielleicht in ihrer vollen Nacktheit gar nicht hätten beschworen werden können.

Am Ende freilich zieht er sich dicht zusammen. Blaubart entsühnt sich dadurch, daß er nach einem langen Mordleben der Liebe genau so entsagt wie seinerzeit dem Soldatentum und die Sprache des Mitleids verstehen und sprechen lernt. Er nimmt einen verwundeten Landstreicher auf, dessen Blut an seinen Fingern klebenbleibt und dessen Weisheit ihn

darüber aufklärt, daß »alle Jahrhunderte hindurch das Geld hervorgeht aus dem Blut«. Indem er aber dieses Werk der Güte verrichtet, widerfährt ihm das Wunder, daß die Finger kein Gold mehr hecken. Die Blutspuren sind reinen Ursprungs, der Bann ist endgültig gebrochen. Bei der Rettung eines Knaben ertrinkt der Geläuterte in den Hochwasserfluten. Diese Lösung indessen ist durchaus eklektisch. Sie verlegt die Bekehrung Blaubarts ins Seelische, das doch in den übrigen Teilen des Buches mit Recht zurückgedämmt wird, macht es sich mit der Liquidierung der erotischen Liebe, an deren Stelle noch dazu ein formloses Mitgefühl tritt, viel zu leicht und erniedrigt die äußeren Vorgänge ohne Hemmung zu bloßen Symbolen. Eine leidige Mischung moderner Empfindungen und mittelalterlicher Vorstellungen; ein unmöglicher Kompromiß, der sowohl die einen wie die anderen ins Unrecht setzt. Von der falschen Poesie dieses Schlusses her fällt ein Schatten auf die Dichtung, der auch ihre Vorzüge zu verdunkeln droht.
(FZ vom 23. 4. 1933, Literaturblatt)

1 Der Schriftsteller Charles Théodor Henri de Coster gilt mit seinem auf die mittelalterliche Ulenspiegel-Legende zurückgehenden Epos *La Légende d'Ulenspiegel* (1867; dt.: *Ulenspiegel*, 1911) als Begründer der modernen frankophonen belgischen Literatur. Auch in anderen Erzählungen bearbeitete de Coster überlieferte Geschichten, etwa in den Sammlungen *Légendes flamandes* (1858) und *Contes brabançons* (1861).
2 Belg. Orig.: *Blauwbaard*. Antwerpen: Het Kompas 1931.

## 736. Seminar im Café

Jetzt, unmittelbar nach der Abendessenszeit, ist das Café noch leer. Es ist ein gebildetes Café, eines, in dem viele Studenten verkehren, akademische Lehrer und Doktoranden. Sie machen Aufzeichnungen, streichen in ihren Büchern gewisse Sätze an, um sie besser behalten zu können, und führen eine höhere Konversation. Engländer, Deutsche, Franzosen, Südamerikaner: sämtliche Nationen sind unter dieser Jugend vertreten. Auch Politiker verirren sich manchmal in den Raum. Einer von ihnen hat einen schwarzen Bart, der an eine Verschwörung erinnert, und wenn sie miteinander tuscheln, bereitet sich auf dem Balkan etwas vor. Selten rauscht einmal ein anspruchsvolleres Dämchen durch das Lokal. Die meisten Mädchen, die herfinden, haben ein durch ernste Studien gedämpftes Naturell, das nur schüchtern Knospen zu treiben wagt. Alle Gäste, wie sie da sind, werden vom Besitzer genau kontrolliert. Er verfolgt ihr Kommen und Gehen, experimentiert mit ihnen, ohne daß sie es wissen, und hält seine Frau hinter dem Bartisch stets auf dem Laufenden. Es ist, als stehe er einem Aquarium vor und müsse das Leben der Unterwassertiere ergründen. Eine merkwürdige Fauna! Daß sie gerade dieses Café bevölkert, hat offenbar seinen Grund in den magischen Kräften der Tradition. Denn einst saß hier Tag für Tag ein berühmter Dichter, dem die Welt eingreifende Verse verdankt. Und sein Geist lockt immer noch Geist herbei.

Allmählich tauchen vereinzelte Besucher auf. Zu den ersten gehört ein älterer junger Mann mit einem gutmütig-schlauen Gesicht. Er sieht etwas abstrapaziert aus: möglich, daß er aus der Landwirtschaft stammt und sich durch eigene Anstrengung zur Universität und dann ins Café emporgearbeitet hat. Ein richtiger Pfiffikus, seine treuherzigen Augen bewegen sich unermüdlich hin und her. Zwei andere junge Leute treten hinzu, drei junge Leute, sie scheinen zu warten. Die beiden Neuen sind wie aus Butter und sicher gleich als Studenten zur Welt gekommen. Rasch vermehrt sich die kleine Gesellschaft. Zuletzt besteht sie aus ungefähr neun Teilnehmern, die kameradschaftliche Begrüßungen wechseln und sich wie im Theater betragen, ehe der Vorhang aufgeht.

Kaum haben sie sich gesetzt, so springen sie alle wieder auf. Ein freundlicher Herr in den besten Jahren erscheint und bildet sofort den natürlichen Mittelpunkt des Klüngels. Er ist der Professor, er trägt einen Stock. Wie er unter seine Studenten tritt, geht ein Glanz über die jungen Gesichter. Mit einem Eifer, der nur von der Höflichkeit und angeborener guter Art im Zaum gehalten wird, heißen sie den Professor willkommen. Sie umdrängen ihn und weichen im selben Augenblick zurück, möchten ihre Verehrung ausdrücken und wissen doch, daß sie an diesem Ort als Gleichberechtigte zu gelten haben, als Männer unter Männern. Scheu und Glück mischen sich wunderbar. Vor allem der Pfiffikus strahlt. Hat er sich doch von Anfang an, längst, bevor der Erwartete eintraf, seinen Platz so ausgewählt, daß er dicht neben dem Professor sitzen muß. Tatsächlich bewährt sich diese Kriegslist, und nachdem sich das Seminar

endgültig niedergelassen hat, wird er zum Gegenstand eines innigen Neides, der seinen Triumph noch erhöht. Der Professor selber behält den Stock in der Hand, der, wie sich nun herausstellt, kein gewöhnliches Gebrauchswerkzeug ist, sondern die viel wichtigere Mission erfüllt, zwischen Wissenschaft und Leben eine Brücke zu schlagen.
Den Blumen gleich, die sich der Sonne zuneigen, wenden sich alle Studenten dem Professor entgegen, und in dem Licht, das er verbreitet, erröten sie sanft. Man muß beobachtet haben, wie sie ihm angespannt lauschen, sorgfältig nicken und seinen Vortrag wohl auch mit einem Wort unterbrechen. Ihre Hingabe überträgt sich auf die Mineralwasserflaschen und die Kaffeetassen, die sich ganz klein und unscheinbar machen, um die Diskussion nicht zu stören. Vermutlich behandelt sie Probleme von großem Gewicht. Aber ihre Schwierigkeiten schmelzen in einem Lächeln dahin, das immer wieder von einem zum anderen gleitet. Der Professor lächelt erfahren, der Stock weltmännisch, die Gruppe der Jungen bescheiden. Den Löwenanteil am Lächeln heimst natürlich der Pfiffikus ein. Gleichviel, ob er wirklich der erklärte Liebling des Professors ist oder nicht: jedenfalls hat er sich in diese Rolle hineingelebt und spielt sie mit Leidenschaft. Er ist ein Assistent, der aus innerem Trieb assistieren muß, ein junger Mann, der seinen Weg machen wird, wenn dieser auch nicht sehr weit führt. Vielleicht rückt er einmal zum Hauptassistenten auf. Sein Lächeln ist um einen Grad intimer als das der Gefährten, es hat außer der allgemeinen sozusagen noch eine persönliche Note. Da er nun, eben als Favorit, die Verpflichtung in sich spürt, dieses Lächeln jederzeit neu zu erzeugen, behält er es auf alle Fälle auch dann bei, wenn die Gelegenheit von ihm fordert, daß er sorgenvoll oder tiefgründig wirke. In solchen Fällen lächelt er einfach unter einer Oberfläche von Schwermut weiter. Noch durchfurchen Falten die Stirn, und schon harren die Konturen der Heiterkeit ihrer Verwendung. Sie üben, dem Gesicht eingegraben, einen ständigen Bereitschaftsdienst aus, und der Pfiffikus braucht nur an einem unsichtbaren Schnürchen zu zupfen, um die letzte Hülle wegzuziehen, die sie verdeckt. So überholt er die andern und eilt wie ein Quartiermacher dem Professor voraus ...
Das Seminar dauert fort – ein geschlossener heller Kreis, der eine Wissenschaft betreibt, die unstreitig von der Lieblichkeit der Veilchen ist. Indem er ihr aber huldigt, bewahrt er zugleich ein Liebespärchen vor

unzeitiger Entdeckung. Es hat sich im Schatten, den die Runde wirft, wie in einem Vogelnest angesiedelt, ist aus dem Instinkt von Liebenden heraus unter die Fittiche der Gelehrsamkeit geflüchtet. Der Pfiffikus, der die beiden noch am ehesten aufstöbern könnte, widmet sich vollständig dem Professor, der Professor ist mit seinem Stock und den Studenten beschäftigt, und die Studenten spitzen alle ihre Ohren, damit ihnen nichts von der Weisheit entgehe. Kein Mäuschen vermöchte in diesen Zirkel zu dringen, der auf eine unvergleichliche Weise die Doppelaufgabe bewältigt, die Liebe zum Wissen und das Geheimwissen der Liebe zu pflegen. Während seine Mitglieder sich lächelnd zusammenschließen, hält das Pärchen sich eng umschlungen, und während sie sich im Dienst des Geistes vereinen, tauscht es in der Verborgenheit verschwiegene Küsse.
(FZ vom 29. 4. 1933)

## 737. Goldgräberleben

Rez.: Jack London, *An der weißen Grenze.* Übers. von Erwin Magnus. Berlin: Universitas 1933.

*Jack Londons* Roman: »*An der weißen Grenze*«[1] ist ein richtiges Buch für Knaben, oder auch für Mädchen, die von Helden und großen Abenteuern träumen. Den Romanen Zane Greys verwandt,[2] versetzt es in eine weitab von unserer Zivilisation gegebene Welt, in der statt der Salonlöwen Männer, statt der Worte Taten allein gelten. Alaska ist der Schauplatz der Handlung; das Leben der Goldgräber ihr Thema. Diese vom Gold besessenen Menschen landen auf vollgepfropften Schiffen in der Alaska-Bucht, ziehen über vereiste Pässe der Stadt Klondyke entgegen, die viele von ihnen nicht einmal erreichen, und müssen Tausende Mühseligkeiten, Entbehrungen und Erfahrungen erdulden, ehe sie endlich den Staub erbeuten, mit dem sie sich später alle Freuden des Daseins zu verschaffen hoffen. Indianer mischen sich unter die Weißen, Raufhändel sind an der Tagesordnung, Tingeltangelmädchen bilden den Troß. Dahinter das unwirtliche Land mit seinen zerklüfteten Gebirgen und dem breiten Strom, dessen Eisdecke im Frühjahr krachend birst. Manche der Schilderungen sind erschöpfende Kommentare zum Chaplin-Film: GOLDRAUSCH.[3] Aber London müßte nicht der geborene Erzähler sein, der er ist, wenn er sich mit ihnen begnügte. Er bettet sie in ein Geschehen ein, dessen Spannungseffekte so primitiv und elementar sind wie die Goldgräber selber. Zu den Hauptfiguren gehören ein paar alte Unternehmertypen und Eroberernaturen; Frona, eine rassige Conquistadorentochter, die alle Tugenden eines Mädchens mit denen aller Männer vereinigt; verschiedene jüngere Leute, deren Leben und Treiben den Sinn für Romantik vollauf befriedigt. Da sämtliche Personen von starken Leidenschaften beseelt sind, werden sie ohne weiteres in die aufregendsten Ereignisse verwickelt. Kämpfe mit tödlichem Ausgang, tollkühne Rettungen, unbedenkliche Gewaltaktionen und rührende Opferhandlungen füllen in dichter Folge das Buch. Wollte man es auf eine Formel bringen, so könnte man es als das Hohelied des persönlichen Mutes bezeichnen. Er verkörpert sich besonders strahlend in Frona, deren Gegenspieler denn auch nicht eigentlich ein gemeiner Schurke, sondern ein ruhm[unwü]rdiger Feigling ist. Obwohl aber London mit den Kontrasten keineswegs kargt, mildert er doch hie und da die Schwarzweißmalerei durch Zwischentöne ab, die zart hineingesetzt sind. Der five-o'clock-tee [sic] in der wilden Alaskawelt ist eine scharmante Szene. Wie es den Gesetzen echtbürtiger Kolportage entspricht, mündet der Roman am Schluß in den Triumph des Guten ein. Reine Liebe tritt aus ihrer Verborgenheit hervor, und den Mächten der Finsternis blüht ein genießerisch ausgekostetes Verderben.

(FZ vom 7. 5. 1933, Literaturblatt)

1 Engl. Orig.: *A Daughter of the Snows*. New York: Grosset & Dunlap 1902.

2 Der US-amerikanische Schriftsteller Zane Grey (1872-1939) wurde vor allem für seine Wildwestromane bekannt, darunter *Riders of the Purple Sage* (1912; dt.: *Das Gesetz der Mormonen*, 1928) und *The Border Legion* (1916; dt.: *Die Grenzlegion*, 1927).

3 Siehe *Werke*, Bd. 6.1, Nr. 186.

## 738. Alltagsleben in Paris

Rez.: Martha Marquardt, *Die kleinen Leute von Paris*. Frankfurt a. M.: Verlag der Carolus-Druckerei 1933.

Die vielen Fremden, die nach Paris kommen, suchen (und finden) vor allem den Glanz, der mit dem Namen dieser Stadt unzertrennlich verbunden ist. Sie genießen das Leben auf den Boulevards, die herrlichen Straßen und Plätze, die Kunstwerke und die tausend Freuden, die Paris den finanziell einigermaßen wohlausgerüsteten Reisenden zu bieten weiß. Der Baedecker leitet auf die Wege der Erbauung, die Wochenschrift: *La semaine à Paris*[1] berät sie über die ungezählten Möglichkeiten des abendlichen Amüsements. Auch dieses Paris der Fremden ist noch Paris. Eine Wirklichkeit, die sich von keinem Traum übertreffen läßt und jeder Berührung standhält. Man muß einmal abends auf der Place de la Concorde gestanden haben, um sie ganz ermessen zu können. Lichter überfluten die begrenzte Unendlichkeit des Platzes, Lichter ziehen sich in einer sanften ansteigenden Kurve zum Triumphbogen hin, Lichter verwandeln den Stein der Denkmäler und des Obelisken in strahlende Glut. Der Glanz selber hat hier irdische Form angenommen.
So leicht sich die Fremden seiner bemächtigen mögen, so schwer erschließen sich ihnen freilich die tieferen Regionen, jene, aus denen er aufsteigt und sich immer wieder erneuert. Das eigentliche Paris darf nicht mit der schimmernden Oberfläche verwechselt werden, an die sich die Sehnsucht von Menschen in allen fünf Weltteilen heftet. Es ist der Wohnsitz eines ausgebreiteten Mittelstandes, der ein ganz in sich geschlossenes Dasein führt, das sich kaum je mit dem der Paris-Fahrer vermengt. Um so begrüßenswerter ist der Versuch *Martha Marquards*, einer seit Jahren in Paris berufstätigen Deutschen, auf die besondere Wesensart dieses Daseins aufmerksam zu machen. Sie veröffentlicht ein Bändchen: *»Die kleinen Leute von Paris«*, das Aufzeichnungen über den Pariser Alltag enthält. Wie anspruchslos immer diese Notizen in literarischer Hinsicht seien, so berühren sie doch durch ihre Sachkenntnis und Schlichtheit sympathisch. Man merkt ihnen an, daß sie auf persönlicher Erfahrung beruhen, daß die Verfasserin das Leben wirklich mitgelebt hat, das sie hier schildert. Die Eindrücke, die sie festhält, betreffen die

bescheidene Häuslichkeit der kleinen Leute, ihre Gepflogenheiten beim Verkauf, Einkauf und Essen, ihre Sparsamkeit, deren Endziel ein sorgloser, möglichst früh beginnender Lebensabend ist, ihre Sonntagsvergnügungen, ihre Kinderliebe, ihre Feste und Leichenbegängnisse. Das alles ist einfach und in ungezwungener Folge mitgeteilt, fast wie in Briefen, aber mit einer schönen Genauigkeit, die auch auf Preisangaben und scheinbare Bagatellen nicht verzichtet. Der Nutzwert dieser Beschreibungen wird dadurch erhöht, daß die Verfasserin die Beziehung zwischen dem eingeschränkten Dasein des Pariser Kleinbürgers und seinen eigentümlichen Tugenden richtig formuliert. So weist sie etwa darauf hin, daß sich die Sparsamkeit und die humanisierte Natur des Parisers wechselseitig bedingen, und glaubt mit gutem Grund annehmen zu dürfen, daß sich auch die junge aktivere Generation »energisch gegen einen Fortschritt auf Kosten der Menschlichkeit wehren wird«. – Dem instruktiven Schriftchen sind ein paar nette Fotos beigegeben.
(FZ vom 7. 5. 1933, Literaturblatt)

1 Die Wochenschrift *La semaine à Paris* erschien von 1922 bis 1944 und enthielt Ankündigungen zu den Veranstaltungen des Pariser Nachtlebens.

## 739. Die deutschen Bevölkerungsschichten und der Nationalsozialismus[1]

Die über 17 Millionen Menschen, die am 5. März ihre Stimme für Hitler abgaben,[2] gehören den verschiedensten Schichten des deutschen Volkes an. Tatsächlich ist der Nationalsozialismus im Verlauf der letzten Jahre immer mehr zum Sammelbecken für alle jene Bevölkerungsgruppen geworden, die sich materiell und ideell durch die »Novemberrepublik« verunglimpft fühlten; wobei sie freilich häufig Ursache und Wirkung verwechselten und das »System« auch solcher Zustände wegen zur Verantwortung zogen, die nicht durch seine Schuld, sondern durch die der Weltkrise und außenpolitischer Schwierigkeiten herbeigeführt wurden. Doch davon abgesehen: große Teile der Bevölkerung fanden sich jedenfalls im leidenschaftlichen Protest gegen die herrschenden innerpolitischen Verhältnisse zusammen, in denen sie den entscheidenden Grund ihres Elends zu erblicken glaubten. Die Verzweiflung der Massen braucht greifbare Gegner. Und es ist unstreitig die erbitterte Kritik an den »Novemberverbrechern« und dem »Marxismus«, die dem Nationalsozialismus zu seinen überwältigenden Siegen verholfen hat.

Den Hauptstamm der Hitler-Bewegung bilden die Schichten, die sich unter dem Begriff des Mittelstandes zusammenfassen lassen. Von diesen Schichten nimmt der Nationalsozialismus seinen Ausgang, auf sie stützt er sich bis heute, und ihren keineswegs einheitlichen Bedürfnissen antwortet sein Programm. Bezeichnend genug, daß Hitler, der selber dem kleinen Mittelstand entstammt, sich in einer Stadt mit geringer Arbeiterbevölkerung zum politischen Führer entwickelt ... Die Mittelschichten, deren Schicksal während der Nachkriegszeit eine einzige Folge von Leiden gewesen ist, setzen sich aus den Handwerkern und Gewerbetreibenden, den Angestellten und Beamten und den Vertretern der freien Berufe zusammen – ziemlich heterogene Gruppen, die einen bedeutenden Bestandteil der Gesamtbevölkerung ausmachen und mit den Nachbargruppen oben und unten verschwimmen. Besonders fließend sind die Übergänge zum Proletariat. Man weiß, daß sich der Mittelstand im Vorkriegsdeutschland einer gewissen materiellen Sicherheit erfreut hat und der eigentliche Bewahrer und Förderer des kulturellen Lebens gewesen ist. Aber man weiß noch nicht hinreichend über die Tragweite des Zerstörungsprozesses Bescheid, den gerade die Mittelschichten nach dem Krieg haben erdulden müssen. Die ihnen gewidmete Literatur ist dürftig und beruht kaum je auf echten Situationsanalysen. Erst der Triumph des Nationalsozialismus hat allen denen die Augen geöffnet, die bisher annahmen, daß der Mittelstand schon zerrieben sei oder sich doch gegen die Umklammerung von rechts und von links nicht mehr wehren könne. So urteilten die Unternehmer, so auch die Arbeiterparteien, deren Vulgärmarxismus sich als unfähig erwies, die Substanz der Mittelschichten richtig einzuschätzen. Faktisch sind diese, wie sich jetzt herausstellt, keineswegs tot, sondern haben zum mindesten dem auf ihnen lastenden Druck mit höchst lebendigen Kräften zu begegnen gesucht.
Welchem Druck? Dem durch ihre Depossedierung und Proletarisierung

erzeugten. Der Vermögensverfall nach dem verlorenen Krieg, die Entwertung sämtlicher Ersparnisse infolge der Inflation, danach die Entrechtung der Kleinaktionäre durch bedenkliche Wirtschaftsmethoden in den Jahren der Stabilisierung, schließlich der erneute Besitzschwund durch die Heraufkunft der Krise: das alles entzieht dem Mittelstand allmählich die Existenzsicherheit, deren er wie kein anderer Stand zur Hervorbringung seiner besonderen Leistungen bedarf. Seine Angehörigen verlieren den finanziellen Rückhalt, der bisher ihre Position zwischen den Klassen bedingte, und werden aus dem Raum einer bescheidenen Selbständigkeit in den des abhängigen Daseins verstoßen. Bei den einzelnen Gruppen vollzieht sich natürlich dieser Vorgang verschieden. Der Handwerker wird durch die immer stärker um sich greifende Industrialisierung bedrängt, der kleine Gewerbetreibende kann nicht mehr mit den Großbetrieben konkurrieren. Unsichtbare Fesseln schnüren die Bewegungsfreiheit des Ladeninhabers ein und zerren ihn aus seinem Laden heraus. Wird hier die Unabhängigkeit zum Schein, so hört sie bei den Angestellten auf, eine Hoffnung zu bilden. Es gibt heute in Deutschland ungefähr 3½ Millionen Angestellte, von denen über ein Drittel Frauen sind. Im gleichen Zeitraum, in dem sich die Zahl der Arbeiter noch nicht verdoppelt hat, hat sich die der Angestellten annähernd verfünffacht. Eine ungeheure Zunahme, die sich aus der Entwicklung des modernen Großbetriebs und der gleichzeitigen Veränderung seiner Organisationsform erklärt, aus dem Anschwellen des Verteilungsapparats usw. Mehr und ausgesprochener noch als je zuvor ist heute die Angestelltenschaft die Domäne des Mittelstands, der sich seinen Unterhalt sichern muß. Aber statt wie früher eine Stufe der bürgerlichen Hierarchie zu sein, hat sich die Existenz des Angestellten der des Arbeiters weitgehend angeglichen. Der depossedierte Mittelstandsvertreter ist – worauf Lederer[3] und neuerdings S. Kracauer (dieser in einem vieldiskutierten Buch: *»Die Angestellten«*)[4] aufmerksam gemacht haben – als Angestellter auch deklassiert, sein Dasein in ökonomischer Hinsicht durchaus proletarisch. Meistens ohne Aussicht auf Avancement, dank der Rationalisierung in den Großbetrieben zu immer unpersönlicherer Arbeit verdammt und stets von der Gefahr des Abbaus bedroht, unterscheidet er sich vom Arbeiter eigentlich nur darin, daß er keine Lohntüten erhält, sondern Gehaltsempfänger ist. – Auch das Beamtentum hat unter der

Republik gewisse Strukturwandlungen erfahren. Ist es auch nicht geradezu der Proletarisierung verfallen, so ist es doch seines ehemaligen Hoheitscharakters entkleidet worden. Es hat außer der selbstverständlichen materiellen Einbuße Prestigeverluste erlitten, die sich vor allem aus der Lockerung des Staatsbegriffs, aus der Überhöhung der wirtschaftlichen Faktoren und aus dem konfusen Durcheinander der gesellschaftlichen Wertungen erklären. Zweifellos war es notwendig, daß die junge Republik nach langem staatlichem Zwang den gesellschaftlichen Charakter ihrer Einrichtungen unterstrich; aber in der unfertigen Gesellschaft hatte der an die Tradition gebundene Beamte seinen Standort noch nicht gefunden. – Was die freien Berufe betrifft, so sind sie gesinnungsmäßig nicht festzulegen. Nicht so, als ob sie der allgemeinen Verelendung entgangen wären; die ökonomische Position erlaubt jedoch bei ihnen keinen zwingenden Schluß auf die ideologische Haltung ihrer Vertreter.
Die große Frage, wie die Mittelschichten ihrer trostlosen Lage begegnen würden, ist einstweilen durch den Sieg der Nationalsozialisten bündig beantwortet worden. Theoretisch wäre möglich gewesen, daß das Gros der Angestellten etwa die Tatsache seiner ökonomischen Proletarisierung anerkannt und sich auf die Seite der Arbeiter geschlagen hätte. Diese Chance der sozialistischen Parteien ist von ihnen selber verspielt worden. Weder die Sozialdemokratie noch die kommunistische Partei haben die antikapitalistischen Neigungen des Mittelstands oder gar seine revolutionären Energien auszunutzen verstanden. Man hat ihn, im Gegenteil, mit einem verbrauchten Begriffsapparat abgetan und z. B. seinen ererbten Individualismus einfach als schlechte Bürgerlichkeit verwerfen zu müssen geglaubt. So ganz auf sich verwiesen, sind die Mittelschichten eigene Wege gegangen. Aus ihrer Lage ist der Haß gegen die Weimarer Republik zu begreifen; aus ihrem Wunsch, nicht proletarisiert zu werden, der Widerstand gegen Marxismus und Liberalismus. Vielleicht hätte ihr Aufruhr versanden können, wären sie nicht seit alters her der Nährboden wertvoller Substanzen gewesen. So aber erlangt ihre Bewegung politische Kraft. Es entsteht in der Nachbarschaft des Nationalsozialismus ein weltanschauliches Schrifttum, das mittelständische Wurzeln hat. Der neue Nationalismus der Jünger, Schauwecker und Hielscher[5] sucht genauso das proletarisierte Bürgertum zu mobilisieren wie die »*Tat*« Zehrers,[6] deren wirtschaftliche Räsonnements die mittelständischen In-

teressen vertreten. Man lehnt selbstverständlich den Klassenkampf ab und setzt sich für's Volksganze ein; aber den Kern des Volksganzen bilden eben die Mittelschichten, die aufgewertet werden sollen. Ihren Bedürfnissen paßt sich der aus ihnen hervorgegangene Nationalsozialismus mit vollendeter Schmiegsamkeit an. Sein Programm bekennt sich ausdrücklich zur Schaffung eines gesunden Mittelstandes und verspricht im übrigen jedem das Seine: den Handwerkern und dem Einzelhandel Schutz des Privateigentums, Kredite, Maßnahmen gegen die Warenhäuser usw.; den Angestellten die Unterdrückung der internationalen Börsenspekulation und eine Altersversorgung; den Beamten die Wiedererstattung der Glorie, die ein starker Staat seinen Funktionären verleiht. Das agrarische Deutschland ist zum überwiegenden Teil Bauernland. Nur ein knappes Fünftel der landwirtschaftlichen Nutzfläche (die insgesamt 25 Millionen Hektar beträgt) ist von 18700 Großbetrieben besetzt. Die restlichen vier Fünftel sind Bauernland und im Besitz von 5 Millionen Einzelbetrieben. Aber trotz ihrer geringen Zahl haben doch die Großgrundbesitzer, nicht zuletzt wegen ihrer gesellschaftlichen Traditionen, die alte Vormachtstellung zu wahren gewußt. Ostelbien erhält sein Gepräge durch die hier befindlichen 14500 Großbetriebe. Der Einfluß der Ostelbier wird auch dadurch erhöht, daß von den 5 Millionen bäuerlicher Betriebe drei Millionen Klein- und Zwergbetriebe sind, deren Besitzer gewöhnlich eine Mischform von Bauer und gewerblich-industriellem Arbeiter darstellen. Die Menschen dieser Zwischenschicht leben in außerordentlich dürftigen Verhältnissen und haben bisher noch kaum politische Formen aus sich heraus entwickelt. Es ist hier nicht der Ort, die Situation des deutschen Landvolks zu analysieren, die übrigens in dem kürzlich erschienenen Buch von Erwin Topf: *»Die grüne Front«*[7] ausgezeichnet vergegenwärtigt worden ist. Der Substanzschwund der Betriebe, der durch ihre Überbewertung verursacht wird, die wachsende Kredit- und Zinsbelastung, die bürokratische Handhabung des Verwaltungsapparats usw. – alle diese Faktoren bedingen die Opposition der verschiedenen Bauernschichten gegen das »System«. Da die Verhältnisse in Süddeutschland etwas günstiger liegen, entfaltet sie sich vorwiegend im Norden. Sie macht sich im Aufstand der schleswig-holsteinschen Bauern Luft, der schließlich niedergeschlagen wird,[8] sie führt zur Bildung der »Grünen Front«,[9] in der das Ostelbiertum durch sein natürliches Schwergewicht die Vorherrschaft hat. Sämtliche Lösungsversuche des Agrarproblems scheitern immer wieder daran, daß man es nach 1918 nicht verstanden hat, die Macht der ostelbischen Großgrundbesitzer zu brechen. Diese kleine privilegierte Kaste setzt Zölle und Subventionen zur künstlichen Weitererhaltung überschuldeter und unrentabel gewordener Güter durch, verhindert die Besserstellung der Landarbeiter und erschwert den Fortschritt des Siedlungsgedankens, der auch die Arbeitslosigkeit zu mildern vermöchte. Auf ihr Betreiben hin werden zahllose Millionen Steuergelder nicht etwa zur Stützung der Klein- und Zwergbetriebe verwandt, sondern fließen in die »Osthilfe«[10] wie in ein durchlöchertes Faß. Wieviel aber auch der Großgrundbesitz von der republikanischen Staatsgewalt erreicht, er ist ihr doch feind, weil er den Antagonismus zwischen seinen Ansprüchen und ihren Absichten nicht dulden will. Seine Intransigenz hat sich bei dem Sturz Schleichers[11] gezeigt. Dem Nationalsozialismus ist es gelungen, die tiefe Unzufriedenheit der bäuerlichen Schichten mit dem »System« für sich auszunutzen. Er beteiligt sich an der schleswig-holsteinschen Bewegung, von deren Terrorakten er allerdings später offiziell abrückt, er agitiert innerhalb der Landwirtschaft gegen die kapitalwirtschaftliche Verstrickung. Zur systematischen Bearbeitung des flachen Landes schreitet Hitler erst seit 1928; mit dem Erfolg, daß er bei den Wahlen [1932][12] die Landvolkpartei beerbt.[13] Genau wie im Falle des Mittelstandes sucht er die voneinander abweichenden bäuerlichen Interessen gleichmäßig zu befriedigen. Für die Landarbeiter fordert er sozial gerechte Arbeitsverträge, die Möglichkeit des Aufstiegs zum Siedler und das Verbot, ausländische Wanderarbeiter heranzuziehen. Dem bäuerlichen Wähler sichert sein Agrarprogramm Preisstützung, Herabsetzung des Zinsfußes und Schutz des Privateigentums zu. Und den »Vollblut-Agrariern« zugewandt, erklärt es ausdrücklich, daß neben den kleinen und mittleren Bauernstellen auch der Großbetrieb seine besonderen und notwendigen Aufgaben erfülle und daher in gesundem Verhältnis zum Mittel- und Kleinbetrieb berechtigt sei. Gekrönt wird der wirtschaftliche Teil des Programms durch die vielversprechende Verheißung, daß der Bauer dereinst den neuen Adel aus Blut und Boden bilden werde.

Groß geworden ist der Nationalsozialismus durch die finanzielle Unterstützung der Industrie. Der Elan der Bewegung hätte sich niemals so machtvoll entfalten können, wenn er nicht von den Kirdorf, Thyssen[14] usw. subventioniert worden wäre. Die Sympathie der Wirtschaftsführer für Hitler entspringt zum guten Teil dem Haß gegen die Tarifpolitik der Gewerkschaften und die Mentalität der Sozialdemokratie. Man fühlt sich durch Lohnstreiks bedroht (die freilich seit der Krise längst aufgehört haben), fürchtet die Gefahren, die vom Sozialismus her dem Privateigentum drohen und weiß sich überhaupt nicht mehr Herr im Haus. Faktisch haben die Sozialdemokraten niemals den Hausherrn herausgekehrt. Mit der Abwehr des Marxismus verbindet sich die Kritik an einem Parteiregime, das jedes Wirtschaften auf längere Sicht unmöglich macht. Die Hoffnung, in der S.A. eine Schutzgarde gegen die Arbeiterparteien zu gewinnen und unter einer starken, der Privat-Initiative freundlich gesinnten Staatsautorität unabhängig von parlamentarischen Wechselfällen arbeiten zu können, treibt viele große Unternehmer zu Hitler. Dieser tut alles, um sie sich zu verpflichten. Er bereist 1926 das Ruhrgebiet und erklärt den versammelten Wirtschaftsführern, daß er die freie Wirtschaft als die zweckmäßigste zu schirmen gedenke, aber dafür von ihr das Einstehen für Volkstum und Staat erwarte. Die meisten werden aus solchen Formulierungen nur die Kampfansage gegen das herausgehört haben, was sie als bolschewistische Zersetzungsarbeit bezeichnen. Fast scheint es so, als ob sie enttäuscht werden sollten. Denn nach den Erfahrungen der letzten Wochen ist kaum ein Zweifel darüber möglich, daß die sozialistischen Tendenzen innerhalb der Bewegung einen zunehmenden Einfluß erlangen. Jedenfalls versteigen sich schon manche verärgerte Industrielle zu Aussagen wie diesen: daß die Nationalsozialisten schlimmer als die Kommunisten seien. Auch die Großagrarier dürften vielleicht ihre Politik schon bereuen.

Obwohl dem liberalen Großbürgertum der Fascismus widerstrebt, hat es doch nicht wenig dazu beigetragen, um Hitler die Machtergreifung zu ermöglichen. Aus Angst vor dem Kommunismus. Man muß in Deutschland Gesellschaften mitgemacht haben, in denen vom Kommunismus die Rede gewesen ist. Kluge, anständige Geschäftsleute, Rechtsanwälte usw. erbleichen, sobald dieses Schreckenswort ertönt, ohne sich zu vergegenwärtigen, daß der Kommunismus tatsächlich gar keine ernsthafte Gefahr bedeutet. Die Juden genau so wie die Christen. Lieber räumen sie Hitler die Chance ein. Wie oft begegnet man bei ihnen nicht Ar-

gumenten nach der Art der folgenden: der Nationalsozialismus soll einmal zeigen, was er kann; oder: der Antisemitismus ist nur eine Begleiterscheinung, die sofort verschwinden wird. Usw. Hitler hat gewußt, warum er den Kommunismus unermüdlich als den Teufel an die Wand gemalt hat. Breite Schichten des Bürgertums sind haltlos genug, um solchen Einflüsterungen zu erliegen und Hitler, der doch zum Unterschied von den Scheinmächten der Linken ihr wirklicher Gegner ist, den kleinen Finger zu geben. Bald geben sie ihm die ganze Hand, noch ehe er sie fordert. Der Charaktermangel dieser Bourgeoisie ist gewiß ein Produkt ihrer Geschichte. Schon Bismarck hat darüber geklagt, daß es den Deutschen an Zivilcourage fehle[15] – eine Klage, die allerdings insofern unberechtigt ist, als er ihnen selber das Rückgrat gebrochen hat. Im kaiserlichen Deutschland hat sich das Bürgertum nur im Schatten der feudalen Schichten entwickelt und eigene Tugenden nicht herausbilden können, so daß es viel zuwenig Traditionen und Selbstbewußtsein besaß, als daß es in der Lage gewesen wäre, sich unter den schwierigen Verhältnissen der Nachkriegszeit, in der es freie Bahn erhielt, als eine moralische Kraft zu behaupten. Statt der Korruption Einhalt zu gebieten, läßt es sie gewähren; statt den berechtigten Ansprüchen, die von unten aufsteigen, ins Auge zu blicken, wird es von einer Torschlußpanik ergriffen. Nicht umsonst gehen die Mittelparteien zugrunde. Man kann getrost die Aussage wagen, daß das sogenannte liberale Großbürgertum, das faktisch nie den echten Liberalismus praktiziert, sich selber aufgegeben hat, bevor es von außen her zur Liquidation genötigt worden ist.
Seine geringsten Erfolge hat der Nationalsozialismus im Proletariat zu verzeichnen. Die marxistische Front hält sich mit einer Zähigkeit, die angesichts der Unfähigkeit der politischen Führung doppelt erstaunlich ist. Was die Sozialdemokratie angeht, so weicht sie, der Theorie vom kleineren Übel huldigend, vor allen revolutionären Schritten zurück und läßt sich ihr Verhalten von den politischen Gegnern diktieren. Ihre Bonzen sind kleine Leute, die den Traum von der Machteroberung längst ausgeträumt haben oder bis in alle Ewigkeit weiterzuträumen gedenken, und Reden halten, an die sie nicht glauben; ihre Funktionäre haben sich den Massen entfremdet. Die Apathie innerhalb der Partei ist denn auch grenzenlos, man fühlt den Tod in den Knochen. Nach den Wahlen von 1930[16] äußer[te]n schon maßgebende Parteibeamte im inti-

men Gespräch, daß die Partei ausgespielt habe. Von Hitler hat sie nur noch einen ungnädigen Gnadenstoß empfangen. Die kommunistische Partei verfügt zwar ihrerseits über die erforderliche revolutionäre Radikalität, ist aber – wie Arthur Rosenberg in seinem Buch: »*Geschichte des Bolschewismus*«[17] ausgezeichnet nachweist – durch die organisatorische Verbindung mit Moskau gehemmt und verliert infolge ihres Haßkomplexes gegen die Sozialdemokratie und ihrer theoretischen Befangenheit die Struktur der gesellschaftlichen Wirklichkeit aus dem Auge. Weder vermag sie den neuen Nationalismus voll einzukalkulieren, noch hat sie überhaupt ein Organ für die Vorgänge im bürgerlichen Lager. Im Bemühen, gegnerische Losungen als Ideologien zu entlarven, vergessen die Ideologen der Partei die Gewalt von Ideologien und die Prüfung des Untergrundes, dem sie entwachsen. Instinktunsichere Analysen und Losungen sind die Folge. Vor der [Wahl von][18] Hindenburg[19] hörte man z.B. in kommunistischen Kreisen die Meinung laut werden, daß Breitscheid[20] und Hitler das gleiche seien und dieser gar nicht daran denke, die Gewerkschaften zu zerschlagen. So geschieht es, daß die Partei vernichtet wird, ohne vorher zum Zug zu kommen. Daß das Proletariat trotz aller Schwächen seiner Parteien dem Nationalsozialismus standhält, hat seine guten Gründe. Zu ihnen gehören: die Treue der Arbeitermassen zu den Organisationen, die ihre Interessen vertreten; ihre herrliche Disziplin; ihre durch die Tradition lebendig erhaltene Erinnerung an die historischen Taten der kämpferischen Sozialdemokratie bzw. das Bewußtsein der radikalen Gruppen, daß Rußland ihnen zur Seite stehe; schließlich das durch die erprobte Klassenkampflehre hervorgerufene Mißtrauen gegen eine Bewegung, die aus dem Mittelstand stammt, mit den kapitalistischen und reaktionären Mächten paktiert und gerade den Klassenkampf aufheben will. In wessen Interesse? Die Abwehr Hitlers entspringt dem primitiven Selbsterhaltungstrieb des organisierten Proletariats.

Weniger einfach liegt der Fall für die Arbeitslosen. Die Millionen Erwerbsloser, von denen ganze Jahrgänge Jugendlicher noch niemals in den Arbeitsprozeß eingegliedert waren, stellen eine Schicht dar, die auf apokalyptische Verheißungen wie auf das liebe Brot angewiesen ist, das sie nicht hat. Ohne Aussicht auf den totalen Umsturz aller Verhältnisse ganz abseits stehen zu müssen und zu hungern, wäre die vollendete Hölle. Der Zustand, in dem sich die arbeitslosen Massen befinden, bringt sie gegen die regulären Parteien auf, die keine Hilfe zu leisten vermögen, und erzeugt eine tiefe Kluft zwischen ihnen und den noch erwerbstätigen Genossen. Anziehungskraft auf sie üben allein die revolutionären Parteien aus, jene, denen sie nicht nur als Wirtschaftsobjekte gelten, sondern als ein entscheidender Faktor im gesellschaftlichen Umwandlungsprozeß. Fortwährend fluktuiert eine Menge Arbeitsloser zwischen dem Kommunismus und dem Nationalsozialismus hin und her, und es hängt ganz von der Geschicklichkeit des Redners ab, in welches Lager einzelne Gruppen wandern. Nationalsozialistische Elemente verfallen dem Kommunismus, ehemalige Kommunisten schwören auf Hitler. Dieser, der über die reicheren Geldmittel verfügt, versteht sich kraft seines außerordentlichen Instinktes für die Massenbedürfnisse darauf, große Teile des Arbeitslosenheeres zu erobern. Um ganz davon abzusehen, daß er einen gewissen Prozentsatz in S. A.-Uniformen kleidet und ernährt, verschafft er ihnen allen das Gefühl ihrer Notwendigkeit. Eingereiht in die Bewegung, werden sie aus Parias der Gesellschaft zum Vortrupp des III. Reiches. Vor allem die Jugendlichen verpflichtet er sich, indem er ihren Drang nach Abenteuern stillt. Nachtmärsche, Kämpfe in höherer Absicht, Machträusche, gehorchen dürfen und auch befehlen – so freilich sind die Achtzehnjährigen, denen kein Arbeitsplatz offensteht, zu gewinnen …

Jeder gesellschaftlichen Situation entspricht eine bestimmte geistige Verfassung. Es duldet keine Frage, daß das deutsche Volk in ideeller Hinsicht (nicht minder wie in materieller) auf schmale Kost gesetzt worden ist. So viel Regsamkeit in der einen oder anderen Partei auch herrschen mag – sie verwandelt sich nicht in Gehalte, die über die Partei hinausgreifen, sie zirkuliert nicht, sie erzeugt kaum eine Bewegung. Die Sozialdemokraten leben von den kargen Renten früheren geistigen Besitzes, die Kommunisten theoretisieren zu viel und verfehlen den emotionalen Anschluß an Schichten, die auf ein erlösendes Wort warten, die Mittelparteien versuchen vergeblich, ihre Wirtschaftsprogramme ideologisch zu überbauen, das Zentrum verwaltet seine Gebiete, und die reaktionären Parteien appellieren an die konservative Mentalität, die neuer Eroberungen schwer fähig ist. Am schlechtesten ergeht es den Mittelschichten, die seit Jahrhunderten die Träger deutscher Geistigkeit sind. Sie leben in Verhältnissen, die neue Formulierungen forderten, ohne diese doch in weitem Umkreis entdecken zu können. Zu dem Proletariat fehlt ihnen der Zugang, den sie auch nicht finden wollen, und die ihnen sozial übergeordneten bürgerlich-kapitalistischen Schichten produzieren keine glaubhaften Ideologien mehr aus sich heraus. Mit dem Unternehmertum hat gerade der »Tat«-Kreis besonders scharf abgerechnet. Wer diesen Zustand geistiger Verlassenheit des Mittelstandes nicht kennt, wird den Erfolg des Nationalsozialismus nicht begreifen. Er ist eine Reaktion auf die ideelle Ohnmacht der Mittelschichten und münzt ihre tiefen Ressentiments gegen den Marxismus, der sie ausschaltet, und gegen den Kapitalismus, der sie in jeder Beziehung hinsiechen läßt, in Zielsetzungen um, die positiv zu sein scheinen. Der Nationalismus wird zum wesentlichen Ferment der Bewegung. Nicht nur, daß er durch das Unrecht des Versailler Vertrags objektiv begründet ist – hätte Frankreich der Weimarer Republik Entgegenkommen bewiesen, so wäre dem Nationalsozialismus ein entscheidendes Propagandamittel entzogen worden –, er erfüllt auch die Funktion, über die Leere hinwegzutäuschen. Wie ein trockener Schwamm saugt sich die mittelständische Bevölkerung mit nationalistischem Enthusiasmus voll. Er ist die richtige Nahrung für die proletarisierten Studenten, die so sehr nach idealistischer Sättigung verlangen, daß sie gar nicht danach fragen, ob die ihnen zugeführten Ideale wirklich die nötigen Vitamine enthalten. Später werden sie schon dahinter kommen. Das ganze Zubehör von Paraden und militärischer Spielerei ist auch so wunderbar. Derselbe Nationalismus, dem sich die bürgerliche Jugend schon darum leidenschaftlich hingibt, weil ihr die Republik niemals eine Aufgabe gestellt hatte, die sie hätte begeistern und ins Staatsgefüge einbeziehen können – derselbe Nationalismus dient dank seiner Inhaltsarmut den führenden kapitalistischen Schichten als eine willkommene Ideologie. Diesen Kreisen, die sich vom Sozialismus um so mehr gehetzt fühlen, als ihnen frühere weltanschauliche Stützen abhanden gekommen sind, wird der Nationalismus zum Ersatz-Ideal. Es gibt ihnen das gute Gewissen zurück, beglänzt und fundiert die kapitalistische Praxis und erzeugt die Illusion einer Aufhebung nachteiliger Klassengegensätze. Mit ihm verbindet sich leicht der Anruf der völkischen Instinkte, die ebenfalls eine Reaktion des Mittelstandes gegen die ihn auflösenden

Mächte sind. Man verwirft die Ratio, weil man das Opfer der übereilten Rationalisierung geworden ist und außerdem vor dem Gebrauch des Intellekts zurückschreckt, der das eigene Elend überdeutlich belichtete, man prangert das Judentum an, um einen Prügelknaben zu haben, der für dieses Elend verantwortlich gemacht werden kann. Indem der Nationalsozialismus solche Komplexe der depossedierten Mittelschichten mit einem positiven Vorzeichen versieht, d.h. den Rassenhaß predigt und das Lob des Irrationalen verkündet, umwebt er das dumpfe Fühlen der ihm anhängenden Massen mit einem Glorienschein. Der Antisemitismus, den viele allzu optimistische Bürger zum Schönheitsfehler verkleinerten, ist in Wahrheit ein ideologisches Kernstück der Bewegung. Darum wird er auch sorgsam weiter gepflegt. Seine eigentliche Mission ist die: die Tatsache des Klassenkampfes dadurch zu überdecken, daß man ihn in den Rassenhaß einmünden läßt. Zugleich ist mit ihm den zahlreichen Stellenlosen gedient, die jetzt schöne Posten ergattern.
Vorerst ist noch die Zeit der Fackelzüge, der Rauschmittel, der großen Aktionen. Ob der Nationalsozialismus das Volk zum Ganzen zusammenschweißt? Ob dieser arische Rassengeist sich wirklich als Geist enthüllt? Das wird sich zeigen, wenn Deutschland eines Tages erwacht.
(Typoskript aus KN, undatiert [1933])

1 Bei dem folgenden Aufsatz handelt es sich um die deutschsprachige Originalfassung (Typoskript, KN) des Aufsatzes, der am 20. 5. und 3. 6. 1933 u. d. T. »Les classes de la population allemande et le national-socialisme« in französischer Übersetzung in der Zeitschrift *L'Europe Nouvelle* erschien.

2 Bei der Reichstagswahl vom 5. 3. 1933 erreichte die NSDAP mit ca. 17,3 Millionen Stimmen einen Wähleranteil von 43,9 %.

3 Siehe Emil Lederer und Jakob Marschak, »Der neue Mittelstand«. In: *Grundriß der Sozialökonomik*, Bd. IX, Teil I. Tübingen: J.C.B. Mohr 1926, S. 121-142; Emil Lederer, »Umschichtung des Proletariats«. In: *Neue Rundschau* Jg. 40 (1929), Bd. 2, S. 145-161.

4 Daß Kracauer hier von sich selbst in der dritten Person spricht, erklärt sich daraus, daß er seine Mitarbeit an der Zeitschrift *L'Europe Nouvelle* geheim hielt. Seine Aufsätze erscheinen unter den Siglen »X.X.X.« und »H.D.«. Zu den *Angestellten* siehe *Werke*, Bd. 1, S. 211-310.

5 Zu Ernst Jünger siehe Nr. 682, zu Franz Schauwecker Nr. 713, Anm. 3, zu Friedrich Hielscher Nr. 713, dort auch Anm. 2.

6 Zur Zeitschrift *Tat* und zum »Tat«-Kreis um Hans Zehrer siehe Nr. 615, dort auch Anm. 1.

7 Erwin Topf, *Die grüne Front*. Kampf um den deutschen Acker. Berlin: E. Rowohlt 1933.

8 Die sich im Zuge der Wirtschaftskrise verschlechternden landwirtschaftlichen Bedingungen führten 1928/29 zur Gründung der Landvolkbewegung durch schleswig-holsteini-

sche Bauern, die durch öffentlichen Protest, Steuerboykott und kleinere Anschläge gegen die Regierung agitierte. Siehe auch unten, Anm. 15.

9 Die 1929 gegründete Grüne Front war ein Zusammenschluß sämtlicher deutscher Bauernverbände; sie ging 1933 im »Reichsnährstand« auf.

10 Als »Osthilfe« wurde die staatliche Unterstützung der maroden ostpreußischen Landwirtschaft seit 1929 bezeichnet; sie kam hauptsächlich und teils unrechtmäßig den Großgrundbesitzern zugute, was Anfang 1933 zum sogenannten »Osthilfeskandal« führte, in den auch Reichspräsident von Hindenburg verwickelt war.

11 General Kurt von Schleicher (1882-1934) wurde am 3. 12. 1932 von Hindenburg zum Reichskanzler ernannt und mußte am 28. 1. 1933 seinen Rücktritt einreichen, um Platz für Hitler zu schaffen; er wurde 1934 im Zusammenhang mit dem Röhm-Putsch ermordet.

12 Korrektur d. Hrsg.; im Typoskript und in der französischen Publikation versehentlich: »Wahlen 1928«.

13 Mit der Gründung der Landvolkpartei, die erstmals 1928 zur Wahl antrat, versuchte sich die Landvolkbewegung auch parlamentarisch zu etablieren.

14 Großindustrielle wie Emil Kirdorf (1847-1936) und Fritz Thyssen (1873-1951), beide Mitglieder der NSDAP, trugen durch finanzielle Subventionen und politische Unterstützung seit Mitte der zwanziger Jahre maßgeblich zum Aufstieg Hitlers bei.

15 Bismarck soll geäußert haben: »Mut auf dem Schlachtfelde ist bei uns Gemeingut; aber Sie werden nicht selten finden, daß es ganz achtbaren Leuten an Civilcourage fehlt.« Die Bemerkung ist überliefert bei Robert von Keudell, *Fürst und Fürstin Bismarck*. Erinnerungen aus den Jahren 1846-1872. Berlin: Spemann 1901, S. 8.

16 Bei den Reichstagswahlen vom 14. 9. 1930 verlor die SPD erheblich an Stimmen und kam insgesamt nur auf 24,5 %, während die Nationalsozialisten mit 18,3 % und einem Zuwachs von über 15 % ihren bis dahin größten Wahlerfolg erzielten.

17 Arthur Rosenberg, *Geschichte des Bolschewismus von Marx bis zur Gegenwart*. Berlin: E. Rowohlt 1932.

18 Ergänzung d. Hrsg. nach der publizierten französischen Übersetzung (siehe Anm. 1).

19 Gemeint ist die Wiederwahl Hindenburgs zum Reichspräsidenten im Frühjahr 1932; siehe Nr. 639, dort auch Anm. 1.

20 Rudolf Breitscheid (1874-1944) war seit 1922 außenpolitischer Sprecher der SPD-Reichstagsfraktion und Mitglied der deutschen Delegation beim Völkerbund. 1933 ging er ins Exil nach Frankreich, wo er 1940 verhaftet und an die Gestapo ausgeliefert wurde. Er starb 1944 bei einem Luftangriff auf das KZ Buchenwald.

## 740. Mit europäischen Augen gesehen ...

Rez.: André Malraux, *La condition humaine*. Paris: Gallimard 1933.

### I.

André Malraux, einer der bedeutendsten jungen Schriftsteller Frankreichs, hat in diesen Wochen einen neuen Roman: »*La condition humaine*«[1] erscheinen lassen, der in Shanghai spielt und einen Abschnitt aus der chinesischen Revolution behandelt. Das Buch knüpft an ein früheres Werk des Autors: »*Les conquérants de Canton*« an, das seinerzeit in der *Europäischen Revue* und später in einer Buchausgabe dem deutschen Publikum zugänglich gemacht worden ist.[2] Im heutigen Deutschland wird Malraux keine Chance mehr haben – eine Tatsache, die an sich allerdings noch nicht die Anzeige seines neuen Buchs in dieser Zeitschrift zu rechtfertigen vermöchte. Wenn ich hier auf den Roman hinweise, geschieht es vielmehr darum, weil er eine Diskussion weitertreibt, die seit langem innerhalb und außerhalb Deutschlands geführt wird und auch nach den jüngsten Ereignissen nichts von ihrer Aktualität eingebüßt hat. Im Gegenteil! Ich meine, grob gesprochen, die Auseinandersetzung zwischen den Prinzipien des Kollektivismus und des Individualismus. In einem wesentlichen, sehr europäischen Geist nimmt Malraux an ihr teil.

### II.

Die geschichtliche Situation, in die sein Roman versetzt, ist reichlich verwickelt. Geschildert wird die kommunistische Insurrektion März 1927, deren nächster Zweck die Eroberung Shanghais ist.[3] Diesem Aufstand treten eine Reihe von Mächten entgegen, die von den verschiedenartigsten Motiven geleitet sind. Da ist der siegreiche Kuomingtang-General Chan-Kai-Shek, der sich im Interesse der nationalen bürgerlichen Revolution und nicht zuletzt aus persönlichem Ehrgeiz des kommunistischen Flügels der Partei entledigen will. Da ist das chinesische Großbürgertum, das sich von der gesamten revolutionären Bewegung bedroht weiß. Da ist das europäische Großkapital, dessen Vertreter, der Franzose Ferral, die Zerstörung der in China investierten Werte zu hindern versucht. Da ist schließlich die von Moskau geleitete Delegation der Internationale, die weitblickend genug ist, um die Aussichtslosigkeit der kommunistischen Aktion zu erkennen. Obwohl diese Gruppen Endabsichten verfolgen, die sich vielfach durchkreuzen, finden sie sich doch in den Tagen des Aufstandes alle zusammen. Ferral, der einen Sieg der Kommunisten mehr zu fürchten hat als den der Kuomingtang, bewegt die chinesischen Bankiers zu einer Millionenspende an Chan-Kai-Shek, die diesen vollends in einen Kommunistenfresser verwandelt. Tragisch ist die Lage der Internationale. Aus der zwingenden Einsicht heraus, daß die Umstände gegen den Putsch sind, muß sie ihn abblasen und seinen Führern den nüchternen Rat erteilen, einstweilen nicht gegen die Kuomingtang zu rebellieren. Der Rat kommt zu spät, und das Ende ist die Niedermetzelung der Insurgenten.

## III.

Malraux ergreift nicht nur unverkennbar die Partei der revolutionären Kämpfer, seine Darstellung wird auch weitgehend der materialistischen Weltanschauung gerecht, die das Handeln und Denken der Menschen klassenmäßig bedingt sein läßt. Im Einklang mit ihr, die das Individuelle notwendigerweise zugunsten des Kollektivs entthronen muß, gibt er immer und überall den ökonomischen, sozialen und politischen Verhältnissen, was ihnen gebührt. Er geht den wirtschaftlichen Zusammenhängen auf den Grund, legt die großen machtpolitischen Konstellationen frei, denen die kleinen Intrigen entwachsen, und baut kurze Situationsberichte ein, die den Schein der Willkür tilgen, der ohne ihre Beigabe den Bewegungen seiner Figuren anhaften könnte. Jede Gestalt erscheint bei ihm ausdrücklich als ein Exponent bestimmter gesellschaftlicher Gruppen. Wie sich z. B. die Maßnahmen Ferrals zwangsläufig vom Standpunkt des europäischen Unternehmers aus ergeben, so ist das Verhalten anderer Personen durch ihre Zugehörigkeit zum Proletariat, den Zwischenschichten oder der Oberklasse entscheidend festgelegt. Eine Einordnung des Individuums, die dadurch vollendet wird, daß Malraux das

Walten der sozialen Mächte mit einer grausamen Folgerichtigkeit aufweist. Ohne sich je eine sentimentale Anwandlung zu gestatten, schildert er die Schrecken der Barrikadenkämpfe und das Martyrium der gefangenen Aufrührer, die von der Kuomingtang-Polizei gemartert werden. Keine tröstliche Gewißheit wird hier gespendet, und auch die Wunder bleiben ganz aus. Unbeirrbar wie das Schicksal setzen sich die kollektiven Kräfte über Liebe, Traum und Hoffnung hinweg.

## IV.

So wäre der Mensch rein das Produkt der Verhältnisse? Während des letzten Jahrzehnts ist in Deutschland eine vorwiegend linksradikal eingestellte Reportage- und Romanliteratur entstanden, die sich tatsächlich so gebärdet, als ob der Mensch nur der Vertreter der ihn umfangenden gesellschaftlichen Schicht sei und sonst nichts außerdem. Alle Figuren, die in dieser Literatur auftauchen, entraten der individuellen Existenz, ja, sie sind nicht einmal Typen, denen ein eigenes Leben innewohnt. Ihre einzige Funktion ist vielmehr die: irgendeine soziale Gruppe zu repräsentieren – das klassenbewußte Proletariat, das Kleinbürgertum oder die Kapitalistenklasse. Lauter Schemen, die sich auf Grund plumper Vorstellungen über den gesellschaftlichen Entwicklungsprozeß schemenhaft zueinander verhalten müssen. Sie sind ohne Dasein, sie haben lediglich die Bedeutung von Stellenwerten.
Mit der weitverbreiteten Haltung, aus der die hier gemeinte Literatur hervorgeht, hat die von Malraux nichts gemein. Er ist keiner jener Kollektivisten, die das Individuum der ganzen Fülle des Sinnes berauben, um ihn allein dem Kollektiv zuzuschieben, sondern legt den Hauptakzent gerade aufs Individuum. Das erhellt schon aus der Beziehung wichtiger Romangestalten zum Marxismus. »Le marxisme n'est pas une doctrine, c'est une volonté ...«, sagt der weise Gisors.[4] Und der Insurgen[ten]führer Kyo erklärt: »... il y a dans le marxisme le sens d'une fatalité, et l'exaltation d'une volonté. Chaque fois que la fatalité passe avant la volonté, je me méfie.«[5] Natürlich sind diese Äußerungen nicht so zu verstehen, als ob in ihnen die Allmacht des Willens verkündet werden solle. Malraux kennt – ich habe es bereits gezeigt – die Gewalt der gege-

benen ökonomischen und sozialen Faktoren viel zu genau, um in den mystischen Irrationalismus zu verfallen, der die offizielle Doktrin im gegenwärtigen Deutschland geworden zu sein scheint. Nur eben: er billigt den gesellschaftlichen Verhältnissen (und damit mittelbar dem Kollektiv) nicht die Alleinherrschaft zu, sondern erhält dem Einzelmenschen seine unvergleichliche Stellung. So sehr sich im Einzelnen das Sein der ihm zugeordneten Schicht ausprägen mag, er versinkt doch nicht in ihr, er ist durchaus etwas für sich, ist gerade als Einzelner der Träger metaphysischer Gehalte. Sämtliche Personen des Romans sind von einer Aura umwoben, die sie zu Personen macht. Der außerordentliche Rang des Individuellen wird noch dadurch unterstrichen, daß es in vielerlei Spielarten auftritt. Neben den Revolutionären Kyo und Katow, die beide keineswegs zu Sprachrohren der Partei oder zu heroischen Puppen entarten, findet sich als nahezu gleichberechtigter Romanpartner der Baron Clappique, ein heruntergekommener Antiquar, der völlig anarchistisch dahinlebt. Und Tschen, der die Mitte des Buchs erfüllt, Tschen ist gar von seinem Selbst so besessen, daß er sich zum aktiven Terroristen entwickelt, um im Vollzug des Attentats sein Selbst endlich zu besitzen.

## V.

Wodurch aber wird das Individuum unwiderruflich zum Einzelnen gestempelt? Malraux deutet nicht (oder doch nur selten) auf den Sinn hin, der sich durch den Einzelnen hindurch darstellen mag, sondern begnügt sich damit – in seiner Grenzsituation durchaus zu Recht –, die Einsamkeit hervorzuheben, die jedem Menschen mitgegeben ist und für das Vorhandensein dieses Sinnes zeugt. Wieder und wieder werden sich ihrer die Figuren des Romans bewußt. Kyo macht die schmerzliche Entdeckung, daß er seine eigene Stimme im Grammophon nicht erkennt, und glaubt zu wissen, daß nur die Geliebte sein verschlossenes Selbst sprengen könne. Wie einsam er ist, erfährt Tschen angesichts des Todes. Nachdem er einen Menschen gemordet hat, fühlt er sich von den anderen Menschen geschieden, und später, mitten im Kampf, überfällt ihn die Gewißheit: »S'il mourrait aujourd'hui, il mourrait seul.«[6] Zum Unterschied von ihm, der sich in den Untergang rettet, ist dem Vater Kyos – er hat als Soziologie-Professor die Jugend Nordchinas revolutioniert – die Einsamkeit keine Last, sondern ein Asyl, in das er sich mit Hilfe des Opiums zurückzieht. Ja, der alte Maler Kama meint erst in jener letzten Stille, die dem Tod vorangeht, die wahre Bedeutung aller Menschen und Dinge abbilden zu können. So erscheint die Einsamkeit in vielen Stufen. Aber ob sie als flüchtige Trauer erlebt wird oder das Tor zum Glück ist: sie läßt sich um des Kollektivs willen nicht abschütteln.

## VI.

Indem Malraux die Macht des sozialen Seins anerkennt und zugleich die Position des Einzelnen ungeschmälert erhalten möchte, sieht er sich vor die schwierige Aufgabe gestellt, das kollektivistische Prinzip mit dem individualistischen zu vereinen. Es läge nahe, daß er, etwa im Sinne der in Rußland praktizierten Weltanschauung, dieses aus jenem zu entwikkeln suchte. Aber er ist so sehr von der unabdingbaren Gültigkeit des Einzelmenschen durchdrungen, daß er es vorzieht, den umgekehrten Weg einzuschlagen. Das Individuum empfängt bei ihm nicht seinen Wert vom Kollektiv; vielmehr: der Wert der Gemeinschaft wird vom Individuum her bestimmt. Der Mensch, klagt Gisors einmal, will immer mehr als Mensch sein, er träumt nur davon, allmächtig wie Gott selber zu werden. »Echapper à la condition humaine«, so drückt es Gisors auch aus.[7] Worin besteht nun die »condition humaine«, der die Menschen stets zu entschlüpfen streben? Sie wird von Kyo, dem Organisator der kommunistischen Insurrektion, empfunden und formuliert. Kyo, der sich mit der Sache der Revolution bis zur heroischen Preisgabe seines Lebens identifiziert, setzt sich als Ziel: »Conquérir ici la dignité des siens.«[8] Dasselbe Wort von der menschlichen Würde gebraucht er auch vor dem Polizeichef der Kuomingtang, der ihn nach den Gründen für sein Bekenntnis zum Kommunismus fragt: »Je pense«, sagt Kyo, »que le communisme rendra la dignité possible pour ceux, avec qui je combats.«[9] Der würdige oder besser: der richtige Stand des Einzelnen ist hier (durchaus nicht dem Denken des jungen Marx entgegen) zum Leitmotiv der revolutionären Bewegung gemacht. Und erst in dem Maße als es ihn herbeizuführen vermag, gewinnt das Kollektiv überhaupt einen Sinn.

## VII.

Nicht so, als ob im Roman beide Prinzipien miteinander versöhnt wären. Seine Tiefe ist, im Gegenteil, genau die: daß er unsere Stellung zwischen zwei Welten gestaltet, zu denen wir gleichmäßig gehören. Während er den Kampf des Proletariats verfolgt, neigt er sich, zärtlich fast, in das Schicksal des Einzelgängers Clappique hinein; während er die revolutionäre Erhebung preist, schweift er dem einsamen Opiumglück Gisors' nach. Nein, Malraux findet den Ausgleich nicht und behauptet nicht einmal, Individuum und Kollektiv im Zeichen menschlicher Würde völlig zusammenbringen zu können. Er weiß nur, daß dieses das Individuum nicht verschlucken darf, wenn anders das, was er »dignité« nennt, in der menschlichen Gesellschaft je erreicht werden soll.
Eben darin aber erblicke ich die aktuelle Bedeutung seines Buchs. Es bringt eine wichtige Korrektur an jener wesenlosen kollektivistischen Ideologie an, die sich vielfach auf der deutschen Linken breitgemacht hat und sie unter anderem daran verhindert haben mag, die entscheidende Rolle der Mittelschichten rechtzeitig zu erkennen. Ist irgendwo umzulernen, so hier. In den europäischen Ländern zum mindesten wird keine eingreifende gesellschaftliche Veränderung möglich sein, die den Bestand des Individuums nicht einkalkuliert.
(*Das Neue Tage-Buch*, 8. 7. 1933)

1 Erste deutschsprachige Ausgabe: *So lebt der Mensch*. Übers. von Carola Lind. Zürich: Europa-Verlag 1934.
2 Auszüge aus Malraux' Roman wurden u. d. T. *Die Eroberer. Ein Tagebuch der Kämpfe um Kanton 1925* (übers. von Max Clauß) von August bis Dezember 1928 in der *Europäischen Revue* (Jg. 4, Heft Nr. 5 bis Nr. 9) veröffentlicht. Zu Kracauers Besprechung der 1929 u. d. T. *Eroberer in Kanton* erschienenen deutschen Buchausgabe siehe Nr. 434.
3 Den zeitgeschichtlichen Hintergrund des Romans bilden die Aufstände der Shanghaier Kommunisten 1926/27, die der Kuomintang-General Chiang Kai-shek blutig niederschlagen ließ. Siehe auch Nr. 434, Anm. 3.
4 »Der Marxismus ist keine Doktrin, sondern ein Wille.« André Malraux, *So lebt der Mensch*. Übers. von Friedrich Hardekopf. Stuttgart und Berlin: DVA 1955, S. 63.
5 »Aber der Marxismus beugt sich zwar vor der höheren Gewalt, verlangt aber andererseits

auch die äußerste Willensanstrengung. Und ich werde immer mißtrauisch, sobald die höhere Gewalt dem freien Willen gegenüber vorgeschützt wird.« Ebd., S. 127.
6 »Wenn er heute umkäme: es wäre ein einsamer Tod.« Ebd., S. 83.
7 »..., sich der *menschlichen Bedingtheit* zu entziehen.« Ebd., S. 208.
8 »Die Menschenwürde den Seinen hier erobern.« Ebd., S. 43.
9 »Ich glaube, daß der Kommunismus den Menschen, auf deren Seite ich kämpfe, ein menschenwürdiges Dasein ermöglichen wird.« Ebd., S. 263.

## 741. Les Livres supprimés [Die unterdrückten Bücher][1]

Unmittelbar nach dem Bücher-Autodafé[2] in Berlin und anderen deutschen Städten sind aus den öffentlichen Bibliotheken des Reichs zahlreiche Bücher entfernt worden, die ihrer Staatsfeindlichkeit oder doch zum mindesten ihrer Schädlichkeit wegen nicht länger geduldet werden sollen. Welche Literatur ist dieser Aktion zum Opfer gefallen? Man weiß, daß es sich bei den verfemten Büchern vorwiegend um solche Werke handelt, die als »marxistisch« und »jüdisch« gelten, und kennt auch die Namen der Autoren, deren gesamte Produktion auf den Index gesetzt worden ist. Lion Feuchtwanger, Ernst Glaeser, Heinrich Mann[3] usw. – sie sind im neuen Deutschland völlig erledigt. Was aber die meisten übrigen Schriftsteller und Bücher betrifft, so steht das Verdikt gegen sie nicht restlos fest. Es gibt nämlich keine amtliche schwarze Liste, die alle auszumerzenden Elemente mit absoluter Verbindlichkeit verzeichnete, sondern nur einzelne Listen von Verbänden, Bünden usw., denen die letzte offizielle Bestätigung fehlt. Sie scheinen ihr Dasein mehr oder weniger dem Zufall zu verdanken; denn Werke, die in den einen enthalten sind, werden in anderen gar nicht erwähnt. So bleiben Einzelfälle vielfach ungeklärt. Ein Zustand, den die Behörden zweifellos nicht ohne Absicht haben einreißen lassen.
Studiert man irgendeine der schwarzen Listen, so empfängt man den Eindruck völliger Wahllosigkeit. Neben den prominenten Namen finden sich solche, die der Öffentlichkeit ganz unbekannt sind, und mit Werken von einer sehr ausgesprochenen Tonart wechseln harmlose Unterhaltungsromane ab, in denen auch das schärfste Auge nichts Anstößiges zu entdecken vermöchte.

Immerhin ist diese gemischte literarische Gesellschaft nicht rein aus Willkür zusammengetrieben und verjagt worden. Die Art ihrer Zusammensetzung wird vielmehr – um vom Haß gegen das Judentum und den Marxismus ganz zu schweigen – durch gewisse Tendenzen und Antipathien bedingt, die im Nationalsozialismus verwurzelt sind. Es verlohnt sich, sie etwas näher zu betrachten. So fällt gleich beim ersten Blick auf, daß zu den verpönten Büchern verschiedene Romane über Angestellte gehören. Diese Romane, unter denen etwa die jetzt verbannten Bücher von Breitbach (*»Rot gegen Rot«*), Braune (*»Das Mädchen an der Orga privat«*) und Anita Brück (*»Schicksale hinter Schreibmaschinen«*)[4] zu nennen wären, sind beinahe alle während der letzten Jahre entstanden und beschäftigen sich durchweg mit dem Leben der Angestellten. Geschildert werden in ihnen Tippmädchen, junge Kaufleute, Kontoristinnen usw., lauter Typen, die auf ihren alltäglichen Lebenswegen gewöhnlich recht unerfreuliche Erfahrungen machen. Man hat ein schlechtes Einkommen, fühlt sich von der Tätigkeit im Büro unbefriedigt, leidet häufig unter den Schikanen der Vorgesetzten und Chefs und ist noch dazu infolge der Krise stets der Gefahr ausgesetzt, plötzlich entlassen zu werden. Dies ungefähr ist der Tenor der hier gemeinten Romane. Sie sind in ihrer Mehrzahl keineswegs »marxistisch«, sondern legen einfach Zeugnis von sozialen Mißständen ab, die auf der breiten Angestelltenschicht lasten. Dank dieser Mißstände ist nun bekanntlich gerade ein großer Teil der Angestellten selber der nationalsozialistischen Bewegung zugeströmt. Und dennoch die tiefe Abneigung gegen Romane, deren einziges Verbrechen es ist, daß sie Aufklärung über die schwierige Lage der Angestellten verschaffen? Der Grund hierfür ist ersichtlich der, daß man im nationalsozialistischen Lager gar nicht aufgeklärt werden will. Jede kritische Darstellung der sozialen Wirklichkeit appelliert an den Intellekt und an das Urteilsvermögen; an Fähigkeiten also, die einer Bewegung, deren oberstes Prinzip das der Unterordnung unter den Führer ist, verdächtigt sein müssen. Handelte es sich noch um Romane, die das Dasein der Arbeiterschaft aufrollen! Aber die den Angestellten gewidmeten Romane beschreiben die Existenz einer Bevölkerungsschicht, aus der sich viele Anhänger des Nationalsozialismus rekrutieren. Da sie mithin den Glauben der eigenen Parteigenossen erschüttern könnten, erscheinen sie als doppelt gefährlich.

Interessant ist die Tatsache, daß viele Autoren nicht in Bausch und Bogen verdammt werden, sondern für einen Teil ihrer Bücher den Passierschein erhalten. Ein paar Beispiele. Der bekannte Romancier Hanns Heinz Ewers, der zur rechten Zeit der nationalsozialistischen Partei beigetreten ist, hat vor langer Zeit die Romane: *»Alraune«* und *»Vampir«*[5] geschrieben, die wahrscheinlich ihrer erotischen Schwülstigkeit wegen auf die Liste gekommen sind. Voller Anerkennung erfreut sich dagegen sein biographischer Roman: *»Horst Wessel«*, in dem er den Nationalheros verherrlicht.[6] Nicht anders ist es Ludwig Renn ergangen: sein Roman: *»Krieg«* darf unbehelligt fortexistieren, während sein späteres Buch: *»Nachkrieg«*, in dem sich schon kommunistische Tendenzen bemerkbar machen, aus den Bibliotheken verschwinden muß.[7] Auch die literarische Produktion von Unruh, Edschmid, Werfel, Traven, Oskar Maria Graf, Leonhard Frank[8] usw. ist teils mit einem positiven und teils mit einem negativen Vorzeichen versehen worden. Man spaltet gewissermaßen die Schriftsteller. Ihre eine Hälfte ist dem Licht zugewandt, ihre andere Hälfte in schwarze Finsternis getaucht. Dieses Verfahren ist darum so merkwürdig, weil es von derselben mechanistischen Auffassung getragen wird, die der Nationalsozialismus sonst überall bekämpft; scheint es doch völlig die Tatsache zu verkennen, daß sämtliche Äußerungen eines Schriftstellers der unteilbaren Einheit seiner Person entspringen. Auf der anderen Seite ist allerdings zu bedenken, daß der Nationalsozialismus auf die Einheit der Person nicht das geringste Gewicht legt und sich daher auch getrost über sie hinwegsetzen darf. Infolge der Ausschließlichkeit, die ihm anhaftet, kommt es ihm nur darauf an, ob seine Grundsätze in irgendeinem literarischen Werk bejaht werden oder nicht. Die Substanz des Schöpfers der Werke dagegen hat für ihn gar keine Bedeutung. Ein und derselbe Schriftsteller kann vielmehr vom nationalsozialistischen Standpunkt aus zu gleicher Zeit gut und schlecht sein; je nachdem er die anerkannten oder die zu unterdrückenden Meinungen vertritt.

Die Mißachtung des Individuums, die aus einem solchen Verhalten spricht, hat zum Protest gegen manche Bücher geführt, deren Autoren weder Juden noch Marxisten sind. Um genau zu sein: man verpönt den Einzelmenschen nicht im gleichen Sinn, wie der Kommunismus es häufig tut, sondern schätzt ihn durchaus als Führer und Quell der Intuition

Abgelehnt wird der Einzelmensch nur insofern, als er aus der Volksgemeinschaft herausstrebt und sich anarchistischer Neigungen schuldig macht. Der Begriff des Individuums, den die französische Aufklärung entwickelt hat, ist dem nationalsozialistischen strikt entgegengesetzt. Aus dieser Einstellung erklärt sich zum Beispiel die Verdammung des Kriegsromans: *»In einem anderen Land«* von Hemingway,[9] in dem das Erlebnis der Liebe den ganzen Krieg überschattet. Ein solcher Roman, der die Liebe mehr zu heiligen wagt als die Nation und den Heroismus, kann nur des Teufels sein. Überall stößt man so auf den Widerstand gegen Bücher, in denen dem Einzelmenschen zu viele Rechte gegeben scheinen. Heinrich Mann, Ringelnatz, Erich Kästner: sie alle suchen zunächst einmal dem Individuum Raum zu schaffen. In ihrem Bedürfnis, der geschundenen Seele zu helfen und die Würde des Menschen neu aufzurichten, werden diese Schriftsteller dann natürlich zu rebellischen Ausfällen gegen den Krieg und den Kapitalismus getrieben. Derart gleiten Werke, die ursprünglich rein menschlich gemeint sind, unmerklich ins Lager der verbotenen politischen Literatur ab.
(Typoskript aus KN, undatiert [1933])

1 Bei dem folgenden Artikel handelt es sich um die deutschsprachige Originalfassung (Typoskript, KN) des Aufsatzes, der u. d. T. »Les livres supprimés« – auch das Typoskript hat diese Überschrift – in französischer Übersetzung im Juli/August 1933 in der Zeitschrift *Activités* erschien.

2 Unter der Leitung von Hans Karl Leistritz organisierte der Deutsche Studentenbund ab April 1933 eine »Aktion wider den undeutschen Geist«, in deren Verlauf es in den folgenden Monaten in ganz Deutschland zu Bücherverbrennungen kam. Höhepunkt der Aktion waren die öffentlichen Autodafés, die am 10. 5. 1933 auf dem Berliner Opernplatz und in 21 anderen Städten stattfanden. Die Verbrennungen ebenso wie die Säuberungen in Bibliotheken, Büchereien und Buchhandlungen orientierten sich zunächst an nicht-amtlichen »Schwarzen Listen«, die maßgeblich von dem Bibliothekar Wolfgang Herrmann zusammengestellt wurden und in verschiedenen Fassungen kursierten. Eine erste Veröffentlichung der Herrmann-Listen erfolgte am 16. 5. 1933 im Börsenblatt für den deutschen Buchhandel. Ab 1935 gab die Reichsschrifttumskammer regelmäßig eine »Liste des schädlichen und unerwünschten Schrifttums« heraus. Die Angaben, die Kracauer im folgenden macht, stimmen mit der im Börsenblatt publizierten Liste zur »Schönen Literatur« überein; in der Sparte »Politik und Staatswissenschaften« wird seine Studie *Die Angestellten* verzeichnet.

Die im Börsenblatt publizierte Liste setzte im Fall von Heinrich Mann (siehe Nr. 324, 504, 515, 544, 665 und 734), Ernst Glaeser (siehe Nr. 446) und Lion Feuchtwanger (Nr. 515 und 734) jeweils das gesamte Œuvre auf den Index.

Siehe zu diesen Titeln Nr. 487 sowie Nr. 649, Anm. 2.

5 Hanns Heinz Ewers, *Alraune*. Die Geschichte eines lebenden Wesens. München: G. Müller 1911; ders., *Vampir*. Ein verwilderter Roman in Fetzen und Farben. München: G. Müller 1921.
6 Siehe Nr. 681, Anm. 30.
7 Ludwig Renn, *Krieg*. Frankfurt a. M.: Societäts-Verlag 1928; ders., *Nachkrieg*. Berlin: Agis 1930. Siehe auch Nr. 446.
8 Nach der im Börsenblatt publizierten Liste waren im Fall Fritz v. Unruhs (siehe Nr. 239, dort auch Anm. 3) die Dramen *Offiziere* (1911) und *Louis Ferdinand Prinz von Preußen* (1913) von dem Verbot ausgenommen, bei Kasimir Edschmid (siehe Nr. 681, Anm. 94) die Novellen *Timur* (1916) und *Die sechs Mündungen* (1915), bei Werfel (siehe Nr. 10, dort auch Anm. 11) die Romane *Barbara oder die Frömmigkeit* (1929) und *Verdi* (1924) sowie die Erzählung *Der Tod des Kleinbürgers* (1927), bei Traven (siehe Nr. 586, Anm. 10) die Romane *Regierung* (1931) und *Der Karren* (1930), bei Graf die Chronik *Wunderbare Menschen* (1927) und die *Kalendergeschichten* (1929), bei Frank (siehe auch Nr. 446 Anm. 8) die *Räuberbande* (1914) und *Ochsenfurter Männerquartett* (1927).
9 Ernest Hemingway, *In einem anderen Land*. Übers. von Annemarie Horschitz. Berlin: E Rowohlt 1930; engl. Orig.: *A Farewell to Arms*. New York: Scribner 1929.

## 742. Über die deutsche Jugend[1]

Vor ungefähr dreiviertel Jahren sagte mir ein scharmanter (und kluger) junger Deutscher, der sich durchaus nicht etwa zum Nationalsozialismus bekannte: »Sie machen sich kaum einen Begriff davon, welche Anziehungskraft zum Beispiel die S. A. mit ihren Nachtmärschen auf die ganze junge Generation ausübt. Um offen zu sein: mir selber fällt es schwer, dem Zauber der Bewegung zu widerstehen.« Eine Aussage, die mir typisch für die Geistesverfassung eines wesentlichen Teils der deutschen Jugend zu sein scheint. Sowenig diese Jugend alle Exzesse der fanatisierten Anhänger Hitlers – das Bücher-Autodafé, die ominösen 1 Thesen der Berliner Studentenschaft[2] usw. – gutheißen mag, ebenso gewiß befindet sie sich im Banne des Nationalsozialismus und verknüpf Hoffnungen mit ihm, die beinahe metaphysisch zu nennen sind.

Wie ist es dahin gekommen? Und was erwartet sich das junge Deutschland vom heutigen Staat? Um den Rahmen einer Studie nicht zu sprengen, möchte ich diese weitgespannten Fragen an Hand einiger litera rischer Werke zu beantworten versuchen, in denen der Rohstoff der Wirklichkeit schon vorgeformt ist. Es gibt heute in Deutschland ein breites Schrifttum, das sich eingehend mit der Gesamtsituation der jungen Generation befaßt und zum nicht geringen Teil ihren eigenen Reihen entstammt. Zahlreiche Romane und Reportagen unterrichten über die Lebensbedingungen der Jugendlichen, gewichtige Essaybände und weltanschauliche Werke bemühen sich, die ideellen Folgerungen aus den herrschenden Verhältnissen zu ziehen. Indem ich diese erst während der letzten Jahre entstandene Literatur betrachte, hoffe ich – gewissermaßen durch sie hindurch – das Verhalten der deutschen Jugend etwas verständlicher machen zu können.

Entscheidend bestimmt worden ist das Schicksal der Jugend in Deutschland durch ihre Ausschaltung aus dem Arbeitsprozeß. Es genügt nicht, dieser Tatsache allgemein innezuwerden, man muß sie vielmehr ihrem vollen Gewicht nach ermessen. Nicht umsonst ist in der jüngsten Zeit eine Darstellung nach der andern erschienen, die das Los der jugendlichen Erwerbslosen behandelt. Sehr eindrucksvoll schildert Ernst Haffner in seiner romanartigen Reportage: *»Jugend auf der Landstraße Berlin«*,[3] wie unter dem Druck der Wirtschaftskrise halbwüchsige Proletarier ins Lumpenproletariat herabsinken. Sie schließen sich im Norden und Osten Berlins zu kleinen Banden zusammen, um den Daseinskampf besser bestehen zu können. Das Leben in diesen Banden, die auch »Cliquen« heißen und nichts weiter als eine Vorschule von Verbrechervereinen sind, ist voller trauriger Abenteuer, gipfelt in dunklen Orgien, geht von der Vagabondage unmerklich ins Kriminelle über und endigt in der Regel bei der Polizei, die als feindliche Großmacht den ganzen Hintergrund ausfüllt. Kneipen, Schlafstellen, Wärmehallen, Rummelplätze, Bahnhofswartesäle, Zimmer von Prostituierten, Straßen und wieder Straßen sind die typischen Aufenthaltsorte der Cliquen-Mitglieder. Der überwiegenden Mehrzahl bedeuten diese Bünde Heimat und Schutz, und kaum je findet sich einer von ihnen ins normale Leben zurück. – Um wenigstens einen kleinen Teil der ärmsten Jugend von der Straße zu schaffen, hat man Erwerbslosenheime errichtet, die natürlich ihrer geringen Zahl und beschränkten Mittel wegen keine wirksame Abhilfe zu bringen vermögen. Albert Lamm, ein Kenner der Verhältnisse, berichtet in seinem

Buch: *»Betrogene Jugend«*[4] über die Erfahrungen, die er als Zeichenlehrer in einem solchen Heim gemacht hat. Es ist eine Welt jenseits der unsrigen, in die er uns führt. Die Vierzehn- bis Zwanzigjährigen, von denen sie bevölkert ist, haben nicht die geringste Beziehung zum Arbeitsprozeß, erblicken im Gesetz ihren geschworenen Feind, leben meistens abgetrennt von der Familie und den proletarischen Traditionen und entbehren den Genuß aller gesellschaftlicher Güter. Schlimmer noch: die Zukunft scheint ihnen versperrt. Wo halten sie sich in Wahrheit auf? Das Vakuum ist ihr Ort. Mit feiner Genauigkeit beschreibt Lamm die typischen Zustände, die sich in der Leere entwickeln. Diebstähle, Laster, asoziales Benehmen und konfuses Rebellentum: das alles ist nicht nur schonungslos widergespiegelt, sondern auch auf seinen eigentlichen Ursprung zurückgeführt. Und das Bild, das Lamm entwirft, wirkt darum doppelt erschütternd, weil es drastisch zeigt, daß diese Jugend ohne eigene Schuld bis zur Unkorrigierbarkeit entstellt wird, daß sie in Wahrheit voller guter Regungen steckt, die eben nur infolge der anormalen sozialen Bedingungen Rinnsalen gleich versiegen müssen.

Wie die proletarische Jugend so ist auch die kleinbürgerliche vom Fluch der Arbeitslosigkeit getroffen. Bis zu einem gewissen Grade mag das Schicksal typisch sein, das Georg Glaser in seinem Roman: *»Schluckebier«*[5] erzählt. Schluckebier ist ein Kriegsjunge aus ärmlichem Kleinbürgermilieu, der sich der harten väterlichen Gewalt durch die Flucht entzieht, später für kurze Zeit in einer Fabrik Unterschlupf findet, und noch etwas später selbstverständlich arbeitslos wird. Die Gänge zum Arbeitsamt sind vergeblich, und der Hunger ist groß. In Schluckebier speichert sich eine Unmenge von Haß an, die zu rebellischen Ausbrüchen führt. Sie ziehen Gefängnisstrafen und zuletzt das Erziehungsheim nach sich, in dem schlecht entlohnte und noch schlechter instruierte Lehrer mit der Knute regieren. Schluckebier, der eine Revolte anzettelt, wird von einer Kugel der eindringenden Polizeisoldaten zu Tode getroffen. Auch der Jugend jener Kreise, aus der sich die kleinen Angestellten rekrutieren, ergeht es kaum besser. Hans Fallada hat in seinem Erfolgsbuch: *»Kleiner Mann – was nun?«*[6] das Leben eines jungen Mannes ausgemalt, der nach vielen redlichen Bemühungen endgültig abgebaut wird und zuletzt nicht mehr weiß, wie er sich mit Frau und Kind noch je durchbringen soll. In eine ähnliche Lage gerät der Held des Romans von Georg Schäfer: »*Straßen führen auf und ab*«.[7] Ein ehemaliger kleiner Angestellter, der sich freilich am Schluß durch die Gründung einer Erwerbslosen-Siedlung wieder eine neue Existenz schafft. Aber dieser Ausweg, den ihm der wohlwollende katholische Verfasser eröffnet, läßt sich leider nicht verallgemeinern.

Besonders folgenschwer ist nun die Tatsache, daß das Elend, in dem die Proletarierkinder und die kleinen Leute versinken, vor der bürgerlichen Jugend nicht Halt gemacht hat. Sie, die früher wie durch ein Naturgesetz in die akademischen Berufe hineinwuchs und die selbstverständliche Anwartschaft auf alle gehobenen Posten in Handel und Industrie besaß, unterliegt demselben Verhängnis, dem die nicht privilegierten Schichten ausgesetzt sind. Der ökonomischen Depossedierung des Mittelstands, die während der Inflation vor sich ging, folgt die Erwerbslosigkeit auf dem Fuß. Man studiert mit Mühe und Not und findet nach dem Studium überall, wo man anklopft, verschlossene Türen; man vagabondiert um der lieben Existenz willen vom einen Beruf zum andern und steht am Ende doch auf der Straße. Kein Wunder, daß die bürgerliche junge Generation durch die fortwährenden Enttäuschungen, die ihr nicht an der Wiege gesungen waren, verbittert wird. Einen recht guten Einblick in das Dasein dieser Nachkriegsjugend gewährt der Roman von Claire Bergmann: »*Was wird aus Deinen Kindern, Pitt!*«,[8] der die Lebensläufe von sieben Geschwistern darstellt, die aus einer verarmten Fabrikantenfamilie stammen. Da ist Klara, die der Existenzkampf vor der Zeit verbraucht; da ist Susi, die einen reichen Geliebten hat, von dem auch manchmal etwas für die Familie abfällt; da ist Elsa, die noch am längsten in Stellung bleibt, weil sie sich bewußt den Forderungen der Zeit anpaßt. Die Figur dieses Mädchens ist besonders interessant. Wie Elsa, so gibt (oder gab) es Hunderte von weiblichen Angestellten, die mit allen möglichen Aufpulverungsmitteln den gewünschten jungen und frischen Eindruck zu erzielen suchen. Nicht aus Gründen der Koketterie, sondern um sich konkurrenzfähig zu erhalten. Trotz solcher Anstrengungen wird Else natürlich zuletzt doch abgebaut. Arbeitslosigkeit ist auch das Schicksal der vier Brüder, deren Beziehungen zur Politik glaubhaft geschildert werden. Während die beiden älteren sich eine gewisse Zurückhaltung auferlegen, schließt sich der schwache Jürgen der nationalsozialistischen Bewegung an, die ihm das Heil zu verbürgen scheint. Helmut, der jüngste, bleibt als das Opfer eines Straßenkampfs auf der Strecke zurück …

Die deutsche Jugend aller Schichten ist also durch das Schicksal der Arbeitslosigkeit miteinander verbunden und »gleichgeschaltet«. Es versetzt sie in eine revolutionäre Situation. Denn eine Gesellschaftsordnung, die der Jugend die Hoffnung raubt, muß dieser selbst als widersinnig erscheinen. Die entscheidende Frage ist nur die: welche Schicht der jungen Generation zur Führung im Kampf gegen das herrschende »System« berufen ist. Vergegenwärtigt man sich die Situation gewissermaßen im leeren Raum, so ist man beinahe dazu geneigt, der klassenbewußten proletarischen Jugend mehr Chancen als der bürgerlichen zu geben. Sie besitzt Opfermut, sie ist gut durchorganisiert und sie verfügt über das gebrauchsfertige Instrument des revolutionären Marxismus. Aber trotz solcher unbestreitbaren Vorzüge gerät sie völlig ins Hintertreffen. Ich kann in diesem Zusammenhang unmöglich alle Gründe aufzählen und erörtern, aus denen der deutsche Kommunismus gerade in einer Epoche versagt, in der manche wesentliche Voraussetzungen erfüllt sind, die ihm zu einem Sieg hätten verhelfen müssen. Genug, wenn feststeht, daß die deutsche kommunistische Partei (einschließlich ihrer Jugendorganisationen) durch die Abhängigkeit von Moskau in einer tragischen Weise an der Freiheit ihrer Entschließungen verhindert wird, ja, nachgerade sich zu entschließen verlernt; daß sie sich in unfruchtbaren Auseinandersetzungen mit der Sozialdemokratie verzehrt; daß sie, gleichsam hypnotisiert durch den sozialdemokratischen Gegner, niemals die deutsche Gesamtlage bedenkt; daß sie, im Banne einer ausgeleierten, teilweise überalterten Terminologie, die revolutionären Kräfte der mittelständischen Jugend nicht nur nicht erkennt, sondern sogar zurückstößt usw. Erst in der letzten Zeit hat die radikale Linke versucht, dem Nationalismus Zugeständnisse zu machen und sich auch sonst den bürgerlichen Revolutionären ein wenig zu nähern; aber diese Konzessionen sind schon von den bürgerlichen Rivalen diktiert und überdies der kommunistischen Mentalität nur äußerlich aufgepfropft.

Auf der anderen Seite die Jugend im bürgerlichen Lager, die sich zwar in ihrer überwiegenden Mehrheit vom Kommunismus abgestoßen fühlt,

ihm aber nichts Rechtes entgegensetzen zu können scheint. Das zeitweise Schwanken dieser Jugend und die Ohnmacht, von der sie sich manchmal befallen fühlt, spiegeln sich in der Gegenwartsliteratur wider. Man täuscht sich vielfach über die Schrumpfung der Zwischenschichten hinweg und versucht eine Mitte aufrechtzuerhalten, der keine soziale Realität mehr entspricht. So wendet sich der Held des erwähnten Romans von Georg Schäfer in katholischem Sinn gegen die Radikalen von rechts und von links; so sind die ebenfalls erwähnten Familienmitglieder Pitts in ihren Gesprächen auf Ausgleiche bedacht, die in die Richtung einer bürgerlichen Demokratie weisen. Ziemlich unentschieden verhält sich auch jener Teil der Jugend, der an sich zu einer Verbindung mit dem Proletariat neigte. Zum Wortführer dieser Jugend hat sich Alfred Döblin in seiner Schrift: »*Wissen und Verändern. Offene Briefe an einen jungen Menschen*«[9] gemacht. Er übt in ihr namens des Sozialismus eine scharfe Kritik am Parteikommunismus und erteilt dem Vertreter der von ihm angesprochenen bürgerlichen Jugend den folgenden Rat: »Sie, geehrter Herr, können Ihr prinzipielles Ja zu dem Kampf (des Proletariats) nicht exekutieren, indem Sie sich in die proletarische Front einordnen. Sie müssen es bewenden lassen bei der erregten und bitteren Billigung dieses Kampfes, aber Sie wissen auch: tun Sie mehr, so bleibt eine ungeheuer wichtige Position unbesetzt ...: die urkommunistische der menschlichen individuellen Freiheit, der spontanen Solidarität und Verbindung der Menschen ... Diese Position, geehrter Herr, ist es, die als einzige Ihnen zufällt.« Wie sich der geehrte Herr in einer solchen Position behaupten soll, hat Döblin allerdings nicht gesagt.
Obwohl es nach alledem scheint, als zerfalle die bürgerliche Jugend, als sei sie nicht dazu imstande, ihre revolutionäre Energien in Parolen und Forderungen umzusetzen, gelingt es ihr schließlich doch, sich einigermaßen zu sammeln und jedenfalls den jungen Kommunisten das Terrain streitig zu machen. Schon allein dank des natürlichen Schwergewichts, das sie, eben als bürgerliche Jugend, in Deutschland besitzt. Man werde sich klar über ihre Situation. Zunächst einmal bedeutet der jungen Generation des Mittelstands die Arbeitslosigkeit ein viel einschneidenderes Erlebnis als dem proletarischen Nachwuchs. Weiß dieser von vornherein, daß ihm der Übergang in die industrielle Reservearmee unter Umständen nicht erspart bleibt, so erfährt jene zum ersten Mal am eigenen

Leib, daß es so etwas wie eine industrielle Reservearmee überhaupt gibt. Eine erschütternde Erfahrung, die den Glauben an das bürgerlich-kapitalistische Gesellschaftssystem gründlich zu zerstören vermag. Sie ist der bürgerlichen Jugend durchaus eigentümlich und verknüpft sie daher nicht nur mit dem Proletariat, sondern trennt sie zugleich auch von ihm ab. Denn das Wie einer Erfahrung ist mindestens so entscheidend wie ihr Inhalt. Gesteigert wird der Drang der mittelständischen Jugend nach Selbstbewahrung noch dadurch, daß sie aus einer Schicht kommt, die seit alters eine Hauptstütze des Staates und der legitime Träger der großen deutschen Kulturtraditionen ist. Man bringt bestimmte Voraussetzungen mit, die in der Romantik, der deutschen idealistischen Philosophie usw. wurzeln, man hat ein geprägtes Wesen, das sich gegen willkürliche Veränderungen sträubt. Es ist zu verstehen, daß eine solche Jugend nicht einfach dem Lockruf der Kommunisten folgt, wenn sie vom Schicksal der Proletarisierung getroffen wird, sondern die revolutionäre Situation auf eine Weise zu bewältigen versucht, die ihren geistigen Herkünften entspricht. Das fahrlässige Verhalten vieler Kommunisten, alle bürgerlichen Begriffe als Ideologien zu brandmarken und abzutun, hat sich bitter gerächt. Wie wenig die junge bürgerliche Generation trotz der materiellen Verelendung gesonnen ist, ihre besondere Existenzform preiszugeben, beweist z. B. das Buch von Franz Matzke: *»Jugend bekennt: so sind wir!«*[10] Es ist ein ziemlich gleichgültiges Buch, in dem von Gott und der Welt die Rede ist, aber auf seine einzelnen Formulierungen kommt es auch lange nicht so sehr an wie auf die Tatsache, daß es dem so und so gearteten Sein der bürgerlichen Jugend Geltung verschaffen möchte. Aus Angst, sich zu verlieren, verstocken sich Teile der bürgerlichen Intelligenz sogar und geben sich noch rückschrittlicher, als sie vielleicht sind. Sie beziehen sich auf Stefan George, den sie vergröbern, sie versteigen sich, wie Lothar Helbing in seiner Schrift: *»Der Dritte Humanismus«*[11] es tut, zu Gedankengängen, die den rechtsbürgerlichen, kulturreaktionären Faschismus verklären. Mag aber auch das Gros der bürgerlichen Jugend diesem Beispiel nicht folgen: es hütet sich doch davor, sein Dasein mit dem proletarischen zu identifizieren. Zweifellos ist hier eine Art von Selbstschutz im Spiel. Der Kommunismus in Deutschland hat tatsächlich alle Gehalte angegriffen, die nun einmal zum ererbten geistigen Bestand der jungen bürgerlichen Generation gehören. Er setzt dem

Glauben an die Persönlichkeit einen Kollektivismus nach russischem Muster entgegen, widerstrebt dem Eingriff irrationaler Mächte, scheint durch seinen Materialismus den Sinn der idealistischen Haltung leugnen zu wollen usw. Vielleicht hätte die proletarisierte Jugend des Mittelstandes den Marxismus weniger verkannt, wenn dieser elastisch genug gewesen wäre, ihrer angestammten Art entgegenzukommen. So aber empfindet sie ihn als einen Fremdkörper und wird durch seinen Anprall nur noch mehr dazu bestimmt, sich selber ungebrochen zu bejahen. Nicht so, als ob sie übersähe, daß sie sich heute nahezu in derselben ökonomischen und sozialen Situation wie die Arbeiterjugend befindet; sie ringt sich jedoch immer spürbarer zu der Überzeugung durch, daß sie diese Situation lediglich auf Grund ihrer eigenen Traditionen meistern könne. Und indem sie sich so, wie sie ist, durchzusetzen trachtet, gewinnt sie, vorerst wenigstens, die Oberhand über die Jugend sämtlicher Schichten.

Wie verschieden immer die Vorstellungen seien, die von der zur Zeit ideologisch führenden deutschen Jugend gehegt werden, sie stimmen in einigen Hauptpunkten durchaus überein. Gemeinsam ist allen Kreisen dieser Jugend die Hinwendung zum nationalen Gedanken, die sich oft mystisch übersteigert. Sie ist nicht nur eine Reaktion auf den verlorenen Krieg und die unglückselige Zersplitterung in eine Vielzahl von Parteien, sondern entspringt in ihren glühendsten Formen wohl auch dem Bedürfnis einer um ihre Hoffnungen gebrachten Jugend, ihre eigene, so fragwürdig gewordene Existenz durch die der Nation bestätigt und erhöht zu wissen. Das Nationale ist ihr nicht so sehr ein objektives, scharf umrissenes Ziel, als eine Phantasmagorie, die aus ihrem Innern hervorbricht und ihm einen Horizont schenken soll ...

Doch ich begnüge mich hier mit dieser Andeutung und betrachte lieber eine andere Tendenz, die mir interessanter als die nationalistische zu sein scheint. Es ist die antikapitalistische. Man wird sich darüber Rechenschaft abzulegen haben, daß heute die ganze deutsche Jugend leidenschaftlich den Kapitalismus bekämpft, den sie für den Quell ihrer Leiden hält, und daß sie auch insofern mit dem Kommunismus zusammengeht, als sie den Liberalismus mit Stumpf und Stiel ausrotten will. In der Tat: das junge Deutschland hat die Idee eines deutschen Sozialismus ausgebildet, der sehr merkwürdige Züge aufweist. Sein entscheidender ist unstreitig der: daß er die marxistische Klassenkampflehre kategorisch verneint. So muß es auch sein. Denn einmal hat die arbeitslose Jugend des Mittelstands hinreichend erfahren, daß die Wirtschaftskrise keine Unterschiede zwischen Bürgersöhnen und Arbeitersprößlingen macht, und zum andern kann sie, die doch ihr Wesen zu behaupten trachtet, unmöglich eine Theorie anerkennen, durch die sie bestenfalls zur Nachhut des Proletariats entwertet würde. Es ist der Traum dieser Jugend, daß sich aus ihr im Rahmen der Nation ein einheitlicher sozialistischer Menschentyp entwickle, der die vom Marxismus fälschlich postulierten Klassengegensätze Lügen zu strafen vermag. Ernst Jünger, einer der neuen Nationalisten, huldigt in seinem vieldiskutierten Buch *»Der Arbeiter. Herrschaft und Gestalt«*[12] dem Glauben, daß ein solcher Typus – er nennt ihn den »Arbeiter« – [in Entwicklung][13] begriffen sei. Und zwar drängt nach Jünger die Gestalt des Arbeiters darauf hin, die liberale Gesellschaftsdemokratie durch die Arbeits- oder Staatsdemokratie zu ersetzen und den Übergang von der heutigen »Werkstättenlandschaft«, in der noch anarchisch und zusammenhanglos experimentiert wird, zur »Planlandschaft« zu vollziehen. Rußland und Italien sind wohl die vagen Muster dieses Zukunftsreiches. In ihm verwandelt sich, immer nach Jünger, die Technik aus einem seine Gebraucher mißbrauchenden Instrument ziellosen Fortschritts in ein Instrument planmäßiger Herrschaft. Sie erfüllt überhaupt erst dann die ihr zubestimmte Funktion, wenn sie nicht wie heute noch teilweise dem individuellen Belieben dient, sondern »ein Mittel zur Mobilisierung der Welt durch die Gestalt des Arbeiters« wird. Das ferne Ziel, auf das Jünger schaut, ist die »planetarische Planung«, die eines Tages die einzelstaatlichen Planungen ablösen mag …

Weniger abseitig als die übrigens ausgesprochen kriegerische Zukunftsvision Jüngers sind die Gedanken, die Günther Gründel in seinem 1932 erschienenen Werk: *»Die Sendung der Jungen Generation. Versuch einer umfassenden revolutionären Sinndeutung der Krise«* ausführt. Dieses neuerdings ins Französische übertragene Buch[14] enthält meines Wissens die umfassendste Darstellung jenes deutschen Sozialismus, den das junge Deutschland heute zu verwirklichen strebt. Selbstverständlich lehnt auch Gründel von vornherein den Marxismus und seine Klassenkampftheorie ab. Er erklärt, daß sich nach dem Krieg die Kluft zwischen Arm und Reich nicht so sehr zwischen dem Unternehmer und dem Arbeiter als zwischen den Großverdienern und dem depossedierten Mittelstand vertieft habe, und fährt dann fort: »Das Ganze wurde für den Marxismus eine falsche Rechnung: die meisten der ›Expropriierten‹ dachten gar nicht daran, nun auch Marxisten und begeisterte proletarische Klassenkämpfer zu werden. Es entstand – vor allem in den Herzen der enterbten Bürgerjugend – ein ganz neuer, unproletarischer, unklassenkämpferischer Sozialismus, der endlich – und das war das Entscheidende – den bürgerlichen Wirtschaftsmaterialismus konsequent verneinte; während große Teile des ›sozialistischen‹ Proletariats ... geistig verbürgerten.« Außer diesem einen Grundzug arbeitet Gründel aber noch einen weiteren heraus, der für den Sozialismus der jungen Generation nicht minder charakteristisch ist. Ich meine den Versuch Gründels, einen Kollektivismus zu entwickeln, in dem das Individuum, oder wie man in Deutschland auch sagt: die Persönlichkeit zu ihrem vollen Recht kommt. Mit anderen Worten: er erstrebt einen organischen Sozialismus, einen, der das Individuum wohl zum Glied der Gemeinschaft macht, aber es nicht in ihr verschwinden läßt. Immer wieder wird betont, daß die grundsätzliche Freiheit der persönlichen Initiative erhalten bleiben müsse, daß die Aufrechterhaltung eines gewissen persönlichen Eigentums zur Erzielung einer gut funktionierenden Wirtschaft unumgänglich sei. Eine solche Konzeption – und sie allein – leistet der Jugend des Mittelstands Genüge, die viel zu tief in der deutschen Vergangenheit verankert ist, um einen Kollektivismus anerkennen zu können, der den persönlichen Einsatz ausschalten würde. Von jeher hat sich diese Jugend das ideale Gemeinwesen als einen Organismus vorgestellt, der sowohl dem Ganzen wie dem Einzelmenschen das Seine gibt. Auch heute tauchen die alten Forderungen wieder auf; nur daß sie jetzt nicht wie früher so oft der Reaktion, sondern der sozialistischen Durchgestaltung des deutschen Lebens zugute kommen sollen. In breiten Analysen konfrontiert Gründel den »Besitzbürger« alten Stils mit dem neuen Menschen, die verworfene kapitalistische Demokratie mit dem ersehnten sozialistischen Reich, das die Menschenrechte der französischen Revolution durch die Menschenpflichten ergänzen werde. Schwärmerische Zukunftsperspektiven, die von einem redlichen Willen eingegeben sind. Zweifelhaft bleibt nur, ob sie sich wirklich auskonstruieren lassen, ob die Versöhnung zwischen Kollektivismus und Individualismus auf die von Gründel vorgezeichnete Weise gelingen kann.

Man erkennt jetzt vielleicht, warum die deutsche Jugend in die Nähe des Nationalsozialismus rücken, wenn nicht gar seinem »Zauber« erliegen muß. Der Nationalsozialismus hat sich faktisch ihre Zielsetzungen weitgehend zu eigen gemacht und sie in die Tat umzusetzen versprochen. Dennoch sind ihm – das verdient hier ausdrücklich bemerkt zu werden – gerade die besten Vertreter des jungen Deutschland keineswegs auf allen seinen Wegen gefolgt. Der »Tat«-Kreis sucht seine Unabhängigkeit zu bewahren, und die Zirkel um Jünger, Hielscher, Schauwecker usw. halten sich heute noch abseits.[15] Auch Gründel zieht Grenzen. Er erwartet sich zwar vom Triumph des Nationalsozialismus einen »echten Volkssozialismus«, kritisiert aber nicht nur das nationalsozialistische Wirtschaftsprogramm, sondern wendet sich ebenso entschieden gegen den Rassenfanatismus. »Der Antisemitismus wird bei Hitler integral«, sagt er einmal, »und bis zur fixen Idee ausgebildet.« Solche Stimmen sind in der jungen Generation häufiger, als man gemeinhin ahnt.
Wird Hitler den Glauben der deutschen Jugend erfüllen? Nach seinen Handlungen zu schließen, scheint er ihn enttäuschen zu wollen. Er gibt sich mit dem Erreichten einstweilen zufrieden, er verbietet die »zweite Revolution«, sie, um derentwillen ihn die Jugend der Nation an die Macht gebracht hat. Ob das junge Deutschland auf diese »zweite Revolution«, die ja erst seine eigene wäre, verzichten wird oder nicht, läßt sich heute noch nicht absehen. Gewiß gärt in der deutschen Jugend eine ewige Unruhe; aber es gilt auch zu bedenken, daß ihre Unruhe eben ewig ist und sich daher entweder überhaupt nicht mit der Wirklichkeit oder provisorisch mit vielen Wirklichkeiten abfinden kann.
(Typoskript aus KN, undatiert [1933])

1 Bei dem folgenden Text handelt es sich um die deutschsprachige Originalfassung (Typoskript, KN) des Aufsatzes, der am 26. 8. 1933 u. d. T. »A propos de la jeunesse allemande« in französischer Übersetzung in der Zeitschrift *L'Europe Nouvelle* erschien.
2 Die in der Bücherverbrennung vom 10. 5. 1933 gipfelnde »Aktion wider den undeutschen Geist« (siehe Nr. 741) begann am 10. April mit dem Aushang eines 12 Thesen umfassenden Plakats durch die Deutsche Studentenschaft, das unter anderem forderte, daß Juden nur noch in hebräischer Sprache publizieren sollten.
3 Siehe Nr. 683, dort auch Anm. 3.
4 Siehe Nr. 683, dort auch Anm. 1.
5 Siehe Nr. 719, dort auch Anm. 4.
6 Siehe Nr. 640, Anm. 1.
7 Siehe Nr. 661.

8 Siehe Nr. 726.
9 Siehe Nr. 550 und 582.
10 Siehe Nr. 536.
11 Siehe Nr. 692.
12 Siehe Nr. 682.
13 Ergänzung d. Hrsg. nach der publizierten französischen Übersetzung.
14 Günther Gründel, *Die Sendung der Jungen Generation.* Versuch einer umfassenden revolutionären Sinndeutung der Krise. München: C.H. Beck 1932; frz.: *La mission de la jeune génération.* Paris: Plon 1933. Siehe zu diesem Buch auch Nr. 751.
15 Zu Ernst Jünger siehe Nr. 682, zu Friedrich Hielscher Nr. 713, dort auch Anm. 2, zu Franz Schauwecker Nr. 713, Anm. 3, zum »Tat«-Kreis Nr. 615, dort auch Anm. 1.

# 742a. Conclusions [Bestandsaufnahme][1]

## I.

Nachdem das nationalsozialistische Deutschland eine Judenverfolgung eingeleitet hat, die an Umfang und Organisationskunst ihresgleichen sucht, und zwangsläufig zur völligen Austreibung der Juden bzw. zu ihrer Internierung in ein neues Ghetto führen muß – in diesem denkwürdigen Augenblick, in dem wieder ein Abschnitt der jüdischen Geschichte zu Ende geht, fällt den deutschen Juden die selbstverständliche Verpflichtung eines Rechenschaftsberichtes zu. Nicht so, als ob das vorliegende Heft ihn bereits enthalten könnte; bedarf es doch einer ausgedehnteren Muße als der heute gewährten, um etwa den Anteil der Juden am Gesamtleben Deutschlands erschöpfend festzulegen und auf die Ereignisse nicht nur zu reagieren, sondern sie wirklich zu ermessen. Aber die hier vereinigten Aufsätze erfüllen eine andere Aufgabe, und zwar genau die jetzt geforderte: die Aufgabe einer ersten Orientierung, wie sie Menschen obliegt, die vom Weg abgetrieben und gefährdet sind. Was ist mit uns gewesen, fragen die Autoren des Hefts, daß ein solches Schicksal uns heimsuchen darf, und was wird fortan einmal mit uns sein? Und gerade, weil sie zum überwiegenden Teil nicht aus der Sicherheit Geretteter heraus reflektieren, sind ihre Antworten so aufschlußreich. Denn als Ortsbestimmungen, die mitten auf der Flucht den schwierigsten Verhältnissen abgerungen werden, erlangen sie nicht zuletzt auch den Wert von Bekenntnissen, in denen die Unmittelbarkeit sich regt und Eindrücke sich mit Ahnungen fruchtbar vermischen.

## II.

Aus nahezu sämtlichen Aufzeichnungen geht *eine* Tatsache unwiderleglich hervor: daß die Juden aus der deutschen Geschichte der letzten hundert Jahre schlechterdings nicht wegzudenken sind. Kaum wird ihnen durch die Emanzipation die Teilnahme am kulturellen Leben Deutschlands ermöglicht, so bereichern sie dieses durch Leistungen, die längst zu seinem festen Bestande gehören. »La naissance de la science allemande moderne«, schreibt Bernard Kwal in seinem Aufsatz über die mathematischen und physikalischen Wissenschaften, »coincide ... avec l'émancipation des Juifs allemands«.[2] So verhält es sich auch auf andern Gebieten. Ein Entwicklungsprozeß, der Ergebnisse zeitigt, in denen der jüdische Einschlag so vollständig mit dem deutschen verschmilzt, daß man die Elemente gar nicht mehr säuberlich voneinander trennen kann. Erst die Anklagen, die das jetzige Deutschland den Juden entgegenschleudert, zwingen diese zur Gegenrechnung; das heißt, zum Aufweis der positiven Rolle, die das Judentum faktisch in Deutschland gespielt hat. Sie berührt wie ein Wunder. Zahllose ruhmbedeckte Namen entsteigen dem summarischen Rückblick dieses Heftes, und ihre Träger, Juden und Judenstämmlinge [sic], drängen sich alle in dem kurzen Zeitraum von Moses Mendelssohn an bis zur Gegenwart zusammen. Kein Zweifel: wenn das vergangene Deutschland die Juden in seiner Mitte aufgenommen hat, so ist ihm der Dank dafür – aber wie sollte bei gegenseitigem Empfangen und Geben von Dank überhaupt die Rede sein können? – mit Zinsen und Zinseszinsen abgestattet worden. Denn die Juden, gleichviel, wo immer sie standen, haben ja nicht nur gewirkt, was sie eben ihren Anlagen nach wirken mußten, sondern Deutschland geliebt und in allen entscheidenden Fällen bewußt seiner Sache gedient. Jüdische Kaufleute waren die Pioniere ihres Vaterlandes, jüdische Schriftsteller erläuterten es der Welt. Auch davon ist in diesem Heft wieder und wieder die Rede. Daß der Liebesbund für den einen Partner nicht selten tragisch endete, steht auf einem anderen Blatt.

## III.

Und nach alledem dieser gewaltsame Bruch? Noch ist er, infolge der Plötzlichkeit seines Vollzugs, unwirklich wie ein Traum, noch sind die Geschlagenen viel zu gelähmt, als daß sie ihn zu fassen vermöchten. Das hindert nicht, daß alle Aufsätze um ihn kreisen, und in manchen von ihnen gar versucht wird, das Unbegreifliche vielleicht doch begreiflich zu machen. Gelingt der Versuch? Der eine oder andere Verfasser richtet seinen Blick auf das Verhalten der deutschen Juden selber und räumt bereitwillig gewisse Schwächen ein, die man kennt. Aber hätte man auch die problematische Existenz der jüdisch-deutschen Bourgeoisie deutlicher gekennzeichnet, als es tatsächlich geschehen ist: die Katastrophe wäre damit keineswegs zureichend erklärt. Ein gesichertes Resultat des Heftes ist viel eher, daß sie sich aus der Daseinsweise des deutschen Judentums überhaupt nicht erklären läßt. Verschiedene Autoren machen darauf aufmerksam, daß die Juden in allen Parteien und Lagern zu finden gewesen seien, und mit besonderem Nachdruck wird überall die nationalsozialistische Legende vom jüdischen Geist der Zerstörung widerlegt. Der Politiker weist nach, daß die Legende, insofern sie sich gegen den Marxismus wendet, auf der völligen Unkenntnis des Werkes von Marx beruht, der Mediziner bemerkt, daß sich die jüdischen Ärzte ihre angesehene Stellung durch Arbeit und Fleiß ehrlich verdient hätten, der Naturwissenschaftler rühmt die unermüdliche Intuition und wohltuende Aktivität der jüdischen Forscher, der Kunstgeschichtler gibt die begründete Erklärung ab, daß es schwerfallen dürfte, die Juden für die sogenannte »Zersetzung der deutschen Kunst« zur Verantwortung zu ziehen. Wichtig ist in diesem Zusammenhang die Abhandlung Paul Bekkers,[3] der Felix Mendelssohn und Joseph Joachim[4] als die großen Erzieher der deutschen Musiker und des ganzen deutschen Musiklebens preist. Sähe man übrigens selbst vom Inhalt der Aufsätze ab, so genügte schon ihre Haltung, um den Vorwurf zu entkräften, daß sich im Judentum destruktive Tendenzen verkörperten. Hier fehlt jenes verblendete Ressentiment, das auf der anderen Seite oft vorherrscht, hier schwingt die Bitterkeit enttäuschter Liebender nur als Unterton mit. Aber die Juden sind freilich seit Tausenden von Jahren im Leiden geübt, und ihre Weisheit ist teuer erkauft …

## IV.

Es versteht sich von selbst, daß im Interesse der Einbeziehung des Geschehens in den historischen Ablauf nicht nur am eigenen Wesen, sondern auch an dem Deutschlands herumgedeutet wird. Als vermöchte man dadurch die Brutalität des Stoßes zu mildern, so sucht man seine geheimen Ursachen zu ermitteln; ohne daß im übrigen die Erhellung glückte. Die Unbegreiflichkeit des Ereignisses wird durch die Betrachtung der Täter genau so wenig aufgehoben wie durch die ihrer Opfer. Immerhin sind einige Formulierungen aufklärend genug. So stimmt es gewiß, daß das deutsche Volk – aus Gründen, die in ihm selber liegen – die für sein kulturelles Dasein ungemein bedeutungsvolle jüdische Leistung ins Unbewußte verdrängt und dort in Widerstand umgewandelt hat (G.[eorg] Bernhard).[5] Eine Interpretation, die durch die Lewisohns ergänzt wird, der die »heidnische Revolte« des nationalsozialistischen Deutschland aus dem Mangel an Selbstvertrauen ableitet, von dem die Deutschen seit jeher befallen seien.[6] In dem Rassefanatismus und dem Judenhaß erblickt er, durchaus folgerichtig, nichts anderes als die Überkompensation eines Minderwertigkeitskomplexes, der sich nach dem verlorenen Krieg besonders fühlbar machen mußte. Man könnte sogar noch einige Oberflächenmotive hinzufügen, die für die Hartnäckigkeit der antisemitischen Regierungsaktion bestimmend sind: das Bedürfnis, den Parteigenossen möglichst viele freie Stellen zu bieten, und die Notwendigkeit, die unzufriedenen Massen durch terroristisches Schaugepränge über die Tatsache hinwegzutäuschen, daß die »zweite Revolution« nicht mehr vollzogen worden ist. Und doch sind alle diese Deutungen zusammen der Gewalt des Vernichtungswillens nicht gewachsen, der das heutige Deutschland – und möglicherweise nicht erst das heutige – den Juden gegenüber beseelt. Wahrscheinlich kann man ihm überhaupt nicht ganz mit psychologischen, ökonomischen oder sozialen Kategorien beikommen, sondern muß ihn auf die metaphysische Situation des deutschen Volkes zurückführen. Sie besteht, kurz gesagt, darin, daß dieses schwierige, große Volk in einer unerträglichen Spannung zwischen begrenzter Wirklichkeit und unendlicher Idee lebt und bisher weder vermocht hat, diese zu verkörpern, noch jene transparent zu machen. Vergleichbar ist aber die hier gemeinte Spannung nach Art und Tiefe nur der vom Judentum erfahrenen. Beide Völker begegnen sich annähernd auf derselben Ebene, beiden wird, wenn auch auf grundverschiedene Weise, das Wirkliche zum Problem. Indem nun die Deutschen, vielleicht aus panischer Angst vor ihrer Verflüchtigung, sich vorläufig entschlossen haben, das bloß-natürliche, rassische So-sein zum obersten Prinzip zu erheben, sind sie freilich dazu gezwungen, den Juden als ihren Gegenspieler auszukonstruieren. Mit ihm allein stoßen sie am Ort ihrer Verzweiflung zusammen, und mythisch versteckt, wie sie sind, hassen sie in ihm ihr von ihnen preisgegebenes besseres Selbst.

V.

Daß dem so sei, verrät das ominöse Wort vom zersetzenden jüdischen Geist, auf das hier noch einmal zurückgekommen werden muß. Dieses Wort entspringt ungefähr der gleichen Haltung, die das Gedankengut der Aufklärung zum »Aufkläricht« herabzuwürdigen sucht, und fälscht genau jenen jüdischen Wesenszug in sein Gegenteil um, der auf Erlösung ausgerichtet ist. Es ist der Zug zur Sprengung rein naturbefangenen Seins. In mehreren Aufsätzen erhält er, der den Rassegläubigen als teuflisch erscheint, seine eigentliche Funktion zugeteilt. Er stellt sich in Existenzformen dar, die den einen Verfasser vom »wahrhaftigen, hohen Menschentum« der Juden,[7] den andern von ihrer »faculté de s'adonner sans réserves aux idées abstraites«[8] zu sprechen nötigen. Er manifestiert sich als das unablässige Streben, den Schwachen und Ausgebeuteten zu helfen. Er steckt, wie Ernst Simon zeigt,[9] gleichmäßig in den zwei divergierenden Tendenzen zum deutschen Nationalstaat und zum Kosmopolitismus, die nach ihm darum beide von vielen Juden verfochten worden sind, weil diese in einem einheitlichen großen deutschen Reich unauffälliger aufzugehen hofften als in den kleinen, mit starkem Lokalkolorit versehenen Ländern, und gar erst in der Gemeinschaft der ganzen Menschheit ihren Platz endlich gesichert glauben. In der Tat: Solange sich noch die blind sich selber setzende Natur ungebrochen behaupten darf und in ihrem Namen Menschen, Klassen und Völker geknebelt werden, sind die in die Zerstreuung geschickten Juden zu ewiger Wanderschaft verdammt. Daß sie, eben kraft ihres messianischen Zuges, immerwährend danach drängen, das Natürliche den sanften Bedingungen der Vernunft unterzuordnen, die pure Willkür zu beseitigen und das Unrecht zu tilgen, geschieht um der Erlösung der Menschen zur Menschheit willen; aber an deren Erlösung ist die ihre geknüpft. »Die wirkliche Heimat des Ewigen Juden«, schreibt Wolf Franck, »kann nur die ganze Welt sein, wie sie jedes Menschen Heimat sein muß. Wenn sich die menschliche Gesellschaft einmal über alle Unterschiede hinaus zu dieser Ordnung emanzipiert haben wird, dann und nur dann wird auch das jüdische Problem endgültig gelöst sein.«[10]

## VI.

Es hat noch seine Zeit bis dahin. Einstweilen trotzt Deutschland den Einsichten seiner eigenen großen Denker, die vielleicht am kühnsten (wenn auch am abstraktesten) die sture Macht des Bloß-Seienden geleugnet haben, gibt dieser Macht die Ehre und verschließt sich mythisch in sich selber. Indem es die Juden austreibt und den jüdischen Geist verneint, der nicht nur jüdisch ist, läßt es seine Mission im Stich, um die außer den Juden kaum ein anderes Volk so klar gewußt hat, wie gerade das deutsche. (Vergl. z. B. den Brief Goethes an Carlyle, 1827: »Offenbar ist das Bestreben der besten Dichter und ästhetischen Schriftsteller aller Nationen schon seit geraumer Zeit auf das allgemein Menschliche gerichtet. In jedem Besondern, es sei nun historisch, mythologisch, fabelhaft, mehr oder weniger willkürlich ersonnen, wird man durch Nationalität und Persönlichkeit hindurch jenes Allgemeine immer mehr durchleuchten und durchschimmern sehen. Da nun auch im praktischen Lebensgang ein gleiches obwaltet und ... überall einige Milde zu verbreiten trachtet, so ist zwar nicht zu hoffen, daß ein allgemeiner Friede dadurch sich einleite, aber doch, daß der unvermeidliche Streit nach und nach läßlicher werde, der Krieg weniger grausam, der Sieg weniger übermütig.«)[11]
Nun trennen sich die Wege. Werden sie einmal wieder zusammenkommen? Jedenfalls hängt fortan die Erlösung der Juden und damit der Menschheit im entscheidenden Sinne von einer durchgreifenden Selbstbesinnung Deutschlands ab.
(Typoskript aus KN, [1933])

1 Bei dem folgenden Aufsatz handelt es sich um die deutschsprachige Originalfassung (Typoskript, KN) des Artikels, der 1933 in französischer Übersetzung u. d. T. »Inventaire« und dem Pseudonym »Observer« in der Herbstnummer der Zeitschrift *Cahiers Juifs* (Nr. 5/6, S. 372-377) erschien. Die Zeitschrift *Cahiers Juifs. Revue paraissant tous les deux mois* wurde von Léon Palombo und Maxime Piha herausgegeben und erschien von Januar 1933 bis Juli 1936 zweimonatlich in Paris. Die Ausgabe vom September/November 1933 widmete sich dem Thema »L'Apport des Juifs d'Allemagne à la civilisation allemande« und umfaßte die Sektionen: »Notre Œuvre«, »Politique et vie sociale«, »Droit«, »Littérature«, »Philosophie«, »Sciences«, »Arts«, »Finance«, »Opinion publique«, »Industrie et commerce«, »Sport« und »Nazisme et civilisation«. Kracauers Artikel erschien in der letztgenannten Sektion.

2 Bernard Kwal, »Les Juifs allemands dans les Mathématiques et la Physique«. In: *Cahiers Juifs* 5/6 (1933), S. 226-237; frz.: »Die Geburt der modernen deutschen Wissenschaft [...] fällt mit der Emanzipation der deutschen Juden zusammen«.

3 Siehe Paul Bekker, »Juifs, éducateurs dans la musique allemande«. In: Ebd., S. 252-261.

4 Der österreichisch-ungarische Geiger, Komponist und Dirigent Joseph Joachim (1831-1907), ein enger Freund, musikalischer Berater und Förderer u. a. von Felix Mendelssohn und Johannes Brahms, war von 1852 bis 1866 als Königlicher Konzertmeister in Hannover tätig und wurde 1869 zum Gründungsrektor der Akademischen Hochschule für Musik in Berlin ernannt; im selben Jahr rief er das »Joachim-Quartett« ins Leben, das als das bedeutendste Streichquartett seiner Epoche galt.

5 Siehe Georg Bernhard, »Les Juifs dans la politique et les partis«. In: *Cahiers Juifs* (wie Anm. 1), S. 104-121.

6 Siehe Ludwig Lewisohn, »Racisme contre humanisme«. In: Ebd., S. 350-362.

7 Das Zitat ließ sich bislang nicht nachweisen.

8 Frz.: »Fähigkeit, sich vorbehaltlos abstrakten Ideen hinzugeben.« Das Zitat ließ sich bislang nicht nachweisen.

9 Siehe Ernst Simon, »Le Nationalisme allemand de 1770 à 1930«. In: *Cahiers Juifs* (wie Anm. 1), S. 122-134.

10 Wolf Franck, »Le Juif errant«. In: Ebd., S. 378-380, Zitat S. 380.

11 Goethe, *Brief an Thomas Carlyle vom 20. Juli 1827*. In: WA, IV. Abt., 42. Bd., S. 267-272, Zitat S. 268 f.

## 743. Deutsche Protestanten im Kampf[1]

Rez.: Karl Barth, *Theologische Existenz heute!* München: Chr. Kaiser 1933 (= *Zwischen den Zeiten*, Beiheft 2).

Während der Vatikan seinen politischen Frieden mit Hitler geschlossen hat,[2] regt sich innerhalb des deutschen Protestantismus der offene Widerspruch gegen die nationalsozialistische Ideologie und ihre praktischen Folgen auf religiösem Gebiet. Träger des Widerspruchs ist eine Gruppe radikaler protestantischer Theologen, die, unter Führung von Männern wie Karl Barth und Pfarrer Gogarten, schon seit Jahrzehnten die Erstarrung des offiziellen Kirchentums bekämpfen und die Lehre Luthers in ihrer ursprünglichen Reinheit erneuern möchten.[3] Es würde hier zu weit führen, das (in zahlreichen Schriften und polemischen Abhandlungen niedergelegte) Credo dieser Theologen zu entfalten. Genug, wenn feststeht, daß sie sich mit aller Schärfe gegen die Verflachung des modernen Protestantismus durch den deutschen Idealismus wenden und – nicht zuletzt auch von Kierkegaard beeinflußt – das ganze Schwergewicht auf den Einzelmenschen legen, der im Sinne Luthers das »Wagnis des Glaubens« unternimmt.

Die Ausschließlichkeit, mit der die Vertreter dieser Richtung den individuellen Glaubensakt in die Mitte des religiösen Lebens rücken, verwikkelt sie zwar in manche theologische Schwierigkeiten, befähigt sie aber auch zweifellos zum bewußten und kompromißlosen Einsatz ihrer Person. Es ist daher gewiß kein Zufall, daß sich unter allen Theologen gerade *Karl Barth* heute mit einer seltenen Unerschrockenheit öffentlich als Gegner der herrschenden nationalsozialistischen Lehren bekennt. Barth, der als Theologieprofessor in Bonn wirkt, hat vor kurzem unter dem Titel: *»Theologische Existenz heute!«* eine Streitschrift erscheinen lassen, die in den schlagkräftigsten Formulierungen die Freiheit der evangelischen Kirche verteidigt. Sie beweist, daß der Geist der Reformation noch in Deutschland lebendig ist. Und angesichts der Tatsache, daß über 2000 deutscher Pastoren aus demselben Geist heraus gegen die Vergewaltigung der Kirche durch die nationalsozialistischen Maßnahmen protestiert haben, wird man die Tragweite dieses Pamphlets nur schwer überschätzen können.[4]

Seinen rein theologischen Absichten gemäß greift Barth nirgends die nationalsozialistische Bewegung oder gar Hitler selber an, dessen Führerschaft er im Gegenteil als vollendete Tatsache anerkennt, sondern beschränkt sich darauf, die Kirche *innerhalb* der Kirche zu verteidigen. Das hindert ihn nicht, sich mit der nationalsozialistischen Politik insofern auseinanderzusetzen, als diese die Kirche zu ihrem Instrument machen will. Schonungslos geißelt er die bekannte *Kirchenreform*, die nichts anderes als die Unterwerfung der Kirche unter die staatlichen Machtziele bezweckt.[5] Und zwar tritt er ihr mit dem Argument entgegen, das vom Standpunkt des Evangeliums aus zwingend ist: daß die Kirche sich nur auf Grund ihres eigenen Ermessens organisieren könne. Wie er kraft dieses Argumentes dem Autoritätsprinzip seine Anerkennung versagt, so bestreitet er auch die Legitimität einer Reform, die der Kirche von außen her aufgezwungen worden ist. Damit ist nichts Geringes erreicht. Denn indem Barth die Kirchenpolitik der Hitler-Regierung so eindeutig ablehnt, weist er zugleich die Idee des »totalen Staates« zurück, in der diese Politik verankert ist. Das heißt, er entkräftet die nationalsozialistische Ideologie selber, zu deren Hauptbegriffen gerade der des »totalen Staates« gehört.

Nun stützt sich Hitler, wie man weiß, auf die »Bewegung« der *»Deutschen Christen«*, die sich, vom jetzigen Reichsbischof Müller geleitet, tatsächlich innerhalb der Kirche entwickelt hat.[6] Die »Deutschen Christen« bilden gewissermaßen die religiöse Garde Hitlers, und ihnen allein ist es zuzuschreiben, wenn heute die nationalsozialistischen Grundsätze im Rahmen der kirchlichen Organisation zur Anwendung gelangen. Diskutiert Barth mit diesen sonderbaren Glaubensbrüdern? Er ist der Ansicht, daß ihre Meinungen die Mühe einer Widerlegung gar nicht verlohnen. Statt sich auf eine Diskussion einzulassen, von der er sich überdies keinen Nutzen verspricht, stellt er vielmehr in seinem Pamphlet der Doktrin der »Deutschen Christen« einige Thesen entgegen, die lediglich dem Schutz der Reinheit des Evangeliums dienen. So kennzeichnet er die Forderung einer »deutschen«, d.h. arischen Kirche als unchristlich; so erklärt er bündig, daß das Ende der Kirche gekommen sei, wenn sie sich, dem Verlangen der »Deutschen Christen« folgend, in den Dienst des »Dritten Reiches« begebe. Ein Verdikt, das nicht vernichtender sein könnte! Es gipfelt in Behauptungen wie diesen: daß die meisten »Bewe-

gungen« – gemeint ist natürlich die »Bewegung« der »Deutschen Christen« – vom Teufel abstammten und daß die Kirche besser daran täte, in die Katakomben zu gehen als eine Doktrin anzunehmen, die den Ausschluß getaufter Juden und die Souveränität des Staates über die Kirche proklamiere.
Wahrhaftig, Barth macht reinen Tisch. Und übt sein Pamphlet auch begreiflicherweise noch keine sichtbare Wirkung aus, so wohnt ihm doch eine Sprengkraft inne, die sich früher oder später entladen muß.

## Note[7]

Da nach der Machtergreifung Hitlers das Frankfurter »Institut für Sozialforschung« geschlossen wurde, mußte auch die von dem Institut herausgegebene *Zeitschrift für Sozialforschung* ihr Erscheinen in Deutschland einstellen.[8] Nach kurzer Pause erscheint sie jetzt wieder neu: und zwar im Verlag der Librairie Félix Alcan (Paris), die sich dankenswerter Weise dazu entschlossen hat, die Zeitschrift als wissenschaftliches Organ in deutscher Sprache fortzuführen. Das erste Heft der Zeitschrift, deren Redaktion in die Genfer Zweigstelle des Instituts für Sozialforschung verlegt worden ist, enthält interessante Beiträge von Max Horkheimer, Leo Löwenthal, Julian Gumperz, Jeanne Duprat usw. und einen ausführlichen Besprechungsteil, zu dessen Mitarbeitern u. a. C.[élistin] Bouglé, Georg Lukács, Paolo Treves und A.[lexandre] Koyré gehören. Um die deutschen Abhandlungen dem internationalen Publikum zugänglicher zu machen, sind ihnen kurze Inhaltsangaben in französischer und englischer Sprache angehängt.
(Typoskript aus KN, undatiert [1933])

1 Der folgende Text ist die deutschsprachige Originalfassung (Typoskript, KN) des Aufsatzes, der in französischer Übersetzung u. d. T. »Résistance de protestants allemands« am 18. 11. 1933 in der Zeitschrift *L'Europe Nouvelle* erschien.
2 Gemeint ist das am 20. 7. 1933 im Vatikan unterzeichnete Reichskonkordat, das die Rechtsbeziehungen zwischen Katholischer Kirche und Deutschem Reich regelte.
3 Zu Barth und Gogarten siehe Nr. 108, dort auch Anm. 1, sowie Nr. 130 und Nr. 217; zu Gogarten siehe auch Nr. 187. Das Bündnis, das die beiden Theologen im Zeichen des Projekts einer Überwindung der liberalen und historistischen Theologie des 19. Jahrhunderts zugunsten einer dialektischen Theologie des »Wortes Gottes« eingegangen waren, wa

nicht von Dauer. Im Verlauf der zwanziger Jahren kam es zunehmend zu Spannungen und Entfremdungen, die 1933 zum Bruch und zur Einstellung des Erscheinens der Zeitschrift *Zwischen den Zeiten*, des publizistischen Organs der dialektischen Theologie, führten.

4 Nachdem am 6. 9. 1933 die Generalsynode der Evangelischen Kirche der altpreußischen Union die Arisierung des Geistlichenstandes und der Kirchenbeamtenschaft beschlossen hatte, gründete sich am nächsten Tag in Berlin der Pfarrernotbund, der gegen diese Maßnahmen eintrat und binnen weniger Wochen über 2000 Mitglieder zählte; seine Aktivitäten beschränkte er allerdings auf innerkirchliche Angelegenheiten. Er gilt als Keimzelle der im Folgejahr gegründeten Bekennenden Kirche.

5 Im Juli 1933 schlossen sich die protestantischen Landeskirchen zur Deutschen Evangelischen Kirche zusammen, die mehrheitlich mit dem Nationalsozialismus sympathisierte und durch die Wahl eines Reichsbischofs mit Hitlers Unterstützung das Führerprinzip in der evangelischen Kirche durchsetzen wollte.

6 Die Deutschen Christen waren eine innerprotestantische nationalsozialistische Kirchenpartei, zu deren Zielen die Germanisierung und »Entjudung« des christlichen Glaubens (z.B. durch Verwerfung des Alten Testaments) sowie die Bildung einer einheitlichen Reichskirche anstelle der unabhängigen Landeskirchen gehörte. 1932 gegründet und 1933 kurzfristig stärkste innerprotestantische Fraktion, zerbrachen die Deutschen Christen bald darauf an Differenzen in den eigenen Reihen. Der Theologe und Militärgeistliche Ludwig Müller (1883-1945) trat 1931 in die NSDAP ein, gehörte 1932 zu den Mitbegründern der Deutschen Christen und wurde nach der Machtergreifung zum Berater Hitlers in Kirchenfragen. Im September 1933 zum Reichsbischof der Deutschen Evangelischen Kirche gewählt, konnte er sich allerdings in den Landeskirchen nicht dauerhaft durchsetzen.

7 Die nachfolgend abgedruckte »Note« fehlt in der Druckfassung der *L'Europe Nouvelle*.

8 Das Frankfurter Institut für Sozialforschung (siehe Nr. 165, dort auch Anm. 1) wurde im Juli 1933 aufgelöst. Die Emigration, die Max Horkeimer als neuer Direktor seit 1932 vorbereitet hatte, führte über die Zwischenstationen Genf und Paris 1934 an die Columbia University in New York. Finanziell war das Weiterleben durch universitäre Stiftungskonstruktionen gesichert. Die *Zeitschrift für Sozialforschung* erschien von 1933 bis 1938 (Jahrgang 2 bis 7) im Verlag F. Alcan. Die beiden letzten Jahgänge wurden unter dem englischen Titel *Studies in Philosophy and Social Science* im New Yorker Eigenverlag veröffentlicht. Das Institut wurde 1950 als private Stiftung in Frankfurt a.M. wiedereröffnet.

# 744. Eine intellektuelle Anpassung an den Hitlerismus[1]

Rez.: Oswald Spengler, *Jahre der Entscheidung*. Bd. 1: *Deutschland und die weltgeschichtliche Entwicklung*. München: C.H. Beck 1933.

## I

Als erster Teil eines großangelegten Werks, das unter dem Titel »*Jahre der Entscheidung*« angekündigt wird, ist vor kurzem Oswald Spenglers »*Deutschland und die weltgeschichtliche Entwicklung*« erschienen. Der Auseinandersetzung mit diesem Buch, von dem eine französische Ausgabe in Vorbereitung ist,[2] muß eine allgemeine Bemerkung vorangeschickt werden. Die neue Studie setzt eine ganze Reihe vergleichbarer Veröffentlichungen fort, in denen Spengler den Versuch unternimmt, die Tagesereignisse zu verfolgen und sie im Licht der historischen Perspektiven zu deuten, die er in seinem Hauptwerk »*Der Untergang des Abendlandes*«[3] skizziert hat. Nun gleicht sich jedoch nichts weniger als die historische bzw. philosophische Betrachtung vergangener Jahrhunderte und die minuziöse Analyse der Gegenwart. Im ersten Fall geht es um die Darstellung von großen historischen Epochen, d.h. um den Entwurf eines Gesamtbildes, dem man die Vernachlässigung von Details nicht vorwerfen kann; im zweiten Fall um die Untersuchung kurzer Zeitabschnitte, die noch in der Entwicklung begriffen sind und die man nicht beurteilen kann, wenn man nicht auch die unscheinbarsten Begebenheiten berücksichtigt. Während im ersten Fall vor der Fülle der Probleme die parteilichen Leidenschaften verschwinden, mischen sich bei der Analyse der Gegenwart vitale Interessen und tagespolitische Vorurteile ein, und es entsteht ein konfuses Gemenge, dem häufig genug jede Objektivität fehlt. Anders gesagt: die Kriterien sind verschieden je nachdem, ob es sich um die Geschichte oder die Gegenwart handelt. Kein Wunder also, daß sich Spengler beim Versuch, beides auf einen gemeinsamen Nenner zu bringen, d.h. die brennende Aktualität unmittelbar in Historie zu überführen, unfreiwillig in zahlreiche Widersprüche verstrickt. So weicht der dekadente Nihilismus aus dem »*Untergang des Abendlandes*« einem heroischeren Gefühl; so tritt der Begriff des organischen Wachstums der Kulturen sichtlich in den Hintergrund; so häufen sich in endloser Folge die Richtigstellungen, die Vorbehalte und Erläuterungen, und zwar derart, daß die Gesamtkonzeption oftmals hinter dem Wust an Zusätzen verschwindet, wenn diese ihr nicht überhaupt widersprechen. Ein trauriges Schicksal, das zwangsläufig all jene ereilt, die mit der Lupe und dem Fernrohr gleichzeitig hantieren.

Es wäre zweifellos zu einfach, die ganze Reihe dieser Widersprüche aufzuzählen, die um so schwerer wiegen, als sie nicht nur die gedankliche Grundlage des Verfassers betreffen, der immer wieder in Konflikt mit seinen eigenen Schlußfolgerungen hinsichtlich der Gegenwart gerät, sondern sich auch zwischen den verschiedenen Schlußfolgerungen selbst auftun. So möchte Spengler in seinem neuen Buch z. B. den engen Zusammenhang der Begriffe »Preußentum« und »Sozialismus« leugnen – einen Zusammenhang, den er erst vor zwei Jahren in seiner Schrift *»Preußentum und Sozialismus«*[4] hergestellt hatte. Freilich, um einen Historiker wie ihn zu widerlegen, genügt es nicht, eine gewisse Unschärfe und Unstimmigkeit seines Denkens aufzuzeigen. Dies um so weniger, als Spenglers Werk keineswegs eine logische und solide Beweisführung ist, sondern eine visionäre Deutung. Bekanntlich zeichnet sich eine *Vision* dadurch aus, daß sie sich ungeachtet aller logischen Unzulänglichkeiten durchzusetzen und zu behaupten vermag. Worin aber besteht die Kraft einer solchen Vision, wenn nicht in der Haltung, dem Charakter, letztlich dem Menschen, der sie in die Welt setzt? Es geht also letzten Endes und wesentlich um eine Kritik der Ideologie des Autors.

## II

Um nicht mehr darauf zurückkommen zu müssen und ihm die Ehre zu geben, die ihm gebührt, sei gleich zu Beginn auf Spenglers mutige Haltung gegenüber den nationalsozialistischen Machthabern im Reich hingewiesen. Gewiß, die unbestreitbare Zivilcourage gehört zu den Berufsmerkmalen des unfehlbaren Historikers, der daran gewöhnt ist, mit den Jahrhunderten zu jonglieren. Und der Autor ist weit davon entfernt, sich vom Hitlerregime loszusagen. Erklärt er nicht ausdrücklich: »Der nationale Umsturz von 1933 war etwas Gewaltiges ...«? Doch trotz dieser Zustimmung grosso modo mangelt es nicht an Kritik, in der Spengler seine grundlegende Skepsis gegenüber dem von den Nationalsozialisten bislang Erreichten zum Ausdruck bringt. Er ist noch Aristokrat oder zumindest treuer Anhänger des alten Preußentums genug, um nicht einen erheblichen Teil der Praktiken und Vorstellungen, die derzeit in Ehren sind, abzulehnen. Spengler geht sogar so weit, den nationalsozialistischen Triumph auf die Versprechen zukünftiger Siege zurückzuführen, die ebenso lautstarke wie grobe Propaganda zu kritisieren, die Vorrangstellung der Außenpolitik zu behaupten sowie schließlich und vor allem seine Verachtung des Rassenwahns zu bekunden. Doch gerade weil Spengler wiederholt die Bedeutung betont hat, die er dem Begriff der »Rasse, »der starken Rasse«, zuschreibt, sieht er sich genötigt, seinen Begriff der Rasse von dem *körperlich-organisch* und *erblich* geprägten der Nationalsozialisten scharf abzugrenzen. »Rassenreinheit«, so schreibt er, »ist ein groteskes Wort angesichts der Tatsache, daß seit Jahrtausenden alle Stämme und Arten sich gemischt haben.« Indem er versucht, seinen »eigenen Rassismus« genauer zu definieren, unterscheidet er seinen Standpunkt deutlich von dem der orthodoxen Nationalsozialisten. Er spricht in diesem Zusammenhang von »Rasse, die man hat, nicht (...) Rasse, zu der man gehört«. Und seine Schlußfolgerung ist bei aller Kürze nicht ganz unzutreffend: »Das eine ist Ethos, das andere – Zoologie.« Allerdings muß man feststellen, daß sich die *ethische* Darstellung des Begriffs der Rasse bei Spengler der zoologischen Interpretation annähert, insofern er immer wieder die Vorzüge der »germanischen« oder »nordischen« Rasse hervorhebt, die er für die willensstärkste hält. Das bedeutet aber, daß der Abgrund, der sich Spengler zufolge zwischen seinem und dem Hitlerschen Rassismus auftut, gegebenenfalls überbrückt werden könnte.

III

Was das zentrale Thema seines neuen Buches betrifft – die weltpolitische Lage –, so weiß man aus seinen früheren Schriften, daß Spengler die Ära der »faustischen Kultur« für beendet hält und ein Zeitalter von Weltkriegen vorhersagt, in dem sich eine ganze Plejade von cäsarischen »Führern« die Weltherrschaft streitig macht. (Spengler scheint Mussolini zu den Auserwählten zu zählen, denn er scheut sich nicht, ihn als »Herrenmenschen wie die Condottieri der Renaissance« zu bezeichnen.) Diesen altbekannten Vorstellungen wird in der neuesten Untersuchung des deutschen Historikers nichts Wesentliches hinzugefügt. Spengler zeichnet sich allerdings hier wie überhaupt dadurch aus, daß er sich der Gegenwart zuwendet und sie sich zunutze macht, indem er einzelne ihrer Züge hervorhebt und interpretiert, die seine Lehre zu rechtfertigen vermögen. Seiner Ansicht nach steht die Weltentwicklung heute im Zeichen von zwei Weltrevolutionen, der *weißen* und der *farbigen*. Die weiße Revolution ist für ihn gleichbedeutend mit der Zerstörung der vorrevolutionären hierarchischen Gesellschaft durch den Liberalismus und den Marxismus; einer systematischen Zerstörung, die im 18. Jahrhundert einsetzte und bis heute fortdauert. Nichts könnte ungebrochener, nichts primitiver sein als sein Haß auf alle bürgerlichen und sozialistischen Revolutionen, nichts erbitterter als sein Kampf gegen sie. Er begreift sie als die Früh- und die Spätform, als Anfang und Ende einer einheitlichen Bewegung. Ausgehend von diesem Verständnis scheut er sich nicht, einfach zu behaupten, daß die Demokratie des 19. Jahrhunderts letztlich nichts anderes als Bolschewismus gewesen sei. Seine übrigen Bemerkungen zur »weißen« Revolution beschränken sich auf die übelsten Schimpftiraden. Er macht sie verantwortlich für den Untergang der Kultur, die Auflösung des Staates, den Zerfall der hierarchischen Gesellschaft, ohne sich auch nur einen Augenblick bei den Gründen und Folgen aufzuhalten. Die Berufsrevolutionäre gehören für ihn zur intellektuellen Kanaille, die Arbeiterführer sind Gangster, Gewerkschaftler sind Neider, die sich im Luxus der anderen einrichten wollen; die Moral des Klassenkampfes erklärt er kurzerhand zum »parasitischen Egoismus der Minderwertigen«. Das übrige ist von gleichem Kaliber. Nicht der geringste Vorwurf, den er der »weißen« Revolution macht, ist, daß sie die sich derzeit vorbereitende Revolution der Farbigen nach sich zieht. Die »farbige« Revolution sei nämlich das Ergebnis der Politik hoher Löhne, die den weißen Arbeitern zum Vorteil gereiche und die abendländische Industrie zwinge, »aus dem Bereich der weißen Gewerkschaftsdiktaturen in Länder mit niedrigen Löhnen« zu wandern, einer Politik, die gegenwärtig, durch die Vermittlung des zum europäischen Sozialismus konvertierten Rußland, die weiße Welt ernsthaft gefährde. Für Spengler hat der Sieg der russischen Bolschewiken seine Bedeutung einzig und allein darin, daß er Rußland ermöglicht, Asien zu beherrschen – nicht etwa, das kommunistische Programm zu verwirklichen. »Dies Bolschewistenregiment«, so schreibt er, »ist ein tartarischer Absolutismus, der die Welt aufwiegelt und ausbeutet«. Es gibt für ihn keinen Zweifel, daß die neue politische und soziale Propaganda, durch die Moskau auf China und Indien ausstrahlt, die europäische Kultur bis in ihre Grundfeste bedroht, zumal der Aufstand der Farbigen durch weiße Revolutionäre unterstützt werde.

Zum Schluß stellt sich Spengler die Frage nach den geistigen und materiellen Kräften, die es der weißen Welt ermöglichen könnten, der asiatischen Gefahr standzuhalten. Eine Frage, die um so erstaunlicher ist, als sie von einem Philosophen gestellt wird, dessen Hauptwerk sich ganz dem Nachweis widmet, daß der Untergang der abendländischen Kultur nur noch eine Frage der Zeit sei. Doch der Fatalismus, den Spengler damals bezeugte, läßt sich nur schwer mit dem offiziellen Optimismus im heutigen Deutschland vereinbaren; und der Verfasser bemüht sich selbstverständlich, das Spiel nicht zu verderben. Daher nennt er Gründe, die zu Hoffnung Anlaß geben: er, der uns einst den Tod durch Erschöpfung prophezeit hatte, spricht heute von den unermeßlichen Möglichkeiten der germanischen Rasse und scheut sich nicht zu behaupten, Deutschland sei berufen, in der cäsarischen Welt von morgen eine vorherrschende Rolle zu spielen. Und warum gerade Deutschland? fragt sich Spengler. Weil, so die Antwort, Deutschland sich an den Grenzen zu Asien befände, weil Deutschland bis ins Blut von jenem »Preußentum« geprägt sei, das Spengler mit der »Stärke der Rasse« gleichsetzt, weil Deutschland noch unendlich jung, unendlich jungfräulich sei. Nun, das sind, zurückhaltend gesagt, Konstruktionen, die durch die mitgegebenen »Begründungen« in keiner Weise gestützt werden. Demnach liegt etwa der Grund für die sogenannte Jugend des deutschen Volkes in seiner kurzen politischen Vergangenheit, dank derer es das Beste seines Blutes und seiner Tugenden noch nicht verschwendet hat. Eine Schlußfolgerung, die um so erstaunlicher ist, als Spengler an anderer Stelle desselben Buches diese deutsche Vergangenheit als erbärmlich provinziell brandmarkt, ohne uns zu verraten, ob Provinzialismus ein besonders angezeigtes Regime wäre, um die Lebenskräfte eines Volkes zu erhalten, statt sie zu verschwenden.

## IV

Selbst wenn man so weit ginge, zuzugestehen, daß Spenglers neueste historische Inszenierung eine Reihe brillanter Beobachtungen und glänzender Vorhersagen enthält – was tatsächlich wohl kaum der Fall sein dürfte –, die eigentliche Bedeutung seines Buches wäre damit noch nicht bestimmt. Eine historische Interpretation ist letzten Endes nur dann von Wert, wenn die Tatsachen, auf die sie sich stützt, und die Zeugnisse, die sie auswertet, sachlich gültig sind. Wie geschickt auch immer der rote Faden gesponnen sein mag, eine willkürliche Interpretation der Geschichte, die auf einem Zusammenhang inhaltsleerer Begriffe beruht, wird zwangsläufig immer vergeblich sein.

Die grundlegenden Begriffe, mit denen Spengler operiert, sind von außerordentlicher Dürftigkeit. Und man hat den Eindruck, daß sie um so leerer werden, je weiter man sich vom *»Untergang des Abendlandes«* entfernt. Während wir in seinem Hauptwerk die aufeinanderfolgenden Kulturen in ihrer ganzen Breite an uns vorüberziehen sehen, spielen die »kulturellen« Probleme in seinem jüngsten Buch nur noch eine ganz untergeordnete Rolle. Es ist die Unbegreiflichkeit an sich, die hier vergöttert wird. Der »späte Mensch hoher Kulturen«, heißt es an einer Stelle, »erträgt (...) nicht (...) den unerbittlichen Gang der Dinge, den sinnlosen Zufall, die wirkliche Geschichte mit ihrem mitleidlosen Schritte durch die Jahrhunderte.« Spengler wendet sich voller Verachtung von dem Kulturmenschen ab, um sich ganz der Betrachtung des einzig wahren Werts, der Vitalität, hinzugeben. Der Mensch ist für den Autor des *»Untergangs des Abendlandes«* nur in dem Maße von Bedeutung, als er Raubtier ist. Er will nur die Stärke, nur den »gesunden« Instinkt, nur die Rasse, den Willen zu Besitz und Macht als bewegende Kräfte der Geschichte anerkennen. Eine Apologie des primitiven Lebens, die blind ist für die elementarsten Begriffe, eine Absage an den Geist – darin besteht Spenglers Beitrag. Er begnügt sich nicht damit, den Geist zu verneinen, er verfolgt ihn mit seinem Haß, seiner Ranküne, seiner Eitelkeit, wie Klages, nur mit erheblich geringerer Kraft.[5] So beschwört er etwa den »tristen Zug der Weltverbesserer« herauf, »der seit Rousseau durch die Jahrhunderte trottete«, und gefällt sich darin, den Philosophen und Politikern, die nach Gerechtigkeit, Glück und Frieden streben, die folgende unüberbietbare Herausforderung ins Gesicht zu schleudern: »Das erhoffte Leben in Glück, Frieden, ohne Gefahr, in breitem Behagen ist langweilig, greisenhaft und ist außerdem nur denkbar, nicht möglich.« Die geistige Vaterschaft Nietzsches scheint unbestreitbar. Und doch, welch ein Abgrund zwischen dem Meister und dem Epigonen! Die Lehre vom Übermenschen und vom Willen zur Macht, die von Nietzsche in seiner furchtbaren [sic] Auseinandersetzung mit dem Christentum formuliert wurde und in seinem finalen Wahnsinn ein notwendiges Korrektiv fand, reduziert sich beim Schüler auf ein beliebiges ornamentales Motiv, wobei es jede Berechtigung verliert, es sei denn die einer psychologischen Reaktion auf eine vage pazifistische Ideologie. Spengler verwirft auch ohne die geringsten Skrupel das christliche »Leiden«, ohne das die Lehre vom »Übermenschen« nicht zu verstehen ist; ebenso setzt er sich über den Rationalismus hinweg, den Nietzsche nur bekämpfte, weil er ihn ganz gelebt hat. Was bedeutet dann aber die Verherrlichung des Instinkts für das Gebet [sic], des Rassismus usw., wenn sie isoliert und mithin ihres Inhalts entleert ist. Diese grundlose Vergötterung der Barbarei räumt dem primitivsten Instinkt den Vorrang gegenüber dem Intellekt ein und dem »willkürlichen Zufall« die Vorherrschaft über den freien Willen, sie setzt alle geistigen Werte der Menschheit zu bloßen Idolen herab. Indem er derart die Größe der Barbarei proklamiert, ohne auch nur wahrzunehmen, aus welchen geistigen Quellen sich der »Barbarismus« Nietzsches nährt, nimmt Spengler in jeder Beziehung die Haltung des *kleinbürgerlichen Philisters* ein, der die Stärke vergöttert, weil er anders seine Unterlegenheit nicht kompensieren kann, und der mit der Faust auf den Tisch haut, weil ihm »all diese Finessen« schlicht mißfallen. Diese eitlen Prahlereien sind tatsächlich kennzeichnend für den aufgewiegelten Kleinbürger. Und muß noch daran erinnert werden, daß die Helden, von denen Spengler mit Achtung spricht, beispielsweise der wohlwollend erwähnte Lenin, keineswegs die Vorstellungen von Glück, Gerechtigkeit und Frieden verwarfen, die er nach Belieben glaubt lächerlich machen zu können?

Die Leere der philosophischen Grundbegriffe Spenglers läßt natürlich auch sein historisches Schema nicht unberührt. Niemand wird ihm die Intuition, den Sinn für die großartige, häufig blendende Synthese geschichtlicher Ereignisse absprechen wollen. Doch auch eine nicht weiter vertiefte Studie der Spenglerschen Geschichte erlaubt die Feststellung, daß die Unzulänglichkeit des Ausgangspunkts die Gesamtkonstruktion prägt. Zuweilen ist das Tableau verführerisch, aber es bleibt infolge der Dürftigkeit der Prinzipien, auf denen es beruht, immer oberflächlich. An wirklichem historischen Gehalt mangelt es, wie sich an zahlreichen Beispielen zeigen läßt, fast durchgehend. So wird etwa die Frage nach den Ursprüngen der marxistischen Theorie des Klassenkampfes mit der bemerkenswerten Feststellung erledigt: »Marx ist ein gescheiterter Bürger (...), daher sein Haß gegen das Bürgertum«. Ist nicht der ganze Spengler in dieser unverschämten Anmaßung enthalten, die durchaus nicht vereinzelt dasteht, vielmehr immer wieder in ähnlich lapidaren und ähnlich leeren Formeln zum Ausdruck gelangt? Die beinahe systematische Verkehrung von Ursache und Wirkung ist nicht minder charakteristisch für diesen Historiker, der immerhin vorgibt, die »bewegenden Mächte« der Geschichte ein für allemal dargestellt zu haben. So schreibt er etwa den Enzyklopädisten und entsprechenden Bewegungen die historische Verantwortung für den Sturz des Absolutismus zu, statt die Heraufkunft der Demokratie mit dem inneren Zerfall der absolutistischen Monarchie in Verbindung zu bringen – einen Zerfall, den er um keinen Preis zugeben würde.

Es scheint im übrigen ebenso müßig, sich bei diesen Details aufzuhalten wie bei der Widerlegung der apokalyptischen Visionen, die die »farbige Revolution« von morgen umrahmen, ganz zu schweigen von den geradezu lächerlichen Ansichten Spenglers über die französische Nation. Es genügt, auf gewisse Unstimmigkeiten in seinem historischen Werk hingewiesen zu haben, die das unsichere Fundament zum Einsturz bringen. Möglicherweise ist es Spengler gelungen, das zu beschreiben, was man als die Hefe der Geschichte bezeichnen könnte. Die wahre Geschichte ist jedoch von einer Weite, die zu umfassen die Spenglerschen Kategorien niemals ausreichen können.

(*L'Europe Nouvelle*, 25. 11. 1933)

1 Der folgende Aufsatz ist der einzige der in *L'Europe Nouvelle* erschienenen Artikel Kracauers, von dem sich kein deutschsprachiges Original in KN erhalten hat. Zitate aus der rezensierten Schrift Spenglers werden im folgenden im Wortlaut der Erstausgabe wiedergegeben.

2 Oswald Spengler, *Années décisives*. L'Allemagne et le développement historique du monde. Übers. von R. Hakedel. Paris: Mercure de France 1934.
3 Siehe Nr. 682, dort Anm. 3.
4 Die Schrift erschien bereits 1920 im Verlag C. H. Beck (München).
5 Zu Klages siehe Nr. 215, Anm. 2.

## 745. Der enthüllte Kierkegaard

Rez.: Theodor Wiesengrund Adorno, *Kierkegaard*. Konstruktion des Ästhetischen. Tübingen: J. C. B. Mohr 1933.

Ehe ich auf das Werk: »*Kierkegaard. Konstruktion des Ästhetischen*« von *Theodor Wiesengrund Adorno* näher eingehe, muß ich vorausschikken, daß es der Verfasser mir in Freundschaft zugeeignet hat.[1] Wenn ich trotz dieser Widmung nicht schweigend beiseite stehe, sondern das Buch hier öffentlich anzeige, geschieht es aus einer doppelten Erwägung heraus. Einmal hätte ich mich zu der vorliegenden Arbeit auch dann bekannt, wenn ihr Verfasser mir fremd wäre; zum andern bedarf sie wegen mancher Schwierigkeiten einer Einführung, die niemand besser als der mit dem Material und seiner Durchgestaltung schon ohnehin Vertraute leisten kann. So verderblich ein Cliquenwesen ist, das sich rein auf persönliche Beziehungen gründet, so nötig scheint es mir doch zu sein, daß Menschen, die in sachlicher Hinsicht gleich oder ähnlich gerichtet sind, ihre Zusammengehörigkeit auch wirklich demonstrieren.
Das Buch Wiesengrunds ist mehr, als sein Titel besagt. Vor allem deshalb, weil seine an Kierkegaards Werk geübte philosophische Kritik zugleich eine sehr eingreifende Kritik am *späten idealistischen Denken* darstellt. Tatsächlich besteht die entscheidende Entdeckung Wiesengrunds darin, daß Kierkegaard nicht, wie die bisherige Forschung im allgemeinen angenommen hat, das idealistische System Hegels aus den Angeln hebt, sondern dem Idealismus genau so verfallen ist wie Hegel selber. Die Existenzphilosophie Kierkegaards, deren protestantischer Einschlag in diesem Zusammenhang wohl zu Recht zurücktritt, wird von Wiesengrund als eine geschichtlich bedingte Endform des Idealismus enthüllt –

eines Idealismus, der sich zwar im Christentum auslöschen will, aber dieses in Wahrheit vor der Zeit unterbindet.
Zur Evidenz erhoben ist diese Grundthese in Analysen, die mit außerordentlichem Geist und bewundernswerter Umsicht durchgeführt sind. Verbietet es sich hier auch, ihnen im einzelnen zu folgen, so möchte ich doch wenigstens einige Hauptmotive der Untersuchung hervorheben. Einer ihrer wichtigsten Gegenstände ist der Begriff der Innerlichkeit, mit dem Kierkegaard durchgehend operiert. Indem dieser die »Innerlichkeit« bzw. das »Selbst« des existierenden Menschen in die Mitte rückt, glaubt er die Abstraktheit oder auch die Scheinkonkretheit der idealistischen Systeme brechen und zum Wahren in seiner ontischen Fülle vorstoßen zu können. Er nimmt nicht gleich den idealistischen Denkern an, daß sich die Wahrheit dem puren Bewußtsein eröffne, daß also Identität zwischen Sein und Denken bestehe, sondern schaltet das existentielle Selbst dazwischen, von dessen Einsatz er die Erlangung der Wahrheit abhängig macht. »Wie zur Kantischen Thesis ist zur Hegelschen Synthesis Kierkegaards Entwurf die genaue Antithesis. Gegen Kant verfolgt er den Plan konkreter Ontologie; gegen Hegel den einer solchen, die nicht dem bloß Seienden erliegt, indem sie es in sich aufnimmt. Darum revidiert er den Prozeß des nachkantischen Idealismus: er gibt den Anspruch der Identität preis.« Aber vermag das existierende Selbst Kierkegaards wirklich die in den nachkantischen idealistischen Systemen vorausgesetzte Identität zu zerreißen und die Gewinnung der Wahrheit zu garantieren? Wiesengrund zeigt, daß es seine Mission darum nicht erfüllen kann, weil es blind und ohne Gegenstand ist. Faktisch hat Kierkegaard die »Innerlichkeit« von der Objektwelt ganz isoliert. »Es gibt bei Kierkegaard ... nur isolierte, von der dunklen Andersheit eingeschlossene Subjektivität.« Und: »Nur Trümmer des Seienden rettet Subjektivität im Bilde des konkreten Menschen. In ihren schmerzlichen Affekten trauert sie als objektlose Innerlichkeit wie den Dingen so dem ›Sinn‹ nach.«
Diese Bestimmungen sind das Fundament einer Kritik, die weit ausgreift. Ihr ergibt sich nicht zuletzt eine treffende soziologische Interpretation der Innerlichkeit. Und zwar wird der Rückzug in diese aus dem Zustand der beginnenden hochkapitalistischen Epoche erklärt, in der alle Dinge und Inhalte mehr und mehr zu Waren werden und an die Stel-

le ihres eigentümlichen Werks ihr Tauschwert tritt. Kierkegaard, dessen soziale Position die »des Privatiers in der ersten Hälfte des neunzehnten Jahrhunderts« ist, analysiert die gesellschaftlichen Verhältnisse seiner Zeit nicht, sondern stellt sich ihnen naiv »entgegen im Namen der verlorenen Unmittelbarkeit, die er in Subjektivität behütet«. Die absolute Innerlichkeit wird ihm gleichsam zur romantischen Insel, auf die er flieht, um dem »Sinn« zu begegnen, der in der Außenwelt nicht mehr zu finden ist. Selbstverständlich tritt die periphere, soziologische Betrachtung des Phänomens der Innerlichkeit hinter der eigentlich philosophischen zurück, die den Begriff des »Interieurs« auswertet. Immer wieder entnimmt Kierkegaard dem Interieur der bürgerlichen Wohnung Gleichnisse, die sich auf die Innerlichkeit beziehen. Wiesengrund lockt ihnen ihren geheimen Hintersinn ab. So weist er nach, daß Kierkegaards Bild des Interieurs die völlige Abgeschlossenheit von der Außenwelt kundtut; daß es in eine Schwermut getaucht ist, welche die Ferne des zum Punkt zusammengeschrumpften Selbstes von der Wahrheit verrät; daß seine Einrichtungsgegenstände – Tisch, Lampe, Teppich usw. – in einer für die gesamte Philosophie Kierkegaards ungemein aufschlußreichen Weise erscheinen. Der Abschnitt, der die von ihnen übernommenen Funktionen entfaltet, ist geradezu ein Meisterstück philosophischer Deutekunst. (Ich zitierte den folgenden Schlüsselsatz, der allerdings nur aus dem Zusammenhang heraus verstanden werden kann: »Im Interieur stellen historische Dialektik und ewige Naturmacht bei Kierkegaard ihr wunderliches Rätselbild.«)
Alle weiteren Gehalte von Kierkegaards Werk rücken ins Licht dieser Interpretationen. Wie Wiesengrund darlegt, daß die Affekte der Angst, der Verzweiflung usw. bei Kierkegaard Zeichen des verstellten, den Menschen abhanden gekommenen »Sinnes« sind, so arbeitet er, nicht minder einwandfrei, die Tatsache heraus, daß sämtliche Bemühungen Kierkegaards, mit Hilfe des Selbstes den verlorenen Sinn wiederzugewinnen, von vornherein scheitern müssen. Kierkegaards Sphärentheorie trägt idealistischen Charakter, und die von ihm postulierte existentielle Dialektik, die aus der ästhetischen Sphäre durch die ethische in die religiöse führen soll, bringt der Wahrheit nicht näher. Eine objektlose Innerlichkeit kann eben die wahren Objekte nicht treffen, sondern bleibt trotz ihres spirituellen Gebarens der dunklen, dumpfen Natur verhaftet. Das

Schwergewicht von Wiesengrunds Untersuchung liegt auf der Feststellung, daß Kierkegaards Innerlichkeit naturhafter, mythischer Art ist. Gerade dadurch, daß sie sich als rein geistig gibt und sich derart von der Natur absondern möchte, fällt sie dieser anheim. Bezeichnend hierfür ist etwa, daß Kierkegaard vom Selbst, das doch als geistig gedacht wird, in Bildern redet, die es mit Augen und Ohren begaben. »Indem aber der autonome Geist als leibhaft erscheint«, folgert Wiesengrund, »nimmt Natur vom Geist Besitz, wo er am geschichtlichsten auftritt: im objektlosen Innen«. Es entspricht nur dem mythischen Wesen des existierenden Selbstes, daß Kierkegaard immer von neuem die Wahrheit magisch zu beschwören trachtet. Aber sie stellt sich nicht wie irgendein Dämon der bannenden Formel. Und glaubt sich auch Kierkegaard vom Dichter zum religiosen Menschen dialektisch fortzubewegen, so kommt er doch in Wirklichkeit nie ans Ziel. »Die ... Wahrheit, in welche ... die Bewegung einzelmenschlichen Bewußtseins einströmen soll, wird in die Bewegung selbst hineingezogen ohne Möglichkeit von Unterscheidung.« Oder, wie Wiesengrund es auch einmal ausdrückt: das Selbst beharrt »in kreisender Wiederholung ... undurchsichtig vor der verstellten Wahrheit und außerstande, sie aus sich herauszusetzen ...«
Um das Selbst vor der kreisenden Wiederholung zu bewahren, läßt Kierkegaard es den Sprung ins Paradox vollziehen. Durch den Glauben ans Absurde soll sein Existierender zu jenem Heil kommen, das ihm die autonome Erkenntnis nicht verschafft. Das Paradox, in dessen Annahme sich der Geist selber besiegelt, ist der Schlußstein von Kierkegaards Philosophie. Indem sie so den Geist unters Joch des Glaubens zwingt, scheint ihr der Idealismus endgültig entthront und das Christentum aufgerichtet zu sein. Dieser Sprung ins Absurde jedoch erschließt nach Wiesengrund nicht die Fülle des Sinnes, sondern ist gleichbedeutend mit dem mythischen Opfer. Das heißt, der Kierkegaardsche Existierende entrinnt dem Idealismus keineswegs dadurch, daß er den radikalen Verzicht auf Erkenntnis leistet; sein radikaler Verzicht ist vielmehr eine Handlung, die noch durchaus ins Vorreich der in sich befangenen Natur gehört. Die Kreuzigung des idealistischen Systems entwächst, wie Wiesengrund ausgezeichnet interpretiert, nicht so sehr dem Glauben an den Gekreuzigten als dem ohnmächtigen Willen, die Selbstherrlichkeit der Vernunft zu besiegen. Sie, die als »unendliche bei Hegel alle Wirklichkeit

aus sich produzierte: als unendliche ist sie bei Kierkegaard die Negation jeder endlichen Erkenntnis; war mythisch dort ihre Allherrschaft, ist es hier ihre Allvernichtung«. Gerade das Opfer, das Kierkegaard der Vernunft abverlangt, bestätigt noch einmal unwiderleglich, daß er dem Idealismus verschrieben ist.

Zu solchen Ergebnissen gelangt Wiesengrund vermittels einer Methode, die ihnen an Bedeutung nicht nachsteht. Sie geht annähernd aus denselben Einsichten hervor, die auch den philosophischen Arbeiten Walter Benjamins (»Die Wahlverwandtschaften« und: »*Der Ursprung des deutschen Trauerspiels*«)[2] zugrunde liegen. Diesen Einsichten zufolge offenbart sich der Wahrheitsgehalt eines Werkes erst in seinem Zerfall, der seine etwa vorhandenen wesentlichen Elemente nach außen treibt. Der Totalitätsanspruch des Werks, sein systematisches Gefüge, wie überhaupt seine Oberflächenintentionen teilen das Schicksal alles Vergänglichen; aber wenn sie mit der Zeit hinschwinden, mag das Werk Züge und Konfigurationen aus sich hervortreten lassen, die wirklich Bilder des Wahren sind. Gemäß dieser, in einer bestimmten Metaphysik fundierten Auffassung wird die Interpretation vorwiegend die unscheinbaren, aus dem Vordergrund zurückgezogenen Gehalte einer gedanklichen oder künstlerischen Schöpfung zu belasten haben. Sie allein, die im Lauf der Geschichte immer deutlicher erscheinen, sind es, die einem Werk unter Umständen Dauer verliehen. Wiesengrund verfährt überall nach der hier gekennzeichneten Methode. Er nötigt die von Kierkegaard verwandten Bilder dazu, ihm Rede und Antwort zu stehen, und preßt den oft nur metaphorisch gemeinten Äußerungen Bekenntnisse ab, die als wichtige Beweismittel dienen können; einem Geheimpolizisten gleich, der nicht dem gestellten Alibi Vertrauen schenkt, sondern aus winzigen, vom Täter unbeachteten Indizien die Wahrheit rekonstruiert. Mit der Erkenntnis, daß diese immer nur schwache Spuren hinterläßt, die aus den Trümmern des von der Zeit in seiner Ganzheit gesprengten Werks herausgegraben werden müssen, hängt die andere zusammen: daß Kierkegaard noch am ehesten dort des Sinnes teilhaftig wird, wo er ihn nicht zu finden wähnt. In der ästhetischen Sphäre, die er um der religiösen Existenz, um des Sprunges ins Absurde willen preisgibt, kommt es nach Wiesengrund zu Aussagen, die weiter führen und inhaltsreicher sind als das Opfer der Vernunft, durch das der Verzweifelte seine Verzweiflung zu liquidieren hofft. Eben die von Kierkegaard als Merkmal ästhetischen Verhaltens verworfene Schwermut produziert Vorstellungen, Wünsche usw., die an den Sinn rühren, zu dem die Anerkennung des Paradoxes niemals verhilft.

Gewiß gibt Wiesengrund dafür, daß er Probleme löst, neue wieder auf. So meldet sich die dringliche Frage nach den Gehalten und der Gültigkeit der Philosophie selber an, die hier in Form von Kritik am Werk ist und dem in sich undifferenzierten Begriff des Mythischen einen derart großen Spielraum gewährt. Aber wie dem auch sei: dieses Buch hat einen bleibenden Wert. Es fixiert am Beispiel Kierkegaards mit außergewöhnlicher Denkkraft den geschichtsphilosophischen Ort des späten Idealismus und ist zugleich das Zeugnis einer philosophischen Methode, deren Fruchtbarkeit sich nicht leicht überschätzen läßt.

(Druckfahne der FZ [KN], undatiert [März/April 1933])[3]

1 Es handelt sich um Adornos Habilitationsschrift, die er 1931 bei dem Frankfurter Philosophen und Theologen Paul Tillich (siehe Nr. 616, dort auch Anm. 2) einreichte und 1933 in einer stark gekürzten Fassung publizierte. Die Widmung in der Erstausgabe (»Siegfried Kracauer meinem Freunde«) wurde in späteren Ausgaben umgestellt (»Meinem Freunde Siegfried Kracauer«). Siehe Theodor W. Adorno, *Gesammelte Schriften*. Hrsg. von Rolf Tiedemann. Bd. 2: *Kierkegaard*. Konstruktion des Ästhetischen. Hrsg. von Rolf Tiedemann. Frankfurt a. M.: Suhrkamp 1979, S. 8.

2 Benjamins Essay über »Goethes Wahlverwandtschaften« erschien erstmals 1924/25 in den *Neuen Deutschen Beiträgen*; wieder in: Ders., *Gesammelte Schriften*. Hrsg. von Rolf Tiedemann und Hermann Schweppenhäuser. Bd. I·1. Frankfurt a. M.: Suhrkamp 1974, S. 123-201. Zu Benjamins Schrift *Ursprung des deutschen Trauerspiels* (Berlin: Rowohlt 1928; wieder in: Ders., *Gesammelte Werke*, Bd. I·1, S. 203-430) siehe auch Nr. 403.

3 Über die Entstehung der Rezension und ihre Nicht-Veröffentlichung gibt der Briefwechsel zwischen Kracauer und Adorno Auskunft. Kracauer hatte sich die Rezension vorgemerkt, doch hatte die FZ wegen seiner Freundschaft mit Adorno Bedenken, sie ihm zu überlassen. Wie er Adorno am 21. 1. 1933 schrieb, bestand Kracauer jedoch »ultimativ darauf, das Buch zu erhalten, und man wird sich natürlich fügen.« (Theodor W. Adorno, *Briefe und Briefwechsel*. Hrsg. vom Theodor W. Adorno Archiv. Bd. 7: Theodor W. Adorno und Siegfried Kracauer, *Briefwechsel 1923-1933*. Hrsg. von Wolfgang Schöpf. Frankfurt a. M.: Suhrkamp 2008, S. 300 f.) Am 14. 2. bedankte sich Adorno für die Besprechung, von der Kracauer ihm entweder die Fahne oder, was wahrscheinlicher ist, das Typoskript zugeschickt hatte (vgl. ebd., S. 304 ff.), am 10. 4. fragte er nach, ob es möglich sei, den Titel in »Kierkegaard, neu gesehen« zu ändern (ebd., S. 397). Inzwischen war Kracauer bereits in Paris eingetroffen und hatte am 5. 4. von dem Verleger Heinrich Simon einen verklausulierten »Kündigungsbrief« (Kracauer an Selmar Spier, 6. 4. 1933, KN) erhalten. Spätestens dieser Bescheid dürfte auch über das Schicksal der Rezension entschieden haben. So schrieb Adorno am 15. 4. an Kracauer: »Daß Dein Aufsatz über

mich nicht erscheinen würde, hatte ich eigentlich vorausgesehen; es ist eine seltsame und traurige Bestätigung meines Instinkts. Übrigens ist der Brief Deines Chefs gegen mich eben so freundlich wie gegen Dich [...].« (Ebd., S. 308)

## 746. Döblins neues Prosawerk

Rez.: Alfred Döblin, *Unser Dasein*. Berlin: S. Fischer 1933.

*Alfred Döblins* neues Prosawerk: »*Unser Dasein*« ist ein sehr komplexes Gebilde, das nicht nur die Naturphilosophie des Dichters weiter ausbaut, sondern sich auch mit aktuellen Problemen einläßt und darüber hinaus ein bestimmtes Weltgefühl unmittelbar vergegenwärtigen möchte. Gedanke, Haltung und Ausdruck vermischen sich undurchdringlich in dem Buch, und seine Elemente entstammen den verschiedensten Sphären.

Was zunächst die *Naturphilosophie* betrifft, so beruht sie auf dem Satz, daß das Ich Stück und Gegenstück der Natur sei. Stück der Natur: d. h., daß in dem unzertrennlich zum Ich gehörenden Organismus alle Bestandteile der Welt vereinigt sind und zusammenwirken. »Vom Ich führen Brücken zur ganzen Realität.« Und: »Ich war Wasser und bleibe Wasser, ich war Erde und bleibe Erde ...« Oder, wie an einer anderen Stelle gesagt wird: »Wir tragen ... Tierisches, Pflanzliches, Mineralisches, Anorganisches in uns, und so baut sich das auf, was wir unseren Organismus nennen, der dann über alles noch die Tracht des Nervmuskelmenschen deckt.« Daß hier die alte romantische Lehre von den Entsprechungen aufklingt, geht unter anderem aus der Kunsttheorie Döblins hervor, der zufolge »die sonderbare Ähnlichkeit zwischen künstlerischen und Naturleistungen einen einfachen Grund hat, einen sehr einfachen, beschämend einfachen: der Mensch ist selbst Natur, nicht nur geschaffene, auch schaffende.« Diese Entsprechungen werden indessen nicht im Sinn der romantischen Philosophie gedeutet, sondern aus dem Walten der Natur bzw. der Welt erklärt. Ein starker, ungebrochener Pantheismus setzt sich bei Döblin durch. Indem er aber das Ich zum Produkt der Welt macht, zu einem Wesen ohne zukünftigen Abschluß, begegnet er genau denselben Schwierigkeiten wie Bergson. Denn es ist schlechterdings unmöglich, durch die Setzung der Natur als des Urgrundes das Phänomen des Geistes zu gewinnen und die dialektische Spannung zwischen dem »Ich« und der Natur befriedigend zu interpretieren.

Die fundamentale Behauptung, daß das Ich auch Gegenstück der Natur sei, ist also einfach hinzunehmen. Aus dem Instinkt heraus, daß sie auf Grund der phantheistischen Voraussetzungen philosophisch gar nicht zureichend abgeleitet werden könne, begnügt sich Döblin damit, die *Haltung* des mit der Welt verkehrenden Ichs zu bestimmen. Ausschlaggebend für sie ist das Faktum, daß das Ich, eben als Stück der Natur, unvollständig bleiben muß. (Nur die Annahme vom Primat des Geistes vermöchte auch wirklich dem Menschen ein letztes Ziel zu weisen.) Diese prinzipielle Unvollständigkeit menschlichen Tuns bedingt aber ein Verhalten, das rein dem konkreten Jetzt und Hier zugewandt ist. Durchaus folgerichtig lehnt Döblin den naiven Fortschrittsglauben und eine systematisch verfahrende Geschichtsphilosophie ab. Und zwar gelten sie ihm darum als perspektivische Verfälschung, weil sich nach seinen Prämissen das Handeln und Denken überhaupt nur in der engsten Tuchfühlung mit der Gegenwart bewähren kann. »Es gibt keinen von uns zu vollziehenden Plan.« Anderswo: »Wir leisten, was wir für nötig halten, das genügt uns – die heutige Abwendung des Unheils, Beseitigung eines Übels, Schaffung neuer Lagen.« Daher auch die Forderung kurzer, klarer Ziele: »Man muß vorbereiten und sein Sofort-Programm, d.h. sein Wissen und seinen Willen haben.« Zweifellos sind diese Vorschriften in pädagogischer Hinsicht sehr wichtig, arbeiten sie doch der bei uns herrschenden Neigung zum Doktrinarismus entgegen. Die Frage ist nur, ob eine wirklich konkrete Einstellung zum Jetzt und Hier nicht viel eher durch den geistigen Einsatz der Person als durch ihre naturalen Beschaffenheiten verbürgt wäre. Ein Sofort-Programm, das nicht in einem von der Vernunft visierten Plan oder Ziel gründet, entartet leicht zur blinden Aktion.

Mit Recht schreitet Döblin von der allgemeinen Haltungslehre zu ihrer Anwendung vor; denn die von ihm gemeinte Haltung erfüllt sich nur in der Praxis. Besonders interessant sind seine Ausführungen über das Judentum. Er kennzeichnet die Juden als Volk-Nichtvolk, lehnt sich auf gegen das verkümmerte Dasein, das sie seit unvordenklicher Zeit unter ihren Wirtsvölkern in der Diaspora führen, und verlangt von ihnen, daß sie sich verweltlichen. »In den Juden muß wieder das elementare Grundgefühl geweckt werden und seine ganze Fruchtbarkeit zeigen: meine Erde, mein Land ... Drei Dinge von entscheidender Aktivität wachsen aus diesem Grundgefühl: Freiheitsgefühl, Bautrieb, Verantwortlichkeit.« Nicht so, als ob er glaubte, daß die Juden einen Staat nötig hätten; wohl aber schlägt er die Schaffung einer »weltlichen jüdischen Zentrale« vor, die »den Schutz örtlich bedrohter Juden zu übernehmen und die jüdische Gesamtentwicklung zu dirigieren« habe. Im Augenblick dürfte allerdings dieses Projekt, über das manches zu sagen wäre, ebensowenig zu realisieren sein wie die Erwartung, daß sich der moderne Großstaat entmachte und die gegenwärtige scharfe Massenkonzentration zurückgedrängt werde. Döblin schränkt seinen Wunschtraum auch insofern gleich wieder ein, als er anerkennt, daß, zum mindesten heute noch, eine menschliche Ordnung nur mit Gewalt aufrechterhalten werden könne.

Das Buch schlägt eine Gangart ein, die bezeugt, daß sein Autor sich nicht zuletzt selber als ein Stück Welt fühlt. Er läßt sich von seiner Natur treiben, im Vertrauen darauf, daß sie ihn richtig lenkt. Die Struktur des Werks ist organisch, ja vegetabilisch. Zwischen den der theoretischen Entwicklung gewidmeten Teilen wuchern Abschnitte, die Einwände gegen den Hauptgedankenzug erheben, breit ausgemalte Darstellungen aktueller menschlicher Existenzformen und poetische Stimmungsbilder, die weit abschweifen. Es ist, als solle durch diese irregulären Einschaltungen noch einmal die These erhärtet werden, daß das Ich die Welt ist und sie zugleich zusammenhält. Oft beanspruchen sie einen Eigenwert, der unabhängig von dem des Buches ist. »Da redet man so hin und her und ist Geschwätz und gar nichts mehr. Man redet lang und redet schräg, man redet über jeden Weg, man redet tief, man redet hoch, man redet in die Erd ein Loch ...« Oder: »Man hat es jetzt äußerst bequem zu krepieren. Sie brauchen sich gar nicht zu genieren. Sie können sterben morgens, mittags und abends, ganz unabhängig von dem Stande ihres jeweiligen Guthabens. Und ob sie grün sind oder gereift, macht nichts, der Tod hat noch jeden eingeseift.« Wieder und wieder verdichtet sich das unbekümmerte Ausdrucksbedürfnis Döblins zu Knittelreimen wie die-

sen. Gleichviel, ob sie leer oder inhaltsreich sind: sie bestätigen die strotzende Natur, die auch in seinen Romanen ein entscheidendes Wort mitzureden hat. Wie überhaupt die wesentliche oder doch eine wesentliche Funktion des Buches darin besteht, daß in ihm der Denker Döblin dem Dichter Döblin sekundiert. »Laßt mich den großen Himmel loben«, heißt es am Schluß, »laßt mich die weite Erde loben, laßt mich die Tiere, Pflanzen, Menschen loben, und laßt mich bitten, daß ich nichts verfehle.« Naturfrömmigkeit, stürmische Aktivität, inniges Verhältnis zum Heute – alle Grundgefühle und -tendenzen Döblins, die sich hier, in der theoretischen Sphäre, nicht selten vergeblich auszuprägen versuchen, finden in seinen Romanen die ihnen rechtmäßig zukommende Gestalt.
(Druckfahne der FZ [KN], undatiert [1933])[1]

1 Der Artikel, den Kracauer vermutlich aus Paris schickte – Döblins Schrift erschien im April 1933 –, wurde von der FZ nicht veröffentlicht.

## 747. Renoir

Die Renoir-Ausstellung in der Orangerie hat eine internationale Bedeutung.[1] Nicht allein ihres Umfangs wegen, sondern vor allem deshalb, weil sie, gleich der Manet-Ausstellung im Vorjahr,[2] wunderbare Einblikke in eine Epoche gewährt, die sich gerade erst von uns abgelöst hat und nun der Geschichte anzugehören beginnt. Das bürgerliche Zeitalter ersteht in Renoirs Werk. Und zwar vergegenwärtigt der Künstler zum letzten Mal den Glanz und die Schönheit dieses Zeitalters, das schon vergehen will. In der langen Reihe seiner Bilder fällt auf die Welt unserer Väter und Großväter ein versöhnlicher Schein, der an den der Abendsonne gemahnt. Dabei weiß Renoir genau, daß die kapitalistische Ära keine großen Sinngehalte mehr in sich birgt. Er feiert einmal jene früheren Epochen, in denen noch ein gemeinsamer Glaube die Menschen miteinander verband, und gesteht sich ein andres Mal sehr bewußt ein, daß er selber am Ende eines Zeitabschnitts lebt, in dem die alten malerischen Traditionen zerstört worden sind. Woher stammt aber dann die Harmonie, in die bei ihm alle Menschen und Dinge getaucht sind? Sie stammt nicht aus der Welt draußen, die ja zusehends zu zerfallen droht, sondern aus seiner eigenen harmonischen Natur. Und das Glück Renoirs ist eben dies: daß er seine Natur mit Hilfe des Lichts aus sich heraussetzen kann. Man hat den Maler einen Impressionisten genannt, und in der Tat zählen Bilder wie: *»Le moulin de la Galette«* und *»La famille Henriot«* zu den klassischen Werken impressionistischer Malerei.[3] Dennoch darf er nur in begrenztem Sinn ein impressionistischer Künstler heißen. Aus folgendem Grund: das Licht ist ihm kein Selbstwert, sondern er bedient sich seiner, weil es in einer Welt, die arm an Gehalten und damit auch an Formen ist, als das einzige objektive Bindemittel der Erscheinungen übrigbleibt. Dank des Lichts, das dort noch walten mag, wo die Form längst ihren Eigenbestand eingebüßt hat, gelingt es ihm, die Zeit zu vergolden, auf der bereits dunkle Schatten liegen, und den Eindruck zu erwecken, als seien die bürgerlichen Männer und Frauen, die in seinen Bildern leben, so reine Geschöpfe, wie er selber eines ist.

Ihre modernen Röcke und Gewänder werden im Licht, das sie umwebt, zur selbstverständlichen Hülle von Kreaturen, die sich zärtlich zueinander neigen und mit der Gartenpracht und dem Grün der Wiesen verschmelzen. Überall dringt eine unschuldige Natürlichkeit durch: die Mädchen blicken wie Blumen, und die Tanzenden sind Zeitgenossen und zugleich Wesen, die ihre Zeit vergessen lassen. Für einen flüchtigen Augenblick gelangt hier das bürgerliche Leben zur Würde eines in sich geschlossenen, sinnvollen Daseins. Nur unter gewissen Voraussetzungen indessen vermag das Licht die Illusion eines solchen Daseins zu schaffen. Da ihm als Licht selber kein Sinn innewohnt, führt die unmäßige Hingabe an seine Reize zuletzt zur Zerstörung sämtlicher Bedeutungen und Formen. Renoir hat das klar erkannt. Er beteuert, den Impressionismus zu hassen, tadelt die Plein-air-Malerei, weil sie an der Komposition der Bilder verhindere, und bricht nach dem 40. Lebensjahr (um 1883) mit seiner ganzen bisherigen Kunst. In der Zeit des Umschwungs entstehen einige Bilder, die ungemein aufschlußreich sind. So: *»L'après-midi des enfants à Wargemont«* und *»Les filles de Catulle Mendès au piano«*;[4] zwei Gemälde, in denen die Zeichnung den unbedingten Vorrang behauptet und das Licht vernachlässigt wird. Bezeichnend für beide Werke ist: daß in ihrem Grund eine verzweifelte Leere haust. Die Kinder sind ohne Leben, und das Piano ist ein erloschenes Instrument. Das heißt aber nichts anderes, als daß Renoir jetzt, nachdem er die Magie des Lichts bis zu Ende ausgenutzt hat, durch seine Aufrichtigkeit dazu genötigt wird, die Verlassenheit der bürgerlichen Umwelt aufzuweisen. Statt den Zersetzungsprozeß mit zu vollziehen, in den die Freilichtmalerei einmündet, will er zu den Gegenständen vorstoßen, und muß aus seinen Bildern erfahren, daß es echte Gegenstände gar nicht mehr gibt. Die paar hier gemeinten Gemälde bilden einen Weltzustand ab, dessen Schauer wir kennen, und wirken wie eine Vorahnung neuer Sachlichkeit. Renoir ist allerdings den Weg der Entzauberung nicht weitergegangen, sondern hat sich ins Reich der urmütterlichen Natur zurückgezogen. Im Anschluß an Ingres malt er während der letzten Jahrzehnte mythologische Szenen, deren nackte Gestalten von einer Üppigkeit sind, die der denaturierten Gegenwart spottet.

(Typoskript aus KN, undatiert [1933])[5]

1 Die Ausstellung »Exposition Renoir, 1841-1919« fand vom 26. 6. bis zum 12. 12. 1933 im Musée de L'Orangerie in Paris statt.

2 Die Ausstellung »Exposition Manet, 1832-1883« wurde vom 16. 6. bis zum 9. 10. 1932 im Musée de L'Orangerie gezeigt.

3 *Le moulin de la Galette* (1876), *La famille Henriot* (um 1871).

4 *L'après-midi des enfants à Wargemont* (1884), *Les filles de Catulle Mendès au piano* (1888).

5 Das Typoskript (KN) ist mit dem Ginster-Anagramm »Stergin« gezeichnet, unter dem Kracauer auch eine Filmrezension veröffentlichte, die am 1. 7. 1933 in der Exilzeitschrift *Das Neue Tage-Buch* erschien (siehe *Werke*, Bd. 6.3, Nr. 714); eine Publikation des Textes konnte bislang nicht nachgewiesen werden.

1934-1965

# 748. Franz Kafka

## Zu seinem Roman »Der Prozeß«[1]

Mit der Veröffentlichung des Romans: *»Der Prozeß«* von Franz Kafka – die übrigen Werke des Dichters sollen noch folgen –, erwirbt sich der Verlag Gallimard das Verdienst, einen der tiefsten und merkwürdigsten Autoren, die je in deutscher Sprache geschrieben haben, dem französischen Publikum vorzustellen.[2] Und es sei gleich vorausgeschickt, daß alles geschehen ist, um diese schwierige Dichtung auch wirklich hier einzugemeinden: die Übersetzung von Alexandre Vialatte geht der Sprache Kafkas sehr genau nach, und der als Préface beigegebene Essay von Bernhard Groethuysen enthält eine meisterhafte Deutung des Werks.[3]

Der Prager Jude Franz Kafka, der 1924 im Alter von 41 Jahren gestorben ist, hat zu seinen Lebzeiten nur wenige Novellen veröffentlicht. (Eine von ihnen: »La Métamorphose« ist seinerzeit in der *Nouvelle Revue française* erschienen.)[4] Alle anderen Werke gehören seinem Nachlaß an, den er verbrannt wissen wollte. Zum Glück hat Kafkas Freund Max Brod diesem Wunsch nicht entsprochen, und so ist uns auch der fast vollendete Roman: *»Le Procès«* erhalten geblieben.

Sein Held ist der Bürger K., dem ein Prozeß gemacht wird, der die Schrecken der üblichen Strafprozesse weit hinter sich läßt. Ein geheimnisvoller, ja abstruser Prozeß! Weder erfährt man, aus welchem Grund er eigentlich angestrengt worden ist, noch enthüllt sich je die höchste Instanz, die das Urteil zu sprechen hätte. Und auch die Welt, in der er sich entfaltet, ist nicht die des normalen Alltags. K. wird von unteren Instanzen vorgeladen, die auf Dachböden tagen, fällt minderen Advokaten in die Hand, deren Winkelzüge wie überflüssige Arabesken anmuten, und gerät an Frauen, die auf eine völlig undurchsichtige Weise mit dem gegen ihn schwebenden Verfahren zusammenhängen. Jeder scheint in die Angelegenheit verwickelt oder eine Rolle bei Gericht zu spielen: Kinder selbst und Leute, denen man nichts ansieht, kennen Einzelheiten, sind Angestellte, dienen als Schergen. Der ganze Prozeßverlauf gleicht einem einzigen trüben Labyrinth, das keinen Ausgang besitzt.

Wie immer und überall, so gestaltet Kafka auch in diesem Roman eine

Grunderfahrung theologischer Art, die seine Existenz durchaus bedingt: die Erfahrung, daß die Menschen von der Wahrheit und der Gerechtigkeit abgesperrt sind. Nicht so, als ob er selber etwa sich einbildete, der Wahrheit habhaft werden zu können; aber er weiß doch wie kein anderer darum, daß kaum ein Hauch von ihr zu uns dringt. Ihre Verborgenheit ist das alleinige Thema seiner Dichtung. Er bewältigt es unter anderem dadurch, daß er wieder und wieder die Abgründe aufweist, die uns vom göttlichen Wort trennen. So rückt die höchste Instanz, die im *»Prozeß«* das Verfahren gegen K. eröffnet, in eine solche Ferne, daß manche gar an ihrem Dasein zweifeln zu müssen glauben. Sie ist eine Legende, sie wird zum Gegenstand unkontrollierbarer Gerüchte. Damit ist aber schon der Zustand jener Welt gekennzeichnet, an der die Wahrheit nur vorüberrauscht. Kafka schildert sie mit der Unermüdlichkeit des eingefleischten Wahrheitszeugen als den Inbegriff labyrinthischer Verworrenheit, beschreibt in stets neuen Variationen, wie verstellt und ungeordnet das irdische Leben ist. Trifft es zu, daß das echte Märchen die Wahrheit über dämonischen Trug und blinde Gewalt triumphieren läßt, so kann man seine Werke auch als umgekehrte Märchen begreifen. Im Märchen reden die Tiere, wenn die Wahrheit an den Tag kommen soll; im *»Prozeß«* entfernt sich die um Aufklärung bemühte Menschenrede nur immer weiter von ihrem Ziel. Die einfachsten menschlichen Verhältnisse entwickeln sich hier in skurrilen Bahnen, stichhaltige Argumente verpuffen plötzlich im Leeren, und sämtliche Elemente des uns vertrauten Lebens sind in unentwirrbarer Reihenfolge miteinander verbunden. Zweifellos erschienen sie erst dann in der richtigen Ordnung, wenn sich die Menschen der Wahrheit erschlössen.

Infolge der Verborgenheit des wahren Worts schwebt die Welt in einer Angst, die dem Glück, von dem die Märchen künden, entgegengesetzt ist. Die Hexe frißt im *»Prozeß«* wirklich Hänsel und Gretel. Diese Angst, an die keine andere Angst reicht, umhüllt alle Erscheinungen und Gespräche. Ihr ist es zuzuschreiben, daß man aus Wohnstuben unvermittelt in die Korridore vor den Gerichtskammern tritt, daß Beamte und Unterrichter durch unsichtbare Geheimtüren kommen und gehen. Sie erzeugt auch den zwecklosen kalkulatorischen Scharfsinn fragwürdiger Konsulenten, läßt subalterne Sicherheit zu, die sich der Beziehung zu hohen Gönnern rühmt, und kettet Mädchen, die der Hingabe bedürftig sind, an die Opfer des Gerichts. Nur der Träumende kennt vielleicht eine solche Angst. Zieht sich aber auch der Prozeß gegen den Bürger K. wie ein ununterbrochener Angsttraum hin, so gilt er doch keineswegs als ein Traum. Im Gegenteil: er zeigt die Welt so, wie sie sich demjenigen darbieten muß, der aus dem Traum erwacht ist. Und die einzigartige Kunst des Dichters bringt es tatsächlich zuwege, daß dieser gespenstische Prozeß als das Abbild unserer eigentlichen Wirklichkeit erscheint, während sich der gewohnte Alltag, den wir sonst für wirklich halten, zu einer Häufung konfuser Träume verflüchtigt.

Der Mensch, der ins Antlitz der Meduse blickt, wird nach mythologischer Vorstellung versteinert. Franz Kafka trägt in seinem Roman: *»Der Prozeß«* das Grauen in die Welt, weil sich ihr das Antlitz der Wahrheit entzieht.

(Typoskript aus KN, undatiert [1934])

1 Bei dem folgenden Artikel handelt es sich um die deutschsprachige Originalfassung (Typoskript, KN) des Aufsatzes, der u. d. T. »L'Univers de Franz Kafka« in der Übersetzung von Lucienne Astruc am 31. 1. 1934 in der Zeitschrift *1934* erschien. Das Typoskript hat den französischen Untertitel »À propos de son roman: ›Le procès‹«. Zu Kracauers Rezension der Erstausgabe des *Proceß* siehe auch Nr. 255.

2 Franz Kafka, *Le Procès*. Préface de Bernard Groethuysen. Übers. von Alexandre Vialatte. Paris: Gallimard 1933. In der Übersetzung von Alexandre Vialatte erschienen bei Gallimard später auch *Le Château* (1938), *La Métamorphose* (1938), *L'Amérique* (1946), *La Colonie pénitentiaire et autres récits* (1948), *La Muraille de Chine et autre récits* (1950) und *Lettres à Milena* (1956).

3 Der vorangehende erste Absatz wurde in der französischen Publikation als Fußnote gesetzt.

4 Franz Kafka, »La Métamorphose«. Übers. von Alexandre Vialatte. In: *Nouvelle Revue française* 30 (1928), Nr. 172, S. 66-84; Nr. 173, S. 212-231; Nr. 174, S. 350-371.

## 749. [Das neue »Gesetz zur Ordnung der nationalen Arbeit«][1]

Das »Gesetz zur Ordnung der nationalen Arbeit«, dessen Bestimmungen ab 1. Mai in Kraft treten werden, ist bei weitem das wichtigste Gesetz, das die deutsche nationalsozialistische Regierung seit ihrem Machtantritt erlassen hat.[2] Ein Reformwerk größten Stiles, sucht es mit den Institutionen des Klassenkampfes diesen selber aus der Welt zu schaffen und die Beziehungen zwischen Arbeitnehmern und Arbeitgebern im Sinne nationalsozialistischer Weltanschauung neu zu regeln. Erstaunlich ist die Schnelligkeit, mit der eine so einschneidende Veränderung in die Tat umgesetzt werden soll. Während die Regierung Mussolinis behutsam das soziale Terrain sondiert und nur ganz allmählich zur Umformung der gesellschaftlichen Einrichtungen schreitet, trifft die deutsche Regierung schon im ersten Jahr ihres Bestehens Maßnahmen, die nichts Geringeres als die vollständige Verwandlung der sozialen Wirklichkeit bezwecken. Dieser Unterschied des Tempos weist zweifellos auf einen Unterschied der Mentalität hin. Der Realist vom Schlage Mussolinis (der noch dazu durch die Schule der materialistischen Dialektik gegangen ist) kennt die Zähigkeit des wirtschaftlichen und sozialen Lebens zur Genüge, um sie mit in Rechnung zu stellen; der Idealist deutscher Prägung dagegen ist so sehr vom ersehnten Idealzustand fasziniert, daß er mit der jeweiligen Realität leicht und rasch fertig werden zu können glaubt.

Wir schicken eine Darlegung der Grundzüge des neuen Gesetzes voraus. Es läßt – diese Tatsache ist entscheidend – die kapitalistische Privatwirtschaft nicht nur bestehen, sondern erkennt sie ausdrücklich an. Das heißt unter anderem, daß der Unternehmer im ungeschmälerten Besitz der Produktionsmittel bleibt und der Staat jeden Eingriff in den ökonomischen Prozeß selber vermeidet.

Im ersten Abschnitt des Gesetzes werden die Beziehungen innerhalb des Betriebes geregelt. Sie sind auf dem ja auch sonst überall verwirklichten Führerprinzip aufgebaut. Der Unternehmer (bzw. ein von dem Besitzer des Unternehmens zu ernennender Stellvertreter) gilt als der Führer des Betriebs, die Angestellten und Arbeiter werden als »Gefolgschaft« definiert. Mit diesen Definitionen, die nicht ohne Grund an die Zeit der Lehnsherrschaft erinnern, ist zugleich ein bestimmtes Verhältnis zwischen Arbeitnehmern und Arbeitgebern festgesetzt. Hat der Führer des Betriebs, dem Gesetzestext zufolge, für »das Wohl der Gefolgschaft« zu sorgen, so muß die Gefolgschaft ihm »die in der Betriebsgemeinschaft begründete Treue« halten. Unterstellt wird ferner, daß beide, Führer und Gefolgschaft, gemeinsam zur »Förderung des Betriebszwecks und zum gemeinen Nutzen von Volk und Staat« arbeiten. Die Arbeitnehmer in Betrieben mit mindestens 20 Beschäftigten erhalten eine Vertretung; den sogenannten »Vertrauensrat«. Er hat nichts mehr mit dem früheren Betriebsrat gemein, der trotz aller Schwächen, die er als kümmerliches Überbleibsel einer nicht zustande gekommenen sozialen Gesetzgebung aufwies, ein Kampfinstrument der Gewerkschaften war. Im Gegensatz zu ihm ist der Vertrauensrat eine dem Führer unter- und beigeordnete Instanz, dem vorwiegend die Funktion zufällt, diesen zu beraten und »das gegenseitige Vertrauen innerhalb der Betriebsgemeinschaft zu vertiefen«. Die Wahl des Vertrauensrates erfolgt auch nicht etwa durch die Arbeitnehmer, sondern auf Grund einer Liste, die der Führer des Betriebes jedes Jahr im Einvernehmen mit dem Obmann der nationalsozialistischen Betriebszelle aufstellt. Wenn die Gefolgschaft in geheimer Abstimmung die Liste ablehnt, kann der »Treuhänder der Arbeit«, von dem gleich die Rede sein wird, die Vertrauensmänner aus eigenem Ermessen bestimmen. Immerhin wird dem Vertrauensrat eine gewisse Unabhängigkeit gegenüber der Betriebsführung zugesprochen. Er muß einberufen werden, wenn die Hälfte der Vertrauensmänner es fordert, und hat das Recht, beim Treuhänder der Arbeit gegen Entscheidungen des Führers zu protestieren, die mit den wirtschaftlichen und sozialen Verhältnissen des Betriebs nicht vereinbar erscheinen.

Im zweiten Abschnitt des Gesetzes sind die weitgehenden Befugnisse des Treuhänders der Arbeit festgelegt. Für jedes größere Wirtschaftsgebiet wird ein solcher Treuhänder ernannt. Seine Aufgabe besteht darin: »für die Erhaltung des Arbeitsfriedens zu sorgen«. Zur Erfüllung dieser Aufgabe liegt ihm ob: 1. über die Bildung und Geschäftsführung der Vertrauensräte zu wachen und in Streitfällen zu entscheiden; 2. auf Anrufung der Mehrheit des Vertrauensrates Entscheidungen des Führers des Betriebs über die allgemeinen Arbeitsbedingungen und die Betriebsordnung nachzuprüfen und eventuell zu revidieren; 3. bei größeren Entlassungen Vorkehrungen für die Innehaltung einer Sperrfrist und die Streckung der Arbeit zu treffen; 4. über die Durchführung der Betriebsordnung zu wachen; 5. Richtlinien und Tarifordnungen festzusetzen und ihre Durchführung zu überwachen; 6. bei der Durchführung der sozialen Ehrengerichte mitzuwirken; 7. die Reichsregierung ständig über die sozialpolitische Entwicklung zu unterrichten.

Der dritte Abschnitt des Gesetzes enthält hauptsächlich Vorschriften über die Betriebsordnung, die in jedem Betrieb von mindestens 20 Beschäftigen vom Führer des Betriebs schriftlich zu erlassen ist. Besonders wichtig ist die Bestimmung, daß der Treuhänder der Arbeit zum Schutze der Beschäftigten einer Gruppe von Betrieben seines Bezirks eine Tarifordnung festsetzen kann. Diese Bestimmung soll offenbar die Möglichkeit gewähren, den individuellen Arbeitsvertrag zu korrigieren, der durchweg an die Stelle der Kollektivverträge getreten ist.
Der vierte Abschnitt des Gesetzes [behandelt][3] die neu zu bildenden sozialen Ehrengerichte. Ihre Funktion ist: alle groben Verstöße zu sühnen, die von Mitgliedern der Betriebsgemeinschaft gegen ihre sozialen Pflichten begangen werden. Solche Verstöße liegen vor: wenn Führer oder überhaupt Vorgesetzte böswillig die Arbeitskraft der Gefolgschaft ausnutzen oder ihre Ehre kränken; wenn Angehörige der Gefolgschaft diese böswillig verhetzen und den Gemeinschaftsgeist böswillig stören wenn sich Vertrauensmänner unzulässige Eingriffe in die Betriebsführung anmaßen oder Geschäftsgeheimnisse unbefugt offenbaren; wenn Mitglieder des Betriebes leichtfertige Beschwerden an die Treuhänder der Arbeit richten oder seinen Anordnungen hartnäckig zuwiderhandeln. Die Strafen des Ehrengerichts erstrecken sich von der einfachen Warnung bis zur Entfernung vom bisherigen Arbeitsplatz und der Aberkennung der Befähigung, Führer des Betriebs oder Vertrauensmann zu sein. Anzeigen wegen Verletzung der sozialen Ehre sind beim Treuhänder der Arbeit anzubringen, der in das ganze Verfahren aktiv eingeschaltet wird.
Der fünfte Abschnitt des Gesetzes betrifft den hier nicht zu erörternden Kündigungsschutz; der sechste erklärt, daß die Arbeit im öffentlichen Dienst nicht durch dieses Gesetz, sondern durch ein in Vorbereitung befindliches Sondergesetz geregelt werde; der siebte schließlich einige Übergangsvorschriften.

Das »Gesetz zur Ordnung der nationalen Arbeit« sucht, wie dieser Überblick lehrt, den Arbeitsfrieden nicht etwa durch eine Veränderung des herrschenden Wirtschaftssystems zu erreichen, sondern glaubt die einander widerstreitenden Interessen der Arbeitnehmer und Arbeitgeber auf einen gemeinsamen Nenner bringen und derart zusammenbie gen zu können. Statt im sozialistischen Sinne die (ökonomischen) Ursachen der Klassengegensätze zu beseitigen, läßt das Gesetz die Ursachen unangetastet und erstrebt nur die Annullierung der Gegensätze selber. Und zwar will der Nationalsozialismus die Lösung dadurch bewerkstelligen, daß er zwischen die Gruppen der Arbeitnehmer und Arbeitgeber eine dritte Instanz einbaut, die den Staat und die Partei zu repräsentieren hat. Da sich diese Instanz, der Absicht des Gesetzgebers zufolge, in voller Unabhängigkeit über das Wirtschaftsleben mit seinen Kämpfen erhebt, muß sie auch dazu imstande sein, den souveränen Schiedsrichter zu spielen. Sie ist (oder scheint) den kämpfenden Klassen übergeordnet und wird diese nach nationalsozialistischer Meinung zweifellos allmählich mit ihrem eigenen Leben erfüllen; so daß sich am Ende die Kluft zwischen Kapitalisten und Proletariern schließt und wirklich die gewünschte Volksgemeinschaft ersteht.

Ein Lösungsversuch, der wie kein anderer dem Denken der Mittelschichten entgegenkommt und noch einmal verrät, daß eben der Mittelstand die Kerntruppe der nationalsozialistischen Bewegung war und ist. In der Tat: nur der Mittelstand kann (mit einigem Recht) die Vorstellung nähren, daß es eine Position jenseits des Kapitalismus und des Sozialismus gebe, von der aus sich die Klassen versöhnen ließen. Während sowohl die Arbeiterschaft wie das Unternehmertum infolge ihrer unmittelbaren Abhängigkeit vom ökonomischen Prozeß zwangsläufig zur Erkenntnis gelangen müssen, daß ihre ganze Existenz durch die gegenwärtige Wirtschaftsordnung bedingt wird, unterliegen die Gruppen, aus denen sich der Mittelstand zusammensetzt, längst nicht so stark dem Druck des Systems. Die Offiziere und Beamten leben in einer anderen Hierarchie als der rein ökonomischen, die Vertreter der freien Berufe erfreuen sich immer noch einer gewissen Freiheit, die eigentlichen Kleinbürger möchten den Schein der Selbständigkeit wahren und die proletarisierten Massen der Angestellten wollen unter keinen Umständen als Proletarier gelten. Alle diese Schichten sind an der Aufrechterhaltung der jetzigen Wirtschaftsordnung interessiert, huldigen aber dank ihrer sozialen Position mehr oder weniger der Auffassung, daß sie sich auf einem archimedischen Punkt außerhalb dieser Ordnung befänden. An einem solchen Ort bildet sich natürlich leicht das Bewußtsein heraus, daß man das Zünglein an der Waage sei. Und gerade die depossedierten Mittelschichten, die weder vom Unternehmer ausgebeutet noch mit der Arbeiterschaft identifiziert zu werden wünschen, müssen danach trachten, die Klassengegensätze zu bagatellisieren und von sich aus einen Ausgleich herbeizuführen. Ausbalancierung der feindlichen Interessen durch eine dritte, unparteiische Instanz: das genau ist ihr Ideal, ist der Sozialismus, wie sie ihn verstehen. Im neuen Arbeitsgesetz hat dieser Sozialismus des verelendeten Mittelstandes seine entscheidende Formulierung erfahren.

Verkörpert wird er durch die nationalsozialistische Bewegung und den nationalsozialistischen Staat. Und das Gesetz trägt durchaus der Notwendigkeit Rechnung, die Instanzen, die den Arbeitnehmern und den Arbeitgebern übergeordnet sein sollen, auch wirklich mit außerordentlichen Kompetenzen auszustatten. Beide, Staat und Partei, haben nicht nur die Möglichkeit, den Arbeitsprozeß von außen zu kontrollieren und regulieren, sondern durchdringen tatsächlich den ganzen Wirtschaftsorganismus bis in seine feinsten Verästelungen. Die Kunst des Regierens ist den heutigen Machthabern geläufig. Das beweist schon die Konstruktion des Vertrauensrates, der innerhalb des Betriebs den Ausgleich der Gegensätze übernimmt. Jeder Vertrauensmann muß, laut der Vorschrift des Gesetzes, »der Deutschen Arbeitsfront angehören ... und die Gewähr bieten, daß er jederzeit rückhaltlos für den nationalen Staat eintritt«. Damit nicht genug, ist die Wahl des Vertrauensrates an die Zustimmung des Obmannes der nationalsozialistischen Betriebszelle bzw. des Treuhänders der Arbeit gebunden. So wird von allen Seiten her dafür gesorgt, daß die Partei bereits im Innern des Betriebes Wurzeln schlagen kann und eine herrschende Stellung erhält. Nicht minder kräftig waltet sie auf den Kommandohöhen. Hier ist ihr Organ der Treuhänder der Arbeit, der zugleich den Staat vertritt. Es ist sehr richtig vom Gesetzgeber empfunden, daß er der Partei und dem Staat an verschiedenen Punkten verschiedene Rollen zuweist. Wird in den Niederungen des Einzelbetriebs der noch im Fluß befindlichen nationalsozialistischen Bewegung als solcher ein breiter Spielraum zugestanden, so gewinnt in den oberen Regionen der Wirtschaftsführung der Staatsapparat die ausschlaggebende Bedeutung. Alle Fäden laufen beim Treuhänder der Arbeit zusammen, der unmittelbar der Reichsregierung untersteht. Er hat so unbeschränkte Vollmachten, daß er in seinem Wirtschaftsgebiet beinahe als

Diktator anzusehen ist. Der Kreislauf schließt sich dadurch, daß die Vertrauensräte mit dem Treuhänder direkt kommunizieren. Die nationalsozialistischen Instanzen sind also nirgends zu umgehen, erfüllen vielmehr das ganze soziale Leben mit ihrem Fluidum. Ihre Gewalt ist aber um so größer, als sie auch in ideeller Hinsicht konsequent ausgebaut wird. Sämtlichen organisatorischen Vorkehrungen des Gesetzes liegt die vom Nationalsozialismus übernommene romantische Idee der Volksgemeinschaft zugrunde. Wie in der Volksgemeinschaft die Klassen untergehen sollen, so leiten aus der Volksgemeinschaft die Treuhänder und Vertrauensmänner ihre Pflichten und Rechte her. Kein Zweifel, daß diese mystische Idee die Macht der neuen Instanzen, die als Unparteiische zu fungieren haben, noch beträchtlich vertieft.

Die Frage ist nur, ob sie wirklich über den Parteien stehen. Träfe diese Voraussetzung zu, so könnte das vom Gesetzgeber angebahnte Experiment mühelos glücken. Denn die in den ökonomischen Prozeß eingeschalteten nationalsozialistischen Organe besitzen eine solche technische und ideelle Stoßkraft, daß sie die Klassen ohne weiteres über den Haufen rennen mußten, wenn sie selber zu keiner Klasse gehörten. Noch niemals hat eine Regierung es leichter als diese gehabt, den Primat der Politik über die Wirtschaft zu erweisen. Allerdings scheint uns trotz dieser günstigen Chancen der Ausgang des Experiments nicht zweifelhaft zu sein. Machte der nationalsozialistische Staat etwa die proletarischen Interessen zu den seinen, so wäre er wahrscheinlich in der Lage, sie zu verfechten und damit den Widerstreit der Interessen zu tilgen. Er tut es nicht, sondern wirft sich, den Traum des herabgesunkenen Mittelstands erfüllend, zum Schiedsrichter über die Parteien auf. Anstatt die Form der Wirtschaft zu verändern, stellt er sich von vornherein auf den Boden der Neutralität. Aber gerade darum, weil er sich in die Wirtschaft selber gar nicht einmengt, ist er ihren Mächten erst recht ausgeliefert. Ihren stärksten Mächten selbstverständlich, jenen, die im Besitz der ökonomischen Schlüsselstellungen sind. Es läßt sich tatsächlich nicht einsehen, wie der Nationalsozialismus ihrer Herr werden sollte, nachdem er einmal die kapitalistische Privatwirtschaft anerkannt hat. Mit der Mystik der Volksgemeinschaft vielleicht? Aus Gründen der Selbsterhaltung ist er, im Gegenteil, dringend darauf angewiesen, die Bedürfnisse und Wünsche der industriellen und finanziellen Machthaber zu befriedigen. Indem er sich nämlich als souveräner Outsider über die Klassen zu erheben behauptet, statt die Bedingungen zu wandeln, aus denen sie hervorgehen, verfällt er um so notwendiger den vitalen Interessen der herrschenden Klasse. Sein Schicksal ist unter den obwaltenden Umständen an das der Schwerindustrie gebunden, der er durch die Ausrottung des Marxismus bereits große Dienste geleistet hat; nicht aber verhält es sich umgekehrt. Und wird man auch zur Verbesserung der allgemeinen Lage Kompromisse schließen, so ist doch die Unabhängigkeit des Nationalsozialismus von den kapitalistischen Großmächten nur ein Schein. Ein Schein freilich, der trügen mag. Denn eben im Interesse der kapitalistischen Spitzengruppe muß der Staat alle nachgeordneten Gruppen fest in die Hand bekommen. Geschähe das nicht, so bräche in dieser Krisenzeit das ganze Wirtschaftsgebäude zusammen. Derselbe Staat, der gegen die Wirtschaftsführung nichts auszurichten vermag, ist um der Erhaltung der Wirtschaft willen auf weite Strecken hin ihr effektiver Diktator.

Die Klassengegensätze werden also durch das Arbeitsgesetz faktisch nur überdeckt. In Wahrheit ist die Macht des Staates und der Partei gar nicht in der Lage, die Interessen der Arbeitnehmer und Arbeitgeber völlig paritätisch auszugleichen und beide Klassen durch die Verschmelzung zur Volksgemeinschaft im Hegelschen Sinne »aufzuheben« – der Nationalsozialismus muß vielmehr notgedrungen mit dem großen Kapital paktieren. (Oder er gerät ins Fahrwasser des Kommunismus; aber davon ist schon seit langem nicht mehr die Rede.) Wenn man das Gesetz auf diese Tatsachen hin nachprüft, enthüllt sich deutlich sein ideologischer Charakter. Die von ihm erhobene Forderung z. B., daß sich der Unternehmer wie cin »Führer«, die Arbeiter und Angestellten wie eine »Gefolgschaft« verhalten sollen, wäre nur dann sachlich begründet, wenn sich die Verhältnisse im Betrieb (Anstellungen, Entlassungen usw.) nicht gerade nach den Gesetzen der kapitalistischen Privatwirtschaft regelten. In einer patriarchalischen Gesellschaft haben die Begriffe des Führers und der Gefolgschaft ihre Richtigkeit, weil hier jene Dauer herrscht, die eine Voraussetzung der Treue ist; in einer freien Marktwirtschaft dagegen hängt die Entwicklung der Betriebe viel zu sehr von der Konjunktur ab, als daß in ihr die mittelalterlichen Tugenden, die der Nationalsozialismus postuliert, eine entscheidende Rolle zu spielen vermöchten. (Gewiß gibt es ein paar Betriebe, deren Angehörige in einer dem Gesetz entsprechenden Weise miteinander verbunden sind. Sie bilden jedoch insofern Ausnahmen, als sie von besonders vorbildlichen Persönlichkeiten geleitet werden und außerdem eine überdurchschnittliche Stabilität aufweisen, an die solche Qualitäten wie Fürsorge, Vertrauen usw. nun einmal geknüpft sind.) Auch die vom Gesetz vorgesehenen sozialen Ehrengerichte sind kaum dazu geeignet, zwischen den Parteien echte Versöhnung zu stiften. Ohne wirklich in den Arbeitsprozeß einzugreifen und die Verhältnisse im Betrieb substantiell zu wandeln, sühnt diese Institution nur Verstöße, die sich an der Oberfläche und akzidentiell ereignen. Der Begriff Ehre ist in Anbetracht der Umstände eine Ideologie, die sich, je nach der Praxis der Ehrengerichte, rascher oder langsamer verschleißen mag. Man wird vielleicht ein paar verhaßte Unternehmer fortjagen, um der Belegschaft Satisfaktion zu geben. Ebensogut aber kann der Fall eintreten, daß man Arbeitnehmer diffamiert, die gegen Ungerechtigkeiten wiederholt zu protestieren wagen. Wie dem auch sei: die ganze Einrichtung zielt vorwiegend auf psychologische Effekte ab und ist nicht mehr als eine Arabeske, die den Grund, auf dem sie aufgetragen ist, unverändert läßt.

Dadurch, daß das Gesetz die Klassengegensätze so übertüncht, beschwört es gewaltige Gefahren herauf. Allerdings liegen diese zur Zeit keineswegs auf der Hand. Die kritische Situation nämlich, in der sich die deutsche Wirtschaft befindet – um von den politischen Schwierigkeiten ganz zu schweigen –, kann nur unter der Bedingung überwunden werden, daß ein starker Staat alle Kräfte zusammenfaßt. Wo die Existenz der Wirtschaft als solcher auf dem Spiel steht, müssen, wie im Krieg, die Gegensätze innerhalb der Wirtschaft einstweilen in den Hintergrund treten; vorausgesetzt, daß der Versuch zur Umformung der Wirtschaft gescheitert ist. Sonst stirbt der Patient. Unstreitig erfüllt das Gesetz eine provisorische Mission. Aber es ist ja auf Dauer angelegt, und beginnt sich die Wirtschaft auch nur eine Spur zu normalisieren, so bewirkt es nicht etwa den faktischen Ausgleich der Interessen, sondern zeitigt notwendigerweise einen Zustand, in dem der Klassenkampf unter der Oberfläche weiterschwelt. Nimmt man hinzu, daß die unparteiischen Instanzen (genau so wie der Staat und die Partei selber) der obigen Analyse zufolge zuletzt doch mit dem großen Kapital liiert sind, so ist es nicht schwer, sich diesen Zustand einigermaßen auszumalen. Er bietet ungeahnte Möglichkeiten der Korruption und weckt eine Empörung, die um so bedrohlicher ist, als sie keine legalen Ventile hat. Gewaltsame Explosionen, denen gewaltsame Unterdrückung begegnet, werden die unausbleibliche Folge sein.

Zum Schluß sei noch auf den positiven Nebeneffekt hingewiesen, den das neue Arbeitsgesetz vielleicht mit sich bringt. Es beseitigt die bisher üblichen Verhandlungen zwischen Verband und Verband zugunsten von Verhandlungen, in denen die Einzelperson wieder mehr Bedeutung erlangt. So kann es ein nützliches Erziehungswerk verrichten. Indem es die Führer des Betriebs aus der Anonymität hervorzerrt und überall die individuelle Verantwortung betont, mag es jedenfalls dem deutschen Menschen jenes konkrete Verhalten aufnötigen, zu dem er früher wenig Neigung zeigte. Kommende Veränderungen werden dann besser vorbereitete Geschlechter finden.
(Typoskript aus KN, undatiert [1934])

1 Der folgende Text ist die deutschsprachige Originalfassung (Typoskript, KN) des Aufsatzes, der in französischer Übersetzung u. d. T. »La nouvelle charte allemande du travail« am 21. 4. 1934 in der Zeitschrift *L'Europe Nouvelle* erschien. Das Typoskript hat keine Überschrift.

2 Siehe »Gesetz zur Ordnung der nationalen Arbeit«. In: *Reichsgesetzblatt* (1934), Teil I, S. 45-56. Erlassen am 20. 1. 1934, diente das Gesetz der ökonomischen Gleichschaltung und setzte das Führerprinzip in sämtlichen Wirtschaftsbereichen (mit Ausnahme des öffentlichen Dienstes) durch. Kracauer zitiert im folgenden aus dieser Veröffentlichung.

3 Ergänzung d. Hrsg. nach der publizierten französischen Übersetzung.

## 750. Das neue deutsche Wirtschaftsgesetz[1]

Das am 27. Februar 1934 verkündigte »Gesetz zur Vorbereitung des organischen Aufbaues der deutschen Wirtschaft« ist – wie manches andere Gesetz der letzten Zeit – ein »Rahmengesetz«, das dem Reichswirtschaftsminister weitgehende Vollmachten erteilt.[2] Es ermächtigt ihn:

1. Wirtschaftsverbände als alleinige Vertretung ihres Wirtschaftszweiges anzuerkennen;
2. Wirtschaftsverbände zu errichten, aufzulösen oder miteinander zu vereinigen;
3. Satzungen und Gesellschaftsverträge von Wirtschaftsverbänden zu ändern und zu ergänzen, insbesondere den Führergrundsatz einzuführen;
4. die Führer von Wirtschaftsverbänden zu bestellen und abzuberufen;
5. Unternehmer und Unternehmungen an Wirtschaftsverbände anzuschließen.

Das Gesetz sieht außerdem Strafen bei Zuwiderhandlungen sowie den Ausschluß etwaiger Schadenersatzansprüche vor, die aus Maßnahmen auf Grund des Gesetzes hergleitet werden könnten.

Gleichzeitig mit der Verkündigung des Gesetzes ist die ganze gewerbliche Wirtschaft in 12 Fachgruppen aufgeteilt worden, der alle Unternehmungen angehören müssen. Diese Fachgruppen treten an Stelle der bisherigen Interessenverbände. Die ersten 7 Gruppen entfallen auf die Industrie, die übrigen 5 werden vom Handwerk, dem Handel, den Banken, den Versicherungen und dem Verkehr gebildet. Da die ganze Organisation auf dem »Führerprinzip« aufgebaut ist, wimmelt es natürlich von Ober- und Unterführern. (Nebenbei bemerkt: bald wird jeder dritte Mensch in Deutschland irgendein Führer sein.) Führer der 7 Industriegruppen ist Herr Krupp von Bohlen und Halbach,[3] Führer der gesamten deutschen Wirtschaft Generaldirektor Philipp Kessler,[4] der zuletzt Vorsitzender des Reichsfachverbandes der Elektro-Industrie war. Das so entstandene System der deutschen Wirtschaft soll zwar keineswegs der Verfügungsgewalt des Reichswirtschaftsministeriums überantwortet werden, aber doch in engster organischer Verbindung mit ihm funktionieren. Durch die Schaffung dieses Baus hat der bisherige Reichswirtschaftsrat seinen Sinn verloren; er ist denn auch, durchaus folgerichtig, vor kurzem aufgelöst worden.[5]

Bei Gelegenheit der Verkündigung des Gesetzes erklärte Reichswirtschaftsminister Dr. Schmitt,[6] daß dieses noch nicht die Frage des »ständischen Aufbaues« der Wirtschaft zu lösen habe. Leider vergaß er zu er-

läutern, was unter dem »ständischen Aufbau« selber zu verstehen ist. So häufig überhaupt der Begriff »ständisch« heute in Deutschland gebraucht wird, eine deutliche Vorstellung scheint man mit ihm nicht zu verbinden. Und es läßt sich auch schwer einsehen, wie unter ökonomischen und sozialen Voraussetzungen, die jedenfalls grundverschieden von denen der Feudalzeit sind, so etwas wie ein Ständestaat errichtet werden sollte. Das ständische Ideal ist offenbar nichts weiter als eine ideologische Reaktion auf die Lehre vom Klassenkampf und dient im übrigen als Schutzhülle für Tendenzen, die keineswegs zu seiner Verwirklichung führen …
Der eigentliche Zweck des Gesetzes ist faktisch nicht so sehr die Vorbereitung auf einen organischen oder ständischen Aufbau als die bessere Organisierung der gegenwärtigen deutschen Wirtschaft. Diese setzt sich zur Zeit aus zahllosen Marktverbänden und Interessenvertretungen zusammen, die mit riesigen, teilweise unproduktiven Kosten arbeiten und durch ihre blinde Rivalität das Gedeihen der Gesamtwirtschaft beeinträchtigen mögen. Dank dem neuen Gesetz hofft man den bisherigen Reibungskoeffizienten erheblich zu verringern. Vor allem soll der jetzt gespannte organisatorische Rahmen die Erfüllung jener Aufgaben erleichtern, die im Interesse der ganzen nationalen Wirtschaft liegen: so die systematische Bearbeitung des Auslandsgeschäftes, die planmäßige Beobachtung der Märkte, die einheitliche Kreditkontrolle und damit die Verhütung von Fehlinvestitionen. Es ist die Krise, die – nicht nur in Deutschland – zu einer solchen straffen Zusammenfassung der Kräfte drängt. Man befindet sich sozusagen in einer belagerten Festung und richtet sich danach ein.

Der Zustand, der vom Gesetz heraufbeschworen wird, ist in den Kommentaren der deutschen Blätter als »organisierte Wirtschaftsfreiheit« oder als eine Synthese zwischen dem Prinzip des laissez faire laissez aller und dem Prinzip: Gemeinnutz geht vor Eigennutz bezeichnet worden.[7] In der Tat zeigt die neue Gliederung der Wirtschaft eine Verbindung privatkapitalistischer und kollektivistischer Züge und eröffnet dadurch eine Reihe von Möglichkeiten, zu denen nicht zuletzt auch die Planwirtschaft zählt. Hier sei eine allgemeine Bemerkung eingeschaltet, die in diesem Zusammenhang nicht unwichtig ist. Es scheint uns festzustehen,

daß in den europäischen Ländern der Kapitalismus unter keinen Umständen nach russischem Muster in eine Kollektivwirtschaft überführt werden kann. Das kapitalistische System ist in diesen Ländern nicht nur ein Wirtschaftssystem, das sich beliebig verändern läßt, sondern auch ein Ausfluß gewisser geistiger und psychischer Qualitäten, die zweifellos tief in der Natur der europäischen Völker verwurzelt sind. Der richtig verstandene Individualismus zum Beispiel wird aus den abendländischen Menschen kaum auszurotten sein und muß daher bei jeder Umwandlung der herrschenden Wirtschaftsordnung mitberücksichtigt werden. Mit anderen Worten: eine Planwirtschaft auf europäischem Boden wäre einzig und allein unter der Bedingung zu verwirklichen, daß den individuellen Kräften, die sich innerhalb des Kapitalismus selber ausgewirkt haben, hinreichend freier Spielraum bliebe. Große und fruchtbare Revolutionen haben noch stets die Kräfte genutzt, die sich in der überlebten Ordnung produktiv entfalteten.
Gleichviel, welche Bedeutung dem deutschen Wirtschaftsgesetz in Wirklichkeit zukommt, es gibt zum mindesten den Rahmen für einen Ausgleich zwischen privatwirtschaftlichen und kollektivistischen Interessen im eben gekennzeichneten Sinne ab. Insofern ist das mit seinem Inkrafttreten eingeleitete Experiment äußerst interessant. Wichtig für die Beurteilung dieses Experiments sind zunächst die Absichten des Gesetzgebers selber. Er wünscht jedenfalls nicht, die kapitalistische Privatwirtschaft zu beseitigen, erkennt vielmehr deren Grundsätze uneingeschränkt an. Reichswirtschaftsminister Dr. Schmitt hat in seinen programmatischen Erklärungen die Kartelle als unerwünscht bezeichnet, obwohl er der schwierigen Zeiten wegen auch in Zukunft Preis- und Quotenbindungen nicht für vermeidbar hält.[8] Im Einklang hiermit bejaht er ausdrücklich das selbständige Unternehmertum und den Konkurrenzkampf, der seine Daseinsberechtigung dadurch erweise, daß er immer wieder zu Höchstleistungen ansporne. Geändert werden sollen nur die Methoden, nach denen der Konkurrenzkampf vielfach geführt wird. Man will den Fachgruppen die Verpflichtung auferlegen, »Grundsätze loyaler und anständiger Konkurrenz« festzusetzen,[9] und überhaupt die Geschäftsmoral in Erzeuger- und Verbraucherkreisen sozusagen veredeln.

Soweit das offizielle Programm. Die Frage ist, ob seine Formulierungen der soziologischen Analyse des Gesetzes standhalten können. [Aus] dieser ergibt sich vor allem zweierlei:

I. Das Gesetz trägt einem Notzustand Rechnung. Wir gebrauchten oben das Bild von der belagerten Festung; es ist nicht nur ein Bild, es ist infolge der Lage des Weltmarktes, dem Schwund des Exports usw. pure Wirklichkeit. Die aktuelle Situation des Reichs macht aber im Interesse der Wirtschaft selber organisatorische Maßnahmen erforderlich, die nicht umsonst an die der Kriegswirtschaft erinnern. Damals wie heute erfolgt die Zentralisierung der ökonomischen Kräfte keineswegs aus weltanschaulichen Gründen, sondern lediglich um der Vermeidung einer wirtschaftlichen Katastrophe willen. Es handelt sich tatsächlich auch nicht darum, das Prinzip des laissez faire laissez aller mit dem nationalsozialistischen Prinzip: Gemeinnutz geht vor Eigennutz zu versöhnen; der Liberalismus ist vielmehr zur Zeit durch die Krise automatisch außer Kurs gesetzt, und der Eigennutz erblickt heute vorübergehend seinen Vorteil in der Unterordnung unter die staatliche Omnipotenz.

II. Das Gesetz sanktioniert den Vorrang der wirtschaftlich stärksten Mächte. Eine Tatsache, auf die schon die Ernennung von Herrn Krupp von Bohlen-Halbach zum Führer der sieben Industriegruppen hinweist. Auch in den anderen Fachgruppen wird natürlich der größte Unternehmer das Übergewicht erlangen. Das heißt, der Kapitalismus wird durch das Gesetz nicht beschränkt, sondern erhält die Chance, sich zu vollenden. Organisierte Wirtschaftsfreiheit, jawohl! Aber ihre Organisierung dient der Schwerindustrie und fördert die Konzentrierung des Kapitals. Und daß unter solchen Umständen die Durchführung von »Grundsätzen loyaler und anständiger Konkurrenz« nicht eben den wirtschaftlich Schwachen zugute kommen wird, läßt sich unschwer erraten.

Da der Verlauf des Experiments auch von zahlreichen unberechenbaren äußeren Faktoren abhängt, kann man seine Entwicklung selbstverständlich nicht absehen. Hebt sich die Konjunktur wider Erwarten, so dürften sich die privatwirtschaftlichen Interessen wieder auf Kosten der kollektivistischen ausleben. Verschlechtert sie sich weiter, so wird sich die Ähnlichkeit mit der Kriegswirtschaft steigern. Man munkelt schon heute von der Möglichkeit durchgreifender Kontingentierungs-Maßnahmen, die man fälschlich mit einer planwirtschaftlichen Regelung verwechselt.

Schließlich ist auch denkbar, daß sich im Falle innerpolitischer Schwierigkeiten die kollektivistischen Tendenzen vordrängen, die ebenfalls im Gesetz beschlossen liegen.

(Typoskript aus KN, undatiert [1934])

1 Bei dem folgenden Text handelt es sich um die deutschsprachige Originalfassung (Typoskript, KN) des Aufsatzes, der in französischer Übersetzung u. d. T. »La nouvelle loi allemande sur l'économie« am 21. 4. 1934 in der Zeitschrift *L'Europe Nouvelle* erschien.

2 »Gesetz zur Vorbereitung des organischen Aufbaues der deutschen Wirtschaft«. In: *Reichsgesetzblatt* (1934), Teil I, S. 170-185.

3 Der deutsche Diplomat Gustav Krupp von Bohlen und Halbach (1870-1950) war von 1909 bis 1943 Aufsichtsratsvorsitzender der Friedrich Krupp AG und als solcher einer der führenden großindustriellen Finanziers und Förderer Hitlers.

4 Der Industrielle Philipp Kessler (1888-?) war als Vorstand der Bergmann-Elektrizitätswerke AG Vorsitzender des Reichsverbandes der Elektroindustrie, ehe er 1934 zum »Führer der gewerblichen Wirtschaft« ernannt wurde. Von diesem Posten bald abgelöst, betätigte er sich als Vizepräsident der Industrie- und Handelskammer Berlin und Leiter der Industrie-Abteilung der Wirtschaftskammer Berlin-Brandenburg. 1937 wurde er zum Wehrwirtschaftsminister ernannt.

5 Gemäß dem in §165 der Weimarer Verfassung formulierten Auftrag zur Gründung eines »Reichswirtschaftsrats« wurde im Mai 1920 ein 326 Mitglieder umfassender »Vorläufiger Reichswirtschaftsrat« aus Vertretern aller Berufs- und Interessenverbände gegründet, der seinen Aufgaben jedoch nicht nachkam und während der Weimarer Republik ein Provisorium blieb. Er wurde am 31. 3. 1934 aufgelöst.

6 Der deutsche Industrielle Kurt Schmitt (1886-1950) war von Juni 1933 bis Juli 1934 Reichswirtschaftsminister und maßgeblich am Zustandekommen des hier von Kracauer kommentierten Gesetzes beteiligt. Am 13. 3. 1934 sprach Schmitt vor Wirtschaftsvertretern, Beamten und Journalisten über Bedeutung, Ziel und Umsetzung des Gesetzes und gab die ersten Maßnahmen bekannt. Die Rede ist abgedruckt in: *Stahl und Eisen. Zeitschrift für das deutsche Eisenhüttenwesen*. Hrsg. vom Verein deutscher Eisenhüttenleute, Jg. 54 (1934), 1. Hj., S. 301-303.

7 Das liberalistische Grundprinzip des »laissez faire laissez aller« (machen lassen, laufen lassen) setzt auf die Selbstregulierung des Marktes; die Maxime »Gemeinnutz geht vor Eigennutz« geht auf den französischen Philosophen Montesquieu zurück. Sie wurde im Nationalsozialismus auf den Rand der Reichsmarkmünzen geprägt und zynisch verkehrt, um die Enteignung von Juden zu rechtfertigen.

8 Siehe *Stahl und Eisen* (wie Anm. 6), S. 302.

9 Siehe ebd.

# 751. Europäische Jugend[1]

Die folgenden Aufzeichnungen sind gelegentlich der Lektüre einiger Bücher entstanden, deren Thema die Jugend Sowjetrußlands, Deutschlands und Frankreichs ist. Indem diese Bücher durchweg den Anteil der Jugend an der Gestaltung des politischen Lebens erörtern, fordern sie zu interessanten Betrachtungen und Vergleichen heraus. Welche Rolle spielt die junge Generation in den verschiedenen Ländern? Und hat sie sich überall ähnliche Ziele gesetzt oder nicht? Fragen solcher Art drängen sich dem Leser der hier gemeinten Werke von selber auf.

Vorausgeschickt sei eine Bemerkung, die der Abwehr eines verbreiteten Vorurteils dient. Man konfrontiert häufig die Jugend mit dem Alter und neigt zur Ansicht, daß sie, eben als Jugend, eine einheitliche Front bilde. Dieser Ansicht zufolge wären die Unterschiede zwischen den Generationen entscheidender als die zwischen den Völkern. Nun läßt sich faktisch nicht leugnen, daß sich die europäische Jugend heute in gewissen Überzeugungen trifft. So macht sie der formalen Demokratie mit ihrem parlamentarischen Betrieb Opposition und hegt das Bedürfnis nach einer Führung, die nicht mehr von einem abstrakten Gleichheitsideal beherrscht wird, sondern wirklich den konkreten Menschen ergreift. Aber dieser der gesamten Jugend gemeinsame Zug ist weniger ein Merkmal des jugendlichen Denkens als ein Produkt der Krise, in der sich der Kapitalismus befindet. Insofern die Weltkrise in allen Ländern zu den gleichen Erschütterungen führt, beschwört sie natürlich auch die gleichen Reaktionen herauf. Und die begrenzte Übereinstimmung, zu der die Jugend gelangt, zeigt nur das eine an: daß gegenwärtig an vielen Punkten der Erde dieselben Schwierigkeiten zu bewältigen sind. Die geistigen Querverbindungen, die innerhalb der Jugend bestehen, haben also ihre sachlichen Gründe und berechtigen keineswegs zum Schluß auf eine mystische Gemeinschaft der Jugend. Es gibt nicht die Jugend als solche. Vielmehr ist die Jugend stets ein Glied der sie umfangenden Nation, deren Traditionen, Eigenarten und aktuelle Notwendigkeiten auch für sie maßgebend sind.

Ilja Ehrenburgs Buch *»Le Deuxième jour de la création«*,[2] das eine willkommene Ergänzung der Schrift von Klaus Mehnert[3] bildet, ist eine Reportage über die heutige Jugend Sowjetrußlands. Genauer gesagt, Ehrenburg begnügt sich nicht mit der unverbindlichen Aneinanderreihung von Details, sondern arrangiert die zahllosen Eindrücke, die er an Ort und Stelle aus Gesprächen, Bekenntnissen, Niederschriften usw. gewonnen hat, zu einem romanartigen Mosaik, das eine plastische Vorstellung von den geschilderten Zuständen vermittelt. Leitmotiv ist die Erbauung des Kraftwerks von Kusnezk. Dadurch, daß Ehrenburg diesen Bau in die Mitte rückt, gelingt es ihm, eine Unmenge junger Menschen zwanglos zusammenzuführen. [Mehr[4] noch: die in Kusnezk vereinigten Frauen und Männer liegen einer gemeinsamen Arbeit ob, die sie aufs äußerste beansprucht; so daß gewissermaßen sämtliche Personen auf einen Generalnenner gebracht werden, der ihre vergleichende Charakteristik ermöglicht. Die Darstellung könnte nicht vielseitiger sein. Sie liefert nicht nur, vom heroischen Stoßbrigadler angefangen bis zum verkommenen Schädling, ein komplettes Inventar der verschiedensten Typen, sondern bezieht auch das ganze Dasein der jungen Generation mit ein: ihr Verhältnis zum Alltag, ihr Liebesleben, ihre Auffassung der Kunst usw., Beschreibungen, die um so aufschlußreicher sind, als Ehrenburg mit europäischen Augen sieht und sein Material an Figuren von einem uns vertrauten Standpunkt aus zu durchdringen weiß. (Daß er sich heute hundertprozentig auf den Boden des Stalinismus stellt, ist eine Angelegenheit für sich.)

In Europa vergißt man zu leicht, daß die marxistische Revolution in Rußland wirklich ein Akt der Volksbefreiung gewesen ist. Warum hat der Marxismus gerade in Rußland eine Aufgabe erfüllen können, die er in den alten kapitalistischen Ländern offenbar nicht zu leisten vermag? Weil der Kapitalismus in Rußland ein von außen und oben her aufgepfropftes Wirtschaftssystem war, das infolge seiner unlöslichen Verbindung mit dem Zarismus die Kräfte der Bevölkerung nicht entwickelte, sondern lähmte und unterdrückte. Während der europäische Kapitalismus tiefer und breiter im Leben des Abendlandes verwurzelt ist, als es der Marxismus wahrhaben will, und daher auch nicht einfach abgeschafft werden kann, war der russische Kapitalismus ein aus dem Westen importiertes Gewächs, das nicht einmal in den gehobenen Volksschichten Wurzeln schlug. Die Avantgarde der gebildeten mittelständischen Jugend verfocht zur Zarenzeit die Sache der marxistischen Revolution. Es ist nach alledem nicht zu verwundern, daß der Marxismus in Rußland den Sieg errang. Denn er trat hier nicht etwa rein im Interesse des Proletariats gegen die Klasse der Kapitalisten auf, sondern fegte im Namen des ganzen Volkes – der Arbeiter, der Bauern, der Soldaten und der fortschrittlich gesinnten Jugend – die Exponenten eines dem Volk aufoktroyierten Systems hinweg. Rußland war gar nicht das kapitalistisch rückständigste Land, als das es die Theoretiker immer auffassen; es war das Land, in dem der Kapitalismus die Züge eines fremden Monstrums annahm. Und nur, weil er in Rußland mehr als anderswo dem Bilde entsprach, das der Marxismus von ihm entworfen hatte, vermochte dieser seinen Sturz zu bewirken.]

Es sind unverbrauchte substanzreiche Völker, die jetzt, in der Etappe des sozialistischen Aufbaus, zum ersten Mal frei ihre Kräfte erproben. Unmöglich, ihre Jugend mit der westlichen zu vergleichen. Diese Menschen, die Ehrenburg schildert, haben zum Teil noch die Luft der weiten Steppe geatmet und stoßen in die Gegenwart aus Zeiträumen vor, die längst hinter uns liegen. Sie staunen wie Kinder über die Technik, gegen deren Sensationen wir uns mit einigem Grund skeptisch verhalten, sie sind in ihren Lebensansprüchen von einer Primitivität, zu der sich die durchzivilisierten Völker nicht mehr zurückschrauben lassen. Was konnte ihnen der Marxismus bedeuten? Aber sie haben seine Kategorien auf die fruchtbarste Weise in ihre Sprache übertragen. Zwei Eigenschaften stärkt er vor allem in ihnen. Die eine: jenes Gemeinschaftsgefühl, das schon die Werke Solovjeffs, Tolstois und Dostojewskis durchdringt. Von Kolka, dem jungen Helden des Buches, heißt es an einer Stelle: »Er freute sich jedesmal, wenn er sich seiner Verbundenheit mit den Tausenden ihm unbekannter Menschen bewußt wurde.« Die so erlebte Gemeinschaft hat nichts mit dem »Kollektivismus« zu schaffen, den romantische Intellektuelle in Europa ersehnen, sondern ist das naive Produkt natürlicher Anlagen. Die andere Eigenschaft, die der Marxismus in der russischen Jugend geweckt hat, ist ihr unbegrenztes Zutrauen zur Vernunft. Statt in der Mystik der Gemeinschaft zu versinken, strebt diese Jugend ins Helle und macht mit ungebrochener Leidenschaft von ihren geistigen Gaben Gebrauch. Der erwähnte Kolka kritisiert einen Typ, der

sich nicht einordnen will, mit folgenden Worten: »Dabei ist er ein Kulak, dumpf, das Leben sitzt ihm nicht im Kopf, sondern im Blut.« Man muß Blut haben, um so den Kopf zu loben …
Der von Kolka getadelte junge Mann heißt Wolodja und sondert sich tatsächlich vom Gros der übrigen Jugend ab. Er interessiert sich mehr für Blaise Pascal als für die »Cowpers« und die Martin-Öfen,[5] ergeht sich in Reflexionen und Ressentiments, die er selber als Zeichen der Schwäche verbucht, und kommt vor lauter Selbstbespiegelungen niemals zum Handeln. Vielleicht soll dieser Wolodja den individualistischen Gegenspieler darstellen und durch sein Dasein die Verbundenheit der andern noch unterstreichen. Aber in Wahrheit ist er kein Gegenspieler, sondern eine posthume Dostojewski-Figur, ein Rudiment aus vergangenen Zeiten. Beginnen sich eines Tages aus der Gemeinschaft der russischen Jugend Individuen herauszuschälen, so wird Wolodja jedenfalls nicht ihr Vorbild sein. Ansätze zu diesem Prozeß sind anscheinend bereits vorhanden. Ehrenburg notiert zum Beispiel, daß sich einige junge Leute zu lyrischen Versuchen bemüßigt fühlen, und erzählt, wie sich im einen oder anderen differenziertere Regungen entwickeln. Der Wert, den die russische Regierung neuerdings auf die persönliche Initiative legt, kommt den individualistischen Tendenzen zweifellos zustatten.

Obwohl E. Günther Gründels Buch: *»La mission de la jeune génération«*[6] vor dem Machtantritt Hitlers erschienen ist und sich keineswegs eindeutig zum Nationalsozialismus bekennt, behalten seine Formulierungen doch noch zum überwiegenden Teil ihre Gültigkeit bei. Man gewinnt aus dem Werk, das in dieser Zeitschrift schon wiederholt erwähnt wurde, einen ziemlich deutlichen Begriff von der aktuellen Einstellung der deutschen Jugend. Sie ist national gesinnt; sie bekämpft leidenschaftlich den Kommunismus und setzt sich für einen »deutschen Sozialismus« ein, der den Kapitalismus einschränken, den Marxismus tilgen und die Interessen aller Volksgenossen miteinander versöhnen soll; sie lehnt sich gegen die Vorherrschaft der Ratio zugunsten irrationaler Mächte auf; sie huldigt dem Autoritätsprinzp usw. Das alles ist hinreichend bekannt. Und man braucht auch kein Wort mehr darüber zu verlieren, daß der Schlüssel zum soziologischen Verständnis der heutigen deutschen Jugend ihre Herkunft aus dem despossedierten Mittelstand ist.

Wer das Verhalten und die Resonanz dieser Jugend verstehen will, muß vor allem der Tatsache eingedenk sein, daß in Deutschland – und vermutlich nur in Deutschland – die Jugend als solche eine Bedeutung hat, die schon metaphysisch genannt werden darf. Auch andere Nationen erblicken in der Jugend die Zukunft und gönnen ihr den freien Spielraum, den sie zu ihrer Entwicklung benötigt. In Deutschland dagegen ist die Jugend kein Zustand, der auf den der vollen Reife bezogen wird, sondern ein Zustand, der alle früheren und späteren an Vollkommenheit hinter sich läßt. Die Jugend reiht sich hier nicht in die Hierarchie der Lebensalter ein, sie gilt vielmehr selber als der Träger der höchsten Werte. Bildet sich sonstwo der Jüngling nach dem Mann, so zählt, überspitzt gesprochen, in Deutschland der Mann um so mehr, je jünglingshafter seine Tugenden sind. Nichts ist bezeichnender für diese Mentalität als die »Jugendbewegung«, die eine eigene »Jugendkultur« hervorgebracht und die Maßstäbe der Jugend nahezu verabsolutiert hat. Erst aus ihr heraus kann man überhaupt ein solches Werk wie das von Gründel begreifen. Sein Buch versuche zu zeigen, sagt er einmal, »was in uns Jungen sich grundlegend Neues anbahne, was wir träumen und wollen und welche historische Rolle das Jahrhundert der Kulturwende uns zugedacht hat«. Ein Satz, der nur dort nicht aus dem Rahmen fallen mag, wo die Jugend eine Monopolstellung genießt.

»Wir kämpfen für die Ideale und ihre Verwirklichung«, erklärt Gründel irgendwo. Und an einer anderen Stelle: »Der Grundzug des neuen Menschen ist sein neuer Idealismus.« So phrasenhaft derartige Sätze klingen, sie enthalten einen Hinweis auf die Gründe, denen die deutsche Jugend ihre Autonomie verdankt. Die unvergleichliche Position, deren sie sich erfreut, ist in der Tat auf den deutschen Idealismus zurückzuführen, der nach Kant zur herrschenden deutschen Geistesrichtung wird. Der Idealismus ist, kurz gesagt, jene Weltanschauung, die das Ideal in eine unendliche Ferne verlegt und daher an keiner Gegenwart ihr Genüge finden kann. Um des unerreichbaren Ideals willen entwertet sie jede Wirklichkeit zu einer Durchgangsetappe und weigert sich, irgendeinen konkreten Gehalt als endgültig aufzufassen. Hegels Geschichtsphilosophie, die sämtliche historische Epochen in die logisch auseinander folgenden Stufen eines dialektischen Prozesses verwandelt, ist das Musterbeispiel idealistischen Denkens. Dieses Denken ruft notwendig ein unendliches Streben hervor, das der Konkretisierung darum spottet, weil es alle realen Zustände und Formen nur für Vorläufigkeiten hält. Wenn man will, vernichtet der Idealismus die Formen schon, ehe sie überhaupt aufgerichtet sind. Es hat in Deutschland nur einen einzigen großen Realisten gegeben: Goethe. Aber seine Ehrfurcht vor dem Seienden ist als ästhetisches Phänomen mißverstanden worden und nicht dazu imstande gewesen, den idealistischen Geist zu besiegen. Aus der unbedingten Vorherrschaft dieses Geistes erklärt sich aber ungezwungen die der Jugend. Denn der jugendliche Mensch neigt, eben dank seiner Jugend, schon von selber dazu, die Haltung zu bejahen, die vom Idealismus gefordert wird. Noch nicht zu Realisierungen verpflichtet wie der Mann, verkennt er die Macht der äußeren Widerstände und strebt ungebunden fernen Zielen zu, ohne sich je mit der Wirklichkeit ernsthaft einzulassen. Kein Zweifel: der deutsche Idealismus hat die deutsche Jugend gezeugt.

Die Frage ist, wie eine solche Jugend mit dem Leben fertig wird. Sie mußte, um es einigermaßen zu bewältigen, die von der Realität gesetzten Schranken respektieren, sich zu konkreten Tatsachen konkret verhalten und lauter echte Entscheidungen treffen. Infolge ihrer idealistischen Gesinnung, durch die sie immer wieder aus der Endlichkeit heraus in die Unendlichkeit verwiesen wird, ist sie aber dazu aus eigenen Stücken nicht fähig. Hier, genau hier, ist der Ansatzpunkt für das in Deutschland sanktionierte Autoritätsprinzip. Da sich die Jugend (und mit ihr das vom Idealismus geprägte Volk) nicht begrenzen kann, bleibt ihr im Interesse der Selbsterhaltung nichts anderes übrig, als sich freiwillig einer Autorität zu fügen, die ihr Streben begrenzt. Wie sollte diese idealistische Jugend je eine Form finden, wenn ihr die Form nicht autoritativ aufgenötigt würde? Indem sie sich dem Glück des Dienens hingibt, schlägt sie aber gleichsam zwei Fliegen mit einer Klappe. Einmal erspart sie sich durch die Unterordnung unter ein äußeres Gebot die unmittelbare Auseinandersetzung mit der Wirklichkeit, der ihr Idealismus nicht standzuhalten vermag. Zum andern erkauft sie sich damit, daß sie Subordination übt, jene Freiheit der Phantasie und des Gefühls, die derselbe Idealismus beansprucht. Während in der Geburtsstunde der Jugendbewegung die auf dem Hohen Meißner vereinigte Jugend den Schwur ablegte, stets aus eigener innerer Verantwortung zu handeln,[7] gelobten die Unterführer der nationalsozialistischen Partei erst vor kurzem, dem »Führer« bedingungslos Gehorsam zu leisten. Zwischen beiden Schwüren besteht nur scheinbar ein Widerspruch. Denn, erfaßt man sie richtig, so bezieht sich der zweite auf das Verhalten im wirklichen Leben, der erste auf das Verhalten der Seele, die jenseits der Wirklichkeit lebt. Der blinde Gehorsam dem Führer gegenüber ist der Preis, den die deutsche Jugend für das ungebundene Schwärmen der Seele zahlt. Das heißt, sie löst das Problem, das ihr der Idealismus stellt, praktisch dadurch, daß sie sich bei allen die Realität betreffenden Fragen der Autorität beugt, und sich überall dort zur Freiheit bekennt, wo es nicht auf die Realität ankommt. Beide Male überspringt sie diese. Der einzige, der die Verantwortung der Wirklichkeit gegenüber nicht von sich abwälzen kann, ist der »Führer«. Er wird denn auch als Werkzeug Gottes gefeiert und handelt kraft mystischer Intuition.

Die Unruhe, in der sich heute die Jugend Frankreichs befindet, ist ebenso wie in anderen Ländern von der Wirtschaftskrise mitbedingt, die auch hier ein akademisches Proletariat zu schaffen droht. Im Lauf der letzten Jahre hat diese Unruhe zur Bildung verschiedener Gruppen geführt, die aber einstweilen eher politische Zirkel als Keimzellen einer politischen Partei sind. Eine von ihnen: »L'Ordre nouveau«[8] entwickelt ihre Weltanschauung und ihr Programm in zwei Schriften: dem Buch von René Dupuis und A.[lexandre] Marc *»Jeune Europe«*[9] und dem Buch: *»La révolution nécessaire«* von R.[obert] Aron und A.[rnaud] Dandieu.[10] Oberflächlich betrachtet, erinnern die kritischen Analysen dieser Schriften an manche deutsche Formulierungen; z. B. an die vom »Tat«-Kreis[11] geprägten. Man stellt die Überalterung der Demokratie und ihrer Einrichtungen fest, lehnt den Kommunismus nicht minder entschieden wie den Kapitalismus ab und strebt eine neue Ordnung an, die der kapitalistischen und marxistischen gleich überlegen ist. Stellt man sie sich nach dem Muster des Fascismus oder Nationalsozialismus vor? Keineswegs. Die Wortführer der Gruppe: »L'Ordre nouveau« erblicken vielmehr in den fascistischen Systemen Italiens und Deutschlands leibhaftige Monstruositäten (»monstres«) und suchen das Heil auf Wegen, die dem deutschen so ziemlich entgegengesetzt sind. Statt die Gemeinschaft zum obersten Prinzip zu erheben und das Individuum in ihr untergehen zu lassen bekennen sie sich zum Glauben an die »primauté de la personne«,[12] wo-

bei sie den Begriff der Person im Sinne des Christentums verstehen; statt eine straffe Zentralisierung der Kräfte zu verlangen, befürworten sie eine Dezentralisierung, von der sie einen innigeren Kontakt zwischen Regierenden und Regierten erhoffen. Wie man sieht, ruht hier das Hauptgewicht auf der individuellen Freiheit und ihrer Erfüllung mit Inhalt. In ihrem Interesse erfolgt auch ein Vorschlag, der in der Absicht, die schöpferischen Fähigkeiten der Menschen vollkommener als bisher zu entbinden, eine andere Regelung der Arbeit bezweckt. Und zwar soll die proletarische, undifferenzierte Arbeit aufs äußerste rationalisiert und für die gesamte Gesellschaft obligatorisch werden; so daß dank der dadurch verkürzten Arbeitszeit jedermann die Muße zu differenzierter Arbeit finden würde, die einer behutsamen Leitung zu unterstehen hätte ...
Niemand wird sich einer Täuschung darüber hingeben, daß diese Gedankengänge nur schwer eine ernste Belastungsprobe vertragen.
Aber zugegeben selbst, daß hier ein wenig vom grünen Tisch aus reflektiert und projektiert wird, so sind doch derartige Konstruktionen als Symptom außerordentlich erhellend. Vor allem beweisen sie, daß die französische junge Generation sich zum Unterschied von der deutschen auch heute noch, inmitten der Krise, als Glied einer Kette von Generationen fühlt. Sie springt nicht aus der Reihe heraus, sondern möchte das Erbe richtig verwalten. Gründels Jugend will »grundlegend Neues« vollbringen; jene Jugend, von der René Dupuis und Alex[andre] Marc sprechen, ist davon durchdrungen, daß man die wesentlichen Themen der westlichen Zivilisation neu stellen müsse, wenn die Zivilisation nicht untergehen soll.
Eine Zielsetzung, die weniger auf einen radikalen Umsturz als auf eine durchgreifende Erneuerung hinarbeitet, und deutlich verrät, daß die sozialen Verhältnisse in Frankreich noch eine gewisse Stabilität bewahren. Solange das der Fall ist, fehlt aber eine entscheidende Voraussetzung für die Heraufkunft eines fascistischen Systems nach deutscher oder italienischer Art. Gemeint ist das Vorhandensein proletarischer und proletarisierter Massen, die der Gesellschaft auf die übliche Weise nicht mehr einverleibt werden können. Die eigentliche Leistung des Fascismus besteht eben darin, mit bisher unbekannten Methoden die der Gesellschaft entsprungenen Massen aufzufangen, zu beherrschen und durchzukneten. Bedürfte man in Frankreich zur Zeit der Anwendung dieser Metho-

den, die intellektuelle Jugend würde sie unnachsichtig postulieren. Statt dessen wehren sich die Vertreter der Gruppe »L'Ordre nouveau« ausdrücklich gegen jede Kollektivisierung. So heißt es in *»La révolution nécessaire«* einmal, daß kein Kollektiv-Enthusiasmus vonnöten sei, sondern lediglich die persönliche und obligatorische Beteiligung des Einzelnen an der niederen Arbeit.

Mit diesen paar Andeutungen mag es sein Bewenden haben. Sie zeigen immerhin an einem ausgewählten Beispiel, daß die französische Jugend nicht daran denkt, vor dem Fascismus zu kapitulieren, sondern sich kräftig genug glaubt, um die Güter der westlichen Zivilisation zu retten.
(Typoskript aus KN, undatiert [1934])

1 Bei dem folgenden Text handelt es sich um die deutschsprachige Originalfassung (Typoskript, KN) des Aufsatzes, der in einer gekürzten französischen Übersetzung u.d.T. »Jeunesses européennes« am 11. 8. 1934 in der Zeitschrift *L'Europe Nouvelle* erschien.
2 Ilja Ehrenburg, *Le Deuxième jour de la création.* Übers. von Madelaine Etard. Paris: Ed. Nouvelle Revue Française 1933; dt.: *Der 2. Tag.* Übers. von Rudolf Selke. Berlin: Malik 1933.
3 Klaus Mehnert, *Die Jugend in Sowjetrußland.* Berlin: S. Fischer 1932.
4 Die folgende, in eckige Klammern gesetzte Passage (bis: »... seinen Sturz zu bewirken.«) fehlt in der französischen Publikation.
5 Als »Cowpers« wurden nach ihrem Erfinder Edward William Cowper (1819-1893) die zum Betrieb eines Hochofens notwendigen Winderhitzer bezeichnet. Der »Martin-Ofen« ist ein Mitte des 19. Jahrhunderts entwickelter und bis ins 20. Jahrhundert zur Stahlgewinnung eingesetzter Ofentyp.
6 Siehe Nr. 742, dort auch Anm. 14.
7 Am 11./12. 10. 1913 fand auf dem Hohen Meißner bei Kassel, initiiert von den Wandervögeln und anderen deutschen Jugendbünden, der Erste Freideutsche Jugendtag statt, bei dem die sogenannte »Meißner-Formel« geschworen wurde: »Die Freideutsche Jugend will aus eigener Bestimmung, vor eigener Verantwortung, mit innerer Wahrhaftigkeit ihr Leben gestalten. Für diese innere Freiheit tritt sie unter allen Umständen geschlossen ein.«
8 Die Gruppe Ordre Nouveau bildete sich 1930 auf Initiative des Journalisten Alexandre Marc (1904-2000), publizierte ab 1933 eine gleichnamige Zeitschrift und bestand bis 1938. Ihr theoretisches Fundament legten zwischen 1930 und 1933 die Gründungsmitglieder Robert Aron (1898-1975) und Arnaud Dandieu (1897-1933) mit den gemeinschaftlich verfaßten Büchern *Décadence de la Nation Française* (1931) und *Le Cancer américain* (1931) sowie mit ihrer von Kracauer erwähnten Abhandlung *La Révolution nécessaire* (siehe unten, Anm. 10).
9 René Dupuis und Alexandre Marc, *Jeune Europe.* Paris: Plon 1933.
10 Arnaud Dandieu und Robert Aron, *La révolution nécessaire.* Paris: Grasset 1933.
11 Zum »*Tat*«-Kreis siehe Nr. 615, dort auch Anm. 1.
12 Frz.: Vorrang der Person.

# 752. Leopold Sonnemann[1]

Leopold Sonnemann (1831-1909). Deutscher Jude; demokratischer Politiker; Gründer und Leiter der »Frankfurter Zeitung«. Sonnemann entstammt dem Dorf Höchberg bei Würzburg, das seine Eltern 1840 einer lokalen Judenverfolgung wegen verließen, besuchte dann in Offenbach die Schule und ließ sich 1849 in Frankfurt nieder. Schon mit 14 Jahren trat er ins Geschäft des Vaters ein, das dieser zum Großhandel erweitert hatte. Größere In- und Auslandsreisen, die auch in Zusammenhang mit den geschäftlichen Beziehungen zu New York standen, bildeten frühzeitig seinen Geist. Nach dem Tod des Vaters (1853) übernahm er die Leitung des Geschäfts, und da der Zwischenhandel in Waren mittlerweile immer schwieriger geworden war, wandelte er sein Unternehmen in ein Bankgeschäft um, das er gleich in größerem Stil einrichtete. Der allgemeine Aufschwung von 1855/56 begünstigte den Erfolg des jugendlichen Bankiers. Aber Sonnemann war viel zu stark politisch und allgemein interessiert, als daß ihm die geschäftliche Tätigkeit Genüge geleistet hätte. Praktische Notwendigkeiten und journalistische Neigungen ließen in ihm den Gedanken einer Zeitungsgründung reifen, einen Gedanken, den er zur rechten Zeit in die Tat umzusetzen verstand. Aus den »Geschäftsberichten«, die der Frankfurter Bankier Rosenthal an jedem Börsentag für seine Kunden herausgab, entwickelte er in Gemeinschaft mit diesem ein *Handelsblatt*. Noch Jahre lang widmete er sich indessen hauptberuflich seinem aufblühenden Bankgeschäft und befaßte sich nur nebenher mit den Zeitungsangelegenheiten. Das änderte sich erst, als 1859 das Handelsblatt zur politischen *Frankfurter Zeitung* wurde. Fortan ist das Leben Sonnemanns so eng mit der Geschichte der *Frankfurter Zeitung* [verbunden], daß man es kaum noch von ihr trennen kann. Sonnemann leitete das Unternehmen im gleichen demokratisch-liberalen Geist, den er auch als Reichstagsabgeordneter (1871-1884) unerschrokken verfocht.[2] Aus dieser Gesinnung heraus trat er unter anderem nach dem deutsch-französischen Krieg für die Versöhnung beider Völker ein, stimmte gegen das die Wiedervereinigung Elsaß-Lothringens mit dem Reich betreffende Gesetz, weil es ohne Befragen der Bevölkerung erlassen werden sollte, bekämpfte im Verein mit seinen Parteigenossen das

»Sozialistengesetz«, befürwortete den Plan einer Arbeiter-Versicherung usw. Ein politisches Verhalten, das ihm die Feindschaft Bismarcks zuzog, der ihn einmal fälschlich geheimer Beziehungen zur französischen Regierung zu verdächtigen wagte. Den ehemaligen absolutistischen Militärstaat in einen bürgerlichen Rechtsstaat umzuformen, war das Hauptziel dieses großen demokratischen Politikers, der seinen Ideen durch das von ihm mit Meisterschaft gehandhabte Instrument der Zeitung auch stets den nötigen Nachdruck zu verleihen wußte. Unter seiner Führung wurde jedenfalls die »Frankfurter Zeitung« zum bedeutendsten deutschen Weltblatt, das eine außerordentliche politische und kulturelle Mission erfüllte.*

(Typoskript aus KN, undatiert [ca. 1934])

1 Bei diesem Typoskript (KN) handelt es sich um die deutschsprachige Originalfassung des Artikels, der in englischer Übersetzung in der *Encyclopaedia of the Social Sciences* (hrsg. von Edwin R. A. Seligman und Alvin Johnson. Bd. 14. New York: Macmillan 1934, S. 257f.) erschien.

2 Leopold Sonnemann war 1871-1876 und 1879-1884 Reichstagsabgeordneter der Deutschen Volkspartei (DtVP).

## 753. Pariser Hotel

Kein Tag vergeht, an dem nicht die Pariser Boulevard-Blätter irgendein Sensationsdrama melden. Eifersucht greift zur Pistole; Enttäuschung umdüstert die Sinne; verratene Liebe rächt sich durch Mord. Sind es nur die Leidenschaften, die all das Unheil heraufbeschwören? Es sind auch die Häuser, die Zimmer. Nicht umsonst spielen sich diese Dramen oft in Hotelzimmern ab. Unter den unzähligen Pariser Hotels befinden sich in der Tat manche, die bösen Träumen gleichen, ohne daß sich hierfür eine besondere Ärmlichkeit verantwortlich machen ließe. Wer sie kennt, begreift, warum so viele Menschen in Paris auf der Straße oder in den Lokalen laut mit sich selber reden. Der böse Traum, aus dem sie kommen, hat Gewalt über sie erlangt ...

* Siehe *Geschichte der Frankfurter Zeitung*. Frankfurt [: Frankfurter Societätsdruckerei] 1911.

Auf der Wohnungssuche begriffen, verirrte ich mich eines Nachmittags zu vorgerückter Stunde in ein solches Hotel. Es liegt an einer langen belebten Straße, die ein durchaus kleinbürgerliches Aussehen hat. Lebensmittelgeschäfte, Garagen, Friseurläden und Herrenkonfektion – der Alltag dehnt sich ringsum so lückenlos, daß niemand auf den Gedanken verfiele, seine Banalität könne je unterbrochen werden.

Das Vestibül des Hotels ist von unerwarteter Großartigkeit. Eine Halle tut sich auf, eine weiträumige, modern anmutende Halle mit Klubsesseln und einem Kamin nach englischer Art. Kaum betrete ich sie, so fröstelt es mich. Nicht etwa deshalb, weil die Halle von der Dämmerung aufgesogen wird und sich kein Mensch in ihr zeigt. Viel eher rührt das Grauen, das mich beschleicht, daher, daß ich spüre: aus dieser Halle ist längst jedes Leben gewichen. Ich drehe mich um und entdecke ein Stilleben, das meine Annahme bestätigt. Links neben dem Eingang erhebt sich ein Bartisch, vor dem ein paar Barstühle stehen, und darüber prangt inmitten von Likörplakaten eine Preisliste der Getränke. Fehlten nicht die Gläser, die Flaschen, die Kübel, man wäre zu glauben versucht, die Bar sei noch voll in Gang. Das also ist es: der jetzt verwaiste Raum war einst in Licht getaucht, empfing Abend für Abend Gäste und tönte von Tanzmusik wider. Aber das ist es nicht allein. Die Tatsache, daß beim Verlassen des Orts nur gerade die Gläser, Kübel und Flaschen weggetragen worden sind, erweckt vielmehr den Verdacht, als hätten die Insassen des Lokals eines Tages panikartig die Flucht ergriffen – ein Verdacht, der durch den vordringlichen Karbolgeruch in der Halle verstärkt wird. Hier muß etwas geschehen sein, und offenbar hat das Karbol nicht ausgereicht, um die Spuren jenes Geschehens abzuwaschen. Denn weit davon entfernt, daß die gereinigte Halle neu aufzuleben verlangte, ist sie ersichtlich von der Leichenstarre befallen.

Hinter dieser Gruft stoße ich in einem breiten Flur auf einen Mann in mittleren Jahren, der sich nach meinen Wünschen erkundigt. Er kommt in Hemdsärmeln daher, trägt den Scheitel genau in der Mitte seines fettglänzenden Haares und stammt, wenn nicht alles täuscht, aus Marseille, wo er irgendeine der zahlreichen Hafenkneipen bewirtschaftet haben mag, in denen ein mechanisches Klavier spielt und sich Matrosen mit Mädchen vergnügen. Von ihm geführt, durchmesse ich eine Menge von Treppenläufen und Korridoren, die so konfus angelegt sind, daß ich mich

nie allein zurückfinden könnte. Wie ein feistes Haustier schlürft er durch seinen Bau.
Ich muß hier einschalten, daß bei der Wohnungssuche möblierte Zimmer leicht unvorteilhaft wirken. Was sich dem Suchenden darbietet, ist eine Ansammlung von Möbeln, die aus den menschlichen Zusammenhängen gerissen sind, in denen sie doch erst Bedeutung erhielten. So zu falscher Selbständigkeit gediehen, haben sie etwas Sinnloses an sich, wie Worte, die aus allzu großer Nähe betrachtet werden. Aber zugegeben selbst, daß ihr Anblick stets Unbehagen einflößt – in manchen Fällen erzeugen sie eben nicht nur dieses allgemeine Unbehagen, sondern eine Niedergeschlagenheit, die überhaupt nicht mehr zu tilgen ist.
Das Zimmer, in dem ich lande, ist winzig wie eine Zelle und befremdet mich von vornherein dadurch, daß es trotz seiner quadratischen Form den Eindruck eines Fragments hinterläßt. Es ist kein Zimmer, es ist ein Zimmerteil.
»Hier ist man bei sich zu Hause«, sagt der Wirt.
Zweifellos hat er in seiner Hafenkneipe mitunter Sehnsucht nach einem gemütlichen Heim empfunden und sich bei den Klängen des mechanischen Klaviers ein solches Zimmer erträumt. Nun steht es da. Ein verblichener Teppich und eine gebrechliche Etagere suchen Wohnlichkeit vorzutäuschen, und ein altes seidenes Taschentuch, das eine von der Decke herabhängende Glühbirne schmückt, bemüht sich darum, dieser das Aussehen eines Beleuchtungskörpers zu verleihen. An den Wänden ziehen sich Tapeten in schreienden Farben hin, mit Papageien darauf, die ebenfalls schreien. Exotischen Ländern entronnen, umschwirren sie einen in der Mitte des Zimmers befindlichen viereckigen Tisch, der, zur Erhöhung der Gemütlichkeit, fix und fertig für zwei Personen gedeckt ist. Teller, Messer, Gabel: nichts ist vergessen, die Herrschaften brauchen nur einzuziehen und können sich gleich zu Tisch begeben. Welche Herrschaften aber? Durch den grundlos gedeckten Tisch befestigt sich in mir die Überzeugung, als stünde ich in einem Wachsfigurenkabinett, als seien die Teller auf dem Tisch in Wahrheit künstliche Teller und als thronten auf den beiden Strohstühlen rechts und links vom Tisch gewöhnlich zwei Puppen, naturgetreue Nachbildungen irgendeines berüchtigten Mörders und seines Opfers. Die Puppen sind nur versteckt worden, weil ich das Zimmer besichtige. Sonst sitzen sie zwischen den Papageien und

den beblümten Deckchen einander stumm und unbeweglich gegenüber, und immerfort entsendet der Mörder denselben lauernden Blick, mit dem er in diesem Raum vor zehn oder zwanzig Jahren sein Opfer hypnotisierte.
Nachdem mir der Wirt noch ein Nebengemach gezeigt hat, das er für eine ideale Vereinigung von Bad, W. C. und Küche hält, zieht er mit einer Gebärde, die unzweideutig besagt, daß nun die Hauptsehenswürdigkeit folge, einen Vorhang an der Rückwand des Zimmers beiseite. Ein Alkoven liegt dahinter, und ich bin mir sofort darüber klar, daß er der Inbegriff dessen ist, was der Mann aus der Hafenkneipe unter einem der Liebe geweihten Ort versteht. Er wird von einem schäbigen Mahagonibett ausgefüllt, der Alkoven, schwelgt in roten Tönen und ist dumpf wie ein Brutkasten. Hat er gar keinen Zugang zur Außenwelt? Während ich zu ersticken fürchte, öffnet der Wirt eine Tür, aber die Tür führt nicht etwa auf den Korridor, sondern gehört zu einem Wandschrank, in dem ein unergründliches Dunkel herrscht. Möglicherweise sind die beiden Wachsfiguren in dieser Höhle untergebracht. Langsam schließt sich der Vorhang, und im trüben Licht eines Lämpchens, das sich jetzt entzündet, entfaltet der Alkoven eine Talmieleganz, die an die speckigen Haare des Wirtes erinnert. Sie könnte höchstens einen Betrunkenen blenden. Ich male mir aus, wie ein Betrunkener nachts mit einer Frau in den Alkoven eindringt: ein rötlicher Schein umfängt ihn, und er wähnt, am Ziel seiner Wünsche zu sein. Neckische Arabesken entwachsen den Schatten, die Mahagonipolitur schimmert, der Vorhang wallt nieder, und das Lämpchen gleicht einer Ampel. Dann aber kommt das Erwachen. Der Mann bemerkt angewidert, daß er Schmutz mit Glanz verwechselt hat, will durch den Vorhang hinausschlüpfen und verharrt wie gelähmt im Zimmer, in das der graue Morgen hereinbricht. Es ist die Angst, die ihn lähmt; denn am gedeckten Tisch sieht er den Mörder sitzen, der sein Opfer belauert ...
Ich gehe am Tisch vorbei auf das mit schwärzlichen Gardinen verhangene Fenster zu, durch das ich zu meiner nicht geringen Erleichterung einen mit schönen Bäumen bepflanzten Hof erblicke. Vielleicht ist eine Schule gegenüber, und man hört die Kinder lachen und singen –
»Ein Spital ...«, sagt der Wirt.
Er reibt sich die Hände. »Wie bei sich zu Hause«, murmelt er vor sich hin. Hinter der Halle, die eine Grabeskälte ausströmt, bleibt er zurück.

Draußen ist es finster geworden. Eilig suche ich eine Gegend auf, die voller Licht ist. Die Abendzeitungen schlagen aus einer neuen blutigen Tragödie Kapital.
(Typoskript aus KN, 7. 11. 1936)[1]

1 Auf dem Durchschlag des Typoskripts (KN) hat Kracauer handschriftlich das Datum »7. November 1936« notiert. Mit diesem Text wollte er seine Mitarbeit bei der Wiener *Neuen Freien Presse* beginnen. Er schickte ihn am 7. 11. 1936 an den Pariser Korrespondenten der Zeitung, Arthur Rosenberg (der Begleitbrief ist abgedruckt in: [anonym], »Siegfried Kracauer Oder ein österreichisches Versäumnis«. In: *Wiener Tagebuch* (1975), Nr. 12, S. 18 f.), der ihn mit einer nachdrücklichen Empfehlung Kracauers als des »besten deutschen Feuilletonisten« (ebd., S. 18) der zwanziger Jahre an die Wiener Redaktion weiterleitete. Diese aber lehnte ab: Erstens habe man schon zwei Pariser Feuilletonisten und zweitens sei Kracauers Beitrag »überhaupt nicht geeignet, vermöge seines melancholisch düsteren Milieus in der ›Neuen Freien Presse‹ zu erscheinen« (ebd., S. 19). Das Typoskript ist mit dem nachträglich durchgestrichenen Kürzel »R.H.« signiert. Dazu schreibt Kracauer an Rosenberg. »Was die Signierung betrifft, so überlasse ich es ganz Ihnen, ob Sie es bei den Buchstaben R. H. bewenden lassen wollen, oder lieber dafür den Namen: ›Richard Hofer‹ einsetzen. Ich habe dieses unauffällige Pseudonym auf Grund unserer Verabredung gewählt, nach der meine Mitarbeit Redaktionsgeheimnis bleibt« (ebd. S. 19).

## 754. Silone

Rez.: Ignazio Silone, *Brot und Wein*. Übers. von A.[dolf] Saager.
Zürich: Oprecht (Europa-Verlag) 1936.

Pietro Spina, ein italienischer Emigrant, der lange Jahre im Dienst der kommunistischen Partei tätig gewesen ist, kehrt heimlich nach Italien zurück, um unter den armen Schafhirten des Apennin illegal zu arbeiten. Es ist auch Heimweh, das ihn, den Sohn eines Bauern, zu seinem Entschluß bestimmt; oder richtiger; nicht eigentlich Heimweh, sondern ein anderer, tieferer Wunsch. An Spina zehrt die Erkenntnis, daß er unter dem Einfluß der Parteiroutine die ganze revolutionäre Begeisterung verloren hat, die ihn ursprünglich beseelte. Und durch die Berührung mit dem heimatlichen Boden hofft er nun vor allem den ihm entschwundenen Sinn seiner Existenz wiederzufinden.
Dies die Ausgangsposition des unlängst erschienenen Buches: *»Brot und*

*Wein«* von *Ignazio Silone*, dessen erster Roman: *»Fontamara«*[1] ein Welterfolg war. Wer erriete nicht, daß sich Silone in Spina, dem Helden seines neuen Romanes, selbst porträtiert? Aber hier steht weder die Person Silones noch auch nur Silone, der Dichter, zur Diskussion. Worauf es ankommt, ist vielmehr einzig und allein der Inhalt des Romans. Indem dieser Roman die Erlebnisse Spinas in Italien erzählt, wird er zum Rechenschaftsbericht eines sehr erprobten, sehr urteilssicheren Revolutionärs über seine Begegnung mit dem stabilisierten Fascismus – zu einem Rechenschaftsbericht, der dadurch erhöhte Bedeutung gewinnt, daß Silone nicht nur den Mut, sondern auch ein Recht zur Wahrheit besitzt.

Welche Situation trifft Spina in der Heimat an? Den nachhaltigsten Eindruck hinterläßt in ihm nicht so sehr der Fortbestand des Kapitalismus, die Servilität der Kirche und die unverminderte Armut der Armen als die durch das fascistische Regime bewirkte Deformation der Charaktere. Kritikloser Konformismus, Strebertum und Heuchelei greifen überhand, und immer wieder zeigt sich, daß auch die Besseren dem Totalitätsanspruch und der ästhetischen Verführungskraft der Diktatur unterliegen. So groß ist die Macht des Systems, daß es in den Menschen das Gefühl der Würde, die Sehnsucht nach Freiheit erstickt. Wenn Spina das Gespräch auf die Freiheit lenkt, wissen die meisten nicht, wovon er überhaupt spricht.

Erfahrungen, die ihn vollends der Parteiroutine entfremden. Sie tut das Moralische als kleinbürgerliches Vorurteil ab, und er kann sich jetzt weniger denn je zur Preisgabe moralischer Werte verstehen. Sie verfährt ferner gewissen Kräften im Menschen gegenüber, von denen der Fascismus vortrefflich zu profitieren weiß, mit einer Intransigenz, der er ebenfalls die Gefolgschaft verweigern muß. Nicht umsonst hat er die Frömmigkeit Cristinas und die wunderbare Haltung des alten Priesters Don Benedetto kennengelernt. Von solchen Erscheinungen ergriffen, beklagt er es genau wie André Gide, daß man auf revolutionärer Seite dazu neige, das Kind mit dem Bade auszuschütten und mit der Kirche auch die unzerstörbaren Gehalte des Christentums zu verwerfen.[2]

Spina übt diese Kritik im Interesse der Aktion. Welche Aktion aber ist unter den obwaltenden Umständen in Italien durchführbar? Nach Silone nur jene, die in einem exemplarischen Leben besteht. Wieviel bedeuteten hundert entschlossene junge Menschen, so läßt er einmal Spina erklären, die unerschrocken die Wahrheit sagten und an ihrer Lebensführung zu erkennen wären. Er legt also, durch seine Beobachtungen hierzu genötigt, den Nachdruck nicht auf das politische Programm, sondern auf die moralische Existenz, und fast hat es den Anschein, als traue er ihr allein die Kraft zu, die fascistische Diktatur zu unterminieren. Tatsächlich jedoch rückt er das schöne, reine Bild des Menschen, das ihm vorschwebt, nicht ohne Resignation in die Mitte des Buches. So fest sein Held Spina von der Dringlichkeit der Aufgabe überzeugt ist, verängstigte Sklaven mit dem Sinn für Freiheit und Würde zu erfüllen, so problematisch dünkt ihm die revolutionäre Funktion, die der Verwirklichung dieser Aufgabe zukommt. Und die Auskunft des greisen Don Benedetto, daß zur Zeit nichts anderes als eben die moralische Sanierung möglich sei, hilft ihm keineswegs über seine Skrupel hinweg.

Ein ungelöster Konflikt bleibt zurück. Spina = Silone gelangt zu dem zwingenden Schluß, daß der Fascismus nur mittels des Dynamits der Humanität erschüttert werden könne und ist sich zugleich der Tatsache bewußt, daß er durch seine Betonung der personalen Werte die sachlichen revolutionären Ziele scheinbar verdeckt. Geht es ihm um eine Korrektur an der Parteidoktrin? Oder wohin sonst führt der Weg, den er einschlägt? Die beabsichtigte Fortsetzung des Buchs wird zweifellos Aufklärungen hierüber bringen.[3] Inzwischen sei die Meinung gewagt, daß mit Silones Begriff vom richtigen menschlichen Verhalten etwas Entscheidendes nachgeholt wird. Es möchte sein, daß die Zukunft der revolutionären Bewegung auch von der Fähigkeit dieser Bewegung abhängt, große europäische Konzeptionen wie die der Humanität – Konzeptionen, die sie bisher, gewiß nicht leichthin, vernachlässigt hat – in sich aufzunehmen und fortzubilden …

Dank der hellen, von Grund auf erfahrenen Humanität Silones ist sein Buch zur Dichtung gediehen. Schon seit langem hat die Sprache nicht mehr ein Pathos erreicht, das so wie seines mit Wirklichkeit gesättigt wäre. Diese Sprache ist das genaue Gegenteil der d'Annunzios. Statt die Passion als solche gutzuheißen, entzaubert sie, gerade umgekehrt, die blinde Passion. Und ihre Gehobenheit entspringt nicht der ästhetischen Verherrlichung mythischer Gewalten, sondern Erkenntnissen, die eine bessere Art menschlichen Zusammenlebens betreffen.

(Typoskript aus KN, 3. 12. 1936)[4]

1 Ignazio Silone, *Fontamara*. Übers. von Nettie Sutro. Zürich: Oprecht & Helbling 1933; ital. Orig.: *Fontamara*. Zürich und Paris: Nuove edizioni italiane 1933.
2 Kracauer spielt auf die Kritik an dem »antireligiösen Feldzug« der Sowjetunion an, die André Gide unter der Überschrift »La lutte« (dt.: »Der antireligiöse Kampf«) im Anhang zu seinem Buch *Retour de l'U.R.S.S.* (1936; dt.: *Zurück aus Sowjetrußland*. Übers. von Ferdinand Hardekopf. Zürich: Christoph 1937) formulierte.
3 Ignazio Silone, *Der Samen unter dem Schnee*. Übers. von Werner Johannes Guggenheim. Zürich: Oprecht 1942; ital. Orig.: *Il seme sotto la neve*. Lugano: Nuove edizioni di Capolago 1942.
4 Dem Typoskript, das die handschriftliche Datierung: »3. Dezember 1936« trägt, ist ein maschinenschriftlicher Brief an Augustin Habaru (siehe Nr. 651, Anm. 4) vom 19. 11. 1936 beigelegt (KN), in dem Kracauer Silones Roman kommentiert. Auf diesem Brief ist handschriftlich vermerkt: »an Habaru, für Vendredi«. Vermutlich hat Kracauer die Rezension an Habaru geschickt, mit dem er seit den zwanziger Jahren gut bekannt war (siehe Nr. 446, dort auch Anm. 1, und Nr. 651, dort auch Anm. 4). Die französische Wochenzeitschrift *Vendredi* wurde 1935 von Jean Guéhenno, André Chamson und Andrée Viollis zur Bildung einer auf intellektueller Autonomie basierenden »literarischen Front« gegen den Faschismus gegründet; die Zeitschrift erschien bis November 1938. Eine Publikation von Kracauers Artikel konnte bislang weder in dieser Zeitschrift noch an anderer Stelle nachgewiesen werden.

## 755. »Über neue Musik«[1]

Rez.: Ernst Krenek, *Über neue Musik*. 6 Vorlesungen zur Einführung in die theoretischen Grundlagen. Wien: Verlag der Ringbuchhandlung 1937.

Ernst Krenek sagt im Vorwort seines Buches: »*Über neue Musik*«, das sechs in Wien gehaltene Vorträge vereinigt, daß diese von Eindrücken ausgingen, die auch dem »unvorbereiteten Hörer« evident seien. Da zudem die Vorträge ihrem ganzen pädagogischen Duktus nach auf ein Publikum gebildeter Laien zugeschnitten sind, scheint mir, dem Laien, das Wagnis erlaubt, mich über sie zu äußern; obwohl ich mich dazu nicht ohne Besorgnis gerade in der Zeitschrift: *23* verstehe, deren Publikum sich aus Eingeweihten zusammensetzt. Aber zweifellos ist mein Unterfangen um so eher zu rechtfertigen, als der schmale Band wichtige methodische Einsichten und Motive der Deutung enthält, die über das engere Fachgebiet hinausgreifen. Und was sie betrifft, so ist jedenfalls das für sie zuständige Forum keineswegs allein der esoterische Zirkel der Kenner.

Um die innertechnische Analyse der an Schönbergs Namen geknüpften neuen Musik zu bewerkstelligen, sieht sich Krenek dazu genötigt, eine eigene Musikästhetik zu skizzieren. Sie verdient aus zwei Gründen allgemeine Beachtung. Einmal deshalb, weil sie, im Gegensatz zur herkömmlichen Meinung, das Musikalische als einen Denkprozeß begreift, als einen Erkenntnisvorgang, der sich freilich ausschließlich im tonsprachlichen Material selber vollzieht. Anders ausgedrückt: Musik formuliert Gedanken, doch nur solche, die mit musikalischen Mitteln darstellbar sind. Ich darf hier daran erinnern, daß, täusche ich mich nicht sehr,[2] diese Lehre eine gewisse Verwandtschaft mit der Kunsttheorie aufweist, die Konrad Fiedler, der Freund Adolf von Hildebrands, zum Verständnis der Plastik ausgebildet hat.[3] Stark von Kant beeinflußt, vertritt Fiedler in der Tat die Auffassung, daß die bildende Kunst Erkenntnis im Medium des räumlichen Kontinuums sei.
Indem Krenek die Musik zum Denkprozeß stempelt, verleiht er ihr Autonomie; das heißt, sein Ansatz schiebt sämtliche Bestimmungen des Musikalischen beiseite, die dieses von außermusikalischen Beschaffenheiten – also von psychischen Eigenschaften oder von der vorgegebenen Struktur des Tonmaterials – abhängig machen möchten. Damit habe ich bereits den zweiten Grund angedeutet, aus dem seine Musikästhetik von großer Tragweite ist. Eben dadurch, daß sie die Musik aus der Haft der naturalen Bindungen zu lösen sucht, leitet sie unstreitig eine folgenschwere Veränderung des musikalischen Weltbildes ein – annähernd dieselbe Veränderung, welche die Einsteinsche Relativitätstheorie innerhalb der naturwissenschaftlichen Sphäre hervorgerufen hat. Dank Einstein ist die Newtonsche Physik zum Grenzfall geworden; in Grenzfälle verwandeln sich die bisherigen musikalischen Theorien durch Kreneks Entwurf. Denn zum Unterschied von ihnen, die alle, naiv und voraussetzungsvoll, auf das eine oder andere musikalische Stilgebaren abgepaßt sind, emanzipiert sich seine ästhetische Konzeption von jeder solchen Fixierung und bemüht sich bewußt um einen Standpunkt, »der eine Beurteilung des Musikalischen an sich, unabhängig von seiner Ausprägung in dieser oder jener Tonsprache, in diesem oder jenem Stil zuläßt«.

Ein derartiger Standpunkt wird von der neuen Musik selber gefordert. Dem Expressionismus entstammend, treibt sie nach Krenek das Espressivo konsequent weiter, befreit sich unter dem Druck der Intention, aus der sie kommt, vom Zwange des Materials und der gemeinhin als verbindlich anerkannten Gesetzmäßigkeiten und gedeiht so zur reinen Expression, oder richtiger: zum reinen Erkenntnisakt; zu einem Gebilde, das zu erfassen tatsächlich nur die von Krenek umrissene Musikästhetik fähig ist. Nicht umsonst habe ich die Relativitätstheorie mit ihr in Parallele gesetzt; die Musik Schönbergs, auf die sie sich als auf ihren Idealfall bezieht, verhält sich zur bestehenden Musik ungefähr wie die moderne Naturwissenschaft zur traditionellen.

Eine höchst aufschlußreiche Analogie. Ihr Grundzug tritt an jener Stelle zutage, an der die rücksichtslose Art, in der die neue Musik ihre Fesseln abstreift und über die vorgeformte Tonmaterie verfügt, mit der Methode der Hilbertschen Axiomatik verglichen wird, die den »Naturanteil« an der Geometrie durch die freie Setzung von Axiomen liquidiert.[4] Aus dieser prinzipiellen Übereinstimmung folgen mehrere Gemeinsamkeiten, die Krenek glänzend entfaltet. Vor allem zeigt er, daß die Tendenz der physikalischen Forschung, die Materie als eine Erscheinungsform von Energie zu charakterisieren, in der neuen Musik entsprechend wiederkehrt. Auch sie löst alles in Bewegung auf, so daß die statischen Elemente der tonalen Musik ihre Macht einbüßen und die ganze Tonmaterie entsubstantialisiert scheint.

Aufzudecken bleibt, was die entschiedene Abwendung der Musik von den naturalen Gehalten besagen will. Welcher Gedanke vergegenständlicht sich in dieser Musik? Mit der Kunst des echten Interpreten versteht sich Krenek darauf, seine immanente Analyse immer enger zu führen und erst in dem Augenblick, in dem sie sich, beim geringsten Detail angelangt, hoffnungslos zuzuspitzen droht, das Gesichtsfeld plötzlich so zu weiten, daß sich ein freier Blick auf die Deutung bietet.

Der Antrieb, dem die neue Musik gehorcht: das Espressivo bis zur Sprengung der bestehenden Formen zu steigern, setzt eine bestimmte individuelle Haltung voraus, und diese Haltung wird auf Grund der vorangegangenen Analyse erschlossen. Sie ist eine sehr wesentliche Haltung. Krenek findet einmal für die heute herrschende Kunstübung das treffende[5] Wort, daß sie ihre Aufgabe darin erblicke, »in erhebender Weise über die Wahrheit zu täuschen«. Nun wohl, in der neuen Musik

spricht sich, ihm zufolge, das vom Drang nach radikaler Wahrhaftigkeit beseelte Individuum aus, das sich lieber isoliert, als daß es der Verlokkung erläge, sich kompromißlerisch in die Welt zu fügen.
Welche Bewandtnis es mit dieser fanatischen Aufrichtigkeit hat, läßt sich aus dem sozialen Schicksal der neuen Musik ersehen. Bezeichnend für sie, daß sie nicht ins allgemeine Bewußtsein eindringt; daß sie weder den bürgerlichen Teil der Bevölkerung zu erobern vermag, der sich gegen jede Änderung sträubt, noch auch den revolutionär gestimmten, der die Gesellschaft umstürzen will. Jener tut sie als »Kulturbolschewismus« ab, dieser verwirft sie als »bourgeoise Dekadenz« oder als »Formalismus«. Und beide Fraktionen erteilen einer kollektiv auszuführenden, leichter faßbaren »Spielmusik« den Vorzug.
Wie Krenek selber bemerkt, erklärt sich das spröde Verhalten der neuen Musik gegenüber daraus, daß sie, hinter das aktuelle, ganz innerweltlich gerichtete Denken zurückgreifend, an die Problematik der irdischen Zustände überhaupt rührt, also Erfahrungen vertont, für die es jetzt kaum Ohren gibt. Das dieser Musik zugeordnete Individuum weigert sich gleich sehr, den Einflüsterungen der Natur und dem Geschrei des Tages Gehör zu schenken, es ist sozusagen das pure Selbst, das tief unterhalb der Schicht west, aus der sich die Gefühle und Parolen losringen, von denen die Zeitgenossen erregt werden. Sein Espressivo trägt notwendigerweise einen religiösen Charakter, seine musikalischen Erkenntnisse sind zuletzt theologischer Art. »Die Sprache der neuen Musik«, schreibt Krenek, »klingt voraus im Pathos von Fluch und Klage der Heiligen Schrift, ihre Farbe ist die der eschatologischen Trauer …«

Hier, wo der Kern bloßliegt und die neue Musik sich als der Monolog des zu sich gekommenen Individuums enthüllt, bemächtigt sich meiner ein Zweifel, der dem Verhältnis der betreffenden Musik zur Welt gilt. Nicht so, als ob ich soziologische Kategorien zu verabsolutieren und dem autonomen Ich den Eigenwert mit der Begründung abzusprechen gedächte, daß es nichts weiter als ein klassenbedingtes Phantom und seine Wahrhaftigkeit bloß eine Ideologie sei – aber ich frage mich allerdings, wie dieses Ich in der dünnen Luft solcher Unbedingtheit atmen und existieren kann. Da es sich nicht mit der Welt einläßt, sondern sich, völlig undialektisch, aus ihr entfernt, muß es die Inhaltlichkeit verlieren und zum Punkt zusammenschrumpfen. Gewiß ist mit der Konstituierung eines so exklusiven Ichs ein großartiger Maßstab gegeben; nur weiß ich nicht recht, von welchen Substanzen es sich auf die Dauer ernähren soll. Sind nicht alle Substanzen mehr oder minder welthaltig? Dieses Individuum scheint mir fast darauf angewiesen, sich selbst zu verzehren und in einem grenzenlosen Relativismus zu vergehen – wenn anders es sich nicht zusehends in die Mystik hineindehnt.

Krenek ergänzt seine Interpretation durch die kritische Betrachtung verschiedener moderner Stilformen, die gleichfalls der neuen Musik zugezählt werden und sich etwa mit den Namen des »Surrealismus«, des von Strawinsky vertretenen »Neoklassizismus« und der bei Hindemith auftauchenden »Neuen Sachlichkeit« umschreiben lassen. Resolut und besonnen entlarvte er den Hang dieser Richtungen zu größerer Weltläufigkeit, der sie das Espressivo zurückdrängen heißt und sie am Ende freilich den im Material vergrabenen konventionellen Tendenzen überantwortet. Der genauen Bestimmung des abgelegenen sozialen Orts, an dem sich die neue Musik anbaut, dient auch die souveräne Polemik gegen die heutige Musikerziehung und ihr Produkt, die »Blockflötenkultur«.

So rundet sich Kreneks Schrift. Durchdringend in der Analyse und weitausholend in der Deutung, stellt sie das Muster einer ästhetischen Untersuchung dar. Da sie überdies eine Streitschrift ist, wäre es ein Wunder, wenn sie nicht die Banalität zum Widerspruch reizte. Einige werden vielleicht behaupten, Krenek bringe die Musik dadurch um ihr Bestes, daß er sie mit einem Denkprozeß identifiziert. Aber diesem Einwand liegt nur das verbreitete Vorurteil zugrunde, daß die Musik, die Kunst überhaupt, ein Mittel der Verzauberung sei; während ihre wichtigste und hier erneut sichergestellte Funktion faktisch darin besteht, weiße Magie zu üben und die Blendwerke in und um uns zu entzaubern. Andere, die sich ein so trügerisches wie abgelebtes Bild vom Künstler machen, mögen aus der von Krenek verkörperten Personalunion des Komponisten und des Theoretikers irgendwelche fatale Schlüsse ziehen zu müssen glauben. Als wäre Valéry darum weniger ein Dichter, weil er zugleich die Form des Essays meistert! Vorausgesetzt, daß es in der Kunst mit rechten Dingen zugeht, finden sich künstlerische und analytische Gaben

gerne zusammen. Und wie erweiterungsfähig diese Allianz ist, bestätigt sich gerade im Falle Kreneks. Denn in der Sprache seines Buchs, deren Bilder mit einem Schlag dunkle Zonen erhellen, lebt zu allem übrigen noch die Leidenschaft des geborenen Pädagogen.
(*23. Eine Wiener Musikzeitschrift*, 15. 9. 1937)

1 Der Erstveröffentlichung dieses Aufsatzes in der Zeitschrift *23. Eine Wiener Musikzeitschrift* war folgende Bemerkung der Redaktion vorangestellt: »S. Kracauer, der Verfasser nachstehender Anzeige, hat sich, ohne selbst Musiker zu sein, kürzlich durch seine Offenbach-Biographie in besonderer Weise dazu legitimiert, ›von außen her‹ Wesentliches zu musikalischen Fragen beizutragen. Zu seinem ›Offenbach‹ werden wir uns im nächsten Heft ausführlich äußern.« Dies ist nicht mehr geschehen, da die Zeitschrift, die 1932 von Krenek, Willi Reich und Ernst Pluderer gegründet worden war, mit dem September-Heft 1937 ihr Erscheinen einstellte. Zu Kracauers *Jacques Offenbach und das Paris seiner Zeit* siehe *Werke*, Bd. 8.

2 Im Typoskript (KN): »täusche ich mich nicht, [...]«.

3 Der Kritiker und Theoretiker Konrad Fiedler (1841-1895) wurde mit seinen Schriften *Über die Beurteilung von Werken der bildenden Kunst* (1876), *Über modernen Naturalismus und künstlerische Wahrheit* (1881) und *Über den Ursprung der künstlerischen Tätigkeit* (1887) zu einem der wichtigsten Wegbereiter der modernen Kunst, Ästhetik und Wahrnehmungspsychologie. Auf der Basis der Philosophie Kants und Schopenhauers entwickelte er gegen den zeitgenössischen Naturalismus einen Begriff autonomer Kunst, der das Kunstwerk als Manifestation eines Sehakts bzw. als Ort reiner »Sichtbarkeit« neu faßte und zu einer genuinen Form der Erkenntnis aufwertete. Als Freund und Mäzen förderte Fiedler u. a. den Bildhauer Adolf von Hildebrand (1847-1921), der vor allem für seine Brunnen (u. a. Wittelsbacherbrunnen in München, 1893-1895), Denkmäler (u. a. Schillerdenkmal in Nürnberg, 1900-1911) und Porträtbüsten berühmt wurde und in seiner Schrift *Das Problem der Form in der Bildenden Kunst* (1893) theoretische Anregungen Fiedlers aufgriff und weiterführte.

4 Als »Hilbertsche Axiomatik« wird die formalistische Annahme des deutschen Mathematikers David Hilbert (1862-1943) bezeichnet, nach der ein logisches System nur implizit, durch seine definierenden Axiome und damit unabhängig von jeder äußeren (etwa »natürlichen«) Voraussetzung bestimmt ist.

5 Im Typoskript: »blendende«.

## 756. Ein neuer Typus von Ausstellungen[1]

Im Rahmen der Pariser Weltausstellung[2] ist auf originelle und fruchtbare Weise jenes Ausstellungsprinzip weiterentwickelt worden, das darauf beruht, daß nicht nur das fertige Produkt gezeigt wird, sondern mit dem Produkt auch der Prozeß, der zu ihm führt. Nicht so, als ob das Prinzip selber unbekannt wäre. Es hat sich vor allem bei der Darbietung komplizierter technischer Leistungen bewährt, deren Verständnis man dem Publikum dadurch zu erleichtern sucht, daß man die verschiedenen Entstehungsphasen dieser Leistungen versinnlicht. Die Pariser Ausstellung ist nicht arm an Beispielen solcher Art. So enthält sie ein dem Bibliothekswesen und den modernen Methoden der Katalogisierung gewidmetes Arrangement, das mit Hilfe scharmanter Photomontagen darüber aufklärt, wie sich die Unmasse der von zahllosen Autoren jährlich in die Welt gesetzten Publikationen zum durchsystematisierten Bücheruniversum gestaltet, in dem auch die kleinste Broschüre ihren vorgesehenen Platz hat.

Aber wann hätte man das hier gemeinte Prinzip schon auf dem Gebiet der geistigen Schöpfungen angewandt? Gemäldeausstellungen sind bisher immer Ausstellungen von Gemälden gewesen, und wo das Schaffen eines Dichters veranschaulicht worden ist, hat man sich in der Regel damit begnügt, einige Manuskripte und Erstausgaben beizusteuern. Mit diesem Verfahren wird jetzt gebrochen. Statt das Kunstwerk wie ein isoliertes, von seinen Ursprüngen losgelöstes Objekt zu behandeln, bettet man es in die Zusammenhänge ein, aus denen es erwachsen ist, und läßt die Umwelt erscheinen, auf die es sich bezieht. Nicht zu leugnen, daß diese Erweiterung eines zunächst in der Domäne der Technik beheimateten Ausstellungsprinzips große Schwierigkeiten zeitigt. Denn während die technische Leistung durch eine Reihe genau definierbarer und verhältnismäßig leicht zu illustrierender Vorgänge zustande kommt, nährt sich die künstlerische aus tausend Quellen, deren Bedeutung für das vollendete Werk noch dazu problematisch ist.

## Literatur[3]

Die neue Methode, das Publikum für die Werke des Geistes zu interessieren, wird gleichzeitig an zwei Punkten der Ausstellung verwirklicht. Das eine Mal in einer Abteilung des Trocadéro, die sich bescheiden *»Ebauche et premiers éléments de la Littérature française«*[4] nennt. Der in ihr unternommene Versuch ist besonders kühn, weil er die Literatur betrifft – einen Produktionszweig also, der sich von Natur aus dagegen sträubt, ausstellungsmäßig erfaßt zu werden. Dennoch ist es, zumindest teilweise, gelungen, das literarische Erzeugnis zu Bekenntnissen zu zwingen, die seiner Herkunft, seiner eigentümlichen Beschaffenheit, seinem Widerhall gelten. Wände, die den Namen von Flaubert, Baudelaire, Proust geweiht sind, verwandeln sich dank der Auswahl und Anordnung der auf ihnen zusammengetragenen Dokumente in sichtbare Monographien, in literarhistorische Exkurse von seltener Sprachgewalt. Man befindet sich der *»Éducation sentimentale«*[5] gegenüber: Handschriften, Briefe, Photos der Zeitgenossen. Bilder von Orten, an denen die Hauptszenen spielen, und Illustrationen aus Flauberts Leben verdichten sich zu einem Leitfaden, der durch die Greifbarkeit seiner Auskünfte und Glossen doppelt spannend wirkt. Es ist, als nähme der Roman Körper an und neige sich so weit vor, daß sich der Beschauer unmittelbar von einem Dasein überzeugen kann, das sich sonst nur dem echten Leser erschließt.

## Van Gogh

Aus der gleichen Konzeption geht, das andere Mal, die Ausstellung: *»La vie et l'œuvre de Van Gogh«* hervor, die von *René Huyghe*, dem Gemäldekonservator des Louvre, mit Unterstützung der Herren *Michel Florisoone* und *John Rewald*[6] organisiert worden ist und eine größere Anzahl von Werken vereinigt. Sie führt das in der Literaturabteilung skizzenhaft realisierte Prinzip an einem Einzelfall exemplarisch durch. In der Tat, wer den der Instruktion eingeräumten Teil dieser Ausstellung durchmißt, wird zum Augenzeugen und Leidensgenossen eines dunklen, großen Lebens; er folgt nicht nur der Entwicklung Van Goghs, er vollzieht sie unter dem Einfluß der persönlichen Gegenwart des biographischen Materials selber noch einmal mit. Von der Kindheit angefangen bis zu den Jahren des Irrsinns sind alle Epochen dieser Laufbahn leibhaft zur Stelle. Der Werdende kopiert Millet und Gauguin:[7] man sieht die Bilder, die er kopiert. Man sieht auch die Kornfelder, auf die der Maler geblickt, und die Menschen, die er gekannt hat. Und außer den Landschaften, den Gesichtern und Situationen werden die ihnen jeweils zugeordneten Betrachtungen zitiert, deren die Briefe an den Bruder voll sind – ein sinnreich komponiertes Miteinander, das der wechselseitigen Erhellung von Gedanke und Bild zustatten kommt und mitunter den Eindruck einer Röntgenaufnahme erweckt. Innertechnische Längsschnitte ergänzen den biographischen. Einer von ihnen veranschaulicht die zeichnerische Manier Van Goghs in mehreren Entwicklungsstadien, und es ist unendlich reizvoll zu beobachten, wie die Striche sich allmählich verselbständigen und ein immer passionierteres Eigenleben gewinnen.

Bei der Anwendung dieses Ausstellungsprinzips droht eine Gefahr, die in der Literaturabteilung nicht immer vermieden wird: die Gefahr, sich auf ein mechanisches Gemenge wissenswerter Tatsachen zu beschränken, statt eine durchfühlte und wirklich durchkonstruierte Gruppierung des Materials zu präsentieren. Eine derartige Zurückhaltung ist aber deshalb verfehlt, weil eine Schau dieses Stils ja nicht die Vermittlung irgendwelcher Kenntnisse über Kunstwerke bezweckt, sondern der Demonstration der Methode dient, nach der man vorzugehen hat, um sich dem Leben des Geistes anzunähern und der Gehalte seiner Schöpfungen innezuwerden. Sie soll eine Anweisung geben, kein Sammelsurium von Fakten; der Nachdruck liegt auf dem Wie und nicht auf dem Was. – Die entgegengesetzte Gefahr ist die, daß man der Verführung erliegt, zu wenig Zurückhaltung zu üben, und mit dem Arrangement der Dokumente Interpretationsabsichten verbindet – sei es, daß man den einen oder anderen Zug der Werke geflissentlich überbelastet, sei es, daß man ihr Verhältnis zum Biographischen einseitig belichtet. Als hätte eine solche Schau die Aufgabe der Interpretation! Gerade die Van-Gogh-Ausstellung zeigt mustergültig, worauf es hier ankommt. Weit davon entfernt, dem Publikum eine fertige Meinung aufzudrängen, liefert sie ihm vielmehr die Möglichkeit, sich selber eine begründete Meinung über Van

Gogh zu bilden, oder regt es doch zum Deutungsversuch an. Zugegeben, daß es nicht einfach ist, Kombinationen zu treffen, die weder mehr noch weniger als das Erforderliche bringen. Nur Takt und Kennerschaft vermögen vor Entgleisungen zu bewahren.

Nicht zuletzt darf dieser Ausstellungstypus das Verdienst für sich beanspruchen, daß er der photographischen Technik eine neue Funktion zuerteilt. Neben Reproduktionen von Gemälden Van Goghs sind Photographien desselben Formats angeordnet, die das Motiv des jeweiligen Gemäldes im Original darstellen. Mit der gemalten Pappelallee zusammen erscheint die reale, und im Gefolge der Bilder des Steinbruchs und der Eisenbrücke tauchen, kraftlosen Schemen gleich, ihre Urbilder auf. Das heißt nichts anderes, als daß die Photographie über die dienende Rolle hinausgehoben wird, die sie bisher im Verkehr mit dem Kunstwerk gespielt hat. Zu ihrer Funktion, es zu reproduzieren, tritt jetzt die andere: es mit seinem Modell zu konfrontieren. Indem die Photographie aber diese Gegenüberstellung vornimmt, gewährt sie einen wunderbaren Einblick in den Schaffensprozeß. Durch die Art ihrer Benutzung erhält man die unvergleichliche Chance, nach Tiefe und Breite den Abgrund zu vermessen, der das unwirkliche Chaos des Gegebenen von der Wirklichkeit des Gestalteten trennt – diesen Abgrund, in dem der Schaffende selber oft genug versinkt.

Für die Werke des Geistes herrscht heute eine schlechte Konjunktur. Denn da sie keinen direkten Nutzen versprechen und sich überdies ihrer Haut nicht wehren können, fallen sie zuerst der Krise zum Opfer. Um so verheißungsvoller ist dieser neue Ausstellungstypus, der sich darum bemüht, sie ihrer Verschollenheit zu entreißen. Die mit so viel Glück in Paris durchgeführten Experimente stellen seine Ausbaufähigkeit unter Beweis. Sie sind dazu bestimmt, Schule zu machen.
(*Das Werk*, Januar 1938)

1 Dem Artikel waren in der Erstveröffentlichung drei Abbildungen mit folgenden Bildunterschriften beigegeben: »Jean-Auguste-Dominique Ingres, 1780-1867; ›Jupiter und Thetis‹, 1811. Aus dem Museum von Aix-en-Provence, 3,21×2,57«; »Systematische Darstellungen aus der Literaturausstellung oben: Gustav Flaubert, unten: Marcel Proust.

Schriftproben, Dokumente aus der Familie, dem sozialen Milieu, dem Bildungskreis und Lebenslauf des Schriftstellers«.

2 Vom 25. 5. bis 25. 11. 1937 fand in Paris die Weltausstellung »Exposition Internationale des Arts et Techniques dans la Vie Moderne« statt; das Gelände der Ausstellung umfaßte den Bereich des Trocadéro mit dem gegenüberliegenden Marsfeld, erstreckte sich entlang der Uferzonen der Seine bis zur Invalidenesplanade und dem für die Weltausstellung 1900 erbauten Grand Palais. Siehe auch Nr. 757.

3 Im Typoskript (KN) fehlen diese und die folgende Zwischenüberschrift.

4 Frz.: Entwürfe und erste Bausteine der französischen Literatur.

5 Gustave Flaubert, *L'Éducation sentimentale* (1869).

6 Der französische Kunstwissenschaftler und Schriftsteller René Huyghe (1906-1997) war seit 1936 Chefkonservator am Louvre und organisierte im Zweiten Weltkrieg die Evakuierung der Museums-Bestände in die unbesetzte Zone Frankreichs. 1950 wurde er Professor am Collège de France und 1960 Mitglied der Académie française. Zu seinen bekanntesten Werken gehören *L'univers de Watteau* (1950), *Dialogue avec le visible* (1955) und *Les puissances de l'image: bilan d'une psychologie de l'art* (1965). Michel Florisoone war Konservator an der Gemäldegalerie im Museum des Louvre. Zu John Rewald siehe Nr. 774, Anm. 6.

7 Vincent van Gogh (1853-1890) widmete sich nach einer wechselvollen Laufbahn als Verkäufer und Hilfsprediger erst ab 1880 ausschließlich der Malerei und bildete sich autodidaktisch u.a. durch Kopien zeitgenössischer Kunst wie der Landschaftsbilder Jean-François Millets (1814-1875) und der Gemälde Paul Gaughins (1848-1903) aus.

# 757. Kosmos der Wissenschaften – Konglomerat der Künste

Zu den größten Sehenswürdigkeiten der Pariser Weltausstellung[1] gehört die im »*Palais de la Découverte*« vereinigte Schau fundamentaler Entdeckungen auf allen Gebieten der Wissenschaft, von der höheren Mathematik angefangen bis zur experimentellen Biologie. Sie ist insofern neuartig, als sie sich nicht in der Darbietung unverständlicher Apparate und Tabellen erschöpft, sondern mit allen Mitteln das Publikum zur Teilnahme an jenen Vorgängen zu bewegen sucht, die sich in den Laboratorien, Sternwarten, Studierzimmern abspielen.[2] Geschultes Personal veranstaltet Demonstrationen; Phonogramme laufen ab; Lehrfilme greifen erläuternd ein; Dioramen und Panoramen ergänzen das Werk der graphischen Darstellungen und der Kommentare. Strenge Wissenschaft, die sich unter der Ägide der namhaftesten Forscher leutselig auf den Markt begibt. Und ohne nach billiger Popularität zu haschen, gelingt es ihr doch, der Menge Sensationen zu bereiten, neben denen die der Schaubuden-Attraktionen und der alten Scharlatane verblassen. Man drückt auf einen Knopf, und vertrackte Modelle beginnen zu funktionieren; man durchwandelt ein geheimnisvolles Dunkel, in dem es plötzlich knistert und blitzt. Nichts spannender als diese weiße Magie. Die Wahrscheinlichkeitsrechnung erlangt eine unwahrscheinliche Verführungskraft, und der Raum der Fluoreszenzerscheinungen gleicht einem Zauberkabinett. Es ist, als sei man wieder zum Knaben geworden und verschlänge einen Jules-Verne-Roman nach dem andern.

Mendelsche Vererbungsgesetze, Atomtheorie, X-Strahlen – Einzelheiten aufzählen zu wollen, wäre ein Aberwitz. Immerhin mag verzeichnet werden, daß manche Abteilungen besonders eindrucksvoll sind. So die astronomische, die inmitten kosmischer Szenerien von außerordentlicher Sinnfälligkeit ein aus der Stratosphäre aufgenommenes Bild der Erde enthält, auf dem diese schon fern wie ein sonderbar nahgerückter Himmelskörper wirkt. So auch die medizinische Abteilung; der Überblick, den sie über den menschlichen Organismus, die Krankheiten und die Leistungen der ärztlichen Wissenschaft gewährt, ist so vollständig, daß er sogar die zur Identifikation von Verbrechern angewandten Methoden umfaßt. Aber wesentlich ist in diesem Zusammenhang allein die Kunst des Arrangements. Man hat jedes Forschungsgebiet als ein in sich geschlossenes Ganzes behandelt und dadurch erreicht, daß die Phänomene nicht isoliert auftreten wie Kuriositäten, sondern untereinander in sinnvoller Verbindung stehen. Sie sind Etappen einer Entwicklung, die überall vergegenwärtigt wird. Galilei hat in der Ausstellung seinen Ort, und mit dem modernen chemischen Laboratorium wird eine Alchimistenküche konfrontiert. Mehr noch: es ist dafür gesorgt, daß der Beschauer die Entdeckungen wirklich als das Ergebnis menschlichen Bemühens begreift. Er sieht die Bilder der Forscher, die unser Wissen gemehrt haben, erhält Einblick in ihr Lebenswerk und lernt erkennen, daß die von ihm wie selbstverständlich hingenommenen Güter der Zivilisation unter zähen Kämpfen Stück für Stück der Natur abgerungen worden sind.

Damit ist auch schon etwas über den Zweck der Schau ausgesagt. Natürlich fällt ihr keineswegs die unerfüllbare Verpflichtung zu, das Publikum in die Zahlentheorie einzuführen oder es mit der neuesten Physik vertraut zu machen. Wohl aber soll sie ihm einen Begriff von der Bedeutung der theoretischen Naturwissenschaften vermitteln, ihm zeigen, daß die scheinbar abgelegensten Forschungen zu irgendeiner Stunde von größtem praktischem Nutzen sein können. Die Aufgabe der Ausstellung besteht darin, den Primat der Theorie zu unterstreichen und so der heute üblichen Meinung, daß die Praxis wichtiger sei als weltfremdes Theoretisieren, die notwendige Korrektur zu erteilen. Zu dieser Aufgabe kommt eine zweite sozialer Art.[3] Sie betrifft die Selektion des Nachwuchses und läßt sich nicht besser ausdrücken als mit den Worten Jean Perrins, dem die Organisation der Schau zu danken ist. Perrin schreibt im Vorwort des Katalogs:

»... on peut espérer que dans ce peuple où subsistent d'immenses réserves inutilisées, il se rencontrera parmi les jeunes visiteurs qui n'ont pas été favorisés par une éducation jusqu'ici toujours réservée à un trop petit nombre de privilégiés, des esprits particulièrement aptes à la recherche, auxquels leur vocation se trouvera révélée ... Je peux bien rappeler à ce sujet que Faraday ... n'était qu'un simple ouvrier relieur et que le hasard seul l'a conduit dans les labroatoires. S'il se révélait ainsi dans notre Palais de la Découverte une seule grande vocation de même sorte, notre effort à tous serait payé plus qu'au centuple.«[4]

Verhandlungen sind eingeleitet, die darauf abzielen, den Fortbestand des Palais de la Découverte zu sichern. Hoffentlich führen sie zu einem guten Ende.[5]

## Kunstpavillon der Ausstellung

Ist das Palais de la Découverte ein sorgfältig durchorganisiertes Unternehmen, so scheint über dem *Kunstpavillon*[6] der Zufall gewaltet zu haben. Der Inhalt dieses am Rand der Ausstellung gelegenen Pavillons gleicht in der Tat einem auf gut Glück zusammengestoppelten Konglomerat von Resten, für die anderswo kein Raum mehr vorhanden war. Ein Speicher. Heutiger Kunst gewidmet, birgt er eine Masse von Gemälden, Skulpturen, graphischen Arbeiten und architektonischen Entwürfen, unter denen gewiß Leistungen hohen Ranges nicht fehlen; aber sie blühen[7] inmitten eines üppig wuchernden Unkrauts, das sie zu ersticken droht. Am ausgedehntesten ist die französische Schau, auf die einzugehen sich jedoch um so weniger lohnt, als die hier befindlichen Ausnahmen zweifellos über kurz oder lang in einer gewählteren Umgebung wiederkehren werden. Eher schon empfiehlt sich die summarische Würdigung der paar ausländischen Abteilungen, die auch in völkerpsychologischer Hinsicht nicht des Interesses entraten.

Aus der Schweizer Abteilung[8] seien die farbenfrohen, kräftig modellierten Köpfe A.[lexandre] Blanchets erwähnt, die dem blassen, länglichen, etwas misogynen Gesichtstypus von R.[ené] Auberjonois das Leben schwermachen.[9] Unter den Landschaften fällt ein trübes Vorstadtbild J.[ohann Wilhelm] v. Tscharners[10] auf, der auch ein handfestes Stilleben in Gelb und Grün zeigt; ferner eine impressionistische Arbeit von C.[uno] Amiet: hinter einer weiten Rasenfläche erhebt sich ein nüchterner Gebäudekomplex, dessen Rot schön im Dunst glüht.[11] Hie und da finden sich Werke, die sich von der Tradition losreißen möchten und einen gemäßigten Vorstoß wagen. So die leicht exotische Frauenbüste von Hermann Haller,[12] die den Eindruck des Saugenden zu erwecken weiß, und vor allem E.[rnst] Morgenthalers Leichenbegängnis im Schnee – ein größeres Gemälde, das ungeachtet seines traurigen Gegenstandes heiter stimmt.[13] Denn von einem Hauch des Surrealismus gestreift, mokiert es sich witzig über die Art und Weise, in der konventionelle Spießbürgerlichkeit mit dem Ereignis des Todes fertig wird. Aus der Monotonie des von schwarzen Trachten bedeckten Schneegeländes stechen der feuerrote Haarschopf eines Beerdigungsteilnehmers und das lebensbejahende Giftgrün der Kränze hervor; zwei impertinente Farbkleckse, die mit einer wahren Unschuldsmiene der aufgesetzten Weihe Hohn sprechen.

Kleine Nationen entfalten sich in großem Rahmen. Die *Polen* besitzen starke Talente, die vom Primitiven unvermittelt ins Geschleckte hinüberwechseln. Erdgerüche mischen sich mit erlesenen Parfüms, und zwischen urtümlichen Visionen wird Picasso beschworen. Kaum anders verhalten sich die *Bulgaren*, die ihre rustikale heimatliche Atmosphäre gern mit der Pariser Atelierluft vertauschen. In seltenen Fällen gelingt eine Symbiose. *Holland* steuert einige anziehende Porträts bei – es sei etwa das durchscheinend zarte Mädchen von Ernst Leyden[14] genannt – und bevorzugt im übrigen wie *Belgien* Traditionelles von teilweise guter

Qualität. *Luxemburg* identifiziert sich mit den Arbeiten von Joseph Kutter, die durchweg eine Neigung zum Dekorativen bekunden und an leuchtende Bühnenerscheinungen gemahnen.[15] Die *Tschechoslowakei* wartet mit einer erstaunlichen Fülle künstlerischer Begabungen auf, deren Heraufkunft durch die demokratische Verfassung des jungen Staatengebildes begünstigt worden sein mag. Dank dem noch frischen Bewußtsein politischer Freiheit ist man hier experimentierlustig und vom Verlangen beseelt, seine Möglichkeiten voll auszutragen. Der geglückten graphischen Abteilung reiht sich ebenbürtig die plastische an, in der Otto Gutfreunds Gruppe einer liegenden Arbeiterfamilie Beachtung verdient.[16] Gleich fortschrittlich gesinnt ist die Malerei. Antonin Prochazka und Jindrich Styrsky formen surrealistische Einflüsse weiter aus,[17] Maxim Kopf fesselt durch ein Bild von Rosa Valetti[18] und V.[áclav] Spalazo[19] bringt ein effektvolles, mit Mondlichtspritzern übersätes Nachtstück. Viele Arbeiten fallen ab; aber alle leben sie doch.
Im Gegensatz zur tschechischen Ausstellung wirkt die *deutsche* erstorben; zum mindesten ermangelt sie ganz jener Lust am Abenteuer, die den Künstler erst zum Künstler macht. Die eingesandten Arbeiten vermeiden nicht nur geflissentlich den Bezug auf die Aktualität, sondern fliehen geradezu vor ihr und verraten damit freilich wider Willen ihre Abstammung aus einem Lande, in dem der Kunst die Marschroute vorgeschrieben wird. Es ist, als seien sie in einem Glashaus entstanden, das sie vom Heute trennt und jeden Luftzug fernhält. Unstreitig zeugen manche Leistungen von einem soliden Können; das hindert nicht, daß sämtliche Werke ausgesprochen starr anmuten und sich mit Vorliebe in die Sphäre des harmlosen Idylls oder in abgelebte Epochen zurückziehen. Klaus Richters Doppelbildnis seiner Eltern[20] ruft die Erinnerung an Dürer, Holbein oder Memling wach; ein anderer Männerkopf ist in der Gegend von Caranch zu Hause; eine winterliche Alpenlandschaft könnte die Staffage irgendeines mittelalterlichen Gemäldes sein. Dazwischen Gestalten in Bauerntracht und ein bärtiges Gesicht, das an alte Holzschnitzwerke anklingt. Ebenso archaisch ist die graphische Schau, in die sich wie zufällig eine Zeichnung Gulbransons[21] verirrt hat – eine jener delikaten Linienkompositionen, die allerdings bereits klassisch heißen dürfen. Hebt man noch die technisch glänzend ausgefeilten Pflanzenstudien von Wilhelm Heyse[22] hervor, die aber als Muster romantischer Ver-

sonnenheit auch nicht das letzte Wort sind, und vielleicht mehrere Figurinen Hanna Nagels,[23] denen sich die Spur einer persönlicheren Note zubilligen läßt, so bleibt ein Wust von Schwarzweißblättern übrig, deren Ehrgeiz darin besteht,[24] längst historisch gewordene Stile und Sentiments neu zu beleben. Barocke Felsengebilde, Pferdemotive, herbe Variationen über südliche Städte und eine Unzahl ländlicher Szenen – das erstrebt Echtheit und ist ein Anachronismus.[25]
(*Das Werk*, Januar 1938)

1 Siehe Nr. 756, dort auch Anm. 2.
2 Das Palais de la Découverte wurde als Anbau an den Grand Palais errichtet. Auf über 25 000 m² präsentierten sich Ausstellungen aller naturwissenschaftlichen Fachrichtungen. Das Konzept der Wissenschaftsabteilung wurde von dem französischen Nobelpreisträger für Physik Jean-Baptiste Perrin (1870-1942) entwickelt. Aufgrund des großen Erfolgs der Ausstellung mit mehr als 2 Millionen Besuchern blieb das Palais auch nach der Weltausstellung als Museum bestehen.
3 Im Typoskript: »kommt eine sozialer Art«.
4 »Man darf hoffen, daß sich im Volk, wo riesige ungenutzte Vorräte liegen, unter den jungen Besuchern, die nicht durch eine Erziehung bevorzugt wurden, welche bislang stets einer viel zu kleinen Zahl Privilegierter vorbehalten war, Geister finden, die besonders zur Forschung befähigt sind, deren Berufung sich offenbart. [...] Ich kann dabei gut darauf verweisen, daß Farraday [...] nur ein einfacher Buchbinder war, den der Zufall in die Laboratorien geführt hat. Wenn sich daher in unserem Palais der Entdeckung eine einzige große Berufung dieser Art ereignete, hätten sich unsere Bemühungen im ganzen mehr als hundertfach bezahlt gemacht.«
5 Siehe oben, Anm. 2.
6 Für das Museum der Modernen Kunst wurde am Hochufer der Seine ein zweiflügeliges Gebäude im neoklassizistischen Stil errichtet. Es beherbergte auch die zuvor im Palais du Luxembourg untergebrachte staatliche Sammlung moderner Kunst sowie die aus dem Petit Palais stammende Sammlung der Stadt Paris, so daß der Bau nach der Weltausstellung weiter als Museum genutzt wurde.
7 Im Typoskript: »erblühen«.
8 Im Typoskript beginn dieser Absatz: »Die Schweiz glaubt zwar nicht ohne düstere Blubo-Schwarten [d. i. Blut- und-Boden-Schwarten, Anm. d. Hrsg.], bläuliche Salontinkturen und anämische Gespinste auskommen zu können, vernachlässigt aber darüber keineswegs das Geschmackvolle und Gediegene. Von den Porträts seien die farbenfroher [...].«
9 Von Alexandre Blanchet (1882-1961) waren die Gemälde *Junger Mann*, ein *Porträt des Malers* und ein *Stilleben* ausgestellt, von René Victor Auberjonois (1872-1957) die Werke *Portrait des Künstlers*, *Der Harlekin* und *Porträt eines jungen Knaben*. Wie im Fall dieser Bilder war auch im folgenden zwar in der Regel ein Titel, aber vielfach nicht die Entstehungszeit der von Kracauer erwähnten Werke zu ermitteln.
10 Johann Wilhelm v. Tscharner (1886-1946), *Banlieu*.
11 Cuno Peter Amiet (1868-1961), *Paris, Häuserblock* (1936).

12 Hermann Haller (1880-1950) war durch die Skulpturen *Farbiger Kopf*, *Kopf ohne Haare* und *Ägyptischer Kopf* vertreten.
13 Ernst Morgenthaler (1887-1962), *Beerdigung*.
14 Das Bild Ernst (van) Leydens (1892-1969) war bislang nicht zu ermitteln.
15 Im Typoskript lautet der vorangehende Satz: »Luxemburg identifiziert sich mit den Arbeiten von Joseph Kutter, originell komponierten Bildern eines Clowns, einer Mädchenfigur und einer Stadtlandschaft, die [...]«. Die Exponate Joseph Kutters (1894-1941) waren bislang nicht zu ermitteln.
16 Otto Gutfreund (1889-1927), *Arbeiterfamilie*.
17 Antonin Prochazka (1882-1945) war durch die Bilder *Raucher* (1923), *Le plateau de verte* (1924), *Les ciments* (1926), *Der Mann mit der Zigarette* (1927) und *Italienische Landschaft* (1928) vertreten. Jindrich Styrsky (1899-1942) durch *Erinnerung an mein Leben* (1933) und *Der Mensch aus Eis* (1934).
18 Maxim Kopf (1892-1958), *Porträt der Schauspielerin Rosa Valetti* (1936).
19 Richtig: Václav Špála (1885-1946); ausgestellt waren die Gemälde *Bäuerin* (1919), *Auf der Otava* (1929) und *Blumenstrauß* (1928).
20 Klaus Carl Friedrich Richter (1887-1948), *Meine Eltern*.
21 Von Olaf Leonhard Gulbransson (1873-1958) wurde die Tuschezeichnung *Arne Garborg* gezeigt.
22 Richtig: Wilhelm Heise (1892-1965); in der Ausstellung waren die Bilder *Frauenschuh*, *Königskerzen*, *Binse und Zaunwinde* und *Engelwurz* zu sehen.
23 Hanna Nagel (1907-1975) war durch die Drucke *Angélique*, *Deutscher Sattel*, *Knieende Frau*, *Spanierin*, *Porträt eines jungen Mädchens* und *Im Spiegel* repräsentiert.
24 Im Typoskript: »offenbar darin besteht«.
25 Im Typoskript folgt hier noch der Satz: »Man glaubt den Druck zu spüren, der diese Wendung zum Hinterwäldlerischen erzwingt.«

## 758. Pariser Kunstchronik

Im Pavillon des Jeu de Paume wird bis Ende Juli die Ausstellung: »Trois Siècles d'Art aux États-Unis« zu sehen sein, die auf die Einladung der französischen Regierung hin vom Museum of Modern Art zu New York (Präsident: A.[nson] Conger Goodyear; Direktor: Alfred H.[amilton] Barr) organisiert worden ist.[1] Das New Yorker Museum hat vorzügliche Arbeit geleistet. Die mit Hilfe zahlreicher Privatsammler, Galerien und Künstler zustandegekommene Schau gewährt einen geschichtlichen Überblick, der in knapper Form das Wesentliche trifft, und wird überdies von einem Katalog begleitet, den niemand missen möchte;[2] denn seine von Direktor Barr und den Museumskonservatoren John McAndrew, Beaumont Newhall und Iris Barry verfaßten Beiträge zeichnen sich sowohl durch ihre fortschrittliche Gesinnung wie durch die souveräne Art aus, in der sie die gewaltige Stoffülle handhaben.[3] – Von den sechs Abteilungen, in die sich die Ausstellung gliedert, ist eine der volkstümlichen Kunst gewidmet. Angehörige der frühen Siedlergenerationen gestalten die Themen der Farm, des Wald- und Flußlebens, der Begegnung mit den Indianern, und so entstehen Gemälde und Lithographien, die auf rührende und entzückende Weise das Neue, Ungewohnte zu bannen versuchen. Breiten Raum nehmen Malerei und Skulptur ein. Beide Künste entfalten sich, nicht zuletzt infolge des dauernden Zustroms vom alten Kontinent her, unverkennbar unter europäischem Einfluß, aber gerade in der jüngsten Zeit, so läßt sich deutlich feststellen, setzt sich mehr und mehr eine spezifisch amerikanische Note durch, die auch von den immigrierten Künstlern herausgearbeitet wird. Sie äußert sich im Verzicht auf malerische Atmosphäre und im Drang, die krassen Härten und sonderbaren Kontraste der modernen Existenz ungeschminkt aufzuweisen; sie zeigt sich überall dort, wo die Neigung zur Groteske und eine in Trauer gegründete Schnödigkeit vorwalten. Glänzend arrangiert ist die Architekturabteilung, die beim Kolonialstil anhebt und unter ausgiebiger Berücksichtigung des regionalen Bauens über die babylonische Stilverwirrung im späten neunzehnten Jahrhundert weg zu den Vorkämpfern, den Technikern und den verschiedenen Zweigen der heutigen Architektur hinführt. Ein von stichwortartigen Kommentaren unterstützter Lehrgang in Bildern und Modellen, der mit einem Kurzfilm über die Heraufkunft der Wolkenkratzer abschließt und eine Reihe wunderschöner Aufnahmen von Industriebauten, Straßen und Brücken umfaßt. Diese Fotos hätten auch der kleinen fotografischen Kollektion zur Ehre gereicht, in der sich gute Daguerreotypien und charakteristische ältere Lichtbilder finden. – Waren die Amerikaner auf allen künstlerischen Gebieten zur Auseinandersetzung mit einem reichen kulturellen Erbe gezwungen, so sind sie auf dem des Films Conquistadoren. Frei von Ballast der theatralischen Traditionen Europas haben sie dieses Neuland mit einer großartigen Unbefangenheit kolonisiert, die ihnen heute eine überragende Stellung sichert. Um so fesselnder ist die Filmabteilung. Sie ist das Werk der Film Library des Museums of Modern Art, die sich un ter der Leitung John E. Abbott's im Lauf von nicht mehr als drei Jahren zu einer der größten Filmbibliotheken entwickelt hat.[4] Tägliche Vorführungen illustrieren das Werden des amerikanischen Films, vom Nickelodeon bis zum Kinopalast, von den ersten winzigen Streifen an bis zur aktuellen Superproduktion. Man ermißt aus diesem einzigartigen Anschauungsunterricht die kaum zu überschätzende Bedeutung, die der Film Library nicht nur für die Geschichte des Films, sondern auch für jede Kulturgeschichte des zwanzigsten Jahrhunderts zukommt. Die praktischen Darbietungen werden durch eine Anzahl chronologisch angeordneter Fotos ergänzt; ferner durch eine höchst interessante Sammlung von Originaldokumenten, die, in Form eines Längsschnittes montiert, den gesamten Arbeitsprozeß vergegenwärtigen, der bei der Herstellung eines modernen Großfilms zu durchlaufen ist. – Ein ausführliche Würdigung der Ausstellung wird folgen.[5]

(*Das Werk*, Juli 1938)

1 Die Ausstellung »Trois siècles d'art aux États-Unis. Peinture, Sculpture, Architecture. Exposition organisée en collaboration avec la Museum of Modern Art, New York« fand vom 24. 5. bis 31. 7. 1938 im Pariser Musée du Jeu de Paume statt. Der Industrielle und Kunstsammler Anson Conger Goodyear (1877-1964) war erster Präsident des 1929 gegründeten Museum of Modern Art, das der Kunsthistoriker Alfred Hamilton Barr (1902-1981) von 1930 bis 1943 als Direktor leitete.

2 Siehe Alfred H. Barr (Hrsg.), *Trois siècles d'art aux Etats-Unis*. Peinture, Sculpture, Architecture, Cinéma. Exposition Paris musée du Jeu de Paume 1938. Préface par A. Conger Goodyear. Paris: Edition des musées nationaux 1938.

3 Siehe Alfred H. Barr, »La Peinture et la Sculpture aux États-Unis / Painting and Sculpture in the United States«. In: Ders., *Trois siècles d'art aux États-Unis* (wie Anm. 3), S. 1-30; John Mc Andrew, »L'Architecture aux États-Unis / Architecture in the United States«. In: Ebd., S. 69-77; Beaumont Newhall »La Photographie aux États-Unis / Photography in the US«. In: Ebd. S. 80-85; Iris Barry »Brêve Histoire du Cinéma Américain / A Brief History of the American Film«. In: Ebd., S. 91-101.

4 Über die Ausstellung der Filmabteilung berichtete Kracauer separat in einem Artikel für die NZZ, siehe *Werke*, Bd. 6.3, Nr. 736. Die Film Library des Museum of Modern Art wurde 1935 unter der Leitung von John Abbott (1908-1952) sowie der Kuratorin und späteren Direktorin Iris Barry (1895-1969) eingerichtet und entwickelte sich binnen weniger Jahre zu einem der führenden Filmarchive der Welt. Die Verbindung zu diesem Archiv wurde für Kracauers Emigration in die USA von entscheidender Bedeutung. 1938 traf er anläßlich der Ausstellung »Trois siècles d'art aux États-Unis« in Paris mit John Abbott zusammen und notierte erste Ideen zu einem Filmbuch (siehe *Werke*, Bd. 3, S. 807-810), ein Jahr später bot Abbott ihm eine Forschungsstelle an, um eine Geschichte des (deutschen) Films zu schreiben, nach seiner Ankunft in New York im April 1941 fand Kracauer eine Anstellung als »research assistant« von Iris Barry.

5 Siehe Nr. 759.

# 759. Americana[1]

Glossen zur Ausstellung: »Trois Siècles d'Art aux États-Unis«

## Zarte Geometrie

Die vom New Yorker »Museum of Modern Art« veranstaltete Ausstellung[2] umfaßt eine Abteilung für Volkskunst, die besonders dankenswert ist. Die meisten hier gezeigten Arbeiten sind zwischen 1750 und 1850 entstanden und stammen von schlichten Amateuren oder von Handwerkern, die um des Broterwerbs willen Schilder malten, Grabsteine meißelten und Schiffsfiguren oder – als Wahrzeichen der Tabakläden – Indianerstatuen schnitzten. Eben weil diese Künstler, von denen viele anonym bleiben, in steter Verbindung mit dem Alltag schaffen, enthalten ihre Werke Aussagen von großer Unmittelbarkeit. In manchen Bildern wiegt freilich noch das Herkommen schwerer als die Erfahrung; Erinnerungen schieben sich vor, ererbtes Kompositionsgefühl überwältigt die Gegenwart.[3] Angesichts der Macht des Vorgeformten sind einige jener Bilder, die sich nicht um die Tradition kümmern, doppelt erstaunlich. Mit einer Naivität, wie sie nur Kindern oder Menschen aus dem Volke eignet, verraten sie eine Tendenz, die zweifellos auf die Anfänge amerikanischer Zivilisation zurückreicht und sich in der Sphäre bewußter Kunstübung erst ganz spät durchsetzt: die Tendenz, sich vom Druck religiöser und politischer Mythologien zu befreien, sich weltoffen zu halten. Generationen von Siedlern, die ihrer Überzeugungen wegen im Mutterland verfolgt und geächtet wurden, sind nach Amerika in der Hoffnung ausgewandert, dort der Tyrannei des Wahns ledig zu sein. Sie verneinen das Vorurteil oder das, was ihnen als Vorurteil erscheint; der Zug zur Entmythologisierung ist ein Teil ihres Wesens. Dieser in der Geschichte Amerikas selber begründete Zug bewirkt, daß der dem Volk angehörige Künstler die Umwelt möglichst nüchternen Sinnes zu bewältigen strebt; vorausgesetzt, daß er nicht wie Joseph Pickett, Zimmermann und Schiffsbauer seines Zeichens, den Eingebungen eines phantasiereichen Kindergemütes gehorcht. Pickett pinselt und strichelt in seinem Bild *»Coryell's Ferry«*[4] eine Idylle zusammen, die, süßeren[5] Behagens voll, von fern an Henri Rousseau[6] gemahnt. Aber solche lyrischen Äußerungen treten hinter epischen Schilderungen von betonter Kargheit zurück. Man spürt: der Kunstbeflissene weicht der Dunkelheit aus, in der böser Zauber gedeiht, und neigt dazu, den notwendigen Formenapparat aller Irrationalität zu entkleiden. Eine Neigung, die sich in dem Gemälde von Hicks: *»The Residence of David Twining«*[7] darstellt, das die Bestände eines wohlgeratenen bäuerlichen Besitztums mit liebevoller Ausführlichkeit inventarisiert; ferner in einer Friedhofselegie[8] aus der Zeit um 1813, deren unbekannter Autor die Empfindung des Abgestorbenseins wunderbar zu vermitteln weiß. Beide Bilder stimmen darin überein, daß sie dem Trug der Perspektive abschwören, die gerade Linie bevorzugen und überhaupt ihre Objekte auf mathematische Formeln bringen. Die anmutig ineinander montierten Gutsgebäude und Lebewesen des ersten Bildes gleichen Modellen von Gutsgebäuden und Lebewesen; die Grabkapelle, Grabsteine und Weiden des zweiten sind durchscheinend klare Figuren. In diesen optischen Rechenschaftsberichten lebt unstreitig das Bedürfnis, sich von der Herrschaft mythologischer Ansprüche zu emanzipieren. Von ihm getragen, drängen die künstlerischen Kräfte im Volk zur äußersten Reduktion des magischen Elements hin, zu einem Minimum von Rausch und Hexerei. Das Ergebnis ist ein zartes geometrisches Linienwerk, das wie ein Filter trüben Substanzen die Passage verwehrt. Was in die Bilder eingeht, mag der Größe des Unheimlichen entraten, ist aber heller, besonnener Art.

## Europa

Da sich die künstlerische Oberschicht begreiflicherweise dem Studium der europäischen Vorbilder hingibt, kostet es ihr viel mehr Mühe, zum Eigenen durchzufinden. Sie orientiert sich im XVIII. Jahrhundert an London, das später von anderen Kunststätten wie Rom oder Düsseldorf abgelöst wird. Nach dem Bürgerkrieg lassen sich einige der besten Maler, die Ungastlichkeit Amerikas befürchtend, ganz in Europa nieder; unter ihnen Whistler.[9] Inzwischen ist Paris zum künstlerischen Zentrum geworden, und seine seit der Mitte des vorigen Jahrhunderts nur vorübergehend geschwächte Anziehungskraft wird noch durch die Ausstellungen gesteigert, die Alfred Stieglitz kurz vor dem Weltkrieg in New York veranstaltete.[10] Er machte die Elite mit den Zeichnungen Rodins bekannt, mit Matisse, Henri Rousseau, Cézanne, Picasso. Im Anschluß an seinen Vorstoß organisieren amerikanische Künstler 1912 bis 1913 eine für das breite Publikum bestimmte Monstreschau, die außer der europäischen Avantgarde die französischen Meister des XIX. Jahrhunderts vorführt ...[11] Man lernt in Europa, man kommt von dort. Und die Millionen Einwanderer süd- und osteuropäischer Herkunft, die gegen 1900 auf amerikanischem Boden gezählt werden, haben der neuen Heimat nicht wenige ausgezeichnete Maler geschenkt. So bleibt es bis in die Gegenwart. Wie ein Blick in den Katalog beweist, sind manche derer, die heute zur Vorhut gehören, in Polen, Rumänien, Rußland, Italien und Deutschland geboren.

Die früh beginnenden Gestaltungen amerikanischen Lebens bemühen sich lange Zeit hindurch um die malerischen Werte der landwirtschaftlichen Szenerie und der Neger und erstrecken sich im Jahrzehnt vor dem Krieg auf die Themen der Bar, des Rings und der Straße. Alfred H. Barr, der Direktor des »Museum of Modern Art«, bezeichnet es geradezu als das Schicksal der amerikanischen Kunst, sich von Europa inspirieren zu lassen, ohne darüber den einheimischen Motiven untreu zu werden.[12] Waltet aber bis zum Krieg der europäische Einfluß in einer Weise vor, daß die Bilder höchstens durch ihre Stoffwahl als amerikanische Produkte wirken, so verringert sich während der beiden letzten Jahrzehnte die Abhängigkeit vom alten Kontinent, und auch in der Auffassung setzt sich eine spezifisch amerikanische Note durch. Vielleicht darf diese Verschiebung als ein Zeichen der veränderten Weltsituation gelten. Amerika ist nicht allein durch die wachsende Bedeutung der Technik ins Vordertreffen gerückt, sondern mag auch wesentliche Beiträge zur Bewältigung der ökonomischen und sozialen Probleme liefern, die heute trotz der Bildung neuer politischer Mythen nahezu überall in unverhüllter Gestalt den Gang der Ereignisse bestimmen. Je eingreifender die historische Funktion eines Landes, desto größer die Chance, daß sich in ihm ein eigentümlicher, dieser Funktion angemessener Geist entwickelt. Es ist eine auffällige Tatsache, daß sich die immigrierten Künstler unserer Generation überraschend schnell amerikanisieren und Werke erzeugen, in denen europäische Sentiments nur noch gedämpft mitsprechen. (Besonders drastisch werden die assimilierenden Kräfte Amerikas nach dem Krieg durch das Beispiel Hollywoods belegt: ein reichlich von Europa beschicktes menschliches Sammelbecken, aus dem Filme hervorgehen, die auch ihrer Mentalität nach nirgendwo als in Amerika hätten entstehen können.)

## Präzision

Nicht so, als ob Europa in der Nachkriegszeit aus dem Spiel bliebe. Vom vulgären Naturalismus bis zur abstrakten Kunst werden sämtliche Stile oder Stilmoden über den Ozean verschleppt und durchprobiert. Burchfields verwelkte Kleinstadtstraße läßt an Utrillo denken,[13] und der Kubismus findet viel Gefolgschaft.[14] Aber gerade in den kubistischen Bildern[15] gelangt eine sehr amerikanische Haltung zum Durchbruch, die von den regionalen Künstlern noch unterstrichen wird und kräftig genug ist, um sich auch ohne fremde stilistische Einkleidung zu behaupten. Gleichviel, ob die Bilder, in denen sie sich ausprägt, mehr realistisch oder mehr konstruktiv verfahren: gemeinsam ist ihnen, daß sie ihr der Umwelt entnommenes Thema unter Verzicht auf jede Atmosphäre in seiner nackten Tatsächlichkeit veranschaulichen. Edward Hopper konstatiert einen Leuchtturm im unbarmherzigen Morgenlicht;[16] Preston Dickinson stellt – ein beliebter Vorwurf – mit naturwissenschaftlicher Objektivität eine chaotische Häufung New Yorker Dächer dar und fest;[17] Charles Sheeler präpariert ein *»Classic Landscape«*[18] betiteltes Landschaftsrevier heraus, das statt der Berge und Blumen Silos und Schienenstränge enthält; Niles Spencer malt eine von unwirtlichen Lagerschuppen begrenzte Straße und befleißigt sich bei ihrer Wiedergabe poesieloser Genauigkeit.[19] Charakteristisch sind vor allem diejenigen Arbeiten, die sich mit Liniengerippen und kolorierten Flächen begnügen. Auf sie, deren Beziehung zur Neuen Sachlichkeit sich in gewissen äußeren Ähnlichkeiten erschöpft, ist der Begriff des Präzisionismus[20] gemünzt, den etliche amerikanische Kritiker verwenden. Bilder von einer bewußten Härte und Kälte; sie gleichen Aufnahmen von einem Tatort. Damit aber, daß diese modernen Künstler weniger den Gegenstand als dessen Schema versinnlichen und so die gleißnerische Fülle der Welt zu einer Summe exakter Figuren reduzieren, machen sie sich dieselbe Tendenz zu eigen, die sich in den Werken der Volkskunst schon lang vorher ausdrückt. Auch hier, in den neuen Bildern, ist das Geometrische durchaus anti-mythologisch gemeint; nur daß sich die Abwehr triebhafter Emphase und das Bekenntnis zur Gradlinigkeit nicht mit dem Optimismus des fortschrittsgläubigen XIX. Jahrhunderts verbindet, sondern von einem tiefen Betroffensein über die gegenwärtigen Zustände zeugt. So also sieht die Welt aus, scheinen die Bilder zu sagen, so grausam und eisig ist sie beschaffen, wenn man den Schleier von ihr reißt. Nach der Katastrophe von 1929 löst sich die Starre, und immer deutlicher tritt zutage, was hinter diesen Konstruktionen steckt, die geflissentlich präzis und fühllos die Fakten der heutigen Existenz verzeichnen. Kritik und Ungenügen stauen sich dahinter. Sie formulieren sich gelegentlich in flacher Zeitsatire oder schlagen einen kraß realistischen Ton an, mit dessen Hilfe sie bei der Beschreibung sozialer Misere kolportagehafte Effekte erzielen. Daneben finden sich jedoch auch Arbeiten, in denen Klage und Protest wirklich Form gewinnen – Arbeiten, deren einige deshalb besonders aufschlußreich sind, weil sie noch zur Hälfte im gefrorenen Liniengefüge verharren. Francis Criss behandelt in seinem *»Americana«* genannten Bild eine triste, ausgelaugte Vorstadtstraße mit der Ironie des Wissenden;[21] Alexandre Hogue enthüllt die Verheerungen der Dürre durch ein eindringliches Linienspiel und ein Gelb, das vom Leiden und vom Tod der Kreatur erzählt.[22] Sehr durchempfunden – auch in der Farbe – ist Louis Guglielmis: *»Wedding in South Street«*.[23] Auf der Straße verabschiedet sich ein prangendes Hochzeitspaar von der Familie, und die Festgewänder des Paares kontrastieren erschütternd mit der Straße, die dadurch vollends zum Gefängnishof wird, daß hoch über dem Mauerwall, an den sie stößt, eine Hängebrücke schweift, deren Zugstäbe den Himmel aussperren. Die Säulen des Vorbaus sind kümmerliche Blumen, das Hochzeitsauto ist die Vorahnung eines Sargs.[24]

Als Reaktion gegen die sozial und regional eingestellte Malerei regt es sich, Barr zufolge, neuerdings wieder in den Bezirken des Kubismus und der abstrakten Kunst.[25]

## Raum

Langsam nur kommt die amerikanische Architektur zum Selbstbewußtsein. Ende des XIX. Jahrhunderts werden noch wahllos europäische Monumente kopiert; man setzt den Invalidendom auf das Pulitzer-Building, übernimmt den Louvre, die Tuilerien. Drei Architekten sind es, die in jener Epoche der Stilkonfusion klärend wirken: *H.[enry] H.[obson] Richardson*,[26] dessen Spätwerke sich durch Proportionen von solcher Majestät auszeichnen, daß John McAndrew, der Organisator der Architekturabteilung, ihn einen Händel der Baukunst nennt;[27] *Louis Sullivan*, der 1901 den berühmt gewordenen Satz: »Form follows function« prägt, das System der Stahlkonstruktionen fördert, das die Wolkenkratzer ermöglicht, und eine diesem System angemessene Architektur entwikkelt;[28] schließlich *Frank Lloyd Wright*, dem unter anderem die Reform des Wohnens zu danken ist.[29] Die Art, in der Wright sowohl den Gegebenheiten des Terrains und des Klimas wie den Bedürfnissen der Bewohner Rechnung trägt, beeinflußt schon ab 1910 die deutsche und holländische Avantgarde. Wenn sich also heute die jungen amerikanischen Architekten aus Europa Anregungen holen, erobern sie auch zurück, was ihnen ursprünglich gehörte. Wechselbeziehungen, die sicherlich darauf beruhen, daß die technischen und sozialen Faktoren, von denen die Gestaltung gewisser Bautypen abhängt, in den verschiedenen Ländern immer gleichförmiger werden. Übernationale Probleme bedingen aber Lösungen, bei denen die gemeinsamen Züge überwiegen. Dennoch ist die moderne Bauweise in Amerika weit von blanker Internationalität entfernt, ja, man kann beobachten, daß sich auf dem Gebiet der Architektur dasselbe wie auf dem der Malerei ereignet: eingewanderte Baukünstler wie Neutra und Lescaze, zu denen sich seit kurzem Gropius und Breuer gesellen, beteiligen sich mit Erfolg an der Ausbildung amerikanischer Stileigentümlichkeiten.[30] Diese sind freilich schwer definierbar. Immerhin darf auf Grund der in der Ausstellung vereinigten Fotos die Behauptung gewagt werden, daß manchen Industriebauten, Straßenanlagen und Brücken eine Qualität innewohnt, die sonst nur selten anzutreffen ist – eher leicht als großartig, zeugen sie von einem unverkrampften Verhältnis des Menschen zur Technik. Die Petroleumtanks, die sich irgendwo auf dem Gelände erheben, muten wie ein ergötzliches Kegelspiel an, und die jüngsten Wolkenkratzer unterscheiden sich darin zu ihrem Vorteil von dem einen oder anderen europäischen Zweckbau, daß sie sich nicht, mit ihrer Sachlichkeit prunkend, in ein leeres Pathos hineinsteigern, dem Bahnhöfe zu Kathedralen werden, sondern freimütig und gelassen den Utilitarismus bejahen, der sie hochtreibt.[31]

## Bewegung[32]

Ein Engländer bemerkte einmal, daß die Geschichte Amerikas eine Geschichte der Fortbewegung, des Transportwesens sei. Ist aber tatsächlich die Bewegung ein Grundimpuls der Amerikaner, so erklärt sich schon hieraus zureichend ihre besondere Befähigung für den Film. Denn Film ist Bewegung und Wiedergabe von Bewegung. Hinzu kommt natürlich auch, daß die Amerikaner die Eigengesetzlichkeit des Films um so leichter entwickeln konnten, als diese ihnen nicht durch alte theatralische Traditionen verdeckt wurde. Sie sind unbefangen an den Film herangetreten und mit ihm zusammen ein Stück weiter gewachsen …
Tägliche Vorführungen in der Ausstellung vergegenwärtigen den Weg, den der Film, dieses Produkt aus Jahrmarkt und Wissenschaft, im Lauf der 45 Jahre seines Bestehens in Amerika zurückgelegt hat. Man sieht: Fragmente von Filmen, die, wie Edwin S.[tanton] Porters: THE GREAT TRAIN ROBBERY (1903),[33] entscheidende technische und künstlerische Neuerungen brachten; Proben des klassischen Wildwestfilms und anderer Serien, denen einst kein Kinobesucher zu entrinnen vermochte; längst erloschene Stars – so den Originalvamp Theda Bara[34] – und halb vergessene Auftritte von Stars, die heute noch glänzen; charakteristische Beispiele aus der großen Zeit der Groteske, darunter eine Mack-Sennett-Komödie mit »Fatty«[35] und Teile des Chaplin-Films: THE IMMIGRANT.[36] Passagen, die durch ihre unfreiwillige Komik dem Beschauer ein Lächeln entlocken, wechseln mit Szenen, deren Substanz sich erst jetzt herauszuschälen beginnt. Das alles sieht man, und dazu ertönt ein Piano, genau wie damals, als man diese Filme zum erstenmal sah. Ein Miteinander alter Bilder und Klänge, das Ereignisse, Motive und Situationen aufrührt, die sonst deshalb unter der Schwelle der Erinnerung liegen, weil sie noch zum fortwirkenden Bestand des eigenen Lebens gehören …

Doch man erleidet in dieser retrospektiven Schau nicht nur den Schock der Selbstbegegnung, sondern erhält auch die unvergleichliche Chance, sich der Natur des amerikanischen Films zu versichern. Seine wesentliche Tugend ist eben die, daß er den Akzent auf die Bewegung legt, ohne die ein Film kein Film wäre. Undenkbar in der Tat, daß ein amerikanischer Film, zumindest ein stummer, schöner Bilder wegen zum Stillstand geriete oder eine Aktion wählte, die sich der räumlichen Gestaltung entzieht. Auf dem Gebiet der Bewegung im Raum – einer Hauptdomäne des Films – schuldet man den Amerikanern die meisten Entdeckungen. Sie haben Methoden ersonnen, die eine solche Bewegung vielseitig darzubieten gestatten; sie haben in ihren komischen Filmen alle Möglichkeiten der Flucht und der Verfolgung bis zum Extrem erschöpft; sie haben die filmische Eignung der Massen erkannt und diese auf Plätzen oder in der Landschaft einzusetzen gewußt. Die Griffith-Filme: THE BIRTH OF A NATION[37] und INTOLERANCE[38] sind die Lehrmeister der Russen gewesen.[39] Nicht genug damit, bewähren die amerikanischen Filme eine realistische Gesinnung, die ihrer Bewegtheit erst die volle Bedeutung schenkt. Dieser Realismus, der sich, wo nicht in der Fabel des Films, so doch auf alle Fälle im filmischen Detail kundgibt, hat aber einen ausgesprochen antimythologischen Zug; das heißt, er zielt auf eine Welt ab, die frei von dämonischem Unwesen ist. Wie in der Volkskunst, so offenbart sich im Film der unwiderstehliche Hang der Amerikaner, den Spuk angemaßter Gewalt wegzufegen, der die Wirklichkeit verdunkelt. Vor allem die Groteske, dieses rein amerikanische Genre, pflegt systematisch den Zufall gegen das Schicksal auszuspielen, unbegründete Tyrannei ad absurdum zu führen und die Tücken des Objekts mittels kleiner Handgriffe abzuwenden. Gags und Tricks: die Märchenwaffen des Schwachen gegen schlechten Zwang. Niemand versteht sie besser als Chaplin zu meistern.[40]

Mit der Einführung des Tons ist eine an künstlerischen Erfolgen reiche Epoche des Films verklungen, und sowohl ihr Schwund wie auch die Problematik des tönenden Films haben allmählich das Bedürfnis geweckt, den Film als ein geschichtliches Phänomen zu begreifen.[41] Aus diesem Bedürfnis, das selber seinen historischen Ort hat, erklärt sich unschwer die Tatsache, daß – nahezu gleichzeitig – vor wenigen Jahren in verschiedenen Weltzentren Filmbibliotheken gegründet worden sind:

die Pariser Cinémathèque, die dem schönen Enthusiasmus von Henri Langlois so viel verdankt,[42] und die dem »Museum of Modern Art« angegliederte New Yorker Film Library, von deren Wirken die Filmabteilung in der Ausstellung ein beredtes Zeugnis ablegt. Unter der Direktion John E. Abbotts, dem als Konservator Iris Barry zur Seite steht, leistet die Film Library in jeder Hinsicht Pionierarbeit.[43] Sie bemüht sich nicht nur um eine vollständige Kollektion der Filme und der auf den Film bezüglichen Dokumente, sondern macht auch allen möglichen Bildungsanstalten ihr Material in Form sorgfältig durchkomponierter Programme zugänglich. Wenn man sich heute in Amerika dazu entschließt, den Film ernst zu nehmen, gebührt das Verdienst hieran nicht zuletzt der theoretischen und praktischen Organisationstätigkeit dieses neuartigen Instituts, das fraglos dazu berufen ist, ein Mittelpunkt der Forschung zu werden. Denn abgesehen von seinen übrigen Funktionen erfüllt der Film auch die: zahlreiche Dimensionen des gegenwärtigen Daseins auf einzigartige Weise zu bannen. Er ist, unter anderem, ein Erkenntnismittel ersten Ranges, ohne dessen Benutzung sich das Leben unserer Zeit nicht mehr deuten läßt.
(*Das Werk*, August 1938)

1 Der Erstveröffentlichung dieses Artikels in der Zeitschrift *Das Werk* waren Abbildungen der im folgenden erwähnten Gemälde von Charles Sheeler (*Classic Landscape*, 1931), Alexandre Hogue (*Drouth Survivors*, 1936) und Louis Guglielmi (*Wedding in South Street*, 1936) beigegeben.
2 Im Typoskript (KN) beginnt der Satz: »Die vom New Yorker ›Museum of Modern Art‹ zu Paris veranstaltete Ausstellung, deren bereits im Juli-Heft kurz gedacht wurde, [...]«. Zur Ausstellung siehe auch Nr. 758.
3 Im Typoskript folgt der Satz: »Das Gemälde etwa, das der Wagen- und Schildermaler Edward Hicks – im Neben- oder Hauptberuf Quäkerprediger – vom Garten Eden mit seinen Kindern und Tieren entwirft, klingt durchaus an alteuropäische Manier an, und der Einfluß Pennsylvaniens zeigt sich lediglich daran, dass im Hintergrund William Penn mit den Rothäuten unterhandelt.« Kracauer bezieht sich auf Hicks' Gemälde *The Peaceable Kingdom* (um 1834).
4 Joseph Pickett (1848-1918), *Coryell's Ferry, 1776* (1914).
5 Im Typoskript: »süßen«.
6 Siehe Nr. 414, Anm. 5.
7 Edward Hicks (1780-1849), *The Residence of David Twining, 1787* (1845-1848).
8 Anonym, *Mourning Picture: Polly Botsford and Her Children* (um 1813).
9 Der US-amerikanische Maler James Abbott McNeill Whistler (1834-1903) ließ sich nach seiner Ausbildung in St. Petersburg und Paris, wo er sich mit Gustave Courbet und Henry Fantin-Latour anfreundete, in London nieder. In den siebziger und achtziger Jahren setz-

te er seine eigene, in zeitgenössische Stilkategorien kaum einzuordnende Malweise gegen teils vehemente Kritik (etwa John Ruskins, den er erfolgreich verklagte) durch und starb als berühmter Künstler. Zu Whistlers bekanntesten Werken gehören *Symphony in White, No. 1: The White Girl* (1862), *Nocturne in Black and Gold: The Falling Rocket* (1875) und *Arrangement in Gray and Black: The Artist's Mother* (1872), das in der Ausstellung gezeigt wurde.

10 Der Photograph und Galerist Alfred Stieglitz (1864-1946) gehörte mit der von ihm herausgegebenen Zeitschrift *Camera Notes* (1903-1917) und seiner 1905 in New York eröffneten Galerie 291, die neben eigenen und fremden Photoarbeiten vor allem Gemälde, Zeichnungen und Skulpturen zeitgenössischer europäischer Künstler zeigte, zu den wichtigsten Vermittlern der europäischen Avantgarde in den USA. Seine frühen Arbeiten, etwa *The Terminal* (1893), *Winter, Fifth Avenue* (1893) oder *The Steerage* (1907), das neben anderen auch in der Ausstellung zu sehen war, sind zu Ikonen moderner Photographie geworden.

11 Gemeint ist die als »Armory-Show« berühmt gewordene »International Exhibition of Modern Art«, die 1913 in New York, Chicago und Boston gezeigt wurde und die wichtigsten Vertreter und Stile moderner europäischer Malerei erstmals einem breiteren US-amerikanischen Publikum vorstellte.

12 Siehe Alfred H. Barr, »La Peinture et la Sculpture aux États-Unis / Painting and Sculpture in the United States«. In: Ders., *Trois siècles d'art aux États-Unis* (wie Nr. 759, Anm. 2), S. 1-30, bes. S. 8f. und 24f.

13 Kracauer bezieht sich auf Charles Ephraim Burchfields (1893-1967) Gemälde *Promenade* (1928), das an Maurice Utrillos Montmartre-Bilder erinnert.

14 Im Typoskript: »starke Gefolgschaft.«

15 Im Typoskript folgt hier der Einschub: »– so in jenem, das Joseph Stella aus einem Brükkenteil und Wolkenkratzern komponiert –«. Kracauer bezieht sich auf Stellas Gemälde *Bridge* (1936).

16 Edward Hopper (1882-1967), *The Lighthouse at Two Lights* (1929).

17 Preston Dickinson (1891-1930), *Industry* (vor 1929).

18 Charles Sheeler (1883-1965), *Classic Landscape* (1931); siehe Anm. 1.

19 Vgl. Niles Spencers (1883-1952), *Near Avenue A* (1933).

20 Als »Präzisionismus« wird eine von den europäischen Avantgarden beeinflußte, aber genuin US-amerikanische Stilrichtung der Zwischenkriegzeit bezeichnet, die sich durch klare geometrische Formen und flächige, trennscharfe Farben auszeichnet. Zu den bevorzugten Sujets gehörten Manifestationen der Industrialisierung in Städten und Landschaften. Neben den von Kracauer genannten Künstlern werden auch Charles Demuth (1883-1935), der Photograph Paul Strand (1890-1976) sowie die Malerin Giorgia O'Keefe (1887-1986), die Ehefrau von Stieglitz, der Gruppe zugerechnet.

21 Francis Hyman Criss (1901-1973), *Americana* (1933).

22 Gemeint ist Alexandre Hogueas (1898-1994) Gemälde *Drouth Survivors* (1936); siehe Anm. 1.

23 Osvaldo Louis Guglielmi (1906-1956), *Wedding in South Street* (1936); siehe Anm. 1.

24 Im Typoskript folgen hier die Sätze: »Manchmal wird das präzise Liniennetz schroff durchbrochen oder verschwindet ganz. Symbolisch, allzu symbolisch geht Peter Blume vor, der mitten durch seine überindustrialisierte Phantasielandschaft Menschen schweben läßt, von denen man nur nicht weiß, welche Funktion ihnen außer der dekorativen

zukommt. Gehaltvoller als dieses literarische Aperçu ist Thomas Hart Bentons Farm [*In the Ozarks*, 1938] – ein paar aneinandergeklebte Häuschen mit dem Pächter davor und zwei, drei Schweinen am Trog. Das weltabgelegne Anwesen taumelt durch ein kalkigweisses Licht; in einer Schwingung begriffen, die ihm den Glanz des Abenteuers verleiht, ohne seine Dürftigkeit zu beschönigen. Hierher gehört auch das Aquarell einer Feuersbrunst von George Grosz [*Punishment* (1934)]. Flammen und Trümmer materialisieren sich zu einem Gewimmel von Ornamenten, die das Aussehen dechiffrierbarer Schriftzeichen haben, faktisch jedoch genau so wenig auszudeuten sind wie die Brandkatastrophe selber; wodurch eine starke Beunruhigung entsteht.«

25 Siehe Alfred H. Barr, »La Peinture et la Sculpture aux États-Unis / Painting and Sculpture in the United States« (wie Anm. 12), bes. S. 14 und 30f.

26 Der Architekt Henry Hobson Richardson (1838-1886) prägte mit Repräsentativbauten, Kirchen und Bibliotheken einen am europäischen Mittelalter orientierten Stil, der auch als »Richardson Romanesque« bezeichnet wird. Zu seinen bekanntesten Bauten gehören die Trinity Church in Boston (1872-1877) und Austin Hall in Harvard (1881-1884); beteiligt war er auch an der Konstruktion des New York State Capitol (1867-1899) in Albany, New York.

27 Siehe John Mc Andrew, »L'Architecture aux États-Unis / Architecture in the United States«. In: Alfred H. Barr (Hrsg.), *Trois siècles d'art aux Etats-Unis* (wie Nr. 758, Anm. 2), S. 69-77, bes. S. 73.

28 Louis Henri Sullivan (1856-1924) gehörte gemeinsam mit seinem Partner Dankmar Adler in den letzten beiden Jahrzehnten des 19. Jahrhunderts zu den wichtigsten Vorreitern der modernen Architektur in den USA. Gemäß seinem von Kracauer zitierten (schon vor 1905 geprägten) Grundsatz »Form follows function« (siehe Louis Sullivan, »The tall office building artistically considered«. In: *Lippincott's Magazine* [März 1896]), folgt der Stil seiner großen Prestige- und Zweckbauten dem Prinzip klarer, vertikal aufstrebender Linien, die durch eine Dreiteilung in Basis, Gebäudeschaft und Dachgeschoß gegliedert und durch typische, meist jugendstilartige Ornamente betont werden. Entscheidend für diesen bald als »Chicago School« bekannten Hochhaustyp war die Innovation des Stahlskelettbaus, der die seinerzeit enormen Höhen von Sullivans Bauten technisch erst ermöglichte. Berühmte noch erhaltene Gebäude Sullivans sind u.a. das Auditorium Building (Chicago, 1886-1890), das Guaranty (Prudential) Building (Buffallo, N.Y., 1894/95) und das Carson, Pririe, Schott and Company Building (Chicago, 1899-1904).

29 Frank Lloyd Wright (1867-1959) gehörte nach der Jahrhundertwende zu den Mitbegründern der Chicagoer »Prairie School«, die einen betont horizontalen, die Weite des Landes evozierenden Baustil propagierte, der für viele Chicagoer Vororte, u.a. für Oak Parks, wo Wright nicht weniger als 25 Häuser entwarf, prägend wurde. Wurden bereits für diese Projekte demonstrativ lokale Baumaterialien verwendet, bemühte sich Wright im Namen einer »organischen Architektur« später verstärkt um die harmonische Einpassung von Bauwerken und Stadtvierteln in ihre natürliche Umgebung. Zu seinen bekanntesten Bauwerken gehören das Solomon R. Guggenheim Museum in New York (1943-1959), das Ferienhaus Falling Water (Mill Run, Pennsylvania, 1935-1939) und sein eigenes Anwesen Taliesin (Spring Green, Wisconsin, ab 1911).

30 Der in Wien geborene Richard Neutra (1892-1970) wanderte 1923, der aus der Schweiz stammende Architekt William Edmond Lescaze (1896-1969) bereits 1920 in die USA aus; Walter Gropius (1883-1969; siehe Nr. 199, Anm. 19) emigrierte 1934 in die USA,

1937 folgte sein ehemaliger Bauhaus-Schüler und späterer Mitarbeiter, der aus Ungarn stammende Architekt Marcel Lajos Breuer (1902-1981). Zusammen mit Ludwig Mies van der Rohe (siehe Nr. 290, Anm. 5) und Le Corbusier (siehe Nr. 362, Anm. 5) gelten die genannten Architekten als Begründer des »Internationalen Stils« in der Architektur, der sich zunächst in den USA durchsetzte. Prominente Beispiele dieses Stils sind Wohnhäuser wie Neutras Kauffmann Desert House (Palm Springs, Kalifornien, 1946), Wolkenkratzer wie Lescazes PSFS Building (Philadelphia, PA., 1931/32), Breuers UNESCO-Hauptquartier (Paris, 1953) oder Gropius' Graduate Center der Harvard University (Cambridge, Mass., 1949/50).

31 Im Typoskript folgt hier der Satz: »Was die Wohnbauten betrifft, so bestehen sie aus lokker aneinandergereihten kubischen Einheiten – aufgeschlossene Gebilde, die den weiten amerikanischen Raum zur Voraussetzung haben und Menschen zugeordnet sind, denen es eine Selbstverständlichkeit ist, sich zu bewegen.«

32 Zu der im folgenden kommentierten Film-Sektion der Ausstellung siehe ausführlicher Kracauers in der NZZ vom 24. 7. 1938 publizierten Aufsatz »Ausstellung der New-Yorker Film Library«, *Werke*, Bd. 6.3, Nr. 736.

33 THE GREAT TRAIN ROBBERY (Edwin Stanton Porter. US 1903); siehe auch Kracauers »›Marseiller Entwurf‹ zu einer Theorie des Films«, *Werke*, Bd. 3, u. a. S. 605 f. und 675.

34 Die US-amerikanische Schauspielerin Theda Bara (1890-1955) gilt als erster Vamp der Filmgeschichte; berühmt wurde sie in Filmen wie A FOOL THERE WAS (Frank Powell. US 1915), der in der Ausstellung gezeigt wurde, CLEOPATRA (J. Gordon Edwards. US 1917) und SALOME (J. Gordon Edwards. US 1918); siehe auch *Werke*, Bd. 6.3, Nr. 760.

35 MABEL'S DRAMATIC CAREER (Mack Sennett. US 1913). Als »Fatty« wurde der amerikanische Schauspieler und Regisseur Roscoe »Fatty« Arbuckle (1887-1933) bekannt. Seine Komik beruhte vorrangig auf dem Gegensatz zwischen seiner enormen Leibesfülle und seiner großen Agilität. Kracauer hat für die FZ einige Filme Arbuckles besprochen, siehe *Werke*, Bd. 6.1, Nr. 12, 14, 22, 36 und 256.

36 THE IMMIGRANT (Charles Chaplin. US 1917); siehe auch *Werke*, Bd. 6.3, Nr. 736.

37 THE BIRTH OF A NATION (David W. Griffith. US 1915). Der Film war in der Ausstellung zu sehen.

38 INTOLERANCE (David W. Griffith. US 1916).

39 Zu Griffith' Bedeutung u. a. für Sergej Eisenstein siehe *Werke*, Bd. 6.3, Nr. 785 und *Werke*, Bd. 3, S. 328 f.

40 Siehe zu Chaplin u. a. *Werke*, Bd. 6.1, Nr. 186 und 303, Bd. 6.2, Nr. 332, 336, 343, 567, 590 und 641.

41 Siehe hierzu u. a. Kracauers von 1938 bis 1940 in der BNZ erschienene Essay-Reihe »Wiedersehen mit alten Filmen«, *Werke*, Bd. 6.3, Nr. 741, 743, 746, 752, 756, 760 und 765.

42 Die Pariser Cinémathèque française ging 1936 aus dem im Vorjahr durch Jean Mitry, Georges Franju und dem späteren Kurator der Cinémathèque, Henri Langlois (1914-1977), begründeten Circle du Cinéma hervor und widmete sich der Erhaltung, Erforschung und pädagogischen Nutzung des französischen und internationalen Films. Ihre Sammlung umfaßt heute ca. 40 000 Filme sowie zahlreiche Kostüme, Requisiten und Apparate aus der Geschichte des Films. Kracauer war ein häufiger Besucher der Cinémathèque und mit Langlois befreundet. Siehe auch *Werke*, Bd. 3, S. 523 und 780 f., Bd. 6, Nr. 742.

43 Siehe hierzu Nr. 758, Anm. 4.

## 760. Tendenzen der europäischen Sozialgesetzgebung zwischen den Kriegen

Rez.: Alexander Lorch, *Trends in European Social Legislation Between the Two World Wars.* The Labor Legislation in Republican Germany and the Social Reforms in France under the Popular Front Government – A Comparative Study. New York: Éditions de la Maison française 1943 [= Publications of the Institute of Comparative Law New York, Bd. 3].

Diese Untersuchung behandelt die Reformen der Arbeitsgesetzgebung, die 1918 in der Weimarer Republik und 1936 unter der französischen Volksfrontregierung begonnen wurden.[1] Als Resultat des politischen Drucks der Sozialisten in beiden Ländern stellten diese Reformen eine deutliche »Machtverschiebung zugunsten der Arbeiterschaft dar«. Sie versuchten zwar nicht, mit dem bestehenden System der Privatunternehmen zu brechen; aber innerhalb dieses Rahmens strebten sie danach, die Interessen der Arbeiter abzusichern, indem sie kollektiven Handel, Vermittlung und Schiedsgerichte und außerdem die Vertretung der Arbeiter in den Werkstätten etablierten. Hitlers Aufstieg zur Macht und die Besetzung Frankreichs bereiteten diesen groß angelegten Bemühungen um kollektive Sicherheit ein vorzeitiges Ende.
Lorch gibt einen Überblick über die kurzlebigen Entwicklungen in Deutschland und Frankreich und demonstriert dabei eine Einsicht und Sorgfalt, die seiner Untersuchung eine unschätzbare Bedeutung für Spezialisten auf dem Gebiet der Arbeitsgesetzgebung verleihen. Besonders interessant sind die Folgerungen, die er mit Blick auf die Ergebnisse dieser Experimente zieht. Insgesamt neigt Lorch zu der Auffassung, daß in beiden Ländern die gesetzlichen Maßnahmen zur Verknüpfung des kollektiven Handelns mit individueller Initiative erfolgreich waren. Seine offenkundigen Sympathien für die Anstrengungen der organisierten Arbeiterschaft verleiten ihn jedoch nie zu trügerischen Pauschalurteilen. Er weiß zu unterscheiden. So ist er sich der Gefahren der obligatorischen Schiedsgerichte bewußt, die sich in Frankreich durchzusetzen begannen und in Deutschland eine ungleich größere Rolle spielten als freiwillige Verfahren. Ebenso weist er die untergeordnete Rolle der Arbeitervertretung in den Fabriken nach. Ungeachtet ihrer gesellschaftlichen Bedeutung hatten die deutschen Arbeiterräte keinen Erfolg darin, einen

merklichen Einfluß auf Produktionsmethoden und wirtschaftliche Einrichtungen auszuüben; die Aufgabe der französischen Arbeitervertreter beschränkte sich darauf, individuelle Beschwerden mit dem Management zu besprechen.

Die Untersuchung ist um so erhellender, als sie weit über rechtliche Betrachtungen und rein formale Erwägungen hinausgeht. Möglicherweise aufgrund seiner persönlichen Erfahrungen in den beiden Ländern[2] gelingt es Lorch, das historische Klima zu evozieren, dem diese beiden Reformen entwuchsen – so daß sie nicht als isolierte Ereignisse, sondern als Teil einer Entwicklung erscheinen, die die ganze Gesellschaft betrifft. Sein Sinn für das Ganze läßt ihn auch die Bedeutung der Tatsache erkennen, daß manchmal dieselbe rechtliche Institution verschiedene Reaktionen in Frankreich und Deutschland provozierten. Während die Deutschen sich in der Regel den Urteilen der obligatorischen Schiedsgerichte fügten, gleichgültig ob sie sie für gerechtfertigt hielten oder nicht, widersetzten sich die französischen Parteien jedem solchen Urteil, wenn dadurch ihre Vorstellungen von Gerechtigkeit verletzt wurden. Diese Unterschiede werden zu Recht auf nationale Besonderheiten zurückgeführt, die auch in vielen anderen Fällen am Werk sind.

Kurz, Lorchs Untersuchung ist eine wirkliche Monographie. Im Rahmen der Analyse ihres speziellen Themas wirft sie ein Licht auf Zusammenhänge, von denen dieses Thema nur einen kleinen Teil ausmacht.

(*Political Science Quarterly*, Juni 1945)

1 Die französische Volksfrontregierung, ein Zusammenschluß der linken Section française de l'Internationale ouvrière (SFIO), der Parti communiste français (PCF) und der Parti radicale socialiste (PRS) gegen die Unterstützung des faschistischen Italien durch die rechten französischen Parteien, nahm am 5. 6. 1936 unter ihrem Premierminister Léon Blum ihre Arbeit auf. Nach internen Differenzen aufgrund der mit England, Deutschland und Italien vereinbarten Neutralität im Spanischen Bürgerkrieg scheiterte die Regierung Blum endgültig im April 1938 an der Ablehnung finanzieller Zugeständnisse durch den französischen Senat.

2 Der Jurist Alexander Lorch (1897-1951) promovierte über *Die Parlamentsauflösung nach deutschem Landesstaatsrecht* (1922) und war von 1924 bis 1933 Anwalt und Notar in Frankfurt a. M. Nach der Machtergreifung der Nationalsozialisten ging er nach Paris, wo er das französische Staatsexamen ablegte und bis 1940 ebenfalls als Anwalt praktizierte. 1941 emigrierte Lorch in die USA, studierte noch einmal und war bis zu seinem Tod als Anwalt in New York tätig.

## 761. Der Aufstand gegen die Rationalität

Sammelrez.: George Bernard de Huszar, *Anatomy of Racial Intolerance*. New York: H. W. Wilson Company 1946; Dorothy W.[alter] Baruch, *The Glass House of Prejudice*. New York: W. Morrow & Company 1946; Margaret Halsey, *Color Blind: A White Woman Looks at the Negro*. New York: Simon and Schuster 1946.

Es gibt eine beachtliche Zahl von Neuerscheinungen, die in populärer Form Rassenvorurteile untersuchen und Vorschläge zu ihrer Überwindung machen. Das deutet darauf hin, daß es eine weitverbreitete und allgemein anerkannte Standardanalyse und Standardtherapie von Rassenvorurteilen gibt. Wir wollen drei dieser Bücher und ihre Vorschläge kurz betrachten.

In »*Anatomy of Racial Intolerance*« hat George de Huszar eine aufschlußreiche Sammlung von Ausschnitten aus Zeitschriftenartikeln, Forschungsarbeiten und Buchveröffentlichungen zusammengestellt, die zumeist während des Krieges entstanden und die damals verbreitete Sorge über ein mögliches Ansteigen der Intoleranz in der Umstellungszeit nach dem Krieg spiegeln. Dorothy W.[alter] Baruch, eine ausgebildete Psychologin, berichtet in »*The Glass House of Prejudice*« von individuellen Konflikten und Vorfällen in Gruppen anhand von gut dokumentierten Fallgeschichten, die ihre Argumente und Vorschläge nachdrücklich stützen. Margaret Halsey (»*Color Blind: A White Woman Looks at the Negro*«) beschränkt sich darauf, ihre Erfahrungen in einer gemischtrassischen Kantine während des Krieges auszuwerten.

In seinem Bemühen um vollständige Dokumentation hat de Huszar gelegentlich auch weniger interessantes Material aufgenommen: dürre Formalismen und gedankliche Höhenflüge, in denen eine »Ökonomie des Überflusses« mühelos vorausgesetzt wird. Doch glücklicherweise besteht der Hauptteil seiner Textsammlung aus so wichtigen Beiträgen wie Gordon W.[illard] Allports Analyse des alltäglichen Fanatismus, Edwin R.[ogers] Embrees Kriegsbericht »Race Relations Balance Sheet«, Clyde R.[aymond] Millers Darstellung der Springfield Plans und einem kurzen Aufsatz von Horace M.[eyer] Kallen, der die Struktur der Demokratie mit einem wirklichen Gespür für ihre inneren Abläufe enthüllt.[1] Gelegentlich hebt sich eine unkonventionellere Beobachtung von dem sonst recht vertrauten Hintergrund ab. So schließt Robert Redfield aus gewissen Ereignissen in Rußland, daß eine soziale Revolution tatsächlich scheinbar unumstößliche Rassenvorurteile zu überwinden vermag.[2]

Dorothy W. Baruch beschäftigt sich ausführlich mit den Problemen der mexikanischen Minderheit in Kalifornien und betritt dabei Gebiete, die noch nicht wirklich erforscht worden sind. Ein ganzes Kapitel ist den »zoot-suit«-Unruhen von 1944[3] gewidmet. Das Buch, das den Hauptakzent auf die Korrektur psychischer Fehlentwicklungen setzt, zeugt von einer Herzlichkeit, die gewinnender wäre, wenn Dr. Baruch nicht wiederholt zögernde Leser mit rhetorischen Floskeln zu überreden versuchte. Wer sich eingehender mit Rassenvorurteilen beschäftigen will, wird den Anhang mit seinen zahlreichen Literaturhinweisen und ergänzenden Materialien begrüßen.

Margaret Halsey ist keine wohlmeinende Psychologin, sondern eine intelligente und sensible Frau. Die Art und Weise, wie sie die jungen Kellnerinnen in ihrer Kriegskantine beaufsichtigte, verfahrene Situationen klärte und auf die weniger Voreingenommenen unter den weißen Angestellten einwirkte, ohne sich um die Unbelehrbaren zu kümmern – all dies zeugt von Reife, verbunden mit taktischem Geschick. Zwar vermeidet Halsey nicht immer übereilte Schlußfolgerungen, doch zeigt sie, daß sie die Südstaatler mit ihren traditionellen Hemmungen versteht, und mit beißendem Sarkasmus entlarvt sie die üblichen Geschichten über die Schwarzen, wobei sie zu Recht die Rolle betont, die Sexualneid und soziale Frustration als Motive der Diskriminierung spielen.

Alle drei Bücher zeugen davon, daß die Psychiatrie in das moderne Denken eingedrungen ist.[4] Viele Autoren betonen heute die dauerhafte Prägung des Menschen durch seine frühe Umgebung und sehen in stereotypen Vorurteilen die Nachwirkung tiefverwurzelter Kindheitserlebnisse. Nicht weniger Aufmerksamkeit wird den emotionalen Folgen ökonomischer Unsicherheit geschenkt: es scheint zum Allgemeinwissen zu gehören, daß solche Unsicherheiten bestimmte psychische Mechanismen in Gang setzen, und es gilt als selbstverständlich, daß die fast automatische Auslösung dieser Mechanismen die Verfolgung von Minderheiten durch verunsicherte Mehrheiten zu erklären vermag. So werden also pädagogische Maßnahmen empfohlen – eine angemessene Ausbildung

für Kinder, gemischtrassische Schulen, die Einrichtung von Gruppen zur Umerziehung der Erwachsenen und so fort.
Diese ganze Literatur ist symptomatisch für einen fast mystischen Glauben an die Möglichkeiten der sozialen Psychotherapie – insbesondere bei Dr. Baruch. Und wer wollte die wohltätigen Wirkungen der Psychotherapie leugnen? Aber ihre Anhänger überschätzen in der Regel, was auf diesem Gebiet erreicht werden kann, da sie ein entscheidendes Motiv für Rassenvorurteile in unserer Zeit übersehen – ein Motiv, das sich, obwohl es teilweise psychische Ursprünge hat, dem Zugriff der Psychologen entzieht.

Dieses Motiv ist einer Gesellschaft zugeordnet, die, wie die moderne, unfähig scheint, starke kulturelle Anreize zu geben, die den ganzen Menschen ansprechen. Dr. Max Horkheimer, einer der herausragenden Denker unserer Zeit, führt den akuten Mangel an solchen Anreizen auf den »Verfall der Vernunft« in der Gegenwart zurück.[5] Mit der Entwicklung abstrakten Denkens und der Zunahme technischen Könnens hat sich die Vernunft immer stärker der Natur entfremdet. Was das bedeutet, läßt sich verstehen, wenn man unsere gegenwärtige Kultur mit der einer Vergangenheit vergleicht, deren gesamtes Denken auf die Welt in uns und außerhalb unserer bezogen war. Noch nicht von Tradition und Glauben emanzipiert, umfaßte die Vernunft die lichten und dunklen Seiten der Natur mit einem scharfen Bewußtsein für ihre Bedeutung und integrierte sie in ein substantielles, facettenreiches Bild des Lebens. Vor dem Hintergrund einer solchen relativen Totalität erscheint die zeitgenössische Gesellschaft seltsam zusammenhangslos und leer.
Unsere Gesellschaft wird von der formalen Vernunft regiert, die uns gelehrt hat, die Natur zu beherrschen – auf Kosten einer innigen Beziehung zu den ihr innewohnenden Trieben und Zielen. Die Fäden, die Geist und Materie, Bild und Ding verknüpften, haben sich aufgelöst. Werte sind nur mehr Etikette, Massenkultur setzt sich an die Stelle von Kultur und Ideen verkümmern zu Schlagworten, die die Menschen beeinflussen mögen, ihnen aber nicht wirklich unter die Haut gehen. Das Reich der Vernunft ist zu einer scheinhaften Realität geworden, voll von übergroßen Aussichten, unbegründeten Annahmen und dem bizarren Schatten wirklicher Dinge. Chiricos Bilder[6] spiegeln den horror

vacui, der in diesem Niemandsland jeden befällt, der ein Gedächtnis hat.
Von der naturentfremdeten Vernunft verlassen, erscheint die Natur als etwas Unbegreifliches, wenn nicht Feindseliges, als etwas, das eher vernichtet denn anerkannt werden sollte. Sie erscheint nicht nur so: genau so wie unterdrückte Minderheiten immer mehr erniedrigt werden, genau so zerfällt die Natur im Zuge unserer Entfremdung von ihr. Eine tiefe Kluft tut sich auf zwischen dem Rationalen und dem Elementaren in uns ...
Der aufgeklärte, zivilisierte Mensch unserer Zeit ist zutiefst beunruhigt durch die nicht abreißende Kette von Ausbrüchen des Rassenhasses und der nackten Gewalt, die er als Rückfall in jene Dschungelwelt begreift, welche er seit langem hinter sich gelassen zu haben glaubte. Zweifellos sind diese Ausbrüche Rückfälle. Doch was von einem aufgeklärten Standpunkt aus als äußerste Regression erscheint, kann auch als Reaktion auf die verstümmelnden Wirkungen zeitgenössischer Vernunft verstanden werden.
*Das Hervorbrechen primitiver Instinkte in unserer Gesellschaft schuldet sich ganz wesentlich einem unwiderstehlichen, wenn auch uneingestandenen Bedürfnis, die Rechte der Natur wiederherzustellen.* Der moderne Mensch gewinnt eine bemerkenswerte Befriedigung daraus, sich aller Kontrollen zu entledigen. Die Barbarei erschreckt und fasziniert ihn zugleich als etwas, durch das er eine größere Daseinsfülle erlangen könnte. Es sollte also nicht übersehen werden, daß in der Fortdauer blinder Vorurteile auch ein Moment der legitimen Auflehnung enthalten sein mag. Vorurteile sind eine Krankheit genannt worden. Doch an dieser Krankheit, die sich epidemisch ausbreitet, zeigt sich die Krankheit unserer Kultur selbst.
Psychologen, die damit beschäftigt sind, Fehlverhalten zu korrigieren, halten natürlich rationales Verhalten für erstrebenswert. Sie stellen die Herrschaft der Vernunft wieder her und konsolidieren sie. Und doch ist es die Vernunft selbst, die, blutleer und der Natur entfremdet, den Widerstand der vernachlässigten Natur provoziert. Selbstverständlich ändert das nichts daran, daß die Psychotherapie Vorurteile in einzelnen Fällen überwindet, doch auch die Therapeuten, die wissen, daß rationale Bestrebungen und irrationale Triebe zusammenzudenken sind, werden sich den Normen einer Kultur anpassen, die Vorurteile aus sich selbst

heraus erzeugt. In einem Zeitalter der Massenkultur muten ihre Anstrengungen fast danaidisch an.

Eine wirkungsvolle Behandlung der heute verbreiteten Geistesstörungen hängt von einer Veränderung unseres allgemeinen geistigen Klimas ab – einer Veränderung, deren Richtung neue französische Schriftsteller wie etwa George Blin und Camus[7] anzeigen, die die tabuisierten Zonen unserer leiblichen Existenz mit einem seelischen Einfühlungsvermögen erkunden, das von ihrer Sehnsucht nach einer Versöhnung von Vernunft und Natur zeugt. Einer solchen Sehnsucht Ausdruck zu verleihen, heißt, sich ein Leben vorzustellen, in dem an die Stelle der heute herrschenden abstrakten Ideen, die vergeblich Wirklichkeit beanspruchen, Anreize getreten sein werden, die stark und umfassend genug sind, um den ganzen Menschen zu ergreifen. Nur unter ihrer Leitung werden wir vielleicht imstande sein, unsere Ängste produktiv zu nutzen und mit den dämonischen Kräften der Natur zum Ausgleich zu kommen. Mehr kann und soll an dieser Stelle nicht über Dinge gesagt werden, die die Sphäre formaler Begriffe transzendieren.

(*Commentary*, Juni 1947)

1 Siehe Gordon Willard Allport, »The Bigot in Our Midst«. In: George Bernard de Huszar, *Anatomy of Racial Intolerance*, S. 161-171; Edwin Rogers Embree, »Race Relations Balance Sheet«. In: Ebd., S. 36-52; Clyde Raymond Miller, »Education for Fair Play – The Springfield Plan«. In: Ebd., S. 202-209; Horace Meyer Kallen, »›E Pluribus Unum‹ and the Cultures of Democracy«. In: Ebd., S. 270-273.

2 Robert Redfield, »What We Do Know about Race«. In: Huszar, *Anatomy of Racial Intolerance*, S. 7-20 (zuerst in: *Scientific Monthly* 57 (1943), S. 193-201).

3 Als »Zoot Suit Riots« sind die Kämpfe zwischen weißen Soldaten und der mexikanischen Minderheit in Los Angeles vom Mai und Juni 1943 (sic) bekannt geworden. Der schweren Verwundung eines weißen Matrosen in einer Auseinandersetzung mit mexikanischen Jugendlichen folgten Racheaktionen der Soldaten gegen die Träger sogenannter »Zoot Suits« – einer unter den Jugendlichen verbreiteten Mode –, die ihrerseits Reaktionen der Minderheit provozierten. Im Juni 1943 durchstreifte ein Mob weißer Soldaten, Matrosen und Zivilisten die Innenstadt von Los Angeles, um sie von mexikanisch-stämmigen Mitbürgern zu »reinigen«. In der Folge wurde die Stadt zum Sperrgebiet für Militärangehörige erklärt und das Tragen von Zoot Suits untersagt; gerichtlich verurteilt wurden nur Angehörige der Minderheit.

4 Siehe auch Nr. 767.

5 Siehe Max Horkheimer, *Eclipse of* Reason. New York: Oxford Univ. Press 1947 (dt.: *Zur Kritik der instrumentellen Vernunft*, 1967).

6 Gemeint sind die sogenannten »metaphysischen« Bilder des von den Surrealisten glei-

chermaßen bewunderten wie beeinflußten italienischen Malers und Grafikers Giorgio de Chirico (1888-1978).

7 Der Verweis dürfte sich insbesondere auf Albert Camus' 1947 erschienenen Roman *La peste* (dt.: *Die Pest*, 1948) sowie auf Georges Blins Buch *D'un certain consentement à la douleur* (1944) beziehen.

## 762. Eine mutige Dame

Rez.: Allen Lesser, *Enchanting Rebel: The Secret of Adah Isaacs Menken.* New York: The Beechhurst Press 1947.

In seiner Biographie von Adah Isaacs Menken – einer amerikanischen Schauspielerin, die in der Mitte des 19. Jahrhunderts überall zwischen Virginia City (Nevada) und Paris für Aufsehen sorgte – versucht Allen Lesser, das Geheimnis zu durchdringen, mit dem sich diese erstaunliche jüdische Frau umgab. Angetrieben von menschlicher Neugierde sowie von einem echten Interesse am Bühnenleben, holt er geduldig aus alten Dokumenten, Zeitungen, Theaterprogrammen und Photographien die Wahrheit hinter einer Legende hervor, oder zumindest jenen Teil der Wahrheit, der in den relevanten Tatsachen enthalten ist. Und da er diese Tatsachen mit literarischem Geschmack und nachsichtiger Ironie zusammenstellt, ist das Ergebnis ein lebendiges Porträt eines außergewöhnlichen Wesens.

Im Jahre 1857 begann die zweiundzwanzigjährige Adah ihre Karriere als Amateurschauspielerin bei der Crescent Dramatic Association in New Orleans. Ihr Ehrgeiz war grenzenlos, und einmal in Schwung, fand sie bald heraus, daß sie die Leute umso mehr beeindrucken konnte, je weniger diese über sie wußten. Während sie ihren jüdischen Glauben nicht verleugnete, gab sie sich in ihrer Selbstdarstellung absichtlich als Byron-Charakter von rätselhaftem Ursprung[1] – ein Mythos, der die Vorstellungskraft aller Männer der Stadt erregte. In Wirklichkeit wurde sie als Adah Bertha Theodore in einem Dorf in der Nähe von New Orleans geboren. Und anstatt als Mädchen von Indianern entführt worden zu sein, verbrachte sie ihre Kindheit in einer ganz prosaischen Mittelstandsumgebung.

Der Ruhm, den sie errang, war eher das Ergebnis ihrer natürlichen Begabung als ihrer vollendeten Schauspielkunst. Als sie erkannte, daß diese nicht für die Rolle der Lady Macbeth ausreichte, vertauschte sie entschlossen die Tragödie mit dem Melodrama und der Verwandlungsposse, indem sie männliche Rollen spielte oder ihre nackten Beine und mehr zeigte. Zu Beginn des Bürgerkriegs spielte sie die Hauptrolle Mazeppas in dem gleichnamigen Stück[2] – ein Mazeppa, der im ersten Akt entkleidet, ausgepeitscht und auf den Rücken eines Pferdes gebunden wird, das mit ihm davon galoppiert. Das war ein Hit, dessen Wirkung durch die Verdammung der Puritaner noch gesteigert wurde. Die Zuschauer in New York, San Francisco und London tobten angesichts dieses Triumphs der Nacktheit und Unerschrockenheit, und Adahs Name war in aller Munde. Im Pariser Théâtre de la Gaîté trat sie in dem Stück *Les Pirates de la Savane* auf, einem französischen Melodram, das in Mexiko spielt.[3] In der Bühnenbearbeitung wurde für sie ein Ritt auf einem Pferd à la Mazeppa eingebaut, so daß die Attraktion zweier Kontinente dem Publikum nicht vorenthalten blieb.
Und doch war ihr Ruhm nicht völlig unverdient. Lesser weist darauf hin, daß sie einen Beitrag zur Emanzipation des amerikanischen Theaters von seinem europäischen Erbe leistete. »Ihr Erfolg führte schließlich zur Entwicklung einer neuen Art von Unterhaltung in der musikalischen Komödie, die ihren Höhepunkt mit den Soubretten der achtziger und neunziger Jahre erreichte.« Nachahmungen ihres Mazeppa Stunts tauchten in vielen Teilen der Welt auf, aber keine konnte den ihren übertreffen. Sie besaß eine magnetische Anziehungskraft. Nicht nur die unkritische Menge, sondern auch der alte Alexandre Dumas und Dickens erlagen ihrem Charme.

Ihr Leben bestand aus einer Reihe von Skandalen, die von vier Ehen unterbrochen wurden, welche ebenfalls in Skandalen endeten. Als ihr erster Ehemann, Alexander Isaac Menken (aus einer prominenten jüdischen Familie in Cincinnati) sein Geld verlor, überredete sie ihn dazu, ihr Manager zu werden – was jedoch zum Scheitern verurteilt war. Dann heiratete sie Tom Heenan,[4] den amerikanischen Schwergewichtsmeister im Boxen, wobei sie irrtümlicherweise glaubte, daß ihre rabbinische Scheidung rechtlich gültig war. Heenan wiederum glaubte, betrogen worden zu sein und erlaubte seinem Anwalt, sie eine Prostituierte zu nennen. Sie täuschte einen Selbstmord vor, machte aber bald darauf mit größerem Schwung als je zuvor weiter. Der Versuch ihres nachfolgenden Ehemanns, eines Literaturverlegers, diesen weiblichen Mazzepa zu bändigen, schlug fehl: nach genau einer Woche flüchtete sie durch ein Fenster. Der vierte und letzte Versuch der Zähmung dauerte nicht einmal so lang.

Ob verheiratet oder nicht, Menken verschlang unersättlich, was das Leben ihr an Freundschaften, amourösen Zwischenspielen, Extravaganzen und anderen Genüssen anbot. Sie mischte sich unter die Bohèmegesellschaft in New York und San Francisco, erkundete – in Männerkleidern – die berüchtigte Barbary Coast, besuchte Spielhöllen und spiritistische Sitzungen und fuhr in einem mit silbernen Nägeln und goldenem Laub übersäten Einspänner durch London. Ihre Liebhaber reichten von zweifelhaften Charakteren bis zu strahlenden Berühmtheiten. Einer davon war der Dichter Swinburne,[5] der über seine leichte Eroberung mit männlichem Stolz und wenig Geschmack prahlte. Die Zeitungen stürzten sich auf diese Ereignisse, und Adah sorgte dafür, daß sie immer etwas zu klatschen hatten. Was wie Sorglosigkeit aussah, entsprang häufig einem geschärften Sinn für Publicity. Sie war verschwenderisch mit Gefälligkeiten gegenüber jenen, die wußten, welche Fäden man bewegen mußte, und betrieb Eigenwerbung mit dem Genie eines geborenen Straßenhändlers.

Trotz ihres gespielten Verlangens und ihrer inszenierten Exzentrizität war diese erstaunliche Frau jedoch nicht frei von echten Träumen und Gefühlen. Betrug und Aufrichtigkeit gingen bei ihr so unmerklich ineinander über, daß sie wahrscheinlich selbst nicht zwischen ihnen unterscheiden konnte. Zweifellos liebte sie den Schwergewichtschampion wirklich; und als sie den Selbstmord inszenierte, schrieb sie einen hoffnungslosen Abschiedsbrief, der nicht überzeugender hätte ausfallen können. Ihre Oberflächlichkeit zeugte auch von wirklicher Phantasie. Ein Teil ihrer Phantasien schlug sich in Gedichten nieder, die von der Bibel, von Byron und Walt Whitman inspiriert waren. Tatsächlich war die Menken so etwas wie eine Dichterin. In ihren Beiträgen für *The Israelite* von Cincinnati, für den New Yorker *Sunday Mercury* und andere Zeitschriften[6] schwelgte sie in kühnen Bildern, die ihrer Sorge um den Tod, ihrer

Verzweiflung und dem wilden Verlangen ihres ständig unbefriedigten Wesens Ausdruck verliehen. Gelegentlich schwebte sie in mehr intellektuellen Sphären und forderte orthodoxe Kirchgänger und die Gegner der Frauenemanzipation mit Essays heraus, die subversive Züge hatten.[7] Nicht alles war Schein und Heuchelei. Ihr ganzes kurzes Leben hindurch – sie starb bereits mit dreiunddreißig Jahren – fühlte sie sich von Literaten angezogen, die ihrerseits eifrig ihre Gesellschaft suchten. Der junge Mark Twain bat sie, seine Entwürfe zu kommentieren, und George Sand, die einstige Muse Chopins, unterhielt sich leidenschaftlich mit ihr.

Lesser zeichnet die meteoritenhafte Karriere seiner Heldin nach, ohne die psychologischen Motive und den gesellschaftlichen Hintergrund wirklich zu ergründen. Wer war die Menken? Dieses Rätsel vermag den, der mehr wissen will, nach wie vor zu fesseln.

Es ist vielleicht kein Zufall, daß die Menken zu einer Zeit Erfolg hatte, als Rachels Triumphe[8] immer noch lebendig waren und der Stern Sarah Bernhardts[9] gerade zu steigen begann. Niemand wird auch nur daran denken, sie mit diesen großen Schauspielerinnen zu vergleichen. Sie teilte mit ihnen jedoch eine leidenschaftliche Sehnsucht, durch ihren Lebensweg ein Zeichen zu setzen – eine alles verschlingende Intensität, die möglicherweise auf ihr gemeinsames jüdisches Erbe zurückging. Nachdem sie eine oder zwei Generationen zuvor aus dem Ghetto entlassen worden waren, bemühten sich die Juden, sich in einer Welt der zunehmenden Industrialisierung, die den Ausdruck ihrer lange Zeit unterdrückten Energien begünstigte, zu behaupten. Das könnte auch die Stärke erklären, mit der sie innere Kräfte entwickelten oder sich zufällig bietende Gelegenheiten ergriffen. Die Welt, in der sie auftauchten, stellte sich jedoch als eine Art von Vakuum heraus, als ein Raum jenseits der Grenzen fester Werte und ehrbarer Traditionen. So sehr sie auch versuchten, sich zu assimilieren, verirrten sie sich in ihr, verloren ihren Halt, ihre Zuversicht und Urteilskraft. Was sich jedoch unvermindert erhielt, war ihre Kraft, die sie nunmehr in der Verfolgung sowohl des Nebensächlichen als auch des Wesentlichen mobilisierten. Lüge und Wahrheit gingen ineinander über, und oberflächliche Genüsse verbanden sich mit tiefen Gefühlen. In einem gewissen Maß trifft das auf die Menken zu.

(*Commentary*, Oktober 1947)

1 Der sogenannte »Byronic Hero«, benannt nach dem englischen Schriftsteller Lord Byron (1788-1827), der diese Figur erstmals in seinem Epos *Childe Harold's Pilgramage* (1812-1818) gestaltete, wurde im 19. Jahrhundert zum Inbegriff des romantisch-rebellischen Außenseiters.

2 Henry M. Milner, *Mazeppa or The Wild Horse of Tartary* (1823) – ein Melodram nach Lord Byrons Gedicht »Mazeppa« (1819); die Premiere mit Adah Isaac Menken fand am 6. 6. 1861 im Green Street Theater, Albany, New York, statt.

3 Das Stück *Les Pirates de la Savane* (1859) von Auguste M. Anicet-Bourgeois und Ferdinand Dugué hatte am 6. 8. 1859 am Pariser Théâtre de la Gaîté Premiere; für die Inszenierung mit Adah Isaac Menken im Jahr 1866 wurde das Stück von den Autoren eigens überarbeitet.

4 Richtig: John Heenan (1835-1873).

5 Der englische Lyriker und Dramatiker Algernon Charles Swinburne (1837-1909) sorgte mit der erotisch-morbiden Sprachphantasie seiner Gedichtsammlung *Poems and Ballads* (1866) für einen der größten Literaturskandale des viktorianischen Englands. Der zweite Teil der *Poems and Ballads* (1878; der dritte Teil erschien 1889) war von seinem Vorbild Charles Baudelaire beeinflußt, dessen Bedeutung Swinburne als Literaturkritiker bereits früh erkannte. Die Bekanntschaft mit Adah Isaacs Menken machte Swinburne während Menkens Aufenthalt in London, wo sie 1864 im Astley's Theatre für die höchste Gage auftrat, die eine Schauspielerin bis dahin jemals erhalten hatte.

6 Die Gedichtsammlung *Infelicia*, das erste und einzige Buch Adah Isaacs Menkens (1835-1868), erschien wenige Tage nach ihrem Tod in London und enthält etwa die Hälfte der von ihr verfaßten Gedichte. Das Buch war Charles Dickens, einem ihrer vielen Liebhaber, gewidmet.

7 Adah Isaacs Menken, »The Wife's Prayer«. In: *The Israelite* vom 17. 12. 1858. Dies., »Women of the World«. In: *Sunday Mercury* vom 7. 10. 1860.

8 Die französische Schauspielerin Rachel (d.i. Eliza bzw. Elisabeth Rachel Félix; 1821-1858) galt als eine der bedeutendsten Tragödien-Darstellerinnen ihrer Zeit; berühmt wurde sie vor allem für ihre Interpretationen klassischer Rollen wie der Phaedra in Racines gleichnamiger Tragödie.

9 Die französische Schauspielerin Sarah Bernhardt (d.i. Marie Henriette Rosine Bernard, 1844-1923) debütierte 1862 in der Comédie Française mit der Titelrolle in Racines *Iphigénie* (1674) und machte als eine der berühmtesten Schauspielerinnen der Epoche international Karriere. Sie trat sowohl in klassischen französischen Tragödien als auch in modernen Stücken auf und spielte darüberhinaus Männerrollen wie etwa den Hamlet. Neben ihrer Arbeit in Paris, wo sie u. a. das in Théâtre Sarah Bernhardt umbenannte Théâtre des Nations leitete, gastierte sie in vielen Ländern Europas und in den USA. Sarah Bernhardt übersetzte auch selber Theaterstücke, schrieb ein Buch über das Schauspiel (*L'art du théâtre: la voix, le geste, la prononciation*, 1923) und veröffentlichte 1907 ihre Memoiren (*Ma double vie. Mémoires*. Paris: Charpentier et Fasquelle 1907; dt.: *Mein Doppelleben*. Leipzig: Schulze 1908).

# 763. [Diskussionsbeitrag: »Jüdische Kultur«][1]

Cohen bestimmt den Begriff »Jüdische Kultur« auf eine Art und Weise, die mir besonders lobenswert zu sein scheint. Natürlich lehnt er die wirklichkeitsferne Bemühung um vollständige Assimilation ab. Er weist jedoch nicht weniger entschieden die gegenwärtige Welle des jüdischen Nationalismus zurück, der, indem er Unterschiede anstelle von Gemeinsamkeiten betont, ein neues intellektuelles Ghetto zu etablieren versucht. »Es gibt keine reine jüdische Kultur«, sagt er.[2] Mit jenem Sinn für das kulturell Bedeutsame, das jede Ausgabe von *Commentary* bekundet,[3] besteht Cohen darauf, daß unsere Gemeindevorsteher die jüdische Kultur weder als Mittel zum Überleben mißverstehen, noch blind ihre Gastfreundschaft dem Aufrührer, dem Ketzer und dem Ausgestoßenen verweigern sollten.

Aber wie soll man eine Kultur beschreiben, die so unterschiedliche Persönlichkeiten wie Freud, Chagall und Proust umfaßt? Das ist eine entscheidende Frage, denn wenn die jüdischen Gemeinden Amerikas kulturelles Leben fördern wollen, dann müssen sie zumindest eine klare Vorstellung seiner Eigentümlichkeiten haben. Cohen weist darauf hin, daß die meisten Vertreter jüdischer Kultur ein leidenschaftliches Interesse an den grundlegenden Fragen der Menschheit entwickelt haben – ein Interesse, das, wie er hinzufügt, nicht ausschließlich, aber durchgängig jüdisch ist. Ich glaube, seine Antwort weist in die richtige Richtung, und ich möchte sie hier ein wenig näher ausführen.

Ein gemeinsames Merkmal vieler wesentlich jüdischer Beiträge in unserer Zeit ist ihre Sorge um Aufklärung. Gewiß findet man Juden fast überall und manchmal an bedeutenden Orten. Was jedoch eine Bemühung oder eine Leistung als spezifisch jüdisch auszeichnet, ist ihre innere Tendenz, alle Elemente aufzulösen, die den Durchbruch und die Verwirklichung der Vernunft behindern. Ihr Selbsterhaltungsinstinkt motiviert die Juden, gegen Vorurteile und alle Zustände anzukämpfen, die das stur aufrechterhalten, was keine andere Rechtfertigung hat als die der schieren Faktizität. Und doch würde das Eigeninteresse allein, wie legitim es auch sein mag, nicht ausreichen, den Eifer zu erklären, mit dem jüdische Gelehrte und Künstler beständig den hartnäckigen Widerstand bloßer Materie und vorurteilsbeladener Traditionen zu überwinden versuchen. Diese dauernde Anstrengung, Hindernisse zu beseitigen und in Tabuzonen vorzudringen, diese Bemühung, Engstirnigkeit aufzulösen und jedem einzelnen Stein seine Bedeutung zu entlocken, hat etwas Religiöses. In unserer westlichen Welt ist die Sache der Aufklärung die Sache der Juden. Und es scheint, als ob die besten von ihnen sich in der Überzeugung, daß ihr Heil mit der Erlösung der Menschheit als ganzer unzertrennlich verbunden sei, für diese Sache einsetzten.

Das erklärt auch die Intensität, die typisch jüdische Leistungen auszeichnet: Juden sind immer von dem Wunsch durchdrungen, bis an Grenzen zu gehen, und wenn es so aussieht, als würden sie sich gelegentlich ausruhen, so hat dies doch nur den Zweck, das Hindernis auf ihrem Weg geistig zu verarbeiten. Jahrhunderte der Wanderschaft, des Exils und der immerwährenden Anpassung mögen sie wohl dazu geführt haben, das Absolute mit einem Zufluchtsort zu identifizieren, von dem sie nicht mehr vertrieben werden können.

Jede Tugend gebiert jedoch auch ihr eigenes besonderes Laster. In ihrem brennenden Wunsch nach der Welt, die sein sollte, berücksichtigen viele Juden nicht die Welt, die hier und jetzt vorhanden ist. Ihr unbegrenztes Vertrauen in die erlösende Kraft der Vernunft ist mit einer Vernachlässigung all dessen verbunden, was aus sich selbst heraus entsteht und fortdauert. Ich denke hier an jene dunklen Kräfte und Substanzen, die eben so sind, wie sie sind, und nicht einfach wegdiskutiert oder wegerklärt werden können (z. B. die Einstellung des Südstaatlers gegenüber Schwarzen, die deutsche Verherrlichung des Militärs, die englische Anhänglichkeit an das Königshaus, lokale Gebräuche, der Aberglaube von Farmern und Bauern, das Festhalten an überkommenen Methoden, die offenkundig unzureichend sind, etc.). Jeder, der irgendwo zu Hause ist, erfährt den Einfluß derartiger Dinge. Er ist Teil einer Umwelt, die zutiefst von der Natur und den Sitten geprägt wird, und selbst wenn er sich gegen seine Umwelt auflehnt, werden regionale Besonderheiten noch immer eine Wirkung auf ihn haben. Immer wieder neigen Juden dazu, das innere Gewicht all dessen zu unterschätzen, was diese Umwelt zur Bildung wirklicher, konkreter Individuen und wirklicher, konkreter Gruppen beiträgt. Indem sie sich ganz darauf ausrichten, die Wirklichkeit umzugestalten und das Absolute der Vernunft zu verwirklichen,

nehmen sie häufig Zuflucht zu allzu rationalen Lösungen, die zu stark von der bitteren, kontingenten Wirklichkeit abweichen.
Das bedeutet nicht, daß Juden stets die Rolle von Revolutionären oder Erneuerern spielen. Im Gegenteil zeigen sie sich häufiger konservativ, indem sie hartnäckig an ihrem überkommenen Lebensstil festhalten. Doch eben dieser Lebensstil, der stärker durch religiöse Vorstellungen als durch natürliche und gesellschaftliche Invarianten geprägt ist, führt direkt zum Absoluten. Im jüdischen Leben herrscht das Licht über das Dunkel. Daher sind selbst die konservativsten Juden darauf aus, gegen die Trägheit dieser unserer Welt zu kämpfen.
Wahrscheinlich blicken die Juden weiter als Menschen, die sich weniger von Vorurteilen und Gewohnheiten emanzipiert haben. Ihre Weitsicht hat jedoch einen Preis: in ihrem Bemühen um Veränderung erkennen sie zu selten, was es bedeutet, die Dinge von innen heraus zu ändern. Sie sind Wanderer. Und da es für Wanderer schwer ist, die Schönheit und Häßlichkeit des Beharrenden zu erfassen, verwechseln sie manchmal die Eckpfeiler mit bloßen Stolpersteinen und betreiben Aufklärung mit dem Blitzlicht. Das erklärt auch den doppeldeutigen Charakter der jüdischen Lebhaftigkeit. In vielen Fällen zeugt diese Lebhaftigkeit von einem Widerwillen, zu warten, bis die Zeit reif ist. Das Ziel direkt in Angriff zu nehmen, bedeutet manchmal, etwas zu überrollen, was vielleicht besser nach und nach eingenommen worden wäre. Jüdische Brillanz ist häufig das Ergebnis einer messianischen Ungeduld, die sich weigert, einen mittleren Kurs zu steuern, und zwar selbst in Situationen, in denen nur von einem geduldigen, wenn auch weniger brillanten Vorgehen eine Veränderung der Zustände zu erwarten ist. Lebhaftigkeit droht damit zu bloßer Virtuosität zu verkommen.
All dies soll soll Cohens treffende Bemerkungen nur ergänzen. Je deutlicher diejenigen, denen die Förderung jüdischer Kultur obliegt, sich der einzigartigen Verdienste und der eigentümlichen Schwächen des jüdischen Denkens bewußt sind, desto eher werden sie in der Lage sein, Produktivität freizusetzen. Angesichts der bedrohlichen Apathie, die für die heutige Welt charakteristisch ist, wird der jüdische Aktivismus trotz seiner Unbekümmertheit und seiner Ungeduld immer notwendiger. Vielleicht hat Cohen dies im Sinn, wenn er die jüdischen Gemeinden auffordert, die zahlreichen wirklich schöpferischen Persönlichkeiten, die nicht

nur »unangepaßt«, sondern auf eine konstruktive Weise »unanpassend« sind, rückhaltlos zu akzeptieren. Ich könnte mir keinen besseren Rat vorstellen.

(Druckfahne aus *Commentary* [KN], o. T., undatiert [Oktober 1947])

1 Vorlage für den im folgenden wiedergegebenen Text ist eine unpublizierte Druckfahne (KN) der Zeitschrift *Commentary* (siehe Anm. 3), die sich auf den Artikel »Jewish Culture in America. Some Speculations by an Editor« des *Commentary*-Herausgebers Elliot E. Cohen (in: *Commentary* 3 [1947], S. 412-420) bezieht. Mit der Bitte um Kommentare schickte Cohen seinen als »thinking in progress« (Cohen an Kracauer, 14. 5. 1947, KN) gemeinten Artikel an Kracauer und eine Reihe weiterer Autoren. Er stieß damit eine Diskussion an, die sich über mehrere Nummern erstreckte und an der sich u. a. Meyer Levin, Cecil Roth, Hannah Arendt, Jacob B. Agus und Erwin R. Goodenough beteiligten. In einem Brief an Cohen vom 9. 8. 1947 (KN) kündigte Kracauer an, daß er einen Beitrag schreiben werde, am 21. 10. wurde ihm die hier wiedergegebene Druckfahne zur Korrektur übersandt (Brief KN), am 3. 11. teilte Cohen ihm mit, daß die Publikation seines Aufsatzes kurzfristig auf eine spätere Ausgabe verlegt werden mußte (Brief KN). Warum der Text schließlich unveröffentlicht blieb, ist nicht bekannt.

2 »There is no such thing as pure Jewish culture.« Cohen, »Jewish Culture« (wie Anm. 1.), S. 415.

3 Die Zeitschrift *Commentary*, 1945 gegründet und bis 1959 herausgegeben von Elliot E. Cohen (1899-1959), war ursprünglich ein Verbandsorgan des liberal-konservativen American Jewish Committee (AJC), das sich als jüdische Interessenvertretung in den USA, Israel und anderen Ländern versteht. Kracauer publizierte zwischen 1946 und 1949 verschiedentlich in der Zeitschrift (siehe Nr. 761, 762 und 767 sowie *Werke*, Bd. 6.3, Nr. 787, Anm. 1, und Anhang, S. 479-485; für eine Publikation in *Commentary* vorgesehen war auch der Aufsatz »Gängige Werbepraktiken« [»Popular Advertisement«], siehe *Werke*, Bd. 2.2). Cohens Nachfolger Norman Podhoretz bewirkte gegenüber dem AJC eine alleinige inhaltliche Verfügungsgewalt des Herausgebers bei weiterhin bestehender Finanzierung durch das Committee. In der Folgezeit wurde *Commentary*, Podhoretz' eigener Einstellung entsprechend, zum Vordenker und Verbreiter des Neokonservativismus.

## 764. [»Die Idee der Vollkommenheit in der westlichen Welt«]

Rez.: Martin Foss, *The Idea of Perfection in the Western World.* Princeton: Princeton Univ. Press 1946.

Inspiriert vom Geist des deutschen Idealismus stellt Martin Foss in »*The Idea of Perfection in the Western World*« den griechischen Begriff der Vollkommenheit in Frage, dem die Vorstellung vom Kosmos als einer umgrenzten, im Bild der Erdkugel symbolisierten Einheit zugrundeliegt. Dem statischen Charakter dieser Philosophie und dem ihr immanenten Pantheismus stellt Foss entgegen, was er, der Idealist, für die wesentlichen Züge der jüdisch-christlichen Philosophie hält: die Betonung der Unendlichkeit; den Glauben an einen Gott, der nicht der Inbegriff der Vollkommenheit, sondern eine lebendige Kraft ist; die Überzeugung, daß der Weg wichtiger ist als das Ziel und jedes Ziel nur ein vorläufiges Stadium auf unserem Weg zum Absoluten markiert. In seinem historischen Überblick über die beiden einander entgegengesetzten Philosophien geht Foss näher auf das Mittelalter ein und interpretiert das scholastische Denken als einen Kompromiß zwischen der eigentlichen christlichen Lehre und der Idee der Vollkommenheit. Seine Diskussion erreicht ihren Höhepunkt in einer Analyse des Einflusses, den diese Idee immer noch auf die moderne Ästhetik und Ethik ausübt. Es handelt sich um eine Analyse, die sich selbst transzendiert. Foss begnügt sich nicht damit, die Zugeständnisse zurückzuweisen, die Kant und die englischen Utilitaristen dem Begriff der Vollkommenheit und allem, wofür dieser Begriff steht, machten. Er entwirft sowohl eine Ästhetik als auch eine Ethik, die in voller Übereinstimmung mit seiner Idee christlicher Philosophie stehen. Unsere Betätigungen in diesen Bereichen scheinen ihm nur dann gerechtfertigt zu sein, wenn sie über alle ästhetischen und moralischen Muster hinausweisen, die den falschen Anspruch auf absolute Gültigkeit erheben. Wir müssen diese Schranken überwinden, und zwar in einem stetigen Drang zum Unendlichen hin, das allein absolut ist. Seiner Ansicht nach manifestiert sich das Unendliche in jedem echten Kunstwerk; und es ermutigt, festgesetzte Regeln und Gesetze unter der Leitung der Liebe und des Glaubens immer wieder zu überschreiten. Das Ganze ist reiner Neoidealismus. Foss geht es nicht eigentlich um hi-

storische Begriffe und deren Entwicklung; sie sind für ihn nur in dem Maße von Bedeutung, wie sie seine eigenen Überzeugungen bestätigen oder ihnen widersprechen. Idealistisch sind diese Überzeugungen nicht zuletzt in ihrer Ferne von jedem greifbaren Inhalt. Als ob er selbst vom Absoluten überwältigt wäre, bekundet Foss wenig Interesse an Bestrebungen, die nur von relativem Wert sind. Und wenn er einmal von der erhabenen Höhe herabsteigt, um über Dinge zu sprechen, die in unserer Reichweite liegen, sind seine Urteile in der Regel erstaunlich konventionell. So behauptet er beispielsweise, daß die griechische Kunst in Nachahmungen schwelgte und daß »die sogenannte ›abstrakte‹ Malerei und Bildhauerei ein Mißverständnis oder eine Übertreibung eines richtigen Prinzips ist ...« Leider hat der deutsche Idealismus in seinem Höhenflug immer das unmittelbar Naheliegende übersehen. Und doch ist dieses Buch faszinierend zu lesen. Foss ist ein geborener Philosoph und mit der Leidenschaft ausgestattet, seine Gedanken bis in ihre letzten Verästelungen zu begründen. Es gibt kein zurückbleibendes, totes Material. Unter seiner Hand werden ganz verschiedenartige Begriffe Teil eines kohärenten Musters und erstrahlen plötzlich in einem Leben, das vielleicht nicht ihr eigenes, aber immerhin ein Leben ist. Sie alle werden in einen Prozeß einbezogen, der durch Konfrontationen und Versöhnungen gekennzeichnet ist, welche intensiver nicht sein könnten. Foss' Philosophie mag fragwürdig sein, aber sein Buch zeugt vom Denken eines Philosophen.
(*Political Science Quarterly*, Dezember 1947)

## 765. Umerziehungsprogramm für das Reich

Rez.: Marshall Mason Knappen, *And Call it Peace*. Chicago, Ill.: The University of Chicago Press 1947.

Dieses Buch ist ein detaillierter Bericht über die deutsche Umerziehung, wie sie von der amerikanischen Militärregierung geplant und umgesetzt wurde.[1] Ihr Autor ist ein Insider: Marshall Knappen, der im Zivilleben Historiker und Politologe am Michigan State College ist, gehörte nicht nur der ursprünglichen Planungseinheit an, sondern war auch nach der deutschen Niederlage in führender Position tätig.[2] Er erzählt eine Geschichte von Fehlgriffen, vereitelten Hoffnungen und verhinderten Erfolgen. Und er erzählt diese Geschichte mit einer bestimmten Absicht.

Als sich im März 1944 im südlichen England eine kleine Gruppe von Engländern und Amerikanern versammelte, um ein Bildungsprogramm für Deutschland auszuarbeiten, gingen die drei amerikanischen Mitglieder, darunter Knappen, von zwei Grundannahmen aus. Erstens behaupteten sie, daß der Faschismus in Deutschland und anderswo auf wirtschaftliche Not anstatt auf einen Hang zum Militarismus oder Ultranationalismus zurückzuführen sei. Zweitens gingen sie davon aus, daß eine Gruppe von Menschen, die in der Vergangenheit durch ein armseliges Erbe benachteiligt wurde, sich im Prozeß einer Verbesserung der umgebenden Zustände selbst verändern würde. Im Lichte dieser Annahmen schien die Hoffnung berechtigt zu sein, daß ein wirtschaftlicher Wiederaufbau, wie er von der Atlantischen Charta den Besiegten versprochen wurde, ein friedliches und demokratisches Deutschland hervorbringen könnte.

Dieser optimistische Standpunkt bestimmte das Programm. Es war ein »weiches« Programm, das auf der eigentlich vernünftigen Voraussetzung beruhte, daß die Aufgabe der Umerziehung von den Deutschen selbst übernommen werden sollte. Es wurde Sorge dafür getragen, Schulen und theologische Seminare so schnell wie möglich wiederzueröffnen; den Folgen der Entnazifizierung durch eine energische Lehrerausbildung zu begegnen; die Bildung von Kirchen und Jugendgruppen innerhalb von Gemeinden auf freiwilliger Basis zu ermutigen, etc. Das Ganze war von einem Geist der Nachsichtigkeit gegenüber deutschen Empfindlichkeiten beseelt.

Aber noch bevor dieses von guten Absichten geprägte Programm in die Tat umgesetzt werden konnte, stieß es auf zwei Hindernisse. Das eine ergab sich aus den unergründlichen Wegen der Armee. Knappen kritisiert eingehend das mangelnde Verständnis, das die Militärbehörden, mit der möglichen Ausnahme ihrer obersten Ebene, für Bildungsfragen hatten – ein bittere Kritik nicht nur an gelegentlichen Fehler, sondern an einer konstitutiven Borniertheit. Sie bezieht sich auf Vorgesetzte, die nicht in der Lage waren, die Bedeutung von Experten zu erfassen; auf die Unterwanderung der Militärregierung durch Offiziere, die anderswo unerwünscht waren; auf die unter hohen Offizieren verbreitete Überzeugung, daß eine Umorientierung nur darin bestehen könnte, die Deutschen entweder zu verprügeln oder sie durch Zauberei mit einem Schlag zu verwandeln.

Das zweite und wichtigere Hindernis war der Morgenthauplan[3] mit seiner Forderung nach Deindustrialisierung, der die eigentlichen Grundlagen des Bildungsprogramms umstürzte. Kaum war dieser Plan bekannt geworden, überdachte Washington schon seine Besatzungspolitik und bestand auf härteren Maßnahmen.
Der nachfolgende Überblick über die Tätigkeiten in Deutschland zeigt, daß trotz dieser verschärften Bedingungen ein Teil des ursprünglichen Plans in relativ kurzer Zeit realisiert werden konnte. Die Schulen nahmen ihre Arbeit im Frühjahr 1946 auf; Programme für Jugendliche wurden initiiert; in den Großstädten wurde die Erwachsenenbildung wiederbelebt. Glanzstellen dieses Berichts über die tatsächlichen Erfolge sind die Gespräche, die Knappen als Leiter der Abteilung für Religionsangelegenheiten mit Kardinal Faulhaber und verschiedenen Würdenträgern der evangelischen Kirche führte.[4] Das ist unverbrauchtes Material.
Knappen gibt eine gute Darstellung von Pastor Martin Niemöllers komplizierter Persönlichkeit; und mit einiger Enttäuschung gesteht er zu, daß die Säulen des deutschen Protestantismus nicht nur nationalistische Standpunkte förderten, sondern den Nazis gegenüber selbst nachsichtig waren.[5] Da dem Plan zufolge äußere Eingriffe in religiöse Traditionen vermieden werden sollten, wurde den Kirchen zeitweise gestattet, selbst Ordnung in ihr Haus zu bringen. Unter dem Druck der Katholiken gestanden die Besatzungsbehörden auch die Wiedereröffnung konfessioneller Schulen zu – ein Kompromiß, der unter der nazifeindlichen Bevölkerung Erbitterung hervorrief.
Der mögliche Ertrag dieser Bemühungen wurde jedoch durch politische Entscheidungen auf höherer Ebene im Keim erstickt. Sie schufen ein Klima, das für eine Umorientierung noch ungünstiger war als das Zwischenspiel des Morgenthauplans. Knappen gibt sich große Mühe, die strikte Durchsetzung der Entnazifizierung anzugreifen, die seiner Meinung nach jegliche vernünftige Lösung auf dem Gebiet der Bildung vereitelte.

Er geht auch näher auf den Einfluß ein, der von den sich verschlechternden Lebensbedingungen in der Folge des Potsdamer Abkommens ausging. Und natürlich nimmt er sich noch einmal die Armee vor und verweilt ausführlich bei dem demoralisierenden Beispiel, das sie durch ihre undifferenzierte Einquartierungspolitik, durch ihre Duldung schwarzer Märkte und ihre unreifen Praktiken der Verstärkung setzte.
Knappens erklärtes Ziel ist es, die Amerikaner aus ihrer Gleichgültigkeit aufzurütteln. Die Aussichten in Deutschland sind düster, behauptet er, und wenn wir wirklich den deutschen Geist ändern wollen, werden wir unsere Politik ändern müssen. Andernfalls könnte sich die Geschichte ein weiteres Mal wiederholen.

Dieses Buch ist nützlich als ein aufrichtiges Dokument amerikanischer Selbstkritik. Leider enthält es sehr viele technische Einzelheiten, die die Ansichten, die ihm zugrunde liegen, nicht immer deutlich genug hervortreten lassen. Es berücksichtigt auch nicht bestimmte jüngere Entwicklungen, die in die Richtung der Ziele des Autors weisen. Die Maßnahmen zur Entnazifizierung wurden modifiziert.[6] Sollte der Marshallplan[7] umgesetzt werden, würde die deutsche Wirtschaft zumindest in den westlichen Zonen ganz gewiß wieder aufgebaut werden. Auf jeden Fall sind Veränderungen der »umgebenden Zustände« seit Byrnes' Rede in Stuttgart[8] wirklich auf dem Weg, und sie entsprechen genau dem, was Knappen als eine notwendige Vorbedingung für die deutsche Umerziehung betrachtet. Wie er an einer Stelle bemerkt, besteht die Voraussetzung darin, »dem Deutschen eine Arbeit mit stabilem Lohn zu geben. Das würde seinen Geist vom Exerzieren und Putschen abbringen«. Würde es das wirklich? Für einen Historiker scheint Knappen die Vergangenheit Deutschlands ziemlich außer acht zu lassen. Wir können nur hoffen, daß ein zukünftiges Deutschland seine optimistischen Grundannahmen nicht Lügen straft.
(*New York Times Book Review*, 4. 1. 1948)

1 Zu den von den Alliierten 1945 auf der Potsdamer Konferenz beschlossenen Maßnahmen der Demilitarisierung, Demokratisierung und Dezentralisierung Deutschlands und Österreichs gehörte die »Entnazifizierung«, die alle Bereiche der Politik und Gesellschaft von nationalsozialistischem Personal und Gedankengut ›reinigen‹ sollte. Darüber hinaus wurden umfangreiche Maßnahmen zur »Umerziehung« (»reeducation«, »reorientation«)

der Bevölkerung geplant. Aufgrund von Differenzen zwischen den Alliierten und zunehmenden Konflikten zwischen den USA und der UdSSR fielen die konkreten Programme in den verschiedenen Besatzungszonen sehr unterschiedlich aus.

2 Statt die Entnazifizierung vor allem auf juristischem Weg zu betreiben, trat der US-amerikanische Pfarrer, Politikwissenschaftler und Historiker Marshall Mason Knappen (1901-1966) für eine langsame, aber nachhaltige »Umerziehung« der deutschen Bevölkerung ein. Seit 1939 Professor am Michigan State College, übernahm er 1944 das Referat für religiöse Angelegenheiten der German Country Unit und leitete von 1945 bis 1946 die Religious Affairs Section der Education and Religious Affairs Branch in der amerikanischen Militärregierung für Deutschland. Neben dem von Kracauer rezensierten Buch hat Knappen u. a. Arbeiten zur englischen Rechtsgeschichte verfaßt (u. a. *Constitutional and Legal History of England*, 1942), die Analyse *The Marshall Plan* (1947) und eine *Introduction to American foreign policy* (1956).

3 Der 1944 vom damaligen US-amerikanischen Finanzminister Henry M. Morgenthau Jr. vorgelegte »Morgenthau-Plan« verfolgte das Ziel, das besiegte Deutschland langfristig an jeder kriegerischen Aggression zu hindern, und sah daher über die später erfolgten Maßnahmen hinaus auch die totale und dauerhafte Deindustrialisierung Deutschlands und seine Teilung in einen unabhängigen, jeweils agrarisch geprägten Nord- und Südstaat vor. Der Plan war nicht zuletzt in den USA selbst heftig umstritten.

4 Unmittelbar nach der Kapitulation traf Knappen im Mai, Juni und Juli 1945 mit Michael von Faulhaber (1869-1952), dem Erzbischof von München und Freising, mit dem protestantischen Landesbischof von Bayern, Hans Meiser (1881-1956), mit Pfarrer Martin Niemöller (1892-1984), dem Gründer des Pfarrernotbundes und prominenten Mitglied der Bekennenden Kirche sowie mit Otto Dibelius (1880-1967), ebenfalls Mitglied der Bekennenden Kirche und neuer Landesbischof von Berlin-Brandenburg, zusammen.

5 Siehe Nr. 743.

6 In der amerikanischen Besatzungszone wurde die Verantwortung für die Entnazifizierung am 5. 3. 1946 per Gesetz an deutsche »Spruchkammern« übergeben, die allerdings unter amerikanischer Aufsicht standen. Als problematisch stellte sich bald heraus, daß bei konsequenter Anwendung der Maßstäbe, die die Nürnberger Prozesse gesetzt hatten, allein in den Westzonen ca. 5 Millionen Verfahren anhängig gewesen wären, für die zu wenig unbelastetes Personal zur Verfügung stand. So verlor die Entnazifizierung zumindest im Westen bald an Nachdruck und Härte, zumal spätestens ab 1947 die Schaffung eines westlichen Bündnispartners Deutschland gegen das kommunistische Osteuropa in den Vordergrund amerikanischer Interessen trat.

7 Der »Marshallplan« – benannt nach George Catlett Marshall (1880-1959), von 1947 bis 1949 US-amerikanischer Außenminister – trat am 3. 4. 1948 in Kraft. Er sicherte den an der Organisation for European Economic Cooperation (OEEC) beteiligten westeuropäischen Staaten 12,4 Milliarden US-Dollar an Wirtschaftshilfen innerhalb von vier Jahren zu, die zur Stabilisierung der Währungen und zur Konsolidierung eines westeuropäischen Marktes verwendet werden sollten.

8 In seiner Rede im Stuttgarter Staatstheater am 6. 6. 1946 gab der damalige US-amerikanische Außenminister James Francis Byrnes (1879-1972) den Zusammenschluß der amerikanischen und britischen Besatzungszonen zur sogenannten »Bizone« bekannt und leitete die Versöhnungspolitik gegenüber Deutschland ein.

## 766. Der teutonische Geist

Rez.: Frederic Lilge, *The Abuse of Learning: The Failure of the German University.* New York: Macmillan 1948.

Mit Entsetzen verfolgte die Weltöffentlichkeit, einst voller Bewunderung für die deutschen Wissenschaften, mit welcher beschämenden Geschwindigkeit die deutschen Universitäten vor Hitler kapitulierten. Und obwohl seitdem fünfzehn Jahre vergangen sind, kommt uns dieser Zusammenbruch immer noch unvorsehbar und unbegreiflich vor. Im Vorwort seines Buches kündigt Lilge an, die Gründe für die kulturelle Kapitulation Deutschlands darlegen zu wollen. Als eine kritische Geschichte der widerstreitenden Ideen, die das deutsche Universitätsleben zwischen etwa 1800 und 1933 beherrschten, ist sein Buch eine ausgezeichnete Arbeit. Aber es hält nicht, was es verspricht.

### Die doppelte kulturelle Perspektive

Lilge hat eine besondere Begabung dafür, Ideen auf ihre kulturellen und moralischen Bedeutungen hin durchsichtig zu machen. Und er hat den biographischen Vorteil, daß er intime Kenntnisse mit Erfahrungen im Ausland verbindet.[1] Nach seiner Ausbildung in Deutschland war er, als er in die USA kam, noch jung genug, um sich die Denkweisen des Landes anzueignen. So wurde es ihm möglich, Vertrautes aus einer unvertrauten Perspektive zu betrachten.

Das Buch beginnt mit einer ausgezeichneten Studie über den deutschen Humanismus, der in Wilhelm von Humboldts Reformen des preußischen Bildungssystems gipfelte. Nach einer kurzen Blütezeit zu Beginn des 19. Jahrhunderts wurde diese vielversprechende Strömung durch den Einfluß des deutschen Idealismus verdrängt, der sich in Gestalt der Philosophien Schellings, Fichtes und Hegels siegreich behauptete. Lilge weist auf Fichtes Nähe zum Nationalsozialismus hin, doch bleibt es bei diesem Hinweis. Der Einfluß des deutschen Idealismus als Ganzes auf die Mentalität der Mittelschichten wird nicht weiter verfolgt.

Glücklicherweise entschädigt uns Lilge bis zu einem gewissen Grad für diesen Mangel durch eine eindringliche Analyse des Zusammenstoßes zwischen den allmächtigen Metaphysikern und den Naturwissenschaftlern, die als Neulinge in der akademischen Welt die Universitäten zu erobern suchten. Nach dem Französisch-Preußischen Krieg war jedermann vom technologischen Fortschritt besessen; die Naturwissenschaften setzten sich durch; die humanistischen und idealistischen Ideen der Allgemeinbildung verblaßten, und die Philosophen mußten den Spezialisten weichen, die Forschung als Selbstzweck betrieben.

## Angriff auf die Vernunft

Eine fesselnde Lektüre sind die Seiten des Buches, die sich mit dem nachfolgenden Zerfall menschlicher Substanz in den Bildungsschichten beschäftigen. Die Leere, so Lilge, wurde vom Nationalismus gefüllt. Nicht weniger treffend sind seine Bemerkungen zu Nietzsches scharfer Kritik der Akademiker und der deutschen Kultur im allgemeinen. Lilge stimmt dieser Kritik zu und ist sich doch der Gefahren des ihr zugrundeliegenden Irrationalismus bewußt, der, nachdem ihm Nietzsche prägnant Ausdruck verliehen hatte, eine so fatale Anziehungskraft auf die übrigen Deutschen ausübte. Der berechtigte Versuch, den unfruchtbaren Rationalismus zu überwinden, artete schließlich in einen weiterverbreiteten »irrationalen Protest« aus, der bei Spengler, Heidegger und in geringerem Maße beim Kreis um Stefan George Unterstützung fand.[2]
Das Schlußkapitel enthält eine kluge Auseinandersetzung mit Max Webers verzweifeltem Widerstand gegen die steigende Flut des Irrationalismus.[3] Das Lob, das Lilge den Vorschlägen zollt, die Max Scheler in der Zeit der Weimarer Republik zur Reform des Erziehungswesens machte,[4] klingt nicht allzu überzeugend.

## Diagnose

Die Frage ist, ob diese ideologischen Entwicklungen ausreichen, um den Zusammenbruch zu erklären. Lilge scheint das anzunehmen. Seiner Ansicht nach hat der Zusammenbruch seine Ursachen eindeutig in den Er-

eignissen, die er in seinem historischen Überblick skizziert. Er behauptet z. B., daß die menschliche Leere, die im Zuge des Aufstiegs der modernen Naturwissenschaften entstand, viel dazu beitrug, die Katastrophe von 1933 vorzubereiten.
Auf der anderen Seite besteht er zu Recht darauf, daß die ideologischen Kämpfe, die in Deutschland ausgetragen wurden, auch außerhalb Deutschlands stattfanden. »Die meisten Probleme, an denen das höhere Bildungswesen in Deutschland scheiterte, blieben auch in den anderen westlichen Ländern ungelöst...« Wenn Lilge diese Analogien betont, so will er damit keineswegs andeuten, daß – ähnliche Bedingungen vorausgesetzt – die westlichen Kulturen kapituliert hätten, wie die deutsche es tat. Erfahrungen in einigen faschistischen Ländern während der Hitlerzeit deuten darauf hin, daß eine solche Annahme nicht haltbar ist.

## Aus dem Zusammenhang gerissen

So reicht diese Ideengeschichte nicht aus, um zu erklären, was in Deutschland geschehen ist. Tatsächlich versäumt es Lilge, deutlich zu machen, daß die ideologischen Entwicklungen, die er so klar und verständlich nachzeichnet, in einem besonderen sozialen Klima stattfanden. Seine gelegentlichen Hinweise auf soziale Bedingungen bestätigen nur, daß er im Grunde nicht daran interessiert ist, wie diese den ideologischen Bereich beeinflussen. Darin besteht die Schwäche seines Erklärungsversuchs. Die menschliche Leere, auf die er hinweist, war nicht allein und aus sich selbst heraus zerstörerisch; vielmehr trug sie deshalb zum Zusammenbruch bei, weil sie sich unter Menschen aus den Mittelschichten ausbreitete, die keine demokratischen Traditionen kannten, die nie eine Revolution erfahren hatten. Doch Lilge erwähnt dies kaum. Er ist so ausschließlich an Ideen interessiert, daß er es fast vergißt, die unterschiedlichen Wirkungen zu berücksichtigen, die sie in unterschiedlichen Umgebungen hervorrufen.
Ich brauche kaum hinzuzufügen, daß Lilges Buch trotz dieser Unzulänglichkeit ein wichtiger Beitrag ist. Es zeichnet das intellektuelle Leben in Deutschland mit einer Eindringlichkeit nach, der sich die dargestellten Ideen in ihrem ganzen Bedeutungsumfang ergeben; und es ist

insofern von besonderem Interesse für den amerikanischen Leser, als diese Ideen immer noch lebendig und hierzulande von großem Einfluß auf die Ausbildung sind.
(*New Republic*, 22. 2. 1948)

1 Der deutsche Pädagoge Frederic Lilge (1911-1984) emigrierte nach einem einjährigen Aufenthalt in England 1935 in die USA, promovierte in Harvard und ging 1942 nach Berkeley, wo er von 1958 bis 1977 als Professor für Pädagogik lehrte. Aus seiner Beschäftigung mit Theorie und Praxis sowjetischer Erziehung und einem Aufenthalt in Moskau resultierte sein Buch *A. S. Makarenko. An Analysis of His Educational Ideas in the Context of Soviet Society* (1958).
2 Siehe in diesem Zusammenhang zu George Nr. 68 und 251, zu Spengler Nr. 11, Anm. 3, sowie Nr. 54, 154, 615, 685 und 744.
3 Zu Weber siehe vor allem Nr. 119.
4 Siehe Nr. 616, dort auch Anm. 5.

## 767. Psychiatrie für alles und jeden

### Die gegenwärtige Mode und ihre Hintergründe[1]

Die Psychiatrie und insbesondere die Psychoanalyse erfreuen sich gegenwärtig in diesem Land einer erstaunlichen Beliebtheit.[2] In den Jahrzehnten vor dem Krieg waren sie nur unter den Intellektuellen in Mode; heute hat sich diese Mode zu einem Massenphänomen ausgeweitet. In den Worten von Dr. C.[larens] Charles Burlingame, einem führenden Psychiater: »Hunderttausende von Menschen, die mit oberflächlichen Kenntnissen über die psychologischen Verflechtungen des Lebens ausgestattet und von psychiatrischer Terminologie buchstäblich besessen sind, fangen heute an, jeden trivialen Gedanken und jedes triviale Gefühl psychologisch zu deuten.«[3]
Besonders symptomatisch für die gegenwärtige Faszination durch die Psychiatrie sind die psychologischen Filme Hollywoods, die um 1944 aufkamen.[4] Mit der möglichen Ausnahme Englands, wo ein zaghafter Anfang gemacht worden ist, gibt es zu ihnen in andren Ländern keinen Vergleich. Diese Filme verleihen der Psychiatrie einen illusionären Glanz.

So wie Hollywood sie darstellt, ist sie nicht so sehr eine Wissenschaft als vielmehr ein überlegenes System der Magie in den Händen von wundertätigen Zauberern. Daß einer dieser Wundertäter seine Zauberkraft bei Gelegenheit für kriminelle Zwecke mißbraucht, verstärkt nur seine ehrfurchtgebietende Unheimlichkeit. In SPELLBOUND[5] verwickeln sich der Psychiater, der der Mörder ist, und dessen gesetzestreue Kollegen in einen Kampf, der an den Streit der Hexenmeister in alten Märchen erinnert. Die Detektive sind im Vergleich zu diesen modernen Hexenmeistern ziemlich schwerfällig geworden, wie sich aus dem Film THE DARK MIRROR[6] schließen läßt, in dem der Psychiater dem Detektiv bei der Jagd nach einer raffinierten Mörderin um Längen voraus ist.
So hat der Analytiker Sherlock Holmes verdrängt, das freie Spiel der Assoziationen den gesunden Menschenverstand und die Couch die Pistole. Doch selbst der Couch bedarf es nicht mehr, denn im Unterschied zu ihren Kollegen im wirklichen Leben heilt die Mehrzahl der Leinwandpsychiater die schwersten psychischen Störungen mühelos in sechs Sitzungen. Die bloße Geschwindigkeit ihrer Therapie wird zu einem Beweis ihrer intellektuellen Überlegenheit. (Daß es durchaus möglich ist, dem Zuschauer einen Eindruck von der Langwierigkeit psychoanalytischer Behandlung zu vermitteln und zugleich die dramatische Spannung aufrechtzuerhalten, hat der deutsche Regisseur G.[eorg] W.[ilhelm] Pabst in dem 1926 gedrehten Stummfilm SECRETS OF A SOUL[7] gezeigt.) Sobald ihre Normalität wiederhergestellt ist, kehren die Patienten im allgemeinen zu den Aufgaben des Lebens zurück, die sie spielend bewältigen. Die Heldin des Films LADY IN THE DARK[8] steht am Ende im Licht, und das unter Amnesie leidende Mädchen im Film SHOCK[9] verheiratet sich glücklich mit ihrem Leutnant. Zumindest auf der Leinwand scheint die Psychiatrie imstande zu sein, jedes Problem zu lösen.
Wie ist es zu erklären, daß der Durchschnittsamerikaner von psychologischen Verfahren derart fasziniert ist? Dr. William C.[laire] Menninger hat kürzlich festgestellt, daß »der neurotische Patient die Mehrzahl aller Patienten repräsentiert, die beim Arzt Hilfe suchen« (*New York Times*, 29. April 1947).[10] Und solche Patienten gibt es nicht nur unter den Wohlsituierten. Erfahrungen beim Militär, so Dr. Marynia F. Farnham, haben gezeigt, »daß der neurotische junge Mann, wie er in den Einberufungsämtern begegnet, ebenso aus den Mittel- wie aus den Unterschich-

ten stammt.«[11] So leiden also Menschen aus allen Lebensbereichen unter Neurosen. Die Schlußfolgerung liegt nahe, daß sich die gegenwärtige Aufmerksamkeit für die Psychiatrie einer beispiellosen Steigerung der Zahl psychischer Störungen schuldet.*

Im Prinzip jedoch stimmen die meisten Menschen, Laien wie Psychiater, darin überein, daß die auffällige Zunahme emotionaler Störungen auf erhöhte gesellschaftliche Belastungen zurückzuführen ist. Daß wir psychisch krank sind, weil die Sozialstruktur krank ist, ist die am weitesten verbreitete Meinung. Es wäre also zu erwarten, daß sich die öffentliche Aufmerksamkeit von den neurotischen Symptomen auf die sozialen Ursachen verlagern und statt der Bedeutung psychiatrischer Therapie die Notwendigkeit sozialer Veränderungen und gesellschaftlicher Reformen betonen würde. Doch der Scheinwerfer öffentlicher Aufmerksamkeit bleibt unverändert auf die Psychiatrie gerichtet.
Obwohl sich die meisten von uns darin einig sind, daß die Gesellschaft für viele psychische Fehlentwicklungen verantwortlich ist, handeln wir nach der umgekehrten Prämisse, daß die Gesellschaft krank ist, weil wir selbst es sind. Für Dr. G.[eorge] B.[rock] Chisholm, stellvertretender Gesundheitsminister Kanadas und ehemaliger Leiter des Allgemeinen Gesundheitsdienstes der Kanadischen Armee, hat der Krieg seine Ursache in den weitverbreiteten neurotischen Erkrankungen, die auf die Unreife der Massen zurückzuführen sind. »Die Notwendigkeit, Kriege auszutragen, ist genauso ein pathologisches psychiatrisches Symptom wie die Phobie. Es handelt sich um vergleichbare irrationale Verhaltensmuster, die aus Fehlentwicklungen und emotionaler Unreife resultieren.« (*Psychiatry*, Februar 1946)[12] Hierzulande denken viele Psychologen ähnlich. Dorothy W. Baruch z.B. glaubt, daß eine richtige Kindererziehung das beste Gegengift gegen Rassenhaß darstellt.**

* Ist die gegenwärtige Zahl neurotischer Erkrankungen höher als in der Vergangenheit? Die Frage ist darum schwer zu beantworten, weil das, was wir inzwischen als Neurose zu definieren gelernt haben, vor Charcot und Freud unter Umständen als ein Fall von Hexerei, als Zeichen einer organischen Krankheit oder eines moralischen Defekts verstanden worden wäre.

** Dorothy W. Baruch, *The Glass House of Prejudice*. New York: W. Morrow 1946. An einer Stelle dieses Buches [S. 169] heißt es: »Am besten wäre es offensichtlich, wenn Feindseligkeiten schon in der Familie erkannt würden, in der sie gewöhnlich ihren Ursprung ha-

Die Geschichte lehrt, daß diese Verlagerung des Akzents von den äußeren auf die inneren Bedingungen im allgemeinen durch drastische soziale Veränderungen und Krisen hervorgerufen wird. Meiner Ansicht nach verdankt sich die psychiatrische Mode zwei Verhaltensweisen, in die wir angesichts der gegenwärtigen Belastungen der amerikanischen Zivilisation hineingedrängt werden. Die eine kommt einer Flucht gleich. Die andere ist Ergebnis des Versuchs, den Mangel dessen zu kompensieren, was ich emotionale Verhaltensmuster nennen würde.

Die Fluchthaltung ist das Produkt einer alles durchdringenden Atmosphäre der Gefahr, die sich unter dem Eindruck solcher bedrohlichen sozialen und politischen Entwicklungen ausgebreitet hat wie »die kommende Depression«, Krieg mit Rußland und die Atombombe. Diese Bedrohungen beherrschen die Schlagzeilen unserer Zeitungen und die geheimsten Winkel unseres Denkens. Es scheint paradox, aber in derselben Zeit, in der sich die Lebensbedingungen in diesem Land nachweislich verbessert haben, ist die emotionale Sicherheit ständig geringer geworden. Der für Amerika so charakteristische naive Optimismus, der im Gefolge der Depression schon erschüttert wurde, ist endgültig einer weitverbreiteten Beunruhigung gewichen. Die Menschen werden beherrscht von einer unheimlichen Angst vor dem, was die Zukunft ihnen bringen könnte.

Diese Angst wird verstärkt durch das Bewußtsein, daß es für den Einzelnen kaum möglich ist, den Gang der Ereignisse zu kontrollieren oder zu ändern. Vor allem heute, da die USA zu einer Führungsmacht geworden sind, haben die öffentlichen Angelegenheiten so ungeheure Ausmaße angenommen, daß es nahezu unmöglich ist, eine sinnvolle Beziehung herzustellen zwischen unserem unmittelbaren Tun und den großen, aber eben fernen Fragen, um die es geht. Eine einzelne Handlung kann verschiedene unberechenbare Wirkungen haben, und eine Wirkung kann durch zahlreiche diametral entgegengesetzte Handlungen hervorgerufen werden. So wächst das Gefühl, daß wir immer weniger Herr unseres Schicksals sind. Aus diesem Grund haben es viele Menschen – insbesondere aus den Mittelschichten – aufgegeben, sich als

ben. Wenn die Kinder es lernten, in Augenblicken ihrer Wut zu sich selbst zu stehen und ihre Wut auszusprechen, würde diese nicht ins Unbewußte abgedrängt werden, wo sie der Kontrolle entzogen ist.« [Zu Kracauers Rezension dieses Buches siehe Nr. 761].

handelnde Subjekte zu behaupten; sie sind passive Konsumenten geworden, die ohne zu zögern kaufen, was ihnen die Gesellschaft hinabreicht. Dieses Eingeständnis sozialer und politischer Hilflosigkeit, das die Menschen dann tatsächlich hilflos macht, vertieft zwangsläufig die innere Unsicherheit.

Vielleicht wäre diese Unsicherheit weniger schmerzlich, würde sie nicht durch eine geistige Krise verschärft, die an die Wurzeln des amerikanischen Mythos reicht. Die Ungewißheit über die Zukunft unterminiert das Vertrauen in Einstellungen und Überzeugungen, die in der Vergangenheit als unantastbar galten. Möglicherweise haben die gegenwärtige weltpolitische Lage zusammen mit den jüngsten Erfahrungen des Krieges und unseren internationalen Verpflichtungen diese Krise beschleunigt. Gewiß lehnt der Durchschnittsamerikaner den russischen Totalitarismus ab; er mißtraut auch den sozialistischen Experimenten in Europa; doch in einer immer kleiner werdenden Welt stellt die Entladung feindlicher Mythen in konkrete Aktionen eine beunruhigende Herausforderung seines eigenen »amerikanischen Traums« dar.

Tatsächlich ist der Durchschnittsamerikaner, wie sehr er sich auch an seine Lebensweise klammern mag, nicht mehr in der Lage, deren Grundlagen für so selbstverständlich zu halten wie früher. Individuelle Freiheit wird nicht mehr konkret erfahren, sondern kontrovers diskutiert. Und so prinzipielle Probleme wie freies Unternehmertum vs. Planwirtschaft werden zu Schlagworten, weil die Fragen, die sie aufwerfen, eben nicht mehr mit Sicherheit beantwortet werden können. Werte, die einmal implizit mit unserem Mythos gesetzt waren und *daher nicht erwähnt werden mußten*, stehen nun öffentlich zur Diskussion.

Das Ende unseres Weges scheint sich im Nebel zu verlieren. Zwar improvisieren wir Entscheidungen von Tag zu Tag, doch darunter gibt es immer einen quälenden Zweifel, in welchem Wertsystem diese Entscheidungen verankert sind. Die emotionale Unsicherheit wächst in dem Maße, in dem uns der psychologische Schutz entzogen wird, den höchste, unhinterfragte Werte verleihen. Die meisten von uns können geistige Obdachlosigkeit nicht ertragen, und instinktiv vermeiden wir es, soziale und politische Probleme direkt anzugehen, aus Furcht, unsere Zweifel über die tradierten Werte könnten zur negativen Gewißheit werden. Die Stoiker im Römischen Reich verhielten sich ähnlich; und tatsächlich lassen sich an allen großen Wendepunkten der Geschichte vergleichbare Phänomene beobachten.

Für die Fluchtreaktion ist der Held von Arthur Koestlers Roman »*Arrival and Departure*«[13] ein gutes Beispiel. Dieser junge Revolutionär, der während des Krieges aus einem Konzentrationslager der Nazis flieht, gelangt zu der Einsicht, daß es ein Irrtum war, sich auf die Seite der Kommunisten zu schlagen. Er widerruft sein Bekenntnis zu Rußland, ohne jedoch den Glauben an die Segnungen der westlichen Demokratie zu gewinnen. Seine Überzeugungen sind erschüttert, sein Bewußtsein ist leer. In seiner tiefen Verstörung befällt ihn eine Krankheit – sein Bein ist gelähmt. Er sucht eine Psychoanalytikerin auf, und sie verhilft ihm zu der Erkenntnis, daß sein ehemaliges kommunistisches Engagement eine Nachwirkung schlimmer Kindheitserlebnisse war. Der ganze Prozeß ist eine Flucht aus der gesellschaftlichen in die private Sphäre.
Dies ist ein Modellfall. Viele Menschen, die sich in einem durch äußere Umstände hervorgerufenen Zustand geistiger Hilflosigkeit befinden, leiden stark unter ihrer Unsicherheit und entwickeln häufig Symptome, die denen von Koestlers Held ähneln. Aber letzten Endes ziehen sie es vor, weiter unter ihrer Neurose zu leiden, statt sich ihren fundamentalen Zweifeln zu stellen. Manche emotionalen Störungen sind einfach deshalb nützlich, weil sie es uns erlauben, der tieferen, letztlich aber auch produktiveren emotionalen Verstörung auszuweichen, die die Anpassung unserer Wertvorstellungen und Überzeugungen an eine neue Situation mit sich brächte. Dasselbe Fluchtverhalten, das, statt den Tatsachen ins Gesicht zu sehen, lieber einen Psychiater aufsucht, um die Folgesymptome der Flucht zu heilen, ist bis zu einem gewissen Grad für die wirklichen Schwierigkeiten verantwortlich, die die Fluchtreaktion auslösen. Ursache und Wirkung verfolgen einander in einem endlosen Zirkel.
Es sollte hinzugefügt werden, daß Koestlers Geschichte in ihrem Fortgang eine noch gefährlichere Tendenz enthüllt. Nachdem der Held sich selbst hinlänglich kennengelernt hat, wird er von seiner Krankheit befreit. Aber diese Heilung bestärkt ihn nur in der Ansicht, daß gesellschaftliche Überzeugungen lediglich Projektionen psychischer Prozesse seien. Sein Entschluß, auf der Seite Englands zu kämpfen, ist – obwohl

es als ein Zeichen persönlicher Integrität dargestellt wird – ein durchsichtiges Manöver. Er weicht seinen quälenden Zweifeln über Werte aus, indem er die Werte selbst aller objektiven Bedeutung beraubt: sie scheinen nichts anderes als vorübergehende psychische Lösungen zu sein. Die psychologische Argumentation gewinnt also die Überhand über die Auseinandersetzung mit Inhalten – ein gegenwärtig ziemlich verbreitetes Schema, das jedoch dem Leben seinen Sinn nimmt.

Wie ich anfangs andeutete, besteht der zweite Grund für die gegenwärtige psychiatrische Mode in unserem Bedürfnis nach und unserem gegenwärtigen Mangel an Verhaltensmustern. Dieses Bedürfnis ist zwar keineswegs neu, doch ist es in jüngster Zeit besonders dringlich geworden. Es entstand im Zusammenhang der Entwicklung einer jungen Zivilisation und wurde durch drei Faktoren besonders begünstigt: durch die primitiven Sitten des Koloniallebens, durch die Tatsache, daß Millionen von Einwanderern nach Amerika die »hemmenden« Traditionen der Alten Welt hinter sich ließen und durch den Umstand, daß die entscheidende Entwicklungsphase der amerikanischen Kultur mit der Industrialisierung zusammenfiel.
Alle drei Faktoren haben das amerikanische Leben geprägt. In jeder Gesellschaft gibt es ein Netz von Regeln, Kodes, Sitten und Verhaltensmustern, das es den jeweiligen Mitgliedern dieser Gesellschaft ermöglicht, ihre latenten, instinktiven Energien und Fähigkeiten in einer Vielzahl allgemein verständlicher Formen zu entäußern. Doch unsere Gesellschaft ist historisch dazu konditioniert, das Emotionale zugunsten des Rationalen zu vernachlässigen und utilitaristische Zwecke stärker zu pflegen als emotionale Wünsche. Das bedeutet natürlich nicht, daß wir in emotionaler Hinsicht weniger begabt sind als andere Völker; im Gegenteil, wenn es etwas wie einen Nationalcharakter gibt, dann zeichnen sich Amerikaner durch starke und großzügige Regungen und eine stete Bereitschaft aus, Ideale in Handlungen umzusetzen. Aber es bedeutet doch, daß unsere Zivilisation oder Kultur kein System der Kommunikation ausgebildet hat, durch das wir irgendeinem bedeutenden Teil unserer Möglichkeiten einen wirklich befriedigenden Ausdruck verschaffen könnten.
Daß es in diesem Land eine weitverbreitete Abhängigkeit vom Radio

gibt, enthüllt schlagend, in welchem Maß wir auf Ersatzmittel angewiesen sind, um uns selbst auszudrücken. Selbst in einer kleinen privaten Zusammenkunft siegt die Gewohnheit, dem unauflöslichen Ineinander von Opernsängern, Nachrichtenkommentatoren und Werbesendungen zuzuhören, über das Gespräch um seiner selbst willen – jenem freien Fluß improvisierter Gedanken und plötzlich hervorbrechender Sympathien, dem alle Beteiligten sich ganz hingeben und der ihre kühnsten Träume und verborgensten geistigen Bindungen ans Licht bringt. Wir sind dahin gekommen, jede Einmischung der Außenwelt der Intimität eines solches Austauschs vorzuziehen, die uns eher als eine gefährliche Selbstentblößung denn als eine willkommene Form der Mitteilung erscheint. Die »bar-and-grill«-Lokale, jenes letzte Refugium von Menschen, die es schätzen, ohne bestimmten Zweck – nicht einmal, um Scherze zu machen – zusammenzusein, erlebt eine zunehmende Invasion von Musikboxen und Fernsehschirmen, die ein wirkliches Zusammensein unmöglich machen.

Es scheint, als ob uns die Aussicht auf emotionale Abenteuer ängstigte. Alles wird gestaltlos in dieser bedrohlichen terra incognita unserer persönlichen Gefühle. Die Rituale der Liebeserklärung finden immer noch nur in unbewachten Momenten im Dunkeln statt – Alkohol dient immer noch dazu, die Zwischenräume zu füllen; und die Sam Dodsworths mit ihren unbefriedigten Wünschen fahren immer noch nach Europa auf der Suche nach einer wahreren Erfüllung.[14] Aber bietet Hollywood keine Orientierung? Statt reifer Erfahrung bietet es nur leeren Glanz und infantile Phantasien, eine blendende Schminke, um die Häßlichkeit zu übertünchen, die von innen kommt.

Mangels angemessener Ausdrucksformen flackern tiefverwurzelte Wünsche auf – Wünsche, deren Befriedigung Selbstzweck ist – und vergehen, ohne eine Spur zu hinterlassen. Dagegen gibt es für den geringsten Impuls, der Geschäftsinteressen dient, eine Vielzahl von Wegen, sich zu verwirklichen und als Leistung anerkannt zu werden. Der elaborierte Kode, der unser Verhalten in der kommerziellen Sphäre regelt, kontrastiert merkwürdig mit jener begrenzten Zahl standardisierter Anweisungen, die vergeblich die vernachlässigten weiten Räume unseres emotionalen Lebens abzudecken versuchen. Diese Räume ähneln jenen weißen Flecken auf der Landkarte, die noch unerforschte Gebiete darstellen.

Während unsere industrialisierte Gesellschaft das scheinbar Zwecklose explizit verwirft, neigt sie gleichzeitig dazu, es für ihre eigenen Zwecke auszubeuten. Kommerzielle Gesichtspunkte greifen über auf menschliche Freuden und Ziele und verkehren sie in Mittel für ökonomische Zwecke. Und in demselben Prozeß, in dem die technologische Vernunft und die Habgier unsere Zivilisation auf ein Rechenexempel zu reduzieren und jede Form der Tätigkeit aus ihr zu verbannen suchen, die einzig um der Freude willen ausgeübt wird, wächst der private Dschungel totgeborener Leidenschaften, zielloser Triebe und namenloser Konflikte. Da das Persönliche, dessen die wirkliche Mitteilung bedarf, in den vielen verschiedenen privaten Dschungeln versteckt bleibt, wird es für uns schwierig, miteinander zu sprechen.

Für eine Zivilisation, die sich in einem Zeitalter revolutionärer Erfindungen und industrieller Eroberungen entfaltete, war es ganz natürlich, auf die Psychologie mit ihren praktischen Verwendungsmöglichkeiten zurückzugreifen. Ein doppelter Gebrauch wurde von ihr gemacht. Einmal diente und dient sie noch als eine Technik oder Pseudotechnik ökonomischen und sozialen Aufstiegs: die Suche nach Gelegenheiten erzeugt die »Wie man erfolgreich wird«-Literatur. So stützen sich Betriebe inzwischen bei der Auswahl von Mitarbeitern auf psychologische Tests; gleichzeitig führt die verschärfte Konkurrenz dazu, daß Konzerne auf psychologische Verfahren zurückgreifen, um das letzte Quentchen Leistung aus ihren Beschäftigten herauszuquetschen. In Fabriken ist die Erforschung menschlicher Beziehung jetzt darauf gerichtet, die Arbeiterseele im Interesse größerer Effektivität stromlinienförmig zu modellieren. Und da private Sorgen den einen oder anderen Beschäftigten vielleicht darin hindern, sein Letztes zu geben, haben viele Betriebe Psychologen angestellt, deren Aufgabe es ist, gebrochene Herzen im Interesse der Steigerung der Produktions- oder Verkaufsquote zu flicken. Das Verhältnis von Mittel und Zweck könnte nicht grotesker verkehrt werden: Glück wird nun zu einem Mittel der Effektivität.
Zum zweiten hat man hierzulande auf die Psychologie zurückgegriffen, um den Ausdruck des eigenen Selbst und die Selbstmitteilung zu erleichtern. Es ist in diesem Zusammenhang bemerkenswert, daß die Psychoanalyse in Amerika frühzeitig und mit größerer Bereitwilligkeit als

irgendwo anders angenommen wurde. Wir scheinen für sie prädisponiert gewesen zu sein; und tatsächlich ist es uns seit Jahrzehnten selbstverständlich, persönliche Beziehungen als *Persönlichkeits*-Probleme zu verstehen. Dieses Verständnis prägt die Unterhaltungsmagazine und das tägliche Leben. Schüler sprechen von »Minderwertigkeitskomplexen«, Liebespaare erörtern ihre »Frustrationen«, und Mütter verhalten sich wie Sozialarbeiter. Mit der Selbstverständlichkeit einer alten Gewohnheit verwenden wir Begriffe aus der wissenschaftlichen Psychologie, um persönliche Bedürfnisse zu charakterisieren.

Daß das dringende Verlangen nach Ausdruck des eigenen Selbst sich oft mit Wünschen nach Reichtum und Macht vermischt – »wie man Freunde gewinnt *und* Menschen beeinflußt« –,[15] sollte nicht über die Echtheit dieses Verlangens hinwegsehen lassen. Die Menschen haben wirklich den Wunsch und das Bedürfnis, Freundschaften zu schließen, um dem, was sie in sich selbst spüren, Gestalt und Wirklichkeit zu verleihen. Da unsere Kultur sie jedoch im Stich läßt, wissen sie nicht, wie sie sich selbst in einer spontanen und allgemein verständlichen Weise artikulieren und mitteilen sollen. Mangels gesellschaftlich anerkannter Formen emotionalen Austauschs weisen sie schließlich der Psychologie die Aufgabe zu, ihre inneren Bedürfnisse zu definieren und ihnen befriedigende Ventile zu verschaffen.

Wenn unser Interesse an der Psychologie als Vehikel des Selbstausdrucks zunächst eher unterschwellig blieb, dann darum, weil die Krise der Vorkriegszeit die amerikanische Zivilisation nicht wirklich ins Mark traf. Aber nun, da wir uns in einer Krise befinden, die unsere heiligsten Werte bedroht – einer Krise, die durch die zunehmenden und immer beschwörenderen Appelle an die amerikanische Lebensweise nicht widerlegt, sondern vielmehr bestätigt wird –, nun ist dieses unterschwellige Interesse zu einem offen eingestandenen und fast sensationellen Hauptinteresse geworden. Seitdem unsere fundamentalen Überzeugungen ins Wanken geraten sind, haben sich die ohnehin schon beschränkten Möglichkeiten einer wirklichen persönlichen Verständigung noch weiter verringert. Den wenigen Bahnen, die sich für einen Austausch emotionaler Strömungen anbieten, liegen Wertvorstellungen und gemeinsame Überzeugungen zugrunde, die gefährdet sind durch das Be-

wußtsein, daß absolut geglaubte Werte vielleicht doch umstritten sein könnten.
Wie soll man sich selbst ausdrücken, wenn zu dem Fehlen differenzierter Verhaltensregeln eine Ungewißheit über die letzten Werte tritt? Aufgrund solcher Schwierigkeiten verbleiben viele Menschen, ohne daß es ihnen selbst bewußt wird, in einem Zustand völliger Verwirrung. Zumindest könnte man das aus dem Auftauchen bestimmter Figuren in neueren Hollywoodfilmen schließen, die es zuvor auf der Leinwand kaum je zu sehen gab. Ich denke an den ehemaligen Luftwaffenoffizier in THE BEST YEARS OF OUR LIVES, an den Kriegsveteranen in CROSSFIRE, der des Mordes verdächtigt wird, und an Henry Fondas »Joe« in THE LONG NIGHT.[16] All diese ehemaligen Soldaten irren in einem blinden Nebel umher, jedem Windstoß ausgesetzt, betäubt selbst in der Liebe. Vielleicht ist es der Schock der Wiederanpassung, der sie so agieren läßt. Auf der anderen Seite könnte der Schock wohl kaum zu einer so schweren Lähmung führen, wenn die Gesellschaft selbst strukturierter wäre.

Die Unterschiede zwischen der amerikanischen und der französischen Kultur stützen diese Beobachtungen. Frankreich hat nicht nur den Krieg verloren und die deutsche Besatzung durchgemacht; es leidet heute unter einer fortdauernden Krise seines Mythos – einer Krise, die sich so zugespitzt hat, daß es das Land in zwei gegnerische Lager spaltet, zwischen denen ein Bürgerkrieg denkbar ist. Aber allem Anschein nach hat dieser Zerfall der Werte und Überzeugungen die vielfältigen Traditionen, die das französische Leben beherrschen, noch nicht zu unterminieren vermocht. Der Reichtum und die Strenge fester Konventionen in Frankreich muten – wie jeder Fremde bemerken wird – fast chinesisch an. Diese Konventionen reichen von elaborierten Regeln für die Höflichkeitsformeln am Ende eines Briefes bis zu Vorschlägen zum Verhalten in prekären Liebeslagen; von Gewohnheiten, die dem Durchschnittsleben einen Rhythmus verleihen, bis zu etablierten literarischen Vorbildern zur Kennzeichnung von unbestimmten Wünschen und anonymen Stimmungen. Viele dieser Verhaltensmuster hatten zunächst ökonomische oder andere praktische Funktionen; doch im Lauf der Zeit sind sie diesen Funktionen entwachsen, haben eine Patina angesetzt und dienen nun als Mittel emotionalen Austauschs. Zusammengenommen bilden sie

ein dichtes Gewebe, das sich, ob es nun von einem zugrundeliegenden nationalen Mythos getragen wird oder nicht, um seiner selbst willen zu erhalten sucht.
Diesem Gewebe eignet eine Objektivität, die, wie ich meine, durch eine französische Redewendung gut veranschaulicht wird. Wo wir »ich« oder »wir« sagen würden, verwenden die Franzosen in der Regel das unpersönliche »on s'arrange, on va se promener« usw. –, als ob sie darauf verweisen wollten, daß sich das private Leben in einem allgemeinen Rahmen abspielt, einer Sphäre der Konventionen, an die sich zu halten von allen Menschen erwartet wird. Es ist diese Teilhabe an etwas Objektivem, die die Franzosen – ungeachtet der Tatsache, daß ihre Literatur voll von impressionistischen psychologischen Einsichten ist – gegen die Übergriffe auf das persönliche Leben durch die angewandte Psychologie immunisiert. Sie brauchen nicht zu psychologisieren. Obwohl es gealtert und vielleicht auch abgenutzt ist, schützt sie das Gewebe ihrer Lebensgewohnheiten davor, in die unergründliche Tiefe einer radikal persönlichen Subjektivität zu versinken oder sich in einem Labyrinth psychischer Prozesse zu verlieren, die nicht durch etablierte Bedeutungen und Bilder begrenzt werden.
Selbst in dieser Zeit rivalisierender Bündnisse und intellektueller Verzweiflung ist die Psychoanalyse in Frankreich (und dies gilt übrigens für ganz Europa) noch lange keine Mode. Die Existentialisten, ursprünglich die Avantgarde der Verzweiflung, sind Aktivisten geworden; sie versuchen, die Schwächung des französischen Mythos zu kompensieren, indem sie darauf bestehen, daß soziale und politische Entscheidungen von der ganzen, einheitlichen Persönlichkeit getroffen werden müssen. In der Zwischenzeit beschränkt sich das französische Interesse an der Psychologie immer noch auf Studien, die um ihrer selbst willen betrieben werden. Ein Beispiel dafür ist der Schriftsteller Francis Ponge, der in seiner Dichtung versucht, die Persönlichkeitsstruktur von Dingen und Pflanzen zu durchleuchten.[17] Die Psychologie wird in Frankreich, anders als hierzulande, nicht ernsthaft als ein Mittel in Anspruch genommen, den emotionalen Verkehr zu erleichtern oder das Fehlen gemeinsamer Überzeugungen zu kompensieren.
So hat – wie ich zu zeigen versuchte – die psychiatrische Mode ihren Ursprung nicht nur in extremer Unsicherheit; vielmehr schuldet sie sich

auch wesentlich der Tatsache, daß die amerikanische Zivilisation jenes Gewebe von Verhaltensmustern, wie es ältere Kulturen kennen, noch nicht ausgebildet hat. Hätte es sich gebildet, kämen viele Menschen gar nicht auf die Idee, ihre persönlichen Probleme als emotionale Verstrikkungen zu begreifen, die mit Hilfe des Analytikers aufzulösen sind.
Dies alles soll keinesfalls die Verdienste der psychoanalytischen Therapie schmälern. Ich möchte nur eine Situation beschreiben, in der diese Therapie notwendig wird, weil es kaum sinnvolle Alternativen gibt. Weite Bereiche unserer Welt sind nach wie vor ein Vakuum. In diesem Vakuum verwandeln sich psychische Mechanismen zwangsläufig in selbständige Wesenheiten, und innere Konflikte gewinnen ein Eigenleben. Die Psychotherapie ist eine Technik, die mit diesen Mechanismen und Konflikten umgeht, indem sie sie zu regulieren sucht, Fehlentwicklungen korrigiert und Hemmungen abbaut. Sie will den Patienten befähigen, mit der Wirklichkeit fertig zu werden und seine Kräfte auf bestmögliche Weise zu nutzen. Moderne Analytiker definieren ihre Aufgabe folgerichtig als emotionale Umerziehung.
Doch eine solche Umerziehung, sie mag noch so erfolgreich sein, hat ihre natürlichen Grenzen. Sie kann weder den Zustand unserer Gesellschaft ändern, noch kann sie aus eigener Kraft Inhalt und Bedeutung schaffen. So unverzichtbar die Psychotherapie ist, ihre Behandlungen füllen nicht die gesellschaftliche Leere, in der sie notwendig werden.
Dies wird nicht überall erkannt. Im Gegenteil gibt es eine hartnäckige Tendenz, die möglichen Leistungen der psychiatrischen Praxis zu überschätzen. Wir erwarten, daß ihre individuellen Lösungen in gesellschaftliche einmünden werden und lasten ihr damit eine Verantwortung auf, der sie nicht gewachsen ist. Diese Überschätzung, die selbst von einigen irregeführten Analytikern geteilt wird, birgt die Gefahr, daß sie uns immer tiefer in bloße Subjektivität versinken läßt.
Und doch entspringt unsere Faszination durch die Psychiatrie einer Beunruhigung, die zu Hoffnung Anlaß gibt. Die Menschen scheinen sich in steigendem Maß des Vakuums bewußt zu werden, das sie umgibt. Es ist, als ob sie das Durcheinander ungerichteter, unbestimmter Empfindungen nicht mehr ertragen könnten, als ob sie aus dem Kerker in eine Welt entkommen wollten, in der Impulse ein Ziel haben und die Unendlichkeit psychischer Prozesse – die nur als namenlose ein Übel ist – in gül-

tigen Bildern zum Ausdruck gelangt. Hinter der gegenwärtigen psychiatrischen Mode verbirgt sich eine Sehnsucht danach, die tieferen Schichten des Menschen wirklich mitteilbar zu machen – jene Schichten, die bisher nicht offengelegt waren, auf die kein Licht fiel. Der Wille, diese verborgenen Dinge in uns ans Tageslicht zu bringen, ist ein Zeichen dafür, daß unsere Zivilisation erwachsen wird. Sollte sie durch Leid und Erfahrung reifer werden, ihr wachsender Reichtum an Formen, Mustern und Bildern würde unserer obsessiven Beschäftigung mit der Psychologie Einhalt gebieten und das Übermaß unserer gegenwärtigen Abhängigkeit von ihr ganz von selbst begrenzen.
(*Commentary*, März 1948)[18]

1 Die Erstveröffentlichung dieses Aufsatzes in der Zeitschrift *Commentary* war von folgender Bemerkung der Redaktion begleitet: »Seit ein paar Jahren werden wir von einer Flut von Hollywood-Filmen, literarischen Bestsellern und erfolgreichen Sachbüchern überschwemmt, in denen es um Psychiatrie und Psychoanalyse geht; und es ist kaum ein Tag vergangen, an dem die Presse nicht die Verlautbarung irgendeiner Regierungs-, Fürsorge-, Erziehungs- oder Militärberhörde zu ähnlichen Themen gemeldet hätte. Das alles zeugt vielleicht nicht davon, daß sämtliche Amerikaner psychisch krank sind, wohl aber davon, daß die meisten gebildeten Menschen in diesem Land anzunehmen scheinen, sie seien psychisch krank. Was sind die Gründe für diese Mode? Siegfried Kracauer, der in diesem Artikel die übergreifende Bedeutung der massenhaften Beschäftigung mit der Psychiatrie zu erklären versucht, hat sich als Sozialpsychologe einen hervorragenden Namen gemacht. Er war von 1920 bis 1933 Redaktionsmitglied der *Frankfurter Zeitung* und Leiter ihres Literaturblatts. 1941 kam er in die USA. Dr. Kracauer ist der Verfasser der vieldiskutierten Untersuchung *From Caligary to Hitler: a Psychological History of the German Film*, die im vergangenen Jahr bei Princeton University Press erschien; im August 1946 veröffentlichte er in dieser Zeitschrift den Artikel ›Hollywood's Terror Films‹ [siehe »Hollywoods Greuelfilme«, *Werke*, Bd. 6.3, Nr. 787, sowie Anhang, S. 479-485].«

2 Siehe hierzu auch *Werke*, Bd. 6.3, Nr. 801.

3 Das Zitat entstammt einer Rede, die Burlingame am 28. 4. 1947 in Hartford (Connecticut) hielt. Kracauer zitiert den am nächsten Tag anonym erschienenen Bericht »Psychiatry Called Overdone«. In: *New York Times* vom 29. 4. 1947, S. 23.

4 Siehe hierzu auch Kracauers Essay »Hollywoods Greuelfilme«, *Werke*, Bd. 6.3, Nr. 787.

5 SPELLBOUND (Alfred Hitchcock. US 1944/45); siehe auch *Werke*, Bd. 6.3, Nr. 787.

6 THE DARK MIRROR (Robert Siodmak. US 1946).

7 Deutscher Originaltitel: GEHEIMNISSE EINER SEELE; siehe auch *Von Caligari zu Hitler*, *Werke*, Bd. 2.1, Kap. 14.

8 LADY IN THE DARK (Mitchell Leisen. US 1944).

9 SHOCK (Alfred M. Werker. US 1945/46); siehe auch *Werke*, Bd. 6.3, Nr. 787.

10 William Claire Menninger, »Challenge seen in Neurotic Ills«. In: *New York Times* vom 29. 4. 1947, S. 23.

11 Die Äußerung Marynia Farnhams ist einer öffentlichen Diskussion entnommen, die am 23. 4. 1947 in der *New York Times* u. d. T. »U. S. Women viewed as the unhappiest. Psychiatrist says in forum they fail to use properly their rich privileges« zusammengefaßt wurde.

12 George Brock Chisholm, »The Reestablishment of Peacetime Society – The William Alanson White Memorial Lectures. Second Series«. In: *Psychiatry* 9 (1946), H. 1 vom Februar 1946, S. 1-35; Zitat S. 7.

13 Engl. Orig.: New York: Macmillan 1943; dt.: *Ein Mann springt in die Tiefe*. Übers. von Katie George. Zürich: Artemis 1945. Zu Koestler siehe auch Nr. 775, Anm. 5.

14 Kracauer spielt auf den Titelhelden des gleichnamigen Romans von Sinclair Lewis an, den amerikanischen Großindustriellen Sam Dodsworth, der auf einer Europareise seine jüngere Frau an den als frei und modern dargestellten europäischen Lebensstil verliert. Zu Kracauers Rezension des Romans siehe Nr. 493, zu seiner Besprechung der Verfilmung (DODSWORTH. William Wyler. US 1936) siehe *Werke*, Bd. 6.3, Nr. 718.

15 Kracauer zitiert hier den Titel von Dale Carnegies Buch *How to Win Friends and Influence People* (New York: Pocket Books 1936; dt.: *Wie man Freunde gewinnt*. Übers. von Hermann von Wedderkop. Zürich: Rascher 1938).

16 Zu THE BEST YEARS OF OUR LIVES (William Wyler. US 1946), CROSSFIRE (Edward Dmytryk. US 1947) und THE LONG NIGHT (Anatole Litvak. US 1946/47) siehe auch Kracauers Essay »Filme mit einer Botschaft«, *Werke*, Bd. 6.3, Nr. 792, sowie den Kommentar zu dem Drehbuch-Entwurf »Projekt eines Test-Films«, *Werke*, Bd. 2.2.

17 Siehe u. a. Francis Ponge, *Le parti pris des choses*. Paris: Gallimard 1942 (dt.: *Im Namen der Dinge*. Übersetzt von Gerd Henniger. Frankfurt a. M.: Suhrkamp 1965).

18 Das in KN erhaltene Typoskript zu diesem Aufsatz trägt den Titel »The Vogue of Psychiatry«. Es wurde für die Publikation sprachlich überarbeitet, nicht aber grundlegend gekürzt oder geändert.

## 768. Bewußtsein, frei und spontan

Rez.: Jean-Paul Sartre, *The Psychology of Imagination*. New York: The Philosophical Library 1948.

In diesem Buch[1] erweist sich Sartre erneut als ein wahrhafter Philosoph. Sein ungemein produktives Denken verzweigt sich in die verschiedensten Bereiche, ohne jemals an Intensität einzubüßen. Eine derartige Kombination von Breite und Kraft der Durchdringung wäre fast unbegreiflich, wäre sie nicht aufs engste mit einem elementaren Mangel an Lebenssubstanz verbunden.

Sartres Abhandlung ist im wesentlichen eine Phänomenologie der Einbildungskraft. Von Anfang an betont er, daß unser Bewußtsein spontan Vorstellungen zu erzeugen vermag. Das heißt, daß sich Bewußtsein nicht nur in der Wahrnehmung des Wirklichen, sondern ebenso in der Hervorbringung des Imaginären manifestiert. Es gibt zwei Formen des Bewußtseins: das wahrnehmende und das vorstellende. Damit ist schon gesagt, daß Vorstellungen nicht einfach das Gegenstück zu realen Objekten sind; ebensowenig sind sie der Reflex von Sinnesempfindungen, wie es die Behavioristen glauben machen wollen. Vielmehr hat das Vorstellungsobjekt, das vom Bewußtsein frei hervorgebracht wird, einen eigenen Charakter. Es ist wirklich und doch gibt es sich der Vorstellung als nichtexistent; anders als das reale Objekt, erlaubt es keine unendliche Vielzahl von Wahrnehmungen. Im Unterschied zu diesem ist das vorgestellte Ding von wesenhafter Armut.

Die nachfolgenden Beschreibungen und Interpretationen dienen dazu, die These einer Spontaneität des Vorstellungsbewußtseins zu erhärten. Sartre betrachtet zunächst verschiedene Formen von »Bildern« – Zeichen, Porträts, Imitationen, schematische Zeichnungen, Wandflecke, hypnagogische Bilder –, um zu zeigen, daß sie nichts als Material für unser Bewußtsein sind, und daß es unser Bewußtsein selbst ist, das sie in Repräsentationen von vorgestellten, d. h. nichtexistenten Dingen verwandelt. Er untersucht dann weiter, wie der Geist diese Gegenstände konstituiert, wobei er erneut die Spontaneität des Selbst hervorhebt. Aus gewissen Ergebnissen der Experimentalpsychologie schließt er, daß die Vorstellung wahrscheinlich eine Synthese intentionaler Prozesse ist, an denen sowohl Wissen wie Affektivität beteiligt sind – Prozesse, die von Muskelbewegungen begleitet werden, welche die Vorstellung verkörpern. Und schließlich fragt er nach dem Leben des imaginären Produkts: nach seiner Existenz in einer Zeit, die so unfaßlich und unwirklich ist wie der Raum, der es umgibt. »Sie ist ein Zeitschatten, der gut mit diesem Objektschatten, mit seinem Raumschatten übereinstimmt.«[2] Diese phantomhaften Einheiten, die die Dimension des Nichts bevölkern, sind seltsam unbeweglich und wirkungslos; wir können sie während ihrer Dauer ebensowenig ändern wie sie aus eigener Kraft Reaktionen auf unserer Seite hervorzurufen vermögen.

Sartre schließt mit einigen allgemeineren Bemerkungen. Die Imagination, so sagt er, zeugt von der Freiheit des Menschen. Obwohl es in die wirkliche Welt eingebettet ist, hat das Bewußtsein immer die Freiheit, diese Wirklichkeit zu verneinen und sich das Irreale vorzustellen. Diese Verneinung ist nicht sinnlos. Vielmehr wird das Vorstellungsbewußtsein, indem es sich frei betätigt, seiner eigentlichen Aufgabe gerecht, das Wirkliche mit Bedeutung auszustatten. Seine höchste Leistung ist die bedeutungshafte Irrealität des Kunstwerks.

Das alles entspricht vollkommen Sartres genereller Einstellung. Hier wie auch andernorts[3] bezieht er sich auf die Phänomenologie, wie Husserl, Scheler und Heidegger sie entwickelten, um das Bewußtsein als ein frei handelndes zu bestimmen. Indem wir Vorstellungen hervorbringen, so erklärt er wieder und wieder, verwirklichen wir spontane Intentionen. Sartre insistiert mit einem solchen Nachdruck auf der Spontaneität des Bewußtseins, daß er deren unleugbare Grenzen zu unterschätzen, wenn nicht gar zu übersehen droht. So weist er etwa in seiner Diskussion der Träume die Freudsche Lehre von der Abhängigkeit des Trauminhalts von verdrängten Wünschen zurück. Die Macht des Unbewußten wäre in der Tat unvereinbar mit der Freiheit, die er der Imagination zuschreibt.

Dieser hartnäckige Versuch, den Geist aus allen hemmenden Bindungen zu lösen, ist umso erstaunlicher, als er in einem Land unternommen wird, in dem ein Netz von sozialen Konventionen als selbstverständlich gilt. Historisch betrachtet, unterscheidet sich das französische Denken gerade dadurch von der deutschen Philosophie, daß es nicht das Individuum (oder den Staat) auf Kosten der Gesellschaft kultiviert. Der Grund dafür ist, daß es den Franzosen im Unterschied zu den Deutschen gelang, eine wirkliche Gesellschaft zu schaffen. Für die Franzosen besteht Freiheit daher nicht so sehr in der Autonomie des Individuums als vielmehr in der geregelten Wechselwirkung zwischen äußeren Notwendigkeiten und inneren Bedürfnissen. Trifft das immer noch zu? Die Resonanz, die Sartres Version deutscher Phänomenologie in Frankreich gefunden hat, könnte durchaus ein Hinweis sein, daß dieses empfindliche Gleichgewicht in jüngster Zeit gestört worden ist.

In der Philosophie Sartres spiegelt sich nicht so sehr individuelle Kraft als vielmehr gesellschaftlicher Zerfall. Sartres Leidenschaft für die Freiheit hat etwas Steriles. Besessen von der Idee, daß wir frei sind, uns etwas vorzustellen oder uns zu »engagieren«, sagt er uns nur selten, was wir

mit unserer Freiheit denn eigentlich anfangen sollen. Aber Freiheit bedeutet nur wenig, wenn sie sich nicht in konkreten Handlungen niederschlägt. Sie ist nicht mehr als ein Ausgangspunkt. Sartre hört schon am Anfang auf. Er ist ein Schütze, der den Bogen ständig gespannt hält, ohne jemals den Pfeil abzuschießen.
Daraus erklärt sich die seltsame Mischung von Überfluß und Mangel in seinen Schriften. Der Eindruck des Überflusses schuldet sich seiner Vielseitigkeit, seinem Scharfsinn und seiner Beobachtungsgabe. Doch was in so vielen Verkleidungen auftritt, ist unweigerlich immer dasselbe Ausgangsproblem. Sartre versammelt eine Vielfalt ausgezeichneter Details, um nicht etwa der Vielfalt des Lebens selbst, sondern der Notwendigkeit, sich in ihm zu engagieren, Ausdruck zu verleihen. Er ist arm, weil das Leben selbst ihm entgleitet. Wäre er vom Leben erfüllt, würde er Freiheit in Taten umsetzen, statt sie unverwandt anzustarren.
(*Saturday Review of Literature*, 26. 6. 1948)

1 Frz. Orig.: *L'Imaginaire.* Psychologie phénoménologique de l'imagination (1940); dt.: *Das Imaginäre*. Psychologie der Einbildungskraft. Übers. von Hans Schöneberg. Mit einem Beitrag »Sartre über Sartre«. Reinbek bei Hamburg: Rowohlt 1980.
2 Jean-Paul Sartre, *Das Imaginäre* (wie Anm. 1), S. 216.
3 Siehe u. a. Sartre, *L'Être et le néant: Essai d'ontologie phénoménologique* (1943; dt.: *Das Sein und das Nichts: Versuch einer phänomenologischen Ontologie*, 1952), sowie *Conscience de soi et connaissance de soi* (1947; dt.: *Bewußtsein und Selbsterkenntnis: Die Seinsdimension des Subjekts*, 1973).

## 769. [Albert Schweitzer: Zwei Goethe-Reden]

Rez.: Albert Schweitzer, *Goethe*. Two Addresses. Boston: The Beacon Press 1948.

Dieser Band enthält zwei Reden, die Schweitzer 1928 und 1932 hielt.[1] Beide sind weniger Darstellungen von Goethe als vielmehr Selbstdarstellungen – bewegende Zeugnisse von Schweitzers unbefangener Identifizierung mit dem Mann, den er als seinen Meister und Mentor betrachtet. Er übersieht bei Goethe, was ihm selbst fremd ist; und er empfängt von Goethe, was er selbst schon besitzt. So entsteht ein Goethe, der humaner und weniger selbstbezogen ist, als er im wirklichen Leben war. Und doch ist dieses Porträt nicht bloß eine Projektion. Aus einer wesensmäßigen Verwandtschaft heraus vermag Schweitzer, Goethes tiefe Aufrichtigkeit und seinen einzigartigen Glauben an die Emanationen der Natur in ihm und außerhalb seiner selbst, seine geniale Art, theoretische und praktische Arbeit miteinander zu verbinden, und seinen unermüdlichen Eifer, am Leben seiner Zeit teilzunehmen, zu erfassen und auf bewunderswürdige Weise darzustellen.

Das ist tatsächlich Goethe. Da es sich ebenso um eine Selbstdarstellung handelt, drücken bestimmte Merkmale, die Schweitzer hervorhebt, das aus, was ihm selbst am Herzen liegt. Insbesondere geht er auf Goethes Abneigung gegen Revolutionäre ein und erklärt diese mit seiner Angst vor der »Herrschaft des Pöbels«. Obwohl Goethe, wie er sagt, den Aufstand der Massen nicht vorhersehen konnte, nahm er doch seine verhängnisvollen Folgen für den Einzelnen vorweg, der nach Selbstverwirklichung trachtet. Nach Schweitzers Ansicht ist die moderne Massengesellschaft mit ihrer umfassenden Organisation ein Ungeheuer, das den Einzelnen unter dem Vorwand verschlingt, ihn von seiner Not zu erlösen. Die Moral ist offenkundig: Anstatt uns auf organisatorische Leistungen zu verlassen, sollten wir nach Goethes Beispiel persönliche Werte pflegen.

Schweitzer behandelt zwei Probleme, die für unsere gegenwärtige Situation relevant sind. Die Beliebtheit, der sich die Psychiatrie heute in diesem Land erfreut, führt viele Leute irrtümlicherweise dazu, die Reichweite psychologischer Begriffe zu überschätzen.[2] Sie führen Kriege auf die Anhäufung aggressiver Impulse zurück; sie verstehen die Überzeugungen von Gruppen und soziale Angelegenheiten in Begriffen von emotionaler Anpassung oder Fehlanpassung, etc. Das alles ist nicht falsch, aber es ist auch nicht richtig; denn neben ihrer psychologischen Motiviertheit hat jede Überzeugung oder Angelegenheit eine Bedeutung, die von solchen Motivationen unabhängig ist.

Und hier kommt Schweitzers glühender Glaube an den unersetzlichen Wert der Persönlichkeit ins Spiel – eine Überzeugung, die eine Herausforderung aller totalitären Tendenzen impliziert. Aber obwohl er sich für das einsetzt, wofür wir gerade jetzt kämpfen, klingen seine Mahnungen etwas hohl. Er vereinfacht die Dinge über Gebühr. Er erkennt nicht, daß wir nicht in der Lage sind zu wählen. Die Massen existieren, und

ob wir es wollen oder nicht, müssen wir die Notwendigkeit ihrer Organisation mit dem Bedürfnis individueller Freiheit versöhnen. Indem Schweitzer selbst nach Afrika ging, unterscheidet er sich nicht so sehr von Gauguin; der Heldenmut, mit dem er seine Persönlichkeit auslebt, schließt auch ein Körnchen Wirklichkeitsflucht ein.
Und doch rührt Schweitzer an etwas Wichtiges, wenn er uns anfleht, Goethe zu folgen. So sehr wir auch für individuelle Freiheit kämpfen, so haben wir doch, wie es scheint, nur unzulängliche Vorstellungen davon, wie der Einzelne sein sollte. Die gegenwärtige Intensität unseres ideologischen Kampfes steht in merkwürdigem Gegensatz zu der Vagheit unserer Vorstellungen über das persönliche Leben. In diesem Zusammenhang kommt Schweitzers Goethebild eine positive Funktion zu. Es bringt uns die gefährliche Abstraktion unserer Sehnsüchte zu Bewußtsein.
(*Saturday Review of Literature*, 3. 7. 1948)

1 Albert Schweitzer wurde am 28. 8. 1928 mit dem Goethe-Preis der Stadt Frankfurt a. M. ausgezeichnet und hielt zu diesem Anlaß seine erste Goethe-Rede (erstmals abgedruckt in: A. Schweitzer, *Goethe: eine Ansprache, gehalten am 28. August 1928 bei der ersten Verleihung des Goethepreises der Stadt Frankfurt am Main*. Frankfurt a. M.: Verlag Werkstätten der Berufsschule III für Graphik und Gestaltende Gewerbe 1928). Die zweite Rede folgte anläßlich des 100. Todestages Goethes am 22. 3. 1932 ebenfalls in Frankfurt (erstmals abgedruckt in: A. Schweitzer, *Goethe: Gedenkrede gehalten bei der Feier der 100. Wiederkehr seines Todestages in seiner Vaterstadt Frankfurt a. M. am 22. März 1932*. München: C.H. Beck 1932).
2 Siehe Nr. 767.

## 770. Festtag der Indologie

Rez.: Heinrich Zimmer, *The King and the Corpse*. Tales of the Soul's Conquest of Evil. Hrsg. von Joseph Campbell. New York: Pantheon Books 1948.

Dieser stattliche Essayband des jüngst verstorbenen Heinrich Zimmer,[1] eine Veröffentlichung in der Bollingen-Reihe,[2] ist der Ertrag dessen, was man den Festtag eines Indologen nennen könnte. Zimmer war nicht nur ein Gelehrter, der sich gut mit Sanskrittexten auskannte, sondern auch ein äußerst rühriger Geist, der genauso gut in der Gegenwart wie in der Vergangenheit lebte. So wanderte er zwischen den Epochen hin und her und versuchte, die symbolische Sprache alter Mythen für die zeitgenössische Erfahrung zu entziffern. Der Band enthält das Ergebnis seiner Wanderungen. Diese Essays, die auf sachkundige Weise von Joseph Campbell[3] herausgegeben wurden, gründen auf Zimmers Überzeugung – eine Überzeugung, die er mit Jung und anderen teilt –, daß das spirituelle Erbe des archaischen Menschen immer noch »in den tieferen, unbewußten Schichten unserer Seele« fortlebt. Seine Betrachtungen stellen eine Verbindung aus Psychologie und Mythologie dar. Sie nehmen den Leser ein, weil sie nicht mehr als die Gedanken eines gelehrten Dilettanten sein wollen.

Zimmer wandelt zwischen dem Orient und Okzident, der Antike und dem Mittelalter hin und her und erzählt in aller Ruhe die Einzelheiten jeder Geschichte, die er unterwegs aufliest. Die erste, die aus »*Tausendundeinenacht*« stammt, ist die bekannte Geschichte von dem geizigen Abu Kasem und seinen geflickten Pantoffeln, die ihn zum Gelächter der Stadt machen. Als er schließlich versucht, sich ihrer zu entledigen, kehren sie beharrlich zu ihrem Besitzer zurück und verursachen seinen Ruin. Der Geizhals, der sich nicht von ihnen trennen wollte, wird nun durch ihre verhängnisvolle Gegenwart bestraft. Die Pantoffel sind nach Zimmer ein äußeres Symbol des Karma – die stetig wachsende Summe der Handlungen und Unterlassungen, der Erfolge und Mißerfolge eines Menschen.

Auf diese Weise erläutert Zimmer ein irisches Märchen, eine mittelalterliche deutsche Legende, vier Heldengeschichten aus König Arthurs Tafelrunde, die Sanskritgeschichte des Königs und des Leichnams und verschiedene indische Mythen, die, wie es der Zufall will, nie zuvor in eine europäische Sprache übersetzt wurden. Die Geschichten sind so angeordnet, daß sie eine Art von psychologischem Epos bilden. Nachdem er den Einfluß des Karma anhand von Abu Kasems Pantoffeln demonstriert hat, zeigt Zimmer, wie wir mit den dämonischen Kräften umgehen sollten, die uns zu überwältigen drohen. Es handelt sich um den ewigen Konflikt zwischen dem Unbewußten und dem Bewußten, bösen Instinkten und guten Absichten, der anarchischen Natur und der spirituellen Reinheit. Im Lichte von Zimmers Deutungen lehren sowohl die

irische Conn-eda-Geschichte[4] als auch die deutsche Sage von Hans Goldmund die Versöhnung dieser Gegensätze. Conn-eda, der naive Held, muß lernen, rücksichtslos zu sein; und der Bischof Goldmund kann keine Heiligkeit erreichen, wenn er nicht das Leben eines Tieres führt.[5]
Das Böse verlangt also danach, angenommen zu werden, denn nur dadurch, daß wir mit ihm ringen, können wir zur Ganzheit reifen. Das ist die Moral der Heldengeschichten von Gawain und Owain,[6] die voller Vertrauen ihren elementaren Antrieben folgen und denen es auf diese Weise gelingt, ein inneres Gleichgewicht herzustellen, das ihre tiefsten Sehnsüchte erfüllt. Sie werden zu »Wissenden«, die fähig sind, dem Tod ins Angesicht zu sehen. Sie verlieren ihre ursprüngliche Unschuld, um sie auf der Ebene des Bewußtseins wiederzugewinnen. Zimmers psychologisches Epos findet seinen Höhepunkt in der berühmten Sanskritgeschichte, der das Buch seinen Namen verdankt.[7] Diese Geschichte, die das Thema des Karmas wieder aufnimmt, spiegelt die Beziehung zwischen dem bewußten Leben des Einzelnen und seiner unbewußten Vergangenheit. Der Kern der Sache ist nach Zimmer das Kunststück der Selbstintegration, das vom König in der Geschichte geleistet wird: Er läßt das Vergangene nicht einfach vergangen sein, sondern erweckt das, was er zurückgelassen hat, in einer quälenden Selbstprüfung wieder zum Leben, indem er es *sowohl* verbannt *als auch* seinem Selbst einverleibt.
Zimmer faßt zwar mythische Ereignisse als psychologische Prozesse auf, aber er folgt nie der gegenwärtigen Praxis, diese Prozesse auf Kosten ihrer Bedeutung darzustellen. Viele Psychologen tun jedoch genau das. Sie sind so sehr damit beschäftigt, äußere Erscheinungen auf innere Mechanismen zurückzuführen, daß sie darüber beinahe vergessen, die Bedeutung unserer Verschiebungen, Rationalisierungen oder Projektionen zu untersuchen. Zimmer dagegen ist es überhaupt nicht um diese Mechanismen und ihr Wechselspiel zu tun. Sein Thema ist nicht so sehr die Psychologie um ihrer selbst willen als die Psyche – das innere Leben, verstanden als ein bedeutungsvolles Ganzes. Für ihn ist die »Seele« eine Arena von Kräften, die im Interesse fragloser menschlicher Werte einander entgegenwirken oder sich anziehen. Er würde nicht einmal daran denken, psychologische Triebe zu isolieren, mit denen keine derartigen Werte verknüpft werden könnten.
Zimmer scheint durch den modernen Positivismus und die aus ihm

resultierende Blindheit gegenüber Werten und Bedeutungen tief beunruhigt gewesen zu sein. Das ergibt sich aus bestimmten Passagen seines Buchs, in denen er elegisch darauf hinweist, wie weit wir von jener Weisheit entfernt sind, die den alten Mythen und Sagen innewohnt. Die Wissenschaft, sagt er, hat gelernt, die materiellen Kräfte der Natur zu beherrschen, aber sie hat die Kontrolle »über die Kräfte der Seele verloren«. Unsere Psyche ist richtungslos. Wir sind merkwürdigerweise nicht in der Lage, ihren Inhalt und Umfang zu bestimmen. In ähnlicher Weise klagt er die »übertrieben entschlossene Moralität«, die wir in der Behandlung individueller und gesellschaftlicher Probleme an den Tag legen. Ein solches stromlinienförmig rationales Verhalten hindert uns immer mehr daran, auf unsere Instinkte zu hören – jene märchenhaften Pferde und wundersamen Löwen, die den Helden sicherer durch die Gefahrenzonen des Lebens steuern als alle seine bewußten Überlegungen. Schließlich verurteilt Zimmer in Übereinstimmung mit seinem Vertrauen auf den animalischen Anteil unserer Existenz alle Planungsexzesse. Er sagt es zwar nicht ausdrücklich. Doch seine Betonung der indischen Weltauffassung als ein Produkt stetig wiederkehrender, spontaner Akte zeugt von seinem Glauben an die höheren Segnungen fortgesetzter Improvisation.

So liebenswert das Buch auch ist, es mangelt ihm an Stärke und Genauigkeit. Zimmer nennt sich zurecht einen Dilettanten. Seine überschwengliche Sprache erinnert nicht so sehr an die orientalischen Erzählungen, von denen sie erkennbar beeinflußt ist, als an das Dickicht tropischer Vegetation. Es zeigt sich in ihr eine gewisse Verwirrung, die einen verderblichen Einfluß auf seine psychologischen Begriffe ausübt und ihn dazu führt, unterschiedslos sowohl echte Mythen als auch Wagners Fälschungen zu billigen. Und sein undialektisches Schwelgen in den alten Lehren offenbart ihn als einen unverbesserlichen Romantiker. Was jedoch auch immer seine Schwächen sein mögen, Zimmers Buch wird jene fesseln, die sich wie er selbst nach Sinnhaftigkeit sehnen.

(*Saturday Review of Literature*, 24. 7. 1948)

1 Der Indologe Heinrich Robert Zimmer (1890-1943), ein Schwiegersohn Hugo v. Hofmannsthals, mußte 1938 seine Professur in Heidelberg aufgeben und emigrierte über England in die USA, wo er bis zu seinem Tod an der Columbia University tätig war.

2 Die Bollingen-Reihe wurde 1943 von der Old Dominion Foundation in New York und

ihrem Direktor Paul Mellon (1907-1999) begründet und bis 1969 fortgeführt; ab 1945 war die von Paul Mellon ins Leben gerufene Bollingen-Foundation für ihre Gestaltung und Verbreitung zuständig. Schwerpunkt der Reihe waren in den ersten Jahren das Gesamtwerk C. G. Jungs sowie Schriften zur Religions- und Mythenforschung. Kracauer erhielt von 1949 bis 1951 ein Fellowship von der Bollingen-Foundation und war von 1952 bis zu seinem Tod im »Advisory Board« der Stiftung tätig; siehe hierzu ausführlich die Nachbemerkung und editorische Notiz in *Werke*, Bd. 4, S. 443-486.

3 Der US-amerikanische Mythen- und Religionsforscher Joseph Campbell (1904-1987), der von 1934 bis 1973 als Professor am Sarah Lawrence College in New York tätig war, wurde mit Büchern wie *The Hero with a Thousand Faces* (1949; dt.: *Der Heros in tausend Gestalten*, 1999) und *The Masks of God* (4 Bde., 1959-1968; dt.: *Die Masken Gottes*, 4 Bde., 1996) weit über akademische Fachkreise hinaus bekannt. Er gehörte dem »Advisory Board« der Bollingen-Foundation an und stand wie andere Mitglieder des Beirats dem Denken C. G. Jungs nahe. Neben dem hier angezeigten Buch gab Campbell posthum auch Heinrich Zimmers Untersuchungen *Philosophies of India* (1951) und *The Art of Indian Asia* (2 Bde., 1955) heraus.

4 Das irische Märchen *The Story of Conn-eda, or the Golden Apple of Lough Erne* wurde im 19. Jahrhundert aufgezeichnet und u. a. durch die Anthologie von William Butler Yeats *Fairy and Folk Tales of the Irish Peasantry* (1888) bekannt. Es erzählt die Geschichte vom Königssohn Conn-eda, der von seiner bösen Stiefmutter betrogen und mit dem Auftrag, ihr drei goldene Äpfel zu bringen, in die Ferne vertrieben wird; dank der Mitwirkung verschiedener Helfer besteht Conn-eda die Probe und kehrt siegreich in die Heimat zurück.

5 Zimmer bezieht sich auf die Legende vom Leben des heiligen Johannes (344/354-407), von 397 bis 404 Patriarch von Konstantinopel, der aufgrund seiner überragenden rhetorischen Fähigkeit seit dem 6. Jahrhundert Chrysostomos, d. h. Goldmund, genannt wurde. In der deutschen Sage aus dem 15. Jahrhundert, die Zimmer Richard Benz' Sammlung *Alte deutsche Legenden* (1922) entnahm, begegnet der Einsiedler Johannes in der Wildnis einer Prinzessin, die er verführt und von einem Felsen stößt, woraufhin er sich entscheidet, zur Buße wie ein Tier zu leben, bis sich herausstellt, daß das vermeintlich tote Mädchen noch lebt.

6 In der mittelenglischen Ritterromanze *Gawain and the Green Knight* nimmt der Artusritter Gawain die Herausforderung durch einen mysteriösen grünen Ritter an, diesen mit dessen Beil zu enthaupten, sich aber für den Gegenschlag innerhalb eines Jahres und eines Tages in der grünen Kapelle des Herausforderers einzufinden. Zimmer bezieht sich in seinem Kapitel »Owain, der Ritter mit dem Löwen« (S. 105-139) auf eine walisische Fassung des Iwein-Stoffes, wie sie im *Red Book of Hergest* aus dem 14. Jahrhundert überliefert ist.

7 In der indischen Erzählung *The King and the Corpse*, auf die sich Zimmer im Kapitel »Abenteuer und Fahrten der Seele« (S. 210-245) bezieht, erhält ein König von einem mysteriösen bettelnden Asketen den Auftrag, den Leichnam eines Gehenkten vom Galgen zu holen und ihm zu bringen. In der Leiche sitzt ein Gespenst, das den toten Körper immer wieder zurück zu dem Baum zaubert, an dem er hing. Vierundzwanzigmal muß der König über den Leichenplatz seiner Stadt hin- und herwandern, während ihm das Gespenst vierundzwanzig Geschichten erzählt, die alle in eine Rätselfrage münden, die er lösen soll. *Die fünfundzwanzig Geschichten vom Gespenst im Leichnam* (ind.: *Vetalapancavinsati*) sind in fünf Sanskritversionen überliefert, es gibt in fast allen indischen Sprachen Fassungen.

# 771. Atmosphäre des Verhängnisses

Rez.: Richard Plant, *The Dragon in the Forest.* Garden City und New York: Doubleday and Co. 1948.

Richard Plants erster Roman erzählt die Geschichte von Willy Halders Kindheit und Jugend in Deutschland vor Hitler. Wie der Autor ist Willy ein Arztsohn, geboren und aufgewachsen in Frankfurt am Main.[1] Als gebürtiger Frankfurter kann ich für die Wirklichkeitstreue des Buches garantieren. Sein Lokalkolorit ist authentisch. Wichtige Figuren erscheinen unter ihrem tatsächlichen Namen, und einige von denen, die es nicht tun, sind leicht wiederzuerkennen. Das Ganze ist weniger ein Roman als eine romanhafte Autobiographie, und das enthaltene fiktionale Element überschattet nicht seine Wirklichkeitstreue.

Willys bewußtes Leben beginnt gegen Ende des Ersten Weltkriegs, als er noch als Junge in einer Schlange mit hoffnungslosen Menschen vor einem Lebensmittelgeschäft steht. Diese Kindheitserfahrung ist symptomatisch für die kommenden Jahre. Öffentliche Ereignisse prallen ständig mit seinem Privatleben zusammen, geben diesem eine bestimmte Färbung und bestimmen seine Richtung. Als empfindsamer, gutmütiger Junge wächst Willy in einem gleichgestimmten Mittelklassemilieu auf. Hätte er zu einer anderen Zeit gelebt, hätte er seine Fähigkeit zu Liebe und Freundschaft, seine literarische und schauspielerische Begabung entwickeln können, ohne sich je in die Politik zu verstricken.

Wie die Dinge jedoch standen, konnte er nicht anders, als sich im Wirrwarr der Weimarer Republik zu verfangen. Als die Inflation ihren Höhepunkt erreicht, wird ihm eine harte Lektion in Ökonomie erteilt. Er schließt sich einer Gruppe der *Wandervögel* zu einer Zeit an, als dieser Sproß der idealistischen Jugendbewegung von Nudisten, Hitleranhängern und Offizieren der Schwarzen Reichswehr unterwandert ist.[2] Entsetzt verläßt er die Gruppe, aber die bösen Geister heften sich an seine Fersen und gewinnen zunehmend an Kraft. Hal, sein Freund, wird von dem Massenmörder Haarmann[3] ermordet; die Arbeitslosigkeit wächst; marschierende Sturmtruppen werden zu einer Institution, und an der Universität ist die Bühne bereitet für lärmende Tumulte und zweifelhafte Reformen. Am Ende scheint die Flut zwar zurückzutreten, und während dieser Zeit des Aufatmens erfreut sich Willy am Erfolg des Kabaretts »Stachelschwein«, dessen Ko-Produzent er ist. Aber die Fata Morgana löst sich auf, und der Brand des Reichstags[4] setzt allem ein Ende. Gewarnt durch einen alten Klassenkameraden, der Nazi geworden ist, reisen Willy und seine Freundin in die Schweiz, um nie mehr zurückzukehren.

Die Geschichte ist interessant, obwohl es Plant nicht immer gelingt, sein Material wirklich zu durchdringen. Manche Charaktere sind blasse Figuren, die, wenn überhaupt, nur in der Außenansicht erscheinen, und ein großer Teil der Zeitgeschichte scheint nur der Vollständigkeit halber aufgenommen worden zu sein. Doch diese mechanische Auflistung wird durch Episoden ausgeglichen, die wirklich den Zeitgeist erfassen. Plant erzählt von Erlebnissen mit einer natürlichen Frische und einem ausgeprägten Sinn für menschlich bedeutsame Details. Willys Mutter Melanie, eine charmante Mischung aus Sanftmut, Skepsis und gesundem Menschenverstand, kommt sehr gut dabei weg. Dasselbe gilt für Willy. Seine bewegende Beziehung zu Melanie ist einer der Höhepunkte der Geschichte. Wenn es die Situation erfordert, geht Plant von der Innenschau zum Bericht über. Ein überzeugendes Beispiel ist die Darstellung von Willys gemeinsamer Wanderung mit Hal durch ein Deutschland, das voll ist von Bauern, die ihre Zukunft auf Hitler setzen, von Verzweifelten, die auf der Flucht vor der schwarzen Reichswehr sind, von jungen Landstreichern, die nach Arbeit suchen. Es war das Jahr 1930 und die Krise war in vollem Gang.
Das bringt mich zu dem aus meiner Sicht größten Verdienst Plants: seine Sensibilität für etwas so schwer Faßbares wie das geistige Klima jener Jahre. Er versucht weder, es zu definieren, noch spielt er in der Rückschau den Propheten. Es ergibt sich aus vielen Einzelheiten, die ungezwungen miteinander verknüpft werden und die zusammengenommen einen Eindruck von diesem Klima vermitteln. Ein Gewerkschaftsvertreter weigert sich, an einer Protestkundgebung gegen einen der Lehrer Willys teilzunehmen. Der Lehrer selbst, ein Sadist, wird rehabilitiert, nachdem er eine Weile aus dem Verkehr gezogen wurde. Der von der Freien Studentenschaft in letzter Minute unternommene Versuch, die antinazistischen Kräfte zu versammeln, mißlingt aufgrund der Unnach-

giebigkeit der Kommunisten, etc. Plant hat Recht, wenn er der Erzählung des Bauern Schmitt über den menschenfressenden Drachen Gunnivor, der im Wald lebt, einen bedeutenden Platz einräumt. Diese Sage ist nicht symbolisch gemeint. Sie verkörpert vielmehr die Atmosphäre des Verhängnisses, die Plant sein ganzes Buch hindurch evoziert.
(*New Republic*, 7. 3. 1948)

1 Der Germanist und Schriftsteller Richard Plant (d.i. Richard Plaut; 1910-1998) schrieb in den zwanziger Jahren, von Kracauer gefördert, Filmkritiken für die FZ. 1933 ging er in die Schweiz, wo er Studium und Promotion abschloß und einige Kriminalgeschichten, Kinderbücher (u.a. *Die Kiste mit dem großen S. Eine Geschichte für die Jugend*, 1936) sowie das *Taschenbuch des Films* (1938) veröffentlichte. 1938 emigrierte er in die USA, wo er nach Kriegsende eine Professur für Deutsche Literatur am New York City College übernahm. Bekannt wurde er vor allem mit seinem Buch *The Pink Triangle. The Nazi War Against Homosexuals* (New York: Holt 1986; dt.: *Rosa Winkel*. Der Krieg der Nazis gegen die Homosexuellen. Frankfurt a.M. und New York: Campus 1991).

2 Nach der Auflösung des 1913 gegründeten Wandervogel-Vereins gab es in den zwanziger Jahren zahlreiche Einzelverbände, die vielfach eine betont völkische Gesinnung vertraten. Zusammen mit anderen Kerngruppen der Bündischen Jugend schlossen sich verschiedene Wandervogelverbände 1926 zum Bund der Wandervögel und Pfadfinder zusammen, der sich 1927 in Deutsche Freischar umbenannte. Im Zuge der Gleichschaltung wurden die Bünde im Juni 1933 in die Hitler-Jugend überführt. Die paramilitärischen Formationen der Schwarzen Reichswehr wurden von der Reichswehr entgegen den Bestimmungen des Versailler Vertrags als geheime Reservearmee aufgestellt. Ihre Mitglieder waren zum größten Teil Angehörige aufgelöster Freikorps und anderer republikfeindlicher Organisationen und standen unter der Führung des ehemaligen Freikorpsführers Major Bruno Buchrucker. Nachdem ein Putschversuch in Küstrin 1923 gescheitert war, wurde die Schwarze Reichswehr aufgelöst.

3 Friedrich Haarmann (1879-1925) wurde am 19. 12. 1924 wegen Mordes an 24 Jungen und Männern, die er zwischen 1918 und 1924 begangen hatte, vom Schwurgericht Hannover zum Tode verurteilt und am 15. 4. 1925 hingerichtet.

4 Siehe Nr. 727.

## 772. Mittelalterlicher Herrscher

Rez.: David G. Einstein, *Emperor Frederick II*. New York: Philosophical Library 1949.

Dieses Buch, das eher eine populäre Erzählung als eine gelehrte Untersuchung ist, hat das Verdienst, die Merkmale hervorzuheben, die Friedrich II. zu einer der faszinierendsten Gestalten des Mittelalters machen.

Es ist eine kontrastreiche Studie, die den Kaiser als eine Verkörperung gegensätzlicher Tendenzen darstellt, als einen Verbindungspunkt von Vergangenheit und Zukunft. Einerseits kämpft Friedrich gegen die Päpste, um die Unabhängigkeit des Reiches zu begründen; andererseits kann er sich nicht von seinem eingewurzelten Glauben an den Vorrang der Kirche befreien.

Er ist der mittelalterliche Herrscher, der als weltlicher Arm des Papsttums Häretiker und Ungläubige verfolgt, und zugleich ist er der aufgeklärte Despot, der die Universität von Neapel gründet und liberale Reformen in Sizilien einleitet – »der erste moderne Mensch auf dem Thron«, wie Jacob Burckhardt ihn genannt hat.[1]

Im übrigen bleibt das »Chaos des Mittelalters«, um den Verfassser zu zitieren, in diesem Buch tatsächlich ein ziemliches Chaos. Ereignisse werden in der Art einer Chronik erzählt, und zwar mit besonderer Betonung anekdotischer Details. Oft vernachlässigt der Autor wesentliche Dinge zugunsten von Geschichten, die reine Nebensächlichkeiten darstellen. Während er Friedrichs Liebesaffäre mit Bianca erzählt, übergeht er die weitreichenden Folgen des Reichstags zu Mainz und berührt kaum die ökonomischen Motive der Kreuzzüge.

Dem Buch mangelt es an Einsicht in die treibenden Kräfte der Geschichte. Die summarische Charakterisierung Griechenlands im 11. Jahrhundert als ein »großartiges Sarazenenreich« offenbart auf schlagende Weise die Beschränkungen sowohl der historischen als auch der stilistischen Begriffe des Autors. Manchmal tritt die Wiederholung als Ersatz für eine eindringliche Behandlung auf.

Was also bleibt, ist ein glaubwürdiges Bild des Kaisers, das aus einer schwach beleuchteten Umgebung hervortritt. Seine kraftvolle Persönlichkeit sticht auch in einer nicht ganz befriedigenden Biographie hervor.

(*The New York Times Book Review*, 3. 4. 1949)

1 Siehe Jacob Burckhardt, *Die Kultur der Renaissance in Italien*. Hrsg. von Horst Günter. Frankfurt a. M.: Deutscher Klassiker Verlag 1989, S. 13 (= Bibliothek der Geschichte und Politik. Hrsg. von Reinhard Koselleck, Bd. 8).

# 773. Bilderflut[1]

Rez.: Lancelot Thomas Hogben, *From Cave Painting to Comic Strip.* A Kaleidoscope of Human Communication. New York: Chanticleer Press 1949.

Lancelot Hogbens »*From Cave Painting to Comic Strip*« ist insofern ein merkwürdiges Buch, als seine 230 fesselnden Abbildungen mit ihren Legenden sich vorübergehend wie ein angenehmes Hindernis zwischen dem Leser und dem Text aufbauen. Der Mensch, so Hogben, ist das einzige Tier, das Bilder herstellt; sein Denken und seine Entwicklung wären ohne Bilder unmöglich: ohne die Zahlzeichen – Bilder, welche die Mathematik ermöglichen; und das Alphabet – Bilder, die die Schrift ermöglichen. Der Mensch teilt sich mit durch das Medium des Sichtbaren. Der Autor verstünde als erster, daß wir uns in seinem Buch zunächst den Abbildungen zuwenden.

In tiefen Höhlen in Frankreich und Spanien sind auf den Wänden immer noch Bilder von Bisons und Rentieren zu sehen; vor zwanzigtausend Jahren hat der Mensch sie als Beschwörungsformeln gemalt, um die wirkliche Gegenwart dieser Tiere herbeizuführen, wenn er zur Jagd auszog. Später versuchte er sich eine Identität zu geben, indem er sich in Bezug zu den Sternen setzte, und hier, auf mesopotamischen Siegelbildern, gibt es die ersten Tierkreiszeichen. Die Jahreszeiten waren für den Menschen eine Quelle der Beunruhigung, er empfand die Notwendigkeit, die Zeit zu messen. Die Ost-West-Ausrichtung der Pyramiden von Gizeh erlaubte den Ägyptern, die Tagundnachtgleiche zu ermitteln. Die Steinallee bei Down Tor (Devon) ermöglichte dem Beobachter, das Intervall (ein Sonnenjahr) zwischen zwei Ereignissen zu messen, an denen die Sonne an genau dem gleichen Punkt am Horizont aufsteigt; in Peru wurde ein Sonnenturm aus einem einzigen Stein geschlagen. Dies alles findet sich bei Hogben abgebildet.

Die Illustrationen zeigen die Entwicklung der Mathematik – erst die Rechentafeln, dann die Zahlennotation – und die Entwicklung der Schrift – erst Zeichen, dann das Alphabet. Die Bilder standen am Anfang, dann kamen die Techniken ihrer Reproduktion und schließlich die Druckerpressen, die in unseren Städten rotieren. In diese Reihe gehört auch die Entdeckung der Perspektive durch die Maler als Antwort auf die wis-

senschaftlichen Umwälzungen im Europa des 15. Jahrhunderts. Am Ende stehen die comic strips. Hogben nimmt sie zu ernst.
Die Geschichte, die Hogben erzählt, wenn wir uns von den Abbildungen seinem Text zuwenden, ist eine von tragischen Rückschlägen, ereignislosen Intervallen und gewaltigen Eroberungen, die ohne den Beitrag längst vergessener oder bedeutungslos gewordener Völker nicht möglich gewesen wären. Hogben verfolgt sehr genau die Entwicklung, die von der prähistorischen Höhlenmalerei über primitive Siegel und Kalender bis zur Erfindung der Druckerpresse und der Photographie führte.

Heute sind wir von Bildern umringt und belagert. Durch das Fernsehen betäuben sie unsere Gedanken auch in jenem letzten, nunmehr gefährdeten Refugium der Introspektion, der Bar. Wir können kein gedrucktes Blatt Papier in die Hand nehmen, ohne mit einem Bild konfrontiert zu werden. Wir werden von optischen Erscheinungen und Anblicken überflutet – nicht von den Originalen, den Erscheinungen und Anblicken der Natur, sondern von einem unkontrollierten Ausstoß von Reproduktionen. Die Natur gewährt dem Menschen immer nur eine Ansicht auf einmal, der Geist und Herz antworten können. Nun aber stellt der Mensch sich selbst ein mechanisch-kaleidoskopisches Gestöber unendlicher Bilderfolgen vor Augen. Statt klarer zu sehen, wird er nahezu blind.
Hogben verlangt ein Kontrollsystem. Was in der Werbebranche »Massenmedien« heißt, steht zum ersten Mal in der Geschichte zur Verfügung. Hogben glaubt, daß es für die Massenmedien durchaus sinnvolle Verwendungsmöglichkeiten geben könnte und daß unsere Zivilisation, wenn wir diese Möglichkeiten nicht nutzen, das Schicksal anderer Kulturen ereilen wird, die untergegangen sind.
Hogben ist kein teilnahmsloser Historiograph. Er ist ein leidenschaftlicher und durchaus kämpferischer Verfechter einer förderalen Weltregierung. Er drängt uns, die Techniken der Massenkommunikation zur Schaffung einer solchen Regierung zu nutzen. Historisch betrachtet gingen die Bilder den Worten voraus; nach Hogbens Ansicht müssen wir uns in unserer gegenwärtigen Situation wesentlich auf den Gebrauch von Bildern stützen. Wenn es uns – so seine düstere These – nicht gelingt, ein piktoriales Esperanto zu erfinden, wird die westliche Kultur in

die Barbarei zurückfallen. Dieses Schicksal ereilt jene Völker, die nicht in der Lage sind, ihre Kommunikationsmittel sinnvoll zu nutzen.
An dieser Stelle rückt die amerikanische Massenkultur ins Blickfeld. Soll die Welt mit ihrer Hilfe »coca-colonialisiert« werden? Soll in ihrem Gefolge der Anblick immer derselben Photographien tanzender Beine überall das gleiche dumme Geschwätz auslösen? Hogben klagt sie an, unersetzliche Energien für bloße Unterhaltung zu verschwenden. »Wenn es ein Gemeinplatz ist, daß Amerika der Welt ein praktisches Beispiel für die Popularität des Bildmediums gegeben hat, so ist es ebenfalls eine Binsenwahrheit, daß Amerika unserer gemeinsamen Zivilisation bis heute den überzeugenden Beweis seines möglichen Werts schuldig geblieben ist.« Hogbens Angriffe auf die Leistung Amerikas im allgemeinen gipfeln in einer Kritik unserer comic strips. Dieser Auswuchs am Körper der amerikanischen Kultur entzückt Millionen von Kindern und Erwachsenen. Aber die Amerikaner haben nicht auf Hogben gewartet, um sich über comics den Kopf zu zerbrechen und zu streiten, ob sie zu Kriminalität führen oder bloß zu Analphabetismus und ob sie beim Unterricht der Bibel und der Weltliteratur eingesetzt werden können. Hogben möchte den Unterhaltungswert der – nach Ansicht des Rezensenten stark überschätzten – comic strips für pädagogische Zwecke nutzen.

Diese Betonung der comics ergibt sich aus der ziemlich willkürlichen These des Buches, wonach der gesamte Fortschritt der Menschheit von der Geschichte der Mittel, der Aktionen und Interaktionen abhängig ist, durch die das Denken sich mitteilt. Da Hogben die Rolle der comics überschätzt, brechen seine Überlegungen zu früh ab. Von diesem Tal, in dem wir uns abmühen, ließe sich mehr sagen. Im Gegensatz zu dem, was er und andere uns glauben machen wollen, sind comics besten- oder schlimmstenfalls ein kleines Übel, das sich als solches leicht identifizieren läßt. Die wirkliche Gefahr liegt in dem ununterbrochenen Gebrauch von Bildern um ihrer selbst willen. Die Visualisierung ist zu einer unkontrollierten Gewohnheit geworden. Wir stellen Bilder zu Schau, um den Raum zu füllen. Viele von ihnen sind nicht einmal besonders unterhaltsam; insgesamt sind sie im wesentlichen Lückenbüßer; entweder bleiben sie unbemerkt, wie die Vorübergehenden in einer Menge, oder sie rufen höchst konfuse Reaktionen hervor.

Wenn man es aufmerksam betrachtet, wird fast jedes Bild wichtige Informationen preisgeben. Aber es scheint, als ob unsere Bildproduzenten gar nicht wollten, daß wir irgendein Bild lang genug oder aufmerksam genug betrachten, um es in seiner Bedeutung zu durchdringen. Die Art und Weise, in der sie ihr Material präsentieren, steuert unsere Versuche, seinen Sinn zu erfassen. Wenn sie ihre Bilder mit Untertiteln ausstatten, sagen sie uns, was wir auf den Bildern sehen sollen; sie erlauben uns nicht, selbst hinzusehen, geschweige denn, daß sie uns dazu ermutigen. »Dieses Mädchen lächelt, weil sie ein neues Auto oder eine Waschmaschine hat, oder weil sie tapfer ist und das Leben weitergehen muß«, sagt der Untertitel; aber das Mädchen lächelt, weil es dafür bezahlt wurde, oder weil die Maske des Schmerzes der Maske des Lachens sehr ähnlich ist. Doch wenn wir sie ansehen, gehorchen wir den redaktionellen Anweisungen.
In unseren Wochenschau-, Dokumentar- und Spielfilmen gibt es eine Unmenge sprachlicher Äußerungen. Der Zuschauer befindet sich in einem Dilemma. Wenn er das Bild ansehen will, mischen sich die Stimmen ein; wenn er den Stimmen zuhört, dann ist es die *erzählte*, nicht die *gezeigte* Geschichte, die seine Vorstellung beherrscht. Im allgemeinen erliegt der Zuschauer der Insistenz der Stimme.[2]

Das Ergebnis ist, daß uns Bilder überfluten, während wir gleichzeitig daran gehindert werden, sie wirklich wahrzunehmen. Die Bilder werden zu einem Schleier zwischen uns und der sichtbaren Welt, sie stumpfen unser Denken ab, ersticken unsere Einbildungskraft. Wir sind ihnen derart ausgesetzt, daß sie uns blind machen für die Phänomene, die sie zeigen. Paradoxerweise sind wir, je mehr Bilder wir sehen, desto weniger willens oder imstande, die Kunst des Sehens auszuüben. Wir reagieren nicht mehr; unsere Wahrnehmungsvermögen drohen zu verkümmern. Der ununterbrochene Strom einer Fließbandproduktion optischen Materials hat die einschläfernde Wirkung einer Droge, die jene Trägheit verstärkt, welche unsere Art der Massenkultur zu verbreiten neigt.
Hogben liebt Bilder, glaubt an Bilder und wünscht uns noch mehr Bilder, als es sie jetzt schon gibt. Aber es soll die richtige Sorte sein – Weltstaatenbund-Bilder. Im letzten Kapitel seines im übrigen anregenden und fesselnden Buchs scheint er behaupten zu wollen, daß weltweite

visuelle Erziehung nicht nur die internationale Verständigung fördern, sondern auch die gegenwärtige Bilderflut eindämmen und derart dem Medium des Bildes selbst zugute kommen wird. Das ist unwahrscheinlich, und zwar aus dem einfachen Grund, daß Bilder vielen anderen Zwecken als den von Hogben berücksichtigten dienen. Wie können wir annehmen, daß es uns gelingen würde, ihren übermächtigen Strom zu kanalisieren, wenn wir sie gezielt als Bausteine eines piktorialen Esperanto verwendeten? Gleichgültig, ob man einen weltweiten Staatenbund oder ein solches Esperanto für wünschenswert hält oder nicht, es ist unvorstellbar, daß aus Hogbens Vorschlag das Organisationsprinzip visueller Darstellung wird. Sein Programm gleicht dem Traum eines Werbevertreters. Hogben ist von ihm derart besessen, daß er seine positiven Auswirkungen auf die Bildproduktion im allgemeinen ebenso überschätzt wie die mit ihm verbundenen pädagogischen Möglichkeiten. Hogben ist ein platter Rationalist. Bezeichnenderweise ist er davon überzeugt, daß wir unsere Kräfte vergeuden, wenn wir Fremdsprachen erlernen oder an der überkommenen, irrationalen Rechtschreibung festhalten. Sein Traum einer uniformen Welt übersieht das Beste, was die Kultur zu geben hat: Tiefe.[3]
(*The Reporter*, 31. 1. 1950)

1 Der Artikel war in der Erstveröffentlichung mit zwei Abbildungen illustriert: »[frieze for use in zootrope]« und »A bison from the caves of Altamira, Spain«.
2 Siehe hierzu ausführlich *Theorie des Films* (*Werke*, Bd. 3, bes. S. 174-205).
3 Zu einer anderen Fassung dieser Rezension siehe Nr. 773a.

# 773a. Bilderflut[1]

Rez.: Lancelot Thomas Hogben, *From Cave Painting to Comic Strip*. A Kaleidoscope of Human Communication. New York: Chanticleer Press 1949.

Unser Zeitalter ist eines der Visualisierung. Wo immer wir hingehen oder verweilen, sind wir von Bildern umringt und belagert. Sie starren uns von den Seiten unserer Boulevardblätter und populären Wochenzeitungen an, sie ziehen in einer endlosen Folge auf dem Schirm vorbei, und mit der Ausbreitung des Fernsehens erobern sie auch die letzten Refugien der Introspektion, die Bars. Es gibt kein Baseballspiel, das nicht überall von jedermann mitverfolgt werden könnte und kein fernes Kunstwerk, das der massenhaften Reproduktion entkäme. So ist eine Situation entstanden, in der wir von optischen Erscheinungen and Spektakeln buchstäblich überschwemmt werden – eine gewaltige und endlose Flut von Bildern.[2]

In seinem neuesten Buch *From Cave Painting to Comic Strip* bringt uns der bekannte englische Schriftsteller Lacelot Hogben die Einzigartigkeit dieser Situation zu Bewußtsein. Was die meisten Menschen heutzutage für selbstverständlich halten, bezeichnet tatsächlich die letzte Phase einer Evolution, die sich bis zum Anbruch der menschlichen Kultur zurückverfolgen läßt. Als ein Bilder herstellendes Tier, erklärt Hogben, ist der Mensch auf der Suche nach Mitteln der Kommunikation. Er entfaltet diese These, indem er die zentrale Rolle betont, die Bilder in der allmählichen Evolution von Bereichen wechselseitiger Verständigung spielten. Sorgfältig zeichnet er die Entwicklungen nach, die von prähistorischen Höhlenmalereien zu primitiven Siegeln und Kalendern und von den ersten Alphabeten und Zahlzeichen zu der Erfindung der Druckerpresse und Photographie, den beiden wichtigsten Medien der Massenkommunikation, führten. Es ist eine Geschichte von tragischen Rückschlägen, ereignislosen Intervallen und gewaltigen Eroberungen, die ohne den Beitrag längst vergessener oder bedeutungslos gewordener Völker nicht möglich gewesen wäre. Das alles wird nicht in der Art einer Chronik erzählt, sondern unter Berücksichtigung der jeweiligen materiellen Notwendigkeiten und Bedingungen der einzelnen Entwicklungsschritte. In einer solchen Geschichte der Techniken erweist sich der materialistische Ansatz in der Tat als nützlich. Und da der Verfasser von *Mathematics for the Million*[3] weiß, wie man komplizierte Denkmuster allgemeinverständlich darstellt, ist sein Buch eine wirkliche Quelle der Aufklärung, das durch die Vielzahl schöner Abbildungen noch fesselnder wirkt.

Hogben ist nicht nur ein Historiker, sondern auch ein Kämpfer, und gegen Ende seines Buchs gewinnt diese kämpferische Haltung unverkennbar die Oberhand. Als leidenschaftlicher Verfechter einer föderalen Weltregierung drängt er darauf, die Mittel der Massenkommunikation im Interesse eines solchen Systems einzusetzen. Sein Hauptinteresse gilt dabei den Bildmedien. Wir sollten, schlägt er vor, eine Art internationale Bildersprache entwickeln – eindeutig definierte bildnerische Zeichen, die aufgrund ihrer weltweiten Verbreitung dazu beitragen könnten, das Wissen unter allen Erdenbürgern zu verbreiten und die Schranken zu beseitigen, die Experten und Spezialisten von anderen Sterblichen trennen. Wenn es uns nicht gelingt, ein derartiges bildnerisches Esperanto zu entwickeln, wird die westliche Zivilisation – so sein düsteres Szenario – in die Barbarei zurückfallen und zugrunde gehen, wie das Schicksal anderer Völker beweist, die es nicht vermochten, ihre Kommunikationsmittel sinnvoll zu nutzen.

An dieser Stelle rückt die amerikanische Massenkultur ins Blickfeld. Hogben klagt sie an, unersetzliche Energien für bloße Unterhaltung zu verschwenden. »Wenn es ein Gemeinplatz ist, daß Amerika der Welt ein praktisches Beispiel für die Popularität des Bildmediums gegeben hat, so ist es ebenfalls eine Binsenwahrheit, daß Amerika unser gemeinsamen Zivilisation bis heute die überzeugende Rechtfertigung seines möglichen Werts schuldig geblieben ist.« Hogbens Angriffe auf die kulturelle Leistung Amerikas im allgemeinen gipfeln in einer Kritik unserer comic strips, die den Beifall jedes amerikanischen Pädagogen finden wird. Tatsächlich gibt es in unserem Land ja immer mehr Stimmen, die dieses offenkundige Vergnügen von Millionen von Kindern und Erwachsenen als einen Auswuchs am Korper unserer Zivilisation verdammen. Und Hogbens Vorschlag, den Unterhaltungswert der comic strips für pädagogische Zwecke zu nutzen, wird gerade jetzt in einem Seminar an der New York University umgesetzt.*
In seiner Kritik hätte Hogben viel weiter gehen können. Im Gegensatz zu dem, was er und andere uns glauben machen wollen, sind comics besten- oder schlimmstenfalls ein kleines Übel, das sich als solches leicht identifizieren läßt. Die wirkliche Gefahr liegt in der ungehemmten Verwendung der Bilder um ihrer selbst willen. Die Visualisierung ist uns

* Siehe »Course in Comics Seeks Social Good«, *New York Times*, 16. November 1949.

zu einer unkontrollierten Gewohnheit geworden, und das stellt an sich selbst eine Bedrohung dar. Denn diese Gewohnheit führt dazu, daß massenhaft Bilder zur Schau gestellt werden und dies offenbar aus keinem anderen Grund, als um den Raum zu füllen. Viele dieser Bilder sind nicht einmal besonders unterhaltsam; allesamt erzeugen sie den Eindruck, ohne Rücksicht auf ihre mögliche Bedeutung plaziert zu werden. Als Lückenbüßer bleiben sie entweder unbemerkt, wie die Vorübergehenden in der Menge, oder sie rufen höchst konfuse Reaktionen hervor.

Wenn man es aufmerksam betrachtet, wird jedes Bild wichtige Informationen preisgeben. Aber es scheint, als ob unsere Bildproduzenten gar keinen Wert darauf legten, daß wir hinter die Kulissen blickten: als ob sie alles in ihrer Macht Stehende täten, um die Konfusion zu erhalten, die ihre Überangebote erzeugen. Tatsächlich werden Bildmaterialien in der Regel auf eine Art und Weise präsentiert, die unseren Bemühungen, ihre Bedeutung zu erfassen, erfolgreich zuvorkommt. Man nehme die Untertitel in den Zeitschriften: ihre Aufdringlichkeit lenkt unsere Aufmerksamkeit von den Illustrationen ab, die sie schon im voraus für uns verarbeitet haben. Manchmal stattet ein Untertitel eine Person z. B. mit einem reizenden Lächeln aus, deren Gesichtszüge von ganz anderen Absichten sprechen; aber aufgrund der hypnotischen Macht redaktioneller Suggestionen ignorieren wir gewöhnlich derartige Ungereimtheiten. Noch bemerkenswerter ist die Nachlässigkeit, mit der amerikanische Filme – und selbstverständlich nicht nur sie – über die Botschaften hinweggehen, die ihre Bilder vermitteln könnten. In unseren Wochenschau-, Dokumentar- und Spielfilmen gibt es eine Unmenge sprachlicher Äußerungen; der bedauernswerte Zuschauer wird damit in ein Dilemma versetzt. Wenn er die Bilder ansehen will, verpaßt er subtile Witzeleien und poetische Liebeserklärungen; wenn er dem Dialog folgen will, entgehen ihm zwangsläufig die Feinheiten der rein visuellen Kommunikation. Da sprachliche Bedeutungen greifbarer sind als bildliche, bevorzugen die Zuschauer natürlich die zweite Möglichkeit, die weniger Mühe kostet.

Wir werden also von Bildern überschwemmt und gleichzeitig daran gehindert, sie wirklich wahrzunehmen. So wie sie heute zur Schau gestellt werden, wirken sie wie ein Schleier zwischen uns und der sichtbaren Welt. Statt daß sie uns dazu herausforderten, ihren Gehalt zu erkunden, stumpfen sie unser Denken ab und ersticken unsere Einbildungskraft. Indem wir ihnen permanent ausgesetzt werden, machen sie uns blind für die Phänomene, die sie zeigen. Je mehr Abbildungen wir sehen, desto weniger sind wir paradoxer Weise imstande oder willens, die Kunst des Sehens mit all dem, was sie an spontanen Reaktionen umfaßt, auszuüben. Wir werden eingelullt und passiv gemacht; unsere Wahrnehmungsvermögen drohen zu verkümmern. Der ununterbrochene Strom einer Fließbandproduktion visuellen Materials hat den einschläfernden Effekt einer Droge, die jene Trägheit verstärkt, welche unsere Art der Massenkultur zu verbreiten neigt.

Hogben ist ein erklärter Gegner dieser Vergeudung von Bildern. Aber die von ihm angebotene Lösung ist, um das mindeste zu sagen, naiv. Er scheint zu glauben, daß eine gemeinsame Anstrengung zugunsten weltweiter visueller Erziehung nicht nur die internationale Verständigung fördern, sondern die gegenwärtige Verschwendung eindämmen und derart dem Bildmedium selbst zugute kommen würde. Das ist unwahrscheinlich, und zwar aus dem einfachen Grund, daß Bilder vielen anderen wichtigen Zwecken dienen als den von Hogben berücksichtigten. Sie sind nicht nur ein Kommunikationsmittel in seinem Sinn; und selbst als solches können sie unterschiedliche Verwendungen finden, die er nirgends erwähnt. Warum also sollten wir annehmen, daß ihre zunehmende Nutzung als Bausteine eines bildnerischen Esperanto ihren übermächtigen Strom kanalisieren würde? Was auch immer ein solches Esperanto für uns bedeuten könnte, es ist unvorstellbar, daß es das Organisationsprinzip bildlicher Darstellung wird. Hogben ist von seiner Lieblingsidee jedoch so besessen, daß er ihre positiven Auswirkungen auf die Bildproduktion im allgemeinen ebenso überschätzt wie ihren pädagogischen Wert. Er verfolgt zielstrebig eine einzige Absicht und verwirft alle scheinbar überflüssigen Differenzierungen. Es ist bezeichnend, daß er das Erlernen von Fremdsprachen und von irrationaler Rechtschreibung für Energievergeudung hält. Er ist ein platter Rationalist. Und sein Traum einer uniformen Welt übersieht das Beste, was die Kultur zu geben hat: Tiefe.

Es gibt Probleme, die sich nicht unverzüglich lösen lassen. Worauf es ankommt, ist, sie aufzuwerfen. Vielleicht gehört die Bilderflut, unter der wir leiden, zu diesen Problemen. Und vielleicht besteht der erste Schritt auf dem Weg zu einer Lösung darin, daß sie allgemein als Problem erkannt wird.
(*trans/formation*, 1950)

1 Zu einer anderen Version dieses Artikels siehe Nr. 773.
2 Der vorangehende erste Absatz dieses Artikels war in der Erstveröffentlichung in der Art eines redaktionellen Vorspanns kursiv gesetzt. Wie das in KN erhaltene, handschriftlich auf der Titelseite (links) »Nov. 14-19, 1949« bzw. (rechts) »Nov. 19, 1949« datierte Typoskript zeigt, stammt er ebenfalls von Kracauer.
3 Lancelot Hogben, *Mathematics for the Million: A Popular Self Educator*. London: Allen & Unwin 1936; neue, rev. und erw. Aufl. New York: Norton 1943.

## 774. Zur Erinnerung an Adrienne Monnier [Rue de l'Odéon][1]

7, rue de l'Odéon – die helle Bücherwelt war meine stete Zuflucht während der langen Emigrationsjahre in Paris (das selber mir eine Heimat war). Mitten in der Helle waltete Adrienne Monnier,[2] meist in Grau gekleidet und kaum dunkler als ihr Reich. Ich kam zu allen Tagesstunden; am liebsten nachmittags, bevor es draußen zu dämmern begann. Sie sprach mit mir oder auch nicht. Manchmal unterhielt sie sich mit einem anderen Besucher, während ich vor den Regalen stand oder nur so dasaß. Ich erinnere mich noch eines großen, starken Mannes, der lebhaft auf sie einsprach und sie lange in Anspruch nahm. Was hat er bei ihr zu suchen, dachte ich ein wenig eifersüchtig. Nachdem er gegangen war, sagte sie mir, es sei Hemingway gewesen, der gerade im Begriff war, nach Spanien zu gehen. Zu anderen Zeiten verschwand sie im Hinterzimmer, mich und ihre Bücher sich selber überlassend. Aber auch dann spürte ich ihre Gegenwart; es war, als sei der Raum ein Teil ihrer Person, als habe sich etwas von ihr den Bänden mitgeteilt, in denen ich stöberte. Dabei war sie so unaufdringlich wie ihr graues Gewand. Sie lauschte mehr, als daß sie sprach, und sah einen oft erwartend an, ehe sie antwortete oder auf etwas hinwies, was ihr mitten im Lauschen in den Sinn gekommen war. Waren ihre Augen blau? Ich weiß nur, daß ihr Blick aus einer Tiefe kam, die mir schwer zugänglich schien. Die Helle ihrer Erscheinung, des Raumes und auch ihrer Stimme war nicht eine gewöhnliche Helle, sondern die Hülle oder Form eines Innern, das sich im Dunkel verlor. Vielleicht war es dieses geheimnisvolle Ineinander von Vordergrund und Hintergrund, heller Äußerlichkeit und verborgenem Gehalt, das mich so zu ihr hinzog. Nicht so, als ob ich auch nur versucht hätte, in ihr Inneres einzudringen. Ich glaube, sie wollte es gar nicht. Wenn sie mir manchmal als spröde, ja, eher abweisend erschien, so war es möglicherweise darum, weil sie sich selber ihr Eigenstes, das, was ihr in der Tiefe gehörte, nicht bewußt zu machen wünschte. Aber wie sehr ich außen stand, ich hatte doch einen deutlichen Eindruck von ihr. Ein Zug an ihr, den ich verehrte und liebte – er hat sich mir für immer eingeprägt –, war jenes Gemisch von Bäuerlichkeit und aristokratischem Wesen, das Proust nicht müde wird, der alten Françoise und der Duchesse de Guermantes nachzurühmen. Um beide ist noch der Geruch französischer Erde; und da beide in Haltung und Sprache jahrhundertealte Traditionen verkörpern, wie könnten sie anders als wahrhaft vornehm sein? So sehe ich auch Adrienne Monnier vor mir. Hinzu kommen kleinere Erfahrungen, die ihr Bild ein wenig auszufüllen helfen. Sie hatte etwas Zögerndes an sich, eine Art, langsam zu urteilen oder auch nicht zu urteilen, die mich ahnen ließ, daß sie viel in sich barg, was sie sich abringen mußte. Wenn sie zuletzt einen Gedanken äußerte, spürte man beinahe greifbar ihr Bemühen um Genauigkeit. Was sie sagte, war sehr aufrichtig, sehr wirklich. Und dann: sie war tolerant und verstehend. Ich fühlte mich immer etwas beklommen, wenn ich mir von ihr, einem unwiderstehlichen Hang folgend und vielleicht gar nach einem ernsteren Gespräch, Detektivromane zur Lektüre erbat, aber sie nahm mich in Kauf, wie ich mich gab – leicht amüsiert, wie ich glaube –, ohne mir je dreinzureden. Ihre Urteile über Menschen und Bücher waren oft viel gemäßigter, als ich selber es gern gesehen hätte. (Nur Detektivromane weigerte sie sich zu lesen, wenn ich mich recht erinnere.)

Und so fühlte ich schon bald, was sich mir, als der Krieg ausbrach, über alles Erwarten hinaus bestätigte – daß sie gut war und half, wo sie konnte. Die Helle um sie her kam von innen. Kaum erfuhr sie von meiner Frau, zu Anfang des Kriegs, daß ich als ehemaliger Deutscher im Lager saß, so wandte sie sich an den ihr befreundeten Mr. Henri Hoppenot im Quai d'Orsay,[3] der denn auch meine Befreiung erwirkte. Ein anderer ihrer Schützlinge, für den er auf ihre Fürsprache hin eintrat, war mein alter Freund Walter Benjamin, dessen Einzigartigkeit sie so fesselte – Benjamin, der später in Marseille, kurz bevor er sich illegal über die spanische Grenze wagte, in einer merkwürdig abgeklärten Stimmung zu mir sagte, er habe doch viel Literarisches unter Dach und Fach gebracht und lasse sich nun von der »Sonne der Resignation« bescheinen. War es diese Sonne, deren Strahlen ihn ein paar Tage danach in Port Bou versengten?[4] Doch das war später, wie gesagt. Damals, als meine Frau und ich, unmittelbar im Anschluß an meine Befreiung Adrienne aufsuchten, um ihr zu danken, trafen wir Arthur Koestler[5] bei ihr an, der in der gleichen Absicht gekommen war. Wie ihn, Benjamin und mich, so hat sie auch John Rewald[6] und andere Intellektuelle gerettet. Sie hat eine schwere Bedrohung wunderbar von uns allen abgewandt. Und wenn ich jetzt an sie zurückdenke, weiß ich, daß die Helligkeit der Bücherwelt, in der ich einst meine Zuflucht fand, ein Abglanz der Liebe war, die sie tief in sich trug. (Typoskript aus KN, 18. 10. 1955)

1 Bei dem folgenden Text handelt es sich um die deutschsprachige Originalfassung (KN) des »Gedenkworts für Adrienne Monnier« (Kracauer an Gisèle Freund, 18. 10. 1955, und Kracauer an Maurice Saillet, 18. 10. 1955, beide KN), das 1956 in der Übersetzung von J.-F. Angelloz und R. Niemann u. d. T. »Rue de l'Odéon« in der Sondernummer *Le Souvenir d'Adrienne Monnier* der Literaturzeitschrift *Mercure de France* (Nr. 1109, S. 26-28) erschien.

2 Adrienne Monnier (1892-1955) gründete 1915 die Buchhandlung La maison des amis des livres in der rue de l'Odéon, die nach dem Ersten Weltkrieg zu einem Zentrum des künstlerischen Lebens in Paris wurde. Sie förderte nicht nur die französische Avantgarde, sondern war zusammen mit Sylvia Beach, der Leiterin der Buchhandlung Shakespeare and Company, die sich ebenfalls in der rue de l'Odeón ansiedelte, eine der wichtigsten Vermittlerinnen der modernen englischen und amerikanischen Literatur in Frankreich. Monnier gab die Literaturzeitschriften *La navire d'argent* (1925-1926) und *Gazette des amis livres* (1938-1945) heraus und veröffentlichte auch eigene Gedichtbände (u. a. *La figure*, 1923; *Les vertus*, 1926). Monnier nahm sich am 19. Juni 1955 das Leben.

3 Der französische Diplomat Henri Hoppenot (1891-1877) war von 1938 bis 1940 Direktor der Europa-Abteilung im Pariser Außenministerium. Als Freund Adrienne Monniers setzten er und andere sich im November 1939 mit einer Ehrenerklärung erfolgreich für die Freilassung Kracauers aus dem Internierungslager im Départment Orne und die Entlassung Benjamins aus dem Internierungslager bei Nevers ein. Als im Mai 1940 erneut die Internierung deutscher Emigranten in Paris drohte, konnte er abermals zugunsten Benja-

mins, Kracauers, Hanns Erich Kaminskis und Arthur Koestlers (siehe unten, Anm. 5) erfolgreich intervenieren.

4 Kracauer und seine Frau flüchteten im Juni 1940 vor den deutschen Truppen nach Marseille, Benjamin traf dort nach einem Aufenthalt in Lourdes im August ein. Nachdem er mithilfe Adornos ein Einreisevisum für die USA, aber kein Ausreisevisum für Frankreich erhalten hatte, unternahm Benjamin im September den Versuch, über den Grenzort Port Bou nach Spanien zu gelangen. Wegen des fehlenden Ausreisevisums aus Frankreich verweigerten ihm spanische Grenzwächter die Durchreise, gestatteten ihm aber eine Übernachtung in Port Bou. Soweit rekonstruierbar, nahm sich Benjamin dort in der Nacht vom 26. auf den 27. September 1940 mit einer Überdosis Morphium das Leben.

5 Der Journalist und Schriftsteller Arthur Koestler (1905-1983), von 1931 bis 1938 Mitglied der KPD, berichtete 1936/37 als Korrespondent der liberalen englischen *News Chronicle* vom Spanischen Bürgerkrieg; nachdem er 1937 seiner Verhaftung durch das Regime Francos entkommen war, ging er nach Paris und floh 1940 über Marseille nach London. 1940 erschien als Abrechnung mit dem Stalinismus sein vielfach übersetzter Roman *Darkness at noon* (dt.: *Sonnenfinsternis*, 1946), der zweite Teil einer Trilogie, die daneben *The Gladiators* (1939; dt.: *Die Gladiatoren*, 1948) und *Arrival and Departure* (1943; dt.: *Ein Mann springt in die Tiefe*, 1945; siehe hierzu Nr. 767) umfaßt. Seinen Lebensweg hielt er in mehreren autobiograpischen Schriften fest, u. a. in *The Invisible Writing* (1954, dt.: *Die Geheimschrift.* Bericht eines Lebens 1932 bis 1940. Wien u. a.: K. Desch 1954), in dem er auch Adrienne Monnier erwähnt.

6 Der aus Berlin stammende Kunsthistoriker John Rewald (1912-1994), der 1936 an der Sorbonne mit der Arbeit *Cézanne et Zola* promoviert wurde, emigrierte 1941 in die USA, wo er von 1943 bis 1961 als Gastkurator des Museum of Modern Art in New York tätig war und anschließend an verschiedenen Universitäten lehrte, u. a. von 1964 bis 1971 als Professor am Department of Art History der University of Chicago. Zu einem Standardwerk wurde seine Studie *The History of Impressionism* (1946; dt.: *Die Geschichte des Impressionismus*, 1957). Zu Rewald siehe auch Nr. 756.

# 775. Zwei Deutungen in zwei Sprachen[1]

## I.

Lieber Ernst:
Dein Geburtstag ist mir ein Anlaß, mich auf Verbindendes und Trennendes in unserem Denken zu besinnen. Des Trennenden ist viel, und es ist Dir von altersher bekannt. Du kennst mein ängstliches Mißtrauen gegen große Träume, die nicht an den Rand geschrieben sind, sondern sich überall einmischen und dabei das Nächste, mit dem wir es zu tun haben,

so überaus transparent machen, daß wir kaum noch sehen, was und wie es ist. Und Du kennst meinen Zug zur Nüchternheit – »bunte Nüchternheit« nanntest du sie vor vielen Jahren –, der mich immer wieder dazu bestimmt, mich im Verkehr mit den umliegenden Dingen und Verhältnissen zu verzögern und sie nicht gleich alle auf ein letztes Ende hin zu interpretieren. Dazwischen liegt so viel; und die Dinge selber sind so zäh und vielgestaltig. Kurz, meine Einstellung ist der jener Figur nicht unähnlich, die Kafka als Sancho Pansa identifizierte.[2]
Daher meine Überzeugung, daß einer, der nicht verstrickt ins Hier ist, niemals in ein Dort gelangen könne. Aber indem ich dies sage, bemerke ich, daß ich damit ziemlich genau den Ort bezeichne, den Du selber einnimmst. Das Verbindende zwischen uns besteht nicht zuletzt, wenn auch nicht nur, in dem, was ich die nicht-utopische Seite Deiner Existenz zu nennen versucht bin. Wenn mich mein Gedächtnis nicht täuscht, sprachst du einmal vom »wohlbestellten« Haus eines Freundes in einem Ton, der, so blasphemisch es klingt, eine Art von Behagen verriet. Und erinnerst du Dich unserer Streifzüge, in frühen Tagen, durch die foire beim Lion de Belfort? Gewiß, die Glücks- und Schießbuden waren zum Abbau und Aufbruch bereit, aber mitsamt den Riesendamen, Wahrsagerinnen und Zuckerstangen entzückten sie Dich doch in all ihrer Vorläufigkeit. Du fühlst Dich, scheint mir, zu den Phänomenen des undeutlichen Lebens um uns her so hingezogen, daß Du stets geneigt bist, auf ihr oft wunderliches Wesen oder auch Unwesen zärtlich einzugehen. Der Zirkus kann Dir noch ein Zirkus sein, ehe Du ihn als industrielles Unternehmen registrierst. Von diesem Zuhausesein im unheimlich Gegebenen zeugt Deine Willigkeit, den widerspenstigen Fakten ins Auge zu sehen, die Deine theoretischen Konzeptionen in Frage zu stellen drohen. Du mißt der den Fortschrittsbegriff gefährdenden Mannigfaltigkeit der Geschichtszeiten ebenso viel Gewicht bei wie der Tatsache, daß es Ideen oder Ideologien gibt, die den ökonomischen Unterbau nicht so sehr bestätigen als bedingen. (Daß Du dann wieder die Unstimmigkeiten in die Dir gemäßen Zusammenhänge zurückzunehmen suchst, liegt auf einem anderen Gebiet.) Deutlicher noch zeigt sich Deine nicht-utopische Ansässigkeit im Hier in der Lust am Erzählen. Niemand, der nicht bis tief in die Nacht mit Dir zusammen gesessen hat, wird je wissen, was Erzählen heißt. Wer erzählt, der verweilt; er umfährt liebend auch das, was nur

ist und verändert werden soll. So erfahren wir es. Ich erkläre mir die Besonderheiten Deiner philosophischen Sprache, deren Wendungen und Prägungen mich mitunter an die sichtbaren Wurzelverschlingungen alter Bäume denken lassen, aus Deinem Verlangen danach, nicht einfach das Nötige zu sagen, sondern das Unsagbare, das nötig wäre, auf Erzählerweise derart zu bannen, daß es, wie immer ungenügend, erfahren werden kann. Selbst Deine abstraktesten Darlegungen sind voll von Welt und kuriosen Sachen. Du bewahrst etwas vom Zauber der Dinge, die Du entzauberst.

Diese Deine relative, gar nicht utopische Verstricktheit ins Hier – ist Dir nicht manchmal beinahe wohl darin zumute? – verleiht Deinem utopischen Denken seinen unverwechselbaren Charakter. Ich möchte Deine Utopie eine bewahrende nennen. (Vielleicht ist es dieser konservierende Zug an Hegel, der Dich bei ihm so anspricht, denn von seiner Dialektik hast du zum Glück wenig geerbt.) Du gibst die Welt nicht preis, wenn Du ihr den Prozeß machst. Im Gegenteil, es liegt Dir sehr am Herzen, alles in ihr Gewollte, Gedachte und Geschaffene einzusammeln wie in einer Arche Noah und es durch Interpretation sozusagen reisefertig zu machen fürs große Abenteuer. Du willst die Dinge heimholen von den Plätzen, wo sie ihre provisorische Heimat haben, und sie neu einpflanzen im Dort – oft vielleicht in kaum veränderter Gestalt. Daß Du sie mitnehmen willst, ist mir ein Zeichen für die Legitimität Deiner utopischen An- und Absichten. Eben seine erzählerische Inhaltlichkeit, die es mit Benjamin teilt, zeichnet Dein Denken vor anderen zeitgenössischen Denkversuchen aus, die zwar ebenfalls die Utopie meinen, aber gewissermaßen nur mit dem Begriff von ihr operieren. Zum Unterschied von ihnen siehst Du wohl tatsächlich das Land Orplid ferne leuchten.[3]

Nun ist es wahr, Du stürmst dorthin. Und Dein Stürmen verschlüge dem Sancho Pansa in mir zuweilen den Atem, wäre es nicht von eigener Art: es vereinigt auf wunderbare Weise utopische Ungeduld mit dem Verweilenkönnen des deutenden Erzählers. Obwohl Du die Hoffnung zum Prinzip erhebst, eilst Du nicht immer gleich weg vom Bestehenden zum Erhofften, sondern treibst dich gern in den Vorräumen herum, all jene befragend, für die gehofft werden muß. Die Hoffnung ist schwer befrachtet und der Sturm nicht nur ein Bedrängen des Endes. Dazwischen mengt sich viel Nachdenkliches ein, die Problematik des Vorletz-

ten betreffend, das unaufschließbar ist und dennoch erschlossen zu werden verlangt. Einer Deiner Hauptdietriche, der Marxismus, hat es Dir ermöglich, Entschlüsselungen vorzunehmen, die ins Helle, Nüchterne, Aufgeklärte weisen. Die Utopie, die Dich erfüllt, ist frei, wo nicht von Mythen, so doch von ihrer Beschwörungsgewalt. Und dabei hätte das Magische gerade Dir, dem es zu Gebote steht wie wenigen, zur Versuchung werden können. En passant, es ist ein recht blochscher Marxismus, dessen Du Dich als Instrument weißer Magie bedienst.
Wirst Du es einem, der auf seinem Esel hinterher trottet, verargen, daß er Dir nicht in alle Fernen und Tiefen zu folgen vermag? Bewundernd und nicht ohne Zagen sehe ich von weitem zu, wie Du mit spekulativem Wagemut die Natur ins Spiel mischt, so daß das ganze Universum in Bewegung gerät und sich mit allem, was Mensch heißt, auf die Fahrt begibt. Welch ein Schauspiel, dieses Experiment der Welt! Es ist um so erregender, als Du stets von neuem Deine allgemeinen, auf die Totalität der Welt bezogenen Einsichten zur Dechiffrierung des Besonderen und Konkreten benutzt. Von noch unbewohnten Höhen geht es so unvermittelt in Räume hinein, in denen ein Kaminfeuer Wärme verbreitet, die Wurzelverschlingungen, die sich in die Erde erstrecken, sind mit einem Mal märchenhafte Arabeske, und schreckliche Abgründe tun sich auf, während uns schon die Nachricht von einem Dort erreicht, wo das Haus wirklich »wohlbestellt« ist und das Dogma seine Kraft verliert. Angesichts dieser ständigen und vehementen Veränderung der Distanzen, Perspektiven und Prospekte ergreift mich manchmal ein Schwindelgefühl, das dadurch hervorgerufen oder jedenfalls verstärkt wird, daß mir selber das Problem der Beziehung des Allgemeinen zum Besonderen viel zu schaffen macht. In solchen Momenten frage ich mich dann, ob Du Dich nicht auf etwas Unmögliches einläßt. Und das führt mich dazu, über den möglichen Grund meiner Frage zu reflektieren.
Eines bedarf kaum der Erwähnung: Deine Philosophie ist kein System, das losgelöst von Dir existierte. Eher erscheint sie mir als eine einzige, immerwährende Anstrengung, eine Vision zu objektivieren – die einer Mensch und Kosmos erfassenden Bewegung zum Utopischen hin. Du hast in der Folge Deiner Schriften diese Dir eingeborene Konzeption durchs Material der Welt hindurchgetrieben und sie so philosophisch auf eine Weise dargestellt, die ihr Gültigkeit verleiht – als Vision. Indem

ich Deine Philosophie als solche bezeichne, will ich ausdrücken, daß sie nicht nur Philosophie im üblichen Wortverstand ist, sondern noch etwas anderes, etwas schlechterdings Inkommensurables. Sie gehört auch in die Ahnenreihe der historischen Utopien; sie ist auch ein revolutionäres Manifest. (Sagst Du nicht einmal, daß der »Fortschrittsbegriff ... uns einer der teuersten und wichtigsten« ist?)[4] Eines der entscheidendsten Motive Deiner Philosophie, oder vielmehr des Visionären an ihr, besteht meines Erachtens darin, daß Du die elementare Natur in den utopischen Prozeß hineinreißt. Diesem Motiv gegenüber versagt jedes Argumentieren. Man mag das hier Gesehene nicht wahrnehmen, aber man kann mit ihm ebenso wenig rechten wie mit gewissen anderen Zügen Deines Denkverfahrens: dem Barocken darin oder dem gelegentlich in wörtlichem Sinne Von-oben her Verfügen – etwa in Deiner Interpretation von Kunst als einem »Vor-Schein« des Utopischen.[5] All dies ist unabtrennbar von der mit Dir gesetzten Vision. Damit komme ich zu einem sehr wichtigen Punkt. Während viele Denker so ganz in ihrem Werk verschwinden, daß man nichts von ihnen zu wissen brauchte, um sie hinreichend zu kommentieren, weist das von Dir Gedachte durchweg auf seinen Urheber zurück. Deine Vision läßt einen keinen Augenblick die Person vergessen, die sich in ihr vergegenständlicht. Du als Person erscheinst *in* ihr; und zwar sieht man Dich durch sie hindurch als eine wirkende Naturkraft – ein Stück noch jener Natur, die Du auf den Weg schickst, den Du unter Zwang und in Freiheit begehst. Hiersein und Dortsein finden sich in Dir auf eine Art zusammen, an der sich die Fantasie entzündet. Und ich kann mir nicht anders denken, als daß Deine einmalige Figur jedem, der Dich liest, aus den Texten leibhaftig entgegentritt und zum denkwürdigen Bürgen des von Dir Gemeinten wird.
Da ich zu Deinem Geburtstag nicht mit leeren Händen kommen will, füge ich meinem Brief ein paar ungedruckte, vor wenigen Jahren geschriebene Seiten von mir bei. Sie handeln von *Erasmus*. Ich wünschte mir, daß diese utopische Exkursion Dir das Verbindende zwischen uns nahebrächte.
Dein Krac

## II. Erasmus

Erasmus wurde es nie müde, die Botschaft des Humanismus zu verbreiten. Seine griechische Ausgabe des Neuen Testaments und die der Kirchenväter[6] sowie seine *»Adagia«* und *»Colloquia«*[7] in ihrem beständigen Verweis auf griechische und lateinische Autoren bezeugen eindeutig sein Verlangen, die ursprüngliche Schlichtheit christlicher Lehre neu zu beleben und die antiken Philosophen, die er bewunderte, in die Gemeinschaft der Heiligen aufzunehmen. Seine Satiren gegen das Mönchswesen und die Korruption des Klerus waren nicht weniger Gemeingut als seine Forderungen nach einer Kirchenreform aus dem Geist des christlichen Humanismus. Er ließ sich auch so leicht keine Gelegenheit entgehen, seine Ansichten über die erbärmlichen Verhältnisse der Armen, die Knauserei der Fürsten wie über andere weltliche Affären zu verbreiten. Seine Traktate und Briefe wimmeln von Stellungnahmen zu aktuellen Fragen und vermitteln Einsichten, deren oft moderne Weltsicht in vielem seiner dogmenfreien christlichen Einstellung entsprang. Er verabscheute Gewalt und sympathisierte mit dem gemeinen Mann, der schlichten Seele. Dies alles wußten seine Zeitgenossen. Sie wußten auch, daß er ungern Partei ergriff und eindeutigen Entscheidungen auswich. Und sie konnten nicht umhin zu bemerken, daß er die Positionen, die ihm Päpste und Könige anboten, allesamt zurückwies. (Die landläufige Meinung, daß er dabei aus seinem Unabhängigkeitsgefühl heraus gehandelt habe, ist ein Paradefall von Denkfaulheit.)
Die Schlußfolgerung, Erasmus rage – für alle sichtbar – wie ein Denkmal hervor, scheint unvermeidlich. Es ist jedoch merkwürdig, daß er trotz aller Freimütigkeit sich jeder Festlegung entzog. »Niemandem war es vergönnt«, so schrieb ein Freund, »Erasmus ins Herz zu blicken, und dabei ist es von beredtem Gehalt erfüllt.«[8]
Geheimnisse fordern den Interpreten heraus. Allem Anschein nach wirkte sich die psychologische Veranlagung von Erasmus ganz erheblich auf die Struktur seines Geistes aus. Es sollte deshalb möglich sein, die verschiedenen Aspekte dieser Gestalt auf eine gemeinsame hypothetische Quelle zurückzuführen. Ein solcher Versuch ergäbe zwar weniger Einblick in Erasmus' Innerstes, deckte aber zumindest einige jener Kräfte auf, die dessen Inhalte formten. Nun legen sowohl Erasmus' persönli-

che Neigungen als auch sein intellektuelles Streben nahe, daß er besessen war von der Furcht vor allem endgültig Fixierten. Um das gleiche im Hinblick auf sein geistiges Ich zu sagen: Er war wesentlich von der Überzeugung motiviert, daß die Wahrheit aufhört, wahr zu sein, sobald sie zum Dogma wird und so die Doppeldeutigkeit verwirkt, die sie als Wahrheit kennzeichnet. Seine Furcht – oder sollte ich sagen: seine Sehnsucht nach vollkommener Unmittelbarkeit? – spiegelte diese Überzeugung; eine eher geistige als psychologische Furcht, die zum großen Teil mit seinem Zug zur Mystik identisch ist, der in der Literatur über Erasmus wiederholt zur Sprache kommt.
Das Bild wird klarer, wenn man sich erst einmal diese Furcht als treibende Kraft im Hintergrund vergegenwärtigt. Die natürliche Erklärung der verschiedenartigen, scheinbar unverbundenen Charakterzüge des Erasmus liegt dann in den Erregungen jener Furcht. Sie macht sein Mißtrauen gegen philosophische Spekulation verständlich, seine mangelnde Bereitschaft, an theologischen Disputen teilzunehmen, die notgedrungen auf ein Sammelsurium kategorischer Behauptungen hinauslaufen.
Sie erklärt seinen angeborenen Widerwillen gegen jede bindende Verpflichtung und seine skeptische Haltung gegenüber vorgeblichen Lösungen gewisser religiöser Probleme, die man, wie er gelegentlich bemerkte, besser auf den Tag verschöbe, an dem »wir Gott gegenüberstehen«. Und sie lag natürlich seinem Haß gegen die absolute Selbstsicherheit zugrunde, die sich Luther erlaubte; derselbe Luther, dessen Hinwendung zur Bibel und dessen Kampf gegen die Mißstände der Kirche Erasmus unbeirrbar guthieß und so Gefahr lief, noch stärker in Polemiken verwickelt zu werden, die ihm schwer zu schaffen machten.
Wichtiger noch: Seine Furcht vor dem Fixierten erklärt auch den Standort, den sein christlicher Humanismus unter den widerstreitenden Ideologien des Zeitalters einnehmen sollte. Sicher, auch Erasmus hat für eine Sache gekämpft, insofern er sich für religiöse Erneuerung und gesellschaftliche Verbesserungen einsetzte. Da ihn jedoch seine Aversion gegen Formeln und Rezepte mit ihren geronnenen Inhalten veranlaßte, seine Ideen sozusagen in flüssigem Zustand zu halten, war es undenkbar, daß sie sich in einem institutionalisierten Programm verfestigten. Schon von der Anlage her lag ihr wahrer Ort in den Zwischenräumen von katholischer, kraft Tradition gefestigter Lehre und dem sich gerade verfe-

stigenden Glaubensbekenntnis der Reformatoren. Man könnte sogar annehmen, daß Erasmus seine eigene Botschaft, hätte er sich mit ihr in Gestalt einer dieser Glaubensrichtungen konfrontiert gesehen, verworfen hätte oder daß er selbst nicht länger für sie eingestanden wäre; deren Einfluß auf die Massen wäre zu einem Preis erstanden, den er zu zahlen nicht bereit war. Er kämpfte nämlich gerade darum, den Kämpfen der Vergangenheit ein Ende zu bereiten.

Dies hat äußerst wichtige Folgen für die Art und Weise, in der die Welt auf Erasmus reagierte. Der weltweite Ruf, den er schnell gewann, zeigt an, daß zumindest einige seiner Ideen und Bestrebungen bei breiten Schichten Anklang fanden. Abgesehen von seinem Einfluß auf die Spiritualisten, die spanischen Mystiker und später auf die aufgeklärten Geister des 18. Jahrhunderts – Einflüsse, die zum Teil Mißverständnissen zuzuschreiben sind –, führte er die Theologen auf die Quellen des Christentums zurück, verbreitete das Evangelium des Humanismus und ermutigte zu freierem Ausdruck des Wortes. Es kann auch kein Zweifel daran bestehen, daß sein Interesse an einer besseren Gesellschaft, sein Glaube an die Vervollkommnung durch Wissen und Erziehung und sein Beharren auf dem, was immer wieder mit Toleranz verwechselt wird, jenem Verlangen eine Stimme verlieh, dessen Existenz der milde Glanz zu bestätigen scheint, der sein Bild in der Öffentlichkeit umgibt. Viele dürften Erasmus begrüßt haben als Befreier, der sie aus Beschränktheit und Befangenheit des Geistes erlöste. In der »Erasmus-Atmosphäre«, um Walther Köhlers Ausdruck aufzunehmen,[9] konnten sie freier atmen.

Es waren jedoch nur einzelne in der Menge; sie scharten sich nicht um Erasmus. Seine eigentliche Botschaft hatte nur geringe praktische Konsequenz; sie schuf eher eine Stimmung als eine Bewegung.[10] Wie konnte es anders sein? Erasmus wollte Institutionen verändern, gewiß, aber ohne daß die Welt sein innerstes Sehnen durch Institutionalisierung korrumpierte. Aus dieser alles durchdringenden Furcht vor dem Fixierten bewahrte er seine Sache davor, zu einer »Sache« zu verkommen, obwohl er sich dessen bewußt war, daß sein Widerstreben, sich zu »engagieren«, unvermeidlich Unterliegen bedeutete. »Ich fürchte«, schrieb er sieben Jahre vor seinem Tod, »daß schließlich die Welt den Sieg davontragen wird.«[11]

Und genauso kam es: Die Welt, eine in Lager geteilte Welt, verwischte

seine Absichten und Ziele. Obwohl weithin sichtbar, blieb Erasmus größtenteils unsichtbar. Konservativen Katholiken ebenso wie Reformern gebrach es gleichermaßen an einer Sprache, um eine Botschaft zu verstehen, die den Lehren, denen sie anhingen, zuwiderlief und sie transzendierte. Die Sprache, die sie benutzten, war jeweils der Sache angepaßt, die sie vertraten. So verschwand Erasmus' Vision hinter einem Schleier von Fehldeutungen. Kein Wunder, daß er zwischen allen denkbaren Stühlen saß. Luther schalt ihn groberweise einen Epikureer, was bedingt zutrifft, und eifernde Scholastiker klagten ihn an, eine religiöse und soziale Revolution in Gang gesetzt zu haben, was ebenfalls nicht ganz falsch ist. Und da er seinem eigenen Rat folgte, wenn er in den widerstreitenden Lehren das Gute vom Schlechten schied, stellten ihn die streitbaren Gegner, gekränkt durch seine Weigerung, in die Rolle eines Parteigängers gedrängt zu werden, als Schwächling dar, der verantwortungslos zwischen Rom und Wittenberg schwankte und Zuflucht bei nutzlosen Kompromissen suchte.
Vom Standpunkt der Welt aus gesehen war Erasmus in der Tat ein unsicherer Kantonist. Er verteidigte die Erhebung der deutschen Bauern als einen Aufstand des Elends und der Verzweiflung, sobald sie sich jedoch in Exzessen ergingen, sprach er sich (betrübt) für die Notwendigkeit repressiver Gegenmaßnahmen aus. Er griff die Verstocktheit einer Tradition an, die sich gegen die philologische Revision heiliger Texte sperrte, ermahnte aber die Frommen, die herkömmlichen Mißstände geduldig zu ertragen, mit dem Argument, es sei unmöglich, über Nacht eine neue Welt zu schaffen. Seine ausweichende Haltung gegenüber dem Heiligenkult und der Beichte – Institutionen, die er weder kritisierte noch aus ganzem Herzen bejahte – mußte den Eindruck verstärken, daß ihn eine innere Zweideutigkeit bestimmte. Und diese Zweideutigkeit ging einher mit seinen endlos wiederholten Plädoyers für friedliche Abkommen um jeden Preis. »Ich schätze Eintracht in solchem Maße«, schrieb Erasmus 1522, »daß ich fürchte, sollte sich ein Streit erheben, entsagte ich eher einem Teil der Wahrheit, als den Frieden zu stören.«[12]
Diese Worte verweisen auf die Motive hinter seinem Verhalten. Bei Erasmus war der Begriff des Friedens mit christlichen Bedeutungen aufgeladen. Er ließ eine Erfüllung jenseits der etablierten Glaubensrichtungen erahnen, die für die unerreichbare Wahrheit nur armseligen Ersatz

boten und nichts bewirkten als Konflikte und Blutvergießen. Was daher die unerschütterlichen Anhänger unter Katholiken und Protestanten als unentschiedenes Wanken an ihm brandmarkten, war in Wirklichkeit nur die äußere täuschende Erscheinung seiner standhaften Entschlossenheit, sich geradeaus auf einen Frieden zuzubewegen, wie er ihn im Geiste sah. Zum Glück war er ein vorzüglicher Steuermann; denn wie die Dinge lagen, war er gezwungen, seinen Weg zwischen den rivalisierenden Parteien mit Klugheit und viel Geschick zu steuern. Und obwohl er auf Mittelkurs hielt, oder was der Welt so schien, war Erasmus das Gegenteil eines Kompromißlers. Sein Bemühen, die Abtrünnigen wieder der Gemeinde zuzuführen und der Kirche die Dringlichkeit von Reformen klarzumachen, entstammte nicht opportunistischen, von Grund auf antiutopischen Erwägungen, sondern lief vielmehr auf einen äußerst unnachgiebigen Versuch hinaus, die Streitfragen auszuräumen, die der Ankunft des Friedens im Wege standen. Utopische Visionäre verdammen all diejenigen, die sich an den Mittelweg halten mit dem Argument, daß diese völlig kaltblütig die Menschheit betrügen, indem sie einen Zustand der Unvollkommenheit zu perpetuieren versuchen. Im Fall des Erasmus war der Mittelweg der direkte Pfad nach Utopia – der Weg des Humanen. Nicht zufällig war er der Freund von Thomas Morus.[13]
Daß die meisten seiner Zeitgenossen einen Annäherungsversuch, der seine Bedeutung gänzlich verloren hätte, wäre er zu einer Glaubenssache geworden, nicht zur Kenntnis nahmen, liegt in der Natur der Dinge. Die Frage ist, ob Erasmus selbst sich darüber Rechenschaft ablegte, wohin der eingeschlagene Weg ihn führen würde. Seine Botschaft deutete in einen Abgrund: Hat er dessen Tiefen ausgelotet? In einem seiner »*Colloquia*« läßt er Eusebius, den Protagonisten, die göttliche Macht in den Himmel heben, die antike Autoren wie Cicero oder Plutarch angetrieben habe, und läßt ihn dann erwägen, daß »der Geist Christi vielleicht weiter verbreitet ist, als uns erkennbar«.[14] Was Eusebius in dieser Kürze ausspricht, ist in Wahrheit das Denken von Erasmus. Erasmus war der Meinung – und dabei stützt er sich auf die Apologetiker und den verehrten Origenes –, daß auch die heidnischen Weisen von göttlicher Offenbarung inspiriert waren und daß, aufgrund der strahlenden Manifestation des Logos in Jesus Christus, das Christentum die Vollendung des Besten der Antike sei. Diese Erweiterung des Christentums auf das vir-

tuelle Ziel aller würdigen nichtchristlichen Strömungen hin erlaubte ihm, seine Verehrung des »Heiligen Socrates« mit seinem Glauben an die Wandlung von Wein und Brot zu versöhnen und zu beteuern, daß seine humanistischen Anliegen von christlicher Qualität seien. Die Humanität, nach der er strebte, hielt er für eine natürliche Folge christlicher Freiheit.

Nach allem, was wir wissen, könnte das die ganze Geschichte sein. Aber ist es die ganze Geschichte? Bekanntlich galt Erasmus als so unergründlich wie freimütig. Es muß aber Dinge gegeben haben, die er unausgesprochen ließ – Dinge vielleicht, die zu gefährlich waren, um enthüllt zu werden? Um eine Vermutung in einer Sache zu wagen, die für immer sein Geheimnis bleiben wird: Es ist nicht gänzlich unwahrscheinlich, daß Erasmus beim Erwägen seines Wegs und Ziels zu Schlüssen gelangte, die ihm mit solchem Entsetzen erfüllten, daß er sie lieber in seinem Herzen verschloß. Er mag vielleicht geahnt haben, daß er letzten Endes auf etwas zielte, was jenseits der Grenze des Christentums lag, und daß sein Vorhaben, zu Ende gedacht, in Wahrheit darauf hinauslief, die Mauern der erstarrten Glaubenssätze samt ihren Dogmen und institutionellen Einrichtungen ein für allemal niederzureißen, um jener »letzten Einheit« willen, die die Glaubenssätze angeblich meinen und in der Tat hintertreiben.

(*Ernst Bloch zu ehren*, 1965)

1 Der folgende Essay erschien aus Anlaß des 80. Geburtstags von Ernst Bloch (siehe auch Nr. 87 und 559) in der Festschrift *Ernst Bloch zu ehren*. Hrsg. von Siegfried Unseld. Frankfurt a. M.: Suhrkamp 1965, S. 145-155. Er umfaßt zwei Teile: einen Gratulationsbrief, den Kracauer auf Deutsch schrieb, und eine Erasmus-Interpretation, die in der Festschrift in der Originalsprache Englisch publiziert wurde (daher der Titel des Aufsatzes). Die Erasmus-Interpretation ist, von einer Umstellung zu Beginn und der Kürzung eines Nebensatzes abgesehen, textidentisch mit dem Erasmus-Abschnitt in der Einführung des Geschichtsbuchs (vgl. *History.* The Last Things Before the Last. New York: Oxford Univ. Press 1969, S. 9-15), dessen erste deutsche Übersetzung von Karsten Witte besorgt wurde (*Geschichte – Vor den letzten Dingen*. In: *Schriften 4*, S. 20-25). Der Text folgt hier der von Jürgen Schröder und Ingrid Belke überarbeiteten Übersetzung in der Neuausgabe des Geschichts-Buchs (*Werke*, Bd. 4, S. 17-22).

2 Siehe Franz Kafka, »Die Wahrheit über Sancho Pansa«. Zuerst in: Ders., *Beim Bau der chinesischen Mauer*. Ungedruckte Erzählungen und Prosa aus dem Nachlaß. Hrsg. von Max Brod und Hans Joachim Schoeps. Berlin: G. Kiepenheuer 1931, S. 38; wieder in: Franz Kafka, *Kritische Ausgabe*. Hrsg. von Jürgen Born u. a. Bd. 6: *Nachgelassene Schriften und Fragmente II*. Hrsg. von Jost Schillemeit. Frankfurt a. M.: Fischer 1992, S. 38. Das

»Bild«, das Kafka nach Kracauers Auslegung von der »denkwürdigen einfachen Natur« Sancho Pansas entwarf (siehe *Geschichte. Vor den letzten Dingen*, *Werke*, Bd. 3, S. 201), hat ihn schon 1931 in seiner Rezension des Bandes *Beim Bau der chinesischen Mauer* (siehe Nr. 588, dort auch Anm. 27) beschäftigt und fortan nicht mehr losgelassen. Siehe u. a. den »›Marseiller Entwurf‹ zu einer Theorie des Films« (*Werke*, Bd. 3, bes. S. 534 und S. 621) sowie vor allem den Schlußabsatz von *Geschichte*, in dem Kracauer den Kafka-Text ganz zitiert und kommentiert: »Die Definition, die Kafka hier von Sancho Pansa als einem *freien Mann* aufstellt, hat utopischen Charakter. Sie weit auf ein Utopia des Dazwischen – eine terra incognita in den Hohlräumen zwischen den Gebieten, die wir kennen.« (*Werke*, Bd. 4, S. 238)

3 In seiner Schrift *Das Prinzip Hoffnung* (3 Bde., 1954-1959) zitiert Bloch den Orplid-Mythos, den Eduard Mörike in seinem Gedicht »Gesang Weyla's« (1825/26) sowie in seinem Roman *Maler Nolten* (1826) entwirft. Siehe Ernst Bloch, *Gesamtausgabe*. Bd. 5: *Das Prinzip Hoffnung*. Frankfurt a. M.: Suhrkamp 1959, S. 108.

4 Bloch, *Gesamtausgabe*. Bd. 13: *Tübinger Einleitung in die Philosophie*. [Neue, erweiterte Ausgabe] Frankfurt a. M.: Suhrkamp 1970, S. 146.

5 Siehe Bloch, *Das Prinzip Hoffnung* (wie Anm. 3), S. 197.

6 Erasmus' Herausgabe des *Novum instrumentum omne*, der ersten kritischen Ausgabe des griechischen Neuen Testaments mit eigener lateinischer Übersetzung und kurzen Anmerkungen, erfolgte 1516 (verb. Neuausgabe 1519); von 1521 bis 1530 gab er Schriften von Kirchenvätern, u. a. von Hilarus (1523), Origines (1527), Augustinus (1527-1529) und Chrysostomus (1530), heraus.

7 Die *Adagiorum Collectanea* (1500), eine Sammlung von mehreren tausend antiken und biblisch-christlichen Sprichwörtern und Redensarten, und die *Colloquia familiaria* (1518), *Vertraute Gespräche* über Moralphilosophie und Skizzen des alltäglichen Lebens, gehörten zu den ersten Veröffentlichungen, die Erasmus berühmt machten.

8 Walther Köhler, »Einleitung«. In: Erasmus von Rotterdam, *Briefe*. Übers. und hrsg. von Walther Köhler. Wiesbaden: Dieterich'sche Verlagsbuchhandlung 1947, S. IX.

9 Zitiert nach ebd., S. XLIV.

10 In *Geschichte* lautet der vorangehende Teilsatz: »sie schuf eher eine Stimmung als eine Bewegung, eine Stimmung, so unfaßbar wie ein vergänglicher Schein in der Nacht, wie das Versprechen eines Märchens. Es gab Lutheraner, keine Erasmianer.« (*Werke*, Bd. 4, S. 19.)

11 Das Zitat ließ sich bislang nicht nachweisen.

12 Das Zitat ließ sich bislang nicht nachweisen.

13 Anspielung auf das Hauptwerk Thomas Morus' *De optimo rei publicae statu deque nuova insula Utopia* (1516).

14 Erasmus von Rotterdam, *Ausgewählte Schriften*. Ausgabe in 8 Bänden, Lateinisch und Deutsch. Hrsg. von Werner Welzig. Darmstadt: Wissenschaftliche Buchgesellschaft 1967, Bd. 6: *Colloquia familiaria/Vertraute Gespräche, »Convivium religiosum«/»Das geistliche Gastmahl«*, S. 77 und 79.

# Faksimiles

Frankfurter Zeitung

LEGITIMATION

GÜLTIG FÜR 1933.

Herr Dr. S. Kracauer, Berlin,

IST VON DER REDAKTION BEAUFTRAGT, DIE FRANKFURTER ZEITUNG

als Redakteur

ZU VERTRETEN

FRANKFURT AM MAIN, DEN 14. Februar 1933.

Redaktion der Frankfurter Zeitung

DIE REDAKTION DER FRANKFURTER ZEITUNG

Dr. S. Kracauer

EIGENHÄNDIGE UNTERSCHRIFT

723654

1. Presseausweis der Frankfurter Zeitung (1933)

MÄRZ 1930 11

35/ Montag, 3. März, Abendblatt No. 166.

**Rundfunk.**

Im Rahmen seiner am Frankfurter Sender veranstalteten Vortragsreihe: „Mensch und Maschine“ kam Dr. Hendrik de Man vorgestern auf die Angestellten zu sprechen; wobei er es nicht unterließ, gleich zu Beginn der in der „Frankfurter Zeitung“ erschienenen Angestellten-Aufsätze S. Kracauers zu gedenken. Sein Gesprächspartner war ein Buchhalter. Wenn zwei unterrichtete Männer einen Dialog führen, hat der Zuhörer den Gewinn. Man gelangte zu dem Ergebnis, daß gewisse Angestelltentätigkeiten weniger durch die Einführung der Maschine als durch die schon früher vorhandene Arbeitsteilung entgeistigt worden sind. Es ist nicht erst die Apparatur, die zur Mechanisierung treibt, sondern die Organisation des Arbeitsprozesses. (Aber natürlich stärkt die Apparatur die Mechanisierungstendenzen der Organisation.) Die Schlußresultate der Unterredung klangen optimistisch. Man darf, so wurde festgestellt, bei weiterer Vervollkommnung der Technik mit Maschinen rechnen, die dem Menschen untertan sind, statt ihn zu beherrschen. Bereits heute gebe es eine auch zu Buchungszwecken geeignete Maschine, deren Bedienung wieder den universellen Buchhalter der Kleinbetriebe zur Voraussetzung habe. —er.

36.) Freitag, 7. März Stadtblatt

= **Ehe in Not.** Ein Film, der die Problematik der Ehe zum Thema hat. Natürlich macht er von der Tatsache, daß die meisten Ehen problematisch sind, reichlich Gebrauch. Das junge Paar, an dem demonstriert wird, erträgt den gemeinsamen Alltag nicht. Der Mann lernt ein Mädchen kennen, das ihm sympathisch ist, und möchte sich scheiden lassen; aber die Frau holt ihn unter Berufung aufs Gesetz wieder zurück. Sie leben weiter zusammen, es erfolgt später noch einmal eine Explosion des Mannes, und das Ergebnis ist: man ist aneinandergeschmiedet, man muß Geduld mit sich haben. Also eigentlich ein Film, der unausgesprochen für die leichtere Ehescheidung eintritt. Seine Gestaltung ist mager. Die Bildszenen sind nicht mehr als Illustrationen des Romanstoffes, und die Ausstattung gibt das Notwendige, ohne darüber hinauszugehen. Walter Rillas Bemühen, Seele zu transpirieren, mutet etwas peinlich an. Wie die anderen Darsteller beschränkt er sich im übrigen darauf, die gewünschten Posen zu stellen. In Nebenrollen wirken Abel und Kampers mit. (Der Film läuft in den Bieberbau-Lichtspielen.) Raca.

Schluss, Frankfurt!

2. Seite 11 der Klebemappe des Jahres 1930

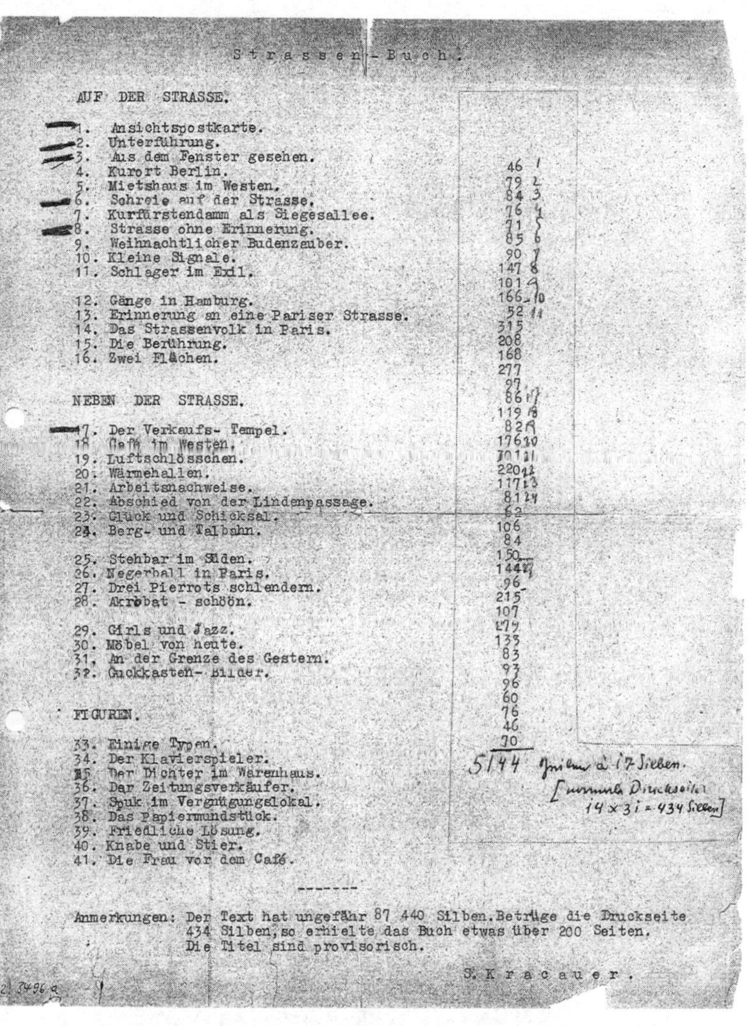

S t r a s s e n - B u c h .

AUF DER STRASSE.

1. Ansichtspostkarte.
2. Unterführung.
3. Aus dem Fenster gesehen.
4. Kurort Berlin.
5. Mietshaus im Westen.
6. Schreie auf der Strasse.
7. Kurfürstendamm als Siegesallee.
8. Strasse ohne Erinnerung.
9. Weihnachtlicher Budenzauber.
10. Kleine Signale.
11. Schlager im Exil.

12. Gänge in Hamburg.
13. Erinnerung an eine Pariser Strasse.
14. Das Strassenvolk in Paris.
15. Die Berührung.
16. Zwei Flächen.

NEBEN DER STRASSE.

17. Der Verkaufs- Tempel.
18. Café im Westen.
19. Luftschlösschen.
20. Wärmehallen.
21. Arbeitsnachweise.
22. Abschied von der Lindenpassage.
23. Glück und Schicksal.
24. Berg- und Talbahn.

25. Stehbar im Süden.
26. Negerball in Paris.
27. Drei Pierrots schlendern.
28. Akrobat - schöön.

29. Girls und Jazz.
30. Möbel von heute.
31. An der Grenze des Gestern.
32. Guckkasten- Bilder.

FIGUREN.

33. Einige Typen.
34. Der Klavierspieler.
35. Der Dichter im Warenhaus.
36. Der Zeitungsverkäufer.
37. Spuk im Vergnügungslokal.
38. Das Papiermundstück.
39. Friedliche Lösung.
40. Knabe und Stier.
41. Die Frau vor dem Café.

5144 Zeilen à 17 Silben.
[normale Druckseite 14 x 31 = 434 Silben]

-------

Anmerkungen: Der Text hat ungefähr 87 440 Silben. Betrüge die Druckseite 434 Silben, so erhielte das Buch etwas über 200 Seiten. Die Titel sind provisorisch.

S. K r a c a u e r .

72.3496 a

3. Inhaltsübersicht zu dem geplanten »Straßen-Buch« von 1933

Dr. Siegfried Kracauer
498 Westend Avenue, New York 24, N.Y.
Tel.: Endicott 2-1394

Gestern – Heute – Morgen
Über Erfolgsbücher und ihr Publikum
Aufruhr der Mittelschichten
Über Arbeitslager
Die Photographie
Max Scheler †
Der verbotene Blick
Wärmehallen
Berliner Landschaft
Erinnerung an eine Pariser Strasse
Stadt-Erscheinungen
Die Frau vor dem Café
Kult der Zerstreuung
Über Arbeitsnachweise
Theologie gegen Nationalismus
Die Bibel auf Deutsch
Katholizismus und Relativismus
Das Ornament der Masse
Die Wissenschaftskrisis
Franz Kafka
Das zeugende Gespräch
Ein soziologisches Experiment?
Der enthüllte Kierkegaard

23 articles, altogether 57 pages

Photostated in June 1962
by Taylor & Bombach: $99.09



4. Inhaltsentwurf zu einem Essayband (1962)

# Anhang

# Inhaltsverzeichnis und Quellennachweise

Wiederveröffentlichungen werden im folgenden nur nachgewiesen, wenn sie in zeitlicher Nachbarschaft zur Erstveröffentlichung stehen oder in den Aufsatzsammlungen *Ornament*, *Straßen* und *Freundschaft*, in *Schriften 5* sowie in den Bänden *Frankfurter Turmhäuser* und *Berliner Nebeneinander* erfolgten. Angaben zu Datum und Ausgabe der FZ beziehen sich ab Februar 1930 auf die Reichsausgabe der Zeitung. Ob und wie die Texte signiert waren, wird jeweils in Klammern hinter dem bibliographischen Nachweis angemerkt.

## Band 5.1: 1906-1923

### 1906-1918

1. Ein Abend im Hochgebirge. In: FZ vom 23. 8. 1906, Nr. 232; wieder in: *Turmhäuser*, S. 213-215 (Fr. Kracauer).
2. Vom Erleben des Kriegs. In: *Preußische Jahrbücher* Jg. 58 (1915), Bd. 161, H. 3 (September), S. 410-422 (Dr. ing. Siegfried Kracauer); wieder in: *Schriften 5.1*, S. 11-22.
3. Neue Bücher. In: *Das neue Deutschland* Jg. 5 (1917), H. 3 vom 15. 5. 1917, S. 443-445 (Dr. ing. Siegfried Kracauer); u. d. T. »Max Scheler. Krieg und Aufbau« wieder in: *Schriften 5.1*, S. 23-27.
4. Über die Freundschaft. In: *Logos* Bd. 7 (1917/18), H. 2, S. 182-208 (Siegfried Kracauer); wieder in: *Über die Freundschaft*, S. 7-54, und *Schriften 5.1*, S. 27-54.

### 1920

5. Die typischen Selbstbespiegelungen des Jünglings. In: *Frankfurter Universitäts-Zeitung* Jg. 6 (1920), H. 4 vom 20. 4. 1920, S. 54f. (Dr. S. Kracauer); Auszug aus der nachgelassenen Schrift *Das Leiden am Wissen und die Sehnsucht nach der Tat* (1917), siehe: *Werke*, Bd. 9.1, S. 169-397, hier S. 306-312.
6. Das Bekenntnis zur Mitte. In: FZ vom 2. 6. 1920, Nr. 397 (Dr. Siegfried Kracauer); wieder in: *Schriften 5.1*, S. 55-58.
7. Unechtes Pflichthandeln. (Ein Blick hinter die Kulissen der Pflichtethik). In: *Frankfurter Universitäts-Zeitung* Jg. 6 (1920), H. 8 vom 15. 7. 1920, S. 116-119

## 1921

21. Die Struktur der Weltgeschichte. In: FZ vom 27. 4. 1921, Literaturblatt Nr. 9 (Dr. S. Kracauer).
22. Standesfragen der Architektenschaft. In: FZ vom 4. 5. 1921, Nr. 326 (Dr. S. Kr.); wieder in: *Turmhäuser*, S. 287-290.
23. Bilder aus der Geschichte der Arbeit. In: FZ vom 13. 5. 1921, Nr. 349 (anonym).
24. Der Erweiterungsbau des Städelschen Kunstinstituts. In: FZ vom 23. 5. 1921, Nr. 374 (Dr. S. Kracauer); wieder in: *Turmhäuser*, S. 140-142.
25. Vom Schillerplatz. In: FZ vom 24. 5. 1921, Nr. 376 (Kr.); wieder in: *Turmhäuser*, S. 143.
26. Erweiterungsbauten der Hauptpost. In: FZ vom 26. 5. 1921, Nr. 381 (Kr.); wieder in: *Turmhäuser*, S. 143-145.
27. Die »entschiedenen Schulreformer«. In: FZ vom 5. 6. 1921, Nr. 409 (S. Kr.).
28. Spiritistische Phanomene und ihre Erklärung. In: FZ vom 10. 6. 1921, Nr. 424 (anonym).
29. Das Wesen des politischen Führers. In: FZ vom 12. 6. 1921, Nr. 428 (Dr. Siegfried Kracauer); wieder in: *Schriften 5.1*, S. 87-94.
30. Die alte Frankfurter Mainbrücke. In: FZ vom 16. 6. 1921, Nr. 438 (Kr.); wieder in: *Turmhäuser*, S. 145-149.
31. Simmels Philosophie des Schauspielers. In: FZ vom 18. 6. 1921, Nr. 444 (Dr. S. Kracauer).
32. Eine deutsche Kolonial-Ehrenburg. In: FZ vom 4. 7. 1921, Nr. 488 (Kr.).
33. Die Welt als Schuld und Gleichnis. In: FZ vom 6. 7. 1921, Literaturblatt Nr. 14 (Dr. S. Kracauer).
34. Frankfurter Neubauten. In: FZ vom 19. 7. 1921, Nr. 528 (Kr.); wieder in: *Turmhäuser*, S. 149 f.
35. Max Beckmann. In: *Die Rheinlande. Monatsschrift für deutsche Kultur und Bildung* Jg. 21 (1921), Bd. 31, H. 3 (Juli), S. 93-96 (Dr. S. Kracauer).
36. Nietzsche und Dostojewski. In: *Vivos Voco* Jg. 2 (1921), H. 4/5 (Juli), S. 211-225 (Dr. S. Krakauer [sic]); wieder in: *Schriften 5.1*, S. 95-109.
37. Anthroposophie und Wissenschaft. Bemerkungen zur anthroposophischen Hochschultagung in Darmstadt, 25. bis 30. Juli. In: FZ vom 3. 8. 1921, Nr. 568 (Dr. S. Kracauer); wieder in: *Schriften 5.1*, S. 110-117.
38. Deutsche Stadtbaukunst. In: FZ vom 5. 8. 1921, Nr. 576 (Dr. S. Kr.).
39. Architektonisches. In: FZ vom 15. 8. 1921, Nr. 601 (Kr).
40. Frankfurter Friedhofs-Wettbewerb. In: FZ vom 13. 9. 1921, Nr. 681 (Kr.); wieder in: *Turmhäuser*, S. 150-153.
41. Groß-Frankfurt. In: FZ vom 17. 9. 1921, Nr. 692 (anonym); wieder in: *Turmhäuser*, S. 153 f.

## 1922

60. Grundbegriffe des Städtebaus. In: FZ vom 20. 1. 1922, Nr. 54, Literaturblatt Nr. 2 (Kr.).
61. »Religion als Gegenwart«. In: FZ vom 21. 1. 1922, Nr. 57 (Kr.).
62. Rabbiner Dr. Nobel †. In: FZ vom 25. 1. 1922, Nr. 65 (anonym).
63. Deutscher Geist und deutsche Wirklichkeit. In: *Die Rheinlande. Monatsschrift für deutsche Kultur und Bildung* Jg. 22 (1922), Bd. 32, H. 1 (Januar), S. 44-47 (Dr. S. Kracauer); in gekürzter Fassung u. d. T. »Der Weg zur Wirklichkeit« auch in: *Innendekoration* Jg. 37 (Januar 1926), S. 32-34; wieder in: *Schriften 5.1*, S. 151-159.
64. Gabe. In: FZ vom 3. 2. 1922, Nr. 92, Literaturblatt Nr. 3 (Kr.).
65. Ein neues Theater in Darmstadt. In: FZ vom 21. 2. 1922, Nr. 140 (Kr.); wieder in: *Turmhäuser*, S. 162-166.
66. Religiöse Versuche der Gegenwart. In: FZ vom 22. 2. 1922, Nr. 143 (Kr.).
67. Die Frankfurter Goethe-Woche. Die akademische Feier. In: FZ vom 1. 3. 1922, Nr. 160 (anonym).
68. Die Wartenden. In: FZ vom 12. 3. 1922, Nr. 191 (Dr. Siegfried Kracauer); auch als Nachdruck: *Die Wartenden*. Erste Gabe des Frankfurter Bundes tätiger Altstadtfreunde. Frankfurt a. M.: Buchdruckerei R. Th. Hauser & Co. 1922, 22 S.; wieder in: *Ornament*, S. 106-119, und *Schriften 5.1*, S. 160-170.
69. Oskar Baum über Weininger. In: FZ vom 30. 3. 1922, Nr. 241 (Kr.).
70. Vortrag Emanuel Lasker. In: FZ vom 7. 4. 1922, Nr. 263 (Kr.).
71. Die Judenstatistik des Kriegsministeriums. In: FZ vom 12. 4. 1922, Nr. 275 (anonym).
72. Das Frankfurter Hochhaus. In: FZ vom 15. 4. 1922, Nr. 282, Das Technische Blatt Nr. 8 (Dr. S. Kracauer); wieder in: *Turmhäuser*, S. 20-27.
73. Berichte aus dem Verbandsgebiete. In: *Die Rheinlande. Monatsschrift für deutsche Kultur und Bildung* Jg. 21 (1921), Bd. 31, H. 2; Beilage: Mitteilungen des Verbandes der Kunstfreunde in den Ländern am Rhein (April), S. 3-4 (Dr. S. Kracauer).
74. Kunst und Sittlichkeit. In: FZ vom 2. 5. 1922, Nr. 324 (anonym).
75. »Phänomenologie und Religion«. In: FZ vom 26. 5. 1922, Nr. 389, Literaturblatt Nr. 11 (Dr. S. Kracauer).
76. »Moderne Theosophie«. In: *Deutscher Pfeiler* Jg. 2 (1922), Nr. 2 (Mai), S. 2 (S. Kracauer).
77. Kunstgewerbe und Handwerk. Begleitgedanken zur Deutschen Gewerbeschau. In: FZ vom 4. 6. 1922, Nr. 412 (Kr).
78. »Menschenbildung und Lebensgestaltung«. In: FZ vom 12. 6. 1922, Nr. 430 (Kr).
79. Aus dem Bürgersaal. Zur Arbeitsweise der Stadtverordneten-Versammlung. In: FZ vom 20. 6. 1922, Stadt-Blatt (Kr.); wieder in: *Turmhäuser*, S. 296-300.

80. »Europasien«. In: FZ vom 23. 6. 1922, Nr. 460 (Dr. Siegfried Kracauer).
81. Demonstration der Demokratie. In: FZ vom 27. 6. 1922, Stadt-Blatt (anonym).
82. Stadtverordneten-Versammlung. In: FZ vom 28. 6. 1922, Stadt-Blatt (anonym).
83. Scheidemann in Frankfurt. In: FZ vom 10. 7. 1922, Nr. 506 (anonym).
84. Haus Wolfseck. In: FZ vom 20. 7. 1922, Stadt-Blatt (Kr.).
85. Alfred Weber über die Lage. In: FZ vom 25. 7. 1922, Nr. 547 (anonym).
86. [Der nationaldeutsche Jude in der deutschen Umwelt]. In: FZ vom 4. 8. 1922, Nr. 576, Literaturblatt Nr. 16 (Kr.).
87. Prophetentum. In: FZ vom 27. 8. 1922, Nr. 602 (Dr. Siegfried Kracauer); wieder in: *Schriften 5.1*, S. 196-204.
88. Die Gruppe als Ideenträger. In: *Archiv für Sozialwissenschaft und Sozialpolitik* Jg. 49 (1922), H. 3 (August), S. 594-622 (S. Kracauer); wieder in: *Ornament*, S. 123-156, und *Schriften 5.1*, S. 170-196.
89. Die Zeitung. In: FZ vom 16. 9. 1922, Nr. 657 (anonym); wieder in: *Turmhäuser*, S. 275-277.
90. Schule der Weisheit. Zu der Tagung in Darmstadt. In: FZ vom 5. 10. 1922, Nr. 707 (Dr. S. Kracauer).
91. Die Deutsche Gewerbeschau. Schlußbetrachtungen. In: FZ vom 8. 10. 1922, Nr. 716 (Kr).
92. Haus der Bücher. In: FZ vom 9. 10. 1922, Nr. 718 (Kr.).
93. Vortrag Thomas Mann. In: FZ vom 1. 11. 1922, Nr. 782 (Kr.).
94. Das Reichsbahnwerk Nied. Eine deutsche Musterwerkstätte. In: FZ vom 9. 11. 1922, Stadt-Blatt (Kr.).
95. Kurze Anzeigen. In: FZ vom 24. 11. 1922, Nr. 843, Literaturblatt Nr. 23 (anonym).
96. »Kritik der öffentlichen Meinung«. In: FZ vom 24. 11. 1922, Nr. 843, Literaturblatt Nr. 23 (Dr. S. Kracauer).
97. Die armenischen Greuel. In: FZ vom 29. 11. 1922, Stadt-Blatt (Kr.).
98. Der Graf Cagliostro. In: *Deutscher Pfeiler* Jg. 2 (1922/23), H. 8 (November), S. 421 f.
99. Der große Maggid. In: FZ vom 2. 12. 1922, Nr. 865 (anonym).
100. Das bunte Frankfurt. In: *Das Illustrierte Blatt* Jg. 10 (1922), Nr. 49 vom 5. 12. 1922, S. 10 (Kr.).
101. Otto Flake: »Das neuantike Weltbild«. In: FZ vom 12. 12. 1922, Nr. 891 (Kr.).
102. »Soziologische Pädagogik«. In: *Archiv für Sozialwissenschaft und Sozialpolitik* Bd. 50 (1922/23), H. 2, S. 515-518 (S. Kracauer); in gekürzter Fassung auch in: FZ vom 23. 6. 1922, Nr. 462, Literaturblatt Nr. 13.

## 1923

103. Jacob Burckhardt's Briefe an seinen Freund Friedrich von Preen. In: FZ vom 5. 1. 1923, Nr. 11, Literaturblatt Nr. 1 (Kr.).
104. Die Strukturanalyse der Erkenntnistheorie. In: FZ vom 5. 1. 1923, Nr. 11, Literaturblatt Nr. 1 (Kr.).
105. Upton Sinclair. In: FZ vom 12. 1. 1923, Nr. 28 (Dr. S. Kracauer); wieder in: *Schriften 5.1*, S. 207-212.
106. Religion und Phänomenologie. In: FZ vom 19. 1. 1923, Nr. 49, Literaturblatt Nr. 2 (Dr. S. Kracauer).
107. Das Haus Braunfels. In: FZ vom 27. 1. 1923, Stadt-Blatt (Kr.); wieder in: *Turmhäuser*, S. 170-172.
108. Zwischen den Zeiten. In: FZ vom 30. 1. 1923, Nr. 78 (Kr.).
109. Die Notlage des Architektenstandes. In: FZ vom 6. 2. 1923, Stadt-Blatt (Kr.); wieder in: *Turmhäuser*, S. 300-307.
110. Vom Stadtbild. In: FZ vom 6. 2. 1923, Stadt-Blatt (X. U.).
111. Judentum und Staat. In: FZ vom 6. 2. 1923, Stadt-Blatt (Kr.).
112. Eine üble Rede Fimmens. In: FZ vom 13. 2. 1923, Nr. 115 (anonym).
113. Der Tausch. In: FZ vom 15. 2. 1923, Nr. 122 (Kr.); wieder in: *Turmhäuser*, S. 277f.
114. Zwischen Ruhr und Schwarzwald. In: FZ vom 17. 2. 1923, Stadt-Blatt (anonym).
115. Besprechungen. In: FZ vom 2. 3. 1923, Nr. 163, Literaturblatt Nr. 5 (Dr. S. Kracauer).
116. Der Umbau des Hauptbahnhofs. Die Stadt unter dem Bahnhof – Die neuen Kopfbau-Erweiterungen – Wartesaalerneuerung – Auf dem Querbahnsteig. In: FZ vom 3. 3. 1923, Stadt Blatt (Kr.); wieder in: *Turmhäuser*, S. 173-176.
117. Aktiver Pazifismus. In: FZ vom 14. 3. 1923, Stadt-Blatt (Kr.)
118. Der Wiesbadener Theaterbrand. In: FZ vom 21. 3. 1923, Nr. 212 (Kr); wieder in: *Turmhäuser*, S. 176-180.
119. Die Wissenschaftskrisis. Zu den grundsätzlichen Schriften Max Webers und Ernst Troeltschs. In: FZ vom 8. 3. 1923, Nr. 179, Hochschulblatt, und FZ vom 22. 3. 1923, Nr. 217, Hochschulblatt (Dr. Siegfried Kracauer); wieder in: *Ornament*, S. 197-208, und *Schriften 5.1*, S. 212-222.
120. Kurze Anzeigen. In: FZ vom 29. 3. 1923, Nr. 236, Literaturblatt Nr. 7 (anonym).
121. Das zeugende Gespräch. In: FZ vom 30. 3. 1923, Nr. 237 (Dr. Siegfried Kracauer); wieder in: *Über Freundschaft*, S. 83-95, und *Schriften 5.1*, S. 222-228.
122. Das Straßenbild. In: FZ vom 15. 4. 1923, Stadt-Blatt (anonym).

145. Martin Buber. In: *Die Tat* Jg. 15 (1923/24), Bd. 1, H. 5 (August), S. 389-393 (S. Kracauer); in gekürzter Fassung auch in: FZ vom 6. 7. 1923, Nr. 492; Literaturblatt Nr. 14; wieder in: *Schriften* 5.1, S. 236-242.
146. Die Tagung der katholischen Akademiker. II. In: FZ vom 6. 9. 1923, Nr. 660, Hochschulblatt (Kr).
147. Wiederkehr der Toten? In: FZ vom 15. 9. 1923, Stadt-Blatt (Kr.).
148. Das Frankfurter »Hochhaus«. In: FZ vom 16. 9. 1923, Stadt-Blatt (Kr.); wieder in: *Turmhäuser*, S. 28-30.
149. »Der Christ und sein Schatten«. In: FZ vom 21. 9. 1923, Nr. 701 (Kr.).
150. Kurze Anzeigen. In: FZ vom 28. 9. 1923, Nr. 720, Literaturblatt Nr. 20 (anonym).
151. »Gute bürgerliche Literatur«. In: FZ vom 29. 9. 1923, Nr. 723 (Kr.).
152. Jubiläumstagung des Fröbel-Verbandes. In: FZ vom 2. 10. 1923, Stadt-Blatt (anonym).
153. »Der Meister des jüngsten Tages«. In: FZ vom 4. 10. 1923, Nr. 736 (Kr.).
154. Untergang? In: FZ vom 9. 10. 1923, Nr. 747 (Dr. S. Kracauer); wieder in: *Schriften 5.1*, S. 243-247.
155. Freifahrkarte nach Jerusalem. In: FZ vom 11. 10. 1923, Stadt-Blatt (anonym).
156. Notgeld und Kleingeld. In: FZ vom 12. 10. 1923, Stadt-Blatt (Kr.); wieder in: *Turmhäuser*, S. 53 f.
157. Kurze Anzeigen. In: FZ vom 12. 10. 1923, Nr. 758, Literaturblatt Nr. 21 (anonym).
158. »Die deutsche Zukunft«. Vortrag des Grafen Keyserling. In: FZ vom 18. 10. 1923, Nr. 774 (Kr.).
159. Ein Aufruf an die Zeit. In: FZ vom 19. 10. 1923, Nr. 777 (Kr.).
160. Kurze Anzeigen. In: FZ vom 26. 10. 1923, Nr. 796, Literaturblatt Nr. 22 (Kr.).
161. Anthroposophie und Christentum. In: FZ vom 28. 10. 1923, Stadt-Blatt (Kr.).
162. Nachwort zur Aarauer Studentenkonferenz. In: FZ vom 1. 11. 1923, Nr. 812, Hochschulblatt (Kr.).
163. Die Ärzte stehen an ... In: FZ vom 4. 11. 1923, Stadt-Blatt (Kr.); wieder in: *Turmhäuser*, S. 54 f.
164. »Max Scheler als Ethiker«. In: FZ vom 23. 11. 1923, Nr. 870, Literaturblatt Nr. 24 (Kr.).
165. Vom Institut für Sozialforschung. In: FZ vom 24. 11. 1923, Stadt-Blatt (Kr.); wieder in: *Turmhäuser*, S. 184-186.
166. Bemerkungen. In: FZ vom 26. 11. 1923, Nr. 876 (anonym).

## Band 5.2: 1924-1927

### 1924

*Sozialpolitik* Bd. 51 (1923/24), H. 3 (März), S. 832-834 (S. Kracauer); wieder in: *Schriften 5.1*, S. 260-262.

187. Protestantismus und moderner Geist. Ein Vortrag Gogartens. In: FZ vom 3. 4. 1924, Nr. 254, Hochschulblatt (Kr.).

188. Frankfurter Frühjahrsmesse 1924. Messe-Beginn. In: FZ vom 6. 4. 1924, Stadt-Blatt (Kr.); wieder in: *Turmhäuser*, S. 56-59.

188a. Der blaue Main. Vorfrühlings-Wanderung 1924. In: FZ vom 13. 4. 1924, Nr. 281, Bäder-Blatt (Dr. S. Kracauer); wieder in: *Turmhäuser*, S. 220-224.

188b. [200. Geburtstag Immanuel Kants]. In: *Das Illustrierte Blatt* Jg. 12 (1924), Nr. 17 vom 22. 4. 1924, S. 15 (anonym).

189. Kant-Literatur. In: FZ vom 25. 4. 1924, Nr. 309, Literaturblatt Nr. 9 (Kr.).

190. »Lebensgut«. Ein neues deutsches Schullesebuch. In: FZ vom 30. 4. 1924, Nr. 320 (Dr. S. Kracauer).

191. Ein neues Theater in Frankfurt. »Die Deutsche Kunstbühne«. In: FZ vom 4. 5. 1924, Stadt-Blatt (Kr.).

192. Der Ausbau des Frankfurter Messegeländes. In: FZ vom 23. 5. 1924, Nr. 383 (Kr.); wieder in: *Turmhäuser*, S. 194-197.

193. Schwarzwaldreise. Triberg – Schönwald – Donaueschingen. In: FZ vom 25. 5. 1924, Nr. 390, Bäder-Blatt (Dr. S. Kracauer); wieder in: *Turmhäuser*, S. 225-230.

194. Über Lesen und Bücher. In: FZ vom 5. 6. 1924, Stadt-Blatt (Kr.).

195. Keil und Dreieck. In: FZ vom 14. 6. 1924, Nr. 440 (Kr.).

196. Demokratisches Weltgefühl. In: FZ vom 19. 6. 1924, Nr. 453 (Kr.).

197. »Liturgische Bildung«. In: FZ vom 20. 6. 1924, Nr. 456, Literaturblatt Nr. 13 (Dr. S. Kracauer).

198. Die Weinklause. In: FZ vom 9. 7. 1924, Stadt-Blatt (rac.); wieder in: *Turmhäuser*, S. 85 f.

199. Stuttgarter Kunst-Sommer. In: FZ vom 10. 7. 1924, Nr. 508 (Dr. S. Kracauer); wieder in: *Schriften 5.1*, S. 262-267.

200. Erkenntnis und Glaube. In: FZ vom 18. 7. 1924, Nr. 532, Literaturblatt Nr. 15 (Dr. S. Kracauer).

201. Die Tagung des Deutschen Werkbunds. In: FZ vom 29. 7. 1924, Nr. 559 (Kr).

202. Aus den Grödner Dolomiten. In: FZ vom 31. 8. 1924, Nr. 651, Bäder-Blatt (Kr); wieder in: *Turmhäuser*, S. 230 f.

203. Empfang in den Dolomiten. In: FZ vom 11. 9. 1924, Nr. 681 (Kr); wieder in: *Turmhäuser*, S. 231-234.

204. Geschichte der Philosophie in Einzeldarstellungen. In: FZ vom 12. 9. 1924, Nr. 684, Literaturblatt Nr. 19 (Kr.).

205. Station. In: FZ vom 14. 9. 1924, Nr. 689, Bäder-Blatt (Kr.); wieder in: *Turmhäuser*, S. 234-237.

# 1925

227. Spannende Romane. In: FZ vom 7. 1. 1925, Nr. 15 (Dr. S. Kracauer); wieder in: *Schriften 5.1*, S. 285-288.
228. Das Chaos als objektive Weltreligion. In: FZ vom 16. 1. 1925, Nr. 42, Literaturblatt Nr. 2 (Kr.).
228a. Die Lehre Nietzsches. In: FZ vom 29. 1. 1925, Stadt-Blatt (Kr.).
229. Die Gestalt Stefan Georges. In: FZ vom 30. 1. 1925, Stadt-Blatt (Kr.).
230. »Der Kampf mit dem Nichts«. In: FZ vom 3. 2. 1925, Nr. 90 (Kr.).
231. Schumann-Theater. In: FZ vom 5. 2. 1925, Stadt-Blatt (rac.); wieder in: *Turmhäuser*, S. 92 f.
232. Religiöse Welterfassung. In: FZ vom 6. 2. 1925, Stadt-Blatt (Kr.).
233. Vorlesung Ernst Tollers. In: FZ vom 20. 2. 1925, Nr. 137 (Kr.).
234. Kunstpädagogische Woche. In: FZ vom 27. 2. 1925, Stadt-Blatt (Kr.).
235. Schumann-Theater. In: FZ vom 4. 3. 1925, Stadt-Blatt (rac.); wieder in: *Turmhäuser*, S. 93-95.
236. Die Reise und der Tanz. In: FZ vom 15. 3. 1925, Nr. 198 (Dr. Siegfried Kracauer); wieder in: *Ornament*, S. 40-49, und *Schriften 5.1*, S. 288-296.
236a. Das Suchen nach Form. In: *Innendekoration* Jg. 36 (März 1925), S. 105 (Dr. S. Kracauer).
237. Der verbotene Blick. In: FZ vom 9. 4. 1925, Nr. 265 (Raca); wieder in: *Straßen*, S. 95-99, und *Schriften 5.1*, S. 296-300.
238. Zum Tode Rudolf Steiners. In: FZ vom 18. 4. 1925, Nr. 285 (Dr. S. Kracauer).
239. Der Künstler in dieser Zeit. In: *Der Morgen* Jg. 1 (1925/26), H. 1 (April), S. 101-109 (S. Kracauer); wieder in: *Schriften 5.1*, S. 300-308.
240. Der Reisevorschlag. Eine Viertage-Reise nach Würzburg und Bamberg. In: FZ vom 17. 5. 1925, Nr. 365, Bäder-Blatt (Raca.); wieder in: *Turmhauser*, S. 241-245.
241. Die Revue im Schumann-Theater. In: FZ vom 19. 5. 1925, Stadt-Blatt (raca.); wieder in: *Turmhäuser*, S. 95-98.
242. Dodo. In: FZ vom 20. 5. 1925, Nr. 372; wieder in: *Schriften 5.1*, S. 308-312.
243. Hans Driesch. Zu seiner Philosophie. In: FZ vom 28. 5. 1925, Nr. 391 (Dr. S. Kracauer); wieder in: *Schriften 5.1*, S. 312-317.
244. Philosophen-Kongreß. Zur Tagung der Kant-Gesellschaft. In: FZ vom 13. 6. 1925, Nr. 432 (Dr. S. Kracauer).
245. Der berühmte Besuch. In: FZ vom 27. 6. 1925, Nr. 472 (Raca.).
246. Ferdinand Tönnies. In: FZ vom 29. 6. 1925, Nr. 476 (Kr.).
247. Die Tat ohne Täter. Zum Fall Angerstein. In: FZ vom 13. 7. 1925, Nr. 514 (Kr); wieder in: *Schriften 5.1*, S. 318-322.

## 1926

266. Eishockey im Sportpalast. In: FZ vom 8. 1. 1926, Nr. 20 (raca); wieder in: *Turmhäuser*, S. 100f.
267. Zu Sorrent. In: FZ vom 17. 1. 1926, Bäder-Blatt, Nr. 44 (Kr.); wieder in: *Turmhäuser*, S. 248f.
268. Der schöne Körper. In: FZ vom 17. 1. 1926, Nr. 44, Literaturblatt Nr. 3 (Dr. S. Kracauer).
269. Das Geheimnis des Doppelgängers. In: FZ vom 28. 1. 1926, Stadt-Blatt (Kr.).
270. Premiere im Schumann-Theater. Seelöwen, Nymphen, Akrobaten und anderes. In: FZ vom 4. 2. 1926, Stadt-Blatt (raca); wieder in: *Turmhäuser*, S. 102-104.
271. [»Aus dem Weltreich deutschen Geistes«]. In: FZ vom 14. 2. 1926, Nr. 120, Literaturblatt Nr. 7 (Kr.).
272. Das Klavier. In: FZ vom 23. 2. 1926, Nr. 142 (Raca.); wieder in: *Straßen*, S. 103-109, und *Schriften 5.1*, S. 345-350.
273. Ist das Theater noch lebensfähig? In: FZ vom 24. 2. 1926, Nr. 147 (Kr.).
274. Die jüdische Gesellschaft. In: FZ vom 28. 2 1926, Stadt-Blatt (Kr.).
275. Hamlet wird Detektiv. In: FZ vom 28. 3. 1926, Nr. 234, Literaturblatt Nr. 13 (Dr. S. Kracauer); wieder in: *Schriften 5.1*, S. 350-352.
276. Berühmte Männer zu Hause. In: *Das Illustrierte Blatt* Jg. 14 (1926), Nr. 14 vom 3. 4. 1926, S. 306f. (Kr.).
277. Falscher Untergang der Regenschirme. In: FZ vom 7. 4. 1926, Nr. 255 (Raca.); wieder in: *Straßen*, S. 119-122, und *Schriften 5.1*, S. 353f.
278. Revue Confetti. In: FZ vom 17. 4. 1926, Stadt-Blatt (raca.); wieder in: *Turmhäuser*, S. 104-106.
279. »Die Schiffbrüchigen«. Aufführung im Volksbildungsheim. In: FZ vom 22. 4. 1926, Stadt-Blatt (Kr.).
280. Volkheit! Goethe! Mythos! In: FZ vom 26. 4. 1926, Nr. 307 (anonym).
281. Winterstürme wichen … In: FZ vom 27. 4. 1926, Nr. 310 (anonym.).
282. Die Bibel auf Deutsch. Zur Übersetzung von Martin Buber und Franz Rosenzweig. In: FZ vom 27. 4. 1926, Nr. 308, und 28. 4. 1926, Nr. 311 (Dr. Siegfried Kracauer); wieder in: *Ornament*, S. 173-186, und *Schriften 5.1*, S. 355-366.
282a. Die Bibel auf Deutsch – epochal! In: FZ vom 28. 4. 1926, Nr. 313 (anonym).
282b. Gegen wen? Duplik. In: FZ vom 18. 5. 1926, Nr. 363 (Dr. Siegfried Kracauer); wieder in: *Schriften 5.1*, S. 366-368.
283. Sexuelle Aufklärung. Epilog zur Reichsgesundheits-Woche. In: FZ vom 28. 4. 1926, Nr. 312 (Kr.); wieder in: *Turmhäuser*, S. 320-323.

284. Der Tanzanzug. Ein Märchen. In: FZ vom 21. 5. 1926, Nr. 373 (Raca.); wieder in: *Turmhäuser*, S. 34-39.
285. Gastspiel Tilla Durieux in Frankfurt. In: FZ vom 26. 5. 1926, Nr. 384 (Kr.); wieder in: *Turmhäuser*, S. 106f.
286. Edelkitsch. In: *Das Illustrierte Blatt* Jg. 14 (1926), Nr. 24 vom 12. 6. 1926, S. 522f. (Kr.).
287. Zirkus Hagenbeck. In: FZ vom 19. 6. 1926, Nr. 450 (Raca.); wieder in: *Turmhäuser*, S. 108-110.
288. Marx-Engels-Archiv. In: FZ vom 20. 6. 1926, Nr. 452, Literaturblatt Nr. 25 (Kr.).
289. Geh'n wir mal zu Hagenbeck. In: FZ vom 20. 6. 1926, Stadt-Blatt (raca.); wieder in: *Turmhäuser*, S. 110-113.
290. Der deutsche Werkbund. Rhein-Ruhr-Tagung. In: FZ vom 27. 6. 1926, Nr. 470 (Kr).
291. Lebensphilosophie. In: FZ vom 27. 6. 1926, Nr. 471, Literaturblatt Nr. 26 (Kr.).
292. Geschichte der chinesischen Philosophie. In: FZ vom 4. 7. 1926, Nr. 490, Literaturblatt Nr. 27 (Dr. S. Kracauer).
293. Die Denkfläche. Eine neue Wissenschaftslehre. In: FZ vom 7. 7. 1926, Nr. 496 (Dr. S. Kracauer); wieder in: *Schriften 5.1*, S. 368-371.
294. Tagung der pazifistischen Studenten. In: FZ vom 17. 7. 1926, Nr. 525 (anonym).
295. Ich hab mein Herz ... In: FZ vom 19. 7. 1926, Nr. 530 (raca.); wieder in: *Turmhäuser*, S. 250.
296. »Die Front der neuen Jugend«. In: FZ vom 19. 7. 1926, Nr. 530, Hochschulblatt (Kr.).
297. Das Buch vom Zirkus. In: FZ vom 26. 7. 1926, Nr. 549 (Kr.).
298. Der Wettbewerb »Hauptzollamt«. Ein städtebauliches Problem. In: FZ vom 29. 7. 1926, Stadt-Blatt (Kr.); wieder in: *Turmhäuser*, S. 203-207.
299. Die soziale Lage der Tintenfässer. In: FZ vom 7. 8. 1926, Nr. 581 (Raca.); wieder in: *Turmhäuser*, S. 40-44.
300. Soziologische Literatur. In: FZ vom 8. 8. 1926, Nr. 585, Literaturblatt Nr. 32 (Dr. S. Kracauer); wieder in: *Schriften 5.1*, S. 371-374.
301. Die Ringer. In: FZ vom 10. 8. 1926, Nr. 590 (Raca.); wieder in: *Schriften 5.1*, S. 375f.
302. Die Mainbeleuchtung. In: FZ vom 15. 8. 1926, Stadt-Blatt (Kr.); wieder in: *Turmhäuser*, S. 61-64.
303. Seine Meinung. In: FZ vom 15. 8. 1926, Nr. 604, Literaturblatt Nr. 33 (anonym).

304. Chauffeure grüßen. In: FZ vom 20. 8. 1926, Nr. 618 (Raca.); wieder in: *Schriften 5.1*, S. 376 f.
305. Die Frau vor dem Café. In: FZ vom 13. 9. 1926, Nr. 682 (raca).
306. Das Heim eines Architekten. In: FZ vom 19. 9. 1926, Nr. 699, Für die Frau Nr. 8 (Dr. S. Kracauer); wieder in: *Turmhäuser*, S. 207-209.
307. Zwei Flächen. In: FZ vom 26. 9. 1926, Nr. 717 (raca.); wieder in: *Ornament*, S. 11-13, *Straßen*, S. 24-27, und *Schriften 5.1*, S. 378-380.
308. Knabe und Stier. Bewegungsstudie. In: FZ vom 29. 9. 1926, Nr. 726 (raca); wieder in: *Ornament*, S. 9 f., *Straßen*, S. 132-134, und *Schriften 5.1*, S. 380 f.
309. Stehbars im Süden. In: FZ vom 8. 10. 1926, Nr. 751 (Raca.); Vorlage: Gleichnamiges Typoskript aus KN, undatiert [1926], 2 S.; wieder in: *Straßen*, S. 66-68, und *Schriften 5.1*, S. 381-383.
310. Drei Pierrots schlendern. Die Söhne von François Fratellini im Pariser Cirque d'Hiver. In: FZ vom 14. 10. 1926, Nr. 767 (Raca.); wieder in: *Straßen*, S. 134-137, und *Schriften 5.1*, S. 383-385.
311. Zu dritt im Schumann. Zur Premiere des zweiten Oktoberprogramms. In: FZ vom 17. 10. 1926, Stadt-Blatt (-raca.); wieder in: *Turmhäuser*, S. 113 f.
312. Jüdische Altertümer in Mainz. Der Grabmalgarten – Das Museum. In: FZ vom 20. 10. 1926, Nr. 783 (Kr).
313. Der andere Bismarck. Vortrag Emil Ludwigs. In: FZ vom 23. 10. 1926, Nr. 792 (Kr.).
314. Die Hosenträger. Eine historische Studie. In: FZ vom 30. 10. 1926, Nr. 809 (Raca.); wieder in: *Straßen*, S. 116-119, und *Schriften 5.1*, S. 385-388.
315. Ein Hochstapler über sich selbst. In: FZ vom 31. 10. 1926, Nr. 813, Literaturblatt Nr. 44 (Dr. S. Kracauer); wieder in: *Schriften 5.1*, S. 388-390.
316. Revue Nr. 1 der Wintersaison. München im Schumanntheater. In: FZ vom 3. 11. 1926, Stadt-Blatt (raca.); wieder in: *Turmhäuser*, S. 115 f.
317. Im Lande Hindenburgs. In: FZ vom 14. 11. 1926, Nr. 851, Literaturblatt Nr. 46 (Kr.).
318. Das Schloß. Zu Franz Kafkas Nachlaßroman. In: FZ vom 28. 11. 1926, Nr. 886 (Dr. S. Kracauer); wieder in: *Schriften 5.1*, S. 390-393.
319. Simler & Co. In: FZ vom 28. 11. 1926, Nr. 887, Literaturblatt Nr. 48 (Kr.).
320. Das Monokel. Versuch einer Biographie. In: FZ vom 30. 11. 1926, Nr. 892 (Raca.); wieder in: *Schriften 5.1*, S. 394 f.
321. Der freundliche Tierdoktor. In: FZ vom 5. 12. 1926, Nr. 906, Literaturblatt Nr. 49 (Kr.).
322. Rings um den Alexanderplatz. In: FZ vom 5. 12. 1926, Nr. 906, Literaturblatt Nr. 49 (Kr.).
323. Gegensätze. In: FZ vom 9. 12. 1926, Stadt-Blatt (Kr.).

324. Heinrich Mann. In: *Das Illustrierte Blatt* Jg. 14 (1926), Nr. 50 vom 11. 12. 1926, S. 1133 (anonym).
325. Nacht über Rußland. Die Lebenserinnerungen von Wera Figner. In: FZ vom 19. 12. 1926, Nr. 944; auch in: FZ vom 29. 12. 1926, Nr. 966 (Dr. S. Kracauer); wieder in: *Schriften 5.1*, S. 395-399.
326. Das Mittelgebirge. Typoskript aus KN, undatiert [1926], 2 S.; in: *Straßen*, S. 122f., und *Schriften 5.1*, S. 399f.
327. Analyse eines Stadtplans. Faubourgs und Zentrum. Druckfahne der FZ, undatiert [1926]; in: *Ornament*, S. 14-17; wieder in: *Straßen*, S. 16-19, und *Schriften 5.1*, S. 401-403.
328. Geschichtsschreibung und Geschichtsphilosophie. Typoskript aus KN, undatiert [ca. 1926], 6 S.; in: *Schriften 5.1*, S. 404-408.

## 1927

329. Ein Dokument der Zeit. In: FZ vom 9. 1. 1927, Nr. 21, Literaturblatt Nr. 2 (Dr. S. Kracauer); wieder in: *Schriften 5.2*, S. 11-13.
330. Sie sporten. In: FZ vom 13. 1. 1927, Nr. 30 (Raca.); wieder in: *Schriften 5.2*, S. 14-18.
331. Lichtreklame. In: FZ vom 15. 1. 1927, Nr. 38 (raca); wieder in: *Schriften 5.2*, S. 19-21.
332. Zwischen Gestern und Morgen. In: FZ vom 16. 1. 1927, Nr. 40, Literaturblatt Nr. 3 (Kracauer).
333. In Schwarz und Weiß. In: FZ vom 16. 1. 1927, Nr. 40, Literaturblatt Nr. 3 (ra.).
334. Sonntag Morgen. In: FZ vom 20. 1. 1927, Nr. 51 (raca.); u. d. T. »Sonntagmorgen« wieder in: *Turmhäuser*, S. 64-66.
335. La ville de Malakoff. In: FZ vom 30. 1. 1927, Nr. 78 (Raca.); wieder in: *Schriften 5.2*, S. 22-24.
336. Das Entsetzen. In: FZ vom 30. 1. 1927, Nr. 78, Literaturblatt Nr. 5 (Kr.).
337. Das Berliner Metropoltheater im Schumanntheater. Eine Doppelrevue. In: FZ vom 3. 2. 1927, Stadt-Blatt (raca.); wieder in: *Turmhäuser*, S. 116-118.
338. Pariser Beobachtungen. In: FZ vom 13. 2. 1927, Nr. 115 (Dr. S. Kracauer); wieder in: *Schriften 5.2*, S. 25-36.
339. Nijin, der Sibire. In: FZ vom 13. 2. 1927, Nr. 116, Literaturblatt Nr. 7 (Kr.).
340. Frankfurter Gastspiel Curt Götz. In: FZ vom 8. 3. 1927, Nr. 178 (Kr.); wieder in: *Turmhäuser*, S. 118f.
341. Okkultismus und Spiritismus. Zu den Vorträgen von Prof. Max Dessoir. In: FZ vom 9. 3. 1927, Stadt-Blatt (Kr.).

342. Ilja Ehrenburg. Zu seinem Roman: »Die Liebe der Jeanne Ney«. In: FZ vom 13. 3. 1927, Nr. 192, Literaturblatt Nr. 11 (Dr. S. Kracauer); wieder in: *Schriften 5.2*, S. 36-39.
343. Antwort auf eine Festrede. Theater und Kulturpolitik. In: FZ vom 17. 3. 1927, Nr. 203 (Kr.); wieder in: *Turmhäuser*, S. 312 f.
344. Chemie im Hotel. In: FZ vom 21. 3. 1927, Nr. 212 (Raca.); wieder in: *Turmhäuser*, S. 66-68.
345. Die Benzinstation. In: FZ vom Literaturblatt 27. 3. 1927, Nr. 230 (Kr.).
346. Primäres und sekundäres Knorke. In: FZ vom 1. 4. 1927, Nr. 244 (anonym); wieder in: *Turmhäuser*, S. 281 f.
347. Literarische Welt G. m. b. H. In: FZ vom 4. 4. 1927, Nr. 251 (anonym).
348. Das Straßenvolk in Paris. In: FZ vom 12. 4. 1927, Nr. 271 (Dr. S. Kracauer); wieder in: *Straßen*, S. 127-132, und *Schriften 5.2*, S. 39-43.
349. Neue Detektivromane. Chesterton, Frank Heller und andere. In: FZ vom 24. 4. 1927, Nr. 301, Literaturblatt Nr. 17 (Dr. S. Kracauer); wieder in: *Schriften 5.2*, S. 44-48.
350. Das Schreibmaschinchen. In: FZ vom 1. 5. 1927, Nr. 320 (Raca.); Vorlage: Gleichnamiges Typoskript aus KN, undatiert [1927], 6 S.; wieder in: *Straßen*, S. 110-115, und *Schriften 5.2*, S. 48-52.
351. Handbuch der Philosophie. In: FZ vom 1. 5. 1927, Nr. 320, Literaturblatt Nr. 18 (Kr.).
352. Die Schule der Weisheit: Frühjahrstagung. In: FZ vom 7. 5. 1927, Nr. 335 (Dr. S. Kracauer).
353. Rudolf Kassner über Physiognomik. In: FZ vom 21. 5. 1927, Nr. 375 (Kr.).
354. Thomas Mann geleitet. Zu der Serie: »Romane der Welt«. In: FZ vom 22. 5. 1927, Nr. 377, Literaturblatt Nr. 21 (Dr. S. Kracauer); wieder in: *Schriften 5.2*, S. 52-56.
355. Caliban oder Politik und Leidenschaft. In: FZ vom 29. 5. 1927, Nr. 394, Literaturblatt Nr. 22 (Kr.).
356. Aus »Völkischen« Kulturbezirken. In: FZ vom 29. 5. 1927, Nr. 394, Literaturblatt Nr. 22 (anonym).
357. Der Künstler und der Weise. In: FZ vom 29. 5. 1927, Nr. 394, Literaturblatt Nr. 22 (-er.).
358. Das Ornament der Masse. In: FZ vom 9. 6. 1927, Nr. 420, und 10. 6. 1927, Nr. 423 (Dr. Siegfried Kracauer); wieder in: *Ornament*, S. 50-63, und *Schriften 5.2*, S. 57-67.
359. Studentinnen. In: FZ vom 12. 6. 1927, Nr. 429, Literaturblatt Nr. 24 (Kr.).
360. Der Besessene. In: FZ vom 19. 6. 1927, Nr. 448, Literaturblatt Nr. 25 (Kr.).
361. Die schönste Geschichte der Welt. In: FZ vom 3. 7. 1927, Nr. 486, Literaturblatt Nr. 27 (Kr.).

362. Werkbundausstellung »Die Wohnung«. In: FZ vom 23. 7. 1927, Nr. 540 (Kr).
362a. Werkbundausstellung: »Die Wohnung«. Die Eröffnung. In: FZ vom 24. 7. 1927, Nr. 542 (Kr).
363. Bürgerschreck. In: FZ vom 24. 7. 1927, Nr. 543, Literaturblatt Nr. 30 (Kr.).
364. Das neue Bauen. Zur Stuttgarter Werkbund-Ausstellung: »Die Wohnung«. In: FZ vom 31. 7. 1927, Nr. 561 (Kr); wieder in: *Schriften 5.2*, S. 68-74.
365. Schirmen die steile Höh'. In: FZ vom 3. 8. 1927, Nr. 570 (anonym).
366. Das Paradies der Diebe. In: FZ vom 7. 8. 1927, Nr. 581, Literaturblatt Nr. 32 (Kr.).
367. Nachwort der Redaktion. In: FZ vom 12. 8. 1927, Nr. 593 (anonym).
368. Ein Pariser Junge. In: FZ vom 14. 8. 1927, Nr. 600, Literaturblatt Nr. 33 (Kr.).
369. Prinz Domela. In: FZ vom 21. 8. 1927, Nr. 619, Literaturblatt Nr. 34 (Kr.); wieder in: *Schriften 5.2*, S. 75-77.
370. Die eiserne Ferse. In: FZ vom 28. 8. 1927, Nr. 638, Literaturblatt Nr. 35 (Kr.); wieder in: *Schriften 5.2*, S. 77-79.
371. Das Haus ohne Schlüssel. In: FZ vom 28. 8. 1927, Nr. 638, Literaturblatt Nr. 35 (-er.).
372. Der Zionistenkongreß. Die Eröffnung. In: FZ vom 31. 8. 1927, Nr. 645 (Kr).
373. Der Baseler Zionistenkongreß. Die Krisis im Zionismus. In: FZ vom 7. 9. 1927, Nr. 663 (Kr).
374. Der Weg zum Lebenskünstler. In: FZ vom 11. 9. 1927, Nr. 676, Literaturblatt Nr. 37 (Kr.).
375. »Das Wesen der Welt«. Ein philosophisches System. In: FZ vom 20. 9. 1927, Nr. 698 (Dr. S. Kracauer); wieder in: *Schriften 5.2*, S. 80-82.
376. Der Stand der zionistischen Bewegung. Eindrücke vom Baseler Zionistenkongreß. In: FZ vom 20. 9. 1927, Nr. 699 (Kr).
377. Politische Soziologie. In: FZ vom 25. 9. 1927, Nr. 714, Literaturblatt Nr. 39 (Kr.).
378. Marx-Engels / Gesamtausgabe. In: FZ vom 23. 10. 1927, Nr. 790, Literaturblatt Nr. 43 (Kr.).
379. Die Photographie. In: FZ vom 28. 10. 1927, Nr. 802 und 803 (Siegfried Kracauer); als Sonderbeilage auch in: FZ vom 30. 10. 1972, Nr. 809; wieder in: *Ornament*, S. 21-39, und *Schriften 5.2*, S. 83-98.
380. Kinder des Jahrhunderts. In: FZ vom 30. 10. 1927, Nr. 809, Literaturblatt Nr. 44 (Kr.).
381. Michail Lykow: Zeitgenosse aus Rußland. In: FZ vom 13. 11. 1927, Nr. 847, Literaturblatt Nr. 46 (Kr.); wieder in: *Schriften 5.2*, S. 98-100.

382. Die Märchen der Weltliteratur. In: FZ vom 20. 11. 1927, Nr. 864, Literaturblatt Nr. 47 (Kr.).
383. Sibirien – Paris mit Zwischenstationen. Zu Joseph Roths neuem Roman. In: FZ vom 27. 11. 1927, Nr. 883, Literaturblatt Nr. 48 (S. Kracauer); wieder in: *Schriften 5.2*, S. 100-103.
384. Chinas Philosophie. In: FZ vom 11. 12. 1927, Nr. 921, Literaturblatt Nr. 50 (S. Kracauer).
385. Bilder – Verse – Geschichten. In: FZ vom 18. 12. 1927, Nr. 940, Literaturblatt Nr. 51 (L. E. K.).
386. »Amerika«. Zu dem Nachlaß-Roman Franz Kafkas. In: FZ vom 23. 12. 1927, Nr. 952 (S. Kracauer); wieder in: *Schriften 5.2*, S. 103-106.
387. Der Völkerbundsrat soll entscheiden! Um den Völkerbundspalast. In: FZ vom 23. 12. 1927, Nr. 954 (anonym); wieder in: *Turmhäuser*, S. 209 f.

## Band 5.3: 1928-1931

### 1928

388. Dein Körper gehört Dir. In: FZ vom 8. 1. 1928, Nr. 21, Literaturblatt Nr. 2 (Kr.).
389. Der deutsche Kipling. In: FZ vom 22. 1. 1928, Nr. 59, Literaturblatt Nr. 4 (Kr.).
390. Deutschland – Rußland 1913 bis 1922. Zu den Romanen Konstantin Fedins. In: FZ vom 5. 2. 1928, Nr. 97, Literaturblatt Nr. 6 (S. Kracauer); wieder in: *Schriften 5.2*, S. 109-111.
391. Der geheimnisvolle Klub. In: FZ vom 26. 2. 1928, Nr. 154, Literaturblatt Nr. 9 (Kr.).
392. Die Gaunerfahrten des Tim Shea. In: FZ vom 4. 3. 1928, Nr. 174, Literaturblatt Nr. 10 (Kr.).
393. Zwei Märchenbände. In: FZ vom 11. 3. 1928, Nr. 192, Literaturblatt Nr. 11 (Kr.).
394. Der bunte Schleier. In: FZ vom 25. 3. 1928, Nr. 230, Literaturblatt Nr. 13 (Kr.).
395. Die Goncourts. In: FZ vom 1. 4. 1928, Nr. 249, Literaturblatt Nr. 14 (Kr.).
396. Verdacht. In: FZ vom 15. 4. 1928, Nr. 282, Literaturblatt Nr. 16 (Kr.).
397. Doktor Dolittles Zirkus. In: FZ vom 29. 4. 1928, Nr. 320, Literaturblatt Nr. 18 (Kr.).
398. Max Scheler †. In: FZ vom 22. 5. 1928, Nr. 378 (S. Kracauer); wieder in: *Schriften 5.2*, S. 112-117.

399. Peter Bluts Odyssee. In: FZ vom 27. 5. 1928, Nr. 394, Literaturblatt Nr. 22 (Kr.).
400. Das neue Frankfurt. In: FZ vom 2. 6. 1928, Nr. 408 (-er.).
401. »Monde«. In: FZ vom 15. 6. 1928, Nr. 443 (anonym).
402. Berg- und Talbahn. In: FZ vom 14. 7. 1928, Nr. 520 (Raca.); wieder in: *Straßen*, S. 44-46, und *Schriften 5.2*, S. 117-119.
403. Zu den Schriften Walter Benjamins. In: FZ vom 15. 7. 1928, Nr. 524, Literaturblatt Nr. 29 (S. Kracauer); wieder in: *Ornament*, S. 249-255, und *Schriften 5.2*, S. 119-124.
404. Basil Brunin. Ein Roman der Anderen. In: FZ vom 22. 7. 1928, Nr. 543, Literaturblatt Nr. 30 (Kr.).
405. Das wachsende Reich. In: FZ vom 29. 7. 1928, Nr. 562, Literaturblatt Nr. 31 (Kr.).
406. Aus dem Schumann-Theater. In: FZ vom 5. 8. 1928, Stadt-Blatt (Raca.); u. d. T. »Haupt- und Staatsaktion im Schumann-Theater« wieder in: *Turmhäuser*, S. 120f.
407. [Baisse in Detektivromanen]. In: FZ vom 5. 8. 1928, Nr. 581, Literaturblatt Nr. 32 (Kr.).
408. Adrienne Mesurat. Zu dem Buch von Julien Green. In: FZ vom 12. 8. 1928, Nr. 600, Literaturblatt Nr. 33 (S. Kracauer); wieder in: *Schriften 5.2*, S. 124-126.
409. Epische Gestaltung. In: FZ vom 26. 8. 1928, Nr. 638, Literaturblatt Nr. 35 (S. Kracauer).
410. Im Luxushotel. In: FZ vom 14. 9. 1928, Nr. 690 (Raca.); wieder in: *Turmhäuser*, S. 251-254.
411. [Philosophische Neuerscheinungen]. In: FZ vom 16. 9. 1928, Nr. 695, Literaturblatt Nr. 38 (Kr.).
412. Ferien im September. In: FZ vom 19. 9. 1928, Nr. 701 (Raca.); wieder in: *Turmhäuser*, S. 254-259.
413. Der Sprung ins Leben. In: FZ vom 23. 9. 1928, Nr. 714, Literaturblatt Nr. 39 (Kr.).
414. Arbeiterkunst. In: FZ vom 28. 9. 1928, Nr. 728 (Kr).
415. Franz Kafka. Französisches Original in: *Monde* Jg. 1 (1928), Nr. 17 vom 29. 9. 1928, S. 5 (S. Kracauer) (übers. von Inka Mülder-Bach).
416. Wer will unter die Soldaten ... In: FZ vom 14. 10. 1928, Nr. 771, Literaturblatt Nr. 42 (S. Kracauer).
417. Exzentriktänzer in den Ufa-Lichtspielen. In: FZ vom 16. 10. 1928, Stadt-Blatt (Raca.); wieder in: *Turmhäuser*, S. 122.
418. Nachträgliche Fragen. In: FZ vom 17. 10. 1928, Nr. 779 (Raca.); wieder in: *Turmhäuser*, S. 68f.

419. Marco Polos Millionen. In: FZ vom 21. 10. 1928, Nr. 790, Literaturblatt Nr. 43 (Kr.).
420. Ein Buch über Paris. In: FZ vom 28. 10. 1928, Nr. 809, Literaturblatt Nr. 44 (S. Kracauer).
421. Negerball in Paris. In: FZ vom 2. 11. 1928, Nr. 821 (S. Kracauer); wieder in: *Schriften 5.2*, S. 127-129.
422. Mont-Cinère. In: FZ vom 4. 11. 1928, Nr. 828, Literaturblatt Nr. 45 (Kr.).
422a. Gedächtnisfeier des Vereins für Geschichte und Altertumskunde. In: FZ vom 10. 11. 1928, Stadt-Blatt (-er.).
423. Fünf Frauen auf einer Galeere. In: FZ vom 11. 11. 1928, Nr. 847, Literaturblatt Nr. 46 (S. Kracauer).
424. Die Berührung. Sieben Pariser Szenen. In: FZ vom 18. 11. 1928, Nr. 865 (S. Kracauer); wieder in: *Schriften 5.2*, S. 129-136.
425. Villars. Das St. Moritz der Westschweiz. In: FZ vom 25. 11. 1928, Nr. 883, Bäder-Blatt (Kr.); wieder in: *Turmhäuser*, S. 259-261.
426. Schöne Schauspielerinnen. In: *Das Illustrierte Blatt* Jg. 16 (1928), Nr. 49 vom 8. 12. 1928, S. 1397 (-er.).
427. Doktor Dolittles Tieroper. In: FZ vom 9. 12. 1928, Nr. 921, Literaturblatt Nr. 50 (Kr.).
428. [»Reise in Südfrankreich«]. In: FZ vom 16. 12. 1928, Nr. 940, Literaturblatt Nr. 51 (Kracauer).
429. Abend im Hotel. In: FZ vom 25. 12. 1928, Nr. 963 (Ginster).
430. Die Diagnosen des Dr. Zimmertür. In: FZ vom 30. 12. 1928, Nr. 973, Literaturblatt Nr. 53 (Kr.).

## 1929

431. Zwei Detektivbücher. In: FZ vom 6. 1. 1929, Nr. 15, Literaturblatt Nr. 1 (Kr.).
432. Alfred Döblin in Frankfurt. In: FZ vom 9. 1. 1929, Nr. 21 (-er.).
433. Kaskadeure. In: FZ vom 10. 1. 1929, Nr. 26 (Raca.); wieder in: *Turmhäuser*, S. 122 f.
434. Eroberer in Kanton. Zu dem Buch von André Malraux. In: FZ vom 11. 1. 1929, Nr. 27 (S. Kracauer); wieder in: *Schriften 5.2*, S. 139-142.
435. An einen Schriftsteller. Brief der Feuilleton-Redaktion. In: FZ vom 16. 1. 1929, Nr. 40 (anonym).
436. Vortrag von Prof. Heidegger. In: FZ vom 25. 1. 1929, Nr. 67 (Kr.).
437. Gespräch mit Grock. In: FZ vom 9. 2. 1929, Nr. 108 (Raca.); wieder in: *Turmhäuser*, S. 123-125.

438. Was kommt dort in die Höh' ... In: FZ vom 17. 2. 1929, Nr. 129, Literaturblatt Nr. 7 (Kr.).
439. [Sherlock Holmes]. In: FZ vom 24. 2. 1929, Nr. 148, Literaturblatt Nr. 8 (Kr.).
440. Für die ewig reifere Jugend. Anmerkungen zu dem erstmalig für den 22. März 1929 geplanten »Tag des Buches«. In: FZ vom 12. 3. 1929, Nr. 189 (anonym); wieder in: *Schriften 5.2*, S. 142-146.
441. Zeitschriften-Schau. In: FZ vom 22. 3. 1929, Nr. 219 (anonym).
442. Tucholsky in Frankfurt. In: FZ vom 26. 3. 1929, Nr. 229 (Kr.).
443. Edmund Husserl. In: FZ vom 9. 4. 1929, Nr. 260 (anonym; gez. D. Red.); wieder in: *Schriften 5.2*, S. 146-148.
444. Zeitschriften-Schau. In: FZ vom 13. 4. 1929, Nr. 274 (anonym).
445. Ideologie und Utopie. In: FZ vom 28. 4. 1929, Nr. 314, Literaturblatt Nr. 17 (S. Kracauer); wieder in: *Schriften 5.2*, S. 148-151.
446. Eine Erhebung in Deutschland. Bücher über den Krieg. Die Jugend und die Rationalisierung. Gespräche mit Ludwig Renn – Ernst Glaeser – S. Kracauer. Auszüge aus dem Artikel von Augustin Haburu: »Une enquête en allemagne. Les Livres de Guerre. Jeunesse et rationalisation. Entrevues avec Ludwig Renn – Ernst Glaeser – S. Kracauer«. In: *Monde* Jg. 2 (1929), Nr. 63 vom 17. 8. 1929, S. 4 f. (übers. von Inka Mülder-Bach).
447. Achtung, Achtung – Paris! In: FZ vom 9. 10. 1929, Nr. 754 (S. Kracauer); wieder in: *Schriften 5.2*, S. 152 f.
448. Brief an Hermann Kesten. In: FZ vom 13. 10. 1929, Nr. 765, Literaturblatt Nr. 41 (S. Kracauer).
449. [Aus den Zeitschriften]. In: FZ vom 13. 10. 1929, Nr. 765, Literaturblatt Nr. 41 (anonym).
450. Baskische Küste. In: FZ vom 20. 10. 1929, Nr. 784, Bäder-Blatt (S. Kracauer); wieder in: *Turmhäuser*, S. 262-268.
451. Antwort an einen Anonymus. In: FZ vom 24. 10. 1929, Nr. 793 (anonym; gez. D. Red.).
452. Einer, der nichts zu tun hat. In: FZ vom 9. 11. 1929, Stadt-Blatt (anonym); wieder in: *Schriften 5.2*, S. 154-156.
453. [Vom Rundfunk]. In: FZ vom 12. 11. 1929, Nr. 846 (Kr.).
454. Zirkus Sarrasani. In: FZ vom 13. 11. 1929, Nr. 849 (Raca.); wieder in: *Turmhäuser*, S. 126-128.
455. Photographische Bataillone. In: FZ vom 17. 11. 1929, Nr. 860, Literaturblatt Nr. 46 (Kr.).
456. Betrachtung zu Greens: »Léviathan«. In: FZ vom 1. 12. 1929, Nr. 896, Literaturblatt Nr. 48 (S. Kracauer); Vorlage: Gleichnamiges Typoskript aus KN, undatiert [1929], 5 S.; wieder in: *Schriften 5.2*, S. 156-160.

457. Doktor Dolittles Postamt. In: FZ vom 8. 12. 1929, Nr. 915, Literaturblatt Nr. 49 (Kr.).
458. Dr. Karl Mannheim nach Frankfurt berufen. In: FZ vom 11. 12. 1929, Nr. 923 (anonym).
459. Heimweh nach Sein. Zu Joseph Roths neuem Roman: »Rechts und links«. Typoskript aus KN, undatiert [1929], 5 S.; in: *Schriften 5.2*, S. 161-165.
460. Zwei Arten der Mitteilung. Typoskript aus KN, undatiert [ca. 1929], 7 S.; in: *Schriften 5.2*, S. 165-171.

## 1930

461. Zwei Detektivbücher. In: FZ vom 12. 1. 1930, Nr. 31, Literaturblatt Nr. 2 (Kr.).
462. Lob von Paris. In: FZ vom 19. 1. 1930, Nr. 50, Literaturblatt Nr. 3 (Kr.).
463. Abenteuer in Marseille. In: FZ vom 26. 1. 1930, Nr. 69, Literaturblatt Nr. 4 (Kr.).
464. Theater in Frankfurt. Im Schauspielhaus. »Straße« von Elmer E. Rice. In: FZ vom 10. 2. 1930, Nr. 108 (S. Kracauer); wieder in: *Turmhäuser*, S. 129-131.
465. Marseille. In: FZ vom 16. 2. 1930, Nr. 124-126, Reiseblatt (Kr.); wieder in: *Turmhäuser*, S. 269-272.
466. Ein moderner Knigge. In: FZ vom 23. 2. 1930, Nr. 143-145, Literaturblatt Nr. 8 (S. Kracauer).
467. Radio. In: FZ vom 28. 2. 1930, Nr. 156-158 (Kr.).
468. Rundfunk. In: FZ vom 4. 3. 1930, Nr. 166-168 (-cr.).
469. Die Eisenbahn. In: FZ vom 30. 3. 1930, Nr. 238-240, Reiseblatt (Kr.); wieder in: *Schriften 5.2*, S. 175-179.
470. Badgastein aus der Märzperspektive. In: FZ vom 13. 4. 1930, Nr. 276-278, Reiseblatt (Kr.); wieder in: *Berliner Nebeneinander*, S. 267-272.
471. Das Haus der deutschen Presse. In: FZ vom 17. 4. 1930, Nr. 286-288 (Kr); wieder in: *Berliner Nebeneinander*, S. 247 f.
472. Proletarische Schnellbahn. In: FZ vom 25. 4. 1930, Nr. 303-305 (S. Kracauer); wieder in: *Schriften 5.2*, S. 179 f.
473. 1. Mai in Berlin. Zwischen Neukölln und Lustgarten. In: FZ vom 3. 5. 1930, Nr. 325-327 (S. Kracauer); wieder in: *Berliner Nebeneinander*, S. 39-42.
474. Sonntagsausflug. In: FZ vom 5. 5. 1930, Nr. 331 (S. Kracauer); wieder in: *Berliner Nebeneinander*, S. 43-45.
475. Organisiertes Glück. Zur Wiedereröffnung des Lunaparks. In: FZ vom 8. 5.

1930, Nr. 338-340 (S. Kracauer); wieder in: *Berliner Nebeneinander*, S. 73-75.

476. Aussprache über den Rundfunk. Festsitzung anläßlich des fünfjährigen Bestehens der Reichs-Rundfunk-Gesellschaft. In: FZ vom 18. 5. 1930, Nr. 366-368 (S. Kracauer); wieder in: *Berliner Nebeneinander*, S. 231-233.
477. Oktober. Zu dem Buch von Larissa Reissner. In: FZ vom 18. 5. 1930, Nr. 366-368, Literaturblatt Nr. 20 (Kr.); wieder in: *Schriften 5.2*, S. 181-184.
478. Altes Berlin. Zur Eröffnung der Berliner Sommerschau 1930. In: FZ vom 25. 5. 1930, Nr. 385-387 (S. Kracauer); wieder in: *Berliner Nebeneinander*, S. 99-101.
479. Ansichtspostkarte. Kaiser-Wilhelm-Gedächtniskirche bei Nacht. In: FZ vom 26. 5. 1930, Nr. 388 (S. Kracauer); Vorlage: Gleichnamiges Typoskript aus KN, datiert (im Mai), 2 S.; wieder in: *Straßen*, S. 46-48, und *Schriften 5.2*, S. 184 f.
480. Reiselektüre. In: FZ vom 1. 6. 1930, Nr. 402-404, Literaturblatt Nr. 22 (S. Kracauer).
481. Paris und Umgebung. In: FZ vom 1. 6. 1930, Nr. 402-404, Literaturblatt Nr. 22 (Kr).
482. Reise im Schaufenster. In: FZ vom 16. 6. 1930, Nr. 440 (S. Kracauer); wieder in: *Berliner Nebeneinander*, S. 89-91.
483. Über Arbeitsnachweise. Konstruktion eines Raumes. In: FZ vom 17. 6. 1930, Nr. 441-443 (S. Kracauer); Vorlage: Gleichnamiges Typoskript aus KN, datiert (Anfang Juni), 8 S.; wieder in: *Straßen*, S. 69-78, und *Schriften 5.2*, S. 185-192.
484. Friedliche Lösung. Kleine moralische Erzählung. In: FZ vom 24. 6. 1930, Nr. 460-462 (S. Kracauer); Vorlage: Gleichnamiges Typoskript (ohne Untertitel) aus KN, undatiert [1930], 3 S.; wieder in: *Straßen*, S. 157-159, und *Schriften 5.2*, S. 192-194.
485. Besuch im Waisenhaus. In: FZ vom 29. 6. 1930, Nr. 475-477 (Kr); wieder in: *Berliner Nebeneinander*, S. 217-220.
486. Die Biographie als neubürgerliche Kunstform. In: FZ vom 29. 6. 1930, Nr. 475-477, Literaturblatt Nr. 26 (Dr. S. Kracauer); wieder in: *Ornament*, S. 75-80, und *Schriften 5.2*, S. 195-199.
487. Ein Angestelltenroman. In: FZ vom 6. 7. 1930, Nr. 494-496, Literaturblatt Nr. 27 (S. Kracauer).
488. Worte von der Straße. In: FZ vom 7. 7. 1930, Nr. 497 (S. Kracauer); Vorlage: Gleichnamiges Typoskript aus KN, datiert (Anfang Juli), 3 S.; wieder in: *Schriften 5.2*, S. 199-201.
489. Conan Doyle †. In: FZ vom 9. 7. 1930, Nr. 501-503 (Kr.); wieder in: *Schriften 5.2*, S. 202.

490. Trabrennen in Mariendorf. Kein Sportbericht. In: FZ vom 11. 7. 1930, Nr. 507-509 (Kr); wieder in: *Schriften 5.2*, S. 203-205.
491. Schreie auf der Straße. In: FZ vom 19. 7. 1930, Nr. 529-531 (S. Kracauer); Vorlage: Gleichnamiges Typoskript aus KN, datiert (im Juli), 3 S.; wieder in: *Straßen*, S. 27-30, und *Schriften 5.2*, S. 205-207.
492. Das Berliner Ehrenmal. Vorläufige Bemerkungen. In: FZ vom 20. 7. 1930, Nr. 532-534 (Kr); wieder in: *Berliner Nebeneinander*, S. 248 f.
493. Amerika in Europa. In: FZ vom 20. 7. 1930, Nr. 532-534, Literaturblatt Nr. 29 (S. Kracauer); wieder in: *Schriften 5.2*, S. 208-210.
494. Tessenow baut das Berliner Ehrenmal. In: FZ vom 23. 7. 1930, Nr. 539-541 (Kr); wieder in: *Schriften 5.2*, S. 211-214.
495. Forschungsreise einer Pariser Reporterin. In: FZ vom 27. 7. 1930, Nr. 551-553, Literaturblatt Nr. 30 (S. Kracauer).
496. Der Zeitungsverkäufer. In: FZ vom 30. 7. 1930, Nr. 558-560 (S. Kracauer); auch in: *Der freie Angestellte. Zeitschrift des Zentralverbandes der Angestellten* Jg. 35 (1931), Nr. 6 vom 16. 3. 1931, S. 95; Vorlage: Gleichnamiges Typoskript aus KN, datiert (Ende Juli), 3 S.; wieder in: *Schriften 5.2*, S. 214-216.
497. Weibliche Angestellte. In: FZ vom 3. 8. 1930, Nr. 570-572, Literaturblatt Nr. 31 (S. Kracauer).
498. Kabarett und Operette [Teil I]. Auf der Bühne. In: FZ vom 7. 8. 1930, Nr. 580-582 (Kr).
499. Erschütterungen der literarischen Formen. Moderne Novellen. In: FZ vom 10. 8. 1930, Nr. 589-591, Literaturblatt Nr. 32 (S. Kracauer); u. d. T. »Moderne Novellen« wieder in: *Schriften 5.2*, S. 216-220.
500. Wie die Alten sungen ... Zum dritten deutschen Schülerredewettbewerb. In: FZ vom 12. 8. 1930, Nr. 593-595 (Kr); wieder in: *Berliner Nebeneinander*, S. 221-224.
501. Weltstadtjugend? – Brünstiger Zauber! Nebst einer Anmerkung über Literaturkritik. [In der Reihe: Wie sieht unsere Zeitliteratur aus?] In: FZ vom 17. 8. 1930, Nr. 608-610, Literaturblatt Nr. 33 (S. Kracauer); wieder in: *Schriften 5.2*, S. 220-224.
502. Die geistige Entscheidung des Unternehmertums. In: FZ vom 2. 9. 1930, Nr. 650-652 (anonym); wieder in: *Schriften 5.2*, S. 225-228.
503. Aufenthalt in der Bretagne. In: FZ vom 17. 9. 1930, Nr. 691-693 (S. Kracauer); wieder in: *Berliner Nebeneinander*, S. 272-282.
504. Der Dichter im Warenhaus. In: FZ vom 23. 9. 1930, Nr. 707-709 (S. Kracauer); Vorlage: Gleichnamiges Typoskript aus KN, datiert (im September), 3 S.; auch in: *Musik und Gesellschaft. Arbeitsblätter für soziale Musikpflege und Musikpolitik* Jg. 1 (1930/31), H. 6 (November), S. 196 f.; wieder in: *Schriften 5.2*, S. 228-231.

505. Leder und Mode. In: FZ vom 25. 9. 1930, Nr. 713-715 (Kr.); wieder in: *Berliner Nebeneinander*, S. 101 f.
506. Neue Kriminal-Romane. In: FZ vom 28. 9. 1930, Nr. 722-724, Literaturblatt Nr. 39 (Kr.).
507. Über den Schauspieler. In: *Die Neue Rundschau* Jg. 41 (1930), Bd. 2, H. 9 (September), S. [429]-431 (S. Kracauer); wieder in: *Schriften 5.2*, S. 231-234.
508. Presse und öffentliche Meinung. In: FZ vom 4. 10. 1930, Nr. 738-740 (Kr); wieder in: *Berliner Nebeneinander*, S. 191-196.
509. Kleine Signale. In: FZ vom 10. 10. 1930, Nr. 754-756 (S. Kracauer); Vorlage: Gleichnamiges Typoskript aus KN, datiert (im September), 2 S.; wieder in: *Schriften 5.2*, S. 234-236.
510. Zertrümmerte Fensterscheiben. In: FZ vom 16. 10. 1930, Nr. 770-772 (S. Kracauer); wieder in: *Schriften 5.2*, S. 236 f.
511. Unter Palmen. In: FZ vom 19. 10. 1930, Nr. 779-781, Reiseblatt (S. Kracauer); wieder in: *Berliner Nebeneinander*, S. 45-47.
512. Vortrag mit Zwischenrufen. In: FZ vom 21. 10. 1930, Nr. 783-785 (Kr); wieder in: *Schriften 5.2*, S. 237-240.
513. Spuk im Vergnügungslokal. In: FZ vom 30. 10. 1930, Nr. 808-810 (S. Kracauer); wieder in: *Straßen*, S. 89-92, und *Schriften 5.2*, S. 240-242.
514. Erinnerung an eine Pariser Straße. In: FZ vom 9. 11. 1930, Nr. 836-838 (S. Kracauer); Vorlage: »Erinnerung an Paris«. Typoskript aus KN, undatiert [1930], 6 S.; wieder in: *Straßen,* S. 9-15, und *Schriften 5.2*, S. 243-248.
515. Blick auf die Nachkriegsgeneration. Zu Heinrich Manns neuem Roman »Die große Sache«. [In der Reihe: Wie sieht unsere Zeitliteratur aus?]. In: FZ vom 9. 11. 1930, Nr. 836-838, Literaturblatt Nr. 45 (S. Kracauer); Vorlage: Gleichnamiges Typoskript aus KN (Untertitel: »Zu Heinrich Manns neuem Roman«), undatiert [1930], 7 S.; wieder in: *Schriften 5.2*, S. 248-254
516. Am Paradies vorbei. In: FZ vom 20. 11. 1930, Nr. 865 (S. Kracauer); Vorlage: Gleichnamiges Typoskript aus KN, datiert (im November), 2 S.; wieder in: *Berliner Nebeneinander*, S. 91-93.
517. Mißverstandener Knigge. Analyse eines Berliner Wettbewerbs. In: FZ vom 23. 11. 1930, Nr. 872-874 (S. Kracauer); wieder in: *Berliner Nebeneinander*, S. 151-156.
518. Der Klavierspieler. In: FZ vom 2. 12. 1930, Nr. 895-897 (S. Kracauer); Vorlage: Gleichnamiges Typoskript aus KN, undatiert [1930], 4 S.; wieder in: *Straßen*, S. 142-147, und *Schriften 5.2*, S. 255-258.
519. Russische Kinderausstellung. Ein Gespräch. In: FZ vom 4. 12. 1930, Nr. 901-903 (Kr); wieder in: *Berliner Nebeneinander*, S. 102-106.
520. Alle Tage Demonstration. In: FZ vom 12. 12. 1930, Nr. 923-925 (Kr); wieder in: *Berliner Nebeneinander*, S. 48-51.

521. Nickelmann erlebt Berlin. In: FZ vom 14. 12. 1930, Nr. 929-931, Literaturblatt Nr. 50 (anonym).
522. Der neue Dolittle. In: FZ vom 14. 12. 1930, Nr. 929-931, Literaturblatt Nr. 50 (S. K.).
523. Das Papiermundstück. In: FZ vom 18. 12. 1930, Nr. 939-941 (S. Kracauer); Vorlage: Gleichnamiges Typoskript aus KN, datiert (im Dezember), 2 S.; wieder in: *Schriften 5.2*, S. 258 f.
524. Abschied von der Lindenpassage. In: FZ vom 21. 12. 1930, Nr. 948-950 (S. Kracauer); Vorlage: Gleichnamiges Typoskript aus KN, undatiert [1930], 6 S.; wieder in *Ornament*, S. 326-332, *Straßen*, S. 30-38, und *Schriften 5.2*, S. 260-265.
525. Luxushotel von unten gesehen. In: FZ vom 28. 12. 1930, Nr. 962-964, Literaturblatt Nr. 53 (S. Kracauer).
526. »Deutsche Berufskunde«. Druckfahne der FZ aus KN, undatiert [1930]; in: *Schriften 5.2*, S. 265-268.
527. Weihnachten in Berlin. Typoskript aus KN, datiert (Ende Dezember), 3 S.

## 1931

528. Neujahr in der Friedrichstadt. In: FZ vom 3. 1. 1930, Nr. 4-6 (Kr); wieder in: *Berliner Nebeneinander*, S. 51-53.
529. Riviera-Napoli-Expreß. Start eines Luxuszuges. In: FZ vom 6. 1. 1931, Nr. 11-13 (S. Kracauer); wieder in: *Berliner Nebeneinander*, S. 283-285.
530. Zertrümmerung und Aufbau. In: FZ vom 13. 1. 1931, Nr. 30-32 (S. Kracauer); wieder in: *Berliner Nebeneinander*, S. 15-19.
531. Drei Dichter weniger. In: FZ vom 17. 1. 1931, Nr. 42-44 (Kr).
532. Wärmehallen. In: FZ vom 18. 1. 1931, Nr. 45-47 (S. Kracauer); Vorlage: Gleichnamiges Typoskript aus KN, datiert (im Januar), 5 S.; wieder in: *Straßen*, S. 79-84, und *Schriften 5.2*, S. 271-275.
533. »Marschiere oder verrecke!«. In: FZ vom 18. 1. 1931, Nr. 45-47, Literaturblatt Nr. 3 (S. Kracauer).
534. Sendestation. Das Haus. In: FZ vom 24. 1. 1931, Nr. 61-63 (S. Kracauer); Vorlage: »Das neue Rundfunkhaus«. Typoskript aus KN, datiert (im Januar), 4 S.; wieder in: *Berliner Nebeneinander*, S. 250-253.
535. Kosaken reiten in die Weltgeschichte. In: FZ vom 25. 1. 1931, Nr. 64-66, Literaturblatt Nr. 4 (S. Kracauer); wieder in: *Schriften 5.2*, S. 275-278.
536. Neue Jugend? In: *Die Neue Rundschau* Jg. 42 (1931), Bd. 1, H. 2 (Januar), S. 138-140 (S. Kracauer); wieder in: *Schriften 5.2*, S. 279-282.

537. Prozeß Lieschen Neumann. In: FZ vom 1. 2. 1931, Nr. 83-85 (S. Kracauer); wieder in: *Berliner Nebeneinander*, S. 167-169.
538. Grüne Woche. In: FZ vom 8. 2. 1931, Nr. 102-104 (Kr.); wieder in: *Berliner Nebeneinander*, S. 106-108.
539. Begegnungen mit hilflosen Figuren. In: FZ vom 17. 2. 1931, Nr. 125-127 (S. Kracauer); Vorlage: Gleichnamiges Typoskript aus KN, datiert (im Februar), 2 S.; wieder in: *Schriften 5.2*, S. 282-285; Abschnitt eins und zwei zusammen mit Nr. 575 und Abschnitt eins von Nr. 673 u. d. T. »Berliner Figuren« wieder in: *Straßen*, S. 147-156.
540. Schlager im Exil. In: FZ vom 22. 2. 1931, Nr. 140-142 (S. Kracauer); Vorlage: Gleichnamiges Typoskript aus KN, datiert (im Februar), 2 S.; wieder in: *Schriften 5.2*, S. 286 f.
541. Autokult. In: FZ vom 25. 2. 1931, Nr. 147-149 (S. Kracauer); wieder in: *Berliner Nebeneinander*, S. 108-111.
542. Richard Voß: »Zwei Menschen«. [In der Reihe: Wie erklären sich große Bucherfolge]. In: FZ vom 1. 3. 1931, Nr. 159-161, Literaturblatt Nr. 9 (S. Kracauer); auch in: *Wie erklären sich große Bucherfolge?* [Werbeprospekt für das Literaturblatt der FZ]. Frankfurt a. M.: Frankfurter-Zeitung [1931], S. 6-8; wieder in: *Schriften 5.2*, S. 287-294.
543. Mietshaus im Berliner Westen. In: FZ vom 7. 3. 1931, Nr. 175-177 (S. Kracauer); wieder in: *Schriften 5.2*, S. 294-296.
544. Kulturbolschewismus? In: FZ vom 10. 3. 1931, Nr. 182-184 (S. Kracauer).
545. Zum Tag des Buches. In: FZ vom 22. 3. 1931, Nr. 216-218 (anonym).
546. Mordprozeß und Gesellschaft. In: *Die Neue Rundschau* Jg. 42 (1931), Bd. 1, H. 3 (März), S. 431 f. (S. Kracauer).
547. Kampf gegen die Badehose. In: FZ vom 1. 4. 1931, Nr. 242-244 (S. Kracauer); wieder in: *Berliner Nebeneinander*, S. 75-79.
548. Ein paar Tage Paris. In: FZ vom 5. 4. 1931, Nr. 252-254 (S. Kracauer); wieder in: *Schriften 5.2*, S. 296-301.
549. Berliner Nebeneinander. In: FZ vom 11. 4. 1931, Nr. 265-267 (Kr); wieder in: *Berliner Nebeneinander*, S. 19-21.
550. Was soll Herr Hocke tun? In: FZ vom 17. 4. 1931, Nr. 281-283 (S. Kracauer); wieder in: *Schriften 5.2*, S. 301-308.
551. Erscheinung auf der Cannebière. In: FZ vom 19. 4. 1931, Nr. 289, Reiseblatt (anonym); siehe auch *Ginster*, in: *Werke*, Bd. 7, S. 9-256, hier S. 255 f.; wieder in: *Straßen*, S. 159-161.
552. Generalmusikdirektor vor dem Arbeitsgericht. In: FZ vom 22. 4. 1931, Nr. 294-296 (S. Kracauer); wieder in: *Berliner Nebeneinander*, S. 170-172.
553. Alte Spiel- und Landkarten. Zwei Ausstellungen. In: FZ vom 24. 4. 1931, Nr. 300-302 (Kr); wieder in: *Berliner Nebeneinander*, S. 111-115.

554. Instruktionsstunde in Literatur. Zu einem Vortrag des Russen Tretjakow. In: FZ vom 26. 4. 1931, Nr. 306-308 (S. Kracauer); wieder in: *Schriften 5.2*, S. 308-311.
555. Bemerkungen zu Frank Thieß. [In der Reihe: Wie erklären sich große Bucherfolge]. In: FZ vom 3. 5. 1931, Nr. 325-327, Literaturblatt Nr. 18 (S. Kracauer); auch in: *Wie erklären sich große Bucherfolge?* [Werbeprospekt für das Literaturblatt der FZ]. Frankfurt a. M.: Frankfurter-Zeitung [1931], S. 11-13; wieder in: *Schriften 5.2*, S. 312-318.
556. Berliner Nebeneinander. In: FZ vom 7. 5. 1931, Nr. 335-337 (S. Kracauer); wieder in: *Berliner Nebeneinander*, S. 22-25.
557. Eröffnung der deutschen Bau-Ausstellung. (Privattelegramm der »Frankfurter Zeitung«). In: FZ vom 9. 5. 1931, Nr. 341-343 (Kr); wieder in: *Berliner Nebeneinander*, S. 115 f.
558. Deutsche Bauausstellung. Vorläufige Bemerkungen. In: FZ vom 12. 5. 1931, Nr. 348-350 (S. Kracauer); wieder in: *Berliner Nebeneinander*, S. 117-121.
559. Ernst Bloch. In: FZ vom 17. 5. 1931, Nr. 361-363, Literaturblatt Nr. 20 (Kracauer).
560. Der Kurfürstendamm als Siegesallee. In: FZ vom 23. 5. 1931, Nr. 377-379 (S. Kracauer); wieder in: *Schriften 5.2*, S. 318-320.
561. Girls und Krise. In: FZ vom 27. 5. 1931, Nr. 384-386 (S. Kracauer); wieder in: *Schriften 5.2*, S. 320-322.
562. Über die Herausgabe von Übersetzungen. Ein praktischer Vorschlag. In: FZ vom 31. 5. 1931, Nr. 396-398, Literaturblatt Nr. 22 (-er.).
563. Privatschicksale in Sowjetrußland. In: FZ vom 31. 5. 1931, Nr. 396-398, Literaturblatt Nr. 22 (S. Kracauer); wieder in: *Schriften 5.2*, S. 322-325.
564. § 218. In: *Die Neue Rundschau* Jg. 42 (1931), Bd. 1, H. 5 (Mai), S. 715-717 (S. Kracauer).
565. Zur Einweihung des Berliner Ehrenmals. In: FZ vom 3. 6. 1931, Nr. 403-405; wieder in: *Berliner Nebeneinander*, S. 254 f.
566. Kleine Patrouille durch die Bauausstellung. In: FZ vom 7. 6. 1931, Nr. 415-417 (S. Kracauer); wieder in: *Schriften 5.2*, S. 326-329.
567. Sozialistische Städte. Zu einem Vortrag von Ernst May. In: FZ vom 9. 6. 1931, Nr. 419-421 (S. Kracauer); wieder in: *Berliner Nebeneinander*, S. 196-199.
568. Fahrt im Sonderzug. Besuch der Reichsbahn-Zentralschule Brandenburg-West. In: FZ vom 16. 6. 1931, Nr. 438-440 (S. Kracauer); wieder in: *Berliner Nebeneinander*, S. 285-290.
569. Zwei Jongleure [Teil 2]. In: FZ vom 18. 6. 1931, Nr. 444-446 (S. Kracauer).
570. Klaus Mann sucht seinen Weg. In: FZ vom 21. 6. 1931, Nr. 453-455, Literaturblatt Nr. 25 (S. Kracauer); wieder in: *Schriften 5.2*, S. 329-331.

571. Bauausstellung im Osten. In: FZ vom 23. 6. 1931, Nr. 457-459 (S. Kracauer); wieder in: *Berliner Nebeneinander*, S. 122-124.
572. Möbel von heute. In: FZ vom 26. 6. 1931, Nr. 466-468 (S. Kracauer); wieder in: *Schriften 5.2*, S. 332-334.
573. Über Erfolgsbücher und ihr Publikum. [In der Reihe: Wie erklären sich große Bucherfolge]. In: FZ vom 27. 6. 1931, Nr. 469-471 (S. Kracauer); u. d. T. »Wie erklären sich große Bucherfolge« auch in: *Wie erklären sich große Bucherfolge?* [Werbeprospekt für das Literaturblatt der FZ]. Frankfurt a. M.: Frankfurter-Zeitung [1931], S. 3-5; wieder in: *Ornament*, S. 64-74, und *Schriften 5.2*, S. 334-342.
574. Über den Schriftsteller. In: *Die Neue Rundschau* Jg. 42 (1931), Bd. 1, H. 6 (Juni), S. [860]-862 (S. Kracauer); wieder in: *Schriften 5.2*, S. 343-346.
575. Berliner Figuren. In: FZ vom 10. 7. 1931, Nr. 504-506 (S. Kracauer); wieder in: *Schriften 5.2*, S. 346-349; zusammen mit dem ersten und zweiten Abschnitt von Nr. 539 und dem ersten Abschnitt von Nr. 673 u. d. T. »Berliner Figuren« wieder in: *Straßen*, S. 147-156.
576. Unter der Oberfläche. In: FZ vom 12. 7. 1931, Nr. 510-512 (S. Kracauer); wieder in: *Berliner Nebeneinander*, S. 26-28.
577. Über die Lage der Angestelltenschaft. In: FZ vom 12. 7. 1931, Nr. 510-512, Literaturblatt Nr. 28 (S. Kracauer).
578. Kritischer Tag. In: FZ vom 16. 7. 1931, Nr. 520-522 (S. Kracauer); wieder in: *Berliner Nebeneinander*, S. 54-56.
579. 3 = 6. In: FZ vom 19. 7. 1931, Nr. 529-531 (S. Kracauer); wieder in: *Berliner Nebeneinander*, S. 57-59.
580. Fascistische Rechtsprechung. In: FZ vom 19. 7. 1931, Nr. 529-531, Literaturblatt Nr. 29 (Kr.).
581. Der Verkaufs-Tempel. In: FZ vom 26. 7. 1931, Nr. 548-550 (S. Kracauer); wieder in: *Schriften 5.2*, S. 349-351.
582. Minimalforderung an die Intellektuellen. In: *Die Neue Rundschau* Jg. 42 (1931), Bd. 2, H. 7 (Juli), S. [71]-75 (S. Kracauer); wieder in: *Schriften 5.2*, S. 352-356.
583. Der Fall Kürten. In: *Die Neue Rundschau* Jg. 42 (1931), Bd. 2, H. 7 (Juli), S. [142] f. (S. Kracauer).
584. Autorenbörse. In: FZ vom 1. 8. 1931, Nr. 564-566 (S. Kracauer).
585. Literatur und Rundfunk. In: FZ vom 7. 8. 1931, Nr. 580-582 (S. Kracauer); wieder in: *Schriften 5.2*, S. 357-359.
586. Eine kleine Leihbibliothek. In: FZ vom 12. 8. 1931, Nr. 593-595 (S. Kracauer); wieder in: *Schriften 5.2*, S. 360-363.
587. Neueröffnet: »IBA«. In: FZ vom 6. 9. 1931, Nr. 662-664 (Kr); wieder in: *Berliner Nebeneinander*, S. 124-126.

588. Zu Franz Kafkas nachgelassenen Schriften. In: FZ vom 3. 9. 1931, Nr. 653-655, und 9. 9. 1931, Nr. 669-671 (S. Kracauer); Vorlage: »Franz Kafka. Zu seinen nachgelassenen Schriften«. Typoskript aus KN, undatiert [1931], 12 S.; u. d. T. »Franz Kafka« wieder in: *Ornament*, S. 256-268, und *Schriften 5.2*, S. 363-373.
589. Zum Paradies der Babys. In: FZ vom 12. 9. 1931, Nr. 678-680 (S. Kracauer); in der französischen Übersetzung von Marie Elbé u. d. T. »Au Paradis des Bébés« auch in: *La Revue du Cinéma* Jg. 3 (1931), Nr. 29 vom 1. 12. 1931, S. 53 f.; wieder in: *Berliner Nebeneinander*, S. 156-159.
590. Unfertig in Berlin. In: FZ vom 13. 9. 1931, Nr. 681-683, Literaturblatt Nr. 37 (S. Kracauer); wieder in: *Schriften 5.2*, S. 373-375.
591. Gemeinde der Gläubiger. In: FZ vom 15. 9. 1931, Nr. 685-687 (Kr); wieder in: *Berliner Nebeneinander*, S. 172-174.
592. Über Heinrich Mann. In: FZ vom 20. 9. 1931, Nr. 700-702, Literaturblatt Nr. 38 (S. K.)
593. Verschollene Welt. Zu einem Pariser Künstlerroman. In: FZ vom 20. 9. 1931, Nr. 700-702, Literaturblatt Nr. 38 (S. Kracauer).
594. Hilfe für die Jugend [Teil II]. Ein [...] deutsches Beispiel. In: FZ vom 26. 9. 1931, Nr. 716-718 (S. Kracauer).
595. In der Laubenkolonie. In: FZ vom 27. 9. 1931, Nr. 719-721, Literaturblatt Nr. 39 (S. Kracauer).
596. Kampf gegen die Kuppelanzeigen. In: FZ vom 30. 9. 1931, Nr. 726-728 (S. Kracauer); wieder in: *Berliner Nebeneinander*, S. 159-161.
597. Außerhalb der Universität. In: FZ vom 2. 10. 1931, Nr. 732-734 (S. Kracauer); wieder in: *Berliner Nebeneinander*, S. 200-202.
598. Möbel auf Reisen. In: FZ vom 3. 10. 1931, Nr. 735-737 (S. Kracauer); wieder in: *Berliner Nebeneinander*, S. 60 f.
599. Die großen Haifische. Zum neuen Roman Ilja Ehrenburgs. In: FZ vom 4. 10. 1931, Nr. 738-740, Literaturblatt Nr. 40 (S. Kracauer); wieder in: *Schriften 5.2*, S. 376-379.
600. Glück und Schicksal. In: FZ vom 10. 10. 1931, Nr. 754-756 (S. Kracauer); Vorlage: Gleichnamiges Typoskript aus KN, datiert (im Oktober), 4 S.; wieder in: *Straßen*, S. 85-88, und *Schriften 5.2*, S. 379-382.
601. Ein paar Stunden Sklarek-Prozeß. In: FZ vom 17. 10. 1931, Nr. 773-775 (Kr); wieder in: *Berliner Nebeneinander*, S. 175-178.
602. Pariser über Paris. In: FZ vom 18. 10. 1931, Nr. 776-778, Literaturblatt Nr. 42 (S. Kracauer).
603. Straßen, Schiffe, Lokale. Aufzeichnungen aus Hamburg, Spätsommer 1931. In: FZ vom 20. 10. 1931, Nr. 780-782 (S. Kracauer); wieder in: *Schriften 5.2*, S. 383-390.

604. Philosophische Brocken. Vom internationalen Hegel-Kongreß. In: FZ vom 23. 10. 1931, Nr. 789-791 (S. Kracauer); wieder in: *Berliner Nebeneinander*, S. 202-206.
605. Detektivromane. In: FZ vom 25. 10. 1931, Nr. 795-797, Literaturblatt Nr. 43 (Kr.).
606. Renovierter Jazz. In: FZ vom 25. 10. 1931, Nr. 795-797 (S. Kracauer); Vorlage: Gleichnamiges Typoskript aus KN, datiert (im Oktober), 3 S.; wieder in: *Schriften 5.2*, S. 390-392.
607. Ein Buch von der Ruhr. In: FZ vom 1. 11. 1931, Nr. 814-816, Literaturblatt Nr. 44 (S. Kracauer); wieder in: *Schriften 5.2*, S. 393-395.
608. Lunatscharski über die russische Kultur. Bemerkungen zu seinem Vortrag. In: FZ vom 6. 11. 1931, Nr. 827-829 (S. Kracauer); wieder in: *Schriften 5.2*, S. 395-398.
609. Von der sitzenden Lebensweise. In: FZ vom 7. 11. 1931, Nr. 830-832 (Kr); wieder in: *Berliner Nebeneinander*, S. 127 f.
610. Berliner Landschaft. In: FZ vom 8. 11. 1931, Nr. 833-835 (S. Kracauer); Vorlage: Gleichnamiges Typoskript aus KN, undatiert [1931], 3 S.; u. d. T. »Aus dem Fenster gesehen« wieder in: *Straßen*, S. 51-53, und *Schriften 5.2*, S. 399-401.
611. Der Ausschluß der Achtzehn. Zu den Vorgängen im Schutzverband Deutscher Schriftsteller. In: FZ vom 24. 11. 1931, Nr. 873-875 (anonym).
612. Weekend in Hamburg. In: FZ vom 29. 11. 1931, Nr. 888-890, Reiseblatt (Kr.); wieder in: *Berliner Nebeneinander*, S. 290-292.
613. Der Fachmann. In: *Die Neue Rundschau* Jg. 42 (1931), Bd. 2, H. 11 (November), S. [718]-720 (S. Kracauer); wieder in: *Schriften 5.2*, S. 401-405.
614. Serienbändchen. In: FZ vom 6. 12. 1931, Nr. 907-909, Literaturblatt Nr. 49 (S. Kracauer).
615. Aufruhr der Mittelschichten. Eine Auseinandersetzung mit dem »Tat«-Kreis. In: FZ vom 10. 12. 1931, Nr. 917-919, und 11. 12. 1931, Nr. 920-922 (S. Kracauer); wieder in: *Ornament*, S. 81-105, und *Schriften 5.2*, S. 405-424.
616. Vorläufige Bilanz. In: FZ vom 20. 12. 1931, Nr. 945-947, Hochschulblatt (Dr. Kracauer); wieder in: *Berliner Nebeneinander*, S. 206-209.
617. Politik in der Kleinstadt. In: FZ vom 20. 12. 1931, Nr. 945-947, Literaturblatt Nr. 51 (S. Kracauer); wieder in: *Schriften 5.2*, S. 424-426.
618. Dolittle und Ede. In: FZ vom 20. 12. 1931, Nr. 945-947, Literaturblatt Nr. 51 (S. Kracauer).
619. Ein Band Märchen. In: FZ vom 20. 12. 1931, Nr. 945-947, Literaturblatt Nr. 51 (-er.).
620. Verbotene Bücher. In: FZ vom 23. 12. 1931, Nr. 952-954 (anonym).

621. Der abwesende Berliner. Typoskript aus KN, undatiert [1930/31], 3 S. (signiert E. M.).

## Band 5.4: 1932-1965

### 1932

622. »Er ist ein guter Junge«. Berliner Betrachtung. In: FZ vom 1. 1. 1932, Nr. 1-3 (S. Kracauer); Vorlage: »Ein guter Junge«. Typoskript aus KN, datiert (Ende Dezember), 5 S.; wieder in: *Schriften 5.3*, S. 11-15.
623. Ein Stück Friedrichstraße. In: FZ vom 14. 1. 1932, Nr. 34-36 (S. Kracauer); Vorlage: Gleichnamiges Typoskript aus KN, datiert (im Januar), 3 S.; wieder in: *Schriften 5.3*, S. 15-17.
624. Seelenruhig. In: FZ vom 22. 1. 1932, Nr. 56-58 (S. Kracauer); wieder in: *Berliner Nebeneinander*, S. 93-96.
625. Kinder-Kunst. In: FZ vom 24. 1. 1932, Nr. 63-64 (S. Kracauer); wieder in: *Berliner Nebeneinander*, S. 224-227.
626. Literarische Kollektion. In: FZ vom 31. 1. 1932, Nr. 81-83, Literaturblatt Nr. 5 (Kr.).
627. Grüne Woche. In: FZ vom 4. 2. 1932, Nr. 91-93 (S. Kracauer); wieder in: *Berliner Nebeneinander*, S. 128-131.
628. Luftschlößchen. In: FZ vom 7. 2. 1932, Nr. 100-102 (S. Kracauer); Vorlage: »Seifenblasen«. Typoskript aus KN, datiert (Anfang Januar), 3 S.; wieder in: *Schriften 5.3*, S. 17-19.
629. Max Scheler und der Pazifismus. In: FZ vom 7. 2. 1932, Nr. 100-102, Literaturblatt Nr. 6 (S. Kracauer); wieder in: *Schriften 5.3*, S. 19-22.
630. Stellen-Angebote. In: FZ vom 12. 2. 1932, Nr. 113-115 (S. Kracauer); wieder in: *Schriften 5.3*, S. 22-26.
631. Edgar Wallace †. In: FZ vom 13. 2. 1932, Nr. 116-118 (S. Kracauer).
632. Der »operierende« Schriftsteller. Zu Tretjakows Buch: »Feld-Herren«. In: FZ vom 17. 2. 1932, Nr. 126-128 (S. Kracauer); wieder in: *Schriften 5.3*, S. 26-29.
633. Revolutionäre Bildmontage. In: FZ vom 24. 2. 1932, Nr. 145-147 (S. Kracauer); wieder in: *Schriften 5.3*, S. 30-33.
634. Ein soziologisches Experiment? Zu Bert Brechts Versuch: »Der Dreigroschenprozeß«. In: FZ vom 28. 2. 1932, Nr. 157-159, Literaturblatt Nr. 9 (S. Kracauer); wieder in: *Schriften 5.3*, S. 33-39.
635. Marseille. In: FZ vom 28. 2. 1932, Nr. 157-159, Reiseblatt (S. Kracauer); wieder in: *Berliner Nebeneinander*, S. 292-294.

636. Varieté-Programm von heute. In: FZ vom 1. 3. 1932, Nr. 161-163 (S. Kracauer); wieder in: *Berliner Nebeneinander*, S. 79f.
637. Baby Lindbergh. In: FZ vom 6. 3. 1932, Nr. 176-178 (S. Kracauer); wieder in: *Berliner Nebeneinander*, S. 161-163.
638. Die Unterführung. In: FZ vom 11. 3. 1932, Nr. 189-191 (S. Kracauer); Vorlage: Gleichnamiges Typoskript aus KN, datiert (im März), 3 S.; wieder in: *Straßen*, S. 48-50, und *Schriften 5.3*, S. 40f.
639. Am Abend des Wahltags. In: FZ vom 15. 3. 1932, Nr. 199-201 (Kr); wieder in: *Berliner Nebeneinander*, S. 61-63.
640. Frühjahrsproduktion deutscher Verleger. In: FZ vom 20. 3. 1932, Nr. 214-216, Gedenkblatt und Literaturblatt zum 100. Todestag Goethes (S. K.).
641. Untergang der Gebildeten in Rußland. In: FZ vom 27. 3. 1932, Nr. 231-233, Literaturblatt Nr. 12 (S. Kracauer); wieder in: *Schriften 5.3*, S. 42-44.
642. Kunst in Moabit. In: FZ vom 9. 4. 1932, Nr. 263-265 (S. K.); wieder in: *Berliner Nebeneinander*, S. 178-181.
643. Roman in Paris. In: FZ vom 10. 4. 1932, Nr. 266-268, Literaturblatt Nr. 14 (S. Kracauer); wieder in: *Schriften 5.3*, S. 46-49.
644. Café im Berliner Westen. In: FZ vom 17. 4. 1932, Nr. 285-287 (S. Kracauer); Vorlage: Gleichnamiges Typoskript aus KN, datiert (im April), 4 S.; wieder in: *Schriften 5.3*, S. 49-52.
645. Ein Bio-Interview. In: FZ vom 17. 4. 1932, Nr. 285-287, Literaturblatt Nr. 16 (Siegfried Kracauer); wieder in: *Schriften 5.3*, S. 52-55.
646. »Frühjahrsproduktion«. In: FZ vom 17. 4. 1932, Nr. 285-287, Literaturblatt Nr. 16 (S. Kracauer).
647. Flaggen. In: FZ vom 24. 4. 1932, Nr. 304-306 (Kr); wieder in: *Schriften 5.3*, S. 55f.
648. »L'ordre«. In: FZ vom 24. 4. 1932, Nr. 304-306, Literaturblatt Nr. 17 (S. Kracauer); wieder in: *Schriften 5.3*, S. 57-60.
649. Mädchen im Beruf. In: *Querschnitt* Jg. 12 (1932), H. 4 (April), S. 238-243 (Siegfried Kracauer); wieder in: *Schriften 5.3*, S. 60-66.
650. Zur Produktion der Jungen. Bei Gelegenheit zweier Bücher von Klaus Mann. In: FZ vom 1. 5. 1932, Nr. 323-325, Literaturblatt Nr. 18 (S. Kracauer); wieder in: *Schriften 5.3*, S. 66-71.
651. Proletarische Schriftsteller in Frankreich. In: FZ vom 3. 5. 1932, Nr. 327-329 (Kr.).
652. Der Hellseher im Varieté. In: FZ vom 28. 5. 1932, Nr. 391-393 (S. Kracauer); wieder in: *Berliner Nebeneinander*, S. 81f.
653. Wiederholung. Auf der Durchreise in München. In: FZ vom 29. 5. 1932, Nr. 394-396 (S. Kracauer); wieder in: *Schriften 5.3*, S. 71-75.

654. Zu einem Roman aus der Konfektion. Nebst einem Exkurs über die soziale Romanreportage. In: FZ vom 5. 6. 1932, Nr. 413-415, Literaturblatt Nr. 23 (S. Kracauer); wieder in: *Schriften 5.3*, S. 75-79.
655. Alt-Berlin im Westen. In: FZ vom 9. 6. 1932, Nr. 423-425 (-er.); wieder in: *Berliner Nebeneinander*, S. 256.
656. Guckkasten-Bilder. Besuch in der Wochenend-Ausstellung. In: FZ vom 8. 6. 1932, Nr. 420-422 (S. Kracauer); Vorlage: »In der Wochenend-Ausstellung«. Typoskript aus KN, datiert (im Juni), 3 S.; wieder in: *Schriften 5.3*, S. 79-81.
657. Heißer Abend. In: FZ vom 15. 6. 1932, Nr. 439-441 (S. Kracauer); Vorlage: Gleichnamiges Typoskript aus KN, datiert (im Juni), 2 S.
658. Reichsehrenmal. Zur Ausstellung des Ideenwettbewerbs. In: FZ vom 18. 6. 1932, Nr. 448-450 (rc); wieder in: *Berliner Nebeneinander*, S. 257-260.
659. Der Elefant. In: FZ vom 19. 6. 1932, Nr. 451-453 (S. Kracauer); Vorlage: Gleichnamiges Typoskript aus KN, datiert (im Juni), 3 S.; wieder in: *Berliner Nebeneinander*, S. 83-85
660. Gedenkfeier für Walther Rathenau. In: FZ vom 26. 6. 1932, Nr. 470-472 (-er); wieder in: *Berliner Nebeneinander*, S. 209-211.
661. Ein Arbeitslosen-Roman. In: FZ vom 26. 6. 1932, Nr. 470-472, Literaturblatt Nr. 26 (S. Kracauer).
662. Zeichen- und Kunstunterricht. In: FZ vom 26. 6. 1932, Nr. 470-472, Literaturblatt Nr. 26 (-er.).
663. Die Techniker verteidigen sich. In: FZ vom 28. 6. 1932, Nr. 474-476 (S. Kracauer); wieder in: *Berliner Nebeneinander*, S. 211-214.
664. Zum Ende des Sklarek-Prozesses. In: FZ vom 1. 7. 1932, Nr. 483-484 (Kr); wieder in: *Berliner Nebeneinander*, S. 181-187.
665. Der Schriftsteller Heinrich Mann. Zu seinem Prosa-Band: »Das öffentliche Leben«. In: FZ vom 3. 7. 1932, Nr. 489-491, Literaturblatt Nr. 27 (S. Kracauer); Vorlage: Gleichnamiges Typoskript aus KN, undatiert [1932], 5 S.; wieder in: *Schriften 5.3*, S. 83-87.
666. Reisen, nüchtern. In: FZ vom 10. 7. 1932, Nr. 508-510, Literaturblatt Nr. 28 und Reiseblatt (S. Kracauer); wieder in: *Schriften 5.3*, S. 87-90.
667. Julien Green. In: FZ vom 17. 7. 1932, Nr. 527-529, Literaturblatt Nr. 29 (anonym).
668. Vorwort der Redaktion. [Zum Vorabdruck:] »Betrogene Jugend« von Albert Lamm. In: FZ vom 19. 7. 1932, Nr. 531-533 (anonym).
669. Kurort Berlin. In: FZ vom 19. 7. 1932, Nr. 531-533 (S. Kracauer); Vorlage: Gleichnamiges Typoskript aus KN, datiert (im Juli), 2 S; wieder in: *Berliner Nebeneinander*, S. 63-66.
670. Aus dem roten Alltag. In: FZ vom 24. 7. 1932, Nr. 546-548, Literaturblatt Nr. 30 (S. Kracauer).

671. Unliterarische Unterhaltung. In: FZ vom 31. 7. 1932, Nr. 565-567, Literaturblatt Nr. 31 (Kracauer).
672. Zur Neuregelung des Rundfunks. In: FZ vom 3. 8. 1932, Nr. 572-574 (Kr); wieder in: *Berliner Nebeneinander*, S. 234-240.
673. Stadt-Erscheinungen. In: FZ vom 6. 8. 1932, Nr. 581-583 (S. Kracauer); Vorlage: »Der Tänzer«. Typoskript KN, undatiert [1932], 1 S.; wieder in: *Schriften 5.3*, S. 90-93; Abschnitt eins zusammen mit Abschnitt eins und zwei von Nr. 539 und Nr. 575 u.d.T. »Berliner Figuren« wieder in: *Straßen*, S. 147-156.
674. Zwischen Blut und Geist. In: FZ vom 7. 8. 1932, Nr. 584-586, Literaturblatt Nr. 32; wieder in: *Schriften 5.3*, S. 93-96.
675. Berlin in Deutschland. In: FZ vom 14. 8. 1932, Nr. 603-605, Literaturblatt Nr. 33 (S. Kracauer); wieder in: *Schriften 5.3*, S. 96-98.
676. Zerbrochene Hymnen. In: FZ vom 4. 9. 1932, Nr. 660-662, Literaturblatt Nr. 36 (S. Kracauer); wieder in: *Schriften 5.3*, S. 98-101.
677. Rußland von außen und innen. Zu drei Rußlandbüchern. In: FZ vom 11. 9. 1932, Nr. 679-681, Literaturblatt Nr. 37 (S. Kracauer); wieder in: *Schriften 5.3*, S. 101-107.
678. Aus einem französischen Seebad. In: FZ vom 14. 9. 1932, Nr. 686-688 (S. Kracauer); wieder in: *Berliner Nebeneinander*, S. 294-301.
679. Über Arbeitslager. In: FZ vom 1. 10. 1932, Nr. 733-735 (S. Kracauer); wieder in: *Schriften 5.3*, S. 107-117.
680. In der Dela. In: FZ vom 6. 10. 1932, Nr. 746-748 (S. Kracauer); wieder in: *Berliner Nebeneinander*, S. 131-133.
681. Die neue Produktion der deutschen Verleger. In: FZ vom 16. 10. 1932, Nr. 774-776, Literaturblatt Nr. 42 (anonym); Vorlage: »Neue deutsche Literatur. Ein kurzer Überblick«. Typoskript aus KN, undatiert [1932], 3 S.
682. Gestaltschau oder Politik? In: FZ vom 16. 10. 1932, Nr. 774-776 (S. Kracauer); wieder in: *Schriften 5.3*, S. 118-123.
683. Großstadtjugend ohne Arbeit. Zu den Büchern von Lamm und Haffner. In: FZ vom 23. 10. 1932, Nr. 793-795, Literaturblatt Nr. 43 (S. Kracauer); wieder in: *Schriften 5.3*, S. 124-127.
684. K. Baschwitz: »Der Massenwahn«. In: FZ vom 23. 10. 1932, Nr. 793-795, Literaturblatt Nr. 43 (anonym).
685. Akrobat – schöön. In: FZ vom 25. 10. 1932, Nr. 797-799 (S. Kracauer); Vorlage: Gleichnamiges Typoskript, datiert (im Oktober), 4 S.; wieder in: *Straßen*, S. 137-142, und *Schriften 5.3*, S. 127-131.
686. Kellermann: »Die Stadt Anatol«. In: FZ vom 30. 10. 1932, Nr. 812-814, Literaturblatt Nr. 44 (anonym).

687. Vivisektion der Zeit. In: FZ vom 6. 11. 1932, Nr. 831-833, Literaturblatt Nr. 45 (S. Kracauer); wieder in: *Schriften 5.3*, S. 131-136.
688. Gestern – Heute – Morgen. Zum Thema: Rundfunk. In: FZ vom 9. 11. 1932, Nr. 838-840 (S. Kracauer); wieder in: *Schriften 5.3*, S. 136-147.
689. Eine Märtyrer-Chronik von heute. In: FZ vom 13. 11. 1932, Nr. 850-852, Literaturblatt Nr. 46 (S. Kracauer); wieder in: *Schriften 5.3*, S. 147-150.
690. Anzug: Frack. In: FZ vom 16. 11. 1932, Nr. 857-859 (Kr).
691. Der neue Alexanderplatz. In: FZ vom 18. 11. 1932, Nr. 861-863 (S. Kracauer); Vorlage: Gleichnamiges Typoskript aus KN, datiert (im November), 4 S.; wieder in: *Schriften 5.3*, S. 150-154.
692. Wunschträume der Gebildeten. Zu den Schriften von Lothar Helbing und Hans Naumann. In: FZ vom 20. 11. 1932, Nr. 867-869, Literaturblatt Nr. 47 (S. Kracauer); wieder in: *Schriften 5.3*, S. 154-159.
693. Zahl und Bild. In: FZ vom 24. 11. 1932, Nr. 877-879 (Kr); wieder in: *Berliner Nebeneinander*, S. 134-139.
694. Das Leben Spinozas. In: FZ vom 27. 11. 1932, Nr. 886-888, Literaturblatt Nr. 48 (Kr.).
695. Seele ohne Ende. In: FZ vom 27. 11. 1932, Nr. 886-888, Literaturblatt Nr. 48 (S. Kracauer); wieder in: *Schriften 5.3*, S. 159-163.
696. H. O. Hemel [sic]: »Die Kellnerin Molly«. In: FZ vom 4. 12. 1932, Nr. 905-907, Literaturblatt Nr. 49 (anonym).
697. Preußische Baukunst. In: FZ vom 8. 12. 1932, Nr. 915-917 (S. Kracauer); Vorlage: Gleichnamiges Typoskript aus KN, datiert (Anfang Dezember), 4 S.; wieder in: *Berliner Nebeneinander*, S. 139-143.
698. Prohibition. In: FZ vom 11. 12. 1932, Nr. 924-926, Literaturblatt Nr. 50 (S. Kracauer); wieder in: *Schriften 5.3*, S. 163-166.
699. Bericht aus der Sowjetunion. In: FZ vom 11. 12. 1932, Nr. 924-926, Literaturblatt Nr. 50 (Kr.); wieder in: *Schriften 5.3*, S. 166-168.
700. Über weibliche Angestellte. In: FZ vom 11. 12. 1932, Nr. 924-926, Literaturblatt Nr. 50 (anonym).
701. Der Verleger großen Stils. In: *Vom Beruf des Verlegers.* Eine Festschrift zum 60. Geburtstag von Bruno Cassirer. 12. Dezember 1932. Privatdruck [Leipzig: Haag-Drugulin] 1932, S. 68 f. (S. Kracauer).
702. Photographiertes Berlin. In: FZ vom 15. 12. 1932, Nr. 934-936 (S. Kracauer); Vorlage: Gleichnamiges Typoskript aus KN, datiert (Anfang Dezember), 2 S.; wieder in: *Schriften 5.3*, S. 168-170.
703. Straße ohne Erinnerung. In: FZ vom 16. 12. 1932, Nr. 937-939 (S. Kracauer); wieder in: *Straßen*, S. 19-24, und *Schriften 5.3*, S. 170-174.
704. Das Buch als Ware. In: FZ vom 18. 12. 1932, Nr. 943-945, Literaturblatt Nr. 51 (anonym).

## 1933

722. Ein jüdischer Julien Sorel. In: FZ vom 12. 2. 1933, Nr. 115-117, Literaturblatt Nr. 7 (-er.).
723. Berliner Nebeneinander [Teil I-III]. Kara-Iki – Scala-Ball im Savoy. In: FZ vom 17. 2. 1933, Nr. 128-130 (S. Kracauer); wieder in: *Berliner Nebeneinander*, S. 29-35.
724. Reichsehrenmal. In: FZ vom 19. 2. 1933, Nr. 134-136 (Kr); wieder in: *Berliner Nebeneinander*, S. 260-263.
725. Angst. Zu dem Roman: »Treibgut« von Julien Green. In: FZ vom 19. 2. 1933, Nr. 134-136, Literaturblatt Nr. 8 (S. Kracauer); Vorlage: Gleichnamiges Typoskript aus KN, undatiert [1933], 5 S.; wieder in: *Schriften 5.3*, S. 206-210.
726. Die bürgerliche Nachkriegsgeneration. In: FZ vom 26. 2. 1933, Nr. 153-155, Literaturblatt Nr. 9 (Kr.).
727. Rund um den Reichstag. In: FZ vom 2. 3. 1933, Nr. 163-165 (-er); wieder in: *Schriften 5.3*, S. 211 f.
728. Ein internationaler Nachkriegsroman. In: FZ vom 5. 3. 1933, Nr. 172-174, Literaturblatt Nr. 10 (-er).
729. Zu einem Buch über deutsche Jugend. In: *Deutsche Republik* Jg. 7 (1932/33), H. 23 vom 5. 3. 1933, S. 723-727 (Siegfried Kracauer); wieder in: *Schriften 5.3*, S. 212-216.
730. Pariser literarische Notizen. In: FZ vom 22. 3. 1933, Nr. 217-219 (Kr.); Vorlage: Pariser Notizen. Typoskript aus KN, undatiert [1933], 3 S.
731. Der Buchladen. In: FZ vom 25. 3. 1933, Nr. 226-228 (S. Kracauer); Vorlage: Gleichnamiges Typoskript aus KN, undatiert [1933], 2 S.; wieder in: *Schriften 5.3*, S. 216-218.
732. Reise ans Ende der Nacht. In: FZ vom 9. 4. 1933, Nr. 267-269, Literaturblatt Nr. 15 (S. Kracauer); wieder in: *Schriften 5.3*, S. 218-223.
733. Farben, Farben ... In: FZ vom 14. 4. 1933, Nr. 280-282 (Kr.); wieder in: *Berliner Nebeneinander*, S. 143-147.
734. Literatur der Gegenwart. Deutsche Bücher. In: *Marianne* Jg. 1 (1933), Nr. 26 vom 19. 4. 1933, S. 4 (Krakauer).
735. »Blaubart in Flandern«. In: FZ vom 23. 4. 1933, Nr. 300-302, Literaturblatt Nr. 17 (Kr.).
736. Seminar im Café. In: FZ vom 29. 4. 1933, Nr. 316-318; Vorlage: Gleichnamiges Typoskript aus KN, undatiert [1933], 3 S. (G. Hellfried); wieder in: *Berliner Nebeneinander*, S. 66-69.
737. Goldgräberleben. In: FZ vom 7. 5. 1933, Nr. 336-338, Literaturblatt Nr. 19 (-er.).
738. Alltagsleben in Paris. In: FZ vom 7. 5. 1933, Nr. 336-338, Literaturblatt Nr. 19 (anonym).

739. Die deutschen Bevölkerungsschichten und der Nationalsozialismus. Typoskript aus KN, undatiert [1933], 12 S.; in französischer Übersetzung u. d. T. »Les classes de la population allemande et le national-socialisme« in: *L'Europe Nouvelle* Jg. 16 (1933), Nr. 797 vom 20. 5. 1933, S. 475-477, und Nr. 799 vom 3. 6. 1933, S. 523-525 (X. X. X.); wieder in: *Schriften 5.3*, S. 223-234.

740. Mit europäischen Augen gesehen ... In: *Das Neue Tage-Buch* Jg. 1 (1933), H. 2 vom 8. 7. 1933, S. 39-41 (S. Kracauer); wieder in: *Schriften 5.3*, S. 234-239.

741. Les Livres supprimés [Die unterdrückten Bücher]. Typoskript aus KN, undatiert [1933], 2 S.; in gleichnamiger französischer Übersetzung in: *Activités. Revue mensuelle internationale* Jg. 1 (1933), Nr. 3/4 (Juli/August), S. [108]-111 (KR.); wieder in: *Schriften 5.3*, S. 239-242.

742. Über die deutsche Jugend. Typoskript aus KN, undatiert [1933], 12 S.; in französischer Übersetzung u. d. T. »A propos de la jeunesse allemande« in: *L'Europe Nouvelle* Jg. 16 (1933), Nr. 811 vom 26. 8. 1933, S. 814-817 (X. X. X.); wieder in: *Schriften 5.3*, S. 243-252.

742a. Conclusions [Bestandsaufnahme]. Typoskript aus KN, undatiert [1933], 6 S.; in französischer Übersetzung u. d. T. »Inventaire« in: *Cahiers Juifs. Revue paraissant tous les deux mois* (1933), Nr. 5/6, S. 372-377 (Observer).

743. Deutsche Protestanten im Kampf. Typoskript aus KN, undatiert [1933], 2 S.; in französischer Übersetzung u. d. T. »Résistance de protestants allemands« in: *L'Europe Nouvelle* Jg. 16 (1933), Nr. 823 vom 18. 11. 1933, S. 1099 (X. X. X.); wieder in: *Schriften 5.3*, S. 253-255.

744. Eine intellektuelle Anpassung an den Hitlerismus. Französisches Original: Une adaptation intellectuelle à l'hitlérisme. In: *L'Europe Nouvelle* Jg. 16 (1933), Nr. 824 vom 25. 11. 1933, S. 1137-1140 (XXX); wieder in: *Schriften 5.3*, S. 255-262 (übers. von Brunhilde Wehinger und Inka Mülder-Bach).

745. Der enthüllte Kierkegaard. Druckfahne der FZ, undatiert [März/April 1933]; in: *Schriften 5.3*, S. 263-267.

746. Döblins neues Prosawerk. Druckfahne der FZ, undatiert [1933]; in: *Schriften 5.3*, S. 268-270.

747. Renoir. Typoskript aus KN, undatiert [1933], 3 S.

## 1934-1965

748. Franz Kafka. Zu seinem Roman »Der Prozeß«. Typoskript aus KN, mit dem französischen Untertitel »À propos de son roman: ›Le procès‹«, undatiert [1934], 3 S.; in französischer Übersetzung von Lucienne Astruc u. d. T. »L'Univers de Franz Kafka« in: *1934* Jg. 2 (1934), Nr. 17 vom 31. 1. 1934, S. 9 (S. Kracauer).

749. [Das neue »Gesetz zur Ordnung der nationalen Arbeit«]. Typoskript aus KN, undatiert [1934], 9 S.; in französischer Übersetzung u. d. T. »La nouvelle charte allemande du travail« in: *L'Europe Nouvelle* Jg. 17 (1934), Nr. 834 vom 3. 2. 1934, S. 119-122 (H. D.); wieder in: *Schriften 5.3*, S. 273-281.
750. Das neue deutsche Wirtschaftsgesetz. Typoskript aus KN, undatiert [1934], 5 S.; in französischer Übersetzung u. d. T. »La nouvelle loi allemande sur l'économie« in: *L'Europe Nouvelle* Jg. 17 (1934), Nr. 845 vom 21. 4. 1934, S. 420-422 (H. D.); wieder in: *Schriften 5.3*, S. 281-285.
751. Europäische Jugend. Typoskript aus KN, undatiert [1934], 9 S.; in gekürzter französischer Übersetzung u. d. T. »Jeunesses européennes« in: *L'Europe Nouvelle* Jg. 17 (1934), Nr. 861 vom 11. 8. 1934, S. 810-812 (H. D.); wieder in: *Schriften 5.3*, S. 285-293.
752. Leopold Sonnemann. Typoskript aus KN, undatiert [ca. 1934], 2 S.; in englischer Übersetzung veröffentlicht in: *Encyclopaedia of Social Sciences*. Hrsg. von Edwin R. A. Seligman und Alvin Johnson. Bd. 14. New York: Macmillan 1934, S. 257 f. (S. Kracauer).
753. Pariser Hotel. Typoskript aus KN, datiert (7. 11. 1936), 5 S.; in: *Schriften 5.3*, S. 293-296.
754. Silone. Typoskript aus KN, datiert (3. 12. 1936), 3 S.; wieder in: *Schriften 5.3*, S. 297-299.
755. »Über neue Musik«. In: *23. Eine Wiener Musikzeitschrift* Jg. 33 (1937), Nr. 31/33 vom 15. 9. 1937, S. 31-36 (S. Kracauer); Vorlage: Gleichnamiges Typoskript aus KN, undatiert [1937], 6 S.; wieder in: *Schriften 5.3*, S. 299-304.
756. Ein neuer Typus von Ausstellungen. In: *Das Werk* Jg. 25 (1938), H. 1 (Januar), S. 19-21 (S. Kracauer); Vorlage: Gleichnamiges Typoskript aus KN, datiert (13. 11. 1937), 5 S.
757. Kosmos der Wissenschaften – Konglomerat der Künste. In: *Das Werk* Jg. 25 (1938), H. 1 (Januar), S. 21-24 (S. K.); Vorlage: Gleichnamiges Typoskript aus KN, datiert (29. 11. 1937), 6 S.
758. Pariser Kunstchronik. In: *Das Werk* Jg. 25 (1938), H. 7 (Juli), S. 28 f. (S. K.); Vorlage: Gleichnamiges Typoskript aus KN, datiert (5. 6. 1938), 2 S.
759. Americana. Glossen zur Ausstellung: »Trois Siècles d'Art aux États-Unis«. In: *Das Werk* Jg. 25 (1938), H. 8 (August), S. 244-248 (S. Kracauer); Vorlage: Gleichnamiges Typoskript aus KN, datiert (6. 7. 1938), 10 S.; wieder in: *Schriften 5.3*, S. 304-312.
760. Tendenzen der europäischen Sozialgesetzgebung zwischen den Kriegen. Englisches Original: Trends in European Social Legislation Between the Two World Wars. In: *Political Science Quarterly* Jg. 60 (1945), Nr. 2 (Juni),

S. 303 f. (Siegfried Kracauer); Vorlage: Gleichnamiges (engl.) Typoskript aus KN, undatiert [1945], 2 S. (übers. von Jürgen Schröder).

761. Der Aufstand gegen die Rationalität. Englisches Original: The Revolt Against Rationality. In: *Commentary* Jg. 3 (1947), Nr. 6 (Juni), S. 586 f. (Siegfried Kracauer); wieder in: *Schriften 5.3*, S. 312-316 (übers. von Inka Mülder-Bach).

762. Eine mutige Dame. Englisches Original: A Lady of Valor. In: *Commentary* Jg. 4 (1947), Nr. 4 (Oktober), S. 394 f. (Siegfried Kracauer) (übers. von Jürgen Schröder).

763. [Diskussionsbeitrag: »Jüdische Kultur«]. Vorlage: Druckfahne aus *Commentary* ohne Titel, undatiert [Oktober 1947] (übers. von Jürgen Schröder).

764. [»Die Idee der Vollkommenheit in der westlichen Welt«]. Englisches Original: [Ohne Titel]. In: *Political Science Quarterly* Jg. 62 (1947), Nr. 4 (Dezember), S. 634 f. (Siegfried Kracauer) (übers. von Jürgen Schröder).

765. Umerziehungsprogramm für das Reich. Englisches Original: Re-education Program for the Reich. In: *New York Times Book Review* Jg. 53 (1948), Nr. 1 vom 4. 1. 1948, S. 6 und 18 (Siegfried Kracauer) (übers. von Jürgen Schröder).

766. Der teutonische Geist. Englisches Original: The Teutonic Mind. In: *New Republic* Bd. 118 (1948), Nr. 8 vom 23. 2. 1948, S. 23 f. (Siegfried Kracauer); wieder in: *Schriften 5.3*, S. 316-319 (übers. von Inka Mülder-Bach).

767. Psychiatrie für alles und jeden. Die gegenwärtige Mode und ihre Hintergründe. Englisches Original: Psychiatry For Everything and Everybody. The Present Vogue – and What is Behind It. In: *Commentary* Jg. 5 (1948), Nr. 3 (März), S. 222-228 (Siegfried Kracauer); Vorlage: The Vogue of Psychiatry. Typoskript aus KN, undatiert [1948], 13 S.; wieder in: *Schriften 5.3*, S. 319-331 (übers. von Inka Mülder-Bach).

768. Bewußtsein, frei und spontan. Englisches Original: Consciousness, Free and Spontaneous. In: *Saturday Review of Literature* Jg. 31 (1948), Nr. 26 vom 26. 6. 1948, S. 22 f. (Siegfried Kracauer); wieder in: *Schriften 5.3*, S. 331-334 (übers. von Inka Mülder-Bach).

769. [Albert Schweitzer: Zwei Goethe-Reden]. Englisches Original: ... And Schweizer's. In: *Saturday Review of Literature* Jg. 31 (1948), Nr. 27 vom 3. 7. 1948, S. 9 (Siegfried Kracauer) (übers. von Jürgen Schröder).

770. Festtag der Indologie. Englisches Original: Indologian Holiday. In: *Saturday Review of Literature* Jg. 31 (1948), Nr. 30 vom 24. 7. 1948, S. 15 f. (Siegfried Kracauer) (übers. von Jürgen Schröder).

771. Atmosphäre des Verhängnisses. Englisches Original: Climate of Doom. In: *New Republic* Bd. 120 (1949), Nr. 10 vom 7. 3. 1949, S. 24 f. (Siegfried Kracauer) (übers. von Jürgen Schröder).

772. Mittelalterlicher Herrscher. Englisches Original: Medieval Magnifico. In: *The New York Review of Books* Jg. 54 (1949), Nr. 14 vom 3. 4. 1949, S. 30 (Siegfried Kracauer) (übers. von Jürgen Schröder).

773. Bilderflut. Englisches Original: Deluge of Pictures. In: *The Reporter* Jg. 2 (1950), Nr. 3 vom 31. 1. 1950, S. 39 f. (Siegfried Kracauer); wieder in: *Schriften 5.3*, S. 334-338 (übers. von Inka Mülder-Bach).

773 a. Bilderflut. Englisches Original: Pictorial Deluge. In: *Trans/formation: Arts, Communication, Environment* Jg. 1 (1950), Nr. 1, S. 52 f. (Siegfried Kracauer); Vorlage: Gleichnamiges Typoskript, datiert (19. 11. 1949), 6 S. (übers. von Inka Mülder-Bach).

774. Zur Erinnerung an Adrienne Monnier [Rue de l'Odéon]. Typoskript aus KN, datiert (18. 10. 1955), 3 S.; in französischer Übersetzung u. d. T. »Rue de l'Odéon« in: *Mercure de France* Bd. 326 (Januar-April 1956), Nr. 1109 vom 1. 1. 1956 (= Sondernummer »Le Souvenir d'Adrienne Monnier«), S. [26]-28 (Siegfried Kracauer).

775. Zwei Deutungen in zwei Sprachen. In: *Ernst Bloch zu ehren*. Hrsg. von Siegfried Unseld. Frankfurt a. M.: Suhrkamp 1965, S. 145-155 (Siegfried Kracauer); Vorlage: Gleichnamiges Typoskript KN, datiert (6.-16. 1. 1965), 14 S.; Abschnitt II wieder in: *History. The Last Things Before the Last*. New York: Oxford Univ. Press 1969, S. 9-15; wieder in: *Schriften 4*, S. 20-25, und *Schriften 5.3*, S. 351-360, und *Werke*, Bd. 4, S. 17-22 (übers. von Karsten Witte, überarbeitet von Jürgen Schröder und Ingrid Belke).

# Nachbemerkung und editorische Notiz

Unter der Überschrift »Zertrümmerte Fensterscheiben« (Nr. 510) berichtete Siegfried Kracauer am 16. Oktober 1930 im Feuilleton der *Frankfurter Zeitung* von dem Scherbenhaufen, den nationalsozialistische Ausschreitungen gegen jüdische Geschäfte in der Leipziger Straße in Berlin hinterlassen hatten: »Es ist mir wieder einmal so geschehen wie bei vielen früheren Krawallen: ich bin zu spät gekommen, ich war nicht dabei. Immer wenn ein Tumult ist, ist er woanders. Ich sehe nicht die Steine, sondern die Scherben. Und mir bleibt nur übrig, als ein Friedensberichterstatter die Nachlese zu halten.« (5.3, S. 348). Der Beobachter, der sich hier zu Wort meldet, trägt eine Maske, die Kracauer sich häufig aufsetzte. Es ist die Maske des Nichtdazugehörigen, des Fremden. Hier tritt der Fremde als ein Zuspätgekommener auf, der das Frontereignis verpaßt hat und nun als Nachhut Nachlese hält. Scheinbar wahllos sammelt er auf: ein »Schild«, auf dem »›Vorsicht‹« geschrieben steht; »Bretter« und »Papierstreifen«, die die »Risse« vernageln und zukleben; »Glaser«, die »schon eifrig bei der Arbeit [sind]«; »Schupotruppen«, die eingreifen, wenn »ein Passant sich ansammeln will« und diesen »unverzüglich auseinander [jagen]«; »kleine Ladenmädchen«, die von benachbarten Häusern »zu ihrer Zerstreuung« auf die Polizisten herabsehen, welche das »Publikum« auf der Straße »zerstreuen« (5.3, S. 349). Während die Front weitergezogen ist, sammelt der Vertreter der Nachhut Indizien, die auf eine lautlose Implosion deuten. Nach und nach setzt sich aus dem Aufgelesenen die Szene einer anonymen Öffentlichkeit zusammen, die von sich selbst kein Bild und Bewußtsein hat. Sie gleicht darin den zertrümmerten Fensterscheiben, deren Bruchflächen nicht mehr »spiegeln« und in deren Mitte »ein kleines Loch [gähnt]« (5.3, S. 349).

Das Feuilleton »Zertrümmerte Fensterscheiben« bündelt wie in einem Brennglas zentrale Motive und Merkmale von Kracauers journalistischer Kurzprosa. Da ist zunächst die *persona* des Fremden, der seit den frühen zwanziger Jahren in unterschiedlichen Maskierungen auftritt: als ›Wartender‹, dessen Haltung von der Erfahrung einer Exilierung bestimmt ist, von dem »*Vertriebensein* aus der religiösen *Sphäre*« (5.1,

S. 384), als Detektiv und Indizienjäger, als Ethnograph und Entdecker eines inneren Auslands. Da ist zum zweiten das Verfahren der Lektüre, des Auflesens und Entzifferns, sowie der Blickwechsel, der mit der Beobachterposition verbunden ist. Nicht auf das, was im Zentrum der öffentlichen Aufmerksamkeit steht, richtet sich das Augenmerk, sondern auf vermeintlich Peripheres, nicht von den Ausschreitungen selbst wird berichtet, sondern von dem, was sich an den Rändern abspielt und deshalb häufig übersehen wird. Und da ist zum dritten der eigentümliche Befund, daß dieses Übersehene eben jene Sphäre ist, die hier in Form der öffentlichen Ordnungsmacht der Polizei, dem Straßenpublikum, das von dieser zerstreut wird, und den zuschauenden Ladenmädchen, die sich bei diesem Anblick zerstreuen, in Szene gesetzt wird: also die Sphäre der urbanen Öffentlichkeit. Diese Sphäre auszumessen, ihre Umbrüche zu erfassen und ihr im Medium der Zeitung zu einer öffentlichen Sichtbarkeit zu verhelfen: das ist einer der übergreifenden Impulse, von denen Kracauers hier in vier Teilbänden abgedruckte *Essays, Feuilletons und Rezensionen* bestimmt sind.

Untrennbar verbunden sind Kracauers journalistische Schriften mit der *Frankfurter Zeitung*, in der er – sieht man von einem isolierten Beitrag aus der Vorkriegszeit ab (vgl. Nr. 1) – 1920 zu publizieren begann und die ihn zum 1. September 1921 als festen Mitarbeiter mit Jahresgehalt einstellte. Nach der Entscheidung gegen den Architektenberuf und den von ihm selbst als »Wüstenwanderung«[1] bezeichneten philosophischen Studien der ersten Nachkriegsjahre trat er damit im Alter von 33 Jahren in die Redaktion der renommiertesten deutschsprachigen Zeitung ein, dem »bedeutendsten deutschen Weltblatt« (5.4, S. 528), wie er es 1934 in einem Lexikonartikel über ihren Gründer, den jüdischen Bankier und Politiker Leopold Sonnemann, formulierte. Unter der Leitung Sonnemanns, nach dessen Tod sein Enkel Heinrich Simon das Blatt übernahm, wurde die *Frankfurter Zeitung* in der wilhelminischen Epoche zu dem führenden Organ der bürgerlich-liberalen Opposition. Nach 1918 der Deutschen Demokratischen Partei nahestehend, förderte sie in der frühen Weimarer Zeit den Selbstverständigungsprozeß über eine zivile Gesellschaft und die Grundlagen eines demokratischen Rechts- und Sozial-

1 Brief von Kracauer an Margarete Susman vom 22. November 1920, Nachlaß Margarete Susman (DLA).

staats. Obwohl sie fernab von der Zeitungshauptstadt Berlin hergestellt wurde und ihre Auflage nie die Höhe vergleichbarer bürgerlicher Konkurrenzblätter erreichte, galt sie als eine »politische, gesellschaftliche und geistige Institution«.[2] Das außerordentliche Renommee, das die *Frankfurter Zeitung* auch im Ausland genoß, gründete sich traditionell vor allem auf die umfassende Berichterstattung in den Bereichen Politik und Handel. Diese erfolgte täglich in drei verschiedenen und durch zahlreiche Beilagen (Literaturblatt, Technisches Blatt, Bäder-Blatt bzw. Reiseblatt, Hochschulblatt, Stadt-Blatt usw.) ergänzten Ausgaben (in der Regel: Erstes Morgenblatt, Zweites Morgenblatt und Abendblatt) und wurde von einem Netz agenturunabhängig arbeitender Korrespondenten getragen. Daß die Spalten »unter dem Strich«, d. h. unter dem Querbalken, der das Feuilleton bis 1930 optisch von dem Hauptteil absetzte, in den zwanziger Jahren zu ähnlichem Ansehen gelangten, verdankte sich einer programmatischen Neuausrichtung des Ressorts, an der Kracauer maßgeblichen Anteil hatte.
Die Palette seiner Aufgaben war in den ersten Jahren bunt gemischt. Sie umfaßte vor allem Ereignisse und Themen, die von lokalem Interesse waren und über die in der Rubrik »Frankfurter Angelegenheiten« ab Mitte 1922 auch in dem neu eingerichteten Stadt-Blatt berichtet wurde: Vorträge, Reden und Diskussionsabende, Versammlungen der Frankfurter Stadtverordneten, Gründungen und Veranstaltungen von Vereinen und Verbänden usw. Seine Expertise in und Interesse an Fragen der Architektur brachte er in Rezensionen und Anzeigen entsprechender Neuerscheinungen sowie in Artikeln über Messen, Ausstellungen und Frankfurter Bauprojekte zur Geltung, seine philosophische und soziologische Kompetenz in Buchbesprechungen sowie ausführlichen Berichten über die vielfältigen Reformbestrebungen der Zeit. Zusammen mit den ersten Filmanzeigen deuten Hinweise auf Detektivromane, Feuilletons über das »Stadtbild« (Nr. 110) und das »Straßenbild« (Nr. 122), Berichte über Varietés usw. auf Erweiterungen der Aufmerksamkeit. Daneben erschienen die ersten größeren Essays, in denen Kracauer auf der Basis seiner philosophischen und soziologischen Studien und seiner Auseinandersetzung mit den religiösen Erneuerungsbewegungen der Epoche zu Zeit-

2 Ernst Erich Noth, *Erinnerungen eines Deutschen*. Erstes Buch. Die deutschen Jahre. Frankfurt a. M.: Glotzi 2009, S. 275.

diagnosen und Standortbestimmungen des Intellektuellen zu gelangen suchte.

Im Jahr 1924 übernahm Benno Reifenberg zunächst informell – 1926 dann offiziell – als Nachfolger Paul Gecks die Leitung des Feuilletons. Im selben Jahr wurde Kracauer zum Vollredakteur befördert, sicherte sich gegen interne Konkurrenz die Filmkritik und konnte einen Großteil der Lokalberichterstattung abgeben. Dieses Revirement schaffte die Voraussetzung für eine Modernisierung des Feuilletons, die bei Kracauer Hand in Hand ging mit einem Studium des Marxismus und einer zunehmenden Annäherung an Positionen der materialistischen Gesellschaftstheorie. Wer aus seiner Feder Bestandsaufnahmen »Zur religiösen Lage in Deutschland« (Nr. 217) zu lesen gewohnt war, findet nun Grotesken über »Regenschirme« (Nr. 277), »Hosenträger« (Nr. 314) und »Monokel« (Nr. 320), die die Hinterlassenschaften eines verschollenen Bürgertums ironisch inventarisieren. »Wahrheit« wird mit »Aktualität« verschränkt und im »›gemeinen‹ öffentlichen Leben« (5.2, S. 378) verortet, »Wirklichkeit«, der emphatische Such- und Sehnsuchtsbegriff von Kracauers frühen Schriften, an das »Wirkliche der sichtbaren Äußerlichkeit« (5.2, S. 385) zurückgebunden, an die »wirtschaftlichen und sozialen Machtverhältnisse [...], die bis in die letzten Verzweigungen hinein die geistige Struktur der heutigen Gesellschaft bedingen« (5.2, S. 377). Die Kritik an der »durchrationalisierten zivilisierten Gesellschaft« (*Werke*, Bd. 1, S. 107) wird ökonomisch fundiert und in das geschichtsphilosophische Narrativ einer Entmythologisierung überführt, die an der Rationalität des kapitalistischen Wirtschaftssystems zu scheitern droht. Kracauer konfrontiert »die sogenannten Bildungsschichten«, aus denen die Zeitung ihre Leserschaft rekrutierte, mit jener Massenkultur, bei der sie »mitspeisen oder snobistisch abseits sich halten [müssen]« (*Werke*, Bd. 6.1, S. 210): mit Populärliteratur und Illustrierten, mit Photographie und Film, mit Kabarett, Revue und Varieté, Tourismus und Tanz. An Szenen und Konfigurationen der alltäglichen Merkwelt arbeitet er moderne Wahrnehmungs- und Erfahrungsformen heraus, läßt Bewegungen, Umbrüche und Risse im sozialen Gefüge transparent werden. Seine Feuilletons und Essays sind dem auf der Spur, was Roland Barthes vier Jahrzehnte später als »Mythen des Alltags« bezeichnete. Anregungen Georg Simmels aufgreifend, der die Formel von der »soziologischen Tatsache« prägte, »die sich räumlich formt«,[3] antizipieren sie zugleich, was heute als »topographical turn« bezeichnet wird. Kracauer liest städtische Topographien als Texte und Träume, er entziffert ihre Straßen, Plätze und Räume als »Oberflächenäußerungen« (5.2, S. 612) und materiale »Hieroglyphe«, die »ohne die störende Dazwischenkunft des Bewußtseins« vom »Grund der sozialen Wirklichkeit« (*Werke*, Bd. 6.3, S. 252) zeugen. Er durchschweift die urbanen Milieus in Frankreich, vor deren Folie sich Besonderheiten der gesellschaftlichen Situation in Deutschland abheben. Darüber hinaus tritt er ab Mitte der zwanziger Jahre als Literaturkritiker in Erscheinung, der dem Publikum Werke vor allem der deutschsprachigen, französischen und amerikanischen Moderne vermittelt und über literarische Entwicklungen in der Sowjetunion berichtet. Untrennbar verbunden ist diese beispiellose Erweiterung des Spektrums mit neuen Textsorten. »Hätte man nur einen Namen für die neue Form«,[4] heißt es 1926 in einem Brief von Ernst Bloch, der zusammen mit Kracauer und Walter Benjamin zu einem ihrer Meister wurde. So wie die neue Form des philosophischen Schreibens »keine mehr ist« und »vor allem die Gewalt ihr Gelingens daran hat, keine zu bleiben«,[5] so hat sich für sie bis heute kein rechter Name gefunden.

Die konzeptuelle Neuausrichtung des Feuilletons, die Kracauer ab Mitte der zwanziger Jahre vorantrieb, betrifft das Verhältnis des Journalismus sowohl zur literarischen Kultur als auch zur wissenschaftlichen Fachkultur. Gerade weil er wie kaum ein anderer Schriftsteller der zwanziger Jahre an allen drei Kulturen partizipierte, hat Kracauer die öffentliche Auseinandersetzung über deren Verhältnis gesucht. Während er auf der einen Seite Berichte aus dem Alltag forderte, die »hart, kalt und unbestechlich zur Gegenwart« halten (5.3, S. 121) und neusachliche Fiktionalisierungen von »Faktizität« auf die Möglichkeit der journalistischen Form des »Tatsachenberichts« bzw. einer »sächlichen Reportage« verwies (5.3, S. 113), hat er andererseits nicht nur in seinem in der FZ vorabgedruckten Roman *Ginster* (1928, vgl. *Werke*, Bd. 7) den

3 Georg Simmel, »Soziologie des Raums« (1903). In: GSG 7, S. 132-183, Zitat S. 141.
4 Ernst Bloch, *Briefe 1903-1975*. Hrsg. von Karola Bloch u. a. Frankfurt a. M.: Suhrkamp 1985, Bd. 1, S. 278 (Brief von Bloch an Kracauer vom 6. Juni 1926).
5 Ebd.

Spielraum einer genuin literarischen Gestaltung ausgelotet, sondern als Literaturkritiker auch die Grenzen des Kritisierbaren markiert. Seine großen Aufsätze zu den Romanen und Erzählungen Franz Kafkas (vgl. u.a. Nr. 225, 318, 386 und 588) sind dafür das eindrücklichste Beispiel. Gleichzeitig hat Kracauer die Diskussionen insbesondere innerhalb der Soziologie und Philosophie weiterverfolgt und die Tendenz zum Rückzug in scheinbar abgegrenzte Fachgebiete mit zunehmender Schärfe kritisiert. 1931 hält er den Spezialisten vor, aus strukturellen Gründen »auf nahezu allen lebenswichtigen Gebieten« zu »versagen«: »In einer Situation wie der gegenwärtigen, in der die Spezialprobleme nicht einem verhältnismäßig gesicherten Untergrund entwachsen, sondern das gesamte Daseinsfundament selber ins Wanken geraten ist, erweisen sie [die Spezialisten] sich als unfähig dazu, jene Beziehung zwischen den speziellen und den allgemeinen Fragen anzubahnen, durch die allein sie den Anforderungen ihres Ressorts Genüge leisten könnten.« (5.3, S. 707 f.) Gegen die Partikularisierung des Wissens und die damit verbundene Vertiefung der Kluft zwischen Experten- und Alltagskultur definiert er es als Aufgabe eines richtig verstandenen Spezialistentums, die jeweiligen fachlichen »Besonderheiten sinnvoll in ein ihnen zugeordnetes Allgemeines zu verlängern« und umgekehrt »dieses Allgemeine mit Rücksicht auf das Besondere zu durchdenken« (5.3, S. 711).

Der Versuch, das Feuilleton zum Forum eines solchen Denkens zu machen, war auch mit dem Anspruch verknüpft, die Funktion und das Gewicht des Ressorts innerhalb der Zeitung stärker zur Geltung zu bringen. »[...] wir befinden uns«, schrieb Benno Reifenberg im Juli 1929, »in einem Zustande, der vor aller Kritik liegt« und der folglich im Medium der Kritik an »dem gegebenen, dem vorgeformten Thema« nicht erfaßt werden kann. Die Aufgabe des Feuilletons bestehe vielmehr darin, eine »große Bestandsaufnahme unserer Zeit« vorzunehmen, zu erkunden, »wie die Substanzen der Gegenwart gelagert« sind, und auf diese Weise »den Raum« anzuzeigen, »in dem überhaupt Politik gemacht werden kann.«[6] Wie Kracauer sich dieser Aufgabe stellte, zeigt 1929/30 seine

6 Benno Reifenberg, »Gewissenhaft«. In: FZ vom 1. 7. 1929, Beilage: Für Hochschule und Jugend; vgl. hierzu Almut Todorow, »›Wollten die Eintagsfliegen in den Rang höherer Insekten aufsteigen?‹ Die Feuilletonkonzeption der ›Frankfurter Zeitung‹ während der Weimarer Republik im redaktionellen Selbstverständnis«. In: *Deut-*

Studie über *Die Angestellten* (*Werke*, Bd. 1). Mehr als nur exemplarisch gelang es ihm hier, im Medium des Journalismus einen genuinen Beitrag zur Erkenntnis der gesellschaftlichen Wirklichkeit zu leisten. Mitte der zwanziger Jahre hatte Kracauer die Masse großstädtischer Angestellter als *»homogenes Weltstadt-Publikum«* (*Werke*, Bd. 6.1, S. 210) im Reflex ihrer Leitmedien, Vergnügungen und Unterhaltungsstätten wahrgenommen. Nun fokussiert er dieses Massenpublikum selbst, differenziert seine Träger und erkundet die Arbeitswelten, alltäglichen Milieus und Mentalitäten seiner verarmten Schichten. Öffentlichkeit fungiert dabei sowohl als Objekt wie als Medium und Adressat seiner Analysen. Denn die »öffentlichen Zustände«, die Kracauer in das »Licht der Öffentlichkeit« (*Werke*, Bd. 1, S. 218) rückt, betreffen diese selbst: Es sind die Zustände einer diffusen, sozial heterogenen und ideologisch ›obdachlosen‹ Zwischenschicht, die in Berlin zur prägenden Macht des »öffentlichen Lebens« geworden ist (ebd., S. 221).
Die Studie über die Angestellten formuliert eine »Diagnose«, die krasse »Konstruktionsfehler« (5.2, S. 361) im gesellschaftlichen Gefüge ebenso wie die »unmerkliche Schrecklichkeit« (*Werke*, Bd. 1, S. 304) des Alltags herausarbeitet. Sie hat keine »Rezepte« zu bieten, doch drängt sie auf »Veränderung« (ebd., S. 213). Redaktionsinterne Widerstände gegen diese Impulse blieben nicht aus. Daß der Vorabdruck der *Angestellten* im Feuilleton der FZ umstritten war und erst freigegeben wurde, nachdem der Text »Satz für Satz im Handelsteil zensuriert«[7] worden war, zeigt an, wie die tatsächlichen Kräfteverhältnisse innerhalb der Zeitung beschaffen waren. Abhängig war allerdings nicht nur das Feuilleton, in Abhängigkeit geraten war die *Frankfurter Zeitung* insgesamt. Bedingt durch den Schwund ihrer traditionellen bürgerlich-liberalen Leserschicht und den dramatischen Rückgang des Anzeigengeschäfts, geriet sie Mitte der zwanziger Jahre in eine schwere ökonomische Krise. Um den drohenden Bankrott abzuwenden, verkaufte Heinrich Simon 1929 in einer kaschierten Transaktion 49 % des Familienunternehmens an die

*sche Vierteljahrsschrift für Literaturwissenschaft und Geistesgeschichte* 62 (1988), S. 697-740, bes. S. 735-737; Helmut Stalder, *Siegfried Kracauer.* Das journalistische Werk in der »Frankfurter Zeitung« 1921-1933. Würzburg: Königshausen und Neumann 2003, bes. S. 99-101.

7 Brief von Kracauer an Friedrich Traugott Gubler vom 13. Dezember 1929 (KN).

Finanzgesellschaft Imprimatur GmbH, die personell und finanziell aufs engste mit dem Großkonzern I. G. Farben verflochten war.[8] In der Folgezeit kam es zu Umbesetzungen auf wichtigen Posten. Bernhard Guttmann, der langjährige Leiter des Berliner Büros, ging 1930 vorzeitig in den Ruhestand, der renommierte Wirtschaftsexperte Arthur Feiler, der zusammen mit Kracauer den linken Flügel der Redaktion repräsentierte, wurde 1931 entlassen. Zu Guttmanns Nachfolger wurde der konservative Rudolf Kircher ernannt, der maßgeblich daran beteiligt war, daß die FZ ab 1932 das Konzept einer »Zähmung« Hitlers durch seine Einbindung in eine reaktionäre Regierungskoalition propagierte. Ob und inwieweit die neuen Mitinhaber bei dem Revirement im Feuilleton ihre Hand im Spiel hatten, ist bis heute ungeklärt. Benno Reifenberg ging 1930 für zwei Jahre als Korrespondent nach Paris und wurde nach seiner Rückkehr Mitglied der politischen Redaktion. Niemand wäre für seine Nachfolge als Feuilletonleiter qualifizierter gewesen als Kracauer. Statt dessen holte man aus der Schweiz den journalistisch unerfahrenen Geschäftsführer des Schweizer Werkbundes, Friedrich Traugott Gubler, während Kracauer im April 1930 als Nachfolger Bernhard Brentanos die Leitung des Berliner Feuilletons übernahm. Das hat zeitgenössische Beobachter und Freunde wie Theodor W. Adorno und Ernst Bloch überrascht und beunruhigt. Auch Kracauer deutet gegenüber Gubler – den er gefördert hatte, der seinen Rat suchte und mit dem er über 1933 hinaus freundschaftlich verbunden blieb – an, daß die »lange Entwicklung«, die zu dieser Entscheidung führte, nicht ohne Konflikte verlief. Aber er hielt seinen Wechsel, nachdem die Würfel gefallen waren, im »Zeitungsinteresse« und »im Interesse der kulturellen Gesamtsituation« für »geboten«[9] und fühlte sich in Berlin an der richtigen Stelle.

Von seiner Expedition in das »Unbekannte Gebiet« der Angestellten war Kracauer nicht nur mit der Überzeugung zurückgekehrt, daß das marxistische Klassenmodell nicht ausreicht, um die Folgen des durch

8 Vgl. hierzu ausführlicher und mit unterschiedlichen Einschätzungen der Vorgänge u. a. Wolfgang Schivelbusch, *Intellektuellendämmerung*. Zur Lage der Frankfurter Intelligenz in den zwanziger Jahren. Frankfurt a. M.: Insel 1982, S. 42-62; Günther Gillessen, *Auf verlorenem Posten*. Die Frankfurter Zeitung im Dritten Reich. Berlin: Siedler 1986, S. 44-75.

9 Brief von Kracauer an Gubler vom 30. November 1930 (KN).

Krieg, Inflation, ökonomisch-technische Rationalisierung und Wirtschaftskrise bedingten, tiefgreifenden gesellschaftlichen Strukturwandels der zwanziger Jahre angemessen zu beschreiben. Er fand sich in einer Intuition bestätigt, die er in seinen Bemerkungen zu dem *menu peuple* in Frankreich schon verschiedentlich angedeutet hatte. Was Kracauer in Frankreich immer wieder glaubte beobachten zu können, war die relative Autonomie einer sozialen und kulturellen Sphäre, deren traditionell geprägtes Geflecht von Verhaltensmustern, Werthaltungen und Kommunikationsformen sich bis zu einem gewissen Grad unabhängig von Politik und Wirtschaft behauptete. Ein dichtes Netz von Konventionen entlastete den Einzelnen, gewährte ihm aber dank seiner relativen Stabilität zugleich individuellen Spielraum. Das Scheitern der bürgerlichen Revolutionen in Deutschland hatte zur Folge, daß sich diese Sphäre – die Kracauer auch emphatisch »Gesellschaft« (5.2, S. 545) nennt – nie herausbilden konnte. Damit aber fehlte nach seiner Beobachtung jene Pufferzone, welche die Auswirkungen politischer und ökonomischer Krisen auf das Alltagsleben hätte abfangen oder abdämpfen können. Wenige Wochen vor den Septemberwahlen 1930 – auf deren Ausgang er in einem politischen Leitartikel, dem Appell »Die geistige Entscheidung des deutschen Unternehmertums« (Nr. 502), Einfluß zu nehmen versuchte – schrieb Kracauer aus dem Ferienort St. Malo an Adorno: »Im übrigen ist der Horizont umdüstert: die Lage in Deutschland ist mehr als ernst; auch für die Zeitung. Wir werden 3-4 Millionen Arbeitslose haben und ich sehe keinen Ausweg. Es waltet ein Verhängnis über diesem Land und ich weiß genau, daß es nicht nur der Kapitalismus ist. Daß dieser bestialisch werden kann, hat keineswegs ökonomische Gründe allein. (Wie sollte ich sie formulieren können? Ich bemerke nur immer wieder in Frankreich, an dem es doch gewiß viel zu kritisieren gibt, was alles bei uns zerstört ist: der primitive Anstand, die ganze gute Natur und mit ihr jedes Vertrauen der Menschen ineinander.) Da aber bei uns eine Revolution nicht, wie in Rußland vielleicht, ein unverbrauchtes ›Volk‹ ankurbeln würde, glaube ich auch nicht an die Heilkräfte des Umsturzes. Ich erkenne nur ein allgemeines Schlamassel und beinahe wäre mir am liebsten, es könnte noch so fortgewurstelt werden.«[10]

10 Theodor W. Adorno, *Briefe und Briefwechsel*. Hrsg. vom Theodor W. Adorno Archiv, Bd. 7: *Theodor W. Adorno, Siegfried Kracauer, Briefwechsel 1923-1966*. Hrsg.

Es ist dieses »Verhängnis«, gegen das Kracauer in seiner Berliner Zeit anschreibt. Der Ton seiner Aufsätze wird dringlicher, ihre Frequenz noch dichter, mehrere große Artikel pro Woche werden zur Regel. Ausgestattet mit einem seismographischen Gespür für gesellschaftliche Erschütterungen, fängt er die »Signale« von alltäglichen Figuren, Begebenheiten, Dingen, Wörtern und Szenen auf, die »wie die Masten gesunkener Schiffe über die spiegelglatte Oberfläche hinausragen« (5.3, S. 588). Sie sprechen von Not, Elend und Brutalisierung, aber auch von einer Preisgegebenheit, die er mit verhaltenem Pathos als eine existentielle kennzeichnet. Der investigative Zug seiner Berichterstattung verstärkt sich. Kracauer sucht Arbeitsämter, Wärmehallen, Waisenhäuser und Beratungsstellen auf; er begibt sich in Gerichte, Schalterhallen, Bahnhöfe, Kaufhäuser und Leihbibliotheken; er berichtet von Prozessen, Demonstrationen, Autorenbörsen, Messen und Ausstellungen; er analysiert Anzeigen und Werbungen, den Tag des Buchs, statistische Darstellungsformen und den Wettbewerb um das »Blaue Band der Höflichkeit« für Verkaufspersonal (vgl. Nr. 517). Neben dem Film lenkt er die Aufmerksamkeit auf andere Leitmedien der Öffentlichkeit. In der von ihm konzipierten Reihe »Wie erklären sich große Bucherfolge« widmet er dem Bestseller eine bahnbrechende Folge literatursoziologischer Aufsätze (vgl. Nr. 542, 555, 573), in denen er Aufschluß über die Mentalität des Lesepublikums gewinnt. Zugleich beschäftigt er sich verstärkt mit der Macht des Rundfunks und versucht, gegen die »Reaktion« (vgl. Nr. 712) zu mobilisieren, die sich in ihm durchsetzt. Darüber hinaus stehen die Berliner Jahre im Zeichen eines verzweifelten Kampfes gegen die faschistischen Tendenzen der »deposseдierten Mittelschichten« (5.3, S. 731) und gegen ihre nationalrevolutionären Wortführer etwa im »Tat«-Kreis (vgl. u. a. Nr. 615) und im Umkreis Ernst Jüngers (vgl. u. a. Nr. 682).
Konflikte mit der Leitung der *Frankfurter Zeitung*, die der politischen Reaktion mit einer, wie es in Kracauers Roman *Georg* heißt, »außerordentlichen Elastizität« (*Werke* 7, S. 503) begegnete, Konflikte insbesondere mit Kircher, der »Hitler [streichelte]« und »sich den Arbeitermassen gegenüber nicht einmal immer wohlwollend neutral [verhielt]«,[11] waren

von Wolfgang Schopf. Frankfurt a. M.: Suhrkamp 2008, S. 246 (Brief von Kracauer an Adorno vom 24. August 1930).

11 Brief von Kracauer an Reifenberg vom 12. Februar 1933 (KN).

vorprogrammiert und eskalierten 1931. Artikel wurden abgelehnt oder zensiert, Honorare verschleppt, Kracauers Gehalt und Zeilenhonorar wurden so gekürzt, daß er sich von nun an in einem »von der Zeitung aufgenötigten Existenzkampf«[12] befand. Im Dezember 1931 teilte die FZ ihm mit, daß sie seine Dienste nicht mehr voll in Anspruch nehmen könne, sein bereits reduziertes Gehalt halbieren müsse und er sich nach einem regelmäßigen Nebenerwerb umsehen solle. Das war, wie alle Beteiligten wußten, leichter gesagt als getan. Kracauer brachte zwar vor allem Film-Aufsätze vereinzelt in anderen Zeitschriften unter, er bemühte sich auch um Aufträge beim Rundfunk,[13] zu einer regelmäßigen Mitarbeit ist es nach 1930 aber nur in der *Neuen Rundschau* gekommen.[14] Das lag auch daran, daß die *Frankfurter Zeitung* den von ihr verordneten Nebenerwerb kontrollierte. Mit dem zynischen Argument, daß er »der Exponent des Feuilletons«[15] sei, verbot sie ihrem bereits halb geschaßten Redakteur, in der *Weltbühne* zu schreiben, von der Kracauer immer wieder umworben wurde. Statt dessen drohte sie ihm mit seiner Auslieferung an den po-

12 Brief von Kracauer an Gubler vom 27. Oktober 1931 (KN).

13 In KN findet sich ein auf den 19. April 1932 datierter und von Rundfunkseite unterschriebener Vertrag zwischen den Autoren Kracauer und Friedrich Burschell einerseits und der Funk-Stunde A. G. (siehe Nr. 534, Anm. 3) andererseits. Der Vertrag hält fest, daß die »Autoren [...] der Funk-Stunde A. G. die ihnen zustehende Berechtigung [übertragen], ihren Querschnitt ›*Kollektive früher und jetzt*‹ durch Rundfunk [sic] zu senden«. Der Sendetermin stand laut Vertrag zum Zeitpunkt des Abschlusses »noch nicht fest«, doch gelangten die Honorare »bereits zur Auszahlung«. Das Sendemanuskript bzw. Typoskript ist nicht in KN erhalten, auch die Sendung selbst konnte nicht nachgewiesen werden.

14 Die Mitarbeit begann mit der Besprechung des Films DER BLAUE ENGEL (vgl. *Werke*, Bd. 6.2, Nr. 608), die im Juni 1930 erschien. Bereits zwei Jahre zuvor hatte Kracauer eines der Hefte der Zeitschrift begutachtet und Vorschläge zur Reorganisation gemacht. In KN finden sich drei entsprechende Typoskripte: ein undatiertes Blatt »Zu dem Märzheft der ›Neuen Rundschau‹«; ein auf den 12. Mai 1928 datiertes Typoskript »Neue Rundschau. Teil meiner Vorschläge« (4 S.) und ein »Exposé zur Reorganisation der NEUEN RUNDSCHAU (N.R.)« (4 S.) vom 18. Juli 1928. In wessen Auftrag Kracauer diese Vorschläge ausarbeitete – in dem der Zeitschrift bzw. ihres Herausgebers Rudolf Kaysers oder in dem des S. Fischer Verlags, mit dem er zur selben Zeit erfolgreich über die Publikation des *Ginster* verhandelte –, ließ sich bislang nicht zweifelsfrei ermitteln.

15 Brief von Kracauer an Gubler vom 23. Januar 1931 (KN).

litischen Gegner. So verhandelte die Zeitung über seinen Kopf hinweg »ausgerechnet mit der Ufa«, um ihn für ein Jahr an den Hugenberg-Konzern ›auszuleihen‹, der auf diese Weise den schärfsten Kritiker seiner Filmproduktion »mundtot« gemacht hätte.[16]
Über das Prekäre seiner Position hat Kracauer sich kaum Illusionen gemacht. Sein Aufsatz »Über den Schriftsteller« (Nr. 574), der, wie andere programmatische Erklärungen nach 1930, statt in der FZ in der *Neuen Rundschau* erschien, ist nicht nur eine Antwort auf den von ihm sehr kritisch kommentierten Vortrag Sergej Tretjakovs »Der neue Typus des Schriftstellers« (vgl. Nr. 554). Er bilanziert auch eigene Erfahrungen. Lakonisch konstatiert Kracauer, daß der Journalist und der Schriftsteller »unter dem Druck der ökonomischen und sozialen Verhältnisse beinahe die Rollen [vertauschen].« In demselben Prozeß, in dem jener durch die Beschränkung »freier journalistischer Meinungsäußerung« in der »vom Kapital abhängigen Presse« der »Funktion, verändernd in die Zustände einzugreifen, spürbar enthoben [wird]«, übernehme »ein *neuer Typus von Schriftstellern*« die Aufgabe des Journalisten (5.3, S. 579). »Statt kontemplativ verhalten sie sich politisch; statt das Allgemeine über dem Besonderen zu suchen, finden sie es im Gang des Besonderen; statt Entwicklungen zu verfolgen, erstreben sie Abbrüche.« (5.3, S. 580) Kracauer hat das Feuilleton für diese Schriftsteller offen gehalten und sie durch Rezensionen und Vorabdrucke nach Maßgabe seiner Möglichkeiten gefördert. Er selber ist aber nicht »unter die Schriftsteller gegangen, um seiner Journalistenpflicht zu genügen« (5.3, S. 580) – auch wenn der Aufsatz nahelegt, daß er einen solchen Schritt erwogen hat –, sondern bis zum bitteren Ende, bis zu seinem »Hinauswurf«,[17] bei der *Frankfurter Zeitung* geblieben.
Den brennenden Reichstag hat Kracauer noch gesehen (vgl. Nr. 727). Von Heinrich Simon telegraphisch gewarnt, reiste er wenige Stunden später mit seiner Frau fluchtartig aus Berlin ab. Nach einer Zwischenstation in Frankfurt, wo er mit Reifenberg und kurz auch mit Simon zusammentraf, fuhr er mit dem Auftrag, das dortige Büro zu unterstützen und der Aussicht, den Korrespondenten-Posten von Friedrich Sieburg zu übernehmen, weiter nach Paris. Simon hatte Kracauer bereits im Ok-

16 Brief von Kracauer an Bernhard Guttmann vom 1. Januar 1932 (KN).
17 Brief von Kracauer an (seinen Anwalt) Selmar Spier vom 21. Mai 1933 (KN).

tober 1932 erklärt, daß er »über kurz oder lang mit seiner Versetzung nach Paris rechnen könne«, und Reifenberg, der 1932 nach Frankfurt zurückgekehrt war, hatte Kracauer versichert, daß dieser Plan »immer weiter verfolgt« würde.[18] Darauf stützte Kracauer seine Erwartung, seine Tätigkeit für die Zeitung in Paris fortsetzen zu können. Bereits vier Wochen später, am 5. April 1933, erreichte ihn eine verklausulierte Kündigung, die juristisch keine war – so daß auch kein Kündigungsschutz geltend gemacht werden konnte –, durch die nochmalige drastische Reduktion seiner Bezüge aber de facto auf eine solche hinauslief. Die Bestätigung durch den Verlag der Frankfurter Societäts-Druckerei erfolgte am 25. August 1933; zum Vorwand wurde seine Mitarbeit an Leopold Schwarzschilds Exilzeitschrift *Das Neue Tage-Buch* (vgl. Nr. 741 sowie *Werke*, Bd. 6.3, Nr. 714 und 715) genommen.

Wie viele andere emigrierte Schriftsteller befand Kracauer sich fortan auf der Suche nach Publikationsmöglichkeiten, um ein Existenzminimum zu sichern. Im ersten Exiljahr war er Mitarbeiter der von Louise Weiss herausgegebenen Zeitschrift *L'Europe Nouvelle*, in der er mehrere Rezensionen und eine Folge von Analysen über das nationalsozialistische Deutschland veröffentlichte (vgl. Nr. 739, 742, 743, 744, 749, 750 und 751 sowie *Werke*, Bd. 6.3, Nr. 716). Sieht man von der Filmberichterstattung für die *Basler National-Zeitung* und die *Neue Zürcher Zeitung* in den Jahren 1936 bis 1941 ab, stellt diese Artikelfolge die letzte zusammenhängende journalistische Äußerung Kracauers dar. Zwar hat er sowohl in der Pariser Zeit als auch nach 1941 in den USA noch eine Vielzahl vereinzelter Aufsätze veröffentlicht. Doch einer kontinuierlichen publizistischen Tätigkeit wurde 1933 der Boden entzogen.

Ob journalistische Texte, die vom Tag handeln, mit dem Tag vergehen, ist eine der Fragen, an denen in den zwanziger Jahren das Verhältnis zwischen Literatur und Journalismus neu austariert wurde. Kracauer war in dieser Frage gelassen. Gelegentlich klagte er darüber, daß er seine »Kraft für Artikel und Aufsätze [opfere], die zum größeren Teil nicht über die Zeitung hinaus leben werden«, obwohl er »derartige Sachen« nicht »mit der linken Hand«, sondern »mit der gleichen Liebe [schrei-

18 Brief von Kracauer an Reifenberg vom 20. März 1933 (KN).

be]« wie seine Romane.[19] In der Rezension einer Aufsatzsammlung des langjährigen Herausgebers der *Neuen Bücherschau*, Günther Pohl, bemerkte er: »So gut ich verstehen kann, daß man das Produkt seiner Arbeit nicht gerne in Zeitungen und Zeitschriften untergehen lassen will: den einzelnen Artikeln selber geschieht beinahe ein Unrecht, wenn man ihnen die Würde von Essays oder Buchkapiteln verleiht. Denn ihre Bestimmung ist nicht, dauernde Wirkungen zu entfalten, sondern die Auseinandersetzung mit der Aktualität im aktuellen Interesse. [...] Ehe ein Schriftsteller seine auseinanderliegenden Arbeiten sammelt, sollte er erst genau prüfen, ob sie ihre alte Schlagkraft bewahren, wenn sie in geschlossener Phalanx marschieren.« (5.4, S. 22) Was das Ergebnis einer solchen Prüfung angeht, war Kracauer zumindest im Hinblick auf seine Aufsätze der Berliner Zeit zuversichtlich. »Ein wesentlicher Teil der Zeitungsartikel«, schreibt er 1930 in einem Brief an Adorno, »wird nach einheitlichen Gesichtspunkten verfaßt, so daß er mit dem Tag nicht verloren geht.«[20] Einen ersten Anlauf zu einer Buchveröffentlichung von Feuilletons unternahm Kracauer in Zusammenarbeit mit dem Verlag Bruno Cassirer, für den er 1933 ein »Straßen-Buch« mit insgesamt 41 Texten zusammenstellte (siehe Abb. 3). Die Publikation wurde von den Ereignissen überholt. Als der Verlag ihm das Manuskript zurückschickte, war der Autor bereits nach Paris geflohen. Knapp zwanzig Jahre später fiel es ihm in New York wieder in die Hände, und er griff das alte Projekt auf: »Noch heute wäre ein solches schmales Buch nicht schlecht, die Aufsätze haben ihre Frische bewahrt, es könnten Zeichnungen dabei sein, und ein Titel wie ›Straßen im alten Europa‹ wäre vielleicht eine Lockung.«[21] Doch die Bemühungen, einen deutschsprachigen Verlag zu finden, blieben zunächst vergeblich. Enttäuscht berichtete Kracauer 1957 von seinen Verhandlungen mit Rowohlt: »er lehnte zuletzt gerade die drei Dinge ab, an denen mir besonders viel lag – die *Angestellten*, meinen *Ginster* und meine *Frankfurter Zeitung* Aufsätze.«[22] Erst das

19 Adorno, Kracauer, *Briefwechsel*, S. 232 (Brief von Kracauer an Adorno vom 22. Juli 1930).

20 Ebd., S. 241 (Brief von Kracauer an Adorno vom 1. August 1930).

21 Ebd., S. 449 (Brief von Kracauer an Adorno vom 1. Oktober 1950).

22 *In steter Freundschaft*. Leo Löwenthal-Siegfried Kracauer. Briefwechsel 1921-1966. Hrsg. von Peter-Erwin Jansen und Christian Schmidt. Mit einer Einleitung

Erscheinen der Bände *Das Ornament der Masse* (1963) und *Straßen in Berlin und anderswo* (1964) läutete die Wiederentdeckung des Weimarer Essayisten, Kritikers und Feuilletonisten ein (siehe auch Abb. 4). In einer breiteren Auswahl wurden seine Zeitungs- und Zeitschriftenartikel 1990 in Band 5 der alten *Schriften*-Ausgabe veröffentlicht. Ergänzend erschienen 1997, von Andreas Volk herausgegeben, zwei Bände mit ausgewählten Feuilletons der Frankfurter und Berliner Zeit.[23]
Ein halbes Jahrhundert nach der Veröffentlichung der von ihm selbst zusammengestellten Sammlungen kann sich eine Kracauer-Ausgabe nicht vorrangig daran orientieren, ob seine Aufsätze »ihre alte Schlagkraft« bewahrt haben. Im Rahmen der *Werke* geht es auch um Dokumentation und Überlieferung. Die Einzelbände *Ornament* und *Straßen* bleiben weiterhin erhältlich. Innerhalb der *Werke* aber ist ihr Text-Bestand in die Chronologie überführt worden, in der Kracauers journalistische Texte angeordnet werden. Weil sie ein in dieser Form einzigartiges Archiv der Filmgeschichte darstellen, wurde bei der Edition seiner Aufsätze zum Film Vollständigkeit angestrebt. So enthält Band 6 alle bislang bekannten *Kleinen Schriften zum Film* – mit Ausnahme einiger Artikel, die systematisch und zeitlich in den Kontext von Band 2.2 gehören und dort ediert werden. Was die anderen Teile seines journalistischen Œuvre angeht, erschien es nicht sinnvoll, sie in toto wieder abzudrucken. Zu breiten Raum nimmt in der ersten Hälfte der zwanziger Jahre die Lokalberichterstattung ein, zu zahlreich sind die Kurzanzeigen und die Artikel mit rein referierendem Charakter, zu häufig gibt es thematische Wiederholungen und Überschneidungen. Für die *Essays, Feuilletons und Rezensionen* galt es daher, eine Auswahl zu treffen. Der vorliegende Band enthält zunächst alle bislang bekannten Aufsätze, die Kracauer vor 1921 publizierte – einschließlich der Essays, die aus zu Lebzeiten unveröffentlichten, zum Großteil in Band 9 der *Werke* edierten Abhandlungen (vgl. Nr. 5, 7, 10, 12) bzw. aus *Soziologie als Wissenschaft* (*Werke*, Bd. 1, vgl. Nr. 12) stammen. Die Artikel, die Kracauer von

von Martin Jay. Springe: zu Klampen 2003, S. 197 (Brief von Kracauer an Löwenthal vom 29. September 1957).

23 *Frankfurter Turmhäuser.* Ausgewählte Feuilletons 1906-1930. Hrsg. von Andreas Volk. Zürich: Edition Epoca 1997; *Berliner Nebeneinander.* Ausgewählte Feuilletons 1930-1933. Hrsg. von Andreas Volk. Zürich: Edition Epoca 1997.

1921 bis 1924 als fester Mitarbeiter der FZ veröffentlichte, werden in einer Auswahl abgedruckt, die sich – abgesehen von der Selbstverständlichkeit, alle in *Ornament* und *Straßen* veröffentlichten Texte aufzunehmen – an zwei leitenden Gesichtspunkten orientiert. Zum einen will der Band das ganze Spektrum seiner Aufgaben und Interessen, die Schwerpunkte seiner Berichterstattung sowie die lokalen bzw. regionalen Milieus repräsentieren, in denen er sich bewegte, wobei auch die Zeitschriften zu berücksichtigen waren, in denen er anfangs außerhalb der FZ mitarbeitete; zum anderen soll seine theoretische, politische und schriftstellerische Entwicklung dokumentiert und nachvollziehbar gemacht werden. Sehr viel umfassender ist die Auswahl bei den Aufsätzen, die Kracauer – nach seiner Beförderung zum Vollredakteur und der weitgehenden Entlastung von der Lokalberichterstattung – von 1925 bis 1927 veröffentlichte. Um es in Zahlen anzugeben: Von der für die *Essays, Feuilletons und Rezensionen* relevanten – d. h. weder in Band 6 noch im Umkreis der *Romane und Erzählungen* von Band 7 wieder abgedruckten – Produktion des Jahres 1925 wurden elf Berichte im Stadt-Blatt der FZ nicht berücksichtigt,[24] ferner sechs Meldungen über den Angerstein-Prozeß, die in Kracauers zusammenfassenden Aufsatz über den Fall eingingen (vgl. Nr. 247);[25] zwölf Artikel aus dem Jahr 1926 wurden nicht aufgenommen,[26] sechs aus dem Jahr 1927 – darunter vier Meldungen

24 Es handelt sich um die Aufsätze: »Zur Frage der Stadtbauratswahl«. In: FZ vom 4. 1. 1925, Stadt-Blatt; »Ein Schwanheimer Buchdrucker«. In: FZ vom 9. 1. 1925, Stadt-Blatt; »Hans Thoma-Ehrung«. In: FZ vom 11. 1. 1925, Stadt-Blatt; »Frankfurter Lehrverein«. In: FZ vom 4. 2. 1925, Stadt-Blatt; »Die Erweiterung des Opernhauses«. In: FZ vom 7. 2. 1925, Stadt-Blatt; »Der Neubau der Deutschen Bank«. In: FZ vom 13. 2. 1925, Stadt-Blatt; »Das antike Alexandria«. In: FZ vom 14. 2. 1925, Stadt-Blatt; »Kunstpädagogische Woche«. In: FZ vom 5. 3. 1925; »Die Akademie der Arbeit«. In: FZ vom 27. 6. 1925, Stadt-Blatt; »Gesellschaft der Freunde der Frankfurter Stadtbibliothek«. In: FZ vom 17. 11. 1925, Stadt-Blatt; »Hans Driesch über Leben, Tod und Unsterblichkeit«. In: FZ vom 15. 12. 1925, Stadt-Blatt.

25 Zu den nicht abgedruckten Meldungen über den Prozeß siehe Nr. 247, Anm. 1.

26 »[Kleine Mitteilungen]«. In: FZ vom 29. 1. 1926, Nr. 77; »Positano«. In: FZ vom 7. 2. 1926, Nr. 101, Literaturblatt Nr. 6; »Die neue Musikgesinnung«. In: FZ vom 10. 2. 1926, Nr. 109; »Michelangelo als Architekt«. In: FZ vom 12. 2. 1926, Stadt-Blatt; »Kalender und Almanache«. In: FZ vom 23. 2. 1926, Stadt-Blatt; »Die Entwicklung der Kalender und Almanache«. In: FZ vom 23. 3. 1926, Stadt-Blatt; »Wir zeigen an«. In: FZ vom 25. 4. 1926, Nr. 305, Literaturblatt Nr. 17; »Weltbund für

vom Basler Zionistenkongreß, über den Kracauer drei weitere, hier wieder abgedruckte Aufsätze publizierte (vgl. Nr. 372, 373 und 376),[27] drei aus dem Jahr 1928.[28] Ab 1929 wurde auch bei den *Essays, Feuilletons und Rezensionen* Vollständigkeit angestrebt. Abgesehen von Dubletten und Vor- bzw. Nachabdrucken sowie einer Rezension[29] und dem Aufsatz zur Methode qualitativer Inhaltsanalyse,[30] die beide in Band 2.2 veröffentlicht werden, enthält der vorliegende Band alle bislang bekannten, nicht auf den Film bezogenen Aufsätze, die Kracauer von diesem Zeitpunkt an publizierte.

Ob die Edition des Bandes tatsächlich auf der Basis aller veröffentlichten Texte erfolgte, ist – ähnlich wie bei den Film-Aufsätzen in Band 6 – ungewiß und wird sich möglicherweise nie definitiv klären lassen. Dies gilt insbesondere für Aufsätze nach 1933, die anonym oder pseudonym erschienen, aber es gilt auch für die Weimarer Zeit. In seinen ersten erhaltenen Briefen an Leo Löwenthal erwähnt Kracauer mehrfach ein offenbar umfangreicheres Essay-Manuskript »Amrum«, das nicht auffindbar war.[31] Einige in der Bibliographie von Thomas Y. Le-

Freundschaftsarbeit der Kirchen«. In: FZ vom 28. 4. 1926, Nr. 311; »Weltbund für Freundschaftsarbeit der Kirchen«. In: FZ vom 29. 4. 1926, Nr. 314; »Lindenfels«. In: FT vom 6. 6. 1926, Nr. 414, Bäder-Blatt; »Der Vorabend des Brückenfestes«. In: FZ vom 15. 8. 1926, Nr. 604; »Ein Dreiweltenpilger«. In: FZ vom 22. 12. 1926, Nr. 952.

27 Die nicht abgedruckten Berichte über den Zionistenkongreß werden in Nr. 372, Anm. 14, angeführt. Nicht aufgenommen wurden aus dem Jahr 1927 ferner: »Die Pestalozzi-Gedenkfeier in Frankfurt«. In: FZ vom 18. 2. 1927, Nr. 128; [Ohne Titel]. In: FZ vom 14. 8. 1927, Nr. 600, Literaturblatt Nr. 33.

28 »Trauerfeier für Max Scheler«. In: FZ vom 23. 5. 1928, Nr. 381 (siehe Kracauers am Vortag erschienenen Nachruf, Nr. 398); [Ohne Titel]. In: FZ vom 16. 12. 1928, Nr. 940, Literaturblatt Nr. 51; [Ohne Titel]. In: FZ vom 16. 12. 1928, Literaturblatt Nr. 51.

29 »How and Why the Public Responds to the Propagandist«. In: *New York Times Book Review* Jg. 53, Nr. 27 vom 4. 7. 1948, S. 3.

30 »The Challenge of Qualitative Content Analysis«. In: *Public Opinion Quarterly* Jg. 16, Nr. 4 (Winter 1952/53); u. d. T. »Für eine qualititative Inhaltsanalyse« in der Übersetzung von Karsten Witte in: *Ästhetik und Kommunikation* Jg. 3 (1972), S. 49 f.; wieder in: *Schriften 5.3*, S. 338-351.

31 Vgl. *In steter Freundschaft*. Leo Löwenthal-Siegfried Kracauer. Briefwechsel, S. 23 (Brief von Kracauer an Löwenthal vom 2. Oktober 1921), S. 26 (Brief an Löwenthal vom 16. Oktober 1921) und S. 28 (Brief an Löwenthal vom 17. November

vin[32] nicht angeführte Artikel wurden von Levin[33] und Volk nachrecherchiert, andere konnten bei der Edition der *Werke* ermittelt werden. Angesichts seines Umfangs und seiner Verzweigungen ist aber nicht auszuschließen, daß Kracauers publizistisches Œuvre weitere, bislang unbekannte Aufsätze umfaßt.
Neben den veröffentlichten Texten umfassen die *Essays, Feuilletons und Rezensionen* auch zu Lebzeiten Unveröffentlichtes: die im Nachlaß erhaltenen Fahnenabzüge von Aufsätzen, die gesetzt, aber vermutlich nicht publiziert wurden, sowie die durchformulierten bzw. druckfertigen Typoskripte von Feuilletons und Rezensionen. Typoskripte, deren Veröffentlichung nicht erfolgte bzw. bislang nicht nachgewiesen werden konnte, sind als selbständige Texte abgedruckt. Typoskripte zu veröffentlichten Texten wurden, sofern vorhanden, mit diesen verglichen; im Fall von Abweichungen wird der Wortlaut des Typoskripts angemerkt.
Die Texte sind nach ihrem Erscheinungsdatum chronologisch angeordnet. Zeitschriften-Aufsätze ohne Tagesdatum sind am Ende des jeweiligen Monats, Halbjahres bzw. Jahres eingereiht, undatierte Texte aus dem Nachlaß am Ende ihres nachweisbaren oder mutmaßlichen Entstehungsjahrs. Von Februar 1930 an folgt der Nachweis der FZ-Artikel der neu eingerichteten Reichsausgabe der Zeitung, in der die drei Ausgaben der Regionalausgabe in einer zusammengefaßt waren und die häufig das Datum des Folgetags trägt. Bei mehrfach veröffentlichten Texten wird der Erstdruck zugrunde gelegt. Dies gilt auch für die Aufsätze aus *Ornament* und *Straßen*. Hier, wie in allen anderen Fällen, werden Abweichungen zwischen Erstdruck und Wiederabdruck angemerkt. Korrekturen, die Kracauer im Textexemplar der Klebemappen vornahm, wurden übernommen und angemerkt. Alle fremdsprachigen Texte sind

1921). Kracauer gab das Manuskript Löwenthal zu lesen, drängte dann auf Rückgabe, weil es das (handgeschriebene) »Original« war, von dem er keine Kopie hatte und ließ sich von Löwenthal, der sich im Sanatorium im Schwarzwald aufhielt, schließlich sogar den Schlüssel zu seiner Frankfurter Wohnung schicken, um es wieder an sich zu bringen.

32 Thomas Y. Levin, *Siegfried Kracauer. Eine Bibliographie seiner Schriften*. Deutsche Schillergesellschaft: Marbach am Neckar 1989.

33 Thomas Y. Levin, »Neue Kracauer-Texte: eine bibliographische Meldung«. In: *Jahrbuch der Deutschen Schillergesellschaft* 55 (1991), S. 460-462.

in Übersetzung wiedergegeben. Bei den Publikationen der französischen Exilzeit konnte in der Regel auf deutschsprachige Originalfassungen im Nachlaß zurückgegriffen werden. Andernfalls sind die Übersetzer, sofern bekannt, im Quellenverzeichnis angegeben.
Stillschweigende Eingriffe gab es bei offenkundigen Fehlern in Orthographie und Interpunktion, bei der Vereinheitlichung der Zeichensetzung im Titel und der Hervorhebungen im Text, bei über den Text gesetzten Orts- und Monatsangaben sowie bei bibliographischen Angaben zu Rezensionen. Die FZ hat bei kurzen Berichten die Textüberschrift gelegentlich in spitze Klammern gesetzt; diese wurden ebenso getilgt wie die üblichen Punkte nach Titeln und Untertiteln. Titelergänzungen der Herausgeberin stehen, wie alle anderen Zusätze und Korrekturen, in eckigen Klammern. Sperrungen und Kursivierungen im Originaltext sind durchgängig kursiv gesetzt, wobei die etwas unregelmäßige Praxis der FZ im Fall von Namen vereinheitlicht wurde. Orts- und Monatsangaben über den Texten wurden nicht übernommen. Buchtitel sind im fortlaufenden Text grundsätzlich kursiv und in Anführungszeichen gesetzt, Aufsatztitel in Anführungszeichen, Filmtitel in Kapitälchen, Zeitschriften- und Zeitungstitel kursiv. Die bibliographischen Angaben zu den rezensierten Büchern, die in der FZ im fortlaufenden Text erschienen, wurden aus dem Texten herausgenommen, ergänzt und einheitlich den Rezensionen vorangestellt. Anmerkungen im Original werden als Fußnoten am Seitenende wiedergeben, Anmerkungen der Herausgeberin jeweils am Ende des Artikels.
Die Kommentierung der Texte erforderte aufwendige und schwierige Recherchen, die ohne die Unterstützung zahlreicher Personen und Institutionen nicht möglich gewesen wären. An erster Stelle ist einmal mehr dem Deutschen Literaturarchiv (Marbach am Neckar) zu danken, namentlich Hildegard Dieke, Heidrun Fink und Thomas Kemme von der Handschriften-Abteilung. Großen Dank schulden Herausgeberin und Mitarbeiterinnen auch Gerhard Hommer, der weit über sein Hilfskraft-Pensum an dem Band mitgewirkt hat, sowie Claudio Gutteck, Florian Schneider (Konstanz) und Mirjam Wenzel (Jüdisches Museum, Berlin). Das Zentralarchiv der Frankfurter Societäts-Druckerei und Hans Peter Dietrich waren freundlicher Weise bei der Zeitungsrecherche behilflich, das Institut für Stadtgeschichte (Frankfurt a. M.) und das

Stadtarchiv Bad Nauheim bei Fragen zur Stadt- und Regionalgeschichte. Ein eigenes Kapitel sind die Angaben zu Kabarett und Varieté, zu Zirkus und Akrobatik, die ohne die Unterstützung von Matthias Thiel (Deutsches Kabarettarchiv, Mainz), Dietmar Winkler (Zirkusarchiv, Berlin), Julius Markschiess van Trix (documenta artistica, Stiftung Stadtmuseum Berlin), Gunnar Gstettenbauer (Pforzheim) sowie dem Circus-, Varieté- und Artistenarchiv (Marburg) nicht hätten ermittelt werden können. Dank für Auskünfte geht auch an das Harnack-Haus (Berlin), Paul Alfred-Kesseler (Krefeld), Michael Lenarz (Jüdisches Museum, Frankfurt a. M.) und Boris Schafgans (Bonn). Marietta Alcalá, Oliver Grill und Patrick Will haben freundlicher Weise bei Transkriptionen und Korrekturvorgängen geholfen. Für ihren großen Einsatz, kompetenten Rat und Humor sei schließlich Eva Gilmer, der Lektorin des Suhrkamp Verlags, herzlich gedankt.

# Verzeichnis der Siglen und Kurztitel

| | |
|---|---|
| FZ | Frankfurter Zeitung |
| GSG | Georg Simmel, Gesamtausgabe. Hrsg. von Otthein Rammstedt. Frankfurt a.M.: Suhrkamp 1989ff. |
| KN | Kracauer Nachlaß, Deutsches Literaturarchiv, Marbach am Neckar. |
| Klebemappen | 12 im Nachlaß erhaltene, chronologisch geordnete Mappen mit beschrifteten und z.T. korrigierten Zeitungsausschnitten, die Kracauers Publikationen in der Frankfurter Zeitung von 1921 bis 1924 und 1926 bis 1933 (relativ vollständig) umfassen. |
| NA | Friedrich von Schiller, Schillers Werke. Nationalausgabe. Historisch-kritische Ausgabe. Begr. von Julius Petersen, fortgeführt von Lieselotte Blumenthal, Benno von Wiese und Siegfried Seidel. Hrsg. von Norbert Oellers. Weimar: H. Böhlaus Nachfolger 1940ff. |
| *Ornament* | Siegfried Kracauer, Das Ornament der Masse. Essays. 2. Aufl. Mit einem Nachwort von Karsten Witte. Frankfurt a.M.: Suhrkamp 1977. |
| *Straßen* | Siegfried Kracauer, Straßen in Berlin und anderswo. Frankfurt a.M.: Suhrkamp 1964. |
| *Schriften 4* | Siegfried Kracauer, Schriften. Bd. 4: Geschichte – Vor den letzten Dingen. Hrsg. von Karsten Witte. Frankfurt a.M.: Suhrkamp 1971. |
| *Schriften 5* | Siegfried Kracauer, Schriften. Bd. 5: Aufsätze. Hrsg. von Inka Mülder-Bach. Frankfurt a.M.: Suhrkamp 1990. |
| WA | Goethes Werke. Hrsg. im Auftrag der Großherzogin Sophie von Sachsen. IV Abteilungen, 143 Bde. Weimar 1887-1919 [Weimarer Ausgabe oder Sophien-Ausgabe]. |
| *Werke* | Siegfried Kracauer, Werke. Bd. 1-9. Hrsg. von Inka Mülder-Bach und Ingrid Belke. Frankfurt a.M.: Suhrkamp 2004ff.<br>Bd. 1: Soziologie als Wissenschaft. Der Detektiv-Roman. Die Angestellten. Hrsg. von Inka Mülder-Bach. |

Bd. 2.1: Von Caligari zu Hitler. Eine psychologische Geschichte des deutschen Films. Hrsg. von Sabine Biebl.
Bd. 2.2: Studien zu Massenmedien und Propaganda. Hrsg. von Christian Fleck und Bernd Stiegler.
Bd. 3: Theorie des Films. Die Errettung der äußeren Wirklichkeit. Mit einem Anhang »Marseiller Entwurf« zu einer Theorie des Films. Hrsg. von Inka Mülder-Bach.
Bd. 4: Geschichte – Vor den letzten Dingen. Hrsg. von Ingrid Belke.
Bd. 5: Essays, Feuilletons und Rezensionen. Hrsg. von Inka Mülder-Bach.
Bd. 6: Kleine Schriften zum Film. Hrsg. von Inka Mülder-Bach.
Bd. 7: Romane und Erzählungen. Hrsg. von Inka Mülder-Bach.
Bd. 8: Jacques Offenbach und das Paris seiner Zeit. Hrsg. von Ingrid Belke.
Bd. 9: Frühe Schriften aus dem Nachlaß. Hrsg. von Ingrid Belke.

# Verzeichnis der Faksimiles und Nachweise

1. Presseausweis der Frankfurter Zeitung (1933)
   Kracauer Nachlaß, Deutsches Literaturarchiv, Marbach a. N.

2. Seite 11 der Klebemappe des Jahres 1930
   Kracauer Nachlaß, Deutsches Literaturarchiv, Marbach a. N.

3. Inhaltsübersicht zu dem geplanten »Straßen-Buch« von 1933
   Kracauer Nachlaß, Deutsches Literaturarchiv, Marbach a. N.

4. Inhaltsentwurf zu einem Essayband (1962)
   Kracauer Nachlaß, Deutsches Literaturarchiv, Marbach a. N.

# Namenregister

# Gesamtinhaltsübersicht

## Band 5.1



## Band 5.2



## Band 5.3



## Band 5.4

## Anhang